« *Qui ostera aux muses les imaginations amoureuses,
leur desrobera le plus bel entretien qu'elles ayent et
la plus noble matiere de leur ouvrage ; et qui fera
perdre à l'amour la communication et service de la
poesie, l'affolbliru de ses meilleures armes...* »

MONTAIGNE.

Gisèle MATHIEU - CASTELLANI

LES THÈMES AMOUREUX
DANS
LA POÉSIE FRANÇAISE

1570-1600

KLINCKSIECK
1975

34. Paul VERNOIS, *La dynamique théâtrale d'Eugène Ionesco* (1972).

35. S. KEVORKIAN, *Le thème de l'Amour dans l'œuvre romanesque de Gomberville* (1972).

36. Paul VIALLANEIX, *Le hors-venu ou le personnage poétique de Supervielle* (1972).

37. Henri LAGRAVE, *Le théâtre et le public à Paris de 1715 à 1750* (1972).

38. Georges MATORÉ et Irène MECZ, *Musique et structure romanesque dans « La recherche du temps perdu »* (1972).

39. Jacques LE BRUN, *La spiritualité de Bossuet* (1972).

40. Arthur SIMON, *Gaston Baty, théoricien du théâtre* (1972).

41. B. VANNIER, *L'inscription du corps* (1973).

42. R. WHITE, *L'« Avenir » de Lamenais* (1973).

43. J.-P. LACASSAGNE, *Histoire d'une amitié, Correspondance inédite entre Pierre Leroux et George Sand* (1836-1866) (1973).

44. J.-B. BARRÈRE, *La fantaisie de Victor Hugo*, t. I (1973).

45. J.-B. BARRÈRE, *La fantaisie de Victor Hugo*, t. 3 (1973).

46. J.-P. CAUVIN, *Henri Bosco et la poétique du sacré* (1974).

47. Jean BIÈS, *Littérature française et pensée hindoue des origines à 1950* (1974).

48. *Approches des Lumières*, Mélanges offerts à Jean Fabre (1974).

49. Robert BESSÈDE, *La crise de la conscience catholique dans la littérature et la pensée française à la fin du 19ᵉ siècle* (1975).

50. Henri GIORDAN, *Paul Claudel en Italie* (1975).

Les numéros 3, 4, 8, 9, 10, 13, 21 et 29 sont en réimpression.

ISBN 2.252.01794-5
© Gisèle Mathieu, 1975

AVANT-PROPOS

Après l'éclosion des chefs-d'œuvre de la Pléiade, et avant le renouveau poétique des premières années du XVIIᵉ s., le dernier tiers du XVIᵉ s. semble n'être qu'une période de transition, longtemps négligée par les historiens de la littérature et les critiques. Aujourd'hui, il est vrai, cet oubli, ce mépris, sont corrigés, et depuis une trentaine d'années, des travaux de qualité nous ont permis de découvrir certaines richesses longtemps insoupçonnées : pour ne donner ici que deux exemples, le théâtre des dernières années du siècle a trouvé avec R. Lebègue, dès 1929, son héraut, et les études de J. Rousset ont apporté des lumières au « théâtre macabre » du dernier tiers du XVIᵉ s. et des premières années du XVIIᵉ s. ; le lyrisme religieux, d'autre part, a fait l'objet de travaux importants, qui ont révélé la sombre splendeur de Sponde, de Chassignet, de la Ceppède, d'Aubigné... Mais, peut-être à cause de l'éclat même de ces diverses études, qui ont sorti de l'ombre poésie religieuse et théâtre, la poésie amoureuse a continué à demeurer mal connue ou méprisée. Mal connue : après Ronsard, seuls quelques poètes (Desportes, A. d'Aubigné...) ont fait l'objet d'études précises ; de récentes Anthologies ont bien mis en lumière quelques noms, mais, outre les risques inhérents à toute entreprise de ce genre, qui, par définition, « cueille » les plus belles fleurs et interdit une véritable comparaison, les diverses anthologies de la poésie « baroque » ont choisi des limites trop vastes (1550-1650) pour que le lecteur ait une idée précise de l'histoire littéraire de la fin du siècle, qui mérite une étude attentive. Cette remarque ne vise pas à diminuer l'importance et l'intérêt de ces anthologies, mais seulement à indiquer les raisons pour lesquelles le lyrisme amoureux n'a pas, pour le moment, acquis le lustre qu'il mérite.

Poésie méprisée : nous avons du mal à nous débarrasser d'un certain nombre de préjugés littéraires ; la légèreté, le dédain avec lesquels nous parlons du néo-pétrarquisme, trop longtemps synonyme de complication, de « mauvais » goût, d'outrance, ont pesé très lourd. La préciosité, confondue de façon abusive avec le pétrarquisme ou le néo-pétrarquisme, est trop souvent encore l'objet d'un mépris et d'une méprise. La préciosité néo-pétrarquiste rebute, on ne sait trop pourquoi, et décourage la lecture. Héritiers d'un certain classicisme, nous voilà prisonniers de goûts et de préjugés dont, souvent, nous n'avons pas une claire conscience, et qui nous interdisent de jeter sur les textes de la fin du XVIᵉ s. un regard naïf.

Nous voudrions d'abord tout simplement attirer l'attention sur la richesse foisonnante, sur l'étonnante variété de la poésie amoureuse après Ronsard, faire sortir de l'ombre les noms de Godard, de Virbluneau, de Bernier de la Brousse, de Beaujeu, donner à Nuysement, à Béroalde, une seconde chance. Notre étude se présentera donc comme une anthologie méthodique dans laquelle les textes, largement cités, apparaîtront groupés par thèmes — ce qui est un découpage arbitraire, certes, mais commode pour faire apparaître ressemblances et différence.

Peut-être aussi cette analyse de thèmes et de motifs permettra-t-elle de compléter, de préciser, ou, parfois, de corriger, les études déjà parues sur le baroque littéraire français. Il nous a paru utile d'examiner de près, non plus une vaste période, et des genres aussi divers que le théâtre, la pastorale, le roman, etc., mais une période très limitée — 1570-1600 — vue à travers la seule poésie amoureuse.

Cette restriction apportée au champ de vision permet de mettre en relief deux faits : d'abord, l'étude de la poésie amoureuse durant les trente dernières années du XVIe s. montre que la naissance, en France, du phénomène baroque se situe autour de 1570, et son développement entre 1580 et 1590. Après ces dates, d'autres courants apparaissent, qui brisent l'essor du baroque et le font avorter (le « réalisme » amoureux, qui s'annonce comme une réaction au néo-pétrarquisme, n'est plus baroque : il a précipité son rapide déclin).

Ensuite, cette étude fait apparaître les origines littéraires du baroque : en France, le baroquisme est fils du néo-pétrarquisme « noir », celui-là même qui donne à certains poèmes de Jodelle ou de Jamyn leur fulgurante beauté, convulsive et ténébreuse. Il nous a paru important de mettre en lumière, textes à l'appui, cette secrète parenté entre néo-pétrarquisme et baroque, cette transmutation qui, à partir de schémas et de figures néo-pétrarquistes, aboutit à l'explosion du phénomène baroque : chez A. d'Aubigné, Birague, Béroalde, Nuysement, on assiste à la naissance du baroque, qui apparaît comme la fine pointe et l'aboutissement des formes néo-pétrarquistes. En revanche, les thèmes de l'inconstance blanche, de l'inconstance heureuse et, de façon générale, les thèmes du « réalisme amoureux », ne sont plus à proprement parler des thèmes baroques, dans la mesure où, évacuant le tragique, ils marquent un effort pour faire table rase du passé et de la tradition pétrarquistes, et annoncent l'arrivée d'un nouveau lyrisme, dont Théophile, Tristan, Saint-Amant seront les chantres heureux.

Le lyrisme baroque, tel que nous le définirons, ne peut s'épanouir que dans un climat rouge et noir, au sein des ténèbres et de l'insécurité, dans un monde où la transcendance fait peser sur l'homme sa menace et ses promesses, un monde du désespoir où l'espoir survit toujours, parce que l'homme ne renonce pas à sortir de l'impasse tragique.

Nous espérons ainsi contribuer à corriger l'opinion assez couramment admise depuis les travaux d'Allais, selon laquelle la poésie amoureuse végèterait durant les guerres civiles. A l'heure où Sponde et A. d'Aubigné sortent enfin de l'oubli, il est juste de ne pas oublier leurs contemporains : si S.G. de la Roque, ou du Mas, ou Bernier de la

Brousse... trouvaient de nouveaux lecteurs, ce travail ne serait peut-être pas tout à fait inutile. Il conviendrait alors de se soucier d'offrir de leurs œuvres des éditions accessibles.

Nous devons dire notre dette à l'égard de M. Raymond : ses ouvrages sur l'*Influence de Ronsard* et sur *Baroque et Renaissance,* auxquels plus d'une fois nous renvoyons, ont été notre point de départ, et notre modèle.

Il nous est particulièrement agréable d'exprimer à M. Saulnier notre reconnaissance : non seulement M. Saulnier a accepté l'idée de ce travail au moment où elle était encore bien vague et incertaine, mais encore il a su diriger, avec beaucoup de bienveillance, nos premiers tâtonnements, orienter nos recherches, et, souvent, apaiser les inquiétudes et les découragements — inévitables au cours d'une route bien longue. C'est grâce à son soutien, qui jamais ne nous a manqué, que nous avons pu poursuivre un travail qui, sans lui, n'eût certainement pas été mené jusqu'à son terme.

Pour avoir lu le texte dans ses états sucessifs, pour n'avoir ménagé ni son temps, ni ses précieux conseils, pour nous avoir toujours accordé, avec une grande amabilité, de longs entretiens où sa patience ne s'est jamais usée, pour avoir, enfin, toujours compris nos difficultés, et s'être efforcé de les résoudre, avec une autorité et une compétence inégalables, M. Saulnier a droit à notre gratitude.

Qu'il soit chaleureusement remercié, et qu'il veuille bien nous permettre de dire, avec beaucoup de maladresse, tout ce que ce livre lui doit : il lui appartient.

INTRODUCTION

1 - La poésie amoureuse de 1550 à 1570

Pour situer la poésie amoureuse en France, en 1570, par rapport à l'ensemble de la production poétique de l'époque, il convient de noter que plusieurs courants issus de la Pléiade sont vivants et bien représentés.

D'abord, la poésie bucolique : Pibrac, Guide, Gauchet, s'inscrivent dans la tradition de la poésie rustique, et continuent à transposer en français Virgile, Théocrite, ou Naugerius[1]. Binet et Habert, poètes ronsardiens, sont encore sensibles aux charmes du monde naturel, odorant, concret, plus proche du paysage printanier, éclatant et harmonieux, de Ronsard, que de la campagne abstraite, décolorée et figée de Desportes.

D'autre part, la poésie satirique, avec Passerat, J. de la Taille, Rapin, trouve dans les « misères de ce temps » de quoi alimenter sa verve. Après 1560, on assiste à une « épaisse floraison de poésie militante »[2] dont le courant ne s'épuise pas dans le dernier tiers du siècle[3].

Enfin, c'est la renaissance de la poésie « grave » : un courant poétique purement religieux se développe librement, à l'imitation de la poésie italienne. Il est représenté en France par du Bartas, mais aussi G. Le Fèvre de la Boderie, J. de Billy, Anne des Marquets, d'autres encore. D'un autre côté, la poésie « scientifique » et philosophique : du Monin, R. Bretonnayau, J. Du Chesne de la Violette, Ch. de Gamon[4].

La poésie, en 1570, se porte bien.

---

1. Voir sur ce point la thèse de M. Raymond, *L'influence de Ronsard sur la poésie française*, 2ᵉ éd. en un vol., Genève, Droz, 1965 (1ʳᵉ éd. 1927), pp. 219-225.

2. *Ibid.*, p. 239.

3. Voir à ce propos M. Lenient, *La satire en France et la poésie militante*, Hachette, 1877 ; J. Vianey, *M. Regnier*, Paris, Hachette, 1896 ; F. Fleuret et L. Perceau, *Satires françaises du XVIᵉ s.*, Paris, Garnier, 1922 ; O. Rossettini, *Les influences anciennes et italiennes sur la satire en France au XVIᵉ s.*, S.I. Institut français de Florence, 1958.

4. Voir en part. la thèse d'A.-M. Schmidt, *La poésie scientifique en France au XVIᵉ s.*, Albin-Michel, 1938.

A - *La poésie amoureuse en 1550 :*
conflit entre une tradition et une société.

La poésie amoureuse donne de la femme, au milieu du XVIᵉ s., une image qui reflète plus une tradition littéraire qu'une réalité historique et sociale.

En effet, au cours de la première moitié du siècle, on assiste à une véritable « promotion de la femme »[5]. La femme en Europe commence à accéder au monde des hommes. Non certes qu'elle soit considérée comme l'égale de l'homme, ni qu'elle joue un rôle réel dans la société : mais enfin, la femme, ou tout au moins un certain nombre de femmes appartenant à une élite sociale et intellectuelle, qu'elles soient épouses d'imprimeurs célèbres, comme Perrette Bade, ou dames de l'aristocratie, accèdent, partiellement, au monde de la culture humaniste. Déjà Rabelais notait dans son *Pantagruel* que « il n'est pas que les femmes et filles qui ne ayent aspiré à ceste louange et à ceste manne céleste de bonne doctrine »[6]. La réhabilitation de la femme, dit plaisamment J. Delumeau, s'est opérée à partir du moment où on a eu « le temps de converser »[7], et Brantôme montre clairement que la promotion de la femme est due, pour une part, au développement de la vie de cour : « Le roy François, considérant que toute la décoration d'une cour estoit des dames, l'en voulut peupler plus que de coustume ancienne. Comme de vray, une cour sans dames, c'est un jardin sans aucunes belles fleurs... »[8]. Au XVIᵉ s., le rêve d'égalité devant la culture — facteur de promotion sociale, d'intégration — se trouve partiellement réalisé. Les femmes — un certain nombre d'entre elles — reçoivent une éducation solide, telle Marguerite, « corps féminin, cœur d'homme et tête d'ange » au témoignage de Marot. Il semble que l'on ait entendu les plaintes de Christine de Pisan au XVᵉ s. : « Si la coustume estoit de mettre les petites filles à l'escole, et que communément on les fist apprendre les sciences comme on faist aux fils, elles apprendroient aussi parfaictement les subtilitez de toutes les artz et sciences comme ils font »[9]. Pensons enfin au témoignage que donne Montaigne, jetant sur son siècle un coup d'œil sans bienveillance : « (les savants) en ont en ce temps entonné si fort les cabinets et les oreilles des dames que, si elles n'en ont retenu la substance, au moins elles en ont la mine ; à toute sorte de propos et matière, pour basse et populaire qu'elle soit, elles se servent d'une façon de parler et d'escrire nouvelle et sçavante, et allèguent Platon et S. Thomas... La doctrine qui ne leur a peu arriver en l'ame, leur est demeurée en la langue... »[10]. Témoignage malveillant, mais qui souligne l'émoi de certains humanistes devant l'audace de la femme qui prétend les égaler. Tous ces

---

5. J. Burckhardt, *La civilisation de la Renaissance en Italie*, coll. *Médiations*, Gonthier, 1964, t. II, chap. VI, p. 89-93.

6. *Pantagruel*, éd. V.-L. Saulnier, Droz, 1946, chap. VIII, p. 45.

7. J. Delumeau, *La civilisation de la Renaissance*, coll. *Les Grandes Civilisations*, Arthaud, 1967, chap. XIII, *Les femmes et l'humanisme*, p. 437.

8. Brantôme, *Vie des dames galantes*, cit. par Delumeau, *op. cit.*, p. 437.

9. Ch. de Pisan, cit. par Delumeau, *op. cit.*, p. 435.

10. Montaigne, *Les Essais*, éd. Villey-Saulnier, PUF, 1965, III, III, p. 822.

exemples ne doivent pas abuser : si l'on souligne que, grâce aux femmes, les manières s'affinent, si l'on constate que la femme acquiert, dans un milieu restreint, prestige et importance nouveaux, il faut bien reconnaître qu'elle n'est pas l'égale de l'homme [11]. Mais enfin, la femme cesse peu à peu d'être la déesse inaccessible, que voyait en elle le Moyen Age, quitte à la traiter comme une sorcière ou le rebut de l'humanité, lorsqu'elle se refusait à ce rôle d'idole sans pouvoir. La vénération apparaît en effet comme la sublimation de sentiments rudes et grossiers dans la réalité [12]. Tantôt ange, tantôt bête, la femme à l'époque de la chevalerie n'avait pas statut d'être humain.

A la Renaissance, s'efface l'image idéale et quasi religieuse de la vierge-enfant. La jeune fille éthérée, mince, pâle et anémique disparaît à la fois de la littérature et de l'art. « Une femme nouvelle, consciente de sa force de femme et des exigences de sa féminité, bien faite de visage et belle de corps, intelligente » [13] naît et réclame une place. La Vénus du Titien est l'image de cette femme « à la personnalité forte et virile » [14]; elle n'est pas porteuse d'un message ésotérique, elle n'est qu'une jeune femme au corps plein, « saine, sensuelle, sans érotisme ni perversité » [15] qui réhabilite la chair et l'amour charnel ; ni déesse, ni démon, ni ange, ni bête : une femme.

Si nous confrontons cette femme nouvelle — dans son milieu : la cour, dans sa société : l'aristocratie — avec l'image que donne d'elle la poésie amoureuse du milieu du siècle, les contradictions éclatent aux yeux.

La poésie amoureuse s'alimente à la tradition courtoise qui donne de l'amour une vision « romanesque ». Tout l'effort des troubadours occitans tend en effet à « une dissociation de l'amour ». Le mythe l'emporte sur la réalité, ou plutôt, l'amour chanté est d'autant plus pur, d'autant plus sublimé, que les mœurs sont plus grossières. Comme le note A. Hoog : « Le cœur mène désormais une vie en soi, indépendamment de la recherche charnelle... *Ce cloisonnement de la vie amoureuse* permet aux plus sensuels des troubadours d'être, en même temps, des mystiques » [16]. Ainsi Bernard de Ventadour :

> « Mon cœur est près d'amour
> Et mon esprit y court.
> Hélas, mon corps demeure ailleurs... » [17]

C'est, en poésie, le règne de la séparation des pouvoirs. En Italie, « l'évolution psychologique et mystique du « dolce stil nuovo » et la

---

11. Voir sur ce point Burckhardt, *op. cit.*, p. 90, et Delumeau, *op. cit.*, p. 435.

12. Havelock Ellis, *Etudes de psychologie sociale, l'Hygiène sociale*, t. I, *La femme dans la société*, Mercure de France, 1929, p. 140.

13. *Ibid.*, p. 144.

14. Burckhardt, *op. cit.*, p. 90.

15. Delumeau, *op. cit.*, p. 428.

16. A. Hoog, *Esquisse d'une mythologie française du cœur*, in *Le Cœur, études carmélitaines*, Desclée de Brouwer, 1950, pp. 193-223. C'est nous qui soulignons.

17. Cit. par Hoog, *op. cit.*, p. 196.

personnalité de Dante et de Pétrarque ont donné à cet amour sa forme définitive ». Béatrice guide « l'amant jusqu'à Dieu, et Laure donne à Pétrarque sensuel et inquiet le rêve et la douceur mélancolique d'un amour idéalisé » [18].

Ainsi, au milieu du XVIᵉ s., la *domna,* la maîtresse exigeante, impitoyable, et l'amant transi, continuent à vivre une vie factice et monotone. Les *Amours* de 1552 de Ronsard portent témoignage de ce décalage entre une société et sa littérature. Ne nous étonnons pas si Cassandre est chantée tantôt selon le mode courtois auquel se conformait Pétrarque, « en amour le grand maître », tantôt comme une jeune femme de son temps, libre, vive et sensuelle ; si Ronsard tantôt n'ose même imaginer qu'elle puisse lui accorder la plus menue faveur, et tantôt célèbre les joies de la possession, et le charme des caresses les plus lascives. N'y cherchons pas les contradictions d'un amant versatile, ici martyr volontaire, là allègrement gaillard, ne mettons pas en cause l'histoire d'une Cassandre réelle qui se donnerait d'abord, pour se refuser une fois mariée, mais plus simplement une opposition entre un cadre littéraire désuet, et une réalité sociale en pleine mutation. Tout se passe comme si Ronsard hésitait entre une conception médiévale de la femme, démon dont l'homme ne se méfie jamais assez, et qui se voit transformée en statue de marbre et d'ivoire pour que soit masquée sa nature profondément corrompue, — et une conception plus moderne et réaliste de la femme, « humaine nature », qui jouit librement de son être. Certes chez lui, la femme reste un objet, mais parfois déjà cet objet s'affirme et revendique le droit d'exister pour soi : ainsi le plus souvent, Ronsard fait de sa maîtresse une idole pompeusement parée, pur spectacle dont s'enchante le « voyeur », mais il arrive aussi qu'il lui accorde l'existence, la liberté des mouvements, même l'initiative de certaines démarches.

La femme apparaît donc, dans la poésie amoureuse, vers 1550, comme une créature anachronique : non seulement l'esthétique féminine [19] n'a guère changé depuis le Moyen Age, mais encore les vices et les vertus sont ceux que lui connaissait le lyrique médiéval. Olive ou Cassandre ne sont pas des femmes réelles, mais des figures stéréotypées de l'éternel féminin, ce mythe qui exprime le mépris et la méfiance que l'homme ressent pour celle qui n'est plus tout à fait animal, mais n'est pas encore un être humain à part entière. On constate une opposition entre cette idéalisation courtoise de l'amour, qui recouvre souvent le mépris le plus ordurier, et le rôle — limité mais réel — que joue la femme dans la société aristocratique.

Dans la poésie amoureuse, en somme, point de place pour l'amour. On pourrait ici objecter que la poésie amoureuse ne s'alimente pas à la seule tradition courtoise, qu'à cet acquis courtois s'ajoute tout un héritage qui vient des érotiques latins, que si le lyrisme courtois imposait stylisation et idéalisation amoureuse, l'érotisme latin, en revanche, apporte

---

18. I. Siciliano, *Villon et les thèmes poétiques du Moyen Age,* A. Colin, 1934, pp. 313-316.

19. Sur l'esthétique féminine et les modifications des canons de la beauté dans la première moitié du XVIᵉ s., voir M. Françon, *L'esthétique de la femme au XVIᵉ s.,* Cambridge, 1939.

une vision plus réaliste de l'amour, réduit à ses gestes. Et il est vrai que les poètes de 1530 et de 1550 ont trouvé dans la familiarité des Elégiaques latins, en même temps que des images naturelles et le goût d'une expression vive, parfois brutale et impudique, une manière de dire l'amour, en mettant l'accent sur le désordre physiologique et mental, sur le bouleversement de l'être tout entier, qu'apporte le désir[20].

Mais ces deux grandes traditions du lyrisme amoureux sont sans doute moins éloignées qu'il ne semble. Il s'agit de deux styles fondés sur des civilisations qui, pour être différentes, n'en ont pas moins en commun ceci : ce sont des civilisations mâles, fondées sur le mépris et l'ignorance du deuxième sexe. Que la femme soit l'objet de vénération sublimée (et le sentiment de l'amour est d'autant plus sublimé qu'il est davantage ravalé au rang d'instinct grossier dans la vie), ou instrument de plaisir, en aucun cas elle n'est considérée autrement que comme un objet docile aux mains de l'homme qui choisit de la souiller ou de la placer sur un piédestal. Marie, en somme, n'est pas mieux traitée que Cassandre. Si à l'une convient davantage le culte idéal, si on réserve pour l'autre les caresses plus libres, l'une et l'autre sont d'abord des prétextes, de belles formes vaines habillées (ou déshabillées) par l'imagination créatrice du poète-Pygmalion.

La peinture réelle de la femme au XVIe s., ce n'est pas dans la poésie qui la prend pour objet qu'il convient de la chercher...

B - *La poésie en 1570.*

La poésie amoureuse, en 1570, subit ce qu'on pourrait appeler une crise. Tandis que Desportes, à son retour d'Italie[21], s'introduit au Louvre et gagne les faveurs du duc d'Anjou, Ronsard sent son empire menacé tout à la fois par l'astre naissant du jeune poète[22] et par l'évolution générale du goût et de la sensibilité du public, ce public pour lequel déjà en 1555-1556 il avait composé, comme à la hâte, les *Continuations*, parce qu'il sentait bien que le pétrarquisme brûlant mais hautain des *Amours* ne le satisfaisait pas pleinement. Tandis qu'en septembre 1572, Ronsard publie les quatre premiers livres de *La Franciade*, Desportes, dont les poésies circulent en manuscrits, connaît une faveur croissante. Ainsi, au moment où Ronsard tente une dernière fois[23] d'imposer le lyrisme épique, Desportes s'apprête à publier des poésies amoureuses faciles et douces. L'évolution du goût se confirme, déjà sensible depuis quelques années : l'italianisme, la préciosité mondaine, triomphent. C'en est fini des hautes ambitions de la Pléiade. L'amertume du Recueil de 1578 n'est sans doute pas celle d'un amoureux vieilli, mais plutôt celle

20. Voir le schéma physiologique du désir qui « ronge le foie » chez Virgile (Enéide IV, 1 à 5) ou chez les Elégiaques latins (Catulle).

21. Sur les débuts de Desportes, voir J. Lavaud, *Desportes*, Droz, MCMXXXVI.

22. Sur les relations des deux poètes, voir M. Morrisson, *Ronsard and Desportes*, B.H.R., t. XXVIII (1966), pp. 294-322, et C. Faisant, *Les relations de Ronsard et de Desportes, ibid.*, pp. 323-353.

23. Après la mort de Charles IX, en effet, Ronsard abandonne définitivement son projet épique.

d'un poète qui voit triompher un goût contre lequel en somme il n'avait cessé de lutter.

Une vue sommaire de la poésie amoureuse en 1570 permet donc de distinguer deux grands « massifs » ; d'une part, *le massif ronsardien*. Ronsard, s'il n'est plus le seul, reste, en amour, le grand maître. Il exerce une influence déterminante à Paris comme en province, et sur Desportes lui-même et ses disciples ; d'autre part, *le massif néo-pétrarquiste*. Prenant le relais de la Pléiade, Desportes n'en détourne pas moins « l'école de Ronsard » de « sa voie première et de son caractère primitif »[24].

Mais, en même temps, commence à apparaître en France le baroquisme, en germe déjà chez Ronsard, « baroque avorté »[25] ; le baroquisme s'installe progressivement de 1570 à 1590, et, si son domaine de prédilection est la poésie religieuse (catholique ou protestante), il est également sensible dans la poésie amoureuse. En ce sens, on peut dire que le néo-pétrarquisme français prépare et favorise l'éclosion du goût baroque en habituant aux formes ouvertes et indisciplinées, aux structures informes, à la multiplicité des points de vue.

2 - Vue d'ensemble de la période 1570-1600

La poésie de 1570 à 1600 se trouve travaillée par des courants divers : d'un côté, l'idéal de la Pléiade subsiste ; de l'autre, la poésie s'ouvre à des influences différentes : tandis que le néo-pétrarquisme impose à la littérature ses artifices, ses tensions, ses contraintes souvent si fécondes, les poètes s'accordent aux goûts et aux formes baroques. Cela est particulièrement sensible dans le lyrisme religieux du dernier quart du siècle.

La poésie amoureuse n'échappe pas à ce conflit : si, jusqu'à sa mort, Ronsard reste le maître incontesté, le successeur reconnu de Pétrarque, l'influence de Desportes ne cesse pourtant de s'affirmer, et, nous aurons l'occasion de le montrer, le néo-pétrarquisme de 1570 constitue un terrain favorable à la croissance et à l'épanouissement du baroque. Or les influences respectives de Ronsard et de Desportes sont, d'une certaine manière, divergentes : si le Ronsardisant fidèle s'essaie à la simplicité familière alliée à une préciosité sans apprêt qui fait le charme des dernières œuvres du maître, à cette union si intime du rêve et de la réalité, le disciple de Desportes se reconnaît plutôt à son goût pour la complexité — qui n'est pas toujours la complication —, pour le « mixage » des images et des métaphores, qui construisent, en marge du réel, un univers sophistiqué, apprêté, soumis au jeu du langage — véritable architecture mentale, qui est un pur plaisir de l'intelligence contemplant l'ordre surgi du chaos des sensations brutes. C'est dire que, de 1570 à 1600, la poésie est écartelée entre le désir de faire du poème

---

24. G. Allais, *Malherbe et la poésie française...*, Paris, Thorin, 1891, pp. 37-48.

25. Nous renvoyons à la belle étude de M. Raymond, *Quelques aspects de la poésie de Ronsard*, in *Baroque et Renaissance poétique*, Paris, Corti, 1955. Voir aussi, du même, la post-face à la réédition (1965) de sa thèse, *op. cit.*, pp. 365-368.

un objet sensible, qui tisse entre la réalité du monde et l'esprit du lecteur d'assez exactes équivalences, et la volonté d'évacuer tout objet, toute réalité, du poème, pour en faire une œuvre autonome dans laquelle le langage se nourrit, non d'émotion, mais de lui-même et du vertige que, parfois, il suscite.

Mais, pour tenter de définir l'opposition entre ces deux types de création, il est dangereux de schématiser ce qui, dans la vie littéraire de l'époque, a été senti plus comme complémentaire que comme contradictoire. Les courants ronsardien, néo-pétrarquiste, baroque, se superposent, beaucoup plus qu'ils ne s'opposent ; ils se mêlent à l'occasion, au sein d'un même recueil. Aussi est-il le plus souvent malaisé de distinguer — du moins au niveau des thèmes — ce qui appartient à l'une ou à l'autre de ces traditions. De ce point de vue, une étude du traitement de l'image, ou du type de structure, serait sans doute plus éclairante. Mais, pour ouvrir la voie à des démarches de ce genre, il nous paraît indispensable de préciser d'abord la nature et le rôle des traditions, de manière à éviter un des écueils de la critique : son impuissance à saisir ce qui, dans une œuvre, renvoie, non à la singularité, mais aux goûts, aux modes, à l'esprit même d'une époque, et aussi, pour une part non négligeable, aux traditions littéraires, à la « topique » ; et, précisément, comme nous le montrerons, la part du « topos » est très grande dans la poésie amoureuse de la fin du XVIᵉ s.[26]

Aussi ne nous a-t-il pas paru arbitraire de discerner dans une œuvre, qui s'offre à la lecture comme une totalité, diverses couches, plus ou moins superficielles, qui, pour se mêler et se confondre, n'en paraissent pas moins, à l'analyse, distinctes — parfois même opposées. Ainsi, par exemple, on peut, dans l'œuvre de Jamyn, apercevoir d'une part un massif de thèmes ronsardiens, illustrés dans les *Amours d'Oriane*, d'autre part un massif de thèmes néo-pétrarquistes, dans *Artémis*, et *Eurymédon et Callirée*. Ronsard lui-même propose, dans les deux livres des *Sonets pour Hélène*, d'un côté une stylisation néo-pétrarquiste, de l'autre, une thématique profonde qui va à l'encontre du néo-pétrarquisme, et en constitue une espèce de critique interne. Ne voit-on pas encore, entre 1570 et 1600, des poèmes à structure rigide et fermée, comme le sonnet, accueillir des thèmes déjà baroques ?

En outre, ces trois couches distinctes n'ont pas, si l'on peut dire, le même âge : l'apport ronsardien apparaît comme une couche plus ancienne, comme l'écho d'un passé proche, mais déjà lointain, comme une survivance. L'apport néo-pétrarquiste, en revanche, semble exactement contemporain, une mode mieux adaptée au goût du jour, à ses préoccupations, à l'esthétique de l'époque. Les thèmes d'inspiration baroque, enfin, sont l'annonce d'une nouvelle esthétique, plus moderne, l'ouverture à l'esprit nouveau, qui semble faire table rase du passé. On pourrait analyser en ce sens l'œuvre d'Aubigné qui, héritier de la Pléiade, comme en témoignent la fraîcheur et l'éclat des images naturelles, les jeux d'une sensibilité en éveil devant tous les spectacles de la nature, recueille la tradition pétrarquiste et néo-pétrarquiste, puisant

---

26. Sur l'importance du « topos » dans la littérature européenne, voir E.R. Curtius, *La littérature européenne et le moyen-âge latin*, PUF, 1956.

chez les Italiens la source vive de ses poèmes, et leur expression métaphorique, tout en s'ouvrant au baroque par l'intensité pathétique dont il surcharge chaque image, par le dynamisme émotionnel, le mouvement qu'il imprime à ses textes, dont il fait éclater furieusement la structure raisonnable.

Ainsi, la période 1570-1600 est, à la fois, tributaire d'une tradition que l'on peut, pour simplifier, appeler pétrarquiste, travaillée par le néo-pétrarquisme (qui, par plusieurs de ses aspects, s'oppose au pétrarquisme), et orientée vers le baroque. Le baroque, dans une certaine mesure héritier — peut-être illégitime — du néo-pétrarquisme, institue cependant une véritable rupture avec l'ensemble des traditions pétrarquiste et néo-pétrarquiste. Mais il faut en outre tenir compte, pour les toutes dernières années du siècle, de la naissance d'un nouveau réalisme, apparemment très proche par ses thèmes du baroque, très différent cependant si l'on considère l'attitude mentale qui les fonde, et les besoins auxquels ils répondent. Néanmoins, ces thèmes « réalistes » ont ceci de commun avec les thèmes « baroques » : d'une autre manière mais tout aussi nettement, ils marquent une rupture avec les traditions pétrarquistes, dont ils disent avec clarté le déclin.

Si bien que, à partir de cette vue globale de l'époque, travaillée par des mouvements divers, convergents ou divergents, on peut établir une ligne de partage qui divise en deux domaines le lyrisme amoureux des trente dernières années du siècle :

1) *le champ des traditions,* des héritages, des acquis culturels, qui déterminent les thèmes et les motifs du lyrisme amoureux, et par rapport auxquels il conviendrait d'apprécier ce qui revient en propre au génie singulier du créateur ;

2) *le champ des ruptures,* des nouveaux goûts, des nouvelles tendances, qui correspondent à un changement de mentalité, à une évolution à la fois du public et des créateurs — tout ce qui fait craquer les anciens cadres, tout ce qui fait trouver conventionnel ce qui est traditionnel.

Nous nous proposons de suivre, dans les grandes lignes de notre étude, cette division qui, si elle respecte, dans son mouvement d'ensemble, l'évolution de l'époque, n'obéit point pourtant à un plan strictement chronologique. Ainsi, nous avons pratiqué une coupe, de 1570 à 1585, pour confronter les deux esthétiques ronsardienne et néo-pétrarquiste. Le contraste est ainsi immédiatement visible. D'autre part, nous avons réservé au second livre l'examen des thèmes du lyrisme pré-baroque, qui, bien qu'antérieur au lyrisme mineur post-ronsardien, manifeste avec tant d'éclat sa rupture avec Ronsard et la tradition tempérée qu'il y a intérêt à l'étudier juste avant les grands thèmes baroques dont il prépare le surgissement.

NOTE

Nous avons dû, pour réduire l'importance du volume, alléger ou supprimer certains chapitres de l'ouvrage présenté pour le doctorat d'état.

Notamment, deux chapitres qui composaient la troisième partie du Premier Livre, *Héritages,* ont été supprimés. Ils étaient consacrés, l'un à l'étude des survivances des thèmes de lyrisme mineur (thèmes mignards, thèmes familiers, thèmes épicuriens et gaulois), l'autre à l'examen des principaux Recueils collectifs (1597-1600), et en particulier des Recueils publiés en 1599. Tandis que la première étude permet d'avoir une vue globale de la diffusion et de la fortune des thèmes ronsardiens après 1585, c'est-à-dire au moment où se dégrade et se pervertit le « ronsardisme », la deuxième étude ouvre la possibilité d'établir avec rigueur un bilan des traditions ronsardienne et pétrarquiste (et néo-pétrarquiste) à la fin du siècle, et donne une idée précise des « normes » de la poésie amoureuse à la fin du siècle, par rapport auxquelles on peut apprécier avec plus de finesse les écarts que constitue la poésie d'un Sponde, d'un La Roque ou d'un Motin.

On a également supprimé les deux chapitres qui composaient la troisième partie du deuxième livre, *Ruptures.* Ils s'attachaient à l'étude analytique des thèmes et des motifs de l'inconstance heureuse, de l'inconstance blanche, vécue dans l'insouciance par les poètes « réalistes » de la fin du siècle. Avec Malherbe, Trellon, Guy de Tours, Lingendes, Vauquelin des Yveteaux ou Etienne Durand, naît et s'affirme, non sans insolence, un nouveau code amoureux, illustré par les diverses figures de l'« amour sans passion » (Trellon), irrespectueux, dépourvu de tendresse comme d'émotion autre que sensuelle, « donnant donnant »...

Cette étude mettait en lumière tout ce qui sépare des Baroques (Sponde, La Roque, Godard, Bernier de la Brousse, Virbluneau) les chantres sans souci de l'inconstance, qui représentent un courant pré-libertin. Sujets et thèmes « réalistes » aboutissent à une acceptation du change et de ses lois, du paraître : rien n'est plus étranger au Baroque...

Ces différents textes ont été réservés, et feront l'objet de publications distinctes.

L'étude, sous cette forme, pourra paraître incomplète ou lacunaire. Mais nous espérons que ces soustractions ne nuiront pas à l'économie de l'ouvrage. Si, en effet, l'étude des héritages n'est complète que si l'on tient compte de la survie des thèmes mineurs, et des thèmes pétrarquistes présents dans les grands Recueils, il faut cependant faire deux remarques : d'un côté, la tradition ronsardienne, dans les recueils particuliers (Hopil, Guy de Tours, Gilles Durant...), ne se maintient plus qu'*en surface* après 1585 ; de l'autre, les thèmes néo-pétrarquistes des Recueils collectifs sont eux-mêmes des thèmes « moyens », expression d'un néo-pétrarquisme mesuré, exempt de fièvre et de tourment, soumis et dompté par la mondanité d'une poésie sage (bien éloignée des excès de Desportes).

D'autre part, s'il est regrettable d'avoir dû supprimer l'étude de la poésie « réaliste » (1589-1600), qui marque avec tant de vigueur sa rupture avec le code pétrarquiste, avec Ronsard comme avec Desportes, et qui s'oppose à l'« irréalisme » et à la fureur baroques, le partage de la poésie en deux zones gardera néanmoins son relief. Notre souci a été en effet de marquer sa place et l'importance d'une certaine *forme* de poésie, traditionnelle, héritière soumise d'une topique *et* d'une rhétorique, par rapport à une autre forme, plus dégagée du passé, plus insoumise aussi à l'égard des leçons « magistrales » (Ronsard, Desportes). De l'acceptation au refus des héritages, de l'accord, souvent heureux, avec une Tradition, à la rupture, parfois brutale, tel est le chemin parcouru par la poésie amoureuse de 1570 à 1600 : comme Ronsardisants et Néo-pétrarquistes disent, jusqu'en 1600, leurs liens avec les poètes héritiers d'un certain pétrarquisme, de même les poètes pré-baroques, baroques ou « réalistes » disent leur souci de rompre avec ce passé, chacun à sa manière...

L'époque décrite est passionnante dans la mesure où elle est ambiguë, regardant encore vers le passé, tournée déjà vers l'avenir et ses promesses...

PREMIER LIVRE

HÉRITAGES

LES THÈMES RONSARDIENS
DANS LA POÉSIE AMOUREUSE
(1570-1585)

CONFLUENCES

LYRISME COURTOIS ET THEMES PETRARQUISTES
AU XVI⁰ SIECLE

Nous insisterons assez longuement, en étudiant les thèmes ronsardiens dans la tradition du *Premier Livre des Amours,* sur la place qui
est faite à Pétrarque et aux pétrarquistes dans la poésie amoureuse issue
de Ronsard. Au préalable, il convient de s'interroger sur les raisons qui
peuvent expliquer l'influence aussi prolongée d'une littérature à première
vue bien « anachronique ». Comment interpréter la survivance, dans la
première moitié du XVI° s., du pétrarquisme, et sa diffusion ?

L'amour selon Pétrarque, on le sait, est fortement tributaire de la
tradition courtoise : le *Canzoniere,* code de l'amour courtois, exalte les
sentiments et les idées chevaleresques. L'amour que Pétrarque voue à
Laure, la maîtresse dont le corps appartient, de droit, à un autre, rappelle
évidemment le culte voué par le chevalier à la dame dont il est le
serviteur, et qui, par son rang comme par son état, est inaccessible. Les
relations amoureuses reproduisent — sur le plan sentimental — les
relations réelles qui unissent le vassal à son suzerain, et elles se définissent par leur fidélité à un code, admis de part et d'autre.

Rien d'étonnant, certes, si le lyrisme pétrarquiste doit beaucoup à
la *cortezia,* qui constitue l'un des éléments de cet ensemble de valeurs
et de vertus (franchise, honneur, générosité, humilité...) dont l'amour
courtois est la source (par opposition à la *vilania,* ensemble de défauts et
de vices attribués au « vilain », à qui est refusé le droit d'aimer selon le
code courtois). Au cours de son enfance et de sa jeunesse passées sur
les rives du Rhône et à Montpellier, Pétrarque avait appris le provençal,
et s'était familiarisé avec l'œuvre des troubadours [1] : la poésie lyrique
des provençaux, galante et courtoise, est un art aristocratique et savant,
autant par ses aspects formels que par son contenu. On sait que la
femme y est exaltée comme une souveraine, dont la volonté est respectée,
au prix de la souffrance ou du désespoir, et devant laquelle se prosterne

---

1. Voir H. Hauvette, *Les Poésies lyriques de Pétrarque,* SFELT, 1931,
pp. 75-76.

humblement, comme un vassal devant son suzerain, l'amant soumis, même si celui-ci désire le corps, et non seulement le cœur, de sa maîtresse[2].

La tradition lyrique courtoise d'origine provençale et le lyrisme pétrarquiste, fondé sur la distance qui sépare les amants, s'unissent sans difficulté : une même inquiétude, une même acceptation de la souffrance qui épure le désir, une même crainte (que ne connaît pas l'amour conjugal), enfin une commune tendance à aimer son mal et à trouver dans la douleur une amère jouissance, définissent à la fois l'amour adultère des troubadours et la passion impossible de Pétrarque. Tout se passe alors comme si, par l'intermédiaire de Pétrarque, le poète français du XVIᵉ s. renouait avec une tradition du terroir. Si la *canzone* vint, au XIIIᵉ s., de Provence en Italie, le poète italien du XIVᵉ s. a ramené en quelque sorte en France — par son influence sur les poètes français — le lyrisme issu des troubadours.

Mais il reste à expliquer comment cette tradition courtoise est suffisamment vivace au XVIᵉ s. pour que s'y alimente toute une poésie.

D'abord, le souvenir de la littérature chevaleresque du Moyen Age n'est pas complètement effacé au début du siècle. Bien au contraire : la vie de cour est copiée sur le faste des cours italiennes de la Renaissance. La cour de Ferrare, par exemple, patrie de l'Arioste, est liée par des rapports politiques[3] à la cour de France. Véritable petite société qui accueille poètes et lettrés, comme Tebaldeo (poète pétrarquiste), elle sert de refuge à Marot en 1535. Un intérêt nouveau se manifeste pour l'idéal chevaleresque de la société féodale[4].

Ensuite, deux faits contribuent à alimenter le sentiment chevaleresque : d'une part, les guerres, à peu près continuelles, maintiennent le sentiment héroïque, le sens et le goût de l'aventure, qui permet au « chevalier » de se révéler, de manifester sa « vertu » ; d'autre part, fêtes, tournois, mascarades, se multiplient, favorisant le désir de gloire, donnant le goût de tout ce qui développe la libre recherche de l'exploit individuel.

Si la chevalerie se vide, peu à peu, de son contenu social, dans la mesure où elle cesse d'être une institution, et de son aspect proprement féodal, elle garde l'aspect éthique de la courtoisie, et en conserve les valeurs essentielles : discipline et mesure, « gentillesse », honneur, noblesse : la bravoure se met au service exclusif de l'amour galant[5].

C'est cette nouvelle chevalerie, éthique des temps modernes, qui explique que l'ancien fonds du lyrisme courtois ait encore un sens — un sens nouveau — pour les poètes du XVIᵉ s. en Italie comme en France. Pensons par exemple à la fortune de l'Arioste, dont le *Roland Furieux* (publié en 1516 à Ferrare) connaît, entre 1521 (date de la deuxième

---

2. Voir M. Lazar, *Amour courtois et fin'amors...*, Klincksieck, 1964, pp. 123-134.

3. Renée de France épouse en 1527 Hercule d'Este, fils du duc Alphonse, protecteur de l'Arioste.

4. Voir notamment H. Hauvette, *L'Arioste et la poésie chevaleresque...*, Champion, 1927.

5. Voir A. Cioranesco, *La fortune de l'Arioste en France...*, Presses Modernes, 1939, pp. 21-23.

édition) et 1532, dix-sept éditions différentes, et dont la vogue ne fera que croître au cours du siècle, comme le montreront les imitations de Ronsard et de Desportes [6].

Ainsi confluent lyrisme courtois et lyrisme pétrarquiste, d'une part ; lyrisme pétrarquiste et poésie française, d'autre part. Lorsqu'ils lisent Pétrarque, les poètes français du XVI° s. ne sont nullement dépaysés : parlant de lui, le poète des bords de la Sorgue ne leur parlait-il pas d'eux-mêmes, et d'un passé en lequel ils trouvent leurs racines ?

LES THEMES RONSARDIENS (1570-1585)

Considérée dans son ensemble, l'œuvre de Ronsard, elle-même au croisement de plusieurs traditions vivantes [7], est à l'origine d'une thématique multiple, dont la fécondité s'est d'ailleurs révélée inégale. Ronsard a eu personnellement conscience de la diversité de son inspiration, et, si l'on se fonde sur l'édition collective de 1560, qui présente un véritable remaniement de la structure des recueils antérieurs, et sur celle de 1578, qui, sans apporter de modification profonde, accentue et corrige parfois le sens de la première édition collective, on peut aboutir à un classement sommaire des grands thèmes ronsardiens [8].

En 1560, en effet, Ronsard distingue dans son œuvre deux massifs d'inspiration différente : si le *Premier Livre des Amours* illustre le rêve d'amour pur, pétrarquiste et parfois platonisant, culte idéal d'une maîtresse unique et exigeante, le *Second Livre*, véritable « palinodie du premier » [9], est placé sous le signe capricieux de l'hédonisme ovidien, voluptueux, et changeant. Le changement de maîtresse illustre et justifie le changement — combien plus important — de style et de thèmes. Tandis que Cassandre et Marie deviennent les deux pôles du désir amoureux, symboles — et rien de plus — de la création poétique, écartelée entre le goût du rêve et l'appel exigeant de la réalité, aux thèmes d'inspiration pétrarquiste se mêlent les thèmes plus « naturels » du « beau stille bas » [10], et les thèmes mignards et folâtres de l'amour à fleur de sens.

Avec cette édition, dont l'importance est grande [11], car elle marque avec netteté la naissance, ou plutôt la codification de trois styles, nous sommes à l'origine de trois traditions littéraires, illustrées abondamment, bien qu'inégalement, jusqu'à la fin du siècle :

6. En 1572, paraissent les *Imitations de quelques chans de l'Arioste par divers poètes françois* (Desportes, Saint-Gelais, Baïf...).

7. Voir M. Raymond, *Baroque et Renaissance...*, *op. cit.*, p. 76-79.

8. M. Dassonville, *Pour une interprétation nouvelle des Amours de Ronsard*, B.H.R., XXVIII, 1966, pp. 241-270.

9. *Ibid.*, M. Dassonville insiste fort justement sur ces remaniements de 1560 qui corrigent la courbe et le sens des recueils précédents.

10. Voir L. Terreaux, *Le style bas des Continuations*, in *Lumières de la Pléiade*, 1966, pp. 313-342.

11. Voir M. Raymond, *L'influence...*, *op. cit.*, pp. 307-309, et M. Dassonville, *art. cit.*

— le pétrarquisme « sourcilieux » des *Amours* de 1552-1553, avec son vocabulaire et ses ornements savants, sa syntaxe parfois difficile, ses motifs mythologiques, sa recherche de la difficulté — ce qui n'exclut, il faut le dire nettement, ni la simplicité, ni la sensualité ;

— le pétrarquisme simplifié, plus immédiatement accessible, ou encore le lyrisme naturel des *Amours de Marie,* riches en éléments concrets, en notations familières — ce qui n'exclut ni la stylisation, ni la préciosité, ni même l'artifice (nous dirions volontiers, au contraire !) ;

— enfin, le style mignard des Chansons et des Baisers strophiques, à la simplicité affectée : gentillesse, puérilités, « nugae » aux douceurs un peu fades. Autre stylisation...

L'édition de 1578 n'apporte aucune modification de structure : cependant elle accentue les traits dominants de chacun des trois massifs. Tandis que Cassandre devient l'unique inspiratrice du *Premier Livre,* et Marie l'unique inspiratrice du *Second Livre,* la première dame est célébrée dans la gravité et la chasteté (les pièces licencieuses disparaissent, pour que domine l'unité de ton), tandis que Marie devient l'héroïne d'un petit « roman pastoral » [12], du reste assez conventionnel. La correction est d'importance : elle suggère que Ronsard, poète très conscient de son art, et qui travaille, autant que possible, plutôt en vue de l'avenir qu'en vue d'un succès immédiat, tient délibérément à distinguer deux styles et à souligner la différence d'inspiration. Considérant avec quelque recul son œuvre amoureuse, il voit et choisit d'accentuer le triple aspect, chantant l'amour sous ses trois visages : le visage de l'adoration, celui de la tendresse, celui de la sensualité lascive.

Les épigones, selon leurs goûts, mais aussi selon leur situation : provinciaux ou parisiens, disciples attardés de la Pléiade ou sectateurs des modes nouvelles, puiseront à l'un ou à l'autre de ces répertoires, illustreront l'une ou l'autre de ces traditions, recueilleront ou abandonneront une partie de l'héritage.

---

12. Voir A. Micha, *éd. crit.* du *Second Livre des Amours,* XXXIV-XXXV.

CHAPITRE PREMIER

THEMES RONSARDIENS DANS LA TRADITION
DU PREMIER LIVRE DES AMOURS

Quelle que soit l'importance réelle du pétrarquisme dans les *Amours* de 1552 [1], quelque forte que fût, dès cette date, la résistance au pétrarquisme chez le jeune poète, lorsqu'est publié en 1560 le *Premier Livre des Amours,* devenu le livre de Cassandre et de l'amour idéal, il apparaît comme un répertoire de thèmes pétrarquistes, auquel puiseront, avec plus ou moins de discernement, les Ronsardisants. A leurs yeux, en effet, le *Premier Livre,* dans la tradition courtoise, exhale un chant d'amour à la fois mesuré et enflammé. Peut-être les disciples ont-ils ainsi, dès la naissance de l'œuvre, dénaturé les *Amours* de Ronsard, masquant leur véritable originalité pour n'en retenir que l'apparence [2] ?

Aux yeux des disciples, pétrarquisme et néo-platonisme apparaissent étroitement liés : alors que Ronsard, lors même qu'il traite des thèmes de la philosophie platonique, prend soin de marquer quelque recul, et se contente de puiser chez Platon et Ficin images et mythes propres à favoriser l'élan de la création poétique [3], les Ronsardisants mêleront quelques relents de platonisme à l'expression des thèmes pétrarquistes, et cela d'autant plus naturellement que si, vers 1550, le platonisme apparaît déjà comme « la pointe extrême du pétrarquisme » [4], à partir de

---

1. Voir sur ce point l'étude de F. Desonay, *Ronsard poète de l'amour,* t. I, *Cassandre,* Bruxelles, Palais des Académies, 1965, en part. pp. 94-98.

2. La question est trop importante pour qu'on prétende ici y répondre. Nous espérons donner dans la suite de cette étude quelques éléments de réponse. Ce qui retiendra notre attention, c'est la façon de voir des disciples, la manière dont ils reçoivent la leçon ronsardienne, et entendent — assez mal, peut-être ? — la chanson pétrarquiste. Qu'ils aient commis des erreurs d'appréciation, qu'ils aient, par exemple, exagéré la part du pétrarquisme dans *les Amours* de 1552 — ce qui, à nos yeux, est évident —, et peut-être même contribué à masquer l'originalité de leur maître, cela est un autre problème.

3. Sur le platonisme de Ronsard, voir l'étude de H. Weber, *Platonisme et sensualité dans la poésie amoureuse de la Pléiade,* in *Lumières de la Pléiade,* Vrin, 1966, pp. 156-194, et F. Desonay, *Ronsard...,* *op. cit.,* pp. 38-40 et 91-94. Voir surtout R.V. Merrill (with R.J. Clements), *Platonism in French Renaissance poetry,* New York, Univ. Press, New York, 1957, qui propose une étude par thèmes (Vertu et Immortalité, le Chaos et la Création, etc.).

4. H. Weber, *Platonisme...,* *art. cit.,* p. 157. Sur les rapports du platonisme et du pétrarquisme, voir V.L. Saulnier, *Maurice Scève,* Paris, Klincksieck, t. I, 1948, pp. 204-206, et R.V. Merrill, *Platonism in Petrarch's Canzoniere, Mod. philol.,* nov. 1929, pp. 161 suiv.

1570, avec l'invasion du néo-pétrarquisme mondain et de la vogue italienne, le platonisme devient l'un des pôles de la méditation amoureuse.

Enfin, le nombre relativement important des motifs mythologiques, les allusions savantes, contribuaient à donner aux *Amours* de 1552-1553, puis au *Premier Livre* de 1560 une allure parfois pédante ; en tout cas, cela n'allait pas sans obscurité, même aux yeux d'un contemporain de Ronsard, nourri de culture classique [5] ! Les disciples accueilleront volontiers, à l'imitation bien ou mal comprise du maître — car pour Ronsard la mythologie est plus qu'un ornement —, personnel et thèmes mythologiques, même après que Ronsard aura considérablement réduit, dans la *Continuation* et la *Nouvelle Continuation,* la part des allusions jugées « trop obscures au gré du populaire », c'est-à-dire du public restreint, instruit, mais point pédant, cultivé souvent, mais non spécialisé dans ce type de savoir, qui est celui de la Cour [6].

I - Les thèmes pétrarquistes (1570-1585)

En 1570, les thèmes pétrarquistes connaissent un très grand succès : Pontoux, Le Loyer, Brétin, Boton, Jamyn, Brach, d'autres encore, commencent par un recueil de vers pétrarquistes leur carrière poétique, soucieux d'égaler Ronsard, qui, plus que Pétrarque à leurs yeux, est en amour le maître. Qu'est-ce que le pétrarquisme, vers 1570, pour un disciple fidèle de Ronsard ?

C'est, d'abord, une psychologie : pour qui essaie, à vingt ans, de connaître, de la vie amoureuse, les lois, les servitudes, et l'histoire même de la passion, Pétrarque et Ronsard offrent la plus grande des tentations : déchiffrer la vie, sonder son cœur, à travers les livres. Bien des provinciaux comme Pontoux ou Le Loyer se contentent de lire le seul Ronsard, émerveillés de s'apercevoir que l'art offre plus de cohérence que la vie. S'il est, pour nous, tout à fait impossible de savoir aujourd'hui comment aimaient ces hommes, nous n'ignorons pas, à travers leur œuvre, quelle idée ils se faisaient de l'amour, comment ils croyaient aimer. Or tout ce qu'ils savent de l'amour, c'est chez Ronsard qu'ils l'ont appris : la thèse de M. Raymond [7] a montré l'importance de l'influence ronsardienne sur les poètes parisiens ou provinciaux, qui, dans leurs imitations, ne redoutent pas d'aller jusqu'au plagiat. Ronsard, d'abord, leur enseigne une

---

5. Il faut se reporter au commentaire de Muret pour le *Premier livre des Amours* (voir *Œuvres complètes* de Ronsard, éd. Vaganay, Paris, Garnier, 1924, t. I et II) : ses gloses, ses traductions, ses explications montrent que tout n'était pas si clair pour le lecteur moyen (par ex., lorsqu'il commente le vers 5 du sonnet XXXII des *Am.*, p. 22 : « Lors Apollin richement la decore... », il note : « Ainsi disoient les vieux François, non pas, comme nous disons aujourd'huy, Apollon... »).

6. Sur l'évolution du style de Ronsard, voir L. Terreaux, *Le style bas des Continuations,* in *Lumières de la Pléiade, op. cit.,* pp. 313-342.

7. Marcel Raymond, *L'influence de Ronsard sur la poésie française (1550-1585),* nouvelle édition, Genève, Droz, 1965. C'est l'ouvrage de base pour la période 1570-1585, et nous lui devons beaucoup.

façon de concevoir les liens amoureux, et cette conception est d'origine pétrarquiste [8].

Ensuite, le pétrarquisme, vu à travers Ronsard, constitue un apprentissage de la rhétorique amoureuse, de ses formes, de ses formules, une attaque particulièrement plaisante, un jeu de rythmes, parfois un mouvement, ou une chute.

*
* *

Sensibles à l'aspect le plus visible — non pas certes le plus important, du lyrisme ronsardien, les disciples respectent, d'abord, la psychologie pétrarquienne [9].

1. HISTOIRE D'UN AMOUR.

La naissance de l'amour.

Pétrarque et Ronsard s'accordent pour fournir un certain nombre de schémas, qui tracent, de l'amour, toute une histoire, au déroulement immuable, aux surprises attendues... Naissance de l'amour ? L'amour naît, en avril, d'un coup de foudre. On se rappelle le sonnet XLIX des *Amours* [10] : « Comme un chevreuil...[11] »

---

8. Sur le pétrarquisme de Ronsard, citons, bien qu'il soit à manier avec grande précaution, l'ouvrage de M. Piéri, *Pétrarque et Ronsard, ou l'influence de Pétrarque sur la Pléiade française*, Marseille, Laffitte, 1896. Mais nous renvoyons surtout, bien qu'il soit, sur plusieurs points, dépassé, à J. Vianey, *Le Pétrarquisme en France au XVIe siècle*, Montpellier, Coulet, 1909. Du même auteur, *Mélanges Lanson*, pp. 109-114, et *Revue de littérature Comparée*, 1924, pp. 476-480. Pour les indications des sources de Ronsard, voir l'édition Laumonier, *Œuvres Complètes*, S.T.F.M., 1914-1960, t. I-XVIII, qui reste un travail extrêmement précieux.

Sur la réaction au pétrarquisme de la Pléiade, cf. Clements R.J., *Antipetrarchism of the Pleiade*, Mod. Philology, XXXIX (1941-1942), pp. 15-21.

C'est surtout l'influence de Pétrarque sur la première moitié du XVIe qui a été étudiée. Voir les travaux de F. Simone, *Il Rinascimento francese*, S.E.I. Turin, 1961, et M. Françon, *Sur l'influence de P. en France aux XVe et XVIe s.*, Italica, XIX, 1942, pp. 105-10.

9. Nous proposons, pour distinguer plus commodément ce qui revient à Pétrarque de ce qui revient à ses disciples, d'adopter l'adjectif *pétrarquien* dans le premier cas, et de réserver l'adjectif *pétrarquiste* pour désigner ce qui appartient en commun à Pétrarque lui-même et à ses disciples, italiens et français. Nous parlerons donc d'une psychologie *pétrarquienne* lorsque cette psychologie originale est celle du maître, d'une psychologie *pétrarquiste* lorsqu'il s'agit des schémas communs à un ensemble de poètes, reflets d'une tradition composite.

10. Ronsard, *Les Amours* (1552), in *Œuvres Complètes*, éd. Laumonier, S.T.F.M., t. IV, sonnet XLIX, p. 52.

Sauf indication contraire, toutes les citations de Ronsard renvoient à l'édition critique P. Laumonier, qui donne le texte primitif et les variantes (de 1550 à 1587, date de la première édition posth.), et dont les commentaires et les notes sont fort précieux.

Ce choix nous conduit à appeler le Canzoniere de Ronsard tantôt *Les Amours*, lorsque nous nous référons au texte édité par Laumonier (t. IV), tantôt le *Premier Livre des Amours* c'est-à-dire le texte tel qu'il se présente en 1560 lors de la première édition collective. Cette deuxième appellation convient d'ailleurs davantage à notre propos, car c'est bien le recueil de 1560 — avec ses modifications — qui est à l'origine du pétrarquisme des disciples, et non *Les Amours* de 1552, moins homogènes et moins chastes. Nous espérons que cette double appellation, difficile à éviter, ne sera pas une gêne.

11. Ce sonnet s'inspire de Bembo, *Gli asolani e le Rime*, éd. Dionisotti-Casalone, s. III, p. 164, lequel empruntait à Pétrarque l'image du cerf blessé (*Rime Sparse*, CCIX, éd. Chiorboli, *Scrittori d'Italia, Petrarca*, Bari, Guis. Laterza, 1930, p. 163), d'origine virgilienne (*Enéide*, IV, vers 69-73, épisode de Didon).

Cette naissance mythique de l'amour fou est à l'origine d'autres célébrations, qui s'inspirent de l'attaque bien connue. Pontoux [12] est sensible au mouvement d'ensemble du sonnet, qu'il reproduit très exactement, avec son déséquilibre calculé entre le bloc que forment les quatrains et le premier tercet, d'une part, et le bloc que constitue à lui tout seul le dernier tercet — rompant ainsi la structure habituelle du sonnet « classique » [13] :

> « Comme le cerf, après la grand'froidure
> De l'aspre hyver donnant place au printemps
> Sort de son bois pour prendre passe temps,
> En beau plein jour sur la gaye verdure
> « Et or-au mont, or'en vallée obscure,
> Or'aux ruisseaux, et ores par les champs,
> Loin de pasteurs de village et de gens,
> Va seulement cherchant sa nourriture,
> « Où l'appetit le guide, n'ayant peur
> De fleche ou d'arc jusqu'il la sente au cœur
> Que le veneur en l'espiant lui darde,
> « Ainsi j'alloy ce jour pernicieux... » [14]

Le schéma proposé par Bembo et Ronsard est respecté scrupuleusement : la comparaison qui, ouvrant le sonnet, s'étale dans les trois premières strophes, laisse l'imagination se nourrir du tableau naturel, qui est ordonné, comme chez Ronsard, en trois temps : le temps de la sortie libre et gaie, le temps du vagabondage heureux dans un paysage libéré, le temps, enfin, de la mort, brutale, « à l'impourvue ».

Clovis Hesteau de Nuysement [15] retient de la comparaison du chevreuil et de l'amant l'image de la mise à mort, mais il s'éloigne plus que Pontoux de son modèle, auquel il n'emprunte apparemment que l'incipit :

> « Comme on voit un chevreuil qu'un grand Tigre terrace,
> Qui deçà qui delà, ores haut, ore bas,
> Le vautrouille et l'estend dans son sanglant trespas
> Pavant des os, du sang, et de sa peau la place,
> Puis en assouvissant sa carnagère audace,
> Tranche, poudroye, hume et foulle de ses pas
> La chair, les os, le sang dont il fait son repas,
> Laissant parmy les bois mainte sanglante trace...
> Amour me va plongeant dans mon mortel tourment
> Me rond, trouble, ravit, os, sang et sentiment,
> Et martelle mon chef d'un bras insupportable. » [16]

---

12. Claude de Pontoux, né dans la première moitié du siècle, mort avant 1579, est Chalonnais. Les Œuvres Poetiques... contenant la Gelodacrye, plus trois cents sonnets à Idée, non encore publiés paraissent en 1579, chez Rigault, à Lyon.
13. Sur la structure du sonnet, voir Walter Mönch, Le sonnet et le platonisme, in Actes du Congrès de Tours et de Poitiers, Paris, Belles-Lettres, 1954, p. 379.
14. Pontoux, l'Idée, op. cit., s. XX, p. 25.
15. Clovis Hesteau de Nuysement (deuxième moitié du XVIe s.), gentilhomme de la Maison de Monsieur, publie ses Œuvres Poétiques, à Paris, chez Abel l'Angelier, en 1578. Il déclare dans sa préface imiter Ronsard, Pontus et aussi Pétrarque. Mais l'influence de Desportes est tout aussi nette. Le livre second des Œuvres Poétiques s'institule Les Amours.
16. Hesteau de Nuysement, livre second, Les Amours, s. LXI, p. 48.

Pourtant, son infidélité apparente est plus créatrice que la docilité sans grâce de Pontoux : Ronsard suggérait rapidement, avec discrétion, le caractère brutal de la mort du tendre animal pourchassé ; Nuysement choisit d'accentuer la dramatisation du texte, en jetant une lumière cruelle sur les divers moments de l'acte sanglant, et en multipliant les images charnelles.

La répétition des mots concrets désignant le chevreuil, et par lesquels : os, sang et peau, il est réduit à être chair, chair tendre et fragile sous la dent du tigre, l'abondance des verbes également concrets : *trenche, poudroye, hume, foulle...*, qui décrivent la brutalité de l'action, et leur caractère réaliste, le relief donné, par leur place à la fin de chaque strophe, à deux détails particulièrement suggestifs, qui contraignent le regard à s'attarder sur le sol jonché de débris sanglants, ou sur les « sanglantes traces » — tout ici concourt à la violence du spectacle.

Le tercet, qui, comme dans le sonnet-modèle, reprend la comparaison initiale pour l'appliquer à l'amour, est marqué par une même répétition qui reprend en le corrigeant le groupe ternaire des quatrains : « os, sang et peau », « chair, os et sang », deviennent : « os, sang, sentiment », et cette substitution du sentiment à la chair ou à la peau marque le passage de l'animal à l'homme ; l'amour, pour Nuysement, se caractérise par sa cruauté, son goût du sang, son horrible acharnement à briser l'être.

Ainsi, Nuysement développe, dans un climat sanglant, une série d'images cruelles, qui, si elles apparaissent comme caractéristiques de son univers personnel, de son obsession de la violence et de la mort brutale, constituent en même temps un commentaire dramatique du sonnet ronsardien, qui *contenait* l'horreur, la possédant virtuellement sans l'exprimer totalement. Nuysement, infidèlement fidèle à l'esprit du texte ronsardien, dégage l'horrible, en suspens chez Ronsard, laisse se déchaîner la violence contenue et bridée. Mais ce faisant, il ne trahit pas l'essentiel de l'héritage pétrarquiste, qui portait en lui, à l'état de virtualité, cette conception dramatique de l'amour, « martel » de l'amant.

Pour sa part, Le Loyer [17], reprenant également la comparaison initiale, s'attache à décrire la lutte que mène, contre les assauts furieux de l'amour, l'amant, avant de succomber, vaincu par les yeux de la belle :

> « Comme un sanglier accullé au milieu
> De deux veneurs qui le veulent occire,
> Tout hérissé se tourmente et se vire,
> Mais il s'enferre enfin en leur épieu,
> Ainsi estant assiégé de ce Dieu,
> Qui les grands Dieux et les hommes martyre :
> Et du bel œil de celle que j'admire,
> Astre qui suit ma pensée en tout lieu :
> Pensant fuir par la vive sagesse,
> Leur dur assaut, leur force et leur adresse,
> Las je me veis enferré dans leurs dards ! » [18]

---

17. Pierre Le Loyer (1550-1634), poète provincial, originaire d'Anjou, publie ses *Œuvres et Meslanges poétiques... Ensemble, la Comédie Nephelococugie, ou la Nuée des Cocus,* à Paris, chez Pierre Poupy, en 1579. Il déclare son admiration pour Ronsard dans une *Ode à M. de Ronsard (op. cit.,* p. 52) mais n'est pas insensible au talent de Desportes.

18. Le Loyer, *Les Amours de Flore, op. cit.,* s. XLIII, p. 16.

La Jessée [19], fidèle au mouvement ronsardien, dont il calque les articulations, jusque dans le détail, est plus sensible à l'image sanglante, à peine suggérée au vers 11 du modèle :

« Tel qu'un chevrueil qui laisse son repaire
Et seul, et seur, où son pié volontaire
Le va guidant, § libre vient choisir
Parmy les champs sa pasture à loisir :
Quand le Veneur esjoui de la proye,
Courbe son arc, § sur l'heure deploye
Un trait fuyard, jusqu'à percer son flanc,
D'où coule, et chet, un tiède lac de sang :
Sang qui bouillonne en la mesme manière
Que les refletz d'une onde fontainière
    Non autrement une œillade mignarde (...)
En me navrant soudain me surmonta. » [20]

Ainsi à partir d'un schéma typiquement ronsardien, les disciples, plus stimulés que gênés par les contraintes qu'ils s'imposent, expriment une vision de l'amour qui leur est propre : vision « classique » de l'amour-fou chez Pontoux, pétrarquiste fervent ; vision déjà baroque, par la dramatisation et la brutalité de l'image charnelle chez Nuysement ou La Jessée ; néo-pétrarquiste enfin chez le Loyer pour qui la comparaison initiale se prolonge en métaphores abstraites et en hyperboles.

La première rencontre.

Après Pétrarque [21], Ronsard confiait volontiers au lecteur les dates et les menues circonstances de son « innamoramento » [22] : la première rencontre est, pour eux, celle qui décide de toute la vie, celle qui fixe le cours d'une existence. Ronsard composait, pour chanter l'événement, tout un décor à la fois conventionnel et charmant, « dedans les prez », parmi les fleurs, « sous le cristal d'une argenteuse rive », en la « mieleuse et fieleuse saison », tandis que le ciel ravi « Roses et lis et girlandes pleuvoit » [23].

---

19. J. de la Jessée, né en 1551, publie ses *Premières Œuvres Françoises,* à Anvers, chez Plantin, en 1583, en deux volumes. Le volume II contient les *Amours.*
20. La Jessée, *op. cit., Elégie,* VI, p. 937.
Voir aussi P. Boton, *La Camille,* Paris, 1573, p. 43 v° ; et A. Jamyn, *op. cit., Oriane, Elégie,* p. 91 (« Comme une biche... »).
21. Nous citons les textes de Pétrarque d'après l'édition Carducci-Ferrari reprise par l'édition de Chiorboli, *Francesco Petrarca, Le « Rime sparse »,* comm. *da Ezio Chiorboli,* Milan, Trevisini, 1924. Nous avons aussi consulté *Francesco Petrarca, Il Canzoniere,* a cura di Dino Provenzal, Rizzoli editore, Milano, 1954.
Nous avons adopté pour désigner *le Rime* le titre souvent donné par éditeurs et commentateurs : le *Canzoniere.*
Pour les dates et les circonstances de l'« innamoramento », cf. Pétrarque, le *Canzoniere,* 1ʳᵉ partie, III, CCXI :
« Mille trecento ventisette, a punto
su l'ora prima, il di sesto d'aprile
nel laberinto intrai, nè veggio ond'èsca. »
et aussi CXXXIII.
22. Ronsard, *Les Amours,* XIV, p. 17 :
« L'an est passé, le vintuniesme jour
Du mois d'avril, que je vins au sejour
De la prison... »,
et XCVIII, p. 97 : « L'an mil cinq cent contant quarante et six... »
23. Ronsard, *Les Amours,* sonnets LI, p. 53, LXX, p. 71, LXXXVII, p. 87, LXXXIV, p. 84.

A leur tour, les Ronsardisants mêleront, dans l'émotion d'un souvenir vécu ou rêvé, les éléments d'un cadre géographique précis et des réminiscences littéraires, pour célébrer le jour qui, depuis Pétrarque, est considéré comme le centre vivant d'une existence consacrée à l'amour. Ainsi Jamyn[24], dans ses *Amours d'Oriane*, fait surgir, au sein d'un paysage familier, « l'éclatante vision d'une jeune fille fraîche comme une fleur »[25] :

> « Cent et cent fois le jour en mon esprit repasse,
> La première rencontre où je perdy l'audace,
> Quand peu me deffiant je te vy sur les bords
> De Loire au large cours : L'ornement de ton corps,
> Ton pié, ta belle greve, et tout ce qui s'honore
> De toucher à ton corps, me reviennent encor (...)
> Ay-je point oublié cet heur que je receu
> Quand pour te dire adieu belle je t'apperceu,
> Paroissante au milieu de toutes les plus belles.
> Comme une jeune rose entre les fleurs nouvelles ? »[26]

L'alliance de détails concrets, de réalités familières, et de préciosité enjouée, l'importance accordée aux signes, l'accord de la belle et du fleuve, leur secrète complicité, les jeux de la mémoire et de l'imagination (cette rencontre fut-elle réelle ? ou rêvée ?...), tout dit ici l'influence de Ronsard et d'un pétrarquisme « à la française », pour lequel l'obsession amoureuse naît du contact de la réalité familière avec le rêve qui l'ordonne et lui donne sens.

C'est à l'église que J. de Romieu[27] rencontre, pour la première fois, sa dame : l'éblouissement n'est pas moins fort, ni l'engagement moins fervent ; en un instant, une vie découvre son sens, et une existence se déclare soudée à une autre :

> « Un jour je m'en allay au Temple Sainct Estienne,
> Pour prier humblement des Seigneurs le Seigneur (...)
> Là soudain j'avisay une perle indienne,
> Un astre flamboyant, le comble de bonheur,
> Celle qui tient lié en mille nœuds mon cœur,
> Ravissant de son œil ma raison antienne.
> Qu'eussé-je fait ? Son œil estoit si beau (...)
> . . . .
> Qu'après avoir offert à Dieu le mieux de moy,
> Encor me resta t il je ne sçay quelle foy
> Que j'ay versé depuis à sa grâce immortelle. »[28]

---

24. Jamyn est trop connu pour qu'il soit nécessaire de rappeler sa biographie ou ses œuvres. Nous renvoyons à l'ouvrage de Th. Graur, *Un disciple de Ronsard, Amadis Jamyn (1540 (?)-1593)*, Paris, Champion, 1929, et à celui de M. Raymond, *L'influence de Ronsard...*, op. cit., II, pp. 110-134. L'édition consultée à laquelle nous renvoyons est la suivante : *Les Œuvres Poetiques d'Amadis Jamyn, reveues, corrigées et augmentées en ceste dernière impression*, à Paris, par Mamert Patisson, M.D.LXXXIX. Une édition partielle a été faite par Ch. Brunet, *Amadis Jamyn, Œuvres Poétiques..*, Slatkine Reprints, Genève, 1967 (réimpr. de l'éd. de Paris, 1878).

25. Le commentaire est de M. Raymond, *L'influence de Ronsard...*, op. cit., II, p. 114.

26. Jamyn, op. cit., *Oriane*, Elégie, f. 74 v°.

27. J. de Romieu (1540-1600), provincial qui a vécu au Louvre, secrétaire ordinaire de la Chambre du Roy, frère de Marie de Romieu, poétesse, publie chez B. Rigault, à Lyon, en 1584 ses *Meslanges*.

28. J. de Romieu, op. cit., s. XXXV, f. 29 v° et 30.

La présence du sacré, étrangement mêlé, pour un goût moderne, à
l'aventure toute profane, est, pour un homme du XVIᵉ s., naturelle : bien
plus, l'engagement est ainsi consacré solennellement devant Dieu et
devant les hommes, et la dame, dont l'apparition radieuse a bouleversé
les sens et la raison de l'amoureux fervent, sera désormais adorée comme
une divinité, dans le recueillement. Cette première rencontre, située dans
un lieu de culte, est à l'origine d'un culte où l'on retrouve, avec la ferveur
passionnée de Pétrarque, l'adoration ronsardienne de la beauté flam-
boyante.

Pour Nuysement, la rencontre a lieu au bord de Seine : le caractère
mythique de l'heureuse aventure est souligné par le choix du jour, fatal
entre tous, un vendredi saint, qui d'emblée situe la rencontre dans un
contexte religieux :

> « Ce fust un Vendredi que j'apperceu les Dieux
>   Verser sur les mortels d'une ballance esgale
>   Et le bien et le mal, (...)
> J'errois au bord de Seine, (...)
>   Quand Amour plein de fiel parmy l'air se devalle
>   Et vint piquer mon cœur saintement furieux.
> O jour trois fois heureux où la divine offence
> De son précieux sang lava l'antique offence
> De nos premiers ayeuls : ô douce cruauté
> O bienheureuse erreur et plus heureuse encore
> Seine où premier j'ay veu la Nymphe que j'adore... » [29]

Si le premier jour, le premier regard, la première piqûre ont autant
d'importance, c'est que, d'abord, ils décident du cours de toute une vie,
désormais vouée à l'amour-fou ; mais c'est aussi que, depuis Pétrarque,
les lyriques sont particulièrement attentifs à « l'initium », au début, au
commencement absolu, qui est une nouvelle naissance, le surgissement
d'un homme neuf, dont le passé, magiquement, s'abolit, et qui, brutalement et une fois pour toutes, trouve un sens à son existence, désormais
parfaite (jour « trois » fois heureux, le nombre trois exprimant la
perfection absolue), comme si, déjà, elle était achevée. La rencontre n'est
pas le fait d'un hasard malicieux ou complaisant : elle est *signe,* elle
désigne l'élection de l'amant, prédestiné à une vie heureuse et malheureuse à la fois, une vie qui, désormais, lui échappe, orientée tout entière
vers Amour fatal. L'univers voit son sens ancien basculer, et le moindre
élément (le fleuve, ici) devient plein de sens, fixant à jamais l'image du
lieu où se manifesta le destin.

Différentes par leurs motifs, par leur tonalité, ces trois « rencontres »
ont en commun plusieurs caractères : elles témoignent d'abord de la vie
des traditions pétrarquiste et ronsardienne, mêlées ici étroitement.
Ensuite, elles mettent en lumière le caractère mythique de l'amour selon
Pétrarque et Ronsard : la première rencontre est beaucoup plus qu'un
heureux hasard, ou un accident dans la vie du poète ; elle est un signe,
attendu, espéré, dont les appels sont guettés. Elle désigne d'une manière
très claire ceux qui seront élus, et promis à un destin peu ordinaire.
Si l'amant, lorsque, pour la première fois, il aperçoit la dame à laquelle

---

29. Nuysement, *op. cit.,* XLIX, p. 45.

il sera désormais consacré, ressent à la fois joie et angoisse, si, devant l'éblouissante apparition, il ne peut se défendre d'une certaine crainte, c'est que, tout d'un coup, mais de façon irréversible, il se sent engagé dans une histoire qui le dépasse.

C'est pourquoi, après Ronsard, le poète aime à dater précisément les débuts de son servage : non point pour donner à son lecteur des repères chronologiques, dont il n'a que faire, mais pour marquer la date initiale, mythique elle aussi, le jour et l'heure où — ainsi en est-il décidé — tout a commencé ; ainsi Le Loyer :

> « L'an mil cinq cents et cinq et septante on nombroit
> Quand Amour, se cachant dans les yeux de ma dame,
> Me grava son pourtrait au moulle de mon âme,
> Et captiva mon cœur dans un lien estroit... » [30]

De même, Birague [31] :

> « Mille cinq cent et un et octonte on nombroit
> Lorsqu'Amour me fit voir la beauté de Madame,
> Qui captiva mon cœur, mon esprit et mon ame,
> Par un des traits ardans que son bel œil dardoit.
> Mon œil tout estonné ses graces admiroit
> Quand je sentis en moy allumer une flamme... » [32]

L'amour, né d'un regard, en un instant, modifie profondément le rapport de l'être au monde qui l'entoure, soudain plein de signes, et transforme une vie en destin.

Aussi comprend-on peut-être mieux ce qui, d'abord, étonnait : cette atmosphère religieuse, qui entoure la première rencontre, située à l'église (comme chez Pétrarque ou chez J. de Romieu), ou datée d'un jour mémorable entre tous (vendredi saint). C'est que l'amour est, non choisi ou voulu, mais accordé ou octroyé par une transcendance (Dieu ou Destin), et il prend de ce fait un caractère sacré, sinon mystique. Il constitue un point de contact entre l'homme et ce qui le dépasse : le jour de la rencontre est aussi celui de la Révélation.

2. LE MAL D'AMOUR.

Cet amour, dont les poètes ronsardisants retracent l'histoire mythique, sera-t-il un amour heureux ? Le *Canzoniere* est le livre de la douce amertume, et si, par moment, Pétrarque arrive à la pure contemplation, qui lui permet de sublimer un désir, à l'origine, sensuel [33], cet état heureux n'est jamais durable : l'amour pour lui est toujours une lutte

---

30. Le Loyer, *Flore, op. cit.*, LXXI, p. 28 v°. Chronologie également incertaine ; dans une édition ultérieure, l'année fatale sera 1578 ! Le cœur a ses raisons... et la poésie ses exigences.
31. Flaminio de Birague, frère de Ludovic, d'origine italienne comme son nom l'indique, est un grand poète, proche d'Aubigné, de Béroalde et de Nuysement. Ses *Premières Œuvres* parues en 1585 sont à la fois pétrarquisantes et soumises très nettement à l'influence néo-pétrarquiste « noire », et « pré-baroques ».
32. Birague, *op. cit.*, *Secondes Amours*, V, p. 76.
33. Le sonnet CCCLI de la seconde partie parle des dédains de la dame, qui tempéraient ses désirs enflammés, et de l'esprit hardi de l'amant, prompt à convoiter.

entre des forces contraires, qui s'équilibrent lorsque la douceur de la contemplation compense l'amertume que donne le sentiment de l'impossible, mais qui, le plus souvent, se partagent l'âme de l'amant, pour sa plus grande souffrance : oscillant de l'espérance à l'angoisse, de la douleur à la joie, le poète décrit la fragilité d'un équilibre toujours menacé par les tourments aigus de l'amour, condamné dès sa naissance. L'amour pétrarquiste ne peut être un amour heureux : tout au plus, Pétrarque peut-il espérer que, de l'excès même des tourments que lui cause « un fol égarement », naîtra un rachat. Chez Ronsard, certes, l'amour est accepté avec plus de facilité : il n'y a plus alors ce conflit, dont le *Canzoniere* portait témoignage, entre des aspirations spirituelles et l'appel des sens et du cœur [34]. Cependant, pour lui non plus, il n'y a pas d'amour heureux... *Les Amours* de 1552 montrent que le conflit entre le rêve et la réalité, qui revêt de multiples formes, l'impossibilité de vivre son rêve ou de rêver sa vie, sont au cœur même de l'œuvre. En effet, Ronsard, à la différence de Pétrarque, ne peut accepter de sublimation — mensongère à ses yeux [35]. L'amour s'adresse pour lui à la personne entière, âme et corps, et il ne se résigne pas à tromper la nature. D'un autre côté, les amours sensuelles, les caresses et les baisers, qu'il est loin de dédaigner, le laissent amer et insatisfait [36]. Que la dame en rêve l'accole, qu'il jouisse, le temps d'un songe, de son étreinte, et le voilà déçu, « vergongneux ». Aussi, mais pour des raisons différentes, sa poésie est le chant de l'amour difficile, de l'amour impossible.

C'est donc le mal d'amour que célèbre Ronsard, et ses disciples, sans toujours pénétrer ses raisons, sont surtout sensibles à ce désespoir, certes mesuré, à ces tourments.

----

34. Voir sur ce point Henri Hauvette, *Les Poésies lyriques de Pétrarque*, Paris, S.F.E.L.T., 1931, p. 47 et suiv.

35. *Les Sonets pour Hélène* nous éclairent sur ce refus de la sublimation. Voir *éd. cit.*, t. XVII, parmi d'autres, les sonnets XLII, p. 279, et XXV, p. 266, du livre II, XLII du livre I, p. 230 :

   « En choisissant l'esprit vous estes mal apprise
   Qui refusez le corps, à mon gré le meilleur. »

36. Surtout lorsque ce sont feintes caresses, et étreinte onirique. Mais même la réalité de la possession amoureuse le déçoit, si elle n'engage à la fois le cœur et les sens. Cf. le sonnet LXXVIII des *Amours* (1553), *éd. cit.*, t. V, p. 123 :

   « Ni les combats des amoureuses nuits
   Ni les plaisirs (...)
   Ni les faveurs que les amans reçoivent
   Ne valent pas un seul de mes ennuis. »

Plus âgé, cependant, Ronsard accordera plus d'importance à la satisfaction sensuelle, au point d'accepter ce qu'il redoutait en 1552 : l'étreinte mensongère, le temps d'un songe. Voir le sonnet amer et si poignant (*Hél.*, II, XXIII, *éd. cit.*, t. XVII, p. 264) :

   « Ces longues nuits d'hyver...
   . . . .
   Je fusse mort d'ennuy sans ta forme douteuse
   Qui vient par une feinte alléger mon amour
   Et faisant, toute nue, entre mes bras sejour,
   Me *pipe doucement* d'une *joye menteuse*. »

La liberté perdue, le servage.

Le jour de l'*innamoramento* est aussi le jour qui voit commencer un long servage. Ronsard, à la suite de Pétrarque [37], confond dans un même souvenir les images de l'esclavage [38] et celles de l'éblouissement [39]. Son cri : « Oh liberté que trop je te regrette... » est repris en écho par Pontoux :

> « Ah liberté que trop je te regrette,
> Depuis le temps que tu voulus partir
> Hors de mon cœur, quand tu me veis sentir
> Le coup mortel de l'ardante sagette.
> Où es tu donc ? Où fais tu ta retraite ?
> A qui vas tu ta franchise impartir ? » [40]

Du reste, en dehors de l'exclamation, le texte de Pontoux se développe d'une manière différente : alors que Ronsard insiste sur le caractère fatal de l'amour, engendré par les astres malveillants qui font peser sur lui leur malédiction, et ne regrette la liberté que dans la mesure où il ressent une « genne » incessante, Pontoux, partant du cri, consacre tout son sonnet à des plaintes et à des regrets qui constituent une paraphrase du texte ronsardien.

La naissance de l'amour coïncide avec la perte de la belle franchise : cela ne signifie pas que désormais toutes les aventures sentimentales soient interdites, ni même que l'amant ne s'autorise plus le moindre écart ; Pétrarque lui-même avouait, dans la honte, que la chair bien souvent l'induisait en tentation, et que la chasteté était difficile pour un tempérament de feu [41]. Mais l'amour voué à la dame dévore si totalement l'être de l'amant que celui-ci perd son autonomie, et qu'il est livré à une force supérieure auquel il voue sa vie : son cœur ne lui appartient plus.

C'est en ce sens qu'il faut entendre les plaintes que Boton [42] met dans la bouche de Cybèle martyrée par le bel Atys :

> « Rens moy mon cœur, rens moy ma liberté,
> Oste moy hors de ta prison obscure,
> Moy qui languis pour ta belle figure,
> En me bruslant au rais de ta beauté.
> Si tu as mis au fort de chasteté
> Tous tes Amours, si tu as, de nature,
> Un cruel cœur, une poïtrine dure,
> Qu'on ne te puisse esmouvoir de pitié,
> Rens moy mon cœur... » [43]

---

37. Pétrarque, III, vers 7 et 8 :
   « pero m'andai
   secur, senza sospetto : onde i miei guai
   nel commune dolor s'incominciaro ».
38. Pétrarque, XIX, dernier tercet :
   « Pero con gli occhi lagrimosi e'nfermi
   mio destino a verderla mi conduce ;
   e so ben ch'i vo dietro a quel che m'arde. »
39. Ronsard, *Amours, éd. cit.,* t. IV, XIV, p. 17-18.
40. Pontoux, *op. cit., Idée,* VI, p. 18.
41. Pétrarque, XVI, dernier tercet ; voir aussi LXXXI (le sens du péché).
42. Boton (1550 ?-1598), poète sans grand talent, volontiers obscur et souvent difficile, publie sa *Camille,* fable mêlée de vers, chez J. Ruelle, en 1573, à Paris.
43. Boton, *ibid.,* pp. 11 et 12.

La déesse Cybèle exprime bien là le paradoxe des amours pétrarquistes : celui — ou celle — qui aime, choisit toujours pour objet de
son affection l'être qui peut le moins accorder en retour ses faveurs :
qu'il soit insensible (tel Narcisse ou Atys), froid comme glace, ou que
sa situation lui interdise de répondre (comme Laure, engagée dans les
liens du mariage), l'aimé ou l'aimée suscite chez l'amante ou l'amant un
feu d'autant plus ardent qu'il est stérile : l'obstacle est au cœur même
du désir. Dès lors, abandonner son cœur, c'est quitter sa liberté pour
s'aliéner, pour se perdre, au gré d'autrui ; c'est cette dépossession que
célèbre Boyssières [44] :

> « Mon cœur m'abandonna, ma liberté aussi,
> Demeurant or'avant en eternel soucy,
> Ayant cinq cent ennuis qui d'une ardente envie
> Et de trop de desirs me bourrellent la vie.
> Je n'ay plus, comme toy, ma douce liberté,
> Je suis, au gré d'autry, amèrement traitté,
> Pauvre esclave enchaisné... » [45]

Les néo-pétrarquistes, à la suite de Desportes, feront de la chaîne,
des lacs, un des symboles du sentiment amoureux, et le noyau de
mainte métaphore. Il suffit aux pétrarquistes français, suivant en cela
Ronsard, de lier l'éveil de l'amour à la conscience d'une servitude, qui
rend l'amant (ou l'amante), jusque là libre de ses mouvements, soumis
par le désir à un être, dont la seule fonction semble être justement
d'ignorer ce désir qu'il ne peut ni ne doit satisfaire. Ainsi P. de Brach [46],
qui dans le *Premier Livre* des *Amours d'Aymée* s'inscrit dans la tradition
pétrarquiste du *Premier Livre des Amours*, consacre plusieurs sonnets
aux regrets sur la perte de sa liberté, qui le rend tout « honteux » [47], et,
dans une Elégie, compare son sort à celui de Tantale, roi déchu :

> « Ce Tantale je suis, et semble que la fable
> Ait en luy figuré mon malheur veritable,
> Car si, comme l'on sait, ce Tantale estoit roy,
> Avant que de ployer sous l'amoureuse loy,
> J'estois Roy de mon cœur, de moy j'avois l'empire,
> Roy de ma liberté... » [48]

Quelque amertume qu'il ressente, l'amant-esclave ne se révolte
pourtant point, imitant encore en cela Pétrarque, qui préfère se livrer
tout entier à la puissance d'Amour, et Ronsard, qui, plus violent, mais
dompté tout de même, se contente — sans maudire la Belle, cela encore

---

44. Boyssières, poète provincial (né en 1555, mort v. 1584), qui unit Desportes
et Ronsard, publie ses *Premières Œuvres* à Paris en 1578.
45. Boyssières, *op. cit., Elégie*, III, f. 52.
46. Pierre de Brach (1547-1604). En 1576 est publié un volume, *Les Poëmes
de Pierre de Brach divisés en trois livres,* à Bordeaux. Nous avons utilisé, parce
qu'elle rassemble des vers inédits au xvie s., l'édition procurée par Dezeimeris, à
Paris, chez Aubry, en 1861 : *Les Œuvres Poétiques de Pierre de Brach,* à laquelle
nous renvoyons.
47. P. de Brach, *op. cit., Livre Premier* des *Amours d'Aymée,* sonnet X, p. 26.
48. *Ibid., Elégies,* II, p. 175, *Tantale.*

serait trop — de l'imaginer, pour sa plus intime satisfaction, en proie aux malédictions de « l'âge à venir » [49].

Cette aliénation rappelle la situation impossible des troubadours, que le service d'amour conduit à un divorce (le cœur d'un côté, le corps de l'autre), et les difficultés de « l'amor de lonh » (Jaufré Rudel) qui impose à l'amant une perpétuelle tension. Mais — et c'est une différence importante — Pétrarque a spiritualisé le conflit amoureux, et cette spiritualisation se fait encore sentir chez les Ronsardisants.

L'obsession amoureuse.

Roi dépossédé, esclave volontaire, l'amant pétrarquiste, loin de secouer le joug, se laisse envahir par la seule image de l'aimée. Pétrarque chez qui le désir chasse tout autre vouloir [50], voit partout sa dame, qu'il « a dans les yeux » (ne gli occhi) et, lorsque bruissent les feuilles, dans la forêt des Ardennes, c'est elle qu'il entend [51]... Tout son effort vise précisément à substituer, à la femme réelle, inaccessible, une image à sa ressemblance, plus vraie que la réalité, née de ses désirs et de ses rêves, en laquelle se mêlent harmonieusement certains traits empruntés à une femme de chair, et des éléments d'idéal. Peu importe alors l'absence charnelle de la dame — voire sa disparition ! — puisque, toujours, son être l'habite : la souffrance peut être transformée en joie [52], et, Pétrarque l'avoue, il n'a plus nul désir de changer sa vie « douce-amère ». Plus belle qu'Hélène, plus vivante que Laure, proche et lointaine, la femme idéale, Sylphide ou déesse, à défaut de combler ses sens, satisfait son imagination. Ronsard, sur ce point, n'agit point très différemment : le thème de l'obsession amoureuse — thème majeur de la lyrique pétrarquienne — convenait parfaitement au sentiment du poète, qui célèbre, dans le *Premier Livre des Amours*, la possession totale de l'amant, non par l'aimée peut-être, mais par le sentiment amoureux. A travers les

---

49. Ronsard, *éd. cit.*, t. IV, CLXIV, p. 156 :
> « Si d'un trespas tu payes ma langueur,
> L'âge à venir maugrayant ta rigueur
> Dira sus toy : De ceste fière amie
> Puissent les oz reposer durement... »

Pétrarque n'oserait formuler, on l'imagine, telle malédiction (même placée en la bouche d'autrui) ; il se contente de dire l'amertume du fruit du Laurier, et la force d'Amour qui malgré lui l'entraîne. Cf. VI, tercets :
> « E poi che'l fren *per forza* a sè raccoglie
> i'mi rimango *in signoria* di lui
> che mal mio grado a morte mi transporta ;
> sol per venir al lauro, onde si coglie
> acerbo frutto, che le piaghe altrui,
> gustando, affligge piu che non conforta. »

(C'est nous qui soulignons les expressions qui marquent la puissance de cette force qui domine l'amant.)

50. Pétrarque, XI :
> « poi che in me conoscete il gran desio
> ch'ogni altra voglia d'entr'al cor mi sgombra ».

51. Pétrarque, XXX, v. 5 et 6 ; CLXXVI, v. 7 : « ch'i'l'ho ne gli occhi »... ; v. 9-10 : « Parme d'udirla, udendo i rami e l'ore, e le frondi... »
Pour les thèmes de l'obsession amoureuse, voir en part. CXXVII, v. 56-70, CXXIX, v. 14-52.

52. Pétrarque, CXXIX, v. 6.

formes gracieuses des jeunes filles en fleur, dont Cassandre est le symbole, il dit à la fois la recherche passionnée de l'amour, et la déception inhérente à tout amour. En effet, lorsque Ronsard déclare qu'il a peur qu'on le « veuille secourir » [53], qu'il aime son « martire », ce n'est certes pas par goût malsain de la souffrance : c'est qu'il aime savourer lentement sa langueur, et se repaître de rêve. Aussi est-il, lui aussi, poursuivi, nuit et jour, par la belle image [54] de sa guerrière, heureux de sentir continuellement « la fureur » qui « en patience une heure ne (le) laisse » [55].

Ses disciples, sensibles à travers lui à la douce amertume de Pétrarque, recueillent volontiers le thème. Jamyn, par exemple, consacre à l'obsession amoureuse plusieurs pièces des *Amours d'Oriane* [56]. Reprenant des troubadours la division du corps et du cœur, dont Ronsard a tant de mal à s'accommoder, il en use pour compenser les douleurs de l'absence par la vivacité d'une pensée qui, jamais, n'abandonne sa « bourne » :

> « Quand je m'eslongne à l'escart de vos yeux,
> Mon cher esprit loin de vous ne sejourne :
> En me quittant à vous il s'en retourne
> Comme à son Tout, son plaisir et son mieux.
> Le corps peut bien courir en divers lieux.
> De mon esprit vous seule estes la bourne :
> Ses pensements ailleurs il ne destourne... » [57]

Alors que Ronsard, en proie au vertige qui bouleverse ses sens, voit l'image de sa dame « peinte » dans le champ, le roc, ou les flots du Loyr [58], soumis, en songe, à d'étranges visions qui le laissent, au petit matin, désemparé, n'ayant d'autre plaisir que de « penser et repenser encore » les beautés qui l'émeuvent si fort, Jamyn semble s'accommoder assez bien de l'obsession qui dirige sa vie ; acceptant de faire mener à son cœur et à son corps une vie séparée, il se contente d'une présence spirituelle, ne recherchant que l'intimité des esprits. Même si les tercets corrigent cette vue optimiste, l'appel à la pitié qui les clôt n'a pas l'amertume des plaintes ronsardiennes. Jamyn, lecteur de Pétrarque, dont il admirait le *Canzoniere*, est en ce sens plus « pétrarquiste » que Ronsard.

---

53. Ronsard, *éd. cit.*, t. V, XLVI, p. 112 :
   « Amour me tue, et si je ne veux dire
   Le plaisant mal que ce m'est de mourir :
   Tant j'ay grand peur, qu'on vueille secourir
   Le mal... »
54. *Id.*, *éd. cit.*, t. IV, CLIX, p. 151.
55. *Ibid.*, CXLVII, pp. 141-142.
56. Jamyn, *Les Amours d'Oriane, passim*, et part. Elégie, p. 72 v° et suiv. :
   « Si triste nuict et jour quelque moment qui passe
   Je ne fay que penser, repenser en ta grace,
   T'engager mon desir, et d'un nouvel esmoy
   Si mon ame te fuit et s'estrange de moy... »
Elégie, p. 73 v° et suiv. :
   « J'ay toujours devant moy... »
57. Jamyn, *op. cit.*, f. 78 v°.
58. Ronsard, *éd. cit.*, t. IV, XXVIII, pp. 31-32.
Voir aussi *ibid.*, XXVIII, p. 30, l'expression vive des « fureurs » qui tourmentent Ronsard, « prestresse folle », « qui bègue perd la voix »...

L'obsession amoureuse, pour lui, n'est pas une rude épreuve qui exaspère les sens et les sentiments de l'amant, un « martyre » qui brise les nerfs, un « penser » qui « devore le cœur » et « suce la vigueur »[59], mais une victoire sur le temps et sur l'espace :

> « J'avois si bien mon ame en la tienne enlacée,
>   Mon cœur dedans ton cœur, mes yeux dedans tes yeux,
>   Que pour longueur de temps ou distance de lieux,
>   Delaissant ta beauté je ne t'ay point laissée... »[60]

Ce sont là des accents assez personnels, qui montrent que Jamyn, disciple fidèle de Ronsard dans les *Amours d'Oriane*, s'écarte pourtant sensiblement de la vision ronsardienne de l'amour — fête des sens et du cœur — pour se rapprocher des conceptions néo-platoniciennes[61].

Pontoux, pourtant influencé lui aussi par le platonisme[62], traite tout autrement le thème de l'obsession amoureuse ; plus sensible à l'inutilité d'une telle « possession », il s'avoue souvent déçu :

> « Je suis las de tant de fois penser
>   Et repenser toujours un penser morne,
>   Et m'esbahis quand je pense en moy mesme
>   Comme mon ame en peut tant dispenser... »[63]

Cet « ébahissement », cette stupeur, indiquent assez que l'amant n'est guère résigné à perdre ainsi le meilleur de son âge. Au milieu des plaintes conventionnelles, et des désirs éthérés, le poète parfois laisse échapper quelque dépit, plus proche en cela de Ronsard :

> « Cent fois le jour, je fais des pas cent mille
>   Devant son huis, esperant recevoir
>   D'elle un baiser, ou pour le moins avoir
>   Par le treilliz une œillade gentille.
> Ou soit aux champs ou bien soit à la ville,
>   Heure ne coule, où ne face devoir
>   De ruminer penser et concevoir
>   Et repenser d'un penser inutile... »[64]

Bien que Pontoux soit un lecteur attentif de Pétrarque et des Italiens, l'influence du Florentin est toujours filtrée et dosée, et l'on sent chez lui une résistance au pétrarquisme, qui, comme chez Ronsard, a le sens d'une méfiance à l'égard de l'idéalisme.

A l'imitation de Pétrarque, chez lequel l'obsession amoureuse survit à la mort de l'aimée[65], et de Ronsard, qui, soit veillant, soit dormant, voit toujours « la belle face » de Marie, « dont le corps est en terre »[66],

---

59. *Ibid.*, XXXV, p. 38. Voir aussi sur ce thème XXXIV, p. 37-38.
60. Jamyn, *op. cit.*, f. 79 r°.
61. Voir Th Graur, *Jamyn, op. cit.*, p. 264 et p. 270, et M. Raymond, *L'Influence..*, II, p. 120.
62. Pontoux, *op. cit.*, *passim* et part. XIV, p. 31.
63. *Ibid.*, sonnet CXXIX, p. 79.
64. *Ibid.*, sonnet LXXVII, p. 54.
65. Pétrarque, CCLXXIX (Seconde partie des *Rime*) :
> « Lei che'l ciel ne mostrò, terra n'asconde,
>   veggio, et odo, et intendo ch'ancor viva,
>   di si lontano, a'sospir'miei risponde. »
66. Ronsard, *Sur la mort de Marie, éd. cit.*, t. XVII, *Sonets*, II, p. 141.

P. de Brach exprime avec délicatesse la permanence de l'image aimée, dans un des sonnets qui célèbrent ses défuntes amours (amours conjugales, il est bon de le noter, car c'est une modification intéressante du schéma courtois) :

> « Lors qu'en me promenant mal-gré moy je m'essaie,
> De donner quelque trëve à l'ennuy qui me tient,
> L'objet le plus plaisant en mon deuil m'entretient
> Et aux coups de mes yeux je r'engrège ma plaie.
> Je vois, voiant ce pré, ce bois, cette oseraie,
> L'image de mon deuil. Car lors il me souvient
> Que c'est l'œuvre d'Aymée... » [67]

La possession de l'amant par le sentiment amoureux, si vif que la mort même d'Aymée ne lui apporte nulle retenue, l'amène à célébrer un singulier office, pour le premier anniversaire de sa mort, à Rouen :

> « J'y célèbre un office aux vers que je compose,
> Le deuil, maistre du cœur, a le mot entonné,
> Le feu de mon amour la lumière a donné,
> L'eau beniste, les pleurs dont la terre j'arrose,
> Mais je ne pleure seul, pleuvant, pleurent les cieux,
> Il pleut et je diroy cette eau l'eau de tes yeux,
> Si les ames sentoient un regret lamentable... » [68]

Pétrarque imaginait de même [69] voir, au cours de ses promenades, surgissant au bord de la Sorgue, Nymphe ou Déesse, sa Dame morte ; dans le Comtat, écoutant le murmure des eaux limpides, il l'entendait — voix consolatrice, apaisante... De Brach se laisse davantage envahir par l'amertume, peut-être parce que son amour pour Aymée fut comblé : dans la chambre où il la vit mourir, le lit lui rappelle à la fois la volupté et la douleur :

> « Ce lieu, lieu de mon deuil, fust lieu de mon plaisir,
> L'un présent, l'autre absent, vient mon âme saisir... » [70]

Les contradictions du cœur.

Au centre de l'analyse pétrarquiste du sentiment amoureux, la constatation des émotions qui se partagent le cœur de l'amant prend un relief singulier, car elle éclaire la nature du lien qui unit le poète à sa dame : bien que, très souvent, l'accent soit mis sur la souffrance, sur le « martyre » d'amour, il ne faut pas oublier la douceur qui envahit l'amant lorsque, à certains moments privilégiés, que leur rareté même rend précieux, se change en plaisir le mal que souffre pour l'aimée l'amant [71]. Mais, et Pétrarque y insiste, l'âme ainsi doucement émue ne

---

67. P. de Brach, *op. cit.*, livre III, *Le Tombeau d'Aymée*, XVIII, p. 236.
68. *Ibid.*, XXIX, pp. 246-247.
69. Pétrarque, *Seconde partie*, CCLXXXI.
70. De Brach, *op. cit.*, livre III, sonnet XXIII, p. 241.
71. Pétrarque, CXXIX, v. 4-6 :
    « Se'n solitaria piaggia, rivo, o fonte ;
    se'n fra duo poggi siede ombrosa valle,
    ivi s'acqueta l'alma sbigottita... »

saurait rester longtemps dans le même état heureux de « suspens » :
« A chaque pas, naît un penser nouveau » [72] et c'est le propre de
l'inquiétude pétrarquiste de ne pouvoir assurer son assiette : du rire au
pleur, du trouble à la sérénité, de la douceur à l'amertume, l'âme
vagabonde... Contente d'une erreur délicieuse, mais vite apeurée d'un
songe, elle sent en elle la division. Reprenant à son compte l'analyse
antithétique des sentiments, Ronsard met l'accent, avec l'impétuosité qui
lui est propre, sur la contradiction qui s'installe dans le cœur de l'amoureux obsédé par l'image de sa belle : le sonnet XII des *Amours* [73],
construit, dans ses trois premières strophes, sur le jeu rhétorique d'antithèses qui imprime à chaque vers une dualité rigoureuse, et qui reprend,
pour l'essentiel, les antithèses pétrarquistes des sonnets CXXXIX et
CLXXVIII du *Canzoniere,* est à l'origine de nombreuses variations
exécutées par ses disciples.

Boyssières imprime à son texte un mouvement passionné dont la
courbe, plus sinueuse que celle du modèle, reprend la construction en
parataxe, brisée habilement dès le deuxième quatrain :

> « Tout à coup je me sens en tristesse et en joye,
>   Et à un mesme instant, remplir d'aise et languir,
>   Brusler et r'englacer, et puis vivre et mourir,
>   Suivre le droit chemin esgaré de ma voye.
> Heureux et malheureux, rire, et puis je larmoye
>   Mon sejour et ma peine, ensemblement nourrir,
>   La contrariété devant mes yeux s'offrir,
>   Un Tantale altéré, et dans l'eau je me noie.
>   . . . .
> Et lorsque je m'asseure estre prochain du port,
>   Je me voy entouré des courriers de la mort,
>   Et d'autant esloigné de mon heureuse attente. » [74]

Certes, chacun des groupes antithétiques renvoie à une analyse qui
peut sembler schématique, comme paraît conventionnelle, dans le tercet
final, l'allusion à la mort, dernier terme du martyre. Mais Boyssières a
su varier agréablement les rythmes, peut-être trop réguliers chez Ronsard,
en opposant, aux deux groupes binaires d'un seul vers : vers 3 du
premier quatrain, vers 1 du deuxième quatrain —, un seul groupement
antithétique, au vers 2 du premier quatrain ou 2 du deuxième quatrain,
avec un effet de croisement qui anime les structures semblables et
pourtant différentes des deux premières strophes. D'autre part, il a
opposé au bloc des premières strophes, dont les phrases brèves, les
coupes nombreuses, soutiennent des antithèses rigoureusement groupées,
le tercet final dans lequel le rythme s'élargit, porté par la subordonnée
temporelle, avant de retomber en deux vers plus faiblement accentués et
peu césurés. C'est un effort intéressant pour traduire, par les oppositions
des rythmes, et des strophes, et non plus par la seule antithèse de mots,
les contradictions qui animent tout amour.

---

72. *Ibid.,* CXXIX, v. 17 :
    « A ciascun passo nasce un penser novo... »
73. *Ed. cit.,* p. 16 (t. IV) :
    « J'espere et crains, je me tais et supplie,
    Or je suis glace et ores un feu chault... »
74. Boyssières, *op. cit.,* sonnet XXVI, p. 36.

Pontoux reprend à plusieurs reprises l'analyse antithétique du sentiment amoureux[75]. Parfois mot à mot[76]. Tantôt il recherche par la symétrie des strophes, et, à l'intérieur même des strophes, celle des vers, la traduction équilibrée des forces contraires mais égales qui se partagent le cœur de l'amoureux :

> « J'ay froid hélas ! et ma chaleur vitale
> Avec mon cœur se retire hors de moy.
> J'ay chaud, hélas ! Car je sens un esmoy
> Du clair rayon qui dedans moy dévale.
> Je crains hélas ! car ce froid-là me baille
> La crainte et peur où réduict je me voy.
> J'espère hélas !... »[77]

Tantôt, il demande à une allégorie naïve d'illustrer le conflit des sentiments :

> « Deux ennemis contraires me font guerre,
> Incessamment, la crainte et hardiesse,
> L'un haut m'esleve, et puis l'autre m'abaisse,
> L'un me fait vif : l'autre le cœur m'empierre... »[78],

ou il se contente du jeu d'antithèses qui partagent également les vers :

> « Ores de joye, or' de deuil je me pais,
> Or' je lamente, et or on me voit rire,
> Or je suis sain, et ores je rempire
> Or' j'ay la guerre et ore j'ay la paix... »[79]

Assez semblables, mais soutenues par plus de violence, les antithèses chez Nuysement s'adaptent à sa vision personnelle de l'amour, combat qui met aux prises deux adversaires également sans pitié ; la fureur de l'amant dédaigné fait front à la froideur glacée de la belle sans cœur :

> « Je ne puis trouver paix, et n'ay où faire guerre,
> J'espère au désespoir, je brusle et suis en glace,
> Sans pouvoir rien tenir tout le monde j'embrasse,
> Et tel m'a prisonnier qui ne m'ouvre ou resserre.
> Je volle sur les cieux et languis en la terre,
> Je forcène d'amour et jamais ne m'en lasse... »[80]

Ce texte, si proche par les mots employés, les tournures, du texte de Pétrarque (CXXIV) qu'il semble n'être qu'une traduction, contient pourtant, subtilement mêlées aux vers empruntés, les traces de la fureur de Nuysement, son « forcènement » qui ne doit rien à Pétrarque, son goût pour la fureur, même la fureur vaine...

Il suffit pour s'en persuader de comparer la traduction « inspirée » de Nuysement avec la traduction plate et insipide de Marie de Romieu[81] :

---

75. Pontoux, *op. cit.*, passim, et part. XVI, p. 32 (numéroté 23 par erreur dans l'éd. cit.), XLIX, p. 39, LIII, p. 42, C, p. 65, etc.
76. Voir *éd. cit.*, LIX, p. 45 (v. 13).
77. *Ibid.*, XLIL, p. 39.
78. *Ibid.*, LIII, p. 42.
79. *Ibid.*, C, p. 65.
80. Nuysement, *op. cit.*, XXI, p. 38, sonnet visiblement traduit de Pétrarque (CXXXIV).
81. Marie de Romieu, sœur de Jacques, publie en 1581 ses *Premières Œuvres Poétiques*, Paris, L. Breyer. C'est à cette édition originale que renvoient nos citations. P. Blanchemain a reproduit cette édition originale au Cabinet du Bibliophile en 1878.

> « Pais je ne treuve et ne puis faire guerre,
>   J'espère et crains ; je brusle et je suis glace,
>   Rien je n'estrains et tout ce rond j'embrasse,
>   Je vole au ciel et si je suis en terre... » [82]

D'un côté un sens très sûr du rythme, une reprise en force des antithèses, de l'autre un mot à mot sans éclat...

Au reste, le thème devient très vite exercice d'école, traité avec une application laborieuse par Le Loyer [83], Cornu [84], La Jessée [85], à la manière de J. Courtin de Cissé [86] :

> « Le feu me gèle et la glace m'enflame,
>   Dedans le feu je glace de froideur,
>   Dedans le froid, un feu plein de chaleur
>   Brusle mon cœur, et de son chaut l'entame... » [87]

Mais, en dehors de ces maladresses, le thème des contradictions a permis au lyrisme pétrarquisant de 1570 de prendre appui sur les ressources de la rhétorique pour traduire, souvent avec bonheur, les mouvements passionnés d'un amour partagé entre l'idéale adoration de la beauté et le sens des réalités charnelles. Volant au ciel, le poète retombe lourdement sur le sol : cette image, si souvent utilisée après Pétrarque et Ronsard, exprime les contradictions d'un culte qui, courtois à l'origine, perd peu à peu son caractère idéaliste [88].

Le martyre.

On retrouve la même gêne lorsque les poètes s'attachent à décrire leur martyre, conformément au schéma pétrarquiste abondamment illustré par Ronsard dans le *Premier Livre*. Le thème est trop connu [89] pour qu'on ait besoin de l'illustrer : notons seulement que le maître s'écarte à plusieurs reprises de la conception pétrarquienne de l'amour, soit que le rêve lui permette de développer librement, sous le couvert du songe,

---

82. M. de Romieu, *op. cit.*, *Imitation d'un sonnet de Pétrarque*, p. 41 v°.

83. Le Loyer, *op. cit.*, VII, p. 2, XXX, p. 12.

84. Pierre de Cornu, Dauphinois, né au milieu du siècle, publie en 1583 ses *Œuvres Poétiques*... à Lyon chez Huguet. C'est un disciple fidèle de Ronsard, séduit à la fois par le pétrarquisme du *Premier Livre* et par les mignardises des *Continuations*. L'édition originale de 1583 est reproduite en 1870 chez J. Gray (Turin-Grenoble) : nos notes renvoient à cette édition. Pour le thème des contradictions, voir *éd. cit.*, XC, p. 66.

85. J. de la Jessée, *op. cit.*, p. 799.

86. Jacques Courtin de Cissé (1560 ?-1584) publie en 1581 ses *Œuvres Poétiques* à Paris chez Gilles Beys : *Le Premier Livre des Amours de Rosine*, chaste et sentimental, s'inscrit dans la tradition pétrarquiste du *Premier Livre* ronsardien (avec déjà pourtant quelques imitations de Bonnefons). Le *Second Livre* est folâtre et mignard. On sent aussi l'influence de Desportes et une préciosité diffuse.

87. *Id., éd. cit.*, p. 4.

88. Pour d'autres variations sur le thème des contradictions, cf. la Jessée, *op. cit.*, p. 799 ; Le Loyer, *op. cit.*, VII, p. 2 v°, XXX, p. 12 ; Cornu, *op. cit.*, XC, p. 66 ; Blanchon, *op. cit.*, LX, p. 31, etc.

89. Pour Pétrarque, voir surtout XII, XXII, XXXVI, LVII. Pour Ronsard, *éd. cit.*, t. IV, XIII, p. 17, XXIV, p. 27 ; t. V, XL, p. 108, etc.

les images les plus lascives de l'étreinte charnelle [90], soit qu'il se plaigne
de la chasteté que lui impose sa dame, d'autant plus mal acceptée qu'elle
succède [91] à de tendres privautés dont il garde le souvenir brûlant [92],
soit encore qu'il imagine, avec délices, les plaisirs interdits [93] : tout est
chez Ronsard prétexte à de voluptueuses contemplations. Les disciples
sont, en un sens, plus proches de la pudeur de Pétrarque, et ils célèbrent
sans réserve les souffrances du servage et la dureté de la belle sans merci,
même lorsque, comme c'est le cas pour de Brach [94], la maîtresse impitoyable est, dans la vie, une épouse aimable et complaisamment
prolifique !

> « Mon âme ! Mais faut-il que mon âme j'appelle
> Celle dont la rigueur tient mon âme en tourment ?
> Mon cueur ! Seroit ce un cueur celle qui traistrement
> Aiant pipé mon cueur, de cent morts le bourrelle... » [95]

Plusieurs de ses pièces n'expriment ainsi, selon ses propres dires,
« que plaintes, que soupirs, que regrets et que larmes » [96].

Pontoux, amoureux martyr impénitent, célèbre les rigueurs de son
Idée dans plusieurs dizaines de sonnets...

> « Hélas Idée, Idée hélas,
> Que ta fierté sous ta beauté cachée
> A martyré ma pauvre ame alléchée (...)
> « Dedans ton cœur ma pauvre ame est ferrée
> Où elle vit, hélas, bien pauvrement.
> Son boire est fiel, son manger est tourment... » [97]

Les plaintes et soupirs se mêlent du reste assez souvent (et chez
Pontoux lui-même) aux mignardises et aux baisers : comme si les
Ronsardisants avaient eu le souci d'illustrer en même temps et au sein
d'un même recueil deux traditions ronsardiennes. Ainsi Boyssières, parmi
des pièces plus légères et souriantes, place un grand nombre de sonnets,
doubles sonnets, élégies, complaintes et stances qui ne sont pleins que
de larmes et de regrets. A titre d'échantillon, le sonnet XXV donne une
idée de ce lyrisme souvent éloquent :

> « O dures passions, sources de mes angoisses,
> O tourmens inhumains, o gesnes, o travaux,

---

90. Pour le Songe amoureux chez Ronsard, cf. *éd. cit.*, t. IV, XXIX et
XXX, p. 32-33, CLVI, p. 157, CI, p. 100, CLIX, p. 151.
91. Voir *éd. cit.*, t. V, le sonnet XXXIX, p. 107 :
« Pleust à Dieu n'avoir jamais tasté
Si follement le tetin de mamie ! »
Ce sonnet, ajouté en 1553, sera porté en 1578 dans la section des *Amours
Diverses* (jugé trop libre pour figurer dans le *Premier Livre*).
92. Ronsard, *éd. cit.*, t. IV, XLVI, p. 49 (v. 13-14) ; t. V, CXIII, p. 141 ;
t. IV, CII, p. 101, CLXXVIII, p. 168.
93. Voir en part. dans les *Amours, éd. cit.*, t. IV, XX, p. 23, LXVII, p. 68,
et, t. V, XLI, p. 109, XLV, p. 111, XLVI, p. 112.
94. La dame chantée par P. de Brach, Aymée, fut son épouse : elle lui
donna huit enfants et mourut après quinze années d'union heureuse (1572-1587).
Voir *Elégie III à M. de Massiot*, 3ᵉ Liv. des *Amours d'Aymée, op. cit.*, p. 261,
v. 122 et suiv.
95. P. de Brach, *op. cit.*, Le *Second Livre*, sonnet II, pp. 116-117.
96. *Ibid.*, sonnet XVI, p. 147.
97. Pontoux, *op. cit.*, L'*Idée*, XVII, p. 32 (par erreur, en fait p. 23) et
XVIII, p. 24.

O regrets, o souspirs, o nombre de mes maux,
O longs gémissements, ô trop forte détresse,
Je meurs encontre vous justement irrité... » [98]

P. Boton, dans sa *Camille,* multiplie sur ce modèle les plaintes et les
souspirs, mais son goût pour les constructions difficiles, son style rocail-
leux, la lourdeur avec laquelle il développe comparaisons et antithèses
froidement conventionnelles, rendent monotones les accents de celui qui
déclare n'avoir « pour toute arme » que « les souspirs, les sanglots, les
plaintes et les larmes » :

« Plutôt hélas blanchiront mes cheveux
Plutôt verray la fin de ma vieillesse,
Qu'elle s'en vienne adoucir mon angoisse... » [99]

Le thème du martyre, qui rappelle l'inquiétude et la souffrance liées
à la *fin'amors* de la lyrique provençale, ne se renouvelle guère après
1570. Cependant, il garde valeur exemplaire, dans la mesure où il
traduit les ambiguïtés d'une passion charnelle et spirituelle à la fois,
subie avec résignation, mais acceptée aussi dans la joie, comme une
bénédiction : le « dolorisme » de cette poésie issue de Pétrarque n'exclut
pas l'idée d'un rachat possible par la souffrance, ni celle, plus païenne,
du plaisir trouvé dans la contemplation narcissique de son propre
malheur.

3. LE THÈME DU PORT.

Ce martyre, si communément chanté, ne va pourtant pas sans joie.
Célébrant, après Pétrarque [100], la « voluptas dolendi », Ronsard avait
trouvé d'heureux accents pour exprimer le goût amer et voluptueux du
tourment amoureux, l'âcre plaisir d'une soumission totale [101]. Mais aussi,
il lui arrivait de connaître la trêve, et de trouver enfin, au sortir de la
tempête qui le brisait, le port [102].

Après Pétrarque [103], et l'Arioste [104] qui célèbrent la « cameretta
cara », port secret où s'amarra leur barque battue des vents, Ronsard

---

98. Boyssières, *op. cit.,* sonnet XXV, p. 33 v°.
99. Boton, *op. cit.,* p. 24.
100. Pétrarque, CXXXII (le mal délicieux), *Chanson,* CCLXIV, 4.
101. Ronsard, *éd. cit.,* t. IV, CXLIII, p. 138, CXXVIII, p. 124.
102. *Ibid.,* CII, p. 101.
103. Pétrarque, CCXXXIV :
« O cameretta, che già fosti un porto
a le gravi tempeste mie diurne,
fonte se' or di lagrime notturne,
che'l dì celate per vergogna porto.
O letticciuol, che requie eri e conforto
in tanti affanni, di che dogliose urne
ti bagna Amor, con quelle mani eburne,
solo vèr'me crudeli a si gran torto !... »
104. Arioste, sonnet III :
« O sicuro, secreto, e fido porto
Dove, fuor di gran pelago, due stelle ;
Le piu chiare del cielo e le piu belle
dopo una lunga e cieca via m'han scorto !
Ora io perdono al vento e al mar il torto
che m'hanno con gravissime procelle
fatto fin qui, poi che se non per quelle
io non potea fruir tanto conforto... »

célèbre magnifiquement la halte voluptueuse : il se démarque d'ailleurs nettement de ses modèles en achevant sur une note de franche gaillardise [105]. Les disciples, plus retenus, gardent, pour traiter ce thème, décence et chasteté : c'est le cas de Pontoux, qui, réservant pour ses *Autres et excellens sonnets* la veine gaillarde, s'inscrit, lorsqu'il célèbre Idée, dans la tradition platonicienne :

> « Je sen je sen à ceste heure plus d'aise
> Qu'un Sylvain n'a quand une nymphe il baise
> Couché dessus l'émail de quelque bort.
> O doux Nectar, ô allegre Nepenthe,
> Puisque je suis ancré dans si beau port,
> Adieu travaux plus je ne vous lamente. » [106]

A. Jamyn construit tout un sonnet à partir du noyau métaphorique :

> « Je suis perdu d'amour hélas cruellement,
> De mille tourbillons s'agite ma pensée
> Je suis comme une roche en la mer courroucée
> Que les vents et les flots battent horriblement.
> Je pensois estre au port de l'amoureux tourment
> Prest à pendre un tableau de ma peine laissée,
> Quand une grand tempeste a ma nef relancée... » [107]

Birague voit dans le port le plus doux des symboles amoureux :

> « Puisqu'en si haute mer je ne trouve aucun port
> Où je puisse arrester ma fragile carène,
> Je maudis le Destin, l'Amour, la Cyprienne,
> Qui par maux infinis ne m'ont réduit à mort.
> Et toy qui prins en main mon misérable sort (...)
> Fay que de moy chetif toujours il te souvienne
> Car ma mort et ma vie ont leur clef à ton port... » [108]

Cornu modifie sensiblement l'énoncé en donnant une allure narrative à son texte :

> « J'avois déjà longtemps, atteint de désespoir
> Navigué sur les flotz d'une mer ondoyante ;
> Estant par ces moïens, au gré de la fortune,
> Promené sur le dos du courroucé Neptune,
> J'aperceus un flambeau qui me conduit à bord.
> Maistresse ce fut vous qui d'un œil favorable,
> Me jettant un regard doucement amiable,
> Reduites du danger ma nacelle à bon port. » [109]

Ces variations sur le thème du port, rattachées directement à la tradition pétrarcho-ronsardienne, ne sont pas sans rappeler également l'ambiguïté de la *fin'amors* qui a pour objet et le cœur et le corps de la dame : comme le troubadour (Marcabru ou Jaufré Rudel), le poète

---

105.   « Ores ancré dedans le sein du port,
        Par vœu promis, j'appen dessus le bord
        Aux dieux marins ma despouille mouillée. »
106. Pontoux, *op. cit.*, CXXXII, p. 81.
107. A. Jamyn, *op. cit.*, sonnet p. 157.
108. Birague, *op. cit.*, *Secondes Amours*, sonnet XVIII, p. 85 v° ; cf. aussi VI, p. 76 v°.
109. Cornu, *op. cit.*, le *Second livre des Amours*, XI, p. 90 ; voir aussi XLIV, p. 123 :
        « Après avoir longtemps vaqué dessus la mer,
        A la merci des flotz, des ventz et de l'orage... »

Ronsardisant, s'il n'exprime pas souvent ses désirs charnels directement, aime à recourir à des métaphores, plus ou moins voilées — et le port est une métaphore assez claire — pour laisser transparaître la réalité du désir, plus évidente chez Cornu, ou Pontoux, plus cachée, mais présente, chez Jamyn ou Birague.

Peut-être est-on en mesure, sans multiplier davantage les exemples, de décrire brièvement les principaux traits de cette psychologie pétrarquiste de l'amour. L'amour est d'abord donné, par Pétrarque comme par Ronsard, comme le centre vivant de l'existence : la dame est celle qui, avant tout, a ordonné ce qui était désordonné, illuminé ce qui était obscurci. La dame, ou Amour, car la maîtresse, qu'elle ait nom Laure ou Cassandre, est le symbole vivant — au-delà même de la mort, dans le cas de Laure — du sentiment. Plus encore, l'amour c'est la vie : « Il me donna la vie », dit Ronsard dans le sonnet XLII des *Amours* : seul, en effet, l'amour, échauffant tout le sang de sa flamme, rend « la nature parfaite » (c'est-à-dire achevée, et achevée dans la perfection de la forme ronde), « l'essence parfaite ». L'amour est donc, pour Pétrarque comme pour Ronsard, une puissance organisatrice, réductrice du chaos, du désordre ; il donne à la vie un sens plein, il « anime » (Ronsard emploie le verbe pour décrire les effets d'Amour sur son « tout », errant séditieux [110]...) l'être dont il s'empare, pour lesquels désormais il y a « avant » et « après » : ce n'est donc pas par affectation ou « sentimentalisme » que le poète pétrarquiste célèbre la *première rencontre*, commémore les événements, chante les anniversaires ; c'est qu'il entend marquer une naissance, la naissance d'un homme jusque là tout emprisonné dans sa « lourde matière », et qui désormais va « vers son destin ». L'amour instaure une rupture.

En même temps, l'amour est, pour les pétrarquistes, *passion* : l'amant, perdant toute initiative, subit et souffre : il supporte aux deux sens du terme, connaissant la souffrance, et s'y livrant sans résistance efficace. En effet, même s'il y a lutte, « mille escarmouches fortes » [111], du choc de la raison contre le sentiment, dont porte témoignage l'œuvre de Pétrarque, ne peut sortir que la défaite de la raison (« regnano i sensi, e la ragion è morta... » [112]), car le cœur trahit les pensers. Aussi tous les thèmes du mal d'amour sont-ils fondés sur cette vue pessimiste de la condition humaine. L'équilibre intérieur est donc constamment menacé, et, si le thème des contradictions a connu, comme on l'a vu, une fortune telle, c'est qu'il exprime cette constatation d'un divorce, cette appréhension de la dualité douloureuse de tout sentiment. Le thème du port, célébré par Pétrarque comme par Ronsard, ne contredit pas ce pessimisme : l'heure de la halte est unique, et elle est célébrée comme telle,

110. Ronsard, *Les Amours, éd. cit.*, t. IV, XLII, p. 45 :
    « Avant qu'Amour, du Chaos otieux
      Ouvrit le sein, qui couvoit la lumiere,
      Avec la terre, avec l'onde premiere,
      Sans art, sans forme, estoyent brouillez les cieulx... »
Comme le macrocosme, ordonné par Amour, mu et transformé par lui, le microcosme — l'homme, abrégé de l'univers — est « formé », arrondi (c'est-à-dire par-fait), animé par la puissance d'Eros.
111. *Ibid.*, XLVIII, p. 51, v. 11.
112. Pétrarque, CCXI.

un moment hors du temps, un joyau qu'on pourra contempler, « après », comme un instant « pur », préservé de la corruption temporelle.

Enfin, l'amour, qui est une naissance, est aussi une méditation sur la mort : Pétrarque et Ronsard ont tous deux le sentiment que l'amour a transformé leur vie en destin [113], mais ce destin a besoin de la mort qui parachève : elle est le point qui permet de parfaire la courbe, car elle fait coïncider le temps du surgissement et le temps du départ. Livré à la puissance d'Amour, l'amant se sent malgré lui à la mort transporté [114] : l'obsession de la mort hante chaque plaisir, chaque tristesse [115]. Du reste,

---

113. Voir Pétrarque, par ex. LXXIII :
« Poi che per mio destino
a dir mi sforza quell'accesa voglia
che m'ha sforzato a sospirar mai sempre... »

et CXXVI : « S'egli è pur mio destino
(e'l cielo in cio s'adopra)
ch'Amor quest'occhi lagrimando chiuda... »

Cf. aussi XIX, CCXI.

Chez Ronsard, plusieurs sonnets des *Amours* de 1552-1553 mettent en cause le destin. Cf. *éd. cit.,* t. IV, II, p. 6-7 :
« Le fier destin l'engrava dans mon ame... »

V, p. 10 : « Heureux, cent foys heureux, si le destin
N'eust emmuré d'un fort diamantin
Si chaste cuoeur dessoubz si belle face... »

VII, p. 11 : « Mais si les cieulx m'ont fait naistre, Ma dame,
Pour estre tien... »

CXXX, p. 126 et *passim.*

114. Ronsard, *éd. cit.,* t. XI, p. 15 :
« Puis qu'Amour donc ne me veut secourir,
Pour me deffendre il me plaist de mourir... »

et Pétrarque, tout au long du *Canzoniere,* menait une méditation sur les liens d'Amour et de la Mort. Cf. XXXVII :
« Si è debile il filo a cui s'attene
la gravosa mia vita,
che s'altri non l'aita,
elle fia tosto di suo corso a riva ;
....
Il tempo passa, e l'ore son si pronte
a fornir il viaggio,
ch'assai spazio non aggio
pur a pensar com'io corro a la morte... »

ou XCI : « Ben vedi omai si come a morte corre
ogni cosa creata, e quanto all'alma
bisogna ir lieve al periglioso varco. »

115. Pour l'obsession de la mort, qui recouvre l'obsession amoureuse chez Pétrarque, voir en part. XXXII :
« Quanto più m'avicino al giorno estremo
che l'umana miseria suol far breve,
più veggio il tempo andar veloce e leve,
e'l mio di lui sperar fallace e scemo.
I' dico a' miei pensier : — Non molto andremo
d'amor parlando omai, che'l duro e greve
terreno incarco, come fresca neve,
si va struggendo... »

CCLXXII : « La vita fugge, e non s'arresta una ora,
e la morte vien dietro a gran giornate
e le cose presenti, e le passate
mi dànno guerra... »

le temps de l'amour est aussi celui de l'apprentissage de la mort : apprendre à aimer, n'est-ce pas, pour un pétrarquiste, apprendre à mourir ? Seule l'écriture permet de trouver un délai. Ronsard le dira magnifiquement :

« Car l'Amour et la Mort n'est qu'une mesme chose. »[116]

Cette psychologie de l'amour est pour Pétrarque (comme pour Bembo et les disciples « fidèles ») tout à fait cohérente. Pour un humaniste chrétien du XIVe s., la vision de l'amour idéal, refuge contre les compromissions inévitables de la vie dans le monde, culte de la pureté impossible (Pétrarque disait le divorce entre la chair coupable et l'esprit toujours en quête de dépassement[117]), reflète ses croyances et ses conceptions : si l'amour est ainsi idéalisé, c'est d'abord parce qu'il y a, pour lui, ce tabou de la chair et du monde, cet écartèlement de la conscience chrétienne au XIVe s., dont témoigne le conflit des passions avec la volonté, toujours affirmée, de revenir à la vraie vie chrétienne[118].

Chez Ronsard, en revanche, la psychologie pétrarquiste de l'amour est déjà moins cohérente : dès 1552, de secrètes dissonances, des accents nouveaux, disent la fêlure. Dans une société qui s'ouvre à un nouveau paganisme, tandis que renaissent les dieux anciens, et qui, en outre, commence à faire à la femme une place, mesurée mais non négligeable, c'est tout l'édifice moral et religieux qui fondait la psychologie du *Canzoniere* qui se lézarde. On sent dans les *Amours* de 1552 une résistance au pétrarquisme, qui est d'abord une résistance à la conception pétrarquiste de l'amour. C'est là moins affaire de tempérament — car rien ne permet d'affirmer que Pétrarque ne fut pas sensuel — que de mœurs. Si Cassandre a bien du mal à rester la domna inaccessible, figure sacrée d'un culte tout éthéré — et plusieurs pièces ont été retranchées des *Amours* de 1552 précisément parce qu'elles donnaient de la dame un visage bien différent de celui qui est communément le sien —, c'est parce que se profilent à maintes reprises, sous le visage de la déesse, les traits plus humains d'une femme réelle, contemporaine de Ronsard et non de Pétrarque, accessible, toute proche... Ronsard eut d'ailleurs une

116. Ronsard, *Sonets pour Hélène,* livre II, LIV, *éd. cit.,* t. XVII, pp. 294-295.

117. Pétrarque parle de « la carne travagliata » (chair torturée) (CXXVI) et de son désir de fuir Babylone, mère de tous les vices (CXIV). Voir aussi LXXXI :
    « Io son si stanco sotto'l fascio antico
    de le mie colpe e de l'usanza ria,
    ch'i' temo forte di mancar tra via,
    e di cader in man del mio nemico... »
Il a, plus que Ronsard, le sens aigu du péché, et redoute « l'ennemi », la tentation charnelle, la séduction des sens.

118. Sur ce point, voir Hauvette, *op. cit.,* pp. 33-34, 45-46 en part. Ce n'est certes pas un hasard si Saint Augustin représente « la conscience » de Pétrarque. *Les Confessions,* on le sait, portent témoignage de la vive sensualité d'Augustin, dominé dans sa jeunesse par l'impétuosité de ses passions, et du conflit aigu entre la chair et l'esprit. Ce conflit, cette douloureuse dualité, Pétrarque les a reconnus en lui comme le montre le *Secretum.* « La dissipation de sa vie mondaine, écrit Hauvette (*op. cit.,* p. 49), avait pu faire taire quelque temps ses scrupules religieux ; elle ne les avait pas étouffés... » Le mal dont souffre Pétrarque est un défaut de la volonté, une impuissance à agir, qui entraînent le dégoût, le malaise. Voir Arnaud Tripet, *Pétrarque ou la connaissance de soi,* Genève, Droz, 1967, pp. 166-176.

conscience si nette de ces dissonances que la première édition collective les effacera, rendant ainsi le *Premier Livre* plus proche, par sa tonalité, du *Canzoniere*.

Les disciples de Ronsard paraissent parfois plus pétrarquistes sur ce point que Ronsard lui-même. Pourtant, souvent, c'est à travers le Français qu'ils ont connu le Florentin. Qu'ils lisent l'italien comme Pontoux, Nuysement, Birague, ou qu'ils subissent par l'intermédiaire de leur maître l'influence pétrarquiste, comme cela semble être le cas de Le Loyer, Boton, ou Brétin, ils sont assez peu conscients de la mutation de la société, et, désireux de trouver à bon compte des cadres littéraires, ils se mettent sous la férule, acceptant sans nuances, et souvent sans recul critique, une psychologie somme toute archaïque en 1570, et qui, détournée de ses motivations profondes, n'apporte plus qu'un certain nombre de schémas fixés artificiellement. N'en sentant plus la nécessité, ils sont par exemple amenés à mêler à ces pièces « héritées » des pièces plus modernes, d'un goût plus voluptueux et plus païen.

Il ne faudrait d'ailleurs pas tirer parti de ces remarques pour condamner leur production ou la juger inintéressante : d'une part, la tradition pétrarquiste ne constitue en 1570 que l'une des traditions littéraires présentes dans un recueil, et tel poète (Nuysement, ou Birague...) qui peut être jugé assez faible dans ses pièces pétrarquistes, reprend une grandeur insoupçonnée si l'on examine d'autres aspects de son œuvre amoureuse ; d'autre part, les poètes les plus doués ont su modifier les schémas et leur insuffler une vie nouvelle (Béroalde, Habert, d'Aubigné partent tous trois de schémas pétrarquistes). Mais si l'on considère globalement la thématique pétrarquiste en 1570, on s'aperçoit que le poète reçoit la psychologie de l'amour comme une tradition essentiellement *littéraire,* comme un répertoire fixé de thèmes souvent conventionnels. Alors que, chez Pétrarque et ses disciples italiens, le mouvement même de l'existence — du désir charnel à l'idéale contemplation, de l'approche de l'éternité au naufrage dans les instants, du désespoir à l'espérance entrevue, chemins parcourus dans les deux sens — imprime sa tension au poème, qui la restitue sous la forme balancée d'antithèses dramatiques, alors que, pour Ronsard, son « côté nocturne »[119], ce monde d'inquiétude et d'angoisse, sa recherche toujours insatisfaite d'un amour qui comblerait les sens et le cœur, amènent en quelque sorte naturellement le poète à redonner un sens dynamique aux formules rhétoriques du conflit, les disciples français de 1570-1585 font de la perfection formelle leur but, et transforment en jeu verbal la réalité conflictuelle, en ornement les figures subtiles qui manifestaient un sens de la vie pour eux vide de substance.

4. THÈMES DE RHÉTORIQUE PÉTRARQUISTE.

Mais l'héritage pétrarquiste ne se réduit pas à la psychologie de l'amour. Si cette psychologie repose sur une vue pessimiste de la nature humaine, écartelée entre les contraires, il y a chez Pétrarque bien autre chose que la mélancolie amère à laquelle on associe si souvent son nom (« pétrarquiser » au XVIᵉ s., c'est se lamenter) : il y a la joie de créer,

---

119. M. Raymond, *Baroque et Renaissance poétique, op. cit.,* p. 82.

peut-être pour toujours (la Gloire est la compagne fidèle du poète), et l'amour malheureux fait le poète heureux. Ce bonheur de la création poétique est inséparable en effet du tourment qui donne naissance au soupir :

> « Poi che per mio destino
> A dir mi sforza quell'accesa voglia
> che m'ha sforzato a sospirar mai sempre,
> Amor, ch'a ciò m'invoglia,
> Sia la mia scorta... » [120],

et s'épanche en formes rhétoriques : c'est la rhétorique pétrarquienne qui permet la stylisation des passions et l'accès à un monde heureux, où les mots ont tout pouvoir : « in guisa d'uom che pensi e pianga e scriva », le poète sait qu'il est « un di quei che'l pianger giova », et qu'il peut changer en joie le tourment s'il le dit :

> « A ciascun passo nasce un pensier novo
> de la mia donna, che sovente *in gioco*
> *gira'l tormento* ch'i porto per lei... » [121]

Et Ronsard a parfaitement entendu la grande leçon rhétorique de Pétrarque.

Pétrarque et Ronsard fournissent ainsi plusieurs thèmes de rhétorique, c'est-à-dire des *formes lyriques,* pour lesquelles le fond est la forme [122].

La célébration des beautés de la dame.

Pétrarque célébrait dans la gravité la belle main [123], les yeux sereins et les cils étoilés, la bouche angélique de Laure [124]. Moins gravement, avec plus de sensualité et une tendance au « maniérisme », ses disciples « infidèles », les poètes précieux de la fin du xv⁰ s. (Tebaldeo, Serafino, Chariteo), élisent pour un hommage plus précis telle partie du corps de l'aimée, et leurs voluptueux blasons sont à l'origine de plusieurs célébrations dans la première moitié du xvi⁰ s. L'Arioste enfin a donné avec les deux portraits d'Olympe [125] et

---

120. Pétrarque, LXXIII.
121. *Ibid.,* CXXIX, vers 17 et suiv.
122. Nous renvoyons sur ce point aux pénétrantes réflexions de Valéry, in *Variétés,* bibl. de la Pléiade, I, p. 657 : « Crédules et abstraits, ils (les hommes qui ne sont pas des poètes) opposent le *fond* à la *forme* ; opposition qui n'a de sens que dans le monde pratique... Ils ne regardent pas que *ce qu'ils appellent le fond n'est qu'une forme impure...* » Voir aussi *ibid., Victor Hugo créateur par la forme,* pp. 583-590.
123. Pétrarque, CXCIX :
> « O bella man, che mi destringi'l core,
> e'n poco spazio la mia vita chiudi ;
> man'ov'ogni arte e tutti loro studi
> poser Natura e'l Ciel per farsi onore ;
> di cinque perle oriental colore
> . . . .
> diti schietti soavi, a tempo ignudi... »
124. *Ibid.,* CC :
> « li occhi sereni e le stellanti ciglia,
> la bella bocca angelica, di perle
> piena e di rose e di dolci parole... »
125. L. Ariosto, *Lirica* a cura di G. Fatini, éd. Bari-Baterza, XXV : « Madonna, sète bella... »

d'Alcine [126] des modèles aux poètes de la Pléiade [127]. Du reste, chez Pétrarque ou chez l'Arioste, il ne s'agit guère de description à proprement parler : de Laure, nous ne connaissons que sa blonde beauté, la grâce de sa démarche, l'élégance de ses gestes ; c'est sa « gentillesse » au sens médiéval du terme que mettent en valeur les différents traits qui la définissent sans la décrire. Quant à Olympe ou Alcine, à travers la multiplication des images qui les cernent, l'énumération des beautés donne lieu à une évocation qui traduit un trouble, une émotion ressentis par l'amant — et non à un portrait qui fixe des traits et individualise un visage ou un corps féminins.

Ronsard, sur ce point, est fidèle à Pétrarque : les sonnets composés dans les *Amours* de 1552 pour chanter les beautés de la dame répondent au besoin non pas de décrire avec précision, mais de suggérer une émotion, et de créer, par la juxtaposition d'images, des mouvements lyriques qui traduisent le flot tumultueux de l'émoi amoureux ou la contemplation extatique. La rhétorique, alors, est émotion [128]. Il est vrai que, sur un autre point, Ronsard suit moins fidèlement Pétrarque : la fin du poème pétrarquien est d'obtenir, hors du temps et du désir, une pure émotion qui sublime l'appel des sens, une contemplation qui entraîne hors de lui-même et de son corps soumis au péché, l'amant absorbé totalement, si bien qu'il ne regarde plus ailleurs [129]. On ne saurait confondre avec une telle démarche celle de Ronsard : celui-ci vise au contraire à donner à chaque image son pouvoir de suggestion sensuelle, et les passages descriptifs les plus fidèles au modèle pétrarquiste s'en démarquent par la nature de l'émotion suscitée, une émotion charnelle, qui irradie tout l'être, gelant « les sens, (les) poulmons et (la) voix » [130], brûlant le cœur ; les beautés de la dame ont « appasté (son) désir » [131], lui ont donné faim et soif [132], et lui font connaître l'aigre douceur que deux yeux « encharnent » dans son cœur [133] : né de la contemplation sensuelle de la beauté physique à son plein épanouissement et dans la plénitude de ses formes, le désir ronsardien ne se satisfait ni de sublimation, ni de vues éthérées [134].

Les disciples de Ronsard retiennent, de la célébration pétrarquiste des beautés, les motifs, les images, souvent la construction même du

---

126. L. Ariosto, *Orlando furioso*, éd. de Benedetti, t. I, VII, pp. 128-129.
127. Voir H. Weber, *La création poétique...*, *op. cit.*, chap. V, pp. 262 et suiv. : le sonnet XXV de l'Arioste est à l'origine de plusieurs variations exécutées par Ronsard, du Bellay, Baïf. Le portrait d'Alcine est imité par du Bellay et Ronsard.
128. Nous renvoyons aux analyses de M. Desonay, *Ronsard, poète de l'amour*, *op. cit.*, I, *Cassandre*, chap. II, pp. 77-89.
129. Pétrarque, CXXIII :
   « Conobbi allor si come in paradiso
      vede l'un l'altro, in tal guisa s'aperse
      quel pietoso penser ch'altri non scerse ;
      ma vidil io, ch'altrove non m'affiso. »
130. Ronsard, *Les Amours*, éd. cit., t. IV, CLXXVII, p. 167.
131. *Ibid.*, CV, p. 103.
132. *Ibid.*, CXXIV, p. 121.
133. *Ibid.*, CIV, p. 103 (tercet final).
134. *Ibid.*, LXVII, p. 68 :
   « Sans espérer quelquefois de taster
      Ton paradis... »

poème (un sonnet presque toujours). Mais le plus souvent, ils construisent, non un mouvement passionné, mais une statue magnifique, pompeusement parée, qui semble haïr le mouvement qui déplace les lignes. L'or ou l'ébène, les pierres et le marbre, ne sont plus de simples matériaux, support du rythme, effacés par lui, mais l'essentiel du poème dont ils sont l'ornement, et qui remplace la suggestion par la description.

Ainsi Pontoux, fidèle à la lettre plus qu'à l'esprit du *Premier Livre*, célèbre les beautés d'Idée sans arriver à animer un mouvement d'ensemble qui reste calme et monotone :

> « Ce teint vermeil, le séjour de mes yeux,
> Ce front poly de blancheur ivoyrine,
> Ce beau coral de bouche cinabrine,
> Ce doux appas d'un souris gracieux,
> Ces deux flambeaux où s'appuye mon mieux,
> Cet amydon qui son sein enfarine
> Ces monts de laict, ou de couleur pourprine,
> Nichent dessus deux rubis précieux,
> Me sont au cœur en si profonde atteinte
> Que de leur beau toute mon ame est teinte... » [135]

Dans ce sonnet plein de réminiscences, ce qui frappe, c'est moins l'importance des emprunts que la maladresse de l'imitateur : Pontoux a gommé, comme il le fait souvent [136], tout ce qui était, chez Ronsard, l'expression d'une vive gaillardise ou simplement d'un tempérament fougueux. Condensant dans les limites étroites du sonnet plusieurs textes du maître [137], il donne paradoxalement l'impression de délayer ce qui était concentré : condensant, dans les deux derniers vers du deuxième quatrain, le beau sonnet CLX des *Amours* (le célèbre blason du tétin), il garde l'image du mont, celle des rubis, pourtant quelle différence ! Chez Ronsard les images, conventionnelles, prenaient saveur nouvelle, tant se fait jour, sous la splendeur des métaphores empruntées au monde naturel, saisi par le mouvement (mouvement de la mer, chute des eaux, avalanches, flux et reflux...), ou figé dans une immobilité minérale (le rubis, l'ivoire...), une espèce de réalisme minutieux qui s'attache successivement, avec la même ferveur passionnée, à chacun des points de

---

135. Pontoux, *L'Idée, op. cit.*, VII, p. 18.

136. Par ex., Pontoux reprend le mouvement d'ensemble du sonnet ronsardien imité de Pétrarque (Canz. XXIX, v. 43-45) : « Heureuse fut l'estoille fortunée... » (les *Amours*, CVIII, p. 106). Mais là où Ronsard abandonne Pétrarque pour déclarer, s'inspirant librement d'Homère et d'Ovide,
> « heureux celuy qui la fera
> Et femme et mere au lieu d'une pucelle »,
Pontoux continue à traduire platement les belles périphrases ronsardiennes, remplaçant la pointe gaillarde par une note conventionnelle :
> « Beneits le pere et mere qui ont fait
> En ce bas monde un oeuvre si parfaict
> Et plus le Dieu qui la maintient si belle » (VIII, p. 18).

137. Pour le mouvement, cf. Ronsard, *Les Amours, éd. cit.*, t. IV, s. XXIII, p. 26 : « Ce beau coral... » ; pour les images (rubis, ivoire), cf. *ibid.*, s. CLX, p. 152 : « Ces flotz jumeaulx... » ; pour l'expression de l'obsession amoureuse, *ibid.*, *passim*, et notamment CXII, p. 110, XXXIV, p. 37.

cette belle gorge pour la restituer dans son éclatante fraîcheur, qui marie le rouge du rubis au blanc adouci de l'ivoire, la chaleur du sang en mouvement à la froideur de la neige immobilisée après la chute, la profonde dépression aux replis secrets de la « blanche valée » ou aux rondeurs mouvantes des pointes [138].

En outre, le mouvement imprimé au sonnet, par le jeu des coupes et des enjambements, la régularité des césures 4 + 6 dans les quatrains, subtilement rompue au vers 5, les répétitions de sonorités assourdies par les nasales, traduisent musicalement le doux halètement de cette poitrine mouvante, qu'un soupir parfois immobilise, comme en suspens.

Pontoux contracte les vers 1 à 6 pour aboutir aux « monts de laict », supprimant ainsi à la fois l'image du mouvement marin (les flots), et l'opposition de la vallée et du sommet. Là où Ronsard, à partir de l'image assez banale des rubis, mettait l'accent sur la position et la couleur vivante (avec le verbe inchoatif *rougir*), Pontoux se contente de l'ornement : « Nichent dessus deux rubis *précieux* ». Les sonnets XXIII (« Ce beau coral... »), XXV (« Ces deux yeux bruns deux flambeaux... ») nous offriraient d'autres exemples d'imitation maladroite d'un disciple trop fidèle, qui a cru que la juxtaposition d'images empruntées aux chefs-d'œuvre de Ronsard, que la concentration des traits, tenaient lieu de mouvement lyrique. Ailleurs encore, cristal, boutons du rosier, ébène, blanches fleurs, perles et lys [139] composent un portrait trop riche, d'une froideur conventionnelle, sans élan.

---

138. Ronsard, *éd. cit.*, t. IV, CLX, p. 152. Ce blason du beau tétin n'est pas unique dans la production ronsardienne : cf. *ibid.*, XLI, p. 109 (t. V) : « Ha Seigneur Dieu... », CXXXIV, p. 130, t. IV :
> « Et ce col blanc qui de blancheur excelle
> Un mont de laict sus le jonc cailloté. »

Voir aussi *Contin, éd. cit.*, t. VII, s. X, pp. 126-127 :
> « Vous avés les tetins comme deus mons de lait,
> Caillé bien blanchement sus du jonc nouvelet »,

et *Sonets pour Hél.*, I, LV, *éd. cit.*, t. XVII, p. 245 :
> « J'entrevy dans son sein...
> ....
> Telle enflure d'ivoyre en sa voute arrondie. »

Pour l'origine du thème et certaines expressions, cf. l'Arioste, *Or. fur.*, VII :
> « Due pome acerbe, e pur d'avorio fatte,
> Vengon e van, com'onda al primo margo,
> Quando piacevole aura il mar combatte »

(à l'origine de l'image marine du premier quatrain) et, *ibid.*, XI :
> « Le poppe ritondette parean latte
> Che fuor dei giunchi allora allora tolli,
> Spazio fra lor tal discendea, qual fatte
> Esser veggiam fra piccolini colli
> L'ombrose valli, in sua stagione amene,
> Chel verne abbia di nieve allora piene »

(à l'origine des images du deuxième quatrain).

139. Pontoux, *L'Idée, op. cit.*, sonnet XI, p. 20.

I. Habert [140] s'empare des mêmes matériaux : ébène, rose vermeille..., pour orner le visage de sa Diane [141]. Mais il lui arrive aussi, à partir d'un thème pétrarquiste, de se démarquer nettement de ses modèles, pour imprimer à un texte sa propre ferveur, avec un sens très sûr du rythme et du mouvement d'ensemble ;

> « Cheveux crespes et longs où mon cœur se désire
>   Aise d'estre enlassé d'un ferme enlassement,
>   Bouche au teint merveillet où mon contentement
>   Se voit peint sur ton bord qui le basme souspire.
> Beaux yeux mes doux flambeaux par qui seul je respire,
>   Beauté le seul objet de mon entendement,
>   Vous voiant un desir m'enflamme doucement
>   Qui du vulgaire lourd et de moy me retire.
> Les trois graces ensemble et les Amours je vix
>   Vos beautes, votre grace, adorer à l'envi,
>   Je brulè par trois fois... » [142]

Les trois beautés de la dame : chevelure, bouche, yeux, sont les trois points où se fixe le désir amoureux. Ronsard célébrait tantôt les cheveux seuls [143], tantôt yeux et cheveux [144], tantôt bouche et yeux [145], et Pétrarque avait associé cheveux et yeux [146], participant également à la

----

140. Isaac Habert, fils de Pierre Habert, maître écrivain à Paris, et neveu de François (cf. M. Raymond, *L'influence...*, *op. cit.*, I, 20, 64, 331, 332), est un poète original et captivant. Ses *Œuvres Poétiques..* ont paru à Paris, chez Abel l'Angelier en 1582. En 1585 paraissent les *Trois Livres des Météores avecques autres œuvres poétiques*. La seconde partie contient *Les Amours*.
141. I. Habert, *Les Amours*, *op. cit.*, s. IV, p. 14. Ce recueil qui célèbre, à la manière de Desportes, une Diane cruelle, est à l'évidence partagé entre l'influence du poète chartrain et celle de Ronsard. Si certaines subtilités, le goût pour les longues chaînes métaphoriques, les motifs mythologiques (le Phénix) disent l'appartenance au néo-pétrarquisme, l'importance accordée au cadre naturel, et la présence de thèmes libres et folâtres dans la tradition du *Second Livre des Amours*, ainsi que plusieurs *Songes* à la manière des *Amours* de 1552, révèlent le rôle joué par Ronsard.
142. *Ibid.*, s. VII, p. 22.
143. Ronsard, *éd. cit.*, t. IV, CLXXVII, p. 168 :
> « Si blond, si beau, comme est une toyson
>   Qui mon dueil tue et mon plaisir renforce,
>   Ne fut oncq l'or, que les toreaux par force,
>   Au champ de Mars donnerent à Jason... »

Selon M. Desonay, il ne s'agirait point ici, comme l'affirmait le commentaire de Muret, d'une célébration des cheveux, mais d'une évocation de la toison sexuelle. La chevelure de Cassandre est en tout cas célébrée *ibid.*, notamment VI, p. 10, XVII, p. 20, XVIII, p. 21, XXIII, p. 26, etc.
144. *Id.*, t. V, CCX, p. 157 :
> « Mon Dieu, que j'aime à baiser les beaus yeux... »
145. *Ibid.*, CCVIII, p. 154.
146. Pétrarque, XC :
> « Erano i capei d'oro a l'aura sparsi,
>   che'n mille dolci nodi gli avolgea ;
>   e'l vago lume oltra misura ardea
>   di quei begli occhi, ch'or ne son si scarsi... »

CLIX :
> « Qual ninfa in fonti, in selve mai qual dea,
>   chiome d'oro si fino a l'aura sciolse ?
>   . . . .
>   Per divina belleza indarno mira
>   chi gli occhi di costei già mai non vide... »

et *passim* (CXCVI, LIX, etc.).

capture de l'amant. Habert, peut-être inspiré de Ronsard [147], fait reposer sur un triple pilier l'énumération lyrique, et impose à partir de là à l'ensemble du texte un jeu sur le chiffre trois ; peut-être se souvient-il du sonnet XX de la *Continuation,* où Ronsard ravi conte sa rencontre, au bord de l'eau, de trois Grâces : le vœu final semblerait justifier ce rapprochement [148], mais le style direct du tercet, la chaleur du cri, appartiennent à Habert.

Jean de la Jessée [149] s'essaie également à l'énumération lyrique des beautés de la dame, reprenant à Ronsard l'art de lancer le sonnet par la succession des démonstratifs :

> « Ces doux attraits, ceste crespe toison,
> Qui jusqu'aux pieds ses blonds nœuds entortille :
> Ces arcs d'ébène et la verdeur gentille
> De ces rosiers qui poussent à foison,
> Ce frais coral, sorcier de ma raison,
> Ce petit ciel, ce jumeau qui drille
> Et ceste nege, et ce froid qui me grille,
> Et ces beaux lis d'éternelle saison :
> M'ont tant ravy de leurs divines graces... » [150]

Cette énumération apparaît comme une assez habile concentration de divers traits pris chez Ronsard : on reconnaît, outre les emprunts au sonnet XXIII (« Ce beau coral... »), le souvenir du joli sonnet XLI (« Ha seigneur dieu... ») qui a fourni l'image des vers 3 et 4 par contamination des premier et deuxième quatrains, et, peut-être, du sonnet XCV, pour la comparaison du sourcil au « petit ciel » (sans certitude car c'est là dans la poésie française une image relativement courante [151]). Ce portrait de Marguerite, fidèle à la tradition du *Premier Livre des Amours,* montre l'importance et l'ampleur de l'influence de Ronsard, même chez les poètes, comme La Jessée, gagnés au néo-pétrarquisme et, dans l'ensemble de leur œuvre, beaucoup plus près de Desportes que de Ronsard.

C'est encore le mouvement même de certains sonnets ronsardiens [152], dans lesquels les quatrains se fondent sur un seul mouvement, que l'on retrouve dans le portrait que Cornu dessine de Lucrèce :

---

147. Ronsard, *éd. cit.,* t. IV, CLVI, p. 149. Ce sonnet est l'une des variations exécutées à partir du sonnet XXII de l'Arioste : « Madonna, séte bella... »
    148. *Id.,* t. VII, XX, p. 137 :
    « Amour, tu me fis voir, pour trois grandes merveilles
    Trois seurs, allant au soer, se pourmener sur l'eau... »
    149. J. de la Jessée, *op. cit., Marguerite,* p. 788.
    150. Voir aussi *ibid.,* « Chef crespelu de fin or blondissant... », p. 800.
    151. Cf. Scève, *Blason du Sourcil* : « Sourcil, non pas sourcil, mais un soubz ciel... »
    152. Pour l'étude du mouvement du sonnet ronsardien en 1552, voir F. Desonay, t. I, *op. cit.,* pp. 80-82.

« Les cheveux ondelez de ta tresse crespée
            L'yvoire blanchissant de ton front spatieux,
            Les cercles ebenins qui voisinent tes yeux,
            Et le beau vermeillon de ta joue pourprée,
      Le corail respirant de ta bouche sucrée,
            L'albastre coutourné de ton col doucereux,
            Les cousteaux eslevés de tes tetins ncgcux
            Qui rendent promptement ta poitrine voutée,
      Ont appasté mon cœur... » [153]

Bien que Cornu s'inspire davantage de la *Continuation*, et aussi, à un moindre degré, des *Sonets pour Hélène*, l'influence chez lui des *Amours* de 1552, pour n'être pas dominante, est certaine ; ainsi cet autre portrait de Lucrèce, nouvelle Cassandre :

« Quand je vois de ton front l'ivoyre bosselé
            Et les poils annelez de ta crespine tresse,
            Ces sourcils recourbés et cest œil qui me blesse,
            Ce bel astre besson clairement estoilé ;
      Quand je voy de ton col l'albastre potelé
            Et les bords coralins de ceste parleresse,
            Ce fosselu menton et la verte jeunesse
            De l'arrondi contour de ton sein pommelé (...)
      Hélas ! je suis ravi... » [154],

ou encore cette énumération, dans le style du sonnet CXXI des *Amours* :

« Ny les flots annelez de ta belle tressette,
            Ny les poils retroussez de ton chef jaunissant
            Ny le poly cristal de ton front éminent,
            Ni les bords coralins de ceste bouchelette ;
      Ny ces astres bessons, ni ta peau blanchelette,
            Ni tous ces beaux œillets égallés uniment,
            Ni les marbrins tetons de ton sein souspirant... » [155]

A l'imitation du maître, Cornu pétrarquise dans le *Premier Livre des Amours,* et réserve à son *Second Livre des Amours* les thèmes mignards, et les pièces érotiques. Il sait ne pas se contenter d'une plate imitation, ou d'une simple contamination d'images, et tenter, par les ressources propres au poète, c'est-à-dire le jeu des rythmes, des sonorités, la construction d'un sonnet, de traduire le mouvement du désir qui va d'un point à un autre du corps féminin qu'il contemple avant de s'attacher, de se fixer, sur une partie secrètement élue. Son tempérament sensuel se devine à travers les méandres des figures qu'il préfère, comme sa prédilection pour les formes courbes, et les sinuosités du corps féminin.

Voici enfin le portrait de Flore dessiné par Le Loyer, qui marque bien la dégradation de l'idéal pétrarquiste :

---

153. Cornu, Le *Premier Livre des Amours, op. cit.,* V, p. 3.
154. *Ibid.,* XIV, p. 8.
155. *Ibid.,* Le *Second Livre des Amours,* XXVIII, p. 103.

> « Dans ton sein applany sont deux pommes descloses,
>   Qu'en parfaite rondeur Nature a fait lever,
>   Et dans ton mesme sein se voient eslever,
>   Deux fraizes de Printemps, belles sur toute chose.
> Les pommes rondes sont tes deux mamelles closes,
>   Les fraizes, tes tetons plus beaux qu'on peut trouver,
>   Les pommes vont semblant aux neiges de l'hiver,
>   Et les fraizes encor'aux plus vermeilles roses... » [156]

Il n'est pas une image dans ce texte dont on ne puisse retrouver l'origine, soit chez Pétrarque, soit chez l'Arioste, soit chez tel Pétrarquiste [157]. Le deuxième quatrain semble une traduction laborieuse des métaphores du premier et l'énumération ne conduit plus à une contemplation émerveillée comme chez Pétrarque ou Ronsard — mais à un jeu verbal qui s'enchante de ses trouvailles : le pétrarquisme, ici, à travers l'influence de Ronsard, se dégrade en « maniérisme » : la forme est cultivée pour elle-même, et la soumission à un rite manque de chaleur.

L'invocation à la nature.

Un autre motif de rhétorique permet de mesurer la portée et les limites du pétrarquisme à la française : c'est le thème, orchestré par Ronsard [158], mais aussi Tahureau [159], Magny [160], du Bellay [161], de l'appel à la sympathie de la nature. Il s'agit de juxtaposer, en une longue série énumérative qui parcourt d'un même mouvement quatrains et tercets, un certain nombre d'invocations à divers éléments naturels (ciel, bois, plaine, fleuve, etc.), pour achever sur un impératif : « dites-le lui pour moi »... ; on voit qu'il s'agit là d'un schéma très strict, dont tout l'intérêt réside dans le mouvement lyrique et l'alliance des sons et des rythmes.

---

156. P. Le Loyer, *op. cit., Flore,* III, f. 1.

157. Par exemple les pommes viennent de l'Arioste, *Orl. fur.,* VII, les fraises de Grévin (*Ol.* 1)...

158. Ronsard, en part. le très beau sonnet LVII, p. 59 (*éd. cit.,* t. IV) :
> « Ciel, air, et vents, plains et monts descouvers... »
Ce sonnet est à l'origine de mainte imitation.

159. Tahureau, *Mignardises,* éd. Blanchemain, Ode V :
> « Si en un lieu solitaire
> Les ennuis me font retraire... »

160. Magny, *Souspirs,* éd. Courbet, XV :
> « J'ay veu plaignant le mal dont mon ame est atteinte
> Les pasteurs...
> Les brebis oublier d'allaicter leurs aigneaux... »
Encore s'agit-il chez ces deux poètes d'une évocation et non d'une invocation. On trouvera chez Quirino, imité par du Bellay, une véritable invocation, fondée sur une énumération lyrique des divers éléments qui sont appelés à partager la douleur de l'amant repoussé par sa belle, ou contraints de lui dire un adieu déchirant.

161. Du Bellay, *L'Olive,* sonnet LIV :
> « O ciel ! ô terre ! ô élément liquide ! »

L'appel à la sympathie de la nature est un thème ancien : avant Pétrarque, Quirino [162], Sannazar [163], Bevilacqua [164], la poésie alexandrine et la poésie bucolique latine contenaient des appels et des prières, soit à la nature entière, soit à tel ou tel élément : arbre ou fleuve... L'amant désolé leur demande un témoignage :

« Vos eritis testes, si quos habet arbor amores... » [165],

une assurance contre la mort. Pétrarque apporte à Ronsard et aux poètes de la Pléiade un sentiment nouveau de la nature : amicale, compréhensive, complice du désir, elle devient la messagère ; le poète chargera

---

162. Pétrarque, pour l'énumération lyrique, voir CLXII :
« Lieti fiori e felici, e ben nate erbe
. . . .
Schietti arboscelli, e verdi frondi acerbe,
    amorosette e pallide viole ;
    ombrose selve...
. . . .
O soave contrada, o puro fiume
. . . .
quanto v'invidio gli atti onesti e cari ! »
Vincenzo Quirino, Giolito, t. I, pp. 195-196, invoque la nuit, le ciel, la mer... :
« O notte, o cielo, o mar, o piagge, o monti,
Che si spesso m'udite chiamar morte ;
o valli, o selve, o boschi, o fiumi, o fonti,
Che foste a la mia vita fide scorte :
O fere snelle, che con liete fronti
Errando andate con gioiosa sorte ;
o testimon di miei si duri accenti,
Date udienza insieme a miei lamenti... »
Compagne fidèle de l'amant éploré aux lamentations duquel elle prête une oreille attentive, la nature est aussi messagère d'amour. Pétrarque demande au Rhône de baiser les pieds et la belle main blanche de Laure (CCVIII) :
« Rapido fiume, che d'alpestra vena
rodendo interno, ...
. . . .
Basciale 'l piede, o la man bella e bianca
dille, e'l basciar sie'n vece di parole :
— Lo spirto è pronto, ma la carne è stanca. — »
163. Sannazar, dans l'*Arcadie*, fait pleurer la nature compatissante, qui partage le deuil, et gémit de souffrance. Voir *Arcadia,* éd. Carrara, p. 46.
164. Bevilacqua, Giolito, t. II, p. 55, est sans doute celui qui est plus directement à l'origine du mouvement d'invocation ronsardien : appelant successivement divers éléments naturels : pré, herbe, fleurs, sources, etc., il achève son énumération par un cri qui annonce celui de Ronsard : « dite le voi per me » :
« Herbe felici, e prato aventuroso
De l'alma abscinthia mia, ch'io sola chieggio,
. . . .
Candidi e varii fior...
. . . .
Limpidi fonti, e voi liti beati,
. . . .
Schietti arboscelli e di fredd'ombre grati,
. . . .
Dite le voi per me, ch'Amor vol fede. »
165. Properce, *Elégie,* I, XVIII :
« Vos eritis testes, si quos habet arbor amores,
fagus et Arcadio pinus amica deo.
A ! quotiens teneras resonant mea verba sub umbras... »

le Rhône de baiser les mains et les pieds de Laure et de lui transmettre ses amoureuses pensées [166]. L'apostrophe à la nature devient avec Pétrarque un motif lyrique, un véritable thème « formel » qui unira la chaleur de l'élan à la grâce d'un rythme musical. Ronsard, ici encore, est à l'origine directe d'une tradition : reprenant, dans le sonnet LXVII des *Amours* de 1552, l'invocation à la nature de Bevilacqua [167], il y ajoute, suivant Pétrarque [168], un appel à la sympathie active de la nature, chargée d'un message pour la belle. Nul « préromantisme » ; la nature reste un décor, ou encore une réalité familière qui ne se confond pas avec l'être du poète : elle donne « le branle » à l'émotion poétique et apporte différents points d'appui à l'élan lyrique. Chacun des éléments successivement appelés par le poète est d'abord un accent, et leur apparition au fil du texte est étroitement subordonnée à la musicalité de l'ensemble. Les différents fragments, groupés selon leurs harmonies, concourent à la mise en valeur du motif final : « dites le lui pour moi... ». En ce sens, il s'agit bien d'un motif rhétorique.

Un thème de ce genre n'est évidemment pas l'occasion d'une analyse psychologique, même sommaire ; il peut à la rigueur se développer sans référence à la réalité familière (évoquée par Ronsard avec plus de précision et de chaleur que chez ses prédécesseurs) : l'essentiel est d'unir très étroitement musique et poésie, de conduire harmonieusement le sonnet à son terme, à la belle chute, attendue et préparée par l'accumulation des vocatifs. On voit qu'on est tout près de l'exercice de style, et les différentes variations exécutées par les disciples de Ronsard montrent qu'ils ont été très sensibles à l'amplification rhétorique.

Cornu, toujours fidèle à la lettre même du texte ronsardien, reproduit très exactement le mouvement d'ensemble et les détails mêmes de son modèle :

> « Antres moussus, cavernes ombrageuses,
>   Prez arrousez, verdissants arbrisseaux,
>   Tertres bossus et vous petits ruisseaux
>   Qui conduisez vos fontaines pleureuses,
> Bois montagneux, collines fructueuses,
>   Pins eslevez en sourcilieux rameaux,
>   Cousteaux vineux qui faites à monceaux
>   Croistre le fruit des vignes raisineuses,
> Antres, prez, bois, cavernes et fontaines,
>   Pins, arbrisseaux, cousteaux, tertres et plaines,
>   Et vous ruisseaux, dites luy mes douleurs. » [169]

C'est le triomphe du bien dire, mais aussi le danger menace d'une poésie toute formelle, réduite à accomplir comme des rites quelques exercices éprouvés.

J. Courtin de Cissé invoque le vent, messager rapide et efficace :

---

166. Cf. note 162.
167. Ronsard, *éd. cit.*, t. IV, LVII, p. 59. F. Desonay, *Ronsard, poète de l'amour, op. cit.*, p. 77, estime qu'« on est » *le premier auteur Lirique François* « quand on a signé » un poème comme celui-là.
168. Sur les origines littéraires du thème, voir Laumonier, S.T.F.M., t. IV, p. 60, et du même, *Ronsard poète lyrique*, p. 449.
169. Pierre de Cornu, *op. cit.*, LXXVI, p. 59.

« Antres, taillis, ruisseaux, racontez luy mes cris,
    Et toy vent animé porte sur ton aleine
    Les souspirs sanglotans qui mattent mes esprits. » [170]

Flaminio de Birague utilise par deux fois et très différemment le schéma ronsardien ; d'abord dans un sonnet, où il appelle la sympathie de la nature : « Vous tertres verdissans, et vous fraîches vallées
    Ombrageuses forests, solitaires cousteaux,
    Vous prompts à mes chansons, ô ramagers oiseaux,
    Bigarrez de couleurs diversement meslées,
    Oyez mes tristes voix en ce lieu recelées » [171],

puis dans une Complainte, où le mouvement d'ensemble est plus ample, et où il reprend exactement l'appel de Ronsard :

« Deserts inhabités, orgueilleuses montaignes
    Torrens impetueux et vous Antres segrets,
    Vallons, forests, ruisseaux, rivages et campaignes,
    Oyez le pyteux son de mes tristes regrets.
    Si oppressé de dueil, adieu je ne puis dire
    A ce bel œil qui est mon prince et mon vainqueur,
    Dites le luy pour moy, contés luy le martyre,
    Que souffre à ce départ mon esprit et mon cœur. » [172]

Habert invoque le petit peuple des eaux :

« Algues verdes, Rochers, rivage, onde escumeuse,
    Vous peuples escaillez, vous mairiniers oiseaux,
    Vous Néréides sœurs et vous Dieux de ces eaux,
    Et vous Zephirs oyez ma complainte amoureuse... » [173],

et en appelle à la sympathie de la nature :

« O vous sommets pointus et vous forests rameuses
    Rochers precipiteux, vous ruisseaux ondoyans,
    Vous humides vallons, bocages verdoyans,
    Vous cotaux empemprez, vous grottes caverneuses,
    O vous prés esmaillez, vous plaines spatieuses,
    Vous torrens ravageux (...)
    Pleignez mon dueil, mon mal, mes amoureux orages ! » [174]

Ces deux thèmes ne sont évidemment pas les seuls : il faudrait faire une place au motif si souvent emprunté, en particulier en tête des recueils : « Qui voudra voir... Me vienne voir... Il cognoistra... », que

170. J. Courtin de Cissé, op. cit., p. 17.
171. F. de Birague, op. cit., sonnet X des Premières Amours, f. 3 v°.
172. Ibid., Complainte, f. 21 v°.
Pour l'énumération lyrique, voir encore, ibid., XLIV, f. 15 :
    « O desers sablonneux, ô plages blondoyantes,
        O rivages herbus, ô tertres orgueilleux
    . . . .
        O astres flamboyantz...
        O cieux resplendissans ô Enfers odieux,
        Vistes vous onc Amant plus que moy miserable ? »
173. I. Habert, op. cit., Sonnets, XIII, p. 60 v°.
174. I. Habert, Œuvres Poétiques, Paris, 1582, XXXI, p. 9 v° (Les Amours de Diane). Pour d'autres variations, voir J. de la Jessée, op. cit., Marguerite, p. 778.

Jamyn [175], Nuysement [176], Pontoux [177], Birague [178], d'autres encore [179], illustrent à la manière de Pétrarque et de Ronsard [180]. Ou encore à cet autre schéma : « Ny ce coral... / Ny ce bel or... / Ny de ce front... / Seuls vos beaux yeux... / » [181] avec sa variante : « Ny les desdaings... / Ny le penser... / Ny le desir... / Ne briseront... / » [182]. Ce sont des thèmes formels, comme l'énumération des beautés ou l'invocation à la nature, pour lesquels est essentiel le *mouvement* imprimé à la composition du texte, qui s'inscrit, comme chez Ronsard, sur une seule ligne mélodique : il ne s'agit plus alors, on l'a vu, d'analyse psychologique, le sentiment (admiration, peine, constance...) s'efface devant son expression ; l'articulation syntaxique elle-même, parfois lourde, ou hésitante, est au service exclusif du rythme, qu'elle s'efforce de ne pas contrarier. Les mots sont choisis moins pour leur résonance — sentimentale ou sonore — que pour le mouvement dans lequel ils s'intègrent. Quant aux images et aux

---

175. Jamyn, *op. cit., Qui vouldra voir...*, p. 184.
176. Nuysement, *op. cit., Quiconque voudra voyr..., livre second, les Amours*, f. 33.
177. Pontoux, *op. cit., Qui n'aura eu d'un Dieu la cognoissance...*, III, p. 16.
178. Birague, *op. cit., Qui vouldra voir...*, II, f. 1 v°.
179. Voir aussi Blanchon, *Les Œuvres Poetiques de Joachim Blanchon*, Paris, 1583, *Le premier Livre des Amours de Diane, Qui voudra voir...*, sonnet XIV, p. 8 ; I. Habert, *Les Œuvres Poëtiques, op. cit., Le Premier Livre des Amours de Diane*, I, p. 1, « *Qui veut voir comme Amour...* » ; J. de la Jessée, *op. cit., Marguerite*, p. 785, etc.
180. Pétrarque, CCXLVIII :
    « Chi vuol veder quantunque pò Natura
    e'l Ciel tra noi, venga a mirar costei... »
Mouvement repris par Pontus de Tyard, *Erreurs amoureuses*, I, II :
    « Qui veut sçavoir en quante et quelle sorte
    Amour cruel travaille les esprits
    Il me verra... »
Ronsard ouvre, par un mouvement d'ensemble semblable, les *Amours* de 1552 :
    « Qui voudra voyr comme un Dieu me surmonte... »
181. Schéma utilisé dans *les Am.*, t. IV, XCV des *Amours*, p. 94. Voir aussi, t. V, p. 115, le sonnet XLIX :
    « Ni de son chef le tresor crespelu
    Ni de sa joue une et l'autre fossette,... »
et, t. IV, le sonnet L, p. 52 :
    « Ny voir flamber...
    Ny lis planté...
    Ny chant de luth... »
Il s'agit là d'un véritable schème formel, qui a connu depuis Pétrarque et le sonnet CCCXII des *Rime* :
    « Nè per sereno ciel...
        nè per tranquillo mar...
        nè per campagne...
        né per bei boschi...
    né d'aspettato...
        né dir d'amore...
        . . . .
        né altro sarà mai ch'al cor m'aggiunga... »,
une fortune exemplaire. Cf. le même schéma chez Bembo, *Gli Asolani, libro secundo*, in *Prose e Rime di Pietro Bembo a cura di* C. Dionisotti, Classici Italiani, U.T.E.T., 1966, p. 389, et aussi chez Gesualdo, Giolito, 1545, p. 33, et Molza, *Rime di diversi*, 1547, f° 11 v°. Cf. du Bellay, l'*Olive*, éd. Chamard, p. 108.
182. Ronsard, *Les Amours*, t. IV, CXLIII, p. 138.

métaphores, banales, voire stéréotypées — chez les disciples mais déjà chez Ronsard, il suffit qu'elles « passent » sans accrocher, sans détourner l'attention des cadences amples qui les recouvrent et, souvent, les annulent.

On saisit là un des caractères de l'imitation du Ronsard pétrarquiste, d'après le *Premier Livre des Amours*. Ronsard s'était mis à l'école de Pétrarque, moins pour reprendre images et formules, que pour tenter à sa suite de traduire, par l'ampleur du mouvement lyrique et l'harmonie, les divisions du cœur : les formes lyriques absorbent en quelque sorte les contradictions et les conflits, et d'elles naît une espèce de bonheur singulier qui transcende les tourments et les angoisses. Pour lui, le pétrarquisme est moins une psychologie ou une métaphysique amoureuses (car il s'en écarte notablement, et prend, dès 1552, ses distances avec le pétrarquisme « vulgaire »), qu'une splendide *rhétorique* : c'est par la rhétorique, ses balancements, ses antithèses, ses mouvements contraires ou alternés, que Pétrarque se proposait de traduire l'émoi, de creuser sa psychologie amoureuse. La poésie est bien « la seconde rhétorique », et Ronsard confirme pleinement en 1552 cette assertion, en montrant par son œuvre que la poésie (et même la poésie amoureuse) est moins affaire de psychologie — pour laquelle suffit le schéma ancien — que d'élan lyrique : le mouvement, la structure rythmique, les cadences du sonnet, décrivent (et non les images, support du rythme) les élans de l'imagination et du désir.

De cette grande leçon, les imitateurs de Ronsard ne retiennent souvent que les aspects formels. Les grands motifs rhétoriques — énumération des beautés, invocation à la nature, etc. — deviennent chez eux des motifs *oratoires,* et s'épuisent dans la recherche du bien dire. Chez Boton, Boyssières, Pontoux, l'académisme triomphe. Encore faut-il reconnaître que Nuysement, Birague, Béroalde, parfois A. Jamyn, Cornu, plus rarement J. Courtin de Cissé ou A. de Cotel, ont su se dégager de ce culte de la forme, de ce souci d'imitation exacte, pour atteindre à une expression lyrique pure. Les trois premiers surtout sont d'authentiques poètes, mais leur création échappe au pétrarquisme qui n'est pour eux qu'un point de départ (on le verra plus loin), car elle marque une véritable rupture avec les traditions pétrarquistes [183]. De tous les disciples de Ronsard s'inspirant du pétrarquisme des *Amours,* seuls ceux que l'on peut nommer les disciples infidèles : Nuysement, Béroalde, Birague, sont des créateurs. Cela n'est pas le moindre paradoxe : mais Ronsard lui-même n'a-t-il pas montré la voie, lui qui inscrit son œuvre en 1552 dans la tradition pétrarquiste, tout en trouvant sa voix propre hors des chemins tracés par Pétrarque ?

En tout cas, l'analyse des thèmes et des motifs pétrarquistes dans la poésie de 1570-1585 montre que le pétrarquisme des disciples, même lorsque, comme Pontoux, Birague, Nuysement, ils lisent les Italiens, les traduisent parfois (Nuysement) ou composent à l'occasion dans la langue de Pétrarque [184], est, dans l'ensemble, redevable à Ronsard plus qu'à

---

183. *Infra, Deuxième livre, Première partie (Orientations baroques).*
184. Pontoux compose plusieurs sonnets en italien ; voir *L'Idée, op. cit.,* LX, p. 45, CXXXIX, p. 85, CLXVIII, p. 94. Lodovico Birago adresse à son frère Flaminio un sonnet en italien, publié dans les *Premières Œuvres Poétiques* de ce dernier (*op. cit.*).

Pétrarque ou à ses disciples. Les rencontres des muses de France et d'Italie seront infiniment plus fréquentes avec Desportes et les néo-pétrarquistes français. Sur ce point, notre sentiment rejoint celui de M. Raymond, qui souligne les plagiats « directs » [185].

Ce pétrarquisme français est, du reste, assez différent selon les disciples : plus « archaïque » chez Boton, qui n'a pas suivi l'évolution de Ronsard vers le « stille bas », et dont la poésie rocailleuse, dans une langue difficile, hérissée de constructions lourdes et vieillies, ne semble pas contemporaine de celle de Jamyn, par exemple ; plus précieux chez Le Loyer, qui s'ouvre aux influences néo-pétrarquistes, et mêle dans son œuvre thèmes ronsardiens et thèmes néo-pétrarquistes issus de Desportes ; platonisant chez Pontoux, célébrant son Idée à la mode de 1530. De façon générale, les poètes provinciaux, Boton, Brétin, Pontoux, présentent un premier état du pétrarquisme, tandis que les Parisiens comme Jamyn accueillent, en même temps que ce premier pétrarquisme, les artifices, les motifs, les symboles, du néo-pétrarquisme de 1570.

D'autre part, n'imaginons pas que les recueils de ces poètes soient homogènes : bien souvent, à un premier livre pétrarquisant, ils font succéder un second livre néo-pétrarquiste : Jamyn écrit les *Amours d'Oriane*, où il ronsardise, puis *Artémis* à l'imitation de Desportes. Et il n'est pas le seul à subir les deux influences [186]. Bien plus : une même section n'est pas toujours plus homogène que le recueil entier : Pontoux, dont l'inspiration est pétrarquisante et platonisante, compose aussi dans *Idée* des Baisers, des mignardises. J. Courtin de Cissé, dont le *Premier Livre des Amours de Rosine* s'inscrit dans la veine chaste et sentimentale et qui, en gros, respecte la tradition pétrarquiste du *Premier Livre des Amours,* y mêle des mignardises, des thèmes précieux à la manière de Desportes, des thèmes érotiques. Son *Second Livre* est tout entier

---

185. M. Raymond, *op. cit.,* II, p. 33 (en part.). M. Raymond estime que, bien qu'il soit difficile souvent de se faire une opinion sur cette question, les disciples français de Ronsard recourent volontiers, plus qu'à Pétrarque ou Bembo, au texte du *Premier Livre des Amours.* Lorsque le même schéma formel, qui impose au poème sa substance, se trouve également chez les Italiens — Pétrarque, Bembo, Gesualdo ou Molza, par ex. — et chez du Bellay ou Ronsard, comment déterminer à coup sûr l'origine ? Quand un sonnet de Pétrarque est également imité par Marie de Romieu, Nuysement, Pontoux, etc., comment s'assurer qu'il ne s'agit pas d'emprunts « de seconde main », les manuscrits circulant librement de main en main bien avant leur édition ? (un sonnet de Claude Expilly placé parmi les sonnets de Cornu nous apprend qu'Expilly avait lu les poèmes consacrés à la fière Lucresse bien avant que ceux-ci voient le jour...).

186. P. de Brach, qui emprunte à Ronsard plusieurs thèmes (le thème de l'amour fatal, le thème du port, les regrets sur une liberté perdue, etc.), fait, dès le *Premier Livre des Amours d'Aymée,* une place aux motifs néo-pétrarquistes, qui s'épanouissent plus librement encore dans le *Second Livre,* qui ne dit « que plaintes, que souspirs, que regrets et que larmes », et chante le martyre d'amour à la manière de Desportes. Biragque, Nuysement, dont certains sonnets imitent le Ronsard pétrarquiste du *Premier Livre des Amours,* subissent aussi de manière très visible l'influence du poète chartrain. D'autres encore... (Cornu, Pontoux, etc.) Les contemporains ont eu l'impression que les deux influences pouvaient se concilier : Desportes n'a-t-il pas parfois rivalisé, en l'imitant, avec Ronsard ? Et celui-ci n'a-t-il pas, du moins en apparence, accepté, lorsqu'il écrivait les deux livres de *Sonets* pour Hélène, un certain nombre de thèmes et de motifs néo-pétrarquistes ? Voir sur ce point l'article de M. Morrisson, *Ronsard and Desportes,* t. XXVIII, in *B.H.R.,* 1966, pp. 294, 322.

folâtre et mignard. Boyssières, qui déclare, dans un sonnet liminaire de ses *Premières Œuvres,* avoir pour maîtres Ronsard et Desportes, sacrifie à l'une et l'autre traditions ; il s'inspire à la fois, en outre, du pétrarquisme ronsardien et de la veine folâtre. Tout cela, bien entendu, ne facilite pas la définition du pétrarquisme des disciples !

Cependant, au risque de schématiser, on peut reconnaître trois caractères au pétrarquisme des Ronsardisants lorsqu'ils s'inspirent du *Premier Livre des Amours :*

1° à l'imitation de Ronsard lui-même, ce pétrarquisme est influencé par Pétrarque, et les poètes du début du Cinquecento, à un moindre degré. Pétrarque, en 1570, est toujours lu et imité [187] ;

2° il s'agit d'un pétrarquisme « fidèle », c'est-à-dire chaste et décent, épris de perfection formelle plus que d'ingéniosité. On est loin de la sensualité de Tebaldeo ou de Sasso [188] ;

3° c'est un pétrarquisme acclimaté au sol français par Ronsard, filtré et dosé par lui. Un pétrarquisme sans excès, parfois naïf.

Mais, dès 1570, coexistent deux traditions italiennes, l'une bien établie, l'autre en train de se constituer : si Pétrarque reste en amour le grand maître, par l'intermédiaire de Ronsard, si l'on possède ses œuvres, et pas seulement le Canzoniere, mais aussi *Trionfi,* l'*Africa...,* sa gloire commence à se ternir [189]. Dès 1552-1553, Ronsard s'écarte du mode pétrarquien, et sa position est encore plus nettement critique en 1556, dans l'*Elégie à son livre.*

Les poètes pétrarquistes cependant triomphent : Bembo, Tansillo, Rota... Parmi eux deux sortes de pétrarquismes : d'une part, le pétrarquisme « fidèle » de Bembo et des « bembistes », imités par Ronsard [190], du Bellay, Baïf. D'autre part, les disciples « infidèles » du Quattrocento comme Chariteo et Tebaldeo, et les contemporains comme A. Di Costanzo, Rota, Tansillo...[191] plus libres et plus voluptueux, plus sensuels, plus dégagés des influences anciennes, plus « ingénieux » aussi. Ceux-là, qu'imiteront les néo-pétrarquistes français, conserveront le langage pétrarquiste, mais modifieront profondément la psychologie et la stylisation pétrarquiennes de l'amour. D'un pétrarquisme à l'autre, il y a plus que des différences formelles : c'est tout l'écart entre une civilisation humaniste et chrétienne, tournée, sinon vers le passé, du moins vers un idéal ancien, nourrie de culture classique — et une civilisation « moderne », dégagée des modèles antiques, tournée délibérément vers une culture profane, et qui cherche ses lois dans une société affranchie du commerce des classiques.

---

187. Cf. Marcel Raymond, *op. cit., passim.*

188. Voir Vianey, *op. cit.,* pp. 15-25, 37-43.

189. Voir Cecilia Rizza, *Persistance et transformation de l'influence italienne dans la poésie lyrique française de la première moitié du* XVIIe *siècle,* art. paru dans la Revue *XVIIe siècle,* 1967 (n° 66-67), pp. 22-42.
Voir aussi Franco Simone, *Note sulla fortuna del Petrarca in Francia nella prima meta del Cinquecento,* in *Giornale storico della Letteratura italiana,* 1950, t. CXXVII, fasc. 1, pp. 1-59.

190. Voir Vianey, *op. cit.,* pp. 81 et suiv.

191. *Ibid.,* pp. 192 et suiv.

II - Thèmes mythologiques
dans la tradition du Premier Livre des Amours (1570-1585)

Il faut distinguer les thèmes mythologiques exploités par les Ronsardisants dans la veine du *Premier Livre* des Amours, des thèmes mythologiques qui illustrent la poésie de Desportes et de ses disciples. En effet, si certains thèmes, issus d'une même imitation italienne, semblent voisins (Prométhée, par exemple, commun à Ronsard et à Desportes, ou l'image de la dame-Méduse), un examen attentif révèle des différences notables dans le traitement du thème [192]. Mais, d'une part, Ronsard et Desportes héritent d'un certain nombre de motifs communs, Tantale et Sisyphe, le Phénix, la Salamandre, etc. D'autre part, les poètes de 1570-1585 empruntent aussi bien à Ronsard qu'à Desportes (Le Loyer, Nuysement, Birague, ou de Brach...) et hésitent quant au traitement de l'élément mythologique. Tantôt, comme Desportes, ils réduisent le personnel mythologique à un petit nombre de figures, et considèrent la mythologie comme un *ornement,* parure abstraite d'une poésie « préclassique ». Tantôt, comme Ronsard, ils essaient d'intégrer dieux et déesses, héros et animaux, dans un univers familier qu'ils animent de leur présence sensible. Dans le premier cas, la mythologie est une des ressources formelles de la poésie : elle se condense en *figures*, à la recherche de symboles expressifs. Dans le deuxième cas, la mythologie est une croyance.

La mythologie dans la poésie amoureuse de Ronsard.

La mythologie de Ronsard [193], on le sait, ne lui est pas personnelle : il a lu et relu Ovide, le bréviaire ; et aussi, comme les humanistes de son temps, divers traités (la *Genealogia deorum* de Boccace, par exemple, ainsi que les textes antiques), qui lui ont permis de se constituer un répertoire. Ce répertoire constitue plus une somme de connaissances communes à l'humanisme contemporain, qu'une synthèse originale.

Mythologie ordinaire, mythologie syncrétique, qui accueille toutes les divinités d'Asie, de Grèce, de Rome ou d'Egypte, qu'elles soient primitives, classiques ou décadentes.

Mythologie, enfin, qui est une véritable « philosophia moralis » ; pour Ronsard, comme pour les humanistes des XVᵉ et XVIᵉ s., la fable n'est pas issue des fantaisies de l'imagination ; il s'inscrit dans le courant ficinien qui refuse de tenir le mythe pour un pur ornement littéraire, ou pour un jeu gratuit de l'esprit, mais veut découvrir, par l'exégèse mythique, les « secrets » de la sagesse. A la lumière du néo-platonisme,

---

192. Voir plus bas, deuxième Partie du Premier Livre, le chapitre III consacré aux thèmes mythologiques du lyrisme néo-pétrarquiste.
193. Voir notamment Seznec (Jean), *La survivance des dieux antiques, essai sur le rôle de la tradition mythologique dans l'humanisme et l'art de la Renaissance,* Londres, 1939, pp. 273 et suiv.

les humanistes du xv⁰ s. découvrent dans les fables tout un enseignement spirituel, voire une doctrine religieuse, qu'ils veulent accorder à l'enseignement de l'Eglise. Loin de voir une contradiction entre mythologie et christianisme, Ronsard, en accord avec l'humanisme de son temps, pense que fables et énigmes recouvrent une vérité cachée, d'ordre spirituel, et il déclare dans l'*Abbrégé de l'Art Poétique français* : « Les Muses, Apollon, Mercure, Pallas, Vénus, et autres déités ne nous représentent autre chose que la puissance de Dieu, auquel les premiers hommes avoient donné plusieurs noms, pour les divers effects de son incompréhensible majesté. » Distinguant la bonne mythologie de la mauvaise, qui n'est que culte superstitieux des images païennes, idolâtrie du méchant populaire, Ronsard estime que les dieux sont l'expression imagée des attributs de la divinité. Par là, il peut véritablement croire en ces dieux, intermédiaires en quelque sorte entre le Ciel et l'homme [194].

On mesure là ce qui sépare la mythologie de Ronsard [195] de celle de Desportes : croyance chez l'un, nourrie de culture humaniste, intégrée à l'univers de la foi, la mythologie n'est plus, chez l'autre, qu'un bel ornement, une figure de style.

On peut distinguer dans le *Premier Livre des Amours* trois groupes de thèmes mythologiques, fort inégalement imités par les disciples de Ronsard après 1570 :

— Le premier groupe est constitué par les allusions au cycle troyen, et les rappels d'épisodes en quelque sorte obligatoires, lorsque la dame a nom Cassandre. De même, lorsque Ronsard décidera de chanter Hélène, il sera tout naturellement amené à mêler, à son évocation de Surgères, le souvenir de sa belle homonyme, la prestigieuse Hélène de Troie [196]. D'autres allusions ne se rattachent pas au cycle troyen [197] : elles sont liées à une vision du monde qui intègre si parfaitement les dieux dans l'univers humain qu'ils renvoient de l'homme une image embellie.

— Le deuxième groupe est constitué par les motifs démonologiques. Dans le *Premier Livre*, comme, du reste, dans les deux livres des *Sonets pour Hélène*, Ronsard fait place aux démons [198], pourvoyeurs des songes et messagers des dieux. Les démons participent à l'aventure amoureuse, dont à l'occasion ils se font les complices agissants ; accessibles à la pitié [199], sensibles à la beauté féminine [200], ils peuvent même momenta-

---

194. Voir *Les Amours, éd. cit.*, t. IV, s. XXXI, p. 34, l'invocation aux Démons.

195. Voir F. Desonay, *Ronsard poète de l'amour, op. cit.*, t. I, pp. 89-91.

196. Voir *ibid*, t. III, chap. VII. Cf. aussi, également de F. Desonay, *La vertu poétique du prénom Hélène dans les Sonnets pour Hélène*, art. paru dans les *Mélanges Chamard*, Nizet, Paris, 1951, pp. 113-120.

197. Par ex. *éd. cit.*, t. IV, sonnets XIII, p. 17 (Prométhée et Hercule), XV, p. 18, XXXII, p. 35.

198. En part. *ibid.*, sonnets XXX et XXXI, pp. 33-34, XLVII, p. 50, CLIX, p. 151.

199.   « Toy, quand la nuict comme un forneau m'enflamme
    Ayant pitié de mon mal soulcieux... » (*ibid.*, XXX, p. 33).

200.   « Si l'un de vous la contemple çà bas,
    Libre par l'air il ne refuira pas » (XXXI, p. 35).

nément se cacher dans le corps de la Belle [201], qui leur devient un vêtement d'emprunt [202].

— Le troisième groupe, enfin, est constitué par les thèmes astrologiques ; à une époque où mythologie et astrologie sont si intimement liées que la mythologie survit en partie grâce à l'astrologie [203], alors en plein essor, Ronsard, fasciné par toutes les puissances occultes, fait à l'astrologie une place, d'abord parce qu'elle donne à la résurrection des Dieux païens son caractère de nouvelle puissance ; ensuite parce qu'elle éclaire pour lui certains aspects de son tempérament « saturnien » [204], enfin parce qu'elle lui permet d'apercevoir des liens de causalité entre la mélancolie d'origine astrale qu'il croit être la sienne, et la création poétique, épanchement d'un cœur triste et sensible. Deux grands thèmes astrologiques : le thème de l'amour fatal, amour prédestiné, fixé par les astres, régi par les lois universelles, et le thème des yeux-planètes, qui illustre les échos et les correspondances entre le monde matériel et le monde spirituel.

L'attitude, face à ces trois groupes de thèmes, des poètes de 1570, est intéressante, et parfois imprévue...

1. Thèmes mythologiques.

A l'imitation de Ronsard, les disciples, célébrant une Diane ou une Flore, font volontiers appel à leurs connaissances de la mythologie classique. Mais, alors que Ronsard ne faisait jamais étalage d'érudition, ses disciples aiment à accumuler les références : ainsi Le Loyer, recourant pour définir la beauté de Flore, à Cyprine (Vénus), Junon, Pallas, Thétis...

> « Ma Flore vous avez de la belle Cyprine
> Les cheveux et le front et les tetons petits,
> Les beaux yeux de Junon et vostre nez trestis,
> Le maintien, le marcher et la grace benigne,
> Vous tenez de Pallas la main toute divine,
> Et vous aves vos pieds autant ou plus gentis,
> Et autant argentez qu'on les donne à Thétis. » [205]

Ronsard se contentait de faire aux transformations de Jupiter, le dieu aux désirs multiples, une allusion somme toute discrète [206]. Jamyn reprend le thème :

> « Que ne puis je imiter la force changeresse
> Du puissant Jupiter qui tant de formes prit
> Quand à cacher ses faits Cupidon lui apprit ?
> Que ne sais je les arts de Circe enchanteresse ?
> Je me transformerois si bien que tous les jours
> Je paistrais mon desir du fruit de mes amours. » [207]

---

201. Ronsard, liv. II des *Sonets pour Hélène*, éd. cit., t. XVII, s. XII, pp. 256-257 : « Ou bien quelque Demon de ton corps s'est vestu... »
202. Cf. R. Antonioli, *Aspects du monde occulte chez Ronsard*, in *Lumières de la Pléiade, op. cit.*, pp. 195-230.
203. Voir Seznec, *La survivance..., op. cit.*, liv. I, Première partie, pp. 45 et suiv., 60 et 61.
204. Voir G. Gadoffre, *Ronsard par lui-même*, coll. Ecrivains de toujours, Seuil, 1960, p. 116.
205. P. Le Loyer, *Flore, op. cit.*, XXXI, p. 12.
206. Dans le sonnet XX des *Amours*, p. 23.
207. A. Jamyn, *Eurymedon et Callirée*, éd. Brunet, *op. cit.*, s. LIII, p. 87.

Chez Ronsard, Jupiter n'apparaît indirectement que par allusion à la « pluye d'or » ou au « taureau blandissant » : c'est moins le dieu qui intéresse le poète que la nature de ses métamorphoses et leur pouvoir de suggestion sur l'imagination érotique. Jamyn procède tout différemment : il se contente de vagues allusions aux « faits » du dieu, remplaçant par une abstraction : « la force changeresse », la description suggestive des transformations, et ajoutant Cupidon et Circe. La diversité plaisante dont s'enchantait Ronsard disparaît, masquée par le vague d'une locution qui n'est guère qu'un outil grammatical : « je me transformerois *si bien...* ». Au lieu de donner à voir et à imaginer, Jamyn s'adresse à la culture de son lecteur, remplaçant la complicité sensuelle par un clin d'œil érudit ! Habert tente un compromis :

> « Tout ce qui est vivant et qui mortel a estre
> Est subjet à l'amour (...)
> Jupiter le sçait bien qui prit le corps terrestre
> D'un mugissant taureau, et d'ardeur coléré
> Abandonne le Ciel et son throne ethéré,
> Fait captif de l'amour, de tous les dieux le maistre. » [208]

Si l'évocation gagne en précision, et en pittoresque, le rappel de la grandeur divine a quelque chose de saugrenu, comme paraît bien didactique le commentaire naïf qui accompagne et encadre la rapide description de la métamorphose en taureau. Ronsard, plus subtilement, opposait à la force brutale de l'animal, symbole de l'énergie sexuelle, la délicatesse de la jeune vierge, fleur parmi les fleurs, et tirait de cette opposition une forte densité dramatique.

J. Courtin de Cissé, N. Debaste [209] s'inspirent également du sonnet XX des *Amours* et font aussi de Jupiter la figure du désir brutal, mais leur discrétion ou leur maladresse les empêchent d'atteindre l'effet maximum avec le minimum de moyens, comme y réussit Ronsard. P. de Brach est en un sens plus fidèle au maître en se contentant d'allusions précises aux diverses métamorphoses de Jupiter, mais traite dans un tout autre esprit le thème :

> « Moindre beauté a fait quitter les cieux
> A Jupiter, avec mille cautelles (...)
> Le chant pipeur du cygne blanchissant,
> Et l'or pluyeux qui tomba jaunissant
> Dedans la tour et la forme empruntée
> De ce taureau par qui fut emportée
> Dessus son col, comme un léger fardeau,
> Sa proye aimée à nage dessus l'eau :
> Cela me fait, sous un mauvais augure,
> Craindre advenir sur toy mesme advanture. » [210]

Jupiter perd ainsi son prestige et devient prétexte à madrigal, comme pour Debaste :

---

208. I. Habert, *Œuvres Poétiques, Le Premier Livre des Amours de Diane*, *op. cit.*, s. XXXVI, p. 12.

209. J. Courtin de Cissé, *Rosine, op. cit.*, s. X, pp. 9 v°, 10 r°. Nicolas Debaste, *Les Passions d'Amour*, Elégie, à Janne, pp. 20 v°, 21 r°.

210. Pierre de Brach, *Les Amours d'Aymée, op. cit.*, Elégie II, p. 51.

> « Si j'estois Jupiter vous seriez ma Junon,
>   Si j'estois quelque dieu vous seriez ma déesse. »[211]

Sur ce vieux thème d'origine provençale, la variation est sans grand intérêt.

La mythologie ornementale.

Même lorsque, comme c'est le cas chez Boton, les motifs mythologiques sont multiples, même quand le personnel est nombreux : Atis et Cybèle, Adonis et Cythérée, Galathée et Polyphème, Mars ou Phœbus, et que « la fable sert d'armature à un sonnet entier »[212], c'est un appauvrissement de la mythologie ronsardienne que l'on constate ; l'invocation à Vénus montre bien que l'appareil assez lourd d'une érudition indiscrète ne sert qu'à orner de figures réputées « poétiques » un texte conventionnel :

> « Saincte Venus de Cupidon la mère
> Idalienne, ô déesse qui tiens
> Gnyde, Amathonte et les murs Paphiens,
> Qui dans le creux d'une coquille eux terre
> Sur le sablon des ondes de Cythère
> Sainte Vénus qui de tes saints liens
> Les cueurs humain en concorde entretiens,
> Et de l'Amour doucement les altère,
> Fay moy ce bien de conduire mes pieds
> Heureusement, dedans ces lieux sacrés,
> A ta grandeur, ô saincte Paphienne... »[213]

Il est difficile de rassembler en un seul quatrain, comme le fait ici Boton, plus d'allusions et de références au mythe de Vénus-Aphrodite... Ses origines, les principaux lieux de son culte, sa maternité, ses merveilleux pouvoirs, sa grandeur « sainte », tout est dit, sans que cet étalage complaisant de connaissances mythologiques ait autre fonction qu'ornementale.

Blanchon[214] ne résiste pas davantage au plaisir de montrer son savoir :

> « Royne de Cipre et deesse divine
> Du cercle tiers le flambeau souverain
> Qui tiens le Dieu des foudres soubz ta main,
> Et fus conceüe aux flotz de la marine,
> Te plaise hélas ! par ta grace benigne,
> Par ton doux ris, Par son pouvoir hautain,
> Flechir ton fils duquel je fus atteint
> Dieu de ma guerre et Roy de ma ruine.
> Je te supply imaginer mon mal,
> Comme je suis ce malheureux Tantal,
> Cet Ixion, ce maudit Prométhée... »[215]

---

211. Nicolas Debaste, poète chartrain (1562 ?-1630 ?), écrit ses *Passions d'Amour*, publ. à Rouen en 1586, dans la tradition des *Continuations*.
212. Marcel Raymond, *L'influence...*, *op. cit.*, II, p. 36.
213. Boton, *La Camille*, *op. cit.*, f. 24 v°.
214. Joachim Blanchon, poète limousin, fait paraître à Paris en 1583 ses *Premières Œuvres Poétiques* dans lesquelles il s'inspire plus de Desportes que de Ronsard, bien qu'il célèbre ce dernier avec emphase (cf. M. Raymond, *L'influence...*, *op. cit.*, II, p. 149, note 4).
215. Blanchon, *Dione*, *op. cit.*, liv. I, s. IX, p. 5.

Si les quatrains consacrés à l'invocation de Vénus paraissent, par comparaison, plus sobres, les tercets sont envahis par une mythologie « vulgaire » : restreint par le cadre étroit des strophes, le poète accumule les références sans prendre le temps de commenter ces trois exemples d'un malheur sans trêve ; Tantale, Ixion et Prométhée, figures trop familières pour l'amateur de poèmes de 1575, surgissent au détour du vers pour s'évanouir sans laisser d'autre trace dans la mémoire du lecteur que celle que peut fixer une encombrante culture. Ronsard prenait, tout autrement, appui sur tel épisode : Prométhée attaché à son roc [216], Ixion ou Tantale « dessus la roüe » ou « dans les eaus là-bas » [217], pour laisser librement l'imagination errer sur ces vivantes images d'une douleur charnelle : le mythe, alors, retrouvait sa verte jeunesse, s'effaçant rapidement à peine introduit, suggérant sans accaparer l'attention. Blanchon, lourdement didactique, préfère procéder par additions successives, ne se résignant point à sacrifier les motifs à l'idée générale :

> « Je songe aucunes fois aux travaux d'un Jason,
> Aux efforts d'un Hercule, aux effets d'un Thésée,
> Et en ces Palladins de qui l'âme embrazée
> Heust l'honneur pour guidon et pour chef la raison.
> L'un d'un cœur genereux conquesta la toison,
> L'autre plus courageux, poursuyvant sa brisée,
> Pour couronner son front d'une Palme prisée,
> A Cerbère ordonna l'infernal poison... » [218]

Tout l'effort consiste à accumuler, sans économie de moyens, plusieurs épisodes distincts qui s'emboîtent avec plus ou moins de bonheur dans l'architecture stricte du sonnet classique. Chaque vers condense un ou plusieurs faits de la Geste héroïque ! Le mythe devient très vite un voile, qui recouvre exactement la substance du texte, au point de l'annuler, comme le montrent ces quatrains, tout chargés d'une ornementation pesante :

> « Après m'estre tyré de Scille et de Caribde,
> Et des rocs capharez du champ neptunien,
> Visité mille ports jusqu'au Tyrrhénien,
> Serf d'Aeole et du flot que j'avois pour ma guide,
> Je retumbe au peril (...)
> Sur le dos d'Amphitrite où le Latonien
> Me desnie son jour, d'un feu Caucasien,
> Seulement allumé, loing des faveurs de Gnide. » [219]

La mythologie assume alors une double fonction : d'un côté, en effet, elle est un ensemble de traits ornementaux, elle *embellit* un texte en le surchargeant de fines allusions qui établissent, entre l'artiste et son lecteur, une sorte de complicité, elle vise à signaler une culture commune qui est un trait d'union. En ce sens, la mythologie n'est pas seulement décorative : elle agit comme un appel à la mémoire et à l'érudition d'un public d'amis. D'un autre côté — bien qu'à première vue, la mythologie semble habiller d'un vêtement plus brillant que l'ordinaire parure prosaïque l'expression du sentiment — ses attributs,

216. Ronsard, *Les Amours*, s. XIII, p. 17 (t. IV).
217. *Ibid.*, t. V, XLV, p. 111. « Je voudrois estre Ixion... »
218. Blanchon, *Dione, op. cit.*, LXXIV, p. 39.
219. *Ibid.*, liv. II, *Pasithée, op. cit.*, s. IV, p. 99.

ses motifs, ses images, finissent par annuler, à force de la décorer, la substance « sentimentale » du poème ainsi pompeusement paré. La forme prolifère, et l'usage somptuaire qui est fait de ce langage dans le langage qu'est la mythologie détruit insensiblement l'univers du sentiment. Avec Boton, Blanchon, Boyssières ou Pontoux, l'usage que faisait Ronsard de la mythologie est profondément altéré : même si l'on considère ses « sonnets mythologiques » de 1552, par exemple le sonnet IV « Je ne suis point... » [220], on s'aperçoit que le mythe est surtout pour lui un réservoir de métaphores ; non seulement, le rappel d'épisodes troyens se trouve justifié par le beau nom de Cassandre, qui enfante naturellement les noms des personnages associés à son histoire mythique, mais surtout, Ronsard se garde de l'énumération comme de la leçon de mythologie, et ne conserve du conte ancien que les épisodes les plus propres à narrer son aventure personnelle, faisant ainsi du mythe *son* mythe. Chacun des épisodes bien connus devient ainsi l'image de son destin : ni soudard, ni archer homicide, ni général victorieux, l'amant se reconnaît sous les traits de « ce chorèbe insensé » tué pour les beaux yeux de Cassandre ; le mythe pour Ronsard enrichit de ses virtualités et de ses prolongements l'expression du sentiment amoureux. Ronsard efface en quelque sorte le contenu narratif de chaque épisode (les faits dans leur relation linéaire), pour ne garder que leur signification : Myrmidons et Dolopes deviennent l'image même de la violence d'un conflit, Chorèbe, l'image de l'amour fou, l'archer Philoctète, celle de la fureur homicide. Détruisant le lien qui unit dans le temps de l'histoire tous ces faits, Ronsard les conserve comme des métaphores du sentiment, déchiffrant son destin à travers la grille du mythe.

Il en va différemment pour les disciples de Ronsard : il s'agit moins d'utiliser la fable à des fins descriptives, que de chercher, dans le répertoire mythologique, des métaphores ornementales, des *manières de dire,* de cacher la réalité des choses sous le voile pompeux du mythe. Ainsi Cornu, pourtant ronsardisant fidèle, et poète délicat, à ses heures, donne un échantillon de cet usage réputé « poétique » de la mythologie vulgaire : lorsqu'il ne peut parler du soleil sans le nommer Phœbus, de la lune sans la nommer Phœbé, de l'océan sans le nommer Nérée... :

> « Phoebus ayant guidé son char parmy les cieux
>   S'estoit allé loger chez l'humide Nérée,
>   Phoebé luisoit desjà dans la voute azurée (...)
>   Un petit archerot, enfant de Cythéré,
>   Environné de traits se présente à mes yeux... » [221]

De même, la mythologie simplifiée de Le Loyer donne lieu à un jeu d'humaniste : plus qu'une ressource du poète, elle se révèle répertoire d'images, ornement ; la généalogie d'Amour furieux est prétexte à rappeler un certain nombre de faits :

> « Ne sçait on pas que sa mère a aux cieux
>   Pour son amy un Mars qui la contente (...)
>   Quoy n'a-t-il pas pour sa grand mère l'onde (...)
>   Ainsi tient-il du dieu Vulcan la flame,
>   Et de la mer l'inconstance de l'âme,
>   Et de Mavors les dardz ensanglantez... » [222]

---

220. *Ed. cit.,* t. IV, IV, p. 8, sonnet du « cycle » troyen.
221. Cornu, *op. cit.,* VIII, p. 5.
222. Le Loyer, *Flore, op. cit.,* XXI, p. 7.

Jeu d'esprit, témoignage enjoué d'une culture commune au poète et à son lecteur, aimable divertissement, le thème mythologique ici se réduit, dans sa banalité même, à un élégant badinage.

Si, manifestement, les poètes de 1570-1585 utilisent le même personnel, les mêmes épisodes, de la mythologie gréco-latine que Ronsard, leur dessein est différent. Alors que Ronsard, dans sa recherche d'une vision du monde « totale », aimait à imaginer entre le petit monde de l'homme et le vaste univers peuplé de dieux, de héros, de démons, qui reflète et explique le microcosme, des correspondances analogiques, alors qu'il habillait du vêtement mythique ses passions et ses désirs, heureux, au sein même de la souffrance et de l'angoisse, de *reconnaître*, de *retrouver* en son âme l'éternel désir, l'éternel amour, et « les feux accoustumez », les disciples, pour qui le rêve humaniste déjà s'effrite, ne voient dans les dieux et les héros familiers que des abstractions « poétiques », des ornements, dépourvus de vie et de chaleur, privés d'âme. Il ne s'agit donc pas seulement d'un appauvrissement de la mythologie ronsardienne, mais d'une véritable mutilation du *sens*.

2. LES THÈMES DÉMONOLOGIQUES.

Les démons, pour Ronsard comme pour les humanistes de son temps, étaient des êtres doués de mouvement autonome, et pourvus d'une âme. Ficin les avait assimilés à des anges, bons ou mauvais, selon que leur influx se révélait faste ou néfaste, et Ronsard reprenait dans son *Hymne des Daimons* [223] une topographie conforme à la hiérarchie d'origine ficinienne [224]. L'Hymne ronsardien propose une synthèse des théories démonologiques de l'époque, unissant certaines thèses néo-platoniciennes (Psellos traduit par Ficin), des superstitions orientales, et des exégèses de textes bibliques [225]. Ce syncrétisme religieux ne constitue d'ailleurs pas, à l'époque, un mélange détonant [226]. Ronsard, sans mener une discussion scientifique ou juridique sur l'existence ou le statut du démon, accepte sa présence, et compose « un bon usage du démon » [227], le démon étant à la fois principe d'explication de certains phénomènes, et principe de vie puisqu'il peut servir d'oracle, et de messager d'En-Haut.

Dans sa poésie amoureuse, Ronsard accorde une grande place aux démons. Manifestant clairement leur nature [228] — créatures intermédiaires

223. Ronsard, *Hymne des Daimons,* éd. critique et comm. par A.-M. Schmidt, Paris, Albin-Michel. L'Hymne figure au tome VIII de l'éd. Laumonier (S.T.F.M.).
224. Voir dans l'édition critique d'A.-M. Schmidt citée ci-dessus en part. pp. 17-23, 32-33, 41 (Ronsard et Ficin). Sur les sources de la démonologie ronsardienne, cf. les notes de Laumonier, *éd. cit.,* t. VIII, pp. 115-139.
225. Voir le commentaire de M. Schmidt pour l'*Hymne des Daimons, op. cit.,* pp. 17-20. Ronsard adopte, dit-il, une position « moyenne ».
226. Cf. Seznec, *La survivance..., op. cit.,* Antonioli, *Aspects..., art. cit.,* p. 212 : « Le plus clair, en définitive, c'est que Ronsard a suivi son temps », et A.-M. Schmidt, *La poésie scientifique en France au* XVIᵉ *siècle,* Paris, Albin-Michel, 1938, pp. 76 et suiv.
227. A.-M. Schmidt, *Hymne des Daimons,* pp. 6-7 : « Il accepte l'existence des Daimons comme scientifiquement prouvée, et s'il s'attache à définir leur nature, c'est afin de pouvoir composer avec eux, s'en servir... »
228. En part. sonnets XXX, p. 33, XXXI, p. 34, XLVII, p. 50, *éd. cit.,* t. IV ; XLV, p. 162, t. VII (*Continuation*) ; XI et XII, p. 256, t. XVII (liv. II des *Sonets pour Hélène*).

entre Ciel et terre — ils sont des messagers efficaces, transmettant par signes les messages de la Providence. Soumis à leurs seules volontés, les démons peuvent aussi révéler une part de la vérité qui échappe au mortel, « les segretz » de Dieu [229]. Mais les démons ne sont pas seulement ces êtres immatériels qui voient souvent ce que l'homme a cru voir : ils sont surtout pour Ronsard pourvoyeurs de songes amoureux. Recevant en rêve la grâce de pouvoir étreindre le corps nu de sa maîtresse, le poète en témoigne gravement reconnaissance aux démons [230]. Enfin, le démon peut se mêler aux humeurs du corps humain, et rendre irrésistible la passion qu'il inspire : Ronsard désirera se muer en esprit invisible pour habiter le corps de sa belle, connaître ses humeurs, et la rendre follement amoureuse de lui ! Bref, pourvoyeurs du doux songe, proprement « divin », messagers des dieux, accessibles à la pitié, sensibles à la beauté, les démons ronsardiens participent à l'aventure amoureuse, dont ils se font les complices. Nul écran entre le petit monde des esprits invisibles et le monde des hommes, au moins pour qui, comme Ronsard, « sçait leurs natures » [231].

A-t-on, après Ronsard, perdu le secret ? En tout cas, les démons, une vingtaine d'années seulement après l'*Hymne des Daimons* (1555), n'apparaissent plus, même chez les Ronsardisants, comme des créatures vivantes, dont l'existence se manifeste à l'homme attentif. Il est singulier de considérer ici le cas de Pierre Le Loyer : alors qu'il consacre de très épais volumes aux Spectres et autres Esprits [232], rien ne passe dans sa poésie amoureuse de ce frisson que Ronsard ressentait devant le monde agissant des Invisibles. Tout au plus, il lui arrive de célébrer indirectement les bienfaits des démons lorsqu'il invoque le Songe qui lui permet de baiser sa maîtresse [233]. Ce n'est plus que par convention que l'on

---

229. Voir *Les Am.*, XXXI, p. 34 :
> « Aillez daimons qui tenez de la terre
> Et du hault ciel justement le meillieu,
> Postes divins, divins postes de Dieu,
> Qui ses segretz nous apportez grand erre... »

230. *Les Am.*, XXX, p. 33 :
> « Si mille oeilletz, si mille lis j'embrasse
> . . . .
> Songe divin, cela vient de ta grace... »

Voir aussi dans *Les Amours* les sonnets CI, p. 100, CLIX, p. 151, et dans les *Sonets pour Hélène*, XXIII, p. 264 (liv. II).

231. Du Bellay, *Les Regrets*, XCVIII : « Dy je te prie (Ronsard) toy qui sçais leurs natures... », éd. Chamard, p. 129.
Cf. *L'Hymne de la Philosophie*, dans le *Second Livre des Hymnes*, éd. Laumonier, t. VIII. La philosophie
> « cognoist des Anges les essences
> La hierarchie et toutes les puissances
> De ces Demons qui habitent le lieu
> De l'air (...)
> Seule elle sçait les bons et les mauvais,
> Leurs qualitez leur forme et leurs effectz,
> Et leur mystere, et ce qu'on leur doit faire
> Pour les facher, ou bien pour leur complaire... » (vers 31-44).

Cf. également l'hymne des *Daimons*, vers 342 et suiv.
232. Pierre Le Loyer, *Discours et histoire des Spectres, visions et oppositions des Esprits*, et *Quatre Livres des Spectres*, Angers, 1586.
233. P. Le Loyer, *Meslanges, Am. de Flore*, LIX, 25 v°.

nomme le Songe l'envoyé des Dieux, et s'il est dit « divin », ce n'est plus au sens plein où l'entendait Ronsard.

De même, reprenant l'invocation aux messagers d'amour, J. Courtin de Cissé modifie sensiblement l'énoncé de Ronsard, en effaçant toute allusion aux « aillez Demons », et en invoquant, à la place des « divins postes de Dieu », les antres, les taillis [234].

Encore plus significative, la modification apportée par Jean de la Jessée au célèbre sonnet XXIX des *Amours* de 1552 : reprenant le thème et le mouvement même du texte ronsardien, il remplace l'invocation au Songe divin par une invocation au bel œil de Marguerite [235] !

Si, pour Ronsard, le songe envoyé par le démon apaise l'amertume, au point que l'amant lui doit la vie, lui qui, sans la forme douteuse de sa maîtresse, serait, à coup sûr, « mort d'ennuy » [236], un disciple comme Cornu, quand il imagine à son tour un réconfort onirique, en rend responsable Amour et non quelque démon :

> « Amour pour esprouver ma fidelle constance
> D'un songe controuvé, l'espace d'une nuit,
> Charma de mes esprits la débile espérance... » [237]

C'en est bien fini de cette heureuse complicité qui rendait le démon familier de Ronsard si amicalement soucieux de porter remède à l'âpre tourment de l'amant en lui proposant de jouir « en toute privauté », par une feinte habile, d'une maîtresse enfin complaisante ! Le songe envoyé à Cornu est une dérision, une duperie :

> « Il me représenta d'une maigre apparence
> Une vieille édentée, à qui la vie nuit,
> Une chauve ridée et vefve de déduit... »

Que l'on est loin des belles « formes douteuses » qui charment les longues nuits de l'angoisse ronsardienne !

Très rares, les poètes qui, comme le maître, unissent croyances humanistes et croyances poétiques. Comptons parmi eux le fidèle Jamyn, qui consacre aux démons plusieurs poèmes [238] et qui, soit par conviction intime, soit par respect pour les croyances de son ami, compte encore sur le démon pour charmer la fierté d'Artémis, et pense, lorsqu'il se promène en un beau jardin, qu'il est là conduit « par le démon qui préside à (son) âme », ange gardien en qui il a pleine confiance. Le statut qu'il reconnaît aux Démons montre que, sans s'écarter de Ronsard, il compose à son tour un bon usage du démon, complice des amants :

> « Tous lieux ont leur Démon (...)
> Et ny ville ny bourg, bourgade ny cité,
> Ne sont sans la faveur d'un Ange qui les garde.
> Pource en tous les endroits où vostre pié retarde,
> Le démon s'esjouit de voir son lieu hanté
> D'une si angélique et parfaite beauté (...)

---

234. J. Courtin de Cissé, *op. cit.*, f. 17 : « Allez, postes de l'air... ». Cf. Ronsard, s. XXXI des *Amours*, 34.

235. J. de la Jessée, *op. cit.*, *La Marguerite*, p. 825.

236. Livre II des *Sonets*, XXIII, « Ces longues nuicts d'yver... », p. 264, t. XVII.

237. Cornu, *op. cit.*, *Premier Livre des Amours*, LXIII, p. 47.

238. Jamyn, *op. cit.*, en part. fol. 137, 175 ; 194 v°.

> Mais quand vous estes preste à quitter leur sejour (...)
> Ces démons bien heureux de vostre jouissance
> Amassent parmi l'air un humide pouvoir,
> Et font dessus la terre incontinent pleuvoir... » [239]

Plusieurs des thèmes ici traités relèvent du syncrétisme propre à la pensée humaniste : le démon apparaît à la fois comme un génie familier des lieux qu'il hante, comme un ange gardien, comme un corps aérien capable de modifier l'atmosphère. Sensible à la beauté féminine, il se fait par ses ruses le complice de l'amant : c'est un démon débonnaire, proche de l'homme, partageant ses sentiments et ses appréhensions. Pour Jamyn, comme c'était le cas pour Ronsard, le démon existe, et témoigne par son existence de la vie multiple et diffuse de l'univers peuplé de forces invisibles et agissantes.

C'est encore un bon usage du démon que propose Isaac Habert, lorsqu'il fait s'exprimer ainsi l'amoureux Damon, désireux de conquérir la belle Amarante :

> « Demons qui demeurez dans l'humide nuage
> Qui tenez le milieu justement en partage
> De la terre et du Ciel, Postes aeriens,
> Je vous conjure tous par les flots stygiens
> Du bourbeux Achéron et par l'onde avernale (...)
> Je vous conjure tous par le nom révéré
> D'Hécate au triple front en mes vers adorée
> Je vous invoque encor, ô troupe paslissante,
> De me faire certain de mon heur ou malheur ;
> Accourez tous icy, soyez moy tous propices. » [240]

C'est donc aux messagers des dieux que s'adresse ici l'amant ; leur position privilégiée — le milieu entre Ciel et Terre — fait en effet d'eux des « postes » efficaces, et des prophètes, au même titre que les dieux astraux. Il s'agit de les rendre propices, de faire en sorte, moyennant certains rites scrupuleusement accomplis, qu'ils acceptent de manifester, par un signe (le nuage, blanc ou noir, à la couleur de l'avenir), la volonté des dieux, hiérarchiquement situés au-dessus d'eux.

En dehors d'Isaac Habert et de Jamyn, qui prolongent entre 1570 et 1585 la vision du monde propre à Ronsard, les disciples du maître, gagnés à la mythologie néo-pétrarquiste, cessent de considérer le démon comme l'intermédiaire idéal entre les dieux et les hommes. Il devient alors, au mieux, un ornement littéraire, et le mythe puissant qui animait la poésie ronsardienne, s'affadissant, devient ressource poétique.

---

239. Jamyn, *op. cit., Des Démons*, p. 137 r°.
240. I. Habert, *op. cit., Les trois livres des Météores, Aéromantie*, p. 45.

3. THÈMES ASTROLOGIQUES.

L'amour fatal.

L'astrologie, intimement liée à la mythologie, fournit à Ronsard thèmes et images, qui, loin d'être des clichés littéraires, révèlent un certain nombre de croyances que le poète partage avec ses contemporains. Le sentiment de la fatalité, par exemple — fatalité d'origine astrale, comme l'assure maint poème [241] — fait partie de l'univers quotidien de Ronsard, saturnien qui ne cesse de s'interroger sur sa destinée personnelle. « Je connai bien, dit-il, des astres la puissance » [242]. Les poètes de 1550 lorsqu'ils subordonnent, comme du Bellay [243], leur destin individuel aux puissances astrales, n'échappent pas aux croyances de leur époque, accusant le destin, les astres, le ciel, de les avoir d'avance voués à une existence malheureuse [244]. Si bien que, quand Ronsard met en cause « l'astre ascendant sous qui (il prit) naissance » [245] pour expliquer l'échec de sa vie sentimentale, il ne s'agit pas d'un jeu poétique : toute sa production, en dehors même des *Amours,* confirme cette sensibilité aux présages, cette crainte superstitieuse de la malédiction, dont l'échec amoureux n'est qu'un signe [246].

Ainsi le grand thème ronsardien de l'amour fatal — déterminé par les astres, et voué par eux à l'échec — permet à Ronsard de renouer, par le biais de l'astrologie, avec le mythe de l'amour fou, celui de Tristan pour Iseut, qui défie les lois humaines au nom de la loi universelle, et qui échappe en quelque sorte à la volonté des amants, liés en dépit d'eux-mêmes. Ronsard, à mainte reprise, déclare aussi son irresponsabilité [247] et la nécessité de cette passion qui le voue au malheur [248].

Ce thème de l'amour fatal devait séduire. Il convient particulièrement à un poète « à la voix rude et forte » comme Hesteau de Nuysement qui, s'il est disciple de Desportes, reconnaît volontiers sa

---

241. Ronsard, *Les Amours,* s. XLVII, p. 50.
Sur la mélancolie d'origine astrale, voir, outre Delumeau : *La Civilisation de la Renaissance, op. cit.,* pp. 393-402, l'art. de M. Antonioli, déjà cit., pp. 217-229.
Ronsard attribue à « Saturne ennemy » son tourment. Cf. *Elégie à Grévin,* Pléiade II, 920.
Discours à P. Lescot (Pléiade, II, p. 424) :
    « O qu'il est malaisé de forcer la nature
    Tousjours quelque génie (...)
    D'un astre nous invite à suivre maugré nous
    Le destin... »
ou *Le Bocage Royal* (Pléiade, I, 865-866) :
    « Solitaire et pensif car forcer je ne puis
    Mon Saturne ennemy... »
242. *Les Amours,* sonnet LI, p. 117, t. V.
243. Du Bellay, *La Complainte du Desespéré* :
    « O malheureuse innocence
    Sur qui ont tant de licence
    Les astres injurieux ! »
244. *Les Amours,* s. XLVII, p. 50, t. IV.
245. *Ibid.,* sonnet LXXII, p. 73.
246. Cf. sur ce point A.-M. Schmidt, *La Poésie scientifique en France au* XVIᵉ *siècle,* chap. II, pp. 100 sq.
247. Ronsard, *Les Amours,* t. IV, s. VII, pp. 11-12.
248. *Ibid.,* s. XIV, p. 17.

dette à l'égard de Ronsard. En de violentes imprécations, il prend le parti de lancer un défi aux astres et aux dieux, établissant sur les ruines d'un univers disloqué une passion qui veut se nourrir de son propre tourment :

> « Puisse en despit du Ciel et du grand Jupiter
> Des signes, du soleil, des Astres, de la Lune,
> De Nature, de l'Art, du destin, de fortune,
> D'Amour, des éléments, mon tourment s'irriter !
> Que les ventz enragez facent précipiter
> Les estoilles du Ciel dans la mer une à une (...)
> Naisse à chaque moment mon amoureux martyre
> Mes souspirs et mes pleurs, ton desdain et ton yre,
> Du Ciel et du Destin la fureur inhumaine
> Ne me feront quitter le fruict de ma peine
> Car de tous leurs efforts renaistra mon plaisir. » [249]

Cette volonté rageuse de s'opposer aux astres tout en reconnaissant leur influx maléfique, ce désir d'aller jusqu'au bout d'un destin furieux, cet accord profond, ressenti dans l'exacerbation de la souffrance, avec l'être du monde, sont un témoignage de l'importance attribuée aux signes. En dépit des apparences, voilà le véritable ronsardien, un poète qui, avec d'autres accents, retrouve pour chanter — on dirait volontiers, pour hurler — son mal, la violente angoisse d'un Ronsard nocturne, intimement persuadé que son existence est, d'avance, vouée astrologiquement à l'échec :

> « Les dieux ne devoient pas d'une si pure offence
> Former tes chastes mœurs, et mon astre cruel
> Ne devoit point aussi rendre perpétuel
> L'implacable destin qui suivit ma naissance. » [250]

Hesteau de Nuysement, à mainte reprise, accuse la maligne influence des astres contre lui conjurés :

> « Tout ce que les Cieux ont de maligne influence
> Tout ce que les Enfers ont d'aspre violence
> Sont ore à mon mal-heur fièrement conjurez... » [251]

Il les voit à l'origine de son destin :

> « Des peres nous tirons nos immortalitez,
> Des meres nos travaux et nos peines amères,
> Des astres nos destins et nos desseins contraires. » [252]

Aussi son premier mouvement est-il de révolte :

> « Alors que la fureur me bourrelle plus fort,
> Mon poil en ceste horreur se dresse sur ma teste,
> (...) Il me rend furieux en mon adversité,
> Et suis, ô fier destin, comme un flot irrité
> Qui cours bruyant sa mort à l'escumeuse rive... » [253],

et il unit, dans une même responsabilité, le destin et la femme, celle-ci

---

249. Nuysement, *op. cit.*, sonnet XXIII, p. 38 v°.
250. *Ibid.*, sonnet XXVI, p. 39 v°.
251. *Ibid.*, *Stances*, p. 60.
252. *Ibid.*, sonnet XXIX, p. 40. Les pères sont « Jupiter et le Ciel », les mères, la Nature et la Terre.
253. *Ibid.*, sonnet LXX, p. 50 v°.

donnant la main à celui-là pour l'irriter et le rendre encore plus implacable :
> « Hélas ! n'avois je assez de ce grand Jupiter,
> Et la crainte et l'amour, sans encor t'irriter,
> Plus cruelle envers moy qu'une quarte Euménide ?
> Blasme donques mon astre et tes perfections,
> Qui pour estre le but de mes affections
> Te font injustement estre mon homicide... » [254]

Ce sentiment de la fatalité amoureuse, qui ordonne l'œuvre de Nuysement et met à nu le tragique de l'humaine condition, déterminée par des puissances supérieures, à la fois transcendantes (le Ciel, les Astres, le grand Jupiter, les deités...) et intériorisées, est partagé par quelques poètes, qui, comme Jacques Courtin de Cissé, se sentent subjugués par les forces qui régissent l'univers ; l'amour alors n'est pas seulement le commerce de deux fantaisies, mais un drame qui se joue bien au-dessus des amants, fragiles corps dans la main puissante du dieu :

> « Gosselins, qui connois la celeste influence
> Des sept cercles errans et comme l'Univers
> Tournoyant vagabond en ses contours divers
> Retourne incessamment à sa première dance,
> Di moi, je te suppli, cette belle ordonnance
> Promet elle point fin à mes maux descouvers ? » [255]

L'inquiétude, qui se nuance ici d'espoir, l'attention passionnée avec laquelle l'amant interroge celui qui, connaissant les astres, peut établir l'horoscope, l'effort pour raisonner à partir de son cas individuel, tout indique que la liberté se détache sur un fond de servitude, que l'amoureux le plus spontané a conscience d'un secret déterminisme. Parmi toutes les influences qui s'exercent ainsi sur la créature, celle de l'astre ascendant, au moment de la naissance, est tenue pour fondamentale : rarement bénéfique, elle est jugée responsable de toute la destinée, et particulièrement de l'échec amoureux. Ainsi Jean de la Jessée met-il en cause le Seigneur de sa naissance, l'astre fatal qui lui fit, pour son malheur, élire une cruelle maîtresse :

> « L'Astre fatal, Seigneur de ma naissance,
> Ainçois les Dieux, amys d'inimitié,
> Me font prouver ta dure mauvaitié
> Suyvant l'arrest de leur haute puissance. » [256]

L'amour est fortement lié au *fatum* ; avant même que l'être ouvre les yeux, son existence déjà est déterminée astrologiquement, et les souffrances de l'amant confirment la malice de l'Astre :

> « L'Astre fust bien malin sous qui pleine d'envie
> La Parque vint tramer la toile de ma vie,
> Et première à mon maistre ourdit le fil humain,
> Sous le fatal mestier de son ouvriere main,
> Devant que voir ce monde et prendre icy naissance... » [257]

---

254. *Ibid.*, sonnet XXVI, p. 39 v°.
255. J. Courtin de Cissé, *op. cit.*, p. 21 v°.
256. J. de la Jessée, *op. cit.*, *La Marguerite*, p. 800.
257. *Ibid.*, *troisième livre*, Elégie VIII, p. 931.

P. de Brach, Flaminio de Birague, Pontoux, Béroalde de Verville [258], sont pareillement conscients de la puissance des astres, et du caractère fatal de la passion amoureuse. Tous font effort pour s'accorder à un destin qui fait d'eux des serfs volontaires, se livrant aveuglément aux cruels liens, dont la douceur les tient [259] :

> « Tandis que discourant en mon intelligence,
> Je cherche le destin qui me doit advenir,
> Je connais que le ciel veut un coup me tenir
> Sous les heureuses lois de vostre obéissance.
> Du sort, du ciel, d'amour, l'infinie puissance
> Me pousse, me contraint, et me force à venir
> Où la divinité voulut faire finir
> L'influence ordonnée au jour de ma naissance :
> Tout est ici sujet à la fatalité,
> Les astres guident tout... » [260]

On ne saurait mieux définir l'étroite marge de liberté qui échoit à l'homme, prédestiné, guidé « à tel destin » [261], et qui s'enchante de connaître, en dépit de lui-même, l'amer plaisir d'une vie langoureuse, et d'une heureuse gêne [262].

Plus plaintif, plus vite résigné, Flaminio de Birague se livre sans sursaut au destin et laisse les Astres gouverner sa vie :

> « Astres qui gouvernez la vie des humains
> Qui tenez nostre mal, nostre bien en vos mains,
> Qui rangez sous vos loix le cizeau de la Parque,
> Meurdriere de nos jours, qui conduisez la barque
> De l'avare Nocher par le noir Phlégeton,
> Et qui peuplez d'esprits l'empire de Pluton,
> Si je suis destiné par celeste influence
> Depuis le triste point de ma fraisle naissance
> D'endurer tant de maux et d'estre serviteur
> D'une qui pour mes pleurs n'adoucit sa rigueur,
> Las ! Que ne tranchez vous le filet de ma vie... » [263]

Cette inquiétude « romantique », cet ennui de vivre, ce refus de la lutte libératrice, ne prennent tout leur sens que si l'on songe au contexte astrologique, qui colore en noir l'avenir individuel, et s'oppose à tout désir de progrès : à quoi bon tenter, puisque d'avance, se trouve condamnée toute échappée solitaire ! Tyrannisé par Saturne, P. de Brach s'avoue vaincu :

---

258. Pontoux, voir *op. cit.,* les sonnets XL, p. 35, XLV, p. 37. P. de Brach, voir *op. cit.,* III, p. 21. Béroalde de Verville, né en 1556, meurt après 1623 (peut-être en 1629). Il fait imprimer à Paris, en 1583, *Les Souspirs amoureux,* 1 vol. in-12. Son œuvre est considérable : voir la bibliographie dans l'*Anthologie poétique de Béroalde de Verville* présentée par V.-L. Saulnier, Paris, J. Haumont, M.CM.XLV, ainsi que la substantielle introduction, *ibid.,* pp. 7-20. Voir également V.-L. Saulnier, *Etude sur Béroalde de Verville,* B.H.R., t. V, 1944.
259. Béroalde, *Les Souspirs amoureux, op. cit.,* sonnet V, f. 4.
260. *Ibid.,* I, f. 3.
261. *Ibid.,* I, f. 3.
262. *Ibid.,* V, f. 4 :
> « Sous les cruels liens, dont la douceur me lie
> De ce nœud, qui me fait de mon mal désireux... »
263. F. de Birague, *op. cit.,* Elégie III, p. 57 v°. Même thème, *Complainte,* p. 40.

« A divers jours Saturne plein d'esmoy
　　Chagrinement nos esprits tirannise,
　　Et bien souvent sa force nous maitrise,
　　Sans toustefois que nous sachons pourquoy.
Ce vieux Saturne est lors maistre de moy... » [264]

Ces quelques exemples témoignent de la survivance des mythes et croyances ronsardiens, et de la mentalité de la Renaissance, affaiblie pourtant sur bien des points. Les croyances astrologiques, avant d'être radicalement mises en doute, subsistent encore, au moment où commence à s'effriter l'idéal de la Renaissance — ravivées même, peut-être, par le sentiment d'une existence précaire, de tous côtés menacée.

Le thème des yeux-planète.

Avant de devenir, dans la poésie de la fin du XVIᵉ s. et du début du XVIIᵉ, un cliché, le thème des yeux-planètes est avant tout l'expression d'une croyance. Ronsard, tout naturellement, compare au soleil les beaux yeux de sa maîtresse [265]. Après tant d'autres, certes [266]. Mais il ne s'agit pas d'une comparaison, les yeux de la belle ne sont pas *comme* des soleil, ils *sont* véritablement le soleil qui éclaire le petit univers, « un œil puissant de faire jour les nuits » [267]. L'analogie qui fonde ce type d'image repose sur une vision du monde particulière, qui fait du microcosme en tous ses aspects le miroir fidèle du macrocosme.

Ronsard illustre ainsi un des points importants de la mentalité dite « pré-scientifique » de la Renaissance : le problème auquel sont affrontés philosophes et savants est celui du déchiffrement de l'univers [268] considéré comme un mythe qui recèle un sens spirituel. Dans cette perspective, l'analogie n'est pas un jeu « précieux », mais à la fois un moyen de connaissance et un système d'explication. Pensons au rôle qu'assigne à l'astrologie Ambroise Paré [269]. Chez Ronsard, cette illustration du pouvoir magique des yeux [270] s'alimente à un fonds de croyances mixtes,

---

264. P. de Brach, *op. cit.*, XXIV, p. 46.
265. Ronsard, *Les Amours,* sonnet V, p. 9, t. IV.
266. Et en part. Pétrarque, CCIX.
267. *Les Amours,* XVIII, p. 21, t. IV. Voir aussi le très beau sonnet XXX des *Sonets pour Hélène,* liv. II, p. 270, t. XVII : « Vos yeux bien qu'il fust nuict, ramenerent le jour... »
268. Voir, dans le *Soleil à la Renaissance,* PUF, 1965, l'art. de G. Gadoffre, *Ronsard et le thème solaire,* pp. 503-518.
269. Ambroise Paré, cit. par G. Gadoffre, *Ronsard par lui-même,* coll. « Ecrivains de toujours », au Seuil, 1960, p. 113 : « Tout ainsi qu'au grand monde il y a deux grands luminaires, savoir le soleil et la lune, aussi au corps humain il y a deux yeux qui l'illuminent, lequel est appelé Microcosme, ou petit portrait du grand monde accourci, qui est composé des quatre éléments comme le grand monde. » L'astrologie dans cette perspective n'est pas objet de connaissance en soi, mais moyen de connaître analogiquement le petit monde — le corps humain et ses humeurs — qui intéresse spécialement le médecin.
270. Ronsard consacre plusieurs poèmes à la célébration de l'œil — qui est bien plus que l'organe de la vision. Cf. *Hélène,* II, XX, p. 262 :
　　　　« Yeux, qui versez dans l'ame ainsi que deux Planettes
　　　　Un esprit qui pourroit ressusciter les morts
　　　　. . . . .
　　　　Vous n'estes sang ny chair... »

astrologiques, magiques, platoniciennes, où se mêlent, sans tout à fait se confondre, connaissances « scientifiques », postulat philosophique, et superstitions populaires[271]. Traitant de l'œil-soleil ou de l'œil-planète, il exprime cette idée de l'humanisme contemporain selon laquelle, dans un monde fortement hiérarchisé, correspondances et signes circulent dans les deux sens, du bas vers le haut, du haut vers le bas, par un système d'échanges entre le monde spirituel et le monde matériel. Tout effet physique est image et signe d'un effet semblable dans le monde supérieur de la réalité spirituelle. Ainsi, par exemple, Ronsard accorde au regard d'Hélène le même pouvoir de pénétration, de transformation, qu'au soleil, comme lui source d'énergie vitale, principe de vie.

Au-delà du cliché pétrarquiste, il faut voir dans le pouvoir magique de l'œil qui sonde l'âme :

« Si vos yeux connoissoient leur divine puissance... »[272],

le reflet du pouvoir du soleil, illuminant l'univers, lui donnant chaleur et vie, le fécondant de ses rais, et le rendant, s'il le quitte, stérile et froid. Les beaux yeux de la dame, qui ne sont « sang ny chair » accomplissent pareil miracle :

« Je suis, quand je les sens, de merveille ravy :
    Quand je ne les sens plus en mon corps, je ne vy
    Ayant en moy l'effect qu'a le Soleil au monde. »[273]

Ainsi, chez Ronsard, le thème de l'œil-planète est très fortement relié, par son contenu idéologique, au reste de sa production et à l'ensemble de ses croyances.

Les disciples ne se lassent pas de comparer à un astre l'œil de la belle, et de développer le noyau métaphorique en présentant les pouvoirs merveilleux du regard. Qu'il guide l'amant sur la mer démontée des passions amoureuses, ou qu'il éclaire de ses feux le lieu où se retire l'amoureux[274], l'œil-soleil a tout pouvoir pour séduire, attirer... et décevoir[275] qui se laisse éblouir.

I. Habert, développant avec minutie les ressemblances de l'œil et du soleil, s'attache, dans la pointe finale, à les distinguer :

271. Voir, dans le *Soleil à la Renaissance, op. cit.,* l'art de H. Brabant et S. Zylberszac, *La Médecine et le soleil à l'époque de la Renaissance,* pp. 281-295.
    André du Laurens, médecin de Henri IV, écrit : « Le corps de l'homme embrasse et contient en lui toutes choses qui sont comprises sous la loi et l'empire de la nature... *Comme le soleil* (c'est nous qui soulignons) préside en cette région celeste par le mouvement, rayons et lumière, duquel toutes choses sont illuminées, *de même* au milieu de la poitrine est situé le cœur, tant que les anciens n'ont pas douté d'appeler le Soleil, le cœur du monde, et le cœur, le soleil de l'homme... L'homme est un petit monde... » Ainsi, dans un système analogique de compréhension de l'univers, la référence à l'astrologie est tout à la fois moyen de connaissance, et clef pour l'interprétation des phénomènes humains.
    272. *Hélène,* II, XIII, p. 257.
    273. *Hélène,* II, XX, p. 262.
    274. I. Habert, *Les Trois Livres des Météores, Deuxième partie, Les Amours, op. cit.,* XVI, f. 61 :
            « Retire toy de grace, aussi bien les beaux yeux
            D'Inon mon cher soucy de leur clarté divine
            N'esclaircissent que trop ces solitaires lieux... »
    275. Cf. I. Habert, *op. cit.,* XXVII, p. 63 v°.

> « J'accompare au Soleil ces beaux Soleils d'amour ;
> Ces beaux soleils d'Amour les beaux yeux de mon âme,
> Le Soleil a les cieux pour y faire son tour,
> Et ces yeux ont mon cœur pour y rouler leur flamme.
> Le soleil de ses rais nous allume le jour,
> Ses beaux yeux mes soleils font le jour dans mon âme,
> Le Soleil quand il luit donne vie et vigueur,
> Mais ces beaux yeux cruels les Soleils de mon cœur
> Me font le plus mourir quand le plus ils m'éclairent. » [276]

L'œil-soleil tue de sa vive lumière. Mais aussi il redonne vie, nourrissant de sa flamme l'amant prêt à succomber ; c'est le pouvoir que reconnaît à l'œil de sa cruelle maîtresse Béroalde de Verville :

> « Mais quel œil me retient, quelle belle clarté
> A mon inique bras doucement arrêté ?
> Quel *Soleil* est ceci qui veut qu'encor je vive,
> Et que vivant de lui mes destins je poursuive ?
> Ha ! c'est l'œil que j'adore, ha ! c'est lui, je le vois,
> Mon ame le sait bien, à son feu je connois
> La force, et la douceur, dont la fleur de ma vie
> Par mille heureux souspirs a été recueillie... » [277]

Animé, doué de volonté et de désir, l'œil, qui dispense chaleur et feu, éveille à la vie l'amant-plante, végétativement en sommeil. Les relations qui unissent les amoureux sont de même nature que celles qui tissent, entre l'astre et les fleurs, un réseau d'étroite complicité ; le cycle de la vie amoureuse se calque ainsi sur le cycle naturel.

L'œil peut davantage encore : il permet l'envol, vers les régions supérieures, de l'âme éprise de beauté, mais promise à la tristesse d'une saveur teintée d'amertume :

> « En admirant le Soleil des beaux yeux
> Hors de mon corps ma pauvre ame s'envolle
> Pour reposer en ces terrestres Cieux.
> Mais n'y goustant qu'un fiel pernicieux
> Mon ame alors triste se déconsole. » [278]

Enfin, comme on voit le Soleil rasséréner le ciel, l'œil de la dame peut calmer la tempête ; ainsi Jamyn :

> « Lorsque l'astre jumeau des deux frères d'Heleine
>   Apparoist sur la nef que tourmente le vent (...)
>   Ainsi, belle Oriane (...)
>   Tes deux yeux ont chassé les tonnerres crevant
>   L'air enflambé d'esclairs... » [279]

Si le soleil féconde la terre de ses rayons, c'est qu'il puise sa lumière à la source vive des beaux yeux de la dame !

> « Or je veux comme luy [280] deux Soleils estre au monde,
>   Et cestuy ci flamber d'une clairté feconde,
>   Qui renaist tous les jours dessus nostre horizon,
>   (...) il tire sa lumière
>   (...) de vous mon Soleil. » [281]

---

276. *Ibid.*, XIII, p. 24.
277. Béroalde, *op. cit.*, Elégie, V, p. 36 v°.
278. Pontoux, *op. cit.*, LXXXIX, p. 59 r°.
279. Jamyn, *op. cit.*, Oriane, p. 92 v°.
280. Comme luy : Empédocle.
281. Jamyn, *op. cit.*, Artémis, *De deux Soleils*, p. 198 r°.

L'œil a le même pouvoir sur l'univers qu'il éclaire, et sur le cœur qu'il pénètre de ses rayons :

> « Alors ses yeux qui dissipent les nues
> Dardent en moy d'estincelles menues
> Cent mille esclairs pénétrant jusqu'au cœur... » [282],

et la découverte de ces analogies est, pour l'amant, source d'émerveillement :

> « J'ay cent fois comparé les deux grands luminaires
> Avec toy, mon Soleil, et ne me suis deceu
> Car *les mesmes effects* qu'en eux j'ay apperceu
> Vivent en tes beautés au monde nécessaires.
> Ces flambeaux tournoyans de courses ordinaires
> Sans faillir à leur ordre ou chemin tant soit peu
> Animent l'univers d'un proffitable feu... » [283]

La célébration de l'œil-soleil.

Se fondant sur cette analyse implicite, la célébration de l'œil transforme en motifs lyriques les correspondances analogiques. Ainsi Nuysement rassemble en faisceau les points principaux d'une invocation chaleureuse :

> « Œil bel œil, ornement des hommes et des dieux,
> Œil qui ciel terre et mer, d'un seul clin illumine,
> Œil duquel ce grand œil qui luit par la machine
> Emprunte chaque jour ses beaux feux radieux
> Œil qui peux rendre clairs les enfers tenebreux
> Œil sous qui nuict et jour par l'obscur je chemine... » [284],

essayant, par le retour lancinant d'un thème unique, de traduire la présence obsédante de l'œil-astre :

> « Ces beaux yeux dont Amour m'a sceu blesser de sorte
> Qu'ils peuvent rendre seuls mes tourments alentez
> M'ont de toute autre ardeur tellement clos la porte...
> Par eux je suis guidé sous l'éternelle nuit. » [285]

Pontoux, par une énumération lyrique de forme incantatoire, adresse aux yeux-soleil une instante prière :

> « Yeux qui passez en splendeur et lumière
> De tous les cieux les astres plus luisans,
> Yeux qui venez dans les cœurs produisans
> Comme un Soleil la saison printanière,
> Yeux qui sçavez le style et la manière
> D'enamourer, de rajeunir les ans,

---

282. *Ibid., Oriane*, p. 94.
283. *Ibid., Oriane*, p. 195 v°.
284. Nuysement, *op. cit.*, IX, p. 35 r°.
285. *Ibid.*, sonnet LVII, p. 47. Chez Nuysement le thème de l'œil-astre est fréquent ; cf. XLVII, p. 44 v° :

> « Ainsi vostre bel œil qui le Soleil esgalle
> Attirant par mes yeux mon ame qui s'exalle
> Rend mes jours bien heureux »,

ou p. 33 v° :

> « Les Dieux les Cieux les feus l'air la terre et les eaux
> Auront pour me contraindre à si pénibles maux
> Un debile pouvoir, veu l'Astre qui m'esclaire,
> Si tous les Eléments sont bandez contre moy
> Son œil pour me garder seul forcera leur loy... »

> Yeux qui pouvez par vos regards plaisans
> Ressusciter l'homme mort dans la bière
> Hélas ! mignons, cessez vostre rigueur. » [286]

J. Courtin de Cissé [287], Jacques de Romieu [288], I. Habert [289], Pierre de Cornu [290], Blanchon [291], multiplient à l'envi les célébrations des yeux-soleils jumeaux, tandis que J. de la Jessée essaie de rendre la confusion émerveillée, la crainte mêlée d'admiration qu'inspire le soleil doré de Marguerite :

> « Dame ton œil qui mille esclairs desserre,
> Semble entre nous cet Astre radieux,
> Et dessus moy flamboyant ore mieux
> En moindre corpz plus de vigueur enserre.
> L'Aigle je suis, mes Aiglons sont mes vers,
> Qui ne t'estoyent jusqu'icy descouvers :
> Mais tout confus j'encours un blasme extreme,
> Car leur monstrant ton regard adoré
> Pourront ils voir ce beau Soleil doré
> Dont les seuls rais m'esblouissent moy mesme ? » [292]

Ainsi se dégrade l'idéal ronsardien : la part de l'artifice est grande. La croyance devient jeu poétique, tandis que l'analogie cède la place à la métaphore, et que l'énumération s'épuise en pointes comme dans ce sonnet de Boyssières :

------

286. Pontoux, *op. cit.*, CLIV, p. 92.

287. J. Courtin de Cissé, *op. cit.*, p. 18 :
> « Astres jumeaux dont la clarté luisante
> Fait vergongner les flambeaux estoillez... »

ou p. 27 r° :   « Yeux, non pas yeux, mais deux astres jumeaux... »

288. J. de Romieu, *op. cit.*, sonnet XXXV :
> « Là soudain j'advisay une perle indienne,
> Un Astre flamboyant...
> . . . .
> Ravissant de son œil ma raison antienne... »

289. I. Habert, *op. cit.*, sonnet XV, p. 32 :
> « Que feray je chétif ne voyant le flambeau
> Qui vif ardant et clair donnoit jour à mon ame »,

ou XVI, p. 32 :   « Peut on voir dans le Ciel des feux resplendissans
> Un astre plus parfaict, un flambeau plus aimable
> Que celuy qui fuiant de ce lieu detestable
> M'a laissé sans clarté. »

290. Cornu, *op. cit.*, *A Aimar peintre*, p. 15 :
> « Apres fay luy les yeux clairement estoilez
> . . . .
> Qui comme deux soleils dardent une lumière... »,

et sonnet LXXI, p. 52 (« Les soleils esclairans de vostre beau visage »).

291. Blanchon, *op. cit.*, sonnet XX, p. 107 (célébration des « deux beaux Soleils par Phoebus embellis »).

292. J. de la Jessée, *op. cit.*, *La Marguerite*, p. 815. Voir aussi p. 836, p. 771 et *passim*.

> « Bel œil vainqueur des hommes et des dieux
> Rare beauté, ouvrage de nature,
> Teint vermeillé de celeste peinture,
> Que vostre adieu, hélas, m'est odieux !
> Astre luisant, clair soleil radieux
> Perfection de divine facture... » [293]

Conscients de l'appauvrissement du thème, quelques poètes renouvellent la comparaison de l'œil au soleil en multipliant, autour de ce noyau central, des métaphores qui ont pour objet de cerner plus complètement la personne de la belle, décrite comme un monde en raccourci. Ainsi Le Loyer voit en Flore à la fois un Soleil, une Lune, une étoile, un ciel [294]...

Jamyn, qui aime aussi comparer sa dame à la lune [295] comme au soleil [296], ou à la voie lactée [297], voit en elle, non seulement un monde abrégé, mais encore le centre même de l'univers d'où partent, comme les rayons d'un cercle, les rais qui illuminent la terre [298].

Pour La Jessée, la dame est à la fois la lune et le soleil :

> « Lorsque Madame avec d'autres s'assemble
> C'est une *Lune* : et seulette elle semble
> Un clair *Soleil*, nos esprits enflammant. » [299]

Qu'on lise l'un ou l'autre des épigones de Ronsard, à l'exception de Nuysement, de Birague et de Béroalde, qui se détachent du groupe pour s'ouvrir aux influences baroques, l'impression est la même : ce sentiment du *fatum,* si fortement ancré, non seulement chez Ronsard,

---

293. Boyssières, *op. cit.,* LXXVII, p. 91 v°.

294. Le Loyer, *op. cit.,* VI, p. 2.

295. Jamyn, *op. cit., Artémis,* p. 178 r° :
> « Te revoyant au ciel de nouveau paroissante,
> Tu me fais, claire Lune, ardemment souvenir
> De celle qui me peut en clarté maintenir
> Comme tu donnes jour à la Nuict brunissante
> . . . .
> Palle tu fais la pluye : et rouge t'elevant
> Tu brasses parmy l'air l'orage d'un grand vent
> Blanche tu fais le temps serain et delectable... »

296. *Ibid., Artémis,* p. 179 r° :
> « Vous estes par effect au Soleil ressemblante :
> Plein de feux il ne sent la chaleur violente,
> Aussi pleine d'amours vous ne sentez l'amour. »

297. *Ibid.,* p. 182 :
> « Quand sur vostre beau sein de nege blanchissant,
> Je tien mes yeux fichés d'une veüe arrestée,
> Mon ame de merveille est si bien transportée
> . . . .
> Je pense contempler au ciel resplendissant
> L'espace lumineux de la Voye Lactée,
> Et dy que sa blancheur de vous est empruntée. »

298. *Ibid.,* p. 179 r°.

299. La Jessée, *op. cit.,* p. 812.

mais chez les poètes de la Pléiade, et plus généralement chez les hommes de la Renaissance [300], cette certitude que la destinée individuelle dépend très étroitement des astres, ce souci constant, chez les esprits les plus libres, les moins superstitieux, du déterminisme qui pèse si lourdement —, bref cet effort lucide et persévérant pour détacher sa liberté sur un fond de chaînes et de liens, tout cela ne s'alimente plus, après 1580, aux sources vives des croyances et des mythes collectifs. Les poètes continuent, certes, à se dire prédestinés à une vie de souffrance, à se croire marqués du signe noir de Saturne, à chanter l'influence maléfique de leur astre malin. Mais quelque chose en eux résiste, à mesure que se détend le fil qui relie le monde des hommes à l'univers entier. Ce qui était ressenti par du Bellay, par Ronsard, par Pontus de Tyard, comme une angoisse de tout l'être, chair et esprit, devient idée, concept, voire jeu d'intellectuel que sa culture éloigne de la nature. Ce divorce entre l'ensemble des croyances et de l'idéologie, et l'art, refuge du bien dire, apparaîtra encore plus nettement dans les dernières années du siècle et les premières années du XVIIᵉ s. Mais déjà entre 1570 et 1585, un certain nombre de thèmes se constituent en tradition littéraire, perdant leur signification, cessant d'exprimer une vision du monde, pour devenir l'objet d'une technique, la preuve d'un « savoir faire ».

Ainsi en va-t-il de l'astrologie et de la mythologie, si intimement liées dans leur essor au XVᵉ s., et dans la première moitié du XVIᵉ, qui fournissaient aux *Amours* de Ronsard tout un répertoire vivant de thèmes et d'images qui n'étaient pas cliché ou parure. Ces thèmes exprimaient tout un univers culturel et religieux, signes éclatants de cette mentalité pré-scientifique de la Renaissance, qui à son âge d'or, avait rêvé d'intégrer le petit univers humain à l'intérieur du système plus vaste de l'Univers, dont il était le reflet et l'abrégé — univers peuplé de dieux, de héros, de démons, attributs de la divinité suprême, soumis au déterminisme astral.

Dira-t-on que ce rêve s'est évanoui ? Dans la seconde moitié du XVIᵉ s., et particulièrement à partir de 1570, lorsque les guerres civiles ramènent le spectre de la barbarie, lorsqu'elles ébranlent l'édifice patiemment construit, la mythologie et l'astrologie subsistent comme des formes vides, et continuent de vivre, mais d'une vie artificielle, figées dans l'immobilité des croyances mortes. Stérilisées, appauvries, privées peu à peu de leur complexité touffue, la mythologie et l'astrologie deviennent des répertoires commodes de thèmes et de motifs « poétiques », s'épuisant en pointes et en figures qui, pour être ingénieuses et variées, n'en seront pas moins des jeux d'esprit, des « tours », et rien d'autre. Morts les dieux qui vivaient chez Ronsard si pleinement leur vie humaine, morts les astres dans un ciel vide, restent à titre de survivances quelques belles images vaines et le souvenir d'un rêve aboli.

---

300. Voir notamment Delumeau, *op. cit.*, pp. 384-397, et Seznec, *op. cit.*, *passim*.

III - Thèmes platoniciens
dans la tradition du Premier Livre des Amours

Si *Les Amours* de 1552 se signalaient par le ralliement au pétrarquisme, ils prenaient aussi une coloration particulière à cause de l'inspiration platonicienne qui teintait de ferveur passionnée plusieurs sonnets consacrés à Cassandre [301]. Le platonisme, devenu à l'époque de Ronsard une mystique idéaliste, fournit en effet, non seulement une doctrine cohérente de l'amour, non seulement un mythe inégalé de la prédestination amoureuse et de l'unité du couple véritable, de l'androgyne lien ; mais encore, par la sacralisation de la beauté et de l'amour, les éléments *lyriques* d'un culte fervent, voire exalté, de la passion « vertueuse ». S'inspirant de Ronsard, Béroalde de Verville, Jamyn, Pontoux, d'autres encore, mêleront aux thèmes pétrarquistes des thèmes platoniciens.

Une première difficulté : ces thèmes se confondent-ils, entre 1570 et 1585, avec les thèmes du « néo-platonisme » italien [302] qui envahit alors la poésie française, et les *Premières Œuvres* de Desportes publiées en 1573 ? En fait, non : nous aurons l'occasion [303] d'étudier les thèmes néo-platoniciens chez Desportes, et de montrer qu'ils diffèrent des thèmes ronsardiens. Cependant, le partage n'est pas toujours aisé : après 1570 les Ronsardisants, même les plus fidèles, comme le page Amadis, subissent aussi l'influence de Desportes. Lorsqu'ils traitent des thèmes de la philosophie platonique, ils mêlent naturellement ce qu'ils doivent à l'un et ce qu'ils doivent à l'autre : il y a plus d'une fois superposition de thèmes au sein d'un même recueil.

Autre difficulté : lorsque Ronsard publie en 1578 les deux livres des *Sonets* pour Hélène, se rallie-t-il au néo-pétrarquisme ? Revient-il, après critiques cinglantes et acerbes moqueries [304], au pétrarquisme ? Et au platonisme ? Ce pétrarquisme platonisant que certains ont vu dans les *Sonets* est-il de même nature que celui de Desportes ?

---

301. Voir sur ce point l'analyse et la discussion de F. Desonay, *Ronsard, op. cit.*, t. I, pp. 91-94.

302. Voir M. Raymond, *L'influence de Ronsard...*, *op. cit.*, II, pp. 57-70, et J. Lavaud, *Desportes*, Paris, Droz, 1936, pp. 72-73.

303. Voir ci-dessous, deuxième partie, chap. I.

304. Voir en part. l'*Elégie à son livre*, placée, en 1560, au début du *Deuxième Livre des Amours*, pour en marquer l'orientation : le texte est un plaisant plaidoyer en faveur des amours faciles. Ronsard se moque avec une insolente légèreté du « bon Petrarque » en particulier, et des amants soumis en général, tout en dénonçant comme ridicule l'idéalisation pétrarquiste ; l'amour « platonique » au sens vulgaire du terme se trouve aussi vilipendé :

> « Quand une jeune fille est au commencement
> Cruelle, dure, fiere, à son premier amant,
> Eh bien, il faut attendre (...)
> Mais quand elle devient de pis en pis tousjours,
> Plus dure et plus cruelle, et plus rude en amours
> Il faut la laisser là, sans se rompre la teste... »

On voit Ronsard refuser le mythe de la passion : Pétrarque, dit-il, ne fut point un amoureux platonique :

> « Ou bien il jouissoit de sa Laurette, ou bien
> Il estoit un grand fat... » (t. VII, *éd. cit.*, p. 315 et s.).

En fait, les thèmes platoniciens des *Sonets* ne sont qu'en apparence semblables à ceux des *Amours de Diane*. Si Ronsard accueille le « néoplatonisme », n'est-ce pas pour l'utiliser comme contrepoint à une philosophie de l'amour qui ne doit rien à Platon [305] ? Et plus encore : qui ne doit rien au néo-platonisme de 1570, à cette espèce de mystique mondaine qui utilise un vocabulaire et des concepts à des fins douteuses [306] ? A vrai dire, les *Sonets* renferment une « critique interne » du platonisme mondain de 1570, qui prétend choisir « l'esprit » et refuser « le corps » [307]. Si Ronsard accepte un certain nombre de thèmes platoniciens [308], il se situe toujours face au néo-platonisme d'une manière critique : comme si, en lui, le poète était secrètement agacé par le philosophe... L'utilisation qui est faite, dans les milieux littéraires et mondains, de la doctrine de Platon, cet abâtardissement d'une pensée qui dégénère en s'affadissant pour devenir phraséologie mondaine [309], lui paraît détestable (comme lui paraît détestable la transformation en système du pétrarquisme anthentique).

Enfin, il convient de ne pas perdre de vue que le néo-platonisme apparaît dans les *Sonets* comme l'expression de la philosophie amoureuse d'Hélène, et non de Ronsard lui-même. Et, contre cette « philo-

---

305. Voir notamment M. Morrisson, *Ronsard and Desportes*, in *B.H.R.*, t. XXVIII, 1966, pp. 294-322 : « Certains aspects of the *Sonnets pour Hélène* may indeed be attribuated to the influence of Desportes but (...) Ronsard's real answer to Desportes was more probably the introduction of certain new elements which make the *Sonnets pour Hélène* in some respects a highly independent and original collection. »

306. Voir sur ce point l'introduction de V.-L. Saulnier à l'*Anthologie poétique de Béroalde de Verville*, pp. 13-14 : « La *philia* qui chez Platon pousse chaque être imparfait vers le type où il voit réalisée la perfection de sa nature... alors que chez les galants du siècle classique, on ne soupire plus que par faiblesse... »

C'est aux alentours de 1570 que se marquent les débuts de cet abâtardissement du système platonicien, déjà sur plusieurs points affaibli et appauvri par les amoureux de la Renaissance.

307. Ronsard, *Hélène*, I, XLII, p. 230, t. XVII :
« En choisissant l'esprit vous estes mal-apprise,
Qui refusez le corps, à mon gré le meilleur... »

Ce sonnet raille avec amertume le « snobisme » des courtisans, et des dames de la Cour qui prétendent « de ce grand Platon » n'être point ignorantes : c'est là pour Ronsard « vanité » ; le platonisme (vulgaire) est pour lui « un discours fantastiq », qui ne saurait contenter celui qui « aime la vérité ». On ne saurait être plus net !

Même opinion dans le sonnet XLI du même livre : le platonisme (mal compris) incite à mépriser le corps et les sens, et exalte démesurément — et faussement — l'esprit. Qui embrasse sans réflexion une telle doctrine renouvelle « la fable d'Ixion » qui « se paissoit de vent, et n'aimoit que les nues » (p. 229).

308. Par ex. la célébration de la vertu, *Hélène*, I, X, p. 205, ou l'éloge de l'amour conduisant au « vray bien », *ibid.*, I, XLV, pp. 232-233 (tome XVII).

309. V.-L. Saulnier, *Anthologie, op. cit.*, p. 14. La transformation du système platonicien en « discours » est précisément ce qui choque Ronsard, cf. *Hélène*, I, XLI et XLII. Il reproche à la froide Hélène non seulement ses attitudes mais aussi ses discours.

sophie » vulgaire, Ronsard n'a pas de mots assez durs [310]. Tout se passe comme si le poète usait du néo-platonisme à la mode dans les salons pour se définir avec plus de force *contre* les sectateurs de l'amour éthéré, contre les soupirants langoureux et énervés qui insultent l'amour véritable.

On doit donc distinguer nettement deux formes de platonisme : le platonisme de 1550, plus proche de Platon, et le « platonismo per le donne », mondain et corrompu, simple répertoire de thèmes amoureux.

LE PLATONISME DE 1550.

Lorsque Ronsard compose pour les *Amours* de 1552 un certain nombre de sonnets platoniciens, le platonisme est, depuis plusieurs années [311], à la mode, en France. Apparemment, il s'unit sans difficulté au pétrarquisme, et cela bien avant 1550 [312]. Les poètes de la Pléiade puisent volontiers, on le sait [313], thèmes et motifs dans le *Phèdre* et le *Banquet,* et connaissent les commentateurs de Platon [314]. Mais ils ont été, en fin de compte, assez peu portés, dans l'ensemble, à la contemplation mystique de la Beauté, et réduisent singulièrement la portée et la force du mythe platonicien en l'édulcorant et en le mutilant [315]. Ronsard, par exemple, lorsqu'il reprend au *Phèdre* l'image des deux chevaux de l'âme, cheval noir de la sensualité, qui égare la raison dans les sentiers où domine la Chair [316], cheval blanc de la pureté, de l'élan bon et généreux, exprime surtout ses doutes et ses craintes, sa peur de voir « verser » l'attelage de la Royne-raison sous les coups furieux et les assauts de la « chair dure à donter » [317]. Certes, l'amour selon Platon

---

310. Etre sectateur de Platon, c'est embrasser « le faux pour les choses cognues » (*Hélène,* I, XLI), « aimer la sottise » (*ibid,* I, XLII). La doctrine mondaine de l'amour, « tout ce fard mondain » (*Hél.,* II, XXII, p. 264) qui enseigne le mépris du corps, est dangereuse et mensongère :
    « Si l'ame, si l'esprit, qui sont de Dieu l'ouvrage,
    Deviennent amoureux, à grand tort on mesdit
    Du corps qui suit les sens, non brutal, comme on dit... »
                                    (*Hél.,* II, XLIV, p. 281).

311. Voir Lefranc, *Le platonisme et la littérature en France à l'époque de la Renaissance,* Les Grands Ecrivains de la Renaissance, Paris, Champion, 1914 ; R. Lebègue, *Le Platonisme en France au* XVIe *siècle,* in *Congrès de Tours et de Poitiers,* Belles-Lettres, 1954, voir aussi Delumeau, *op. cit.,* chap. XIII, pp. 440-446 (l'influence du néoplatonisme ficinien).

312. Voir V.-L. Saulnier, *Maurice Scève, op. cit.,* pp. 207 et s., pour les différences entre platonisme et pétrarquisme, « un anti-platonisme ».

313. Voir H. Weber, *Platonisme et sensualité dans la poésie amoureuse de la Pléiade,* in *Lumières de la Pléiade, op. cit.,* pp. 157-194.

314. Cicéron, Plutarque et les Néoplatoniciens. Le premier vulgarisateur français du Platonisme est Symphorien Champier. Du *Banquet,* « christianisé » par Ficin, naît une doctrine de l'amour qui se mêle au pétrarquisme.

315. Il y a une sorte de résistance au platonisme, qui sous sa forme « vulgaire » voit surtout dans l'union des amants une communion spirituelle, non seulement chez Ronsard, mais chez bon nombre de disciples, qui célèbrent l'amour charnel et le commerce des sens.

316. Ronsard, *Les Amours,* XXI, pp. 24-25, t. IV.

317. Ronsard, *Hélène,* I, XLV, p. 232. Le tempérament de Ronsard ne s'accorde guère aux amours anémiques : « Mon sang chaut en est cause... » (*Hél.,* II, XV, p. 259).

n'est pas l'amour appelé vulgairement platonique, mais il reste que, non seulement pour Ronsard, mais encore pour les poètes de la Pléiade, l'acceptation d'une vive sensualité, le refus de sacrifier l'émotion charnelle, le goût de la jouissance, les ont poussés à s'écarter sensiblement de l'éthique platonicienne. L'essentiel du platonisme, pour eux et singulièrement pour Ronsard, a sans doute été cette conception séduisante de la *fureur,* cet élan passionné qui emporte l'amant et le poète, ce mouvement qui par paliers conduit de la vue charnelle de la beauté particulière à la perception, par les yeux de l'âme, de la Beauté idéale. Un même *transport* alors possède l'amant et le poète.

Ainsi Ronsard retrouve dans le platonisme un certain nombre de thèmes qui lui sont chers ; par exemple le thème allégorique des deux chevaux de l'âme renvoie pour lui aux contradictions qui divisent le cœur « travaillé » de l'amant ; le vol qui emporte l'amant selon Platon dans le giron des Idées renvoie au mouvement ascensionnel qui « d'un plein sault » [318] fait aller l'amoureux de Cassandre « oultre le ciel » dans un désir éperdu de se débarrasser de l'écorce charnelle pour retrouver une nudité originelle ; ou encore, l'idée platonicienne selon laquelle l'amant, par l'adoration de la beauté particulière d'un être, accède à la beauté idéale, qui est le Tout, est proche de la « manie » ronsardienne, qui « époinçonne » le penser de l'amoureux, perdant, au sein du beau, là-haut, son oisiveté pour connaître activement « (sa) maistresse et (lui)mesme » [319].

En somme le platonisme fournit à Ronsard, non pas à proprement parler des thèmes, mais l'expression de ces thèmes, un langage. Et si les allusions platoniciennes sont, dans les *Amours,* assez nombreuses, c'est que Platon, aux yeux de Ronsard, a eu l'insigne mérite de présenter l'amour moins comme un sentiment installé dans le cœur tranquille de l'amant, que comme un mouvement qui habite l'âme et la pousse au dépassement. On voit que rien n'est plus étranger à Ronsard que la conception vulgaire de l'amour « platonique ». Tout au contraire, le platonisme ronsardien est ardeur, ardeur de l'âme éprise de beauté et « d'enthousiasme », ardeur des sens qui permettent au cœur échauffé de s'élancer « aillé de foy, d'amour et d'esperance » [320].

Que deviennent chez les Ronsardisants qui s'inscrivent dans la tradition du *Premier Livre des Amours* ces thèmes platoniciens ? Parmi les disciples, A. Jamyn, Pontoux, Béroalde, auxquels on peut joindre A. d'Aubigné [321], sont les seuls chez qui les allusions platoniciennes soient relativement nombreuses. Chez J. Courtin de Cissé, Blanchon, Boyssières, Le Loyer, le platonisme est sporadique, et déjà édulcoré, de telle sorte qu'il se confond avec la vision néo-pétrarquiste de l'amour.

---

318. Ronsard, *Les Amours,* CXXXIX, p. 134, t. IV.
319. *Ibid.,* CLXXIV, p. 164.
320. *Ibid.,* CXLVI, pp. 140-141. Les tercets sont une illustration de l'usage que fait le poète du platonisme : une reprise de thème (l'amour vertueux dénonçant « les liens d'ignorance ») et une modification : l'élan qui emporte l'amant est désir dont la fin — entrevue — est la jouissance. Cf. *ibid.,* CXLIX, p. 143-144 : « Quel paradis m'apporteront les nuictz ? »
321. Cf. H. Weber, *Thèmes d'amour platonicien dans le Printemps d'A. d'Aubigné, Congrès de Tours...,* op. cit., pp. 361-364.

Le thème de l'Androgyne.

On sait [322] que la Pléiade a repris le mythe de l'Androgyne, trans-
posé, à partir du *Banquet,* dans le *Convito* de Marsile Ficin [323]. On sait
aussi [324] que le mythe, qui chez Platon faisait de l'union charnelle de
l'amant et de l'aimée le signe d'une unité retrouvée, après la mutilation,
par les deux moitiés d'une âme qui se reconnaissent et s'accolent, fut
utilisé par les poètes sensuels de la Pléiade pour justifier l'attrait sexuel
et donner au commerce charnel sa légitimité. Exploité par Ronsard,
Du Bellay, R. Belleau, Pontus, Jodelle..., le thème est repris par Pontoux,
qui, de tous les Ronsardisants, est celui qui reprend le plus ouvertement
les thèmes platoniciens dans son *Idée* :

> « Idée hélas n'es tu pas ma moitié ?
> N'avons nous eu l'un de l'autre origine
> Dès ce temps là que le corps androgyne
> Vivoit hélas en si grande amitié ?
> S'il est ainsi, pourquoy n'as tu pitié
> Ores de moy ? » [325]

Lorsque Ronsard faisait allusion au mythe de l'Androgyne [326], il
voyait, par le biais du songe, prétexte à dérouler les arabesques d'une
imagination lascive ; Pontoux traite le thème de façon plaintive, et son
gémissant discours est bien loin des accents légers de Ronsard, follement
affolé par Amour ; les tercets prennent prétexte du platonisme pour
inciter à l'union charnelle la belle récalcitrante, transformant en galanterie mondaine une vision altière de l'amour :

> « Unissons-nous, mettons nous en concorde,
> Faisons ce Tout, avant que la discorde
> Vienne empescher, par mort, nostre union. »

Une pointe de gaillardise, une utilisation orientée vers la satisfaction
des sens, un mélange d'idées platoniciennes et de vues moyennes —
voilà un platonisme frelaté, édulcoré, qui a perdu sa sève et sa grandeur,
s'abâtardissant pour fournir à l'amant en mal d'argument de quoi faire
une cour pressante...

---

322. Voir H. Weber, *Platonisme et sensualité...*, *art. cit.*, pp. 173-174.
323. Le commentaire ficinien du *Banquet* (deux commentaires parurent en
1469 et 1475) a été traduit en français en 1546 (par Jean de la Haye).
324. Sur le problème de l'influence du néoplatonisme, voir W. Mönch, *Die
Italienische Platonrenaissance und ihre Bedeutung für Frankreichs Literatur und
Geistergeschichte* (1450-1550), *Romanische Studien,* 1936, Heft 40, XXIV-399 ;
voir aussi J. Festugière, *La philosophie de l'amour de Marsile Ficin, et son
influence sur la littérature française au xvie siècle* (Revista de Universitade de
Coimbra, 1923, t. VII). Voir surtout R.V. Merrill, *The Pleiade and the Androgyne,*
Comparative Literature, t. I, n° 2, 1949, pp. 97-112, et R.V. Merrill with Robert J.
Clements, *Platonism in French Renaissance Poetry,* N.Y. Un. Press, New York,
1957 (chap. V : *The Androgyne,* pp. 99-117). R.V. Merrill note très justement :
« The contemptuous reference to *Idées* (cf. *Sonets et Madrigals pour Astrée,* XV,
p. 380) is more characteristic of Ronsard's attitude toward Platonism than are this
attempts to simulate an idealistic attachment » (p. 113).
325. Pontoux, *op. cit.,* LXX, f. 50 v°.
326. Ronsard, *Les Amours,* sonnets LXVII, p. 68, XVII, p. 20, CI, p. 100,
CXI, p. 109, CLXIII, p. 155 (tome IV).

Plus soucieux de rétablir l'exacte histoire de l'Androgyne, fascinant, entre toutes les figures mythiques, par sa double unité, Amadis Jamyn prend prétexte de la danse des voltes — symbole de l'Androgyne — pour conter les origines légendaires de la race :

> « Aux siècles vieux un Androgène estoit
> Ensemble masle et ensemble femelle
> Dont la figure en cercle se voutoit
> Par union d'amitié non mortelle.
> Rien ne manquoit à la perfection
> De ces deux Un...
> Lors Jupiter sagement advisa
> Affin qu'aux Dieux ils fussent plus utiles,
> Croissant le nombre, en deux les divisa,
> Et les renfit de forces plus débiles.
>   Ainsi coupez moitié de sa moitié
> Qu'eussent ils fait sans toy bonne Cythère,
> Sans toy Cypris, du monde l'amitié ? » [327]

Le récit assez confusément construit a le mérite de mettre en évidence le caractère sacré de l'union amoureuse, et la nécessité pleinement justifiée de la quête et du désir d'amour.

Dans le même esprit, A. d'Aubigné expose longuement, dans les *Stances* XVII [328], le mythe de l'Androgyne : en homme qui connaît de longue date Platon, il suit en gros les indications du *Banquet*, qu'il interprète, comme les platonisants de la Renaissance, suivant Léon l'Hébreu. Mais, comme Jamyn, et sans doute à cause de l'influence de Ronsard, allergique, on le sait, aux conceptions du pur amour, d'Aubigné, à la différence de Léon l'Hébreu, voit dans le mythe une justification de l'attrait des sexes, et une invitation au commerce charnel :

> « J'esgalle ainsi l'amour et celeste et terrestre
> Que le cors sans esprit, la dame sans amy
> N'ont ne plaisir ne vie ou vivent à demy.
> Pas un d'eux séparé n'a ne forme ni estre (...)
> Sans la conjonction leur amour est donc vaine.
> Belle à qui j'ai sacré et mes vers et ma peine,
>   Voy comme en apaisant ta curiosité
>   L'inutile regard d'une vaine beauté
> N'est qu'une pure mort, sans unir l'androgene... »

A l'intérieur d'un exposé, assez confus dans sa longueur, ces quelques vers, dans leur sèche brutalité, ont le mérite de la clarté. D'Aubigné en somme rappelle, comme Ronsard aime à le faire [329], que seul le platonisme vulgaire de qui n'aime « qu'en idées » [330] prétend interdire l'union des sexes, puisque le mythe de l'Androgyne autorise et légitime le commerce charnel.

---

327. A. Jamyn, *op. cit.*, *Eurymedon et Callirée, De l'Androgyne figuré par la danse des voltes, op. cit.*, f. 115.
328. A. d'Aubigné, *Le Printemps*, éd. Weber, P.U.F., 1960, *Stances*, XVII, pp. 250-264.
329. Ronsard, *Sonets et Madrigals pour Astrée*, sonnets XII, pp. 189-190, t. XVII :   « Deux corps en un rejoints en leur moitié... »
330. Voir le commentaire de R.V. Merrill, *op. cit.*, sur ces vers, p. 113.

Bien que le récit de Béroalde de Verville soit assez proche, dans le déroulement des divers épisodes, du récit d'Aubigné, l'interprétation du mythe diffère assez sensiblement. Après avoir conté la naissance de la femme que l'homme un beau jour trouva près de lui à son réveil,

« ...encore toute nouvelle,
Délicate, amoureuse, en forme toute belle »,

et célébré leur merveilleuse union, « sous l'accord d'une juste amitié », il décrit l'irritation que cause chez les Dieux cet être merveilleusement double dans l'unité « d'un mesme corps », qui connaît les effets d'Amour et s'y livre. C'est, alors, la terrible mutilation :

« Sa grandeur (*la grandeur de Dieu*) l'épargna, et du bas jusqu'au faîte
En lui fendant les pieds, l'estomac et la tête,
D'un il en fit deux parts, asséant ses moitiés
Différentes en peu dessus deux fermes pieds. »

Mais, au moment d'interpréter le mythe, Béroalde, à la différence des poètes de la Pléiade et d'Aubigné, ne met pas l'accent sur la légitimité de l'union sexuelle, mais plutôt sur le drame que représente cette rupture :

« ...Maintenant la naturelle envie
Epoinçonne chacun à trouver sa partie,
Et se tendant les bras se joindre doucement,
Pour être deux en un ainsi qu'auparavant.
Et cependant souvent chaque des moitiés erre,
Sans vraie passion, longuement sur la terre... » [331]

Le mythe de l'Androgyne permet ainsi d'expliquer les égarements du cœur et des sens, et de comprendre la tristesse des vies qui ignorent, et risquent de toujours ignorer, l'univers heureux de la passion double. A la place de l'énergie assurée d'Aubigné, une grâce mélancolique, une douce amertume : le mythe se prête à ces variations d'accents.

L'AMOUR PUISSANCE CRÉATRICE.

Le thème de l'amour créateur, organisant et ordonnant le chaos originel, est d'origine mixte : sur un fonds d'idées platoniciennes, empruntées au *Timée,* et aussi au néo-platonisme du *Convito* de Ficin, se greffent divers motifs (Lucrèce, Virgile, Ovide...) [332]. Chez Ronsard, comme chez J.A. de Baïf [333], l'histoire de la création tend à se confondre

---

331. Béroalde, *Les Cognoissances necessaires,* Paris, 1583, in-12, f. 15 r° et suiv.

332. Voir R.V. Merrill, *Platonism..., op. cit.,* chap. I, pp. 1-28 et notes.

333. Baïf, *Les Amours, A mgr le Duc d'Anjou,* éd. Marty-Lavaux, p. 2 :
« Amour luy seul est l'âme du grand monde
Qu'il entretient...
Il est partout : il remplist les bas lieux
La terre et l'eau. »
Cf. Jodelle, *Amours,* éd. Marty-Lavaux, II, pp. 65-66 :
« L'antiquité t'a sceu couvertement pourtraire
Pour tel Dieu, te faisant du Chaos premier naistre,
Que tu crevas, domtant Discord ton adversaire. »

avec l'éloge d'Amour, faisant, « de son branle », « en ordre » mouvoir « les pas suivis du globe » de l'âme [334]. Le commentaire de Muret met en relief la couleur platonicienne des conceptions ronsardiennes [335].

Jamyn, très proche sur ce point de Ronsard, et gagné au néo-platonisme de Ficin [336], rassemble dans sa *Louange d'Amour* [337] les principaux thèmes du platonisme ronsardien :

> « Je te recherche Amour : soit que l'autheur tu sois
> De ce monde formé, qui te doit reconnaistre
> Cause et premier moment de tout ce qu'on voit estre,
> Soit que l'esprit du tout obeist à tes loix...
> Amour toujours est jeune et s'il est très ancien,
> *C'est luy qui donna forme à ceste masse ronde*
> Et fist cet ornement qui se nomme le monde
> D'un discord accordant liant un beau lien.
> Par luy de tous costez les planettes errantes
> Jettent aus éléments leurs lumières plaisantes
> Par luy le feu plus haut se mesle parmy l'air,
> L'air meut l'eau, l'eau la terre (...)
> O si des amoureux marchoit un exercite
> Jamais un si beau camp ne tourneroit en fuite... »

Il s'agit là d'un platonisme revu et corrigé par l'idéal de la Renaissance ; l'amour n'est plus comme chez Platon ce lien en quelque sorte pédagogique [338] qui fait de l'amant l'éducateur se chargeant totalement de l'aimé, le formant moralement et intellectuellement pour lui permettre de devenir pleinement homme, d'adolescent qu'il est au moment de la « prise en charge », mais un lien hétérosexuel, invitant à la propagation de l'espèce : le bel « exercite » est composé d'amants qui se battent pour leurs maîtresses, et toute homosexualité est évidemment bannie de cette conception qui, pour emprunter beaucoup à Platon, en détourne le sens véritable au profit d'un nouveau mythe de l'amour [339]. Néanmoins Jamyn garde, de l'amour véritablement platonique, plusieurs aspects : le rôle essentiel d'Amour dans la formation de la masse chaotique, qu'il arrondit et rend parfaite, son mouvement qui donne à l'âme de l'amant la faculté de se porter très haut, son impulsion enfin qui permet à l'amoureux authentique d'avoir l'agressivité nécessaire pour accomplir des exploits et tourner en Vertu la force accordée par le sentiment pur.

F. de Birague reprend plusieurs points du mythe, mettant particulièrement l'accent sur deux effets d'Amour, l'organisation du chaos originel, et la réduction à l'unité des êtres séparés par la mutilation ancienne :

> « Ceux qui d'un brave soin (...)
> Ont fait Amour un Dieu (...)
> On l'a fait le premier qui fendit le Chaos,

---

334. Ronsard, *Les Amours*, XLII, p. 45, t. IV.
335. *Les Amours de P. de Ronsard Vandomois commentées par Marc Antoine de Muret...*, éd. H. Vaganay (Paris, Champion, 1910), p. 103.
336. Voir T. Graur, *op. cit.*, p. 61 et p. 270.
337. Jamyn, *op. cit.*, Oriane, *Louange d'Amour*, pp. 88-90.
338. Voir H.-I. Marrou, *Histoire de l'éducation dans l'antiquité*, Paris, 1948, chap. III, pp. 55-64.
339. Voir sur l'altération du platonisme, Delumeau, *op. cit.*, pp. 440-442.

> Qui porta la lumière et qui donna repos
> Ame, limite, et borne, au grand tout de ce monde.
> C'est luy qui l'entretient, d'un discordant accord,
> Le polit, le conduit, appaisant le discord (...)
> C'est luy qui donne seul un vouloir indompté
> De rejoindre à leur tour par désir de beauté
> Ses errantes moytiés qui vivent séparées... » [340]

Certes, aucune des idées de Birague n'est originale ; outre Ronsard et du Bellay [341], Rémi Belleau [342], Dorat [343], Jodelle [344] et Baïf [345] avaient fait d'Amour un éloge semblable.

Mais Birague, sensible à la fureur d'Amour, a exprimé avec bonheur à la fois le désespoir des amants séparés, vivant dans l'errance avant l'éventuelle réunion, et le « vouloir indomté » qui pousse irrésistiblement l'amoureux désemparé à s'unir à la femme aimée. Le platonisme, tel qu'il était acclimaté en France, lui donne, outre une justification à l'attrait sexuel, l'image embellie de l'élan qui l'entraîne vers les beautés de sa maîtresse.

Jamyn, Birague, prennent volontiers, lorsqu'ils célèbrent la puissance d'Amour, organisateur du chaos, un ton sententieux. Pontoux, pour sa part, montre qu'on peut aisément tourner en madrigal la leçon platonique : si Amour est logé dans le beau sein d'Idée, c'est la dame elle-même qui sera tenue pour la puissance responsable de l'ordre et de l'harmonie du monde :

> « S'on dit que j'ayme une beauté mortelle,
> Je dy que non, car j'ayme ceste Idée,
> Qui de l'esprit de Dieu s'est débordée,
> Pour donner forme au monde universelle. » [346]

Parcelle du Tout, la dame est principe d'ordre. Par un plaisant paradoxe, et en dépit du platonisme véritable, c'est la femme qui « donne forme... universelle » : Platon et Aristote, souvent allégués [347] par Pontoux, seraient étonnés de reconnaître ici leurs idées... Pontoux revient ailleurs sur ces thèmes, pour affirmer le caractère proprement divin de la dame, et ses pouvoirs merveilleux — tout en reprenant allusivement le mythe de l'Androgyne :

---

340. F. de Birague, *op. cit., Stances*, p. 43.
341. Du Bellay, *Œuvres Poétiques*, éd. Chamard, IV, p. 220 ; pour l'Eloge d'Amour réducteur du Chaos, II, sonnet CXXV, p. 152.
342. R. Belleau, *A l'Amour*, cité par R.V. Merrill, *op. cit.*, p. 19.
343. Dorat, *Présage de la Paix de la Sainct Remy*, in *Œuvres Poetiques de Jean Dorat*, éd. Marty-Lavaux, P. Lemerre, 1875, p. 9 :
> « Le grand moteur du tout, meut le ciel qui ne erre... »
344. Jodelle, *Chapitre en faveur d'Orlande excellent musicien*, in *Les Œuvres et Meslanges poétiques d'Estienne Jodelle...*, éd. Marty-Lavaux, P. Lemerre, 1870, II, p. 187.
345. Baïf, *Euvres en rime de Jan Antoine de Baïf, Premier Livre des Amours de Meline*, éd. Marty-Lavaux, P. Lemerre, 1881-1890, I, p. 16 :
> « On dit, Amour, quand le confus Chaos
> Brouilloit ce tout en une lourde masse,
> Que tout premier, meu d'une bonne audace,
> Tu t'en ostas d'un vol prompt et dispos... »
346. Pontoux, *L'Idée, op. cit.*, s. XIV, p. 22.
347. Notamment sonnets XXII, p. 26, LXXXVII, p. 59.

> « Celeste Idée, en qui mon cœur se mire,
>   Fille des dieux qui donne en ces bas lieux
>   *A chaque chose et sa forme et son mieux*
> En t'admirant hélas ! que je désire
> D'estre conjoint à ton tout pretieux ! » [348]

La beauté féminine se voit ainsi sacralisée — comme l'était chez Platon la beauté du jeune garçon — ; image de la perfection divine, elle est aussi le principe de cohérence et d'harmonie, et joue un rôle essentiel dans la nouvelle cosmogonie. En outre, dans le domaine de la vie morale, l'objet de beauté, par l'admiration passionnée qu'il suscite, éveille le désir d'unité, et appelle à la réconciliation. L'amour est alors *principe de vertu* [349] ; de même que, au sein d'un monde inorganisé, chaotique, discordant, l'amour a apporté l'ordre, l'harmonie, l'accord des parties, de même, au sein de ce petit monde qu'est le cœur de l'amant [350], il a apporté sa *forme*, achevant l'inachevé, « arrondissant » les affections, faisant accéder enfin le véritable amant à la parfaite vertu qui est connaissance de soi et du monde. Pontoux se montre ici très proche du platonisme ronsardien, qui est d'abord élan passionné vers le beau, mouvement éperdu d'élévation vers ce qui, en l'humaine nature, dépasse l'homme, devenu, par la grâce d'amour, « demy dieu »...

COSMOGONIE.

La beauté et la Beauté.

Si les belles formes qui retiennent le regard et captent l'attention permettent un premier accès au monde idéal, la beauté toutefois n'est qu'un reflet du Beau, auquel aspire le véritable amant. Ainsi les platonisants se plaisent à affirmer que la dame est le *modèle* de la forme éternelle, le reflet, garanti conforme au patron, de l'Idée de beauté. Béroalde se sent pleinement justifié par là d'adorer sa belle :

> « Sur le divin patron de la forme éternelle,
>   Des plus rares vertus qu'élargissent les cieux,
>   Nature imaginant un dessein glorieux,
>   En vous en ordonna le bienheureux modèle. » [351]

De même, Pontoux voit en sa dame

> « ...l'admirable beauté
>   (Œuvre divin) d'une parfaite Idée. » [352]

Ce sont là des thèmes fréquemment repris par les platonisants. Comme Béroalde, Jamyn ou Pontoux, A. d'Aubigné — après les poètes de la Pléiade [353] — tire de la vue de la beauté la force nécessaire pour voler jusqu'aux cieux :

---

348. Pontoux, *L'Idée, op. cit.*, s. X, p. 20.
349. Sur ce point, cf. Ronsard, *Les Amours*, LXII, p. 63.
350. Thème très fréquent dans la poésie du XVIᵉ, voir A. Kibédi Varga, *Poésie et cosmologie au XVIᵉ siècle*, in *Lumières de la Pléiade, op. cit.*, pp. 135-155.
351. Béroalde, *Anthologie, op. cit.*, XXXIII, p. 67.
352. Pontoux, *op. cit.*, s. LXXXIV, p. 57.
353. Voir R.V. Merrill, *op. cit.*, chap. IV, pp. 79-98.

> « Les cieux m'ont fait heureux d'aimer en si haut lieu,
> Madame et sa beauté d'homme me font un dieu,
> Bruslent le corps pour mettre au ciel d'amour son ame. » [354]

Venant des dieux, la beauté qui « eschauffe » l'œil de l'amant lui apporte une parcelle de la beauté divine. L'homme épris d'un si beau feu voit se dissoudre son essence charnelle pour n'être plus qu'une âme, heureuse de son lieu. De la vue de la beauté à la contemplation de la Beauté, la route, pour être malaisée, n'en est pourtant point désagréable, tant l'effort coûte peu lorsque le terme assigné est l'extase :

> « Belle divinité qui mon ame a ravie,
> En ton ciel avec toy, mon ame a pris des yeux
> Pour contempler de toy le beau, le precieux,
> Pareil aux bien heureux est son heur et sa vie,
> Car estre en paradis, c'est contempler les dieux. » [355]

Le tout et le Tout.

A l'image du Tout, essence universelle, la beauté de la dame constitue une totalité en réduction : par l'amour, l'amant peut espérer avoir une idée de l'essence universelle qu'elle porte. Sur ce thème, Pontoux exécute quelques galantes variations, qui donnent de Platon un écho reconnaissable, mais bien assourdi :

> « Puis donc qu'elle a tout ce que souhaitter
> On peut de beau, dois je pas me vanter
> En concevant ce Tout qui est en elle,
> Que de Platon l'Idée je connois
> Et d'Aristote ensemble je conçois
> En mon esprit l'essence universelle. » [356]

Devenu très vite prétexte à jeux d'esprit, le thème du Tout est utilisé comme argument pour convaincre la dame d'accepter l'union :

> « La partie à son Tout toujours se va conjoindre ;
> Que ne venez vous donc à vostre Tout vous joindre ? » [357]

Ces thèmes assez faciles, sans être purement mondains, se ressentent néanmoins de l'essor du néo-platonisme de 1570, qui altère et achève de vulgariser le platonisme authentique. En même temps que Béroalde [358], Pontoux porte la responsabilité de cette altération : tous deux en effet font glisser dans le discours mondain les concepts platoniciens, favorisant ainsi le passage, dans les premières années du XVIIᵉ s., aux galanteries polies de « l'honneste amour ».

---

354. A. d'Aubigné, *Le Printemps, op. cit.*, s. LXIII, pp. 127-128 (éd. Weber).
355. *Ibid., Stances*, XXI, pp. 296-297.
356. Pontoux, *op. cit.*, XIV, p. 22.
357. *Ibid.*, X, p. 20.
358. Voir V.-L. Saulnier, *Anthologie de Béroalde..., op. cit.*, p. 14.

LA VERTU.

A partir de l'admiration de la beauté du corps, l'amant « plato
nique » est conduit à reconnaître et à adorer la beauté de l'âme, plus
digne encore de respect. Les poètes de la Pléiade ne se sont pas montrés
très enclins à cette célébration de la Vertu, que, pourtant, le pétrarquisme
authentique recommandait [359]. Selon le *Phèdre* et le discours de Diotime
dans *le Banquet*, la vertu est à la fois principe de conduite pour l'amant,
et reflet de la Beauté supérieure aperçu dans la Dame. Si Ronsard
modifie sensiblement l'énoncé, Pontus et du Bellay traitent avec conviction le thème de la vertu, que Pasithée ou Olive font admirer, et Baïf
et Jodelle font entendre quelques échos d'un platonisme de bon aloi,
dans leurs éloges d'Amour [360].

Chez les Ronsardisants, le thème laisse, on pouvait s'y attendre,
peu de trace : néanmoins Jamyn fait une place privilégiée au thème de
la Vertu incarnée dans la dame ; l'amour est alors pur mouvement
d'adoration, qui se suffit à lui-même :

> « Au dire des anciens maintenant j'ay creance (...)
> Ils disoient que Vertu d'immortelle substance
> Ne se peut d'œil humain jamais appercevoir :
> Mais que si prenant corps elle se laissoit voir,
> Nous bruslerions d'amour voyans son excellence.
> Depuis qu'elle a pris corps dedans vostre beauté
> Je connois maintenant qu'ils ont dit vérité... » [361]

Dans le même esprit, Béroalde de Verville affirme la supériorité,
sur tous les attraits de sa Belle, de la vertu qu'il adore sans espoir de
récompense :   « Aussi ce n'est pas vous que mon esprit adore,
> Mais la belle vertu compagne de vos mœurs,
> C'est celle qu'en vos yeux devotieux j'adore,
> Vos vertus sont l'objet de mes vives ardeurs. » [362]

Cet amour qui se nourrit seulement du « penser », et se refuse à
être mercenaire [363], s'essaie à la perfection :

> « Respirant de ses yeux cet esprit agreable
> Qui en *parfait amour* me transmue le cœur,
> Je trace ce dessein d'un crayon veritable... » [364]

Encore convient-il de parler plutôt de *traces* de platonisme que de
platonisme véritable, car l'amour selon Béroalde est assez éloigné de
la « philia » de Platon dans la mesure où il ne respecte guère les divers
degrés qui doivent amener progressivement l'amant jusqu'aux archétypes
éternels dont la beauté féminine ou masculine n'offre qu'un reflet. Les
disciples de Ronsard n'escaladent pas le Ciel : heureux de s'arrêter à
mi-course, ils sont satisfaits de la seule séduction de la dame.

---

359. C'est là encore un point de désaccord entre le pétrarquisme de Pétrarque
et celui des disciples. Pétrarque, « par l'excellence de Laure » pense « accéder
lui-même à ce monde de perfection... », dit A. Tripet, *Pétrarque ou la connaissance
de soi*, Travaux d'Humanisme et Renaissance, Genève, Droz, 1967 (p. 187).
360. Voir R.V. Merrill, *op. cit.*, chap. III, *Vertu and Immortality*, pp. 59-78.
361. Jamyn, *op. cit.*, *Artémis*, p. 142 v°.
362. Béroalde, *Anthologie poétique*, éd. V.-L. Saulnier, p. 97.
363. *Ibid.*, p. 91.
364. *Ibid.*, p. 90.

LES EFFETS D'AMOUR.

L'envol de l'âme vers les régions supérieures du Beau.

Ainsi transformé par l'amour de la beauté, qui ordonne son cœur et le mène sur les sentiers de la très haute vertu, l'amant parfait, poussé par la *philia* qui chez Platon conduit l'être imparfait vers le type qui réalise la perfection de sa nature, vole dans les espaces célestes. Ronsard, reprenant un thème platonicien, traité avec une ferveur sainte par Pétrarque [365], et par du Bellay [366], célébrait, recueilli mais plein d'une naïve fierté, dans la conscience altière de son génie, l'œil qui lui apprit « que c'est d'aymer » [367].

A vrai dire, son tempérament et l'idée qu'il se faisait du commerce amoureux le poussaient à voir, dans cet envol vers les Idées, non une sublimation, mensongère à ses yeux, de la libido, mais plutôt un élan, irrésistible, vers un monde à la fois idéalement charnel, et charnellement idéal, qui satisfaisait les sens exigeants, et le cœur, non moins exigeant dans son désir de totalité.

Pontoux tire de ce thème des accents plus plaintifs, comme si l'accès au monde supérieur de la beauté, au lieu de libérer l'amant de la prison corporelle, « bridait » l'âme, incapable de résister à si douce et si ferme traction :

> « De puis que fut ma pauvre âme guidée,
> En ce sainct lieu où gist ma chasteté,
> Et qu'elle y veit l'admirable beauté
> (Œuvre divin) d'une parfaite Idée,
> Tout aussi tost je la senti bridée... » [368]

L'activité généreuse de l'amant ronsardien, ému de belle ardeur, s'est changée ici en languissante passivité : au lieu du cœur ailé, animé par une ardente jeunesse, une « pauvre âme », entraînée malgré elle, contrainte de suivre un mouvement qu'elle ne peut épouser, fortement « gênée » dans un débordement incontrôlé... Au lieu du cri triomphal de qui sent loin de soi les affections « vulgaires », une plainte essoufflée de l'amant-esclave, qui manque d'air sur ces hauts sommets... Et, avec ces craintes, comme une secrète angoisse, la hantise de ne pouvoir se maintenir à telle altitude, la peur de la chute, qui fait naître une gémissante prière aux Dieux appelés à l'aide :

> « Je voy, Madame, au pouvoir de vos yeux,
> Un doux flambeau (...)
> Et qui tout droit aux astres m'achemine (...)
> Pour contempler le grand père des Dieux,
> Pour admirer ceste beauté divine,

---

365. Pétrarque, *Le Canzoniere*, XIII, v. 9-10 :
     « Da lei ti ven l'amoroso pensero
     Che, mentre'l segui, al somno ben t'invia. »
366. Du Bellay, en part. sonnet II, in *XIII Sonnetz*, I, p. 140 (célébration de la beauté de l'esprit qui « perce » l'âme).
367. Ronsard, *Les Amours*, s. LXII, p. 63, t. IV.
368. Pontoux, *op. cit.*, s. LXXXIV, p. 57.

Et d'où la vostre a pris son origine (...)
Dieux, je vous prie, en tel estat ravie,
En vostre ciel gardez ma pauvre vie... » [369]

Fort de sa seule audace, Ronsard ne comptait que sur lui pour rester au giron des plus belles Idées : Pontoux, moins sûr de ses débiles forces, s'en remet à autrui, et ne peut s'empêcher de considérer avec quelque inquiétude sa « pauvre vie ».

Jamyn, à l'exemple du maître, s'énorgueillit d'un tel envol, et invite sa dame à se « hausser » avec lui jusqu'au Ciel :

« Si l'amant est divin beaucoup plus que l'aimé,
D'autant qu'il est ravi d'une fureur divine,
Qu'Amour, excellent dieu, lui souffle en sa poitrine,
Que ne recherchez vous un bien tant renommé ?
Haussez vous avec moy, d'un desir allumé
Jusqu'au Ciel bien-heureux dont il prend origine... » [370]

L'extase qui fait alors de l'amant un dieu, et de sa maîtresse, si elle consent à le suivre en son vol audacieux, guidé seulement par l'honnête Amour, une déesse, tous deux légitimement autorisés par « le grand dieu souverain » [371], « ne commandant qu'aimer et ne voulant qu'aimer », est exempte de crainte puérile : n'est-elle pas le signe éclatant que les amants obéissent à une force supérieure ? Epoint d'un même courage, J. Courtin de Cissé demande à l'amour « cet inconnu chemin » qui lui donnera accès au monde de la Connaissance :

« Que je voudrois enlevé sur mes ailes
Voler là haut dans le sejour des Dieux !
Et d'un penser saintement curieux
Sonder de près les choses éternelles !
Eguillonné de tes emprises belles,
Je chercheray les mistères des cieux,
Franc de la terre, elevant soucieux
Mes chauts esprits au dessus des étoilles... » [372]

L'amour, épuré, réduit à ses aspirations les plus hautes, est, non seulement principe de vertu, mais encore principe de savoir, portique ouvert sur le monde surnaturel [373].

Une autre variation sur le thème de l'envol nous est proposée par A. d'Aubigné, lorsqu'il célèbre la jouissance triomphante qui donna à l'amant, « n'estant q'homme mortel », un avant-goût de l'immortalité et des délices divines. Mais la jouissance amoureuse, si elle n'est pour le Platonicien authentique qu'un des effets *possibles* de l'amour, n'est cependant pas exclue du platonisme véritable, bien que les platonisants de manière générale missent de préférence l'accent sur l'opposition de

---

369. *Id., op. cit.*, IX, p. 19.
370. Jamyn, *op. cit., Artémis*, p. 130.
371. *Id.*, p. 130.
372. J. Courtin de Cissé, *op. cit., Premier Livre des Amours de Rosine*, p. 7 v°.
373. Voir Ronsard, *Les Amours*, LVI, p. 58 : « L'Oeil qui rendroit le plus barbare apris... »

la jouissance et de l'amour dit « pur », qui n'a que faire [374] du commerce sexuel. En tout cas, les vers magnifiques, gonflés de sève, qui disent la beauté de l'union sensuelle, se colorent à nos yeux d'une teinte de platonisme, lorsqu'ils célèbrent le ravissement de l'amant qui perd son « essence mortelle » pour n'être plus, par la grâce de la « céleste beauté », qu'âme divine :

> « Ton feu divin brulla mon essence mortelle,
> Ton celleste m'esprit et me ravit aux cieux,
> Ton ame estoit divine et la mienne fust telle... » [375]

Le désir est alors réhabilité : par l'intermédiaire de la beauté charnelle, ne permet-il pas d'accéder au divin, en « savourant le plus doux de la divinité » ? Et d'Aubigné n'est-il pas au fond celui qui, en dépit des apparences peut-être, se montre le plus fidèle au platonisme ronsardien, retrouvant, après le maître, le sens véritable de la doctrine qui met, avant toute chose, l'accent sur le pouvoir de l'amour, et de l'amour total ? Rien, en fait, n'est plus étranger à Platon que le culte tout idéal d'un amour désincarné, avec lequel trop de platonisants ont confondu le platonisme.

LES EFFETS D'AMOUR.

L'amant et la perfection.

Pour les platonisants de la Renaissance, l'amour façonne la volonté de telle sorte qu'elle aspire à la vertu parfaite. Le discours de Diotime dans *le Banquet* définit l'amour comme un désir de beauté, mais pour l'amant véritable la beauté particulière n'est, à tout prendre, qu'un chemin qui conduit au but véritable, par paliers successifs et hiérarchisés. Aussi a-t-on pu voir certains poètes de la Pléiade célébrer, plus encore que les attraits physiques de leurs maîtresses, le charme de leur esprit ou la noblesse de leur âme [376]. L'amour véritable, qui est désir de perfection, embellit l'âme, éprise du beau sous sa forme absolue et éternelle — immuable, qu'elle a appris lentement à reconnaître. C'est cet effet de l'amour véritable que célèbre Jamyn :

> « Telle inclination fait que d'un tel plaisir
> Procède au mesme instant un certain beau désir
> Nous faisant désirer les choses qui nous plaisent...
> Ainsi l'amour en nous qui de la beauté naist
> Est un commencement, un principe qui donne
> Naissance au mouvement desirant chose bonne... » [377]

---

374. L'opposition de l'amour pur au « jouir » (cf. d'Aubigné, *Stances*, XXI : « Et l'amour sans l'espoir est plus que le jouir ») est un thème fréquemment repris par les Platonisants. Cf. citées par H. Weber, *A. d'Aubigné, le Printemps*, p. 297, n. 20, ces stances anonymes publiées dans les *Diverses Poésies Nouvelles données à R.D.P. Val*, à Rouen, 1606 :
    « L'imparfait au divin est chose bien contraire,
    En l'homme le jouyr marque imperfection,
    Procede de foiblesse et naist de passion,
    La jouyssance donc à l'amour n'a que faire. »
375. A. d'Aubigné, *Stances*, XIII, pp. 233-234, éd. Weber.
376. Voir R.V. Merrill, *Platonism..., op. cit.*, pp. 65-66.
377. Jamyn, *op. cit.*, éd. Brunet, p. 272, *Amour et beauté nés ensemble...*

C'est là leçon de philosophie ; mais Jamyn sait aussi utiliser avec plus de discrétion le thème de l'amour « profitable », poliçant la vie, et perfectionnant le cœur et l'âme :

> « J'ay cent fois comparé les deux grands luminaires
> Avec toy mon Soleil, et ne me suis deceu,
> . . . .
> Dieu les a mis au Ciel en merveilleux pouvoir
> Comme à nos yeux aussi miracle il te fait voir
> Afin que des mortels tu polices la vie. » [378]

Aussi doit-on distinguer le véritable amour et l'amour « vulgaire », que Béroalde nomme la « belle folie » [379].

L'amour véritable, par opposition à la passion égoïste, caprice de la « fantaisie », conduit d'abord l'amant à s'oublier pour s'attacher exclusivement au Beau dont il a eu la révélation :

> « Hé ! mon Dieu, que l'amour eut lors de force en moi
> Qu'il put dessus mes sens, qu'il put dessus ma foi,
> De m'avoir *tant changé* que m'oubliant moi-même
> Et toute autre amitié, seule mon cœur vous aime... » [380]

Le second mouvement est d'attirance devant la perfection réalisée en la dame :

> « Un peu de temps après la vénérable Idée
> De vos perfections fut en moy imprimée
> De sorte que dès lors touché heureusement
> Je n'eus plus dedans moi désir ni mouvement
> Qui ne tendît à vous... » [381]

Ainsi, guidé par « les plus rares vertus » que la Belle en elle réunit, l'amant est conduit à épurer ses désirs, déjà transformé par l'objet admirable de son affection :

> « En vous faisant ainsi capable de son bien,
> Elle [*la nature*] vous donna tout, et ne nous laissa rien,
> Qu'un souhait infini d'admirer son ouvrage... » [382]
> « Ma Belle, c'est ainsi que mon cœur se dispose
> A vivre, n'estimant que vos perfections... » [383],

et il connaît bientôt, à l'heureux mouvement qui agite son âme, qu'il a su se hausser au niveau où l'amour cesse d'être fantaisie capricieuse des sens :

> « Donques vous honorant unique à ma pensée
> D'un heureux mouvement mon cœur est agité
> Elevée en désirs mon âme est élancée,
> Par les pointes qu'amour fait de votre beauté. » [384]

Né à la vue d'une beauté chaste, l'amour aspire à la plus haute vertu ; aussi Pontoux, comme Béroalde, multiplie les protestations et les promesses d'amour « pur » :

---

378. *Idem, Artémis*, p. 195 v° (éd. 1579).
379. Béroalde, *Anthologie..., op. cit.*, p. 43.
380. *Ibid.*, pp. 43-44.
381. *Ibid.*, p. 44.
382. *Ibid.*, p. 68.
383. *Ibid.*, p. 82.
384. *Ibid.*, p. 80.

« Un appetit charnel et une amour lascive
Comme aux autres on voit, en ces beaux yeux n'estrive :
Mais l'honneur et vertu où seulement j'aspire. » [385]

A la différence de l'amour « vulgaire » qui a pour objet le plaisir sensuel, l'amour véritable qui embellit l'âme de l'amant a sa fin en lui-même, il n'aspire qu'à la contemplation du Beau absolu, vivant sans espoir comme sans désir, se satisfaisant du seul « plaisir d'aimer » : c'est le sens que donne à l'amour d'Aubigné lorsque, dans les *Stances*, il reprend la distinction platonicienne des deux amours, dont « l'un a pour objet / Un désir, un plaisir... », et l'autre « le parfaict » qui contente le véritable amant [386].

Cette absence de désir, cette sublimation de la libido, sont le dernier terme de la longue marche, hérissée de difficultés, qui conduit le « parfait amant » de l'appréhension sensible de la beauté charnelle à la communion d'âmes, laquelle, sans exclure systématiquement « le jouir », le dépasse. Ce sont là des accents indiscutablement platoniciens, mais encore faut-il noter leur caractère sporadique. Après 1570-1575, le platonisme va progressivement et régulièrement s'édulcorer en devenant l'expression d'une « philosophie » mondaine de l'amour, et le thème de la perfection — perfection de la dame, perfection de l'amour qu'inspire sa beauté — va se dégrader en éloge conventionnel des mille séductions de la dame, et en protestation banale de vertu...

Ce rapide survol des principaux thèmes platoniciens après 1570 nous permet d'apporter, aux questions liminaires, quelques éléments de réponse.

On voit que, tandis que le *Premier Livre des Amours* devient un répertoire de thèmes pétrarquistes, les disciples marquent peu d'empressement à accueillir les grands thèmes platoniciens : seuls Pontoux, Jamyn, Béroalde, d'Aubigné, semblent suffisamment pénétrés de la doctrine de Platon et des commentaires ficiniens pour que s'entende, dans leur poésie amoureuse, un écho des théories platoniciennes. Cela devrait étonner si l'on tenait à considérer le platonisme comme un des pôles du pétrarquisme. Car enfin Le Loyer, Boton, Boyssières, Courtin de Cissé, les Romieu, Habert... s'abreuvent tous aux sources du pétrarquisme : nulle trace pourtant, chez eux, de platonisme ! L'étonnement est moins grand si l'on observe que, dans la réalité des faits, pétrarquisme et platonisme sont deux doctrines distinctes, voire opposées [387]. Le pétrarquisme est résignation, acceptation de l'insatisfaction ; il est aussi acceptation du divorce entre les sens et le cœur — non sans plaintes, certes, ni soupirs, parfois véhéments ! Mais, en somme, l'amant selon Pétrarque tient pour donné que le cœur mène une vie séparée, loin des tentations qui à certains moments séduisent les sens et les entraînent. Les accents les plus émouvants de Pétrarque ne sont-ils pas ces cris que lui arrache la constatation — combien amère — de la dualité, du discord intime ? Mais si les sens parlent chez Pétrarque, ils se taisent quand il

---

385. Pontoux, *L'Idée, op. cit.*, CCLI, p. 141.
386. A. d'Aubigné, *Le Printemps, Stances*, XXI, pp. 292-297, éd. Weber, vers 21 à 81.
387. Voir notamment V.-L. Saulnier, *Maurice Scève, op. cit.*, pp. 204-206.

s'agit de chanter Laure, qui est le besoin secret de pureté, de dépassement, l'« aura » qui embellit une partie de l'existence, celle qui est soustraite à la vie charnelle et à ses exigences. Aussi a-t-on confondu avec le platonisme vulgaire cette conception pétrarquienne de l'amour.

Mais le platonisme authentique — même lorsqu'il distingue deux sortes d'amour — ne s'ingéniait nullement à désincarner l'amour : si l'accent est indiscutablement mis, par Diotime, sur l'amour des belles âmes, encore faut-il dire que l'amant n'est conduit sur le sentier de la plus haute vertu que par les appels de la beauté charnelle — aiguillon puissant.

L'amour tel que Platon le conçoit, loin de faire mener au cœur et à la chair une vie séparée, permet la réconciliation de l'homme avec lui-même ; c'est bien le désir — désir du corps d'abord — qui est le principe, même si la fin n'est pas l'extase sensuelle mais la contemplation de l'essence éternelle. Or, précisément, si l'on veut expliquer cette résistance au platonisme, chez les poètes qui reprennent volontiers les schémas et les figures du pétrarquisme, il faut observer que, d'une part, se perd ou est en train de se perdre le sens véritable du platonisme, dans lequel les hommes du XVIe s. — surtout dans la deuxième moitié du siècle — ont tendance à voir, non plus une théorie de la connaissance, mais seulement une doctrine de l'amour, détachée de ses liens avec l'ensemble du système ; cette doctrine paraît aux disciples de Ronsard en contradiction avec leur propre vision du monde, et, particulièrement avec l'idée qu'ils se font des relations amoureuses : rien ne leur est plus étranger que la contemplation. D'autre part, le platonisme vulgaire, le culte idéal d'une beauté chaste et désincarnée, déplaît aux Ronsardisants comme il déplaît à Ronsard lui-même. Aussi voit-on les disciples de Ronsard traiter sans enthousiasme les thèmes du platonisme, exactement comme ils font un choix à l'intérieur des thèmes pétrarquistes, ou les modifient pour les adapter à un nouveau mode d'aimer.

Nous constatons aussi un décalage entre le platonisme de Ronsard et celui des disciples. Alors que Ronsard conciliait parfaitement sensualité et idéalisme, mouvement d'adoration devant les perfections de Cassandre, et désir charnel, les disciples sont peu à leur aise lorsqu'ils mêlent des thèmes platoniciens à une philosophie de l'amour « naturaliste ». Pour Ronsard, le platonisme était l'expression d'un élan irrésistible vers le beau, un pur mouvement d'adoration et d'élévation, qui, pour se muer en extase, n'en partait pas moins de la réalité charnelle, et des désirs d'une « chair dure à donter ». Les disciples se montrent hésitants : ou bien comme d'Aubigné ou Jamyn, ils se lancent dans la leçon, ne résistant pas au plaisir de construire un exposé ; ou bien, comme Pontoux ou Béroalde, ils contribuent à édulcorer le platonisme, utilisant les concepts et les expressions platoniciens « en un sens mixte, intermédiaire entre le sens technique que leur donnaient Platon et ses commentateurs de la Renaissance et le sens purement mondain » que leur donneront les néo-pétrarquistes à la suite de Desportes et les mondains du XVIIe s.[388]

---

388. Voir V.-L. Saulnier, *Anthologie..., op. cit.*, p. 14.

Nous nous demandions s'il était possible de distinguer le platonisme des Ronsardisants, du néo-platonisme de Desportes et de ses disciples. Le platonisme des Ronsardisants est mixte : encore assez proche, par le langage, du platonisme de 1550, il est en gros fidèle à la doctrine platonicienne de l'amour, comme le montrent les thèmes de l'amour organisateur du chaos, de la Vertu, de l'Androgyne, etc. Mais il tend à abâtardir le système, d'une part en utilisant le mythe pour justifier l'union sexuelle, d'autre part en affaiblissant la notion d'Idée (qui devient peu à peu synonyme de concept, et ne joue plus le rôle qui lui était assigné dans l'ensemble du système). Le néo-platonisme de Desportes va bien davantage dans le sens de l'appauvrissement : et parce que, en gros, il ne se nourrit plus à la source, mais draine les affluents ; et parce que, désormais, une vision mondaine de l'amour impose ses rites et ses modes. Corrompu doublement, le néo-platonisme de Desportes fait triompher le culte exclusif de la dame, tandis que l'amant perd ses prérogatives pour se changer en soupirant bien élevé, disert et galant.

Ainsi le platonisme, qui traduisait pour le poète de 1550 l'un des deux pôles de la vie amoureuse, devient-il pour les disciples de Ronsard un ensemble de schémas qui a le mérite d'être cohérent — alors qu'il n'est déjà plus, dans le néo-pétrarquisme, qu'un code, un mode du langage.

L'INFLUENCE DU PREMIER LIVRE DES AMOURS SUR LA POESIE AMOUREUSE DE 1570 A 1585

Nous pouvons peut-être mesurer maintenant à la fois la portée et les limites de l'influence qu'a exercée le *Premier Livre des Amours*. Nous avons observé que le *Premier Livre* se trouvait à l'origine d'une tradition littéraire bien illustrée après 1570, tant en province, par des poètes comme Pontoux, Le Loyer, Boton, de Brach, qu'à Paris, et dans les milieux proches de la Cour, par F. de Birague, J. de la Jessée, ou encore Jamyn.

Des trois grands groupes de thèmes ronsardiens, tous n'ont pas trouvé la même faveur chez les disciples : s'il est vrai, en effet, qu'il n'est guère de poète qui ne se soit exercé aux motifs pétrarquistes, en revanche, nous avons noté la rareté et la pauvreté des thèmes mythologiques et astrologiques. Cela ne doit guère étonner : dès 1552-1553, le public manifestait son peu d'enthousiasme pour l'appareil gréco-latin, et le *Commentaire* de Muret nous montre, par sa seule existence, que, déjà, tout n'était pas si clair pour un public épris de facilité et de douceur, pour le « simple populaire » qui juge « trop obscur » le Ronsard savant de 1552. Quant aux thèmes platoniciens, seul un petit nombre de poètes les exploite (Pontoux, Jamyn). Cela non plus n'est point surprenant : les disciples ne suivent-ils pas, ce faisant, l'exemple de Ronsard lui-même qui, en 1555-1556, s'il ne renonce pas tout à fait au pétrarquisme, ni à la mythologie, tend cependant à réduire la part de l'une et de l'autre ?

Surtout, pétrarquisme, mythologie et platonisme sont traités dans un esprit différent de celui qui animait Ronsard. Autant celui-ci, imitant Pétrarque, avait su créer, à partir d'un mouvement proposé, son propre mouvement — à la fois d'approche et de dépassement —, autant les Ronsardisants les plus fidèles se sentent comme emprisonnés par le moule pétrarcho-ronsardien. Certes, il y a, parmi ceux qui déclarent, comme Nuysement, s'inspirer de Pétrarque et de Ronsard — sans pour autant négliger Desportes —, de fortes personnalités et d'authentiques poètes, mais il est remarquable qu'ils ne trouvent les chemins de la création authentique qu'en s'écartant des sentiers tracés par les deux maîtres de la poésie amoureuse. Les plus grands : Nuysement, Béroalde, Birague, d'Aubigné, sont aussi les plus infidèles des disciples... Chez eux, les schémas pétrarquistes servent, si l'on veut, de tremplin : repris pour être, aussitôt, modifiés, ils subsistent comme des traces fraîches encore, mais déjà foulées, confondues...

En ce qui concerne la mythologie et l'astrologie, les conclusions sont sensiblement les mêmes : on constate un appauvrissement de la mythologie ronsardienne, qui va être une constante de l'évolution poétique à partir de 1570. En même temps, la mythologie, incarnation des forces vives de l'univers chez Ronsard, se fait abstraite : elle cesse d'être une manière privilégiée de voir le monde, de le sentir, de l'animer, pour devenir un ornement littéraire, un ensemble de figures. Loin d'être accordée, comme en 1550, au sentiment de la vie naturelle et de ses manifestations spontanées, la mythologie, vidée de sa substance, détournée de la fin que lui assignait Ronsard : établir un pont entre les puissances naturelles et surnaturelles, et l'homme, vivra désormais d'une vie artificielle, *signalant une culture, désignant un savoir*. Dans ce domaine encore, cette transformation, cette mutilation du sens, correspondent à l'évolution générale du goût : la mythologie de Desportes et de ses épigones, par plusieurs de ses aspects, est déjà classique.

Enfin, le platonisme, si opposé dans son esprit au pétrarquisme, et sous sa forme corrompue si décidément étranger à la « philosophie » de Ronsard, mais dont les concepts abâtardis se mêlent aux thèmes pétrarquistes, se modifie après 1570 et survit, stylisé : les salons de la fin du siècle (comme celui de Dictynne) ou la Cour de la reine Margot, feront de la philosophie platonicienne une philosophie « pour les dames », un répertoire de thèmes mondains ; et le néo-platonisme apportera moins des thèmes que des images et des figures à la poésie de la fin du siècle ; il sera *moins un mode de compréhension qu'un mode d'expression*. Notons en passant que ceux qui accueilleront avec le plus de faveur les thèmes platoniciens ne sont pas les Ronsardisants, assez réticents, mais les disciples, parisiens ou provinciaux, de Desportes.

Convient-il donc d'établir un bilan négatif de l'influence de Ronsard ? Il semble bien, en effet, qu'on assiste à ce que M. Raymond a appelé une dégradation générale du courant issu de la Pléiade. Ou plus précisément, une dégradation du grand lyrisme amoureux à la manière du Premier Livre ronsardien : car, des deux livres de 1560, le *Second Livre des Amours* suscite le plus grand nombre d'imitations fidèles. Et cela ne saurait étonner, si l'on se rappelle que Ronsard a composé *Les Continuations* sous la pression du public — ce public qui jugeait *Les Amours* de 1552 trop obscur et trop docte. Déjà en 1555 s'affirmait un goût plus marqué pour les genres mineurs et le « style bas », comme l'atteste le succès des *Continuations,* dont la veine, si l'on en juge par les œuvres de Cornu, Debaste, Courtin de Cissé..., n'est pas tarie vingt ans après, en dépit de ceux qui estimaient que Ronsard se « démentait », « parlant trop bassement »...

Certes le pétrarquisme n'est pas mort après 1570, et il continue d'imposer ses schémas et ses figures, mais il s'agit alors d'un mouvement pétrarquiste bien différent de celui de Ronsard, moins « sourcilieux », plus artificieux, plus précieux aussi. S'il y a au XVIe s. toute une tradition pétrarquiste, le vocable recouvre des attitudes mentales aussi différentes que celles d'un Scève, d'un Ronsard, d'un Desportes, sous un langage apparemment commun. Des trois traditions de style créées par Ronsard dans l'édition de 1560, la moins vivante, la moins fertile, après 1570, est celle du pétrarquisme du *Premier Livre des Amours.* En revanche, les thèmes « naturels » et les thèmes mignards connaîtront une fortune considérable chez les Ronsardisants jusqu'à la fin du siècle.

CHAPITRE II

THEMES MIGNARDS ET FOLATRES
DANS LA TRADITION DU SECOND LIVRE DES AMOURS

Si le lyrisme de haut vol du *Premier Livre des Amours* a suscité un nombre relativement restreint d'imitations créatrices, bridant plutôt l'inspiration des disciples, l'influence de Ronsard est, en revanche, éclatante si l'on considère les pièces légères. En effet, la *Continuation des Amours* et la *Nouvelle Continuation,* dont les pièces seront rassemblées [1] dans le *Second Livre des Amours* en 1560, sont à l'origine d'une tradition littéraire copieusement illustrée. Ronsard s'y inspire des poètes érotiques latins, des néo-latins, et, comme les pétrarquistes du Quattrocento (Chariteo, Tebaldeo...) [2], des pièces libres de l'*Anthologie Grecque* [3] et des poèmes anacréontiques. Par l'intermédiaire de l'*Anthologie,* Ronsard va vers le style enjoué, facile, ce qui n'exclut ni la préciosité, ni même l'érudition. Avec l'*Anthologie,* c'est le poète néo-latin Marulle [4] qui est le plus constamment imité : le joli, le mignon, voire le mièvre, reçoivent ainsi droit de cité. Les mignardises d'amour, dédaignées en 1550, sont maintenant acceptées, non sans hésitation, car Ronsard, s'efforçant de « complaire / A ce monstre testu, divers en jugement » [5] qu'est son public, ne voit pas sans regret s'évanouir les hautes ambitions de sa jeunesse ardente. Significatif de cette nouvelle orientation : le nombre de Chansons dans la *Nouvelle Continuation.* Un accord est tenté entre les desseins orgueilleux d'un poète, les goûts littéraires de la

---

1. A l'exception des 29 pièces diverses de la *Continuation,* qui formaient comme un appendice à l'édition de 1555, et de 22 pièces de la *Nouvelle Continuation.*

2. Voir Vianey, *Le pétrarquisme...*, *op. cit.*, pp. 15-43.

3. Sur l'influence de l'*Anthologie,* voir J. Hutton, *Ronsard and the Greek Anthology,* in *Studies in Philology,* avril 1943, pp. 103-127, et, du même, *The Greek Anthology in France and in the Latin writers of the Netherlands to the year 1800,* Ithaca, Cornwell Univ. Press, 1946.

4. Cf. P. Van Tiéghem, *La littérature latine de la Renaissance,* Genève, Slatkine Reprints, 1966.

5. Ronsard, *éd. cit.*, t. VII, s. I, pp. 115-116.

Cour, « Ce monstrueux Prothé, qui se change à tous cous » [6], et le tempérament sensuel de Ronsard. Cet abandon du « grave premier style » [7], s'il apporte au poète quelque secrète amertume — le sentiment d'avoir fâcheusement infléchi le cours de sa destinée [8] — lui assura en tout cas le succès et une fortune qui ne se démentit point à l'aube même du XVIIe s.[9].

A l'influence de Ronsard, il convient d'ajouter celle de Baïf, qui publie dès 1552 les *Amours de Méline,* dont le *Deuxième Livre,* par opposition au premier, d'inspiration pétrarquiste, contient vingt chansons mignardes, lascives ou gauloises, imitées des Elégiaques latins (Catulle), ou néo-latins (J. Second, Marulle, le pseudo-Gallus) [10].

A la suite de Baïf et Ronsard, la veine folâtre et mignarde est illustrée par Rémi Belleau, Tahureau, La Péruse et Magny : la poésie lyrique mineure prend avec eux son essor [11]. Deux thèmes seront constamment repris par les Ronsardisants après 1570 : baisers et caresses lascives à la manière de Jean Second, et inventaire sans pudeur des charmes de la belle. S'y ajoutent, outre quelques plaisantes variations sur le thème des jouissances amoureuses, « le cinquième point en amour » [12], la description des jeux libertins et les invocations au sommeil et au songe.

I - Le thème du baiser et ses variations

Le thème du baiser s'appuie sur une solide tradition littéraire, joliment illustrée en particulier dans les épigrammes de l'*Anthologie Grecque* [13]. Catulle, Ovide, en amour les maîtres, avaient décrit les charmes du baiser dans le style mignard, accumulant termes caressants, diminutifs apochoristiques, répétitions câlines. Le poète néo-latin Nicolas Bourbon [14], dans ses *Nugae* (1538), chante le doux baiser de Rubella [15].

---

6. *Ibid.* Le public est, par deux fois en 14 vers, présenté comme un monstre. Devant ce monstre, qui fait endurer au poète semblable « torment », Ronsard se défend mal d'un sentiment d'impuissance et de colère. Les corrections successives atténuent malheureusement la verdeur du langage, et son caractère familier (cf. les corrections des v. 5 à 10).

7. Ronsard, *ibid.,* s. LXX, pp. 188-189.

8. *Ibid.,* v. 3-4 et v. 8.

9. Comme l'attestent les poésies légères d'Etienne Durand, Guy de Tours, Nicolas le Digne et d'autres encore. Voir M. Raymond, *op. cit.,* II, p. 349.

10. M. Raymond, *L'influence, op. cit.,* I, pp. 139-150.

11. *Ibid.,* I, pp. 167-238.

12. Voir Laumonier, *Ronsard poète lyrique, op. cit.,* p. 514. Egalement James Hutton, *Spenser and the « Cinq points en amour »,* in *Mod. Language Notes,* vol. 57, 1942, pp. 657-661, et Roger Trinquet, *The topos « Quinque lineae sunt amoris » used by Ronsard in Amours 1552,* CXXXVI, *B.H.R.,* XV, 1953, p. 220.

13. Epigrammes 305, 285, 14, 244, de la cinquième section, consacrée aux épigrammes érotiques.

L'Anthologie, publ. en 1494 à Florence par Jean Lascaris, est sept fois réimprimée entre 1494 et 1553, dont une fois à Paris en 1531. (Voir P. de Nolhac, *Ronsard et l'humanisme,* Paris, Champion, 1921, p. 114.)

14. Voir *Les Bagatelles de Nicolas Bourbon,* présentées et traduites par V.-L. Saulnier, à Paris, J. Haumont, 1945. V.-L. Saulnier montre que l'importance de N. Bourbon a été mésestimée, et propose qu'on le place en bon rang, à côté de Jean Second, pour son rôle dans la naissance de cette tradition.

15. N. Bourbon, *Les Bagatelles, éd. cit.,* pp. 40-41.

Jean Second est à l'origine d'une véritable « codification » du genre [16] :
son *Basiarum Liber* multiplie les descriptions riches d'images, à forte
valeur sensuelle. L'humaniste français et l'humaniste hollandais donnent
ainsi au baiser ses lettres de noblesse, lettres latines, s'entend. Ronsard et
Baïf, usant de la langue vulgaire, lui assureront plus ample diffusion.

La tradition apporte à Ronsard deux motifs distincts : le motif du
baiser colombin, relativement chaste, expression de la tendresse caressante [17], et le motif du baiser « à l'italienne », plus lascif, expression
d'une sensualité plus vive, préliminaire aux jeux de l'amour charnel dont
il constitue l'haim et l'amorce [18]. Baiser colombin ou à l'italienne, sec
ou humide, effleurant ou appuyé, gage de tendresse ou invitation plus
pressante, baiser demandé humblement ou refusé par coquetterie, délicieux, ou décevant si la belle se dérobe, baiser d'amoureux déposé
furtivement sur un front virginal, ou baiser d'amant, prélude à la
possession, rien de ce qui touche au baiser n'est resté étranger aux poètes
de 1550 [19].

A leur tour, les Ronsardisants de 1570 reprennent le thème du
baiser. Jacques Courtin de Cissé et Antoine de Cotel [20] puisent sans
retenue dans le puits des baisers réclamés, reçus et rendus, avec une
même abondance d'images gracieuses et d'adjectifs sucrés.

Les appels.

Le plus souvent, J. Courtin de Cissé construit son poème à partir
d'une succession d'appels caressants, dans la bonne tradition mignarde,
espérant faire naître, de la multiplication des diminutifs et des tendres
appellations, un élan lyrique, énervé mais suggestif :

> « Mon petit cœur, mon soulas, mon désir,
> Mon tout, m'amour, ma douce colombelle,
> Mon passereau, ma brune tourterelle,
> Mon jour, ma nuit, mon bien et mon plaisir,
> . . . .
> Cà baisez moy, ne soyez point rebelle.
> Bouche sur bouche estroitement colée,
> Le cors au cors, l'âme en l'âme meslée,
> Estraintz, liez et plus fort reserrez. » [21]

La voix insinuante mêle aux accents plus autoritaires :

---

16. Jean Second publie (sans doute en 1541) son *Basiarum Liber,* dans la
veine du lyrisme mineur « catullien ».

17. Voir Ronsard, *éd. cit.,* t. VII, Chanson, p. 287 (« un doux baiser »), et
t. XVII, XX, p. 212, XXVII, p. 218, v. 9 et suiv.

18. Voir en part. les Baisers composés pour Sinope, les plus chauds et les
plus sensuels, *éd. cit.,* t. X, *Sonets Amoureux,* VI, p. 91, X, p. 95, XII, p. 96...
Aussi, *éd. cit.,* t. I, *Odes,* liv. II, *Ode* V, p. 189, *Ode* VII, p. 197.

19. Voir H. Weber, *La Création Poétique au* XVIe *siècle en France, op. cit.,*
pp. 369 et suiv.

20. Antoine de Cotel, 1550-1610 ?, conseiller du Roy au Parlement de Paris,
ronsardise à la manière des *Continuations* et des *Folastreries.* Il fait publier à Paris
chez Robinot en 1578 son *Premier Livre des mignardes et gayes poésies.* Il aime les
gaillardises, et se place dans la tradition d'Ovide, dont il aime à faire des traductions.

21. Courtin de Cissé, *Les Euvres Poétiques..., op. cit.,* p. 44 v°.

> « Venez aussi ma petite folastre,
> Je veux baiser ce coural savoureux,
> Approchez vous, rebaisons nous tous deux... » [22],

des inflexions câlines :

> « Cà baise moy, et me baise, m'amie,
> Rebaise moy et me rebaise encor,
> Je veux cueillir dessus tes lèvres d'or
> Mille baisers... » [23],

pour vaincre l'éventuelle résistance.

Antoine de Cotel fait entendre les mêmes accents, caressants et doucement monotones ; l'appel est pour lui l'occasion de tendres reproches, et de plaisantes menaces :

> « A tout le moins, paye moy, Colombelle,
> Un doux baiser sans plus tant délayer.
> Commence donc, Mignonne, à me payer.
> Là baise moy ; là donc, là donc, ma belle,
> Tu cesses jà : penses tu avoir faict ?
> Folastre, non ! tu n'as pas apaisé
> Pour si petit, à mon ardente braise. » [24]

Requête pressante, questions faussement naïves, feinte stupeur devant la froideur de la dame : les règles du jeu d'amour sont scrupuleusement respectées par A. de Cotel, comme sont observés par Gilles Durant de la Bergerie [25] les rites des Mignardises, dans un ouvrage dont le titre, *Les Gayetez Amoureuses,* est significatif à la fois de la tradition [26] à laquelle il se rattache, et des thèmes qui y sont traités sans relâche [27] :

> « Sus ma belle Nymphelotte,
> Ma Nymphelotte Charlotte,
> Sus mon cœur ; mon rien, mon tout,
> Sus, ma mignarde, debout !
> De peur qu'il ne nous ennuie,
> Passons gayement nostre vie.
> Aymon doncq à nostre aise
> Baisons nous bien et beau,
> Puisque plus l'on ne baise
> Là bas sous le tombeau. » [28]

On reconnaît dans ces variations le mélange cher à Ronsard de légèreté souriante et d'amertume en demi-teinte : l'ombre de la mort rôde autour des amants réunis et rend plus pressant l'appel au plaisir. Le baiser alors

---

22. *Ibid.*, p. 44 r°.
23. *Ibid.*, p. 44 r°.
24. A. de Cotel, *op. cit.*, p. 27.
25. Gilles Durant de la Bergerie (1550 ?-1615) publie en 1587 *Imitations de Jean Bonnefons avec Autres Gayetez amoureuses de l'invention de l'autheur,* en 1588 *Amours et Meslanges Poétiques de l'invention de l'autheur,* précédés d'*Imitations tirées du latin.*
26. La tradition des *Gayetez,* poésies légères, souvent libres de ton, illustrées par la Pléiade. Cf. en 1554 les *Gayetez* d'Olivier de Magny, réponse au *Livret de Folastries* de Ronsard, ou les *Odes et Mignardises* de Tahureau.
27. Outre les requêtes du baiser, quelques variations sur le « carpe diem », des déclarations « contre l'honneur » et autres invitations pressantes à aimer.
28. Gilles Durant, *Les Gayetez amoureuses, op. cit.*, p. 40.

est chargé de conjurer un moment d'angoisse, toujours secrètement présente au cœur même de la jouissance :

> « Charlotte, baise moy, baise moy, je t'en prie,
> Ne me fais point languir, vien, mignonne, apaiser
> Par la douce vertu d'un moite et doux baiser
> Ceste ardeur qui desseiche et consomme ma vie.
> Vien donq vite, mon cœur... » [29]

Si la noire Atropos rôde aussi tout près des amants, lorsque P. de Cornu entreprend de demander à sa belle un baiser, c'est, à vrai dire, moins l'angoisse qui suscite son apparition, que l'habileté d'un amoureux prompt à user de tous les arguments pour tenir Lucresse à sa merci :

> « Mamie je me meurs si par la courtoisie
> D'un baiser amoureux, tu ne viens me guérir.
> Jà la noire Atropos pour me faire mourir
> Vient trancher le filet de ma piteuse vie. » [30]

Lui aussi, sur les pas de Ronsard, réclame le « baiser moiteux » qui le fera revivre [31], défaille pour avoir inconsidérément suçotté le beau téton qui apparaît « par dessous le collet » de sa maîtresse [32], ou encore appelle gaîment sa « follette » pour l'inviter aux doux ébats :

> « Venez venez, follette, approchez vous de moy
> Laissez moy mignotter ce tétin de pucelle ;
> Et enlassez mon col de vos bras ivoyrins. » [33]

Tandis que P. Boton reprend, sans grande originalité, le thème du baiser demandé [34], et que Le Loyer s'en tient aux excuses traditionnelles [35] pour un baiser dérobé, Pontoux ne dédaigne pas de faire succéder aux sonnets chastes et courtois qui célèbrent les beautés idéales d'Idée d'« autres excellens sonnets » qui attestent le succès du lyrisme mignard ; multipliant les répétitions, les diminutifs, et les tendres appellations, il réclame à sa « sucrée » un baiser qui écarte pour un temps « le noir nautonier » [36], et imagine déjà les gestes délicieux :

> « Mignarde, accolez moy, accolez moy, mignarde,
> Donnez moy ce coral, donnez moy ce bouton,
> . . . .
> Je serreray ces mains, je tiendray ce menton,
> Je tasteray ce sein, et prendray ce teton,
> Et si je vous mordray ceste langue criarde. » [37]

---

29. *Ibid.*, *Sonnet*, p. 48.
30. Pierre de Cornu, *Les Œuvres Poétiques*, *op. cit.*, *le Second Livre des Amours*, s. XXXV, p. 107.
31. *Ibid.*, XXXI, p. 105.
32. *Ibid.*, s. XXXII, p. 105 :
> « Mon Dieu le beau teton, mon tout, ma doucelette,
> Que je vois apparoir par dessous ton collet
> Il souspire toujours : las ! qu'il est rondelet,
> Et garni par dessus d'une peau blanchelette... »
33. *Ibid.*, XXXVIII, p. 115.
34. P. Boton, *Camille*, *op. cit.*, *Elégie*, 3, p. 38.
35. P. Le Loyer, *La Flore*, *op. cit.*, LXVI, p. 27 :
> « Si j'ay pris maugré de toy de ta bouche un baiser
> Et t'ay audacieux provoqué à colère
> N'en donne à moy la coulpe, ains à la flame amère. »
36. Pontoux, *L'Idée*, *op. cit.*, s. CCLIII, p. 142.
37. *Ibid.*, s. CCLIV, p. 142.

Le baiser refusé.

Les requêtes se succèdent avec une facilité qui devient vite monotone ; aussi quelques poètes choisissent-ils, pour obtenir un effet de
surprise, d'affecter quelque réticence devant le baiser obtenu s'il ne
précède pas une faveur plus précieuse, voire de refuser le baiser... Ainsi,
par exemple, Antoine de Cotel, après avoir à mainte reprise quémandé
un baiser et « quelque chose encore » que sa dame, il en est sûr, trouvera
« plus douce qu'un baiser » [38], refuse la « faveur plaisante » qui l'épuise
plus qu'elle ne l'apaise :

> « Maistresse, las ! pensez vous appaiser
> L'ardent brasier qui pour vous me tourmente
> Pour seulement m'embrasser ou baiser ?
> Maistresse (las) cela point ne l'allente.
> . . . .
> Vous m'amorcez d'une faveur plaisante,
> Puis, affamé, vous me laissez usé. » [39]

J. Courtin de Cissé, par une feinte qui ajoute encore quelque saveur
un tantinet perverse aux préliminaires, tente d'éloigner les lèvres sucrées
de sa maîtresse, qui lui apportent comme un avant-goût de la mort ; le
refus du baiser marque le désir de temporiser, et de donner aux jeux une
plaisante diversité :

> « M'amour, retirez vous. Ha mon Dieu, je me meurs !
> Je me meurs à ce coup, si vos levres succrées
> Versent encor sur moy leurs grâces ensucrées,
> Je me perdray glouton, entre tant de douceurs.
> . . . .
> M'amour, je n'en puis plus, ces plaisantes meslées
> Esgarent peu à peu mes forces escoulées.
> Ha Dieu ! Reculez vous, je suis prez de mourir... » [40]

On sait que Ronsard dans l'Ode des *Baisers de Cassandre* (1550)
aimait à reprendre les jeux de Jean Second, feignant de souhaiter moins
de chaleur lorsque sa mie lui « suce » l'âme [41].

Dans le très beau sonnet XII du *Second Livre des Meslanges,*
« Sinope baisez moy... » [42] inséré ensuite, moyennant le changement de
prénom [43], dans le *Second Livre des Amours,* il joue sur les reprises et
les corrections successives pour imprimer aux quatrains un mouvement
voluptueux de balancement syncopé qui mime les gestes des amants, se
quittant un moment pour se reprendre plus délicieusement :

---

38. A. de Cotel, *Mignardises et Gayes Poésies,* Elégie, 4, f. 18.
39. *Ibid.,* f. 26.
40. J. Courtin de Cissé, *Les Euvres...,* op. cit., p. 45.
41. Ronsard, *Odes,* liv. II, VII, éd. Laumonier, t. I, p. 199, vers 37-42.
42. Ronsard, *éd. cit.,* t. X, s. XII, p. 96.
43. On sait que, pour donner au *Second Livre des Amours* l'unité qui lui
manquait, Ronsard a dû faire quelques remaniements, et effectuer quelques corrections : le nom de Marie doit seul apparaître après 1560 ; aussi le sonnet XII est-il
corrigé de la façon suivante : au vers 1 « Sinope baisez moy »... devient « Marie
baisez moy... », le vers 9 : « Pendant que nous vivons, entr'aymon nous Sinope »
devient « ...Entr'aymon nous Marie » (le changement de prénom à la rime entraî-
nant la modification du vers suivant).

> « Sinope, baisez moy, non : ne me baisez pas,
>   Mais tirez moy le cueur de vostre doulce haleine.
>   Non : ne le tirez pas, mais hors de chaque vene
>   Sucez moy toute l'ame esparse entre vos bras. » [44]

Habert reprend le thème du baiser demandé, refusé, redemandé, du baiser qui donne la mort pour mieux donner la vie — baiser insupportable, baiser délicieux, trop savoureux, qui maintient l'âme en suspens, dans une charmante indécision :

> « Ah ! ne me baisez plus, ah ! mon cœurs, je me meurs,
>   Doucement je langui, doucement je me pasme
>   Dessus ta levre molle erre et flotte mon âme,
>   Soule de la douceur des plus douces humeurs.
> Je la voy qui volete entre les vives fleurs,
>   Et ne craint tes beaux yeux clairs et ardens de flame,
>   Sur ton bord souspirant la cannelle et le basme,
>   Altérée elle boit au fleuve des odeurs.
> Au paradis d'amour elle est ores ravie,
>   Je ne sçay si je suis ou mort ou bien en vie,
>   Car ce baiser me donne et la vie et la mort... » [45]

Habert use avec modération du langage « mignard » : peu de diminutifs, un nombre relativement réduit d'exclamations, des répétitions, certes, mais utilisées surtout pour soutenir le rythme ou traduire l'envahissement de l'âme par une sensation diffuse de douceur. A l'imitation de Ronsard, il sait ajouter, aux notations traditionnelles, l'évocation des parfums et des odeurs, qui se mêlent aux sensations du goût et du toucher, tandis que les yeux sont éblouis de visions enchanteresses : l'imagination est comblée en même temps que la vue. Sa sensualité est à la fois plus vigoureuse que celle de Cotel, Courtin de Cissé, Durant de la Bergerie, et plus affinée : la confusion des sensations est mise en valeur, le baiser étant à la fois une caresse et une liqueur, douce humeur qui altère et désaltère. L'âme aussi se fait charnelle, comme chez Ronsard, pour boire au « fleuve des odeurs » : l'expression suggère la satisfaction simultanée du goût et de l'odorat, tandis que le pluriel imprécis « des odeurs » laisse l'imagination errer vagabonde sur une indécision délicate du sens [46]. Moins épris que Cotel ou Courtin de Cissé des afféteries du style mignard, Habert cherche aussi moins à idéaliser l'émoi amoureux (comme le faisait Ronsard) qu'à rendre le caractère voluptueusement indécis et frémissant du désir.

---

44. « Sucez moy toute l'ame esparse entre vos bras... ». Les commentateurs ont noté la source de la première image (le pseudo-Gallus, Jean Second et Marot). Mais Ronsard « invente » la fusion de cette première image avec la deuxième : « toute l'ame esparse entre vos bras », image magnifique qui rend charnelle l'âme, pour la faire participer pleinement aux jeux du corps, point si brutal, dit Ronsard, qui refuse à sa manière le dualisme, et aime les plaisirs « intellectuellement sensibles, sensiblement intellectuels », comme dira Montaigne...

45. I. Habert, *Les Trois Livres des Météores...*, op. cit., *Baisers*, III, p. 28 v°.

46. « Des odeurs » : complément du nom fleuve ? ou complément direct du verbe « boire » ? Nous préférons cette deuxième interprétation.

La description du baiser.

Ronsard et la Pléiade [47] décrivaient « le dous baiser humide et long » [48], « bruiant » [49], moiteux, ou encore le baiser léger, semblable à celui que se donnent les colombelles « tremoussant un peu les ailes » [50]. Les Ronsardisants se contentent en général de décrire les effets du baiser : ravissement de l'amant, douceur des sensations, pâmoison bienheureuse...

J. de Boyssières célèbre ainsi la grâce d'un baiser qui l'emplit d'aise :

> « O Baiser ensucré, ne file
> Ta douce amoureuse scintile,
> Que je la sente longuement,
> Baiser qui la bouche emmielle,
> Faicts que je suce ta mamelle,
> Se levant amoureusement,
> Que je sente ta douce amorce... » [51]

Il sait, sans s'écarter des modèles tracés par Ronsard, à l'égard de qui il reconnaît bien volontiers sa dette, tracer les divers moments de l'acte délicieux, depuis la plaisante requête jusqu'à l'évocation du ravissement, sans omettre, *in fine,* la mention de la mort toute proche, qui confère à ces instants hors du temps leur précieuse fragilité :

> « Maistresse, mais qu'il te plaise,
> Souffre un peu que je te baise,
> Et que d'un doux entretien,
> Joint avec ta bonne grace,
> Je t'accole et je t'embrasse (...)
> Ah ! mignarde, ton baiser,
> Me vient plus fort embraser (...)
> Et quand je t'accole ainsi,
> Je reste ravy, transy (...)
> De deux feux n'en faisons qu'un,
> Et d'un doux festin commun,
> Nostre ame se rassasie,
> Aussi bien le temps qui coule
> Emportera ta beauté,
> Et la mort qui blesme roule
> Nous percera le costé. » [52]

Plus subtilement ingénieux, A. Jamyn propose une variation spirituelle sur le thème de la jalousie des yeux :

---

47. Outre Ronsard et du Bellay, sans oublier avant eux Marot et Saint-Gelays, Baïf dans les *Amours de Méline,* Magny dans les *Odes à Castianire,* Tahureau dans ses *Mignardises,* Belleau dans sa *Bergerie.*
48. Ronsard, *Odes,* liv. II, IX, éd. Laumonier, t. I, p. 202, vers 28-30 : « Baise moy et rebaise moy... »
49. *Ibid.,* II, VII, p. 198, v. 25-30 :
    « D'un baiser bruiant et long
    El'me suçe l'ame adonc... »
50. *Ibid.,* p. 199, v. 31-32.
51. J. de Boyssières, *Premières Œuvres, op. cit., Baiser,* I, f. 29 v°.
52. *Ibid.,* II, f. 45 r°.

« Ma folastre, ma rebelle,
Mon desir, ma pastourelle,
Je baizerois mille coups
Ton front, tes yeux et ta bouche :
Mais quand ma langue les touche,
Mes deux yeux en sont jaloux,
Quand je te baise et rebaise.
Et ma levre est à son aise
Pressant la tienne ardemment,
Quand le pourpre de ta joüe
Fait qu'à baisoter je joüe,
Mes yeux en ont le tourment.
Quand mes yeux, mignardelette,
Quand mes yeux friandelette,
Sont jalousement faschés,
S'il advient que j'entretienne
Ma levre contre la tienne,
L'un dessus l'autre panchez. » [53]

Ce baiser qui étrangement divise l'amant, partagé entre la douleur des yeux et le plaisir des lèvres, est caractéristique du style mignard « moyen » ; d'un côté en effet, Jamyn utilise les ressources habituelles du langage mignard : les énumérations successives, qui, d'entrée de jeu, donnent le ton, les reprises (baiser et rebaiser), les répétitions (quand mes yeux... quand mes yeux...), les cascades de gentils diminutifs : mignardelette, friandelette, et d'appellations tendres (mon âme, mon cœur, mon œil, pastourelle, folastre, etc.), les hyperboles sans prétention, les antithèses et le choix d'un vocabulaire chargé d'affectivité (les adjectifs en -ard : frétillard, babillard, mignarde)... ; d'un autre côté, le poète recourt au langage précieux qui tempère les afféteries de style : plusieurs comparaisons assimilent le sourire de l'aimée au vent Zéphir, son œil au soleil « luisant de blonde lueur », ou au rayon lavant la terre couverte de pluie, un assez grand nombre de métaphores établissent entre le visage de la belle et les phénomènes naturels de subtiles correspondances (le visage est tout à la fois un rayon luisant, un vent léger, un souffle). Se corrigeant l'une l'autre, mignardise et préciosité s'unissent pour donner à ce *Baizer* son parfum propre : une grâce un peu affectée, un soupçon de familiarité, quelque ingéniosité, et beaucoup de bonne humeur.

De la bonne humeur encore, mais davantage de sensualité dans cette description d'un baiser moiteux, où J. Courtin de Cissé évoque plus précisément l'émoi charnel de l'amant :

« Dieux que j'aime à baiser ceste bouche vermeille,
Et l'ivoire arrondi de ces petits tétons,
Ces petits monts d'albâtre où mille Cupidons
Ont laissé pour jamais leur grâce non pareille.
Mon dieu ! que je me plais mignardant ceste oreille (...)
Je meurs de mille morts et mes affections
S'esgarent au milieu de si douce merveille.
M'amour je meure doncq si ceste mignardise
Ne me ravit le cœur d'une douce surprise... » [54]

53. Amadis Jamyn, *Œuvres Poétiques*, éd. Brunet, *op. cit.*, *Baizer*, pp. 208-210.
54. J. Courtin de Cissé, *Les Euvres...*, *op. cit.*, f. 43 v°.

Pour J. Courtin de Cissé, le baiser est l'occasion de décrire les jeux érotiques avec une attention vigilante qui porte plus, à vrai dire, sur les sensations de l'amant, que sur les sentiments ou réactions de la femme aimée, objet de plaisir. Plus délicat, plus tendre aussi, Isaac Habert célèbre l'union extatique des amants réconciliés par le long baiser : il ne se contente pas de descriptions pittoresques, ni des reprises énervées de mouvements toujours semblables, mais essaie, souvent avec bonheur, de faire surgir, de l'émotion purement charnelle, un élan vers la communion véritable des cœurs et des sens également comblés :

> « Dieu que je suis heureux, quand je baise à loisir
> Le pourpre souspirant de tes levres mollettes,
> Quand nous faisons frayer le bout de nos languettes
> D'une humide rencontre. O dieu que de plaisirs !
> . . . .
> Ton ame doucement se glisse dans la mienne,
> Secrètement la mienne entre dedans la tienne,
> Seule dans moy tu vis, je vis seul dedans toy... » [55]

Reprenant le thème de l'étreinte qui rend « demy-dieu », J. de la Jessée célèbre avec plus de discrétion et de chaste retenue le « soulas » reçu par la grâce d'un baiser colombin :

> « Dieux ! quel soulas qui tout vostre heur efface
> Tant soit-il grand, ai-je receu par vous,
> Le seul apast, et l'aise et le penser
> D'un si mignard et si chaste baiser
> D'homme mortel immortel me fait estre. » [56]

Si chaste soit-il, ce baiser invite à des rêveries voluptueuses :

> « O doux baiser ! Tu passes en douceur
> L'ambre, le musc, et le sucre et le basme !
> Baiser, enfant des levres de Madame,
> Tu m'as repeu d'un apast ravisseur !
> . . . .
> Quand je l'aurois seulement accollée,
> Je crois qu'au Ciel je prendrois ma vollée :
> Fait d'homme un ange, ains d'ange un nouveau dieu ! » [57]

P. de Brach [58], Boton [59], Boyssières [60], Jamyn [61], riment semblables baisers, multipliant les répétitions, les diminutifs, les appellations « mignardes », dans le style de ce *Baiser* composé par Pontoux, qui précise le genre et ses limites :

55. I. Habert, *Les Trois Livres...*, *op. cit.*, *Baiser*, f. 29.
56. J. de la Jessée, *Les Premières Œuvres*, *op. cit.*, *Baiser*, p. 825.
57. *Ibid.*, p. 838.
58. Voir les baisers « colombins et humides » de P. de Brach, *Baizers*, pp. 186 et suiv.
59. Boton, *La Camille*, *op. cit.*, *Elégie*, 3, f. 38.
60. Boyssières, *Les Premières Œuvres Amoureuses*, *op. cit.*, *Baiser*, II, f. 45 r° ; I, f. 29 v° ; f. 57 v° et 58 r°.
61. A. Jamyn, *Les Œuvres Poétiques*, éd. 1579, *op. cit.*, *Oriane, Baizer*, 99 v°-100 et *Baizer*, fol. 101 v° :
> « Mon Oriane mon cœur,
> Mon miel, toute ma douceur
> . . . .
> Sus sus que l'on m'accolle... »

> « O que j'ay d'aise, o que j'ay de plaisir,
> Quand de ses bras, ne m'étant plus fuyarde,
> Mais de plein gré, d'une grâce mignarde,
> Mignardement, elle me vient saisir... » [62]

Toutes ces variations sur un thème unique ne vont pas sans agacer ceux-là mêmes qui ne résistent guère à la tentation des *Mignardises* : ainsi Scévole de Sainte-Marthe [63], sur un ton gravement sentencieux, rime, non sans humour, un *anti-baiser* :

> « Le baiser doit se prendre ainsi comme une avance,
> Non pas être employé pour juste récompense.
> Pauvre amant est celui qui se veut amuser
> A ce qui seulement doit servir de passage.
> Bref, qui prend le baiser et ne prend davantage,
> Il ne mérite pas de prendre le baiser. » [64]

Le baiser-morsure.

Variation spirituelle sur le thème du baiser à l'italienne, cher à Ronsard dans le Second Livre des *Odes* [65], le baiser-morsure témoigne moins de la brutalité d'une sexualité exigeante, que de la douceur énervée d'une sensualité toujours un peu languide ; la dent « malhonnête » [66] de Durant qui osa mordre le beau tétin présente ses excuses faussement humbles :

> « Mais si tost qu'à découvert
> Je vy ce beau sein ouvert,
> Et ceste blancheur marbrine
> Qui s'enfle sur ta poitrine,
> M'advançant de la baiser,
> Une ardeur vint m'embraser,
> Qui se trouvant la plus forte
> Me la fit baiser en sorte
> Que j'y laissay de malheur
> Les marques de ma chaleur ! » [67]

Cette imitation du latin de Bonnefons « O dens improbe... » atteste le désir de sauver de l'oubli, par la traduction en langue vulgaire, les gentillesses et les grâces de la poésie catullienne.

---

62 Pontoux, *Autres Excellens sonnets, op. cit.,* f. 161 r° ; voir aussi *ibid., Mignardise,* f. 249 à 257 :
> « Ma douce mignardelette,
> Mignarde doucelette,
> Je te baisotteray tant,
> Je te chatouilleray tant,
> S'il faut qu'avec toy je couche,
> S'il faut qu'une fois je touche
> Ces tetins delitieux,
> Et ce joyau pretieux,
> Sus donc petite mignarde... »

63. Scévole de Sainte-Marthe, humaniste et poète, admire Ronsard mais compose des pièces précieuses dans le goût des *Am. de Diane.* Les *Œuvres de Scévole de Sainte Marthe,* Paris, 1579, sont dédiées à la Maréchale de Retz, dont il fréquente le salon.

64. Scévole de Sainte-Marthe, *op. cit.,* XIII, p. 125.

65. Voir les *Odes* de 1550, *éd. cit.,* t. I, II, V, p. 190, v. 13-14.

66. Imitation de J. Bonnefons « O dens improbe... ».

67. Gilles Durant de la Bergerie, *Imitations..., op. cit.,* p. 10.

Le baiser volé.

Le thème du geste déplacé — ainsi peut-on appeler par exemple les reproches à la main trop hardie [68] — ou de l'offense faite à la dame, est traditionnel dans la poésie pétrarquiste [69]. Parfois, comme le faisait, après Marulle [70], Ronsard [71], le poète s'excuse ou feint de s'excuser pour avoir osé dérober un doux baiser [72]. Amateur de subtilités, Jamyn imagine une voie nouvelle pour obtenir malgré les rigueurs de la belle le chaud baiser qu'il convoite : se souvenant que souvent l'amour fou naquit d'une boisson imprudemment partagée, il aime à vider, après que sa maîtresse a bu, le verre d'eau limpide effleuré par ses belles lèvres, pour s'échauffer, non du breuvage, car il préfère, il l'avoue gentiment, le vin — mais du contact avec le gobelet où la bouche aimée a laissé son empreinte :

> « Je n'aime l'eau, breuvage trop humide ;
> Mais quand tu veux que j'en boive d'autant,
> Tu prends un verre, et premiere y tastant
> Tu me le tends à fin que je le vide.
> Tel Echançon refuser je ne puis,
> Doux Echançon, charme de mes ennuis :
> Car le beau verre ainsi qu'un bateau passe
> Ce chaud baiser qu'il a receu de toy,
> Et de sa levre il le redonne à moy,
> Si que telle eau tout le Nectar efface. » [73]

Egalement éloigné ici de la mignardise comme de la gauloiserie, Jamyn se souvient des jeux de l'*Anthologie grecque* [74] et des variations ronsardiennes [75] : mais il est remarquable qu'imitant un sonnet précieux du maître, il sache s'en écarter pour traiter avec plus d'humour que Ronsard, et une familiarité plus souriante, un thème qui, chez lui, allie le naturel à la subtilité ; alors que Ronsard se laisse entraîner dans un jeu précieux, à la manière de l'*Anthologie,* sur la métamorphose de l'eau en feu, Jamyn sait rester sobre, et centrer son texte sur la comparaison plaisante de deux breuvages, l'eau et le vin, celle-ci surpassant largement celui-là, pourtant initialement préféré, lorsqu'elle lui est donnée par si douce faveur !

Plus proche, sur ce thème, des jeux précieux de Ronsard, Pierre de Brach célèbre également le beau vase où il prit un baiser :

> « Que j'aime ce beau vaze, où l'argent de coupelle
> D'or mat et d'or bruni vermeille tout autour,
> Vaze hanap de ma dame, où je prins l'autre jour
> Un baiser amoureux en beuvant après elle.

---

68. Par ex. Jamyn, *O.P.*, éd. Brunet, p. 76.
69. Voir par ex. d'Aubigné, *Le Printemps,* éd. Weber, p. 225.
70. Marulle, *Epigr.* II, III, *ad Naeream* « Suaviolum invitae rapio dum, casta Naerea... ».
71. Ronsard, *Nouvelle Continuation,* éd. cit., t. VII, p. 287.
72. Sur ce thème, voir notamment Le Loyer, *La Flore, op. cit.,* LXVI, p. 27, et G. Durant, *Les Gayetés, op. cit., à Marie,* p. 90.
73. Jamyn, liv. II, *Oriane, op. cit.,* f. 101 v°.
74. *L'Anthologie palatine,* V, 261, Voir J. Hutton, *op. cit.,* pp. 355 et 366-367.
75. Ronsard, *éd. cit.,* t. XVII, XXXIV, p. 223 :
     « Lors tu fis apporter en ton vase doré... »
et *ibid., Stances de la Fontaine d'Hélène,* p. 287.

> Amour de ce breuvage inventa la cautelle
> Afin de me piper, et sous un lâche tour,
> Me fit, au lieu de l'eau, boire du feu d'amour,
> Prenant à le porter ce vaze pour nacelle.
> C'estoit eau, c'estoit feu... » [76]

Aucune trace, ici, de cette familiarité enjouée que Jamyn admirait chez son maître et imitait avec bonheur dans son *Oriane*, aucune allusion à cette complicité souriante des amants qui rendait leurs jeux si plaisants : l'amant marquant quelque répugnance à boire l'insipide breuvage, l'amante s'amusant à trouver quelque ingénieux stratagème pour l'y contraindre — nulle marque non plus de cette vive sensualité qui s'échauffait au contact froid du verre... De Brach, plus retenu, évoque rapidement le baiser, pour s'étendre plus longuement sur les ruses d'Amour, à la manière de l'épigramme de l'*Anthologie* dont il s'inspire. De façon plus conventionnelle, il joue sur l'opposition des éléments : l'eau, le feu — et la métamorphose de l'eau en feu. Ingénieux, mais non subtil, amusant mais dépourvu d'humour, son texte est celui d'un élève appliqué, chez qui le savoir-faire remplace la chaleur (au moins dans les deux livres des *Amours d'Aymée*, car le *Troisième Livre* a des caractères originaux).

Toutes ces variations sur le thème du baiser témoignent à l'évidence du succès du style « mignard ». Certes, les Ronsardisants n'imitent pas toujours la retenue du maître, qui a pris soin de se garder des afféteries, des fadeurs douceâtres, des mignardises. Mais, par l'intermédiaire de Ronsard et des poètes de la Pléiade, N. Bourbon et J. Second ont suscité des imitations diverses, dans lesquelles le thème se modifie : on va de l'évocation du ravissement amoureux à la traduction, par des images précises, de l'émoi charnel qui envahit l'amant, de la requête du baiser au refus du baiser, de la possession entrevue et à peine suggérée à la description des délices sensuelles, — et le style se diversifie : mignard avec ce que cela comporte d'automatismes et de clichés, mais aussi précieux, familier parfois, tantôt un style qui rase la prose ou mime les gestes, tantôt un style réputé « poétique » où abondent images et métaphores, tantôt un subtil alliage d'humour et de préciosité.

Alors que, chez Ronsard, le baiser le plus ardent doit souvent sa saveur et son odeur au parfum de la mort qui rôde près de ce Saturnien à l'humeur sombre, les disciples donnent parfois l'impression d'être légers et frivoles ; ils n'évitent pas toujours, c'est un fait, l'écueil du « style bas » : le mièvre, le joli, le douceâtre. Cependant certains, Jamyn, Habert, parfois Cornu ou de Brach, ont su faire des imitations créatrices. Tous en tout cas ont préféré, à l'idéalisation du trouble amoureux, la peinture sensuelle, parfois lascive, du désir charnel.

---

76. P. de Brach, *Les Am. d'Aymée, op. cit.*, liv. II, sonnet III, p. 118.

II - Le portrait « mignard » de la maîtresse

Le thème de l'inventaire des charmes de la Belle se rattache à deux traditions distinctes. Pour célébrer les beautés de sa dame, le poète de 1570 peut emprunter la stylisation pétrarquiste, qui offre les *matériaux :* ivoire et roses, lys et marbre..., *les motifs :* éloge du sourire, de la démarche majestueuse, comparaison de la femme et de la fleur, etc., *les métaphores :* feu et glace, soleil et neige, perles et rubis, lait et fraises..., et même *les mouvements énumératifs* (« Ce beau coral, ce marbre qui soupire... », ou « Ny ce coral... / Ny ceste bouche... » [77]). On sait [78] que les Ronsardisants, après 1570, ne se feront pas faute de puiser à ce répertoire, proposant de leur Belle un portrait immuable, transformant leur maîtresse, le temps d'un sonnet, en une idole magnifiquement parée, aussi froide que le minéral qui compose son front, brillante comme la perle qui habite sa bouche, plus immobile encore, sous le voile léger qui recouvre ses formes pleines, que les roses et les lys qui sur son teint reposent, inaltérables. Mais le poète peut aussi se référer aux canons de la beauté mignarde, qui, par bien des aspects, est l'expression d'une mode maniériste [79]. Dans la poésie, en effet, après l'*Elégie à Janet peintre du Roy,* et certaines pièces des deux *Continuations,* se dessine un nouveau blason du corps féminin.

Ronsard, ici encore, se trouve à l'origine d'une tradition littéraire : dès 1547, dans l'Ode à Jacques Peletier, *Des beautez qu'il voudroit en s'amie* [80], il s'inspire d'Ausone [81] et de Marot [82], mais aussi du voluptueux Ovide [83] et des portraits dessinés par l'Arioste [84], pour composer, en une savante mosaïque [85], la figure et le corps de la Belle idéale : à la fois fine, élancée, et pourtant potelée, « la jambe longue et grelle », mais « la cuisse ronde et belle », aimant Pétrarque mais sachant lascivement embrasser « l'amy en son giron couché », douce et aimablement consentante, mais aussi « follatre » et parfois se refusant, le teint et l'œil bruns [86], mais la dent blanche, et la joue vermeille, la nymphette [87] a tout ce qu'il faut pour satisfaire aux désirs d'un ami exigeant.

---

77. Ronsard, *Les Amours, éd. cit.,* t. IV, XXIII, p. 26, XCV, p. 94.
78. Voir M. Raymond, *L'influence..., op. cit.,* II, pp. 39-40.
79. Voir encore M. Raymond, *Aux frontières du baroque et du maniérisme,* in *Etre et dire,* La Baconnière, 1970, pp. 112-135.
80. Ronsard, *éd. cit.,* t. I, pp. 4 et suiv.
81. Ausone, épigrammes 39 et 78.
82. Marot, Chanson XXIV, *Quand vous vouldrez faire une amye.*
83. Ovide, *Ars amat.,* III, 139-155.
84. Arioste, *Orl. fur.,* XI, st. LXIX, portrait d'Olympe, VII, st. XIII à XV, portrait d'Alcine.
85. La joue vient d'Ovide, la cuisse d'Arioste, la voix de Properce, etc. L'unité de la Belle est une unité *morcelée.* Le détail l'emporte sur l'ensemble.
86. Par opposition au moyen-âge qui ne voit la beauté que blonde (cf. le *Roman de la Rose*), le XVIᵉ siècle apprécie la brune. Cf. les goûts de Guy de Tours.
87. « L'âge non meur, mais verdelet encore » dit Ronsard (v. 6).

L'*Elégie à Janet peintre du Roy* [88] reprend pour l'essentiel les motifs de l'ode de 1547, Anacréon [89], l'Arioste encore [90], Jean Lemaire [91], A. de Baïf peut-être [92], Marot à coup sûr [93], et aussi Catulle [94] et *Le Roman de la Rose* [95] fournissent un trait, une expression, un détail, qui dessinent de la dame dévêtue un portrait tout en courbes et en volutes délicates. Tout, en ce corps, sein, épaule, ventre, ou sur ce visage, sourcil, oreille, joue..., est arrondi, bosselé, revouté, ondelé, pommelu et fosselu ; les ondes qui partent des cheveux « retors, recrepés, annelés » [96] semblent se propager librement sur le corps entier de la belle vu comme un beau paysage animé : ondes mourantes lorsqu'elles effleurent le front, plage tranquille [97], ondes frémissantes qui décrivent la *vouture* d'un noir sourcil, ondes cascadantes quand elles suivent sur le sein les « mile rameuses venes » [98] qui tressaillent, gorgées de « rouge sang ». Ce corps, ce visage, qui ignorent la ligne droite — à peine y voit-on d'un beau nez « la lineature », encore ce nez lui-même est-il animé d'un mouvement qui brise la ligne et la dissout dans l'ensemble des courbes —, qui ne connaissent guère l'immobilité, et donnent l'impression de bouger [99], de changer à toute heure, appellent le désir et sollicitent la caresse — provoquant chez l'amant, le peintre, le poète, voire le lecteur, confusion et émotion :

> « Je ne sçay plus, mon Janet, où j'en suis,
> Je suis confus et muet je ne puis
> Comme j'ay fait, te declarer le reste... » [100]

Ce mutisme éloquent indique assez le caractère franchement érotique d'une telle peinture, qui ne donne pas seulement à voir, mais fait naître et entretient le désir.

Enfin, quelques pièces des *Continuations* permettent de compléter cet ensemble de traits : les sonnets VIII et X de la *Continuation* [101], dans la *Nouvelle Continuation* notamment la Chanson « Je ne veux plus que chanter... » [102], donnent au portrait « mignard » son style, ajoutant aux caractères déjà cités le goût pour les images empruntées au cadre rustique ; le bouton du rosier et la rose sauvage, la châtaigne, le miel,

---

88. Ronsard, *éd. cit.*, t. VI, p. 152.
89. Anacréon, odes 28 et 29 du recueil d'H. Estienne (source citée par Muret).
90. Voir note 81.
91. Voir pour les emprunts possibles à J. Lemaire, P. Laumonier, *Ronsard poète lyrique, op. cit.*, pp. 503 et suiv.
92. Voir sur ce point M. Raymond, *L'Influence..., op. cit.*, I, p. 143. P. Laumonier estime que Ronsard n'a pas emprunté à Baïf, mais qu'il a eu, comme Baïf, une source commune, qui est l'Arioste.
93. Pour le vers 159, cf. Marot, *Chanson*, XX (« Venons au poinct, au poinct qu'on n'ose dire »).
94. Catulle, *Carm.*, LXIV, 52 et suiv., pour les vers 57 et suiv., de Ronsard (Ariane).
95. Pour le vers 39 « beau sourci voutis » cf. le *Roman de la Rose*, v. 529.
96. Vers 11 et 12.
97. Vers 27 et suiv. « Mais qu'il soit tel qu'est la plaine marine... »
98. Vers 137.
99. Voir la description de la bouche, saisie en mouvement, v. 95-96.
100. Vers 123 et suiv.
101. *Ed. cit.*, t. VII, pp. 125 et 126.
102. *Ibid.*, p. 277 : « Je ne veulx plus que chanter de tristesse. »

le lait caillé, le champ qui blondoie, le croissant de la lune, les fleurs et même le chêne sauvage, concourent à peindre le visage et le corps de la dame et à les intégrer dans le monde naturel.

Ainsi, tout oppose, à la tradition pétrarquiste du portrait, la tradition « mignarde ». D'un côté, en effet, les pétrarquistes célèbrent — plus qu'ils ne le décrivent — un corps et un visage immobiles, figés dans une perfection glacée, alors que, à la suite de Ronsard, on essaiera de rendre le mouvement ondulatoire qui parcourt les sinuosités du corps féminin. De l'autre, s'il s'agissait pour les pétrarquistes et leurs émules français de chanter les beautés de la dame, l'accent très souvent était mis sur les charmes de son esprit, ou la noblesse de son allure, ou les belles proportions qui enchantent la vue ; mais le poète mignard choisit d'autres perspectives : il se rapproche, et il se penche (le poète pétrarquiste contemplait de loin, et d'en bas, levant les yeux pour voir — très haut — la Dame). Plus encore, il ne craint plus de déshabiller s'amie, suivant en cela encore Ronsard :

> « ...Portrai moi l'autre chose (...)
> Mais je te pry ne me l'ombrage point,
> Si ce n'estoit d'un voile fait de soie,
> Clair et subtil, affin qu'on l'entrevoie. » [103]

Et ce qu'il voit n'est pas le majestueux spectacle d'une statue immobile, mais un charmant ensemble de courbes, de formes pleines et rondes, de replis sinueux, de creux douillets et charnus. Enfin, par l'accumulation de termes sucrés et la prolifération d'adjectifs mignards, le corps de la belle se dégage de la rigueur pétrarquiste pour devenir, folâtre, le lieu privilégié des plaisirs et des jeux ! La femme à qui l'on propose les caresses lascives et les baisers moiteux, et que l'on menace de tendres représailles, ne peut plus être cette idole de pierre et de marbre, sur laquelle aucune caresse, aucune morsure, ne laissent de trace.

Les deux styles sont donc opposés — ce qui n'empêche nullement un poète de tenter l'un puis l'autre —, comme sont opposées les fins : d'un côté il s'agit d'aboutir à une silencieuse contemplation, le corps se soumettant à l'âme éprise de perfection, de voler jusqu'à l'Idée de la Beauté. De l'autre, le poète désire susciter chez son lecteur un émoi sensuel, semblable à celui qu'il ressent devant ce corps fait pour les caresses, ou cette lèvre qui « semonne / D'estre baisée » [104].

L'Elégie à Janet et les pièces des Continuations suscitent bon nombre de portraits mignards [105]. Filber Brétin [106], après avoir minutieusement décrit les cheveux, le sein, la grève et la cuisse, suit les indications de Ronsard pour s'attacher aux mains :

> « Ses mains blanches et belles
> Ses bras charnus et ronds
> Ne sont choses mortelles

---

103. *Ed cit.*, t. VI, *Elégie à Janet*, v. 157 et suiv.
104. *Ibid*, v. 106-107.
105. *L'Influence...*, op. cit., II, p. 231.
106. Brétin (v. 1550-1595), publie à Lyon en 1576 ses *Poésies Amoureuses*. C'est un poète pétrarquisant, sensible à l'influence de Ronsard, mais peu au courant de l'évolution du goût.

> Ses doigts gresles et longs
> Demonstrans mille venes
> De beau sang pourprin plenes
> Sont finissants
> Par façon plus qu'humaine
> En boutons florissants. » [107]

Aucun des adjectifs choisis par Brétin, aucune des images retenues pour décrire les courbes voluptueuses du corps nu ou des membres de sa maîtresse, ne cache son origine ronsardienne ; tout au plus Brétin a-t-il déplacé et démembré quelques expressions : par exemple les « mille rameuses venes » qui, dans l'*Elégie à Janet*, parcourent en tressaillant le sein profond et plein, sont ici visibles sur les doigts ! Ou encore les adjectifs qui chez Ronsard décrivent soit la jambe [108], soit le nez [109], sont ici affectés aux doigts, « gresles et longs ». Ces modifications sont bien peu de chose si l'on met en regard les plagiats directs, qui, du reste, ne seraient pas répréhensibles si, plagiaire malhabile, Brétin n'écrasait les volutes, n'aplatissait les arabesques, ne brisait les courbes, plus attentif à suivre son modèle qu'à traduire son émoi.

De même Blanchon, pour décrire les beautés de Pasithée, réunit dans le cadre étroit d'un sonnet [110] plusieurs termes concrets ou mignards dispersés dans l'*Elégie* :

> « Un poil frizé de l'Aurore argentée
> Un arc d'amour, un front semé de lys,
> Deux beaux Soleils par Phoebus embellis,
> Un nez traitis où la grace est plantée,
> Un teint vermeil, une joue oulhetée,
> Un rang de perles, un coral, un rubis,
> Une voix douce à decevoir Ulix,
> Un doux attrait où l'ame est arrestée,
> Un fosselu, un trait latonien,
> Un grave geste, un chant syrenien,
> Un col de neige et un beau sein d'yvoire,
> Une main blanche en ses doitz bien partie
> Un beau corsage, un honneur de Téthis,
> Sont, de Beaubreuil, les Roys de ma victoire. » [111]

Outre sa trop forte concentration qui interdit de s'arrêter sur l'un ou l'autre détail, un tel texte porte la marque d'une hésitation ; d'une part, Blanchon y accumule les références à l'*Elégie* ronsardienne : le nez « traitis », la joue « oulhetée », le menton fosselu, attestent du succès de Ronsard dans l'art du portrait ; mais d'autre part, il utilise le schéma énumératif propre au portrait « pétrarquiste », et, en outre, fait maladroitement intervenir la fable : Phœbus, Ulysse, les Sirènes, et Téthis, le trait latonien..., qui surcharge un sonnet déjà très décoré, comme si le poète tentait un compromis entre les deux traditions du portrait.

---

107. Brétin, *op. cit.*, p. 12.
108. Dans l'Ode de 1547, v. 21 « La jambe longue et grelle ».
109. Dans l'*Elégie à Janet*, v. 75 « Pein le moi donc gresle, long... »
110. Il compose aussi un portrait mignard dans une *Ode*, pp. 129-137 (*O.P.*, *op. cit.*).
111. Blanchon, *op. cit.*, liv. II, sonnet XX, p. 107.

Tenté également par les deux styles, J. de Boyssières tantôt célèbre à la manière pétrarquiste la « rare beauté, ouvrage de nature, (...) Perfection de divine facture »[112], tantôt emprunte à l'*Elégie* une profusion de traits mignards :

> « Ta bouche peu ouverte et peu fendue est telle
> Et ses deux rangs perlés (estoffez du seul clin
>   De l'œil de la nature) est si rare butin,
> Que mort j'expirerois si je joignois à elle.
> Et la levre doucette et l'aspect coralin
>   Qui lui decore, helas ! tellement m'emmielle
> Que je dis en moy mesme : ô que seroit malin
> Celuy qui ne voudroit succer telle mamelle.
> Puis ton menton fourchu, petit, élabouré,
>   De deux vermeils rosins, aux joues honnoré,
> Et ta poitrine aussi doucement respirante,
>   Avec ses deux jumeaux dans son centre enverré,
> Ronds, durs, et eslevés... »[113]

Boyssières ne se contente pas de prendre ici ou là termes mignards, expressions concrètes ou adjectifs « sucrés » : il essaie comme Ronsard d'associer à chacun des endroits élus du visage ou du corps, une sensation et l'amorce d'un plaisir : à la description de la bouche s'associe l'évocation du baiser qui donne la mort, à la description de la lèvre, l'évocation de la voluptueuse têtée, à celle enfin de la poitrine, s'ajoute l'évocation du sein dur, qui se gonfle et s'élève.

De la même manière, Boton, qui va souvent du lyrisme du *Premier Livre des Amours* au style mignard, essaie plusieurs palettes pour décrire Camille : si l'ivoire, l'ébène, les lys et le coral donnent de la dame une image conventionnelle, conforme en gros à la tradition pétrarquiste[114], il essaie aussi dans les *Odes* la stylisation « mignarde » pour décrire les « cheveux d'or ondoyans », « rousoyans », le visage « rondet », « vermeillet », le col et le sein d'albâtre, et les doigts « rosins » de la Belle[115]. Lui aussi célèbre « la joue œilletée », et le sein « pommelant », le menton arrondi et la molle œillade[116]...

Plus décidé à opter résolument pour la veine du *Second Livre des Amours,* Nicolas Debaste se montre soucieux, lorsqu'il dessine le portrait de Janne, d'associer à chacun de ses traits une notation sensuelle : à la différence de Boton, de Blanchon, de Brétin, et de façon plus nette que Boyssières, chez lesquels le style mignard apparaît souvent comme la dégradation du style soutenu[117], Debaste adapte le portrait — qui s'insère dans un ensemble de textes légers — au ton général de ses *Passions d'Amour* :

---

112. Boyssières, *op. cit.*, LXXVII, p. 91 v°.
113. *Ibid.*, III, p. 24.
114. Boton, *Camille, op. cit.*, sonnet p. 41 v° : « Des cheveux d'or, un front semé de roses... »
115. *Ibid, Ode* I, p. 45.
116. *Ibid.*, p. 42.
117. Voir M. Raymond, *L'Influence..., op. cit.*, p. 38.

> « Ces blonds cheveux qui sentent comme basme
> Ce beau teton qui florissant pommelle,
> Tout à l'entour d'une blanche mamelle,
> Ce doux baiser qui tous mes sens embasme ;
> Ce teint vermeil qui à le veoir me pasme,
> Ce col charnu, ceste joüe vermeille,
> Cet œil friand, ceste levre jumelle,
> Ce front d'azur, poly, serein et calme... » [118]

A l'imitation bien comprise de l'*Elégie à Janet,* Debaste associe le
cheveu à la notation de son odeur, le téton à celle de sa floraison
insolente, et n'oublie pas de donner, avec les points favoris de sa
contemplation, l'image de ses sensations ; le choix des adjectifs : charnu,
friand..., marque également cette volonté de dessiner un portrait qui
s'adresse d'abord aux sens.

Si Debaste choisit l'unité de ton et de style — ceux des *Continuations* — pour un recueil du reste assez mince, Pierre de Cornu, qui, à
l'imitation de Ronsard, intitule les sections de ses Œuvres Poétiques :
le *Premier Livre des Amours,* et le *Second Livre des Amours,* entend
essayer « le grave premier style » du maître pour chanter Lucresse, puis
« le beau style bas » pour les Chansons, Gayetez, et autres mignardises.
Mais il est singulier de remarquer que cette division n'est pourtant pas
scrupuleusement respectée lorsqu'il s'agit de peindre les beautés de
Lucresse : c'est en effet dans le *Premier Livre* qu'il place les divers
portraits de la dame, certains [119] conformes à la stylisation pétrarquiste,
d'autres résolument « mgnards ». *A Aimar peintre,* dont le seul titre
indique la filiation, reprend pour l'essentiel le mouvement, les motifs
et les images de l'*Elégie* ronsardienne. Voici d'abord les cheveux, frisés,
tressés, retroussés, en une masse mouvante et mousseuse :

> « Or sus commence donc et d'un poil ombrageux
> Frize mignardement sa perruque tressée,
> Et l'ayant sur le front gentement redressée,
> Retrousse sur l'aureille un monceau de cheveux. » [120]

D'entrée de jeu, par l'emploi du style direct et du langage familier,
par le choix des deux adverbes, *mignardement, gentement,* et des verbes
qui indiquent l'action (friser, redresser, retrousser), le style est fixé.
Comme Ronsard, Cornu s'attarde sur chaque partie du délicat visage,
dont il souligne les formes arrondies, et les couleurs contrastées :

> « Que de son large front l'espace mesuré
> Soit couvert nettement d'une neige polie,
> Et qu'un moindre seillon de sa blancheur unie
> Ne cave tant soit peu le marbre eslabouré.
> Qu'au dessoubz soient posez d'ebeine noircissant
> Deux sourcils façonnez d'une voute courbée (...)
> Apres fais luy les yeux clairement estoilez
> Et garnis à l'entour d'une belle paupière (...)
> Comme un lis fleurissant, tasche à representer
> Le contour arrondi de ses blanches oreilles... »

---

118. Debaste, *Les Passions d'amour, op. cit.,* sonnet, p. 43 v°.
119. Par ex. s. V, p. 3 :
> « Les cheveux ondelez de ta tresse crespee
> L'yvoire blanchissant de ton front spatieux... »
120. *Ibid,* pp. 14 à 18.

Cornu a senti que ce type de portrait, où s'accumulent les éléments d'une beauté très décorée, où, jusque dans ses moindres détails, le visage devient une succession (plus qu'un ensemble) de traits qui compliquent et gênent la vision globale, réclame une poésie de structure plus ouverte et plus floue que celle du sonnet. Les vagues successives qui déferlent, du front au sourcil, du sourcil à l'œil, de l'œil à l'oreille, etc., progressent, non par opposition ou symétrie, mais par un mouvement qui s'ouvre sur le large, et déborde chacune des strophes. De même, la variété des images et des figures s'accommode plus aisément de la continuité du poème qui permet, en outre, de s'attarder davantage sur la minutieuse description de la rondeur d'une oreille, ou de l'arc d'un sourcil.

Pourtant, Cornu a aussi tenté de faire tenir dans les limites étroites du sonnet le portrait « mignard » : dans l'un [121] il ne retient de la profusion de traits habituels que « les yeux mignards », « les petits poils entrefrisez de nœuds », les « deux tetins en albastre arrondis » et les propos qui sortent d'une si belle bouche : cette relative discrétion lui permet de concentrer, dans le cadre de chaque strophe, les traits principaux d'une description qui s'attache surtout à associer, à chaque partie du visage, un sentiment précis de l'amant. Dans un autre sonnet, le parti pris est différent : chaque strophe contient une accumulation de traits et de notations, tandis que se multiplient les adjectifs qui tentent de cerner « les attraits » de la « mignarde grace » :

> « Le beau regard de tes yeux flamboyans,
> Le doux semblant de ta face benigne,
> Le ris friand de ta bouche divine,
> Et tes cheveux sur l'aureille ondoyans,
> Tes noirs sourcils sans cesse brunissans,
> Les lys rameaux de ta main ivoyrine
> Et les cousteaux de ta blanche poitrine
> Qui sont enflez... » [122]

Moins à l'aise que dans l'Elégie A Aimar, Cornu réussit cependant à imprimer à son énumération un mouvement d'ondulation et d'enflure qui épouse les courbes du visage.

Par un choix tout semblable à celui de Cornu, Isaac Habert, qui, lui aussi, compose dans un *Premier Livre* des descriptions pétrarquistes de la beauté féminine, s'inspire très directement de l'*Elégie à Janet* pour faire *Le Pourtraict de sa maistresse*, abandonnant le sonnet pour la pièce en octosyllabes plus ouverte :

> « Peintre (...)
> Fay tout premier la belle tresse,
> A floccons d'or, de ma maistresse,
> Que ses cheveux soient crespelés,
> Autour du front torz, annelez,
> Laisse les, si tu veux, descendre
> En onde et sur son col s'espandre.

---

121. *Ibid.*, XXVI, p. 19.
122. *Ibid.*, XXXVIII, p. 25.

> Si tu peux fay que dedans l'or
> De son beau poil on sente encor
> L'odeur qu'a mise la nature
> Dedans sa propre chevelure (...)
> Fay que son front blanc comme ivoire
> Rougisse peu, qu'il soit uni
> Sans nul sillon, tout aplani... » [123]

Plus « coupé » que celui de Cornu, le style d'Isaac Habert recherche davantage la rupture : le débit haché se calque sur les divers mouvements de l'œil, qui suit les contours et les volutes du joli visage.

Toutes les pièces que nous venons de citer, auxquelles on peut ajouter le portrait mignard de Rosine dans les *Euvres Poétiques* de Courtin de Cissé [124], avec les nœuds du « tresor crespelu » et l'albâtre « potelé », et celui de Marguerite, dont J. de la Jessée décrit « le chef crespelu », le sourcil arrondi, et le doux « tremblotis » qui agite son « blanc sein » [125], s'inspirent plus ou moins directement de l'*Elégie* ronsardienne. Pierre Le Loyer choisit d'imiter librement les portraits de Marie tels que Ronsard les dessine dans *Le Second Livre*, en particulier le sonnet X de la *Continuation* [126]. Le Loyer reprend, outre les adjectifs caractéristiques (traitis, petits, gentil...), les comparaisons mythologiques, faites sur le mode plaisant, avec un soupçon de gravité mais surtout un humour souriant :

> « Ma Flore vous avez de la belle Cyprine
> Les cheveux et le front et les tétons petits,
> Les beaux yeux de Junon et vostre nez traitis
> Le maintien, le marcher et la grace bénine,
> Vous tenez de Pallas la main toute divine,
> Et vous avez vos pieds autant ou plus gentils,
> Et autant argentez qu'on les donne à Thétis. » [127]

On voit que la mignardise n'exclut ni la préciosité, ni la science mythologique ! Non seulement le corps et le visage sont amoureusement détaillés, au point de perdre dans la profusion des traits qui s'additionnent, la vision d'ensemble de la Belle donnée dans sa totalité, mais encore chacun des points qui retient successivement l'attention est mis en relation avec une déesse, image d'*une* perfection. Ronsard procédait ainsi lorsqu'il s'écriait :

> « De Junon sont vos bras, des Graces vostre sein,
> Vous avés de l'Aurore et le front et la main... »

La dame est décrite ainsi non comme une somme mais comme une addition de traits.

De l'ensemble de ces portraits « mignards » se dégagent quelques caractères communs : d'abord, ces portraits, même lorsqu'ils s'inscrivent dans les limites du sonnet (non seulement l'espace mesuré des 14 vers, mais aussi la structure rigide, avec ses articulations nettes, et sa division

---

123. Habert, *Les Météores*, p. 45 v°.
124. J. Courtin de Cissé, *op. cit.*, p. 5 v°.
125. J. de la Jessée, *op. cit.*, p. 800.
126. Ronsard, *éd. cit.*, t. VII, p. 126.
127. Le Loyer, *op. cit.*, XXXI, p. 12.

en deux blocs distincts, voire opposés), se composent d'allonges successives, qui ont tendance à briser le moule des strophes pour s'étendre
d'une strophe à l'autre, d'un bloc sur l'autre. Et cela parce que le blason
ressortit encore à la poésie énumérative, qui met l'accent sur la variété
des éléments, *au détriment de la vision d'ensemble*. De la belle, nous
n'avons ni la silhouette, ni même la perception de son « allure » ou de
ses proportions. Tout se passe comme si un observateur « myope »
examinait avec la plus scrupuleuse attention des détails délicieux, sans
pouvoir prendre suffisamment de recul pour contempler la belle dans sa
totalité. Chaque partie privilégiée : œil, sein ou cheveu, menton ou pied,
est traitée pour elle-même, dans la *discontinuité* : le sourcil par exemple
vit une existence autonome, distinct de l'œil ; la lèvre, de la même
manière, est décrite avec une profusion de détails, tandis que la bouche
sera traitée séparément... (même chose en ce qui concerne la relation ou
plutôt l'absence de relation entre le mollet et la jambe, la main et le
bras, le tétin et le sein, voire entre les deux sourcils !).

Ensuite, le portrait « mignard » — qui s'attache aux parties du
corps et du visage les plus mobiles : l'œil, le sein qui se gonfle, la
bouche qui s'étire... vise à exprimer un *mouvement,* et espère susciter à
partir de ce mouvement le désir. Ce qui trouble l'amant, c'est ce qui
bouge, ce qui s'altère, ce qui dit la vie de ce beau corps (les veines
pleines de rouge sang), de ce beau visage (les cheveux qui moussent et
se retroussent, l'œil qui darde ses rayons).

Enfin, si l'on considère le style, on admettra qu'il est volontiers
maniéré et subtil, interposant entre l'objet de la contemplation et le
contemplateur l'épaisseur d'un langage chargé de culture, comme le
montrait notre dernier exemple. Toutes les figures de ce style, les
comparaisons, les métaphores, les antithèses, les accumulations... semblent avoir pour fonction d'*éloigner tout réalisme*. Plus la description
se fait minutieuse, précise, détaillée, plus elle s'écarte de la partie du
corps observée pour entraîner le lecteur dans un monde idéal, parfait
dans sa rondeur, très différent, cela va sans dire, du monde réel. Ainsi,
par cette stylisation, la réalité la plus banale, la plus familière, un sein
de femme, une oreille..., devient étonnante : dans les volutes de l'oreille,
au creux de l'épaule, dans les sinuosités du sein, se devine un « nouveau
monde », un continent inconnu que le poète, par les pouvoirs qui sont
les siens, par le langage, essaie d'explorer dans l'émerveillement.

Ces trois caractères : l'ouverture de la structure d'ensemble, qui
libère les diverses parties pour leur rendre en quelque sorte leur
autonomie, la recherche du mouvement expressif, et « l'irréalisme » du
style avec ses artifices, nous invitent à rapprocher la technique du
portrait mignard de l'art maniériste [128], et, plus précisément, si l'on
accepte les définitions que donne, des quatre maniérismes du XVIᵉ s.,
M. Raymond, du maniérisme « paganisant » qui triomphe dans la
description du visage féminin.

---

128. Voir M. Raymond, *Aux frontières du Baroque... op. cit.*, pp. 113-135,
et *ibid., Ronsard et le maniérisme*, pp. 63-112 (part. p. 70). Aussi, *La Poésie franç.
et le Maniérisme*, Droz, 1971, pp. 5-47.

Au reste, parmi tous ces poètes qui font de leur belle un portrait mignard, deux au moins : J. Blanchon et J. de Boyssières, sont, dans leur poésie amoureuse, plus influencés, de manière générale, par Desportes que par Ronsard : les thèmes et les contenus de leur œuvre, les caractères de leur style, sont néo-pétrarquistes. Pourtant, ils ne sont pas restés insensibles aux charmes du lyrisme mignard, dont Ronsard et Baïf sont les maîtres, alors qu'ils négligent les autres aspects de l'œuvre ronsardienne. N'est-ce pas le signe que le « maniérisme » du portrait mignard, par plusieurs de ses caractères, est plus proche du néo-pétrarquisme pré-baroque que du « classicisme » de la Pléiade ? La notion de maniérisme, « art sans naïveté, chargé de pensée et d'intention » [129], éclaire en tout cas un aspect important du thème : *sa stylisation.* On voit peut-être mieux ainsi les différences entre le portrait « pétrarquiste » et le portrait « mignard » : même si le thème est en apparence semblable (la célébration des beautés féminines), le traitement est tout différent : d'un côté, un ensemble équilibré, qui présente, de la femme, une vision globale (elle est douceur, grâce et majesté), une célébration qui vise à fixer, hors du temps, l'image éternelle d'une beauté immobile, une utilisation des métaphores dans le dessein bien établi de « pétrifier » la dame (perles, rubis, marbre, la dame-pierre « empierre » ou « enroche » qui la contemple) ou de lui accorder une existence végétale (elle est rose et lys). De l'autre, très différemment, une rupture de l'ensemble qui se divise en parties autonomes (visage, corps, membres) et se subdivise en éléments discontinus (le sein et la poitrine, la lèvre et la bouche, le sourcil et l'œil, la cuisse, le mollet, la jambe...), une énumération qui vise moins à faire contempler qu'à appeler à la jouissance (chaque partie de la figure féminine appelant un désir, promettant un plaisir), une utilisation, enfin, tout autre des images et métaphores, qui recouvrent de leur ombre [130] les réalités voilées de « soie subtile »...

Ces deux stylisations se retrouvent au sein des mêmes recueils entre 1570 et 1585, mais, alors que la tradition pétrarquiste du *Premier Livre des Amours* se verra progressivement négligée au profit du nouveau pétrarquisme plus subtil et épris d'ingéniosité, la tradition « mignarde » continuera à inspirer disciples de Ronsard et disciples de Desportes jusqu'à la fin du siècle.

III - Les jeux libertins et la veine folâtre

Les divers thèmes de la veine folâtre sont très abondamment illustrés après 1570 : c'est à travers eux que l'on voit le plus clairement se dessiner la fortune singulière de l'influence ronsardienne. Des trois

---

129. *Ronsard et le maniérisme, art. cit.,* p. 69.
130. *Ibid.,* p. 87. Cf. Ronsard, *Elégie à Janet,* v. 160 et suiv.
    « Mais je te pry ne me l'ombrage point,
      Si ce n'estoit d'un voile fait de soie
      Clair et subtil... »
ou *Adonis,* Bibl. Pléiade, t. II, p. 25, vers 17 (la soye subtile).

traditions de 1560, celle du lyrisme « catullien » connaît le succès le plus vif et le plus franc, et, en outre, sera la seule à subsister lorsque triomphera le néo-pétrarquisme.

Le *Second Livre des Amours* propose un certain nombre de thèmes : le salut à la Belle et les reproches à une fille paresseuse [131], la jalousie à l'égard du médecin indiscret [132], ou du petit chien [133]... Mais les disciples s'inspirent aussi des odes catulliennes à Cassandre [134], et du livret de *Folastries*. N'oublions pas non plus quelques pièces légères dans les *Amours* de 1552 [135] ou 1553 [136].

1. LE SALUT, LA BELLE PARESSEUSE ET LA FESSÉE MATINALE.

Ronsard, dans la ligne des poètes élégiaques latins [137], saluait volontiers sa belle en multipliant, comme eux, les invocations câlines :

> « Bon jour, mon cueur, bon jour ma doulce vie,
>   Bon jour mon œil, bon jour ma chere amye,
>   Hé bon jour ma toute belle,
>   Ma mignardise, bon jour,
>   Mes délices, mon amour... » [138]

C'est le triomphe de la douceur, de la voluptueuse langueur : le ton caressant, qui joue des variations métriques, la succession des métaphores, empruntées au monde animal, au monde végétal (« ma doulce fleur nouvelle » [139]), ou au domaine des réalités corporelles (« mon œil », « cellule » chez Catulle puis chez le néo-latin Marulle, « mon cueur »...), la cascade de répétitions... tout cela constitue un style aux lois immuables.

Pierre Enoc, dit La Meschiniere [140], compose une ode très ronsardienne :

> « Hé ! bon jour mon amoureuse
> Hé ! bon jour ma doucereuse
> . . . .
> Et bien quoy ! ma chere amie
> Vous faites de l'endormie
> . . . .
> Car la gentille alouette
> . . . .
> Jà tire-lire bien haut » [141],

131. Ronsard, *éd. cit.*, t. VII, *Chanson* p. 247, et XXIII, p. 140.
132. *Ibid*, p. 147, s. XXX.
133. *Ibid*, XXXIX, p. 156.
134. Ronsard, *éd. cit.*, t. I, *Second Livre des Odes*, Ode V p. 189, Ode VII p. 197, Ode XXIV p. 246 et XXV p. 248.
135. Ronsard, *éd. cit.*, t. IV, LXVII, p. 68 (« Petit nombril... »)
136. *Id.*, *éd. cit.*, t. V, XLI, p. 109.
137. Aux poètes latins Catulle et Properce, se joignent les néo-latins : voir les saluts adressés par Marulle à Nérée, *Epig. lib.*, I, *Ad Neaeram*.
138. Ronsard, *éd. cit.*, t. VII, p. 247.
139. Cf. *Chanson*, *ibid.*, p. 248 : « Belle et jeune fleur de quinze ans... ». On a déjà noté plus haut le goût de Ronsard pour les « fillettes » qui sentent encore l'enfance.
140. Pierre Enoc, dit la Meschinière, genevois, publie un recueil de vers amoureux *Ceocyre*, en 1578 à Lyon. Poète « attardé », il pétrarquise avec lourdeur.
141. *Ibid*, pp. 130-131.

qui rappelle à la fois la *Chanson* de la *Nouvelle Continuation*[142] et le sonnet XXIII de la *Continuation*[143].

Avec de semblables accents et à l'imitation des mêmes modèles, Antoine de Cotel rime un rondeau :

> « Bon jour belle maistresse, a ha bon jour (m'amour)
> Ma maistresse bon jour, a bon jour, ma Déesse,
> Et comment vous peignez encores vostre tresse,
> Vostre tresse blondette, et d'amour le sejour,
> J'irai à vostre lit un matin de vitesse
> Et lors à vos despens je vous diray bon jour,
> Bon jour, belle maistresse, a ha, bon jour, m'amour ! »[144]

La Belle paresseuse inspire également Brétin :

> « Quoy dormirez vous toujours
> Mignarde, il est jà grand jour :
> Vous deust on trouver m'amie
> A si haute heure endormie ? (...)
> Sus donques resveillez vous
> Tournez vous deux ou trois coups... »[145]

N. Debaste[146], J. Courtin de Cissé[147] riment des aubades qui nous apportent les mêmes notes et le même air...

La fessée matinale.

Comme Ronsard, agrémentant son aubade de menaces précises[148], A. de Cotel imagine avec délice la fessée matinale qui punira la belle :

> « Je vous fesseray tant, vous donnant tour à tour
> Baiser dessus baiser, caresse sur caresse,
> Que vous vous leverez (punie de paresse)
> De peur que je vous die à semblable retour :
>   Bon jour belle maistresse, a ha debout m'amour !
> Vous dormiriez toujours la grasse matinée
> Si je ne vous venois, pour vous punir, fesser.
> L'on vous verroit toujours dans le lict paressée,
>   Si vous fessant encor vous n'en estiez baisée,
> Si pour vous souvenir d'avoir été tancée,
> Je ne vous embrassois, j'aurois beau menasser
> Vous dormiriez toujours la grasse matinée... »[149]

P. de Cornu se livre avec complaisance à de plaisantes variations, plus gaillardes :

---

142. Ronsard, *éd. cit.*, t. VII, p. 247.
143. *Ibid.*, p. 140.
144. A. de Cotel, *op. cit.*, p. 11.
145. Brétin, *op. cit.*, p. 30.
146. Debaste, *op. cit.*, f° 17 v° :
>   « Allons, Mignonne, allons, nous oyrons l'Alouette.
>   Par le ciel fredonner... »
147. J. Courtin de Cissé, f° 46.
148. Ronsard, *éd. cit.*, t. VII, p. 141.
149. A. de Cotel, *op. cit.*, pp. 11-12.

« N'avois je pas bien dit ma douce mignonnette,
Que je vous trouverois à ce matin au lict ?
Mais regardez que c'est : tout ce que j'ay redit
Vient après à l'effect d'une chose parfaite.
Or je vous veux fesser de ceste vergelette
Pour punir à ce coup le vice qui vous suit !
Et quoy ? Vous vous plaisez et vous prenez déduit
A dormir tout un jour dans vostre couchelette ? » [150]

Ces aimables variations sur un thème ronsardien montrent le désir, chez les Ronsardisants fidèles, d'opposer au massif d'inspiration pétrarquiste, les motifs souriants du lyrisme catullien, et elles indiquent la permanence, dans la poésie amoureuse française, d'un courant lascif, qui se manifeste avec plus d'éclat à certaines périodes (Chénier, Parny...).

2. LA PUCE.

Le thème de la puce est particulièrement caractéristique de la veine folâtre, et il connaît un franc succès, non seulement auprès des Ronsardisants, mais aussi chez des poètes assez éloignés de Ronsard, bien après la période qui nous occupe ici [151].

A l'origine du thème, il faut mentionner, ici encore, l'*Anthologie Grecque,* qui, dans sa section des épigrammes amoureuses, propose plusieurs variations [152] sur les métamorphoses imaginées par l'amant : on rêve de devenir rose pour caresser le sein de la belle, taureau comme l'astucieux Jupiter pour posséder brutalement la vierge qui se refuse, ou pluie d'or pour être assuré que, dans sa cupidité, la maîtresse-courtisane ne sera plus avare de ses faveurs. Dans l'*Anthologie* ces piécettes sont souvent satiriques ou en tout cas « raillardes », prétexte à moquerie plus qu'à mignardise. Mais avec les néo-latins comme Angeriano, le désir d'être changé en puce devient un thème précieux : non pas, à vrai dire, érotique, mais plutôt malicieux, dans le goût gaulois [153].

Ronsard formule à deux reprises le souhait de devenir puce, d'abord, comme il sied à un tel thème, dans une de ses *Folastries* [154], puis, plus curieusement, dans un sonnet ajouté en 1553 aux *Amours* [155].

L'imagination malicieuse de Ronsard lui suggérait du reste bien d'autres possibilités [156] mais la richesse des rimes, deux fois employées, *puce-pusse,* a dû l'amuser... D'ailleurs, si les autres métamorphoses, en taureau, en pluie d'or, suscitent chez lui une émotion réelle, par leur charge affective et sensuelle, la transformation en puce (comme la transformation en moustique [157], « canal à tirer sang ») n'est rien d'autre

---

150. Cornu, *op. cit.,* XXXIX, p. 15.
151. Par exemple chez Guy de Tours, Motin, ou la Roque.
152. *Anth. gr.* épigr. n° 33, 34 (et *passim*).
153. Angeriano, *de Pulice.*
154. Ronsard, *éd. cit.,* t. V, Folastrie, VI, p. 40, v. 35 et s.
155. *Ibid.,* s. XLI, pp. 109-110.
156. Il désire se changer en esprit, en taureau, en fleur...
157. Ronsard, *Les Am. Div.,* XVI, « Cusin, monstre à double aile » (à partir de 1584, dans les *Sonets pour Hélène*), *éd. cit.,* t. XVII, pp. 302-303.

qu'un jeu d'esprit : le thème, peu riche, est aussi peu sensuel, peu propre à des suggestions érotiques, et il ne permet guère que les badinages sans conséquence.

La puce [158] continue à vivre, après Ronsard, une existence bien remplie : en particulier elle a donné son nom au célèbre recueil publié en 1583 (composé en 1579 lors des Grands Jours de Poitiers) : La *Puce de Madame Desroches* [159] qui rassemble un certain nombre de poésies folâtres composées par les vénérables personnages que furent les magistrats : N. Rapin, Etienne Pasquier, O. de Turnèbe, R. Cailler, C. Binet... Voici par exemple La Puce de Rapin, ou plutôt la *Contre-Puce,* qu'il compose pour railler les éloges et les vœux à la puce rimés, en grec, en latin, en français, par ses concurrents [160] :

> « Quant à moy je ne crains rien :
> Car Dieu merci, j'ay le moyen
> D'éviter ta salle morsure :
> Je me sçais tenir nettement
> Au linge et en l'accoutrement
> C'est la recepte la plus sure.
>   La chambre souvent balayée
> Le haut et le bas nettoyes,
> S'esloigner de tous lieux infames,
> Est le moyen de s'exempter
> De toy, qui ne veut adjouter
> Ne coucher point avec les femmes. » [161]

Dans le même recueil, se succèdent des appels, des invocations à la puce, et toutes sortes de variations plaisantes qui célèbrent l'aventure de l'audacieuse « parquée au beau milieu du sein » de Mlle Des Roches, suscitant ainsi la jalousie de Pasquier :

> « Puce qui te vient percher
> Dessus ceste tendre chair
> Au milieu des deux mamelles
> De la plus belle des belles :
> Qui la piques, qui la poincts
> Qui la mords à tes bons points
> Qui t'enyvrant sous son voile
> Du sang, ains du nectar d'elle,
> Chancelles et fais maint sault
> Du haut en bas, puis en haut,
> O que je porte d'envie
> A l'heur fatal de ta vie. » [162]

Sur le thème de la métamorphose en puce, J. de la Jessée, s'il emprunte à Ronsard la forme du vœu et la rime malicieuse, développe avec davantage de complaisance le tableau des plaisirs que lui permettrait son nouvel état :

---

158. Voir H. Naïs, *Les animaux dans la poésie de la Pléiade,* pour les diverses apparitions de la puce au xvi° s.

159. Recueil composé aux Grands jours de Poitiers par des parlementaires érudits et galants (1579), publ. en 1583.

160. Voir M. Raymond, *L'Influence de Ronsard, op. cit.,* II, pp. 211-212.

161. Recueil, f. 55 v°.

162. *Ibid.,* f. 3.

> « O Puce ma mignonne, ô bienheureuse Puce,
> Que pleust aux Dieux qu'en toy me transformer je peusse,
> Du soir jusqu'au matin, folâtre, suçottant
> Mille odeurs dans son sein, tastant et baisottant
> Sa gorge délicate et sa poitrine blanche.
> Je baiserois ses flans et sa cuisse et sa hanche.
> Vray est que pour mieux faire et changer de façon
> Reprendre il me faudroit la forme de Garçon. » [163]

Quant à Pierre Le Loyer, il choisit d'exprimer sa jalouse colère à l'égard de la puce qui ose « sauteler » sur la belle endormie :

> « Pulces qui hardiment osez toucher mamie
> Et ores sur son front, sur sa bouche et de rang,
> Or dessus son tetin, or dessus son sein blanc,
> Et ores sautelez sur sa cuisse affermie,
> Pour Dieu ne l'esveillez, elle est toute endormie,
> N'oyez vous point mouvoir sa poitrine et son flanc ?
> Cessez, je vous supplie, ne sucez point son sang,
> N'effleurez point la peau de mon ame demye.
> Quelle audace est cecy ? Ne voulez vous sortir ?
> Sortez, ou aultrement je vous feray sentir
> La fureur de ma main amoureuse et jalouse. » [164]

Ces quelques variations suffisent à caractériser le thème, propre aux folâtreries, dans la veine gauloise et libre, sans prétention, d'un humour parfois un peu pesant, faussement naïf...

3. LA JALOUSIE A L'ÉGARD DES OBJETS OU DES ANIMAUX.

Très proche du thème de la Puce, le thème de la jalousie de l'amant ; à l'origine, encore l'*Anthologie Grecque*. L'amoureux envie la rose qui touche le sein, la gaze qui voile en les caressant les beautés de la dame, ou encore l'animal familier qui reçoit ses baisers, et jouit de tendres privilèges. A partir de là, le thème offre deux possibilités : dans la veine chaste et précieuse, le poète envie l'air qui environne la belle, la nature qui l'entoure, les zéphirs qui l'effleurent de leur haleine chaude et parfumée [165] ; ou bien encore, dans la veine libre et folâtre, le poète exprime sa jalousie à l'égard des objets animés ou inanimés qui ont le privilège de toucher sa belle ou de l'approcher : son imagination se donnant libre cours, il lui arrive alors d'envier jusqu'à la chemise qui caresse la peau de sa maîtresse...

Le chien.

Le petit chien [166] que caresse Idée suscite la jalousie de C. de Pontoux :

---

163. J. de la Jessée, *Elégie,* p. 945.
164. Le Loyer, *op. cit.,* LXIV, p. 31 v°.
165. Cf. J. Courtin de Cissé, *op. cit.,* p. 8 :
　　　« Je suis jaloux, ouy, je le suis Madame,
　　　　Du Ciel, des Dieux, de vous mesme et de moy. »
(et Corneille, *Psyché,* III, 3 « Je le suis, ma Psyché, de toute la nature... »
166. Cf. à l'imitation des pétrarquistes précieux comme Serafino, Ronsard, *Contin. éd. cit.,* VII, XXXIX, p. 156 (jalousie à l'égard du chien).

« Ce petit chien que sur sa main d'albastre
    L'Idée tient et qu'elle va flattant,
    Or'le peignant, ore luy pinsottant
    Le musequin et l'aureille blanchastre,
Et qui lui va d'une grace folastre
    Mignardement son coral lechottant,
    Quand il lui plaist de l'aller baisottant,
    Fait qu'encor plus jaloux je l'idolatre.
Heureux chiennet, hé que ne suis je tel ! » [167]

Si le motif a changé — le chien remplaçant la puce —, le thème, le contenu, le mouvement, sont rigoureusement semblables, comme est semblable la pointe finale... Même désir d'être métamorphosé en chien chez A. de Cotel :

« Je desire estre chien,
    Puisqu'estre chien fait coucher avec elle » [168],

même jalousie à l'égard de ses privilèges chez Durant, à l'imitation de J. Bonnefons :

« Gentil petit Barbichon
Petit mignard Guenuchon,
Qui ne porteroit envie
Au sort heureux de ta vie ?
Toy Barbichon que Catin
Tient toujours soir et matin,
Toy, à qui elle se jouë,
Toy que douce elle amadouë... » [169],

et chez La Jessée :

« Petit chien mon Aymé le mignon de m'Amye
Qui seul as cest honneur de la voir endormie,
Et coucher avec elle, ô bienheureux Amant !
Tu l'aymes, elle t'ayme, amour vrayment commune,
Si tu sçavois user de ta bonne fortune :
Hé ! que ne suis je aymé, pour un soir seulement ! » [170],

comme chez Jamyn :

« Quand je la voy mignardement parlante,
Flater son chien d'un gresle accent nouveau
A mots coupez...
Quand je la voy baiser folastrement
Ce chien heureux...
Je pense ô Dieux ! Est-il rien qui égale
Les doux plaisirs qu'elle pourroit donner ? » [171]

---

167. Pontoux, *op. cit.,* LXXII, p. 52.
168. Cotel, *op. cit.,* XXIV, p. 8.
169. Durant, *Imitations,* « Quis barbatule... », p. 8.
170. La Jessée, *op. cit.,* p. 1028.
171. Jamyn, *op. cit., Artemis,* p. 159 v°.

Le papier.

P. de Brach envie la feuille qu'il envoie à Aymée :

« Heureux papier, qui dois bien tost venir
Entre les mains de ma belle maistresse,
Et qui lui dois, tesmoignant ma tristesse,
De mon amour graver un souvenir,
Las ! Pleust à Dieu que je peusse tenir
Mesme chemin pour te servir d'adresse... » [172]

Sur ce thème, Jamyn brode deux variations ; il envie la Chanson qu'Oriane porte sur son sein :

« Te ressembler de bonheur je voudrois,
Chanson, qui fais au beau sein de Madame
Jardin de lis, de roses et de bâme
Un long sejour, où moi je ne sçaurois.
Tout bellement de là je glisserois
Jusqu'au verger où la rose on entame
Et moderant les chaleurs de ma flame
Au gué d'amour mon feu je plongerois [173],
Malgré le Chien qui dans le ciel aboye,
Qui de Venus nous interdit la joye,
Je ne lairrois de prendre mes esbats... » [174],

ou le papier recueilli par elle :

« O bien heureux Papier recueilli par la main
Qui de mon triste cœur tient la ferme racine :
Je voudrois comme toy toucher à sa poitrine
Au milieu des beaux lis et des pommes du sein.
. . . .
Je suis à ceste fois envieux sur ton gain. » [175]

La deuxième variation, plus subtile et plus « ingénieuse », est aussi moins fraîche que la première, qui s'ouvrait largement sur le ciel et ses astres jaloux.

L'œillet.

Suivant Bonnefons, G. Durant exprime sa jalousie à l'égard de l'œillet :

« O si je pouvois oeillet
Jouir de ce sein douillet
Et y faire ma demeure... » [176],

et J. de la Jessée à l'égard du bouquet [177], mille fois plus heureux que lui !

Toutes ces variations finalement assez monotones, dans la mesure où seul change le nom de l'objet envié [178], ont séduit aussi bien les admirateurs du *Premier Livre des Amours*, comme Jamyn ou de Brach,

---

172. De Brach, *op. cit.*, liv. I, XXIII, pp. 45-46.
173. Pour ce vers, cf. Ronsard, *Les Amours*, éd. cit., t. IV, XCII, p. 92, v. 7-8.
174. Jamyn, *op. cit.*, Oriane, f. 80 v°.
175. *Ibid,* f. 82.
176. Durant, *Imitations*, *op. cit.*, p. 12 r°.
177. La Jessée, *op. cit.*, p. 844.
178. Voir Debaste, jaloux de l'arondelle, *op. cit.*, sonnet, p. 22 v°. Scévole de Sainte Marthe, jalousie à l'égard du collet, *op. cit.*, XXVII, p. 135. Brétin, jaloux de l'eau de la « senteur », du collet, etc., *op. cit.*, Sonet, p. 14.

que ceux qui, comme Courtin de Cissé ou de Cotel [179], également présents dans le Recueil de la Puce, donnent exclusivement dans la veine folâtre : c'est que, tout compte fait, un certain « pétrarquisme », le pétrarquisme sensuel et précieux des disciples comme Tebaldeo, n'est pas très éloigné des jeux libres — voire égrillards — du lyrisme « catullien ». « Pétrarquiser » signifie se lamenter, certes, mais aussi jouer à se lamenter, mimer le désespoir ou l'ennui. Les folastreries ne s'opposent pas, pour les disciples, au pétrarquisme : elles représentent un rameau de la branche maîtresse.

4. LE MÉDECIN INDISCRET.

Le thème du médecin indiscret se rattache encore à la tradition « légère », illustrée par les Elégiaques latins, Ovide particulièrement [180]. Ronsard s'emporte dans la *Continuation* contre le médecin

> « ...qui vient soir et matin
> Sans nul propos tatonner le tetin,
> Le sein, le ventre et les flans de [s']amic. » [181]

Cornu s'inspire librement de cette tradition, et vraisemblablement de Ronsard lorsqu'il envie les privilèges du médecin qui soigne sa dame, ou du domestique qui exécute ses prescriptions :

> « Madame estoit au lict et la fievre effaçoit
> Ses levres de coral et sa joüe de rose,
> Elle avoit de ses yeux la paupiere desclose,
> Et toujours vers le ciel sa veue elle dressoit.
> J'entre dedans sa chambre (...)
> Quand j'entrevis un homme, où regarder je n'ose,
> Qui d'un huile ordonné sa poitrine engressoit.
> Aussitôt que j'eus vu qu'une main enhuilée
> Touchoit de ce beau lieu la voute contournée,
> Du profond de mon cueur, je jette un chaud souspir... » [182]

Très différent en fait par le ton du texte ronsardien, ce sonnet dans lequel le dépit et le chaud soupir remplacent la colère et la « hayne » exprimées par Ronsard, hésite un peu entre la veine folâtre et la préciosité enjouée.

5. LA BELLE APERÇUE A LA DÉROBÉE.

C'est là un thème libertin, qui convient particulièrement aux poètes qui, comme Cornu, se montrent volontiers égrillards. Bien que ce thème appartienne à la veine folâtre des *Continuations,* on ne le trouve guère illustré dans ces recueils : à peine Ronsard évoque-t-il le souvenir de sa Belle aperçue dans son lit « au mois de May couchée » [183]. Dans les *Sonets pour Hélène,* il lui arrive aussi de célébrer les beautés entrevues

---

179. J. Courtin de Cissé, jalousie à l'égard du miroir, *op. cit.,* p. 25. A. de Cotel, jalousie à l'égard du chien, *op. cit.,* épigr. p. 21 et sonnet 24, p. 8.
180. Voir Ovide, *Héroïdes,* XX, pp. 135-150.
181. Ronsard, *éd. cit.,* t. VII, XXX, p. 147.
182. Cornu, *op. cit.,* liv. II, IV, p. 87.
183. Ronsard, *éd. cit.,* t. VII, LXVI, p. 183.

par surprise, lorsque Madame est à sa toilette ou quand il lui arrive
d'assister à son lever [184]. Mais, outre qu'il n'ose porter sa vue au-delà
des « pommes de beauté », il ne recherche pas l'allusion pleine de sous-
entendus, et se satisfait d'une contemplation plus esthétique qu'érotique.
Cornu, lui, se mue en « voyeur » sans scrupules pour contenter « ses
esprits » :

> « Hélas ! à ce matin j'ay voulu regarder
> Seulement d'un clein d'œil le tetin de ma mie.
> Je m'estois dernier l'huis, incité d'une envie,
> Caché pour de ses yeux mes esprits contenter
> Mais en se mignardant elle a daigné baisser
> Le repli qui retient sa poitrine arrondie.
> Aussi tost que j'ay veu la popine blancheur
> Qui couvre de son sein la jumelle rondeur,
> De trop d'aise ravi j'ay perdu ma liesse... » [185]

Nicolas Debaste se contente de bien peu :

> « Je suis en mes amours si ardent et folastre
> Que toujours je regarde au travers d'un chassis
> Si je verray passer la dame qui m'a pris,
> Et arme contre moy son cœur opiniastre.
> Je contemple ardemment son col blanc comme albastre
> . . . .
> Et pour guarir ma plaie j'use de telle emplastre. » [186]

Le thème est encore affaibli chez Pontoux, qui « cent fois le jour »
fait « des pas cent mille » pour le moins avoir « par le treilliz une
œillade gentille » lorsqu'il passe et repasse « devant (l') huis » de sa
belle [187]...

Pasquier, en revanche, traite plus folâtrement le thème de la belle
surprise au lit :

> « Je la voulois atoucher en cachette,
> Par le coulis d'une secrète main,
> Dedans son lit ; mais elle tout soudain
> De ses deux mains les deux miennes rejette... » [188]

Ainsi, à travers ces variations, s'exprime plutôt la déception du
désir que sa satisfaction. Au reste, le thème reste relativement pauvre,
peut-être tout simplement parce que les disciples n'ont pas trouvé chez
Ronsard de modèle suffisamment suggestif.

On peut juger, d'après ces quelques thèmes, assez inégalement
illustrés chez les disciples — les thèmes de la jalousie l'emportant nettement en importance comme en variété — la fortune de la veine libre
et folâtre issue de la Pléiade et principalement de Ronsard. Le *Second
Livre des Amours* tend à s'affirmer, par opposition au *Premier Livre,*
comme un répertoire de thèmes « mignards » : les disciples, peu attentifs
à la familiarité qui joue avec la préciosité dans bon nombre de textes de
la *Continuation*, retiennent surtout les appels, les tendres appellations,

---

184. *Id., éd. cit.,* t. XVII, XXXV, p. 274.
185. Cornu, *op. cit.,* XLIX, p. 30.
186. N. Debaste, *op. cit.,* sonnet, p. 22 v°.
187. Pontoux, *op. cit.,* CXXVII, p. 54.
188. Pasquier, *op. cit.,* XLIII, p. 377.

les reproches, les plaisantes invitations et les feintes colères... Pourtant Ronsard voulait faire de ce recueil le livre du lyrisme tempéré et du pétrarquisme assagi, à mi-chemin entre le ton jugé trop « docte » et le pétrarquisme guindé des *Amours* de 1552 — et le style trop « bas » et « populaire » de certains genres marotiques. Pour lui, le choix du « mignard et dous stille », qui répudie, non sans regret, « l'humeur pindarique » enflant « empoulément (sa) bouche magnifique » [189] est un choix de compromis : se rangeant sous la douce autorité de Tibulle, de l'ingénieux Ovide et du docte Catulle, il ne veut plus être lu « au poulpitre » ou à l'école, mais se donne « aux mains du populaire ». Cependant il n'entend nullement pour cela faire des *Continuations* un recueil trop facile, trop « usé et feuilleté », uniquement consacré aux mignardises d'amour. Il s'agit plutôt pour lui d'un essai, d'une tentative pour acclimater dans la poésie amoureuse une expression poétique qui soit aussi éloignée de la prose et des facilités des genres mineurs, que des grandes envolées lyriques qui conviennent assez mal — du moins le lui fait-on entendre — à « la simple Venus et à son fils Amour ». Il ne renonce point pour autant à ce haut lyrisme, espérant bien avoir un jour l'occasion de faire voir « combien peuvent les nerfs de (son) petit sçavoir » : il lui suffit, parlant d'amour, puisque l'âge l'y convie, d'« user d'une Muse plus douce ».

Les disciples, peu sensibles à cette recherche esthétique qui s'insère, chez Ronsard, dans la continuité de l'œuvre entière, ont mutilé et dégradé le courant du « beau stille bas », confondant trop souvent cette « douceur » avec la mièvrerie d'une muse alanguie et énervée.

IV - Les thèmes licencieux et l'imaginaire

Le thème du songe amoureux (1570-1590).

Si l'on constate une certaine pauvreté, voire quelque sécheresse, dans le traitement des thèmes folâtres : jeux, plaisirs interdits..., il n'en va pas de même pour les thèmes du Songe amoureux [190], très riches, très variés, et fort complaisamment illustrés par les disciples, aussi bien du reste par les Ronsardisants que par les élèves de Desportes : il n'est guère de poète qui ne propose à son lecteur au moins une — et la plupart du temps, plusieurs variations, et de styles agréablement variés...

Le thème du Songe amoureux n'apparaît pas, chez Ronsard, dans les *Continuations,* mais, d'abord, dans l'Ode XI du Livre V des *Odes,* puis dans les *Amours* de 1552, enfin dans les *Sonets pour Hélène.* Cependant, à travers le thème du Songe et des plaisirs oniriques, c'est bien la veine libre et folâtre des *Baisers* qui se fait jour, lascive, caressante, parfois licencieuse.

---

189. Ronsard, *Elégie à son livre, éd. cit.,* t. VII, p. 315, v. 171-172.
190. Sur le thème du songe dans la poésie de la Pléiade, voir notamment H. Weber, *La Création..., op. cit.,* pp. 356 et sq.

Les origines littéraires du thème.

Lorsque Ronsard aborde, en 1552, le thème du Songe, il a derrière lui une forte tradition littéraire, comparable à celle du Baiser. A l'origine, il semble y avoir la célèbre invocation « Ad Auroram » d'Ovide ; Anacréon, que Ronsard « découvre » entre 1553 et 1555, s'adressait aussi au doux sommeil pourvoyeur de songes délicieux dans l'ode « εἰς χελίδονα » traduite en vers français par R. Belleau. L'*Anthologie*, ce répertoire si commode, offre sur le même thème plusieurs épigrammes tendres ou lascives. Enfin, on trouve des Songes aussi bien chez le troubadour Arnaud de Marueil que dans *Le Roman de la Rose* et aussi chez C. Marot [191].

Mais Ronsard s'inspire surtout des Néo-latins et des Italiens. Pour les Néo-latins, Navagero [192], Jean Second [193], Th. de Bèze [194] et Muret [195], pour les Italiens, Sannazar [196] et surtout P. Bembo [197].

Ces diverses « sources » possibles sont d'ailleurs variées : si les poètes grecs et latins, volontiers impudiques, trouvent là un prétexte pour peindre les appâts cachés de leur belle, ou, au moins, pour célébrer la douceur des caresses les plus libres, les pétrarquistes Sannazar et Bembo, plus retenus, restent chastes, soit qu'ils mettent l'accent sur le caractère fugace et décevant du songe imposteur, soit qu'ils préfèrent insister sur les consolations qu'apportent, au mal d'amour, les rêves apaisants. Quant aux poètes néo-latins français comme Bèze ou Muret, ils donnent libre cours à leur amertume :

> « Me miserum ! Nusquam es, fallax me lusit imago
> O dolor ! o animi gaudia vana mei ! » [198],

et ne développent guère le tableau des jouissances oniriques. Cependant, tout en préservant la décence, T. de Bèze développe les images nocturnes en un tableau qui, bien qu'un peu mièvre, est gracieux et sensuel :

> « Praesens est mihi visa dormienti
> Jocos deliciasque factitare
> Et tractare manu et notare ocellis
> Et blesa velut increpare voce... » [199]

Les poètes de la Pléiade ne se contenteront pas toujours de ces chastes descriptions, et tendent à traiter avec davantage de sensualité, voire de crudité, le thème du Songe : les images foisonnent et se font plus lascives, l'évocation de l'accolement plus réaliste [200]...

---

191. Voir sur les sources possibles de Ronsard, Laumonier, notamment t. III, p. 183, t. IV, p. 33 et Weber, *La Création...*, *op. cit.*, pp. 361-364.

192. Navagero, *Lusus* 29, « Beate somne... ».

193. J. Second, *Elegiae*, I, 10, *Somnium*.

194. Th. de Bèze, *Epigr.* 19, *De Candido*.

195. Muret, *Epigr.*, *Somnium*.

196. Sannazar, *Rime*, II, son. LI, « Ahi letizia fugace... ».

197. Bembo consacre trois sonnets au Songe dans ses *Rime* (*Prose e Rime*, a cura di C. Dionisotti, U.T.E.T., éd. 1966), LXXXVIII, p. 579 « Sogno, che dolcemente... », LXXXIX, p. 580 « Se'l viver men... », XC, p. 581 « Giacemi stanco... ».

198. Muret, *Poésies de M.-A. Muret mises en vers français par M.-P. Moret*, Paris, 1682, épigr. VII, *Somnium* « Fuge, an te teneo mea lux... ».

199. T. de Bèze, in *Juvenilia*, Paris, 1879, éd. Machard, XIX, p. 130 *De Candida*.

200. Cf. les textes cités par H. Weber, *La Création...*, *op. cit.*, p. 356 et suiv.

Ronsard et le thème du Songe amoureux.

Ronsard a traité le thème à plusieurs reprises et de plusieurs manières :

1) A la suite de Sannazar et de Bembo, il célèbre, dans la veine chaste et sentimentale, les douceurs du Songe. Dans les sonnets XXIX et XXX des *Amours* de 1552 [201], le songe, « le truchement et le héraut des cieux », divin, puisqu'il est « coullé des cieux », apparaît comme un consolateur, venu pour « soulager les peines » de l'âme. De multiples métaphores végétales développent les images de l'embrassement, mais on ne s'attarde guère sur ces visions voluptueuses.

2) Ronsard met l'accent sur la *déception* qui accompagne le réveil. Sensible plus qu'un autre à l'écart qui toujours se creuse entre le rêve et la réalité, assombri par les craintes, se défiant des prestiges des ombres nocturnes, il voit souvent dans le Songe un imposteur qui « fraude tousjours (sa) joye entrerompuë » [202] et s'évanouit comme la nue. Il se montre, à partir de 1554-1555, plus réticent, et il marque sa méfiance à l'égard des formes trompeuses qui le visitent. Avant même ces dates, les sonnets de 1552 trahissent le désenchantement, et dans le *Cinquième Livre des Odes,* c'est aussi sur la déception qu'il met l'accent [203].

3) Un autre aspect apparaît avec les *Sonets pour Hélène* : alors que, dans le sonnet CLVIII des *Amours* [204], la description des délices sensuelles est suivie d'une amère réflexion sur l'état du dormeur à son réveil, « plein de vergongne et de peur » — et de cette peur nous avons maints témoignages dans l'œuvre de Ronsard —, le poète vieillissant accueille désormais, ayant vaincu la crainte, ou plutôt, sans doute, acceptant tous les risques, les images trompeuses alors même que la conscience de leur caractère illusoire est plus vive : il est pipé, mais « doucement », la joie est menteuse, mais c'est une joie qu'il ne refuse plus, car   « S'abuser en amour n'est pas mauvaise chose... » [205]
Cette acceptation lucide du mensonge, de l'illusion, est bien ce qu'il y a de plus émouvant dans un recueil qui refuse le faux.

4) Enfin, le Pan de la Renaissance a aussi traité le thème de façon plus légère et plus gaillarde, dans le sonnet CI des *Amours* [206] qui célèbre l'heur et le contentement que lui procure, même faux, le « recollement », et dans le sonnet CLIX du même recueil [207] qui propose comme une

_____

201. Ronsard, *éd. cit.,* t. IV, pp. 32 et 33, deux sonnets inspirés de Bembo.
202. *Ibid.,* p. 33. Le dernier tercet est d'une tonalité fort amère, contrastant avec l'heureuse célébration des quatrains.
203. Ronsard, *éd. cit.,* t. III, p. 183.
204. *Id.,* t. IV, pp. 150 et 151.
205. *Id., Sonets pour Hélène, éd. cit.,* t. XVII, sonnet XXIII, p. 264.
206. *Id.,* t. IV, p. 100.
207. *Ibid.,* p. 151. Aucun de ces deux sonnets ne s'achève sur le retour (déçu ou honteux) au réel, aucun ne dit le mépris pour un plaisir aussi fugace, ni la crainte d'avoir enfreint quelque loi : le songe érotique est ici accepté librement, sans réticence. Nul regret, nulle honte. Cependant, si le sonnet CLIX se retrouve dans toutes les éditions successives (dans le *Premier Livre*), le sonnet CI, rangé dans la section des *Amours diverses* en 1578, sera supprimé en 1584 : l'auto-censure vient-elle du fait que le texte présente ce plaisir onirique, non comme un accident, mais comme une délicieuse habitude (cf. le tercet) ?

oasis de volupté heureuse l'image « gaillarde » qui égaie une sieste bien agréable...

De l'invocation au Songe, ange divin, aux réflexions désenchantées sur le rêve et ses menteuses promesses, de l'acceptation résignée de la joie même trompeuse, à la célébration gaillarde des délicieuses idoles, une gamme assez large est parcourue par Ronsard. Ces quatre aspects se retrouvent dans la poésie après 1570, et il n'est guère de poète qui ne propose à son tour des images oniriques, cruelles ou douces.

Le thème du Songe amoureux chez les poètes après 1570.

Le thème du Songe se prête donc à un certain nombre de variations : après Ronsard, certains voient dans le songe la douceur momentanée, l'apaisement qu'apportent au mal d'amour les images nocturnes ; fidèles à la tradition pétrarquiste, illustrée par Sannazar et Bembo, ils sont chastes et retenus.

D'autres, à l'exemple de Ronsard, sont surtout sensibles à la déception du réveil : opposant le rêve et ses menteuses promesses à la dure réalité, ils ne voient dans le songe qu'agréable mensonge.

Pour certains d'entre eux, enfin, le thème donne lieu à des évocations qui trouvent leur fin en elles-mêmes : il devient alors proprement érotique, prétexte à célébrer les délices amoureuses et l'extase sensuelle avec un minimum d'auto-censure, ou, dans une veine plus gaillarde et plus crue, les jeux érotiques auxquels se livrent sans retenue les amants de la nuit et des ombres complices. On retrouvera, après 1585, d'autres variations, dans la poésie baroque [208].

1. L'INVOCATION AU SOMMEIL OU AU SONGE.

Tout commence, dans le royaume des rêves, par une invocation au dieu Sommeil ou au Songe divin : ne faut-il pas, d'abord, se concilier les puissances nocturnes ? Sans l'accord des Dieux, point de sommeil, partant, point de songe. C'est le sens que donne à sa prière, dont il emprunte le mouvement à Sasso [209], le poète Desportes [210] :

> « O songe heureux et doux ! Où fuis tu si soudain
> Laissant à ton départ mon ame desolée ?
> O douce vision, las ! où es tu volée,
> Me rendant de tristesse et d'angoisse si plein ?
> Hélas ! somme trompeur, que tu m'es inhumain !
> Que n'as tu plus longtemps ma paupière sillée ?
> Que n'avez vous encor' ô vous, troupe estoilée,
> Empesché le soleil de commencer son train ?
> O dieu ! Permettez moy que toujours je sommeille... » [211]

---

208. Voir plus bas, deuxième livre, seconde partie, le chap. consacré aux thèmes nocturnes dans la poésie baroque.

209. Cf. Sasso, « O dolce sonno, oime perche fuggita... ».

210. Les principaux thèmes de la poésie amoureuse de Desportes seront étudiés plus bas, dans la seconde partie de ce livre. Mais nous avons pensé qu'il n'était pas trop tôt pour faire une place ici à Desportes et ses disciples, s'agissant d'un thème maintes fois traité par eux.

211. Desportes, *Les Amours de Diane, Premier Livre*, XLIV, p. 90, éd. crit. V.E. Graham. Toutes les citations de Desportes renverront à l'édition procurée, chez Droz-Minard, par V.E. Graham (1959-1963).

Le thème amoureux n'y apparaît que par allusion : la douce vision offrait-elle les traits de la Belle ? ou quelque plaisir tacite ? Le désir même laisse flotter quelque imprécision sur les charmes de ce songe. En tout cas, chez Desportes, la fuite du rêve, si elle suscite quelque regret, n'entraîne nulle amertume : le rêve du reste ne s'oppose pas à la réalité, sa douceur subjugue l'âme, incapable d'aigreur. Seule une réflexion rapide sur l'inconstance indique qu'un choix est fait en faveur du somme et de ses blandices.

Ailleurs, Desportes se laisse davantage aller à l'évocation des plaisirs permis par le songe, mais sans rien perdre de sa retenue, de sa réserve :

> « O songe, ange divin (...)
> Je voi par ta faveur ce que plus je desire,
> Tu me fais voir ces yeux (...)
> Et fais naître en mon cœur mille contentements. » [212]

Ce songe n'apporte nulle vision précise, si ce n'est celle des beaux yeux de la dame, n'offre d'apaisement que fugace : l'expression reste allusive, alourdie par la périphrase, vague (« mille contentements »). Le thème, exercice de virtuosité académique, est traité avec froideur. Décoloré, affadi, il perd en vigueur gaillarde ce qu'il gagne peut-être en élégance abstraite.

Lorsque Blanchon, disciple de Desportes, reprend à son tour le thème, il souligne la douceur de l'apaisement momentané. Sa « Prière au doux Somme », assez proche de celle de Pontus de Tyard [213], évoque moins les délices du songe que les affres de l'insomnie ! Elle se contente d'être banalement élégante, n'apportant au thème nul enrichissement :

> « O somme doux arrouse ma paulpière
> Mon front, mon poil, mes temples et mes yeux,
> Et me plongeant au fleuve oblivieux
> Lave moy tout entier de ton humeur fortière !
> O Dieu béning à mon humble prière
> Charme mes maux et mon soing ennuyeux
> Que je ne sois désormais soucieux
> De supporter tant de peine meurtrière... » [214]

Suivant Desportes, qui, invoquant le Sommeil « paisible fils de la nuit solitaire », demandait à l'enchanteur gracieux de le favoriser [215], P. de Brach implore le Sommeil « chasse soin », mais il réclame, outre l'apaisement, quelques images flatteuses :

> « O Sommeil chasse soin...
> Viens endormir mon mal...
> Fay qu'un fantosme faux, soubz la semblance vaine
> De celle qui me tient en amoureuse peine
> Je puisse nu à nu presser entre mes bras. » [216]

212. *Id. Diane,* II, son. VII, p. 206.
213. Pontus de Thyard, *Nouv. Œuvres Poétiques,* son. VI (éd. Marty-Laveaux, p. 166) : « Pere du doux repos, Sommeil, pere du songe... »
214. Blanchon, *op. cit.,* LXXI, p. 36.
215. Desportes, *Hipp.,* éd. cit., LXXV, p. 130.
216. P. de Brach, *op. cit.,* XXVII, p. 59.

La Jessée [217], Birague [218], J. de Romieu [219], d'autres encore [220] adressent de semblables requêtes : Amadis Jamyn compose une prière en demi-teinte, à la fois langoureuse et passionnée :

> « Somne leger, image deceptive,
> Qui m'es un gain et perte en un moment,
> Comme tu fais escouler promptement
> En t'escoulant, ma joie fugitive !
> Endymion fut heureux un long temps
> De prendre en songe infinis passetemps
> Pensant tenir sa luisante Déesse.
> Je te demande en pareille langueur
> Un pareil songe et pareille douceur. » [221]

Les remerciements.

Une variation sur le thème de la prière : plusieurs poètes, ayant goûté les douceurs d'une vision apaisante, rendent grâce au Songe et lui demandent de renouveler ses bienfaits. Ainsi J. de la Jessée exprime sa reconnaissance au « Songe court » qui lui donna Marguerite :

> « Le jour, le point, mille fois attendu,
> L'heure et la nuit, mille fois attendue
> M'ont désormais entre les bras rendu
> D'une qui s'est entre mes bras rendue !
> D'ame et d'esprit je suis tout esperdu !
> O Songe court ! ô bien heureux désir,
> Jugez, Amants, quel seroit le plaisir,
> Puisque si fort son ombre me console... » [222]

Plus craintif, plus enclin à sentir la brièveté de l'image « déceptive », Jamyn implore le Songe :

> « Seulement, ô doux Songe, en cet estroit passage,
> Je ne trouve que toy qui me soit pitoyable :
> Car tu me fais venir la figure agreable
> Pour laquelle je perds en vain le temps et l'age,
> En tel accoustrement, telle forme et visage
> Que je voudrois la nuit toujours estre durable.
> . . . .
> Songe, puisque souvent je ne te puis avoir,
> Au moins quand tu viendras je te pry ne vouloir
> Remporter si soudain le bien qui m'est si rare. » [223]

---

217. La Jessée, *op. cit., Elégie,* XIII, p. 964 : « Et lors disois au Somme... ».
218. Birague, *op. cit.,* LXVII, p. 24 :
> « O somme, ô doux repos et treve de nos peines
> Vrayment c'est à bon droit, ô somme gracieux,
> Qu'on t'appelle charmeur des ennuis soucieux... »
Pour la dame en songe voir *ibid.,* XXI, p. 7 (adressé à Ronsard).
219. J. de Romieu, *op. cit.,* LIV, p. 48 v° :
> « Somme le doux repos des mortels travaillés,
> L'appuy et le soulas des peines inhumaines,
> L'aide et le réconfort des misères humaines,
> Sille, Somme, mes yeux de trois jours éveillés... »
220. Notamment Scévole de Sainte Marthe, *op. cit.,* p. 56.
221. Jamyn, *Artemis, op. cit.,* p. 162 v°.
222. J. de la Jessée, *op. cit.,* p. 826.
223. Jamyn, *Oriane, op. cit.,* f° 82 v°.

Toutes ces invocations au Songe, qu'elles se présentent sous la forme de prière ou de remerciements (accompagnés d'une requête), ont en commun plusieurs caractères : le Songe y apparaît comme « divin », envoyé des dieux, manifestant qu'il y a entre les cieux et l'homme une communication possible.

D'autre part, les craintes que ressentait Ronsard devant ces formes douteuses se sont évanouies : le « doux » Songe « agréable », « heureux et doux », n'apporte que satisfaction. Enfin, par le biais du rêve, s'affirme l'opposition du jour et de la nuit : le jour est le temps de la souffrance, de l'absence, des lieux-communs pétrarquistes, la nuit peu à peu gagne en prestige, elle devient le temps du plaisir, le temps du désir réalisé.

2. LE SONGE, RÊVE D'AMOUR HEUREUX.

C'est ainsi que certains poètes se plaisent à décrire les plaisirs reçus par la grâce du songe : ils mettent l'accent sur le contraste entre les rigueurs de la dame, inexorable dans la vie, et ses complaisances nocturnes. Tantôt, comme Scévole de Sainte-Marthe, l'amant au réveil se trouve plus désemparé, plus malheureux encore, devant la réalité :

> « Celle qui fut à mes cris imployable,
> M'oyant le jour conter ma passion,
> Toute la nuit en une vision
> S'est présentée à mes maux pitoyable.
> Graces te rends, ô Démon favorable,
> Qui m'as donné si douce illusion,
> Cela te part de bonne affection,
> Mais en m'aidant, tu me rends misérable... » [224]

Tantôt, au contraire, bien que le réveil apporte la révélation du mensonge, l'amant se satisfait de cette ombre de plaisir, comme Boyssières :

> « Le dous sommeil, charmant dans le lict ma pensée
> D'un dormir gratieux, me vient mettre en resvant
> Le bien que je souspire, ainsi me décevant
> Au dedans l'interieur de mon ame offencée.
> Moy, sentant aliénée la grace dispensée
> Des mains de ma rebelle, au comble de ce vent,
> J'expire presque d'aise, et me fonde à l'avant,
> Tant que je sens l'ardeur de ma flamme abbaissée.
> O plaisir mensonger d'un vain contentement,
> Au moins, si je ne puis t'acquérir autrement,
> Fais, dis je lors, qu'ainsi je te reçoive en songe. » [225]

L'évocation gagne en précision et aussi en sensualité : le mensonge ne cause nulle amertume, tout au plus une légère déception, tant fut forte l'aise ressentie.

---

224. Scévole de S.M., *op. cit.*, XXXV, p. 142.
225. Boyssières, *op. cit.*, LXII, p. 78 v°.

3. LA MENSONGE : DÉLICE OU IMPOSTURE ?

Tous les poètes s'accordent, pour le moment — car l'heure viendra
où la réalité sera tenue pour menteuse, et le seul rêve pour réel — à
déclarer mensongers les plaisirs que leur accorde, parcimonieusement
ou libéralement, le songe. Mais leurs attitudes, face à « la mensonge »,
diffèrent : pour les uns, pire encore est l'état de l'amant lorsqu'il s'éveille
après pareilles délices ; ceux-là mettent l'accent sur la déception, et
sur les sentiments ambigus, plaisir et honte mêlés, qui se partagent le
cœur de l'amant. Pour les autres, la douceur du rêve l'emporte sur
l'amertume : ils sont alors prêts à choisir le pays des songes, préférable
à leurs yeux au monde de la réalité. Ronsard lui-même, on l'a vu, hésitait
entre les deux attitudes.

L'imposture, la déception.

Assez proche de Ronsard, dont il se réclame, Gilles Durant voit
dans le songe une imposture :

> « O Dieux que de douces choses
> Toute la nuit je cueillis !
> Du jour la belle fourrière
> Marquoit de sa blanche main
> Au travers de ma verrière
> Le logis du lendemain.
> . . . .
> Quand jeus la paupière ouverte,
> Et que dans mon lit couché
> Je vi ma courtine verte,
> Dieu sçait si je fus fasché... » [226]

Quelle que soit la douceur de la présence féminine que la nuit,
« des larcins amoureux recéleuse discrète », rend accueillante, les poètes,
disciples fidèles ou infidèles de Ronsard, refusent comme lui d'accorder
au songe quelque degré de réalité. L'éblouissement devant les tableaux
animés que crée le rêve ne saurait durer, et le dernier mouvement est
un mouvement d'humeur : le poète revient toujours au réel, comme la
seule voie possible pour l'homme ; le rêve ne saurait ouvrir les portes
d'une autre vie, il est seulement — encore est-ce beaucoup pour certains
— une voie d'accès à un plaisir aussi léger, aussi fugace que celui de la
rêverie. Aucune confusion par conséquent, entre le rêve et la réalité :
le rêve n'est que le prétexte à des jeux poétiques qui n'engagent que
l'imagination.

C'est encore l'imposture que voit Pasquier lorsque, trompé par le
songe, il s'éveille plein de rancœur :

> « Elle s'enfuit de mon aise l'idole
> Quand la cuidant tenir entre les dras
> Je la voulois accoler de mes bras,
> D'un vain objet trompant mon ame folle.
> Puisque dormant ton image s'envolle
> Qu'est ce bon Dieu que veillant tu voudras ?

---

226. G. Durant, *Am. et Mesl. poet., op. cit.,* Ode XX, f° 79.

Adieu cruelle, ores tu me perdras,
Il ne faut plus qu'à tes pieds je m'immole.
    O malheureux, et malheureux tourments,
    Si un Pasquier, seul entre les amants,
    Ne jouit point tant seulement de l'ombre ! » [227]

A la différence de Durant, Pasquier est déçu par le songe lui-même : même en rêve, la dame refuse de se montrer complaisante, et sa rigueur est ressentie d'autant plus vivement qu'elle se manifeste au moment précis où le dormeur croit saisir sa maîtresse. C'est là une variation assez originale, car la dame en rêve se montre en général si douce ! On comprend la réaction de l'amant, frustré même par un songe...

La déception de la Jessée ne tient pas au « destin piteux », mais au malicieux hasard qui interrompt son rêve, précisément quand il est sur le point de connaître le plaisir :

« Pourquoy donc ô Sommeil fais tu que je souspire
Embrassant la Beauté dont si ravi je suis ?
Je rebaise et retaste et souler ne m'en puis,
Ces roses, ces œillets, ce jaspe et ce porphyre.
Je vollerois aux Cieux, mourant entre ses bras,
Si quelque vent jaloux ou quelque brief soulas
N'ouvroit l'huis de ma chambre, ou fraudoit mon envie.
Ainsi s'enfuit mon aise et perdant mon repos
Un froid une sueur ravage tous mes os.
Dittes qu'un tel Amant est heureux en sa vie ! » [228]

Le froid et la sueur qui marquent son réveil manifestent l'ambiguïté du songe, apaisant un moment pour mieux torturer ensuite, donnant un aperçu de l'« aise », mais l'interdisant, la fleur et non le fruit de la jouissance.

Ce n'est pas tout à fait ainsi que N. Debaste considère le songe : pour lui, le rêve heureux se poursuit naturellement jusqu'à son terme, et il n'aurait pas lieu de se lamenter si au matin sa couche vide ne lui rappelait brutalement sa solitude et la vanité des plaisirs nocturnes :

« Plus que le jour, la nuit je suis heureux,
Car plus souvent je songe que j'embrasse
Entre mes bras ma Janne qui surpasse
Par sa beauté le soleil radieux.
Toute la nuit pour certain il me semble
Que nous dormons tous deux couchez ensemble,
Mais au matin quand le jour au ciel poingt
Je suis fasché, je me deuls, je larmoye. » [229]

Encore convient-il de noter que l'amertume du réveil est évidemment moins vive chez Debaste, la qualité du plaisir l'emportant sur l'acuité de la déception.

Dans le même registre, Gilles Durant présente un songe, qui, pour décevant qu'il soit, ne laisse pas d'être fort agréable :

« Toutes les nuits, souz la courtine molle
D'un beau sommeil dessus mes yeux roullant
Ce faux amour, autour de moy vollant,
Trompe mon mal de quelque vaine idole.

227. Pasquier, op. cit., LII, p. 384.
228. J. de la Jessée, op. cit., p. 845.
229. N. Debaste, op. cit., sonnet, p. 43 v°. Voir aussi sonnet p. 32 v°.

> Mais lors Amour s'il voit que je m'essaye
> De l'embrasser, il me donne la baye,
> En m'esveillant, et se mocque de moy. »[230]

L'humour ici corrige l'amertume, comme chez Pontoux, tout guilleret en dépit de la tristesse qu'il proclame, lorsqu'il est victime de l'imposture :   « O joyeuse aventure, hé ! voicy ma pucelle

> . . . .
> C'est elle sans mentir, car je ne songe point,
> Voilà qu'elle me baise, hà hà quelle allégresse !
> Hélas si fay je un songe ! hò Dieu quelle tristesse ! »[231]

De l'humour encore, et beaucoup de malice, dans le songe de la Jessée :

> « Toujours quelque Démon toujours nous importune...
> A peine l'autre soir j'avoy clos mes paupières
> Songeant à vos beautez si douces et si fières
> Alors qu'il me sembla, sur l'heure m'endormant,
> Qu'en une Mouche à Miel je m'alloy transformant,
> Gaillarde je suçay sur vos levres descloses
> L'humeur des frais œillets et du thym et des roses
> Je m'esveillay semblable à ceux là qu'on enterre
> Je tremblay, je pasmay, si que la grand lueur
> De l'Aube me trouva tout en crainte et sueur... »[232]

La délice.

De la fâcherie lorsque le jour ne tient pas les promesses de la nuit, à l'acceptation du mensonge si plaisant, il n'y a évidemment qu'un pas. Pour I. Habert, par exemple, il ne s'agit plus d'accueillir passivement, comme le fait Desportes, une belle image vaine, mais de participer avec ses sens au rêve, si possible, de le diriger et de le contrôler, de l'orienter vers la satisfaction sensuelle.

En ce sens, le rêve devient pleinement satisfaisant, si la réalité continue à décevoir. Habert formule ses imprécations, non plus contre le songe imposteur, mais contre le réveil fâcheux :

> « Ah ! que je suis fasché ! maudit soit le réveil
> Qui me prive du bien dont j'avois jouissance,
> Cette nuit en songeant ; las ! depuis ma naissance,
> Je n'ay point eu de bien à celuy là pareil.
> Il me sembloit qu'Amour, ennemi de tout deuil,
> Une moisson de fleurs versoit en abondance,
> Dessus nos corps unis d'une ferme alliance.
> O songe delectable, ô gracieux sommeil !
> . . . .
> Que de baisers confits en sucre, en embroisie !
> De ces plaisirs, dormant, j'avois l'ame saisie.
> Fut il jamais en songe un amant si heureux ? »[233]

La composition du texte ne laisse pas d'être éclairante : alors que, dans la plupart des poèmes cités, la description des délices occupe une

230. G. Durant, *Dern. Am.*, *op. cit.*, LXIII, p. 60.
231. Pontoux, *op. cit.*, CCLXXI, p. 151.
232. J. de la Jessée, *op. cit.*, *Elégie*, p. 890.
233. I. Habert, *Météores*, *op. cit.*, XVII, p. 25 v°.

place assez réduite, entre les indications sommaires du début (cette nuit, un songe...) et les plaintes, regrets et récriminations qui s'étendent plus ou moins largement, ici, d'entrée de jeu, on regrette le réveil ; puis on consacre la totalité du texte à décrire les plaisirs et les sensations agréables du rêveur, sans la moindre trace d'amertume ou de dépit. La note rapide qui clôt le texte n'est pas davantage acide ou geignarde : c'est, à tous les moments, le bonheur qui l'emporte...

I. Habert affirme sa prédilection pour les compensations nocturnes, et semble parfaitement satisfait de la seule délectation onirique :

> « J'ay ceste nuit gousté les plus douces douceurs
> Du breuvage des dieux, de la manne prisée,
> Du miel, du sucre dous, de la douce rosée
> Que l'aube, en larmoyant, respand dessus les fleurs.
> Songeant il me sembloit qu'Amour dessus ta bouche
> (Digne tant seulement que l'Amour mesme y touche)
> Amoureux s'en alloit, ta levre suçotant,
> Puis soulé de douceur faisoit place à mon ame,
> O Songe bienheureux, s'il duroit tout autant
> Que dure mon amour, mon tourment et ma flame. » [234]

Le vœu final est ici caractéristique de l'attitude du poète : loin de reprocher au songe ses menteuses promesses, loin d'y voir, comme Ronsard, un appât où se prend la liberté de l'âme, I. Habert souhaite que toute la vie ne soit que songe. Satisfait de la seule étreinte imaginaire, il s'affirme déçu, non par la mensonge, mais par la brièveté du plaisir nocturne :

> « Mon dieu ! Que de plaisir il y a de songer !
> J'ay songé ceste nuit ô ma chère maistresse
> Que je baisois ton sein, que je peignois ta tresse,
> Et qu'aux jeux amoureux je me sentois plonger.
> Noire nuict, tu devois ceste nuict allonger,
> Pour me faire jouir d'une si grande liesse (...)
> Flanc à flanc, bras à bras, sein à sein, bouche à bouche,
> Mollement étendu dessus ta molle couche,
> Dormant, il me sembloit ton rond ventre presser,
> Songe ton faulx me plaist, et ta douce mensonge. » [235]

Il n'y a plus alors de frontière entre le rêve et la réalité : répétant les plaisirs de la vie éveillée, le songe permet de combler une attente. Il ne s'oppose plus à la vie et la rend supportable... Au réveil, on ne s'emporte plus contre les formes douteuses qui ont peuplé agréablement le sommeil, mais contre le jour, porteur d'aigres soucis.

De même, Pontoux oppose le jour et ses soucis, et la nuit et sa félicité. Sous la froideur d'antithèses assez conventionnelles, se dégage cependant avec netteté l'expression d'une préférence pour les pays de l'ombre que baigne la lune, amie des amants :

> « Si j'ay du bien, hélas, c'est par mensonge,
> Et mon tourment est pure vérité,
> Car en veillant, je n'ay qu'austérité,
> Et n'ay douceur qu'en dormant et en songe.
> Je sens le jour un soucy qui me ronge

234. *Ibid.*, XVIII, p. 26.
235. *Ibid.*, XX, p. 26 v°.

> Je sens la nuict une félicité,
> Le jour m'est mal, et bien l'obscurité,
> Où sommeillant en joye je me plonge.
> La lune m'ayde et me nuit le soleil... » [236]

Malheur à l'alouette qui se permet d'interrompre le « grant aise » !

> « Las, j'ay laissé la belle que j'aimay
> Plus que mes yeux, dont je vis mal à l'aise.
> Mais je n'ay sceu laisser la chaude braise
> Du Mont Gibel qui brusle dedans moy.
> Comment laissé ! La voilà, je la voy,
> Je cours après, je la tien, je la baise,
> Elle m'eschape, arreste la mauvaise,
> Froissart, arreste, elle court devant toy.
> Ha je songeois ! Mais las cette aloette
> M'a resveillé. Ha que n'es tu muette,
> Maudite beste, au matin, quand je dors ! » [237]

On aboutit ainsi, d'une acceptation de la « douce mensonge », à une confusion entre le réel et l'imaginaire, à une espèce d'incapacité à distinguer le vrai du faux. Songe ou réalité ? Birague ne saurait en décider :

> « Maistresse te tien je pas
> En mes bras
> Ou si je fais un songe ?
> Ha je te tiens, mon souhait
> Tout parfaict,
> Je te tien ce n'est mensonge... » [238]

En même temps, persuadés que les plaisirs imaginaires valent bien les plaisirs du jour, les poètes développent librement le tableau des jouissances fictives — fictives, le sont-elles ? —, qui finit par devenir l'essentiel, sinon d'une vie, du moins du poème.

4. LE SONGE ÉROTIQUE.

A l'exemple de Ronsard et de certains poètes de la Pléiade, qui voyaient dans le Songe un prétexte pour célébrer la douceur des caresses et s'attarder à des évocations sensuelles de l'embrassement, les poètes de 1570 se plaisent à des évocations plus libres que celles que nous venons de citer, plus directes aussi : la description des ébats amoureux est alors faite pour elle-même, et pour l'excitation qu'elle provoque chez le poète et son lecteur. Le songe n'est plus qu'un voile de décence, qui permet de développer des images lascives, libérées en quelque sorte par l'imagination fertile du dormeur, et fécondées par son inconscient. Ce thème connaîtra des variations gaillardes et drues après 1590, mais, dès la période considérée, certains exemples montrent qu'on sait s'écarter des modèles de bienséance tracés par les Italiens, auxquels reste invariablement fidèle un Desportes.

Voici déjà chez un disciple de Ronsard, P. Le Loyer, une évocation assez libre des délices oniriques :

---

236. Pontoux, *op. cit.*, XCII, p. 61.
237. *Ibid.*, CXXXVI, p. 83.
238. Birague, *op. cit.*, *Songe*, p. 25.

> « Songe, tandis que l'Aube est attendue
> Vien sur mon lict doucement te couler
> Et ne me peins ni fantômes en l'air
> Ni cerf volant, ni chimère cornue.
> Peins moy plutôt celle Idée cognue
> De ma maistresse, et fais la esgaler
> A elle mesme en douceur de parler
> Et me la mets devant moy toute nüe
> Fais que nos feux nous puissions apaiser
> Ores d'un sec, or'd'un moite baiser
> Et que ses lys et ses roses je touche.
> Et charme moy d'un tel contentement
> Qu'à mon resveil je croye fermement
> Avoir jouy de sa grâce farouche. » [239]

On saisit ici les modifications que subit le thème : le somme n'est plus seulement « le doux somme », apaisant, ni le pourvoyeur de songes mensongers aux consolations fugitives, et inefficaces ; il devient un instrument de la satisfaction réelle des sens. Pourvu d'un fort degré de réalité, il se substitue à une réalité décevante. La description ose se départir de la décence et de l'élégance chères à Desportes, pour se charger de sensualité.

De même, I. Habert prend prétexte d'un songe pour décrire les passe-temps amoureux :

> « Au doux bruit d'une ondelette,
> Qui sembloit parler d'amour,
> Roulant sur l'herbe mollette,
> Je me reposé un jour. » [240]

La rêverie qui se développe au contact de la terre en fleurs, nourrie par le débit maigre, mais régulier, d'une source qui murmure d'amour, est évidemment une rêverie amoureuse : les parfums, les taches colorées, les bruits, se fondent pour servir de décor idyllique à des ébats amoureux :

> « Il me sembloit que ma dame
> Estoit nue entre mes bras,
> Et qu'aus amoureux combats
> Ensemble nous rendions l'âme.
> Puis l'un sur l'autre pasmés
> Amour sur nous batoit l'aile
> Et d'une flame nouvelle
> Rendoit nos cœurs enflamés.
> Réveillé je dis au songe
> Songe tu trompe mes yeux
> D'une agréable mensonge
> Mais le vray lui plaît bien mieux. »

Dans la même veine, Pontoux offre, au milieu de sonnets chastement dédiés à Idée, quelques poèmes plus gaillards, dans lesquels il préfère ouvertement, aux tristes réalités du réveil, le songe délicieusement sensuel qui lui livre sa Pandore :

---

239. Le Loyer, *op. cit.*, LIX, p. 25 v°.
240. Habert, *Météores*, *op. cit.*, VI, p. 40.

« Vague oyselet qui me vas gazouillant
Maint chant divers quand sur la calme Aurore
Je sens venir de plein gré ma Pandore
Entre mes bras, doucement sommeillant,
Pourquoy mignon, me vas tu resveillant ?
Ne sçay tu pas que le jour m'adolore,
Et que quasi toute la nuit je pleure
Et mil plaisirs qu'en songe vay cueillant ? » [241]

La violence du courroux traduit l'attachement à ce songe consolateur, pourvoyeur d'images apaisantes. Pontoux semble s'accommoder sans mal du mensonge, et de la piperie des sens :

« O cher Sommeil, repos de mes ennuis
Et du travail qui tout le jour m'oppresse,
Hélas, mignon, hélas, quelle allégresse,
Me donnes tu toutes les belles nuits !
Quand sommeillant, entortillé je suis
Entre les bras de ma belle déesse
Paissant mon cœur d'une feinte liesse
Que follement en songeant je poursuis. » [242]

P. de Cornu, lui aussi, choisit sans hésiter la nuit et ses fallacieux prestiges. L'apaisement qu'offre le songe garde assez de douceur pour se substituer à l'ingrate réalité :

« Joyeux je pense presser
          D'un baiser
Jà ses coralines levres
Et toucher jà ses tetins
          Ivoyrins
Ne faisant aucunes treves.
Puis touchant un peu plus bas
          Un amas
Je manie de fleurettes
Lorsque je suis au lieu celé
          Décelé
A nos douces amourettes
Las ! ceste manne odorant
          Devorant
Il me semble que suis à l'heure
Et la trop grande douceur
          De mon cœur
Fait que pamé je demeure (...)
Las ! que je serois heureux
          Amoureux
Si ce n'estoit feinte joye !
Mais las ce n'est qu'une erreur. » [243]

J. de la Jessée célèbre à plusieurs reprises les bienfaits du songe trop court qui le console de l'ombre du plaisir. Pour lui aussi, le Songe apparaît comme un prétexte pour chanter les délices sensuelles qui le rendent « tout esperdu » :

---

241. Pontoux, *op. cit.*, CXXXVII, p. 83.
242. *Ibid.*, CXLV, p. 88.
243. Cornu, *op. cit.*, *Chanson*, p. 99.

> « C'estoit au point du jour que le Somme agréable
> Charmant, plus assoupi, ma poictrine et mes yeux,
> Noya presque mon ame en plaisirs gratieux,
> Ayant mis dans mon lict ma Mignonne amiable.
> D'une tremblarde voix, elle fist l'effroyable,
> Et je luy disoi lors : Dame que j'ayme mieux
> Que moy ni que mon cœur, un soulas si joyeux
> N'ostera (je le veux) ceste vie passable.
> Je n'avois achevé, qu'un trop jaloux resveil
> Entre-rompant ces jeux, cest aise et ce sommeil,
> M'osta ceste beauté dont le désir me ronge. » [244]

Le Songe devient donc, non seulement le fidèle pourvoyeur de plaisirs que la vie interdit, mais aussi, le lieu de la vraie vie, de la vie délicieuse, que l'on finit par préférer à la vie diurne. C'est bien ainsi que s'exprime E. Pasquier, lorsqu'il fait du songe le dieu auquel il veut se consacrer :

> « O songe doux, vray miracle du monde
> Entremetteur gaillard de mes souhaits,
> Qui au meilleur des ténèbres nous fait
> Gouster tout l'heur de ceste levre ronde
> Je corneray d'une voix vagabonde
> Par l'univers tes merveilleux effects
> Songe divin, divin songe qui sçaiz
> Donner la vie à une mort profonde
> Puisque par toy j'ay pleinement jouy
> De ma moitié, je veux, tout esjouy,
> T'avoir pour Dieu... » [245]

Avec le Songe, en effet, c'est la jouissance qui devient possible, et facile ; plus encore le Songe, pour certains, c'st la vie elle-même, et la vérité... Aussi, comme Pasquier, lorsque Gilles Durant a découvert les délices nocturnes, il en rend grâce au Songe qui lui permit l'extase amoureuse :

> « Je t'ai tenue entre mes bras, cruelle,
> Flanc contre flanc, entre les tiens collé,
> Je t'ai baisée et je me suis soullé
> Du doux nectar que ta bouche recelle.
> Sur ce beau sein qui de blancheur excelle,
> Un mont de neige ou de laict pommelé,
> Tout de mon long je me suis estallé,
> Sans que tu fusses à mes desirs rebelle (...)
> Ah ! tu n'es point le frère de la Mort,
> Tu es Sommeil, le père de ma vie. » [246]

Ainsi, surtout avec Habert, Pontoux, Pasquier, Durant, La Jessée, les poètes, au terme de ce voyage dans les pays de la nuit et des ombres complices, ont abandonné les regrets stériles et la déception, pour se satisfaire pleinement des plaisirs, fugaces, fragiles, mais, tout compte

---

244. J. de la Jessée, *op. cit.*, p. 887.
245. Pasquier, *op. cit.*, XVI, p. 348.
246. G. Durant, *Dern. Am., op. cit.*, LXXX, p. 70.

fait, réels, que leur propose le sommeil, père de la vie. Chez eux, le Songe n'est certes pas la vie réelle, mais c'est une autre vie, une vie imaginaire, douce et consolante... S'attachant bien plus à peindre les délices nocturnes en des tableaux tendres et lascifs à la fois, qu'à gémir sur l'inconstance de ces vaines images, ils suivent une des voies tracées par Ronsard dès 1552 — lorsque celui-ci prenait prétexte d'un songe pour évoquer l'accolement qui le soudait, l'espace d'un rêve, à Cassandre, — mais ils acceptent désormais — en dépit de quelques accents craintifs — dans l'insouciance et la gaîté, dans la bonne humeur, les images que le maître ne recevait qu'avec crainte et « vergogne ».

Ces quelques exemples suffisent sans doute à indiquer la fréquence du thème, son importance, et la variété de ses motifs ; l'invocation au Sommeil, traditionnelle, est modifiée : ce que l'on demande maintenant au Dieu, ce n'est plus seulement le repos nocturne qui délasse et apaise l'inquiétude, ni même quelques douces visions qui attestent la présence, au sein même du somme, et la permanence de l'image obsédante ; l'amant exige, pour satisfaire des désirs que le jour ou les conventions lui refusent, un plaisir si complet et si plein que ses sens soient comblés et son imagination rassasiée. Il va même jusqu'à souhaiter que la nuit dure toujours, et il affirme sa prédilection pour les plaisirs nocturnes. Ce goût du rêve et de ses prestiges, cette acceptation heureuse de « la douce mensonge », qui s'affirment après 1570, sont caractéristiques de la nouvelle sensibilité qui s'épanouira dans la poésie « baroque ».

Mais peu à peu, et à mesure que le Songe acquiert, dans la poésie amoureuse, une place importante, on constate une modification de la mentalité : Ronsard chantait le songe imposteur, le songe consolateur, le songe érotique, mais pour lui le songe, envoyé par son Démon, est, quel que soit son aspect, un message d'un autre monde : qu'il le redoute, ou qu'il l'accepte, qu'il le réclame au long des dures nuits d'hiver si désespérément lentes, ou qu'il décide de s'y soustraire, luttant contre son emprise, il reste prisonnier de ses craintes, de ses inquiétudes devant cette manifestation d'origine divine. Pour les disciples, il en va différemment : la mythologie ronsardienne s'affaiblit et s'épuise, le démon perd sa réalité, et les poètes ne croient plus guère — à l'exception sans doute de Le Loyer, peut-être de Jamyn — que l'âme, lorsqu'elle se sépare momentanément des liens corporels dans le sommeil, a la révélation, par le songe, d'un monde de beauté et de vérité. Aussi le rêve est-il essentiellement pour eux un thème littéraire, et l'occasion de développer plus librement, à l'abri d'une tradition pétrarquiste et ronsardienne à la fois, les images heureuses et libres des amours sensuelles. Ainsi le Songe amoureux, au fur et à mesure qu'il prend de l'importance et gagne en séduction, se vide progressivement de son contenu, de même que la mythologie de la Nuit ronsardienne, habitée par l'angoisse, perd son sens. Désormais, la nuit appartient à l'homme, et l'amant délivré de l'angoisse acceptera d'y élire refuge, le monde dangereux des puissances instables deviendra le domaine délicieux des plaisirs oniriques.

*L'influence du mignard et doux style
sur la poésie amoureuse* (1570-1585).

Si l'influence du *Premier Livre des Amours,* bien qu'elle fût incontestable dans la poésie amoureuse du vivant de Ronsard, s'est exercée inégalement, et parfois au prix d'une mutilation et d'une déformation du lyrisme ronsardien, en revanche, les thèmes que nous venons d'examiner, par leur richesse, par leur place dans la production poétique, marquent assurément le succès, auprès des poètes comme auprès du public, des mignardises et de la veine libre et folâtre. Après Ronsard et Baïf, pour ne citer qu'eux, le genre « mignard », les douceurs catulliennes, jouissent d'une faveur qui ne se dément pas, même après la mort de Ronsard, qui pourtant sonne le glas de certaines formes du lyrisme ronsardien. Non seulement, en effet, il n'est guère de poète qui ne cesse quelque temps de « pétrarquiser » pour caresser la Muse plus libre et moins exigeante de la veine « raillarde », mais encore plusieurs (Antoine de Cotel, J. Courtin de Cissé, Gilles Durant de la Bergerie) ne composent que « Mignardes et Gaies Poésies », et se bornent à imiter les Elégiaques latins, le pseudo-Anacréon, ou les Néo-latins (J. Bonnefons et Second pour Durant). Il semble bien qu'ait été entendu, au-delà de ce qu'il espérait, l'avertissement que lançait en 1556 Ronsard :

> « Di luy que les amours ne se souspirent pas
> D'un vers hautement grave, ains d'un beau stille bas (...)
> Le fils de Venus hait ces ostentations,
> Il suffit qu'on luy chante au vray ses passions,
> Sans enfleure ny fard, d'un *mignard et dous stille,*
> Coulant d'un petit bruit comme une eau qui distille. » [247]

Peu nombreux, après 1570, ceux qui « font autrement » : encore font-ils, alors, figure d'attardés ! Comme Ronsard, « ores que d'amour les passions (il) pousse », ils décident d'« user d'une Muse plus douce » [248].

Comme Ronsard le marquait avec la plus grande netteté dans l'*Elégie à son livre,* et déjà un an avant, mais de manière allusive, dans le dernier sonnet de la *Continuation* [249], la « douceur » de cette Muse élue tient au choix du *style* (des *Amours* aux *Continuations,* ce n'est point tant en effet le changement de maîtresse qui importe, que le changement de style). Le style du *Second Livre* diffère du style du *Premier :* le vocabulaire y est moins savant, moins « docte », les allusions mythologiques et les allusions savantes y sont moins nombreuses, et on observe un changement dans la nature des comparaisons et des métaphores : ces trois modifications vont dans le sens d'une simplicité plus grande, d'une vérité plus grande [250]. Mais en outre, changent le ton (moins d'« enfleure »), et le registre (« bas »). Ce « dous stille » des *Continuations* est souvent (non toujours) mignard.

---

247. Ronsard, *Elégie à son livre, éd. cit.,* t. VII, p. 315, v. 173 et suiv.
248. *Ibid., loc. cit.,* v. 192.
249. *Ibid.,* s. LXX : « Ainsi m'avés tourné mon grave premier *stile...* », p. 188.
250. Voir l'étude de L. Terreaux, *Le style « bas » des Continuations,* in *Lum. de la Pl., op. cit.,* pp. 313-342.

Nous avons eu l'occasion de donner, du style mignard, bon nombre d'exemples : il se caractérise par l'usage des diminutifs (non plus « bouche », mais « bouchelette », non plus « pauvre », mais « pauvret », ni « vermeille », mais « vermeillette », etc.), des suffixes en -ard (« mignard » bien sûr, mais aussi « fretillard », « jazard », « raillard », etc.), et en -in (« ivoyrin », « coralin »...) ; mais aussi par les cascades de métaphores caressantes, empruntées au domaine végétal, animal ou humain (mon œil, mon cœur, ma vie, ma colombe, ma fleur...), le goût pour les vocables familiers (« belle », « mauvaise »...), les énumérations et accumulations d'adjectifs, et le jeu sur les répétitions (« pourquoy » 5 fois répété dans une Chanson [251] de 12 vers ; l'adjectif « doux » 6 fois répété en une strophe [252] de 9 vers, etc.) ; on note aussi l'usage constant des interjections « hé », « ha », « a ha », et exclamations diverses (« las... », « Mon dieu », « Dieu du ciel », « hélas »...) et celui des reprises et des « corrections » (« Liesse, non mais un mal... / Mal, mais un bien... » [253]). C'est un style « coupé », où l'on joue aussi sur les rejets et enjambements, où se multiplient interrogations et parenthèses.

Le « mignard et dous stille » n'est donc pas un style « simple », ni prosaïque : tout au contraire il est maniéré, recherché, et même subtil.

Mais il serait insuffisant de définir par ces seuls caractères, si immédiatement visibles, le style des *Continuations,* ou, si l'on veut, du *Second Livre.* Nous avons noté, en examinant le « portrait mignard », que plusieurs caractères : la structure même du texte, le rapport des parties au tout, la recherche expressive du mouvement, la nature des métaphores, opposaient ce type de portrait au portrait « pétrarquiste » ; on pourrait faire des remarques analogues en ce qui concerne la mignardise des *Baisers,* ou encore celle des divers jeux folâtres. Le *Second Livre* apporte toute une *stylisation,* qu'on peut appeler « maniériste », une recherche qui, sous des airs de spontanéité, de « simplicité », de bassesse, est en fait très élaborée, sans naïveté : la stylisation mignarde « artificialise la nature », en somme, et n'a, du naturel, que l'apparence. La préciosité par exemple, consubstantielle à la poésie, n'est pas moindre dans le *Second Livre* que dans le *Premier,* elle est ailleurs.

Enfin, la nature des thèmes caractérise avec netteté ce second « style » : caresses et baisers, saluts ou adieux, jeux folâtres, motifs libres et raillards. Mais la nature de ces thèmes est bien moins caractéristique que leur traitement : le portrait, mais aussi le baiser, peuvent être « pétrarquistes » aussi bien que « mignards ». Il n'est pas jusqu'au thème des métamorphoses (en papier, en œillet...) qui ne soit susceptible des deux traitements.

Les disciples, en imitant le style mignard et en adoptant les thèmes mignards, contribuent à dégrader le lyrisme mineur de la Pléiade. En ce qui concerne le style, ses caractéristiques apparaissent certes chez Ronsard, mais celui-ci se garde de l'abus : il prend soin de tempérer la douceur de sa muse par la vigueur de l'expression poétique : l'élan, la fougue, l'énergie des *Amours* se retrouvent encore plus d'une fois dans

---

251. Ronsard, *éd. cit.,* t. VII, *Chanson,* p. 266.
252. *Ibid., Chanson,* p. 247.
253. *Ibid.,* XXXIII, p. 150.

les *Continuations,* où il aime à mêler la familiarité, la simplicité d'un terme « populaire » à l'expression rare, étonnante ; il n'abuse pas des qualificatifs « sucrés » comme semblerait l'y autoriser le choix de la petite Marie pour maîtresse. Chez les disciples, moins de retenue, sauf chez I. Habert, et, dans ses meilleurs moments, Cornu. Mais A. de Cotel, Courtin de Cissé, Durant, se laissent davantage glisser aux afféteries. De même, en ce qui concerne les thèmes, Ronsard, tout compte fait, ne consacre qu'un nombre assez faible de pièces aux divers saluts, bon jour, et autres mignardises. Les disciples très souvent ne connaîtront d'autres motifs : les portraits mignards abondent, mais aussi les *Baisers,* mille fois repris, avec les mêmes inflexions, les mêmes appels. Nous n'avons cité que les plus caractéristiques, mais que de Baisers chez de Brach, La Jessée, Habert !

Les disciples ont tendance à isoler les thèmes mignards, à leur accorder une place plus importante ; se gardant mal de l'outrance, ils affadissent, par un goût plus prononcé pour la langueur et la douceur, un lyrisme déjà, par nature, énervé. Très vite, même chez les plus doués d'entre eux, un Cornu, un Habert, le doux devient douceâtre, et le langoureux, languide.

Cette dégradation correspond d'ailleurs à l'évolution générale du goût et de la sensibilité dans la deuxième moitié du siècle, qui apprécie autant l'outrance déjà baroque que les excès d'une Muse un peu trop languissante.

THEMES « NATURELS » ET THEMES FAMILIERS DANS LA VEINE DU SECOND LIVRE DES AMOURS ET DES SONETS POUR HELENE

Le Second Livre des Amours, bien qu'il fasse la part belle à la tradition littéraire [1], ouvre une fenêtre sur la campagne française et sa « belle verdure » [2] ; le recueil, « plein d'odeurs bocagères » [3], aussi doux que les douces lignes des horizons d'Anjou, constitue, non seulement un ensemble de thèmes mignards, mais aussi un répertoire de thèmes « naturels » : les images empruntées à la nature, l'atmosphère campagnarde de certaines pièces [4], les éléments concrets qui abondent ici [5], la fraîcheur bucolique des comparaisons là [6], le pin dans le village [7], la rose sur l'épine, le chêne sauvage [8] et le Rossignol, font entrer dans la poésie amoureuse la chlorophylle qui lui faisait défaut. L'idyllisme bocager de Ronsard suscite de nombreuses imitations, tandis que le mythe de la petite paysanne à la peau vermeille, aux cheveux « de couleur de chastaigne », et à l'abord facile (comme celui de la saine simplicité des mœurs campagnardes !) séduit l'imagination des poètes citadins...

Que devient, après 1570, cette nature si fraîche ? Son image, son odeur, ses fruits et ses fleurs, on les retrouve plutôt dans les odes rustiques [9] que dans les poèmes d'amour. Cependant, le *Second Livre* est à l'origine d'une stylisation de la nature, qui apparaît aussi dans la poésie amoureuse, à un moindre degré. Du reste, en comparant le

---

1. Voir F. Desonay, *Ronsard..., op. cit.,* t. II, pp. 34-41.
2. Ronsard, *Contin.,* t. VII, s. XLIV, p. 161, « Si vous pensés que Mai, et sa belle verdure... ».
3. Voir l'introduction d'A. Micha à son édition critique du *Second Livre,* T.L.F. (Genève, Droz, 1951), pp. XXXIV-XXXV.
4. Notamment sonnets XIII p. 130, XVII p. 135, XX p. 137, XXII p. 139, XXIII p. 140 (*éd. cit.,* t. VII).
5. *Ibid.,* s. LX, p. 177 : le bocage, les arbres, le lierre, la lambruche, les aubépins...
6. *Ibid.,* s. VIII, p. 125, *Elégie,* p. 234.
7. *Ibid., Sonet,* p. 274.
8. *Ibid., Chanson,* p. 277, v. 53, et v. 61.
9. Voir M. Raymond, *L'Influence..., op. cit.,* II, pp. 219 et sq.

Second Livre aux œuvres des disciples, on aperçoit mieux la fraîcheur de celui-ci et sa saveur propre.

D'autre part, le *Second livre* apporte un certain nombre de thèmes familiers, si caractéristiques de l'œuvre ronsardienne (ici encore, la comparaison avec les œuvres postérieures éclaire mieux cet aspect de la poésie de Ronsard) : un envoi de fleurs des champs [10], un appel au barbier qui saigne la Belle [11], le souvenir d'une promenade « dans une verte place » et de la cueillette des fraises [12], le rappel de menus propos [13]... Quelques traces aussi de la vie quotidienne : le poète décide de s'enfermer pour lire « en trois jours l'Iliade d'Homère » [14], évoque le lit où il vit sa dame couchée « mi-penchée dessus le coude droit » [15], rappelle le souvenir du baiser dérobé la veille au soir [16], ou invite ses bons amis à une beuverie qui chassera loin d'eux « tout malaise » [17]...

Enfin, le *Second Livre* apparaît, par contraste avec le *Premier Livre* qui tend à devenir en 1560 le recueil de l'amour idéalement pur, comme le livre de « la palinodie », un monument élevé, parfois avec une pointe de cynisme, à la gloire de l'inconstance amoureuse, des amours faciles, et des désirs satisfaits :

> « Je ne dy pas si Jane estoit prise de moi,
> Que tost je n'oubliasse et Marie et Cassandre... » [18]

Thèmes « naturels », thèmes familiers, thèmes épicuriens, utilisés par Ronsard en contrepoint aux thèmes mignards, inspirent d'assez nombreuses imitations.

A partir de 1578, s'ajoute à l'influence du *Second Livre* celle des *Sonets pour Hélène*. En effet, bien qu'à première vue, les *Sonets* marquent le ralliement au nouveau pétrarquisme, et au platonisme mondain, il ne faut pas négliger la place que tiennent dans ce recueil les réalités de la vie quotidienne, et les thèmes familiers. Que le poète décrive, dans leur précision géométrique, les diverses figures d'un ballet de Cour [19], qui est représenté comme un organisme vivant, ballet-fleuve ou ballet-oiseau, qu'il envoie [20] ou reçoive une lettre [21], qu'il dessine le tableautin de la « vieille accroupie », ou rappelle le souvenir d'une promenade en coche [22], ou celui d'une excursion à Hercueil à laquelle sa maîtresse ne daigna l'inviter [23], Ronsard puise souvent son inspiration dans les menus faits de la vie quotidienne : à l'idéalisation de la réalité, qui constitue un aspect du recueil, il oppose, à l'intérieur d'un même

---

10. Ronsard, t. VII, s. XXXV, p. 152.
11. *Ibid.*, s. XXXVI, p. 153.
12. *Ibid.*, s. LXIX, p. 186.
13. *Ibid.*, LVII pp. 174-175, XXXII p. 149, XXVI p. 143, XVIII p. 136, etc.
14. *Ibid.*, s. LXV, p. 182.
15. *Ibid.*, s. LXVI, p. 183.
16. *Ibid.*, *Chanson*, p. 287.
17. *Ibid.*, s. XIII, p. 130.
18. *Ibid.*, s. XXV, p. 142. Le sonnet commence ironiquement par une protestation de constance : « Je ne suis variable... » !
19. *Sonets pour Hélène*, éd. Laumonier, t. XVII, s. XXX, p. 270.
20. *Ibid.*, s. XXIX, p. 270.
21. *Ibid.*, s. XXXIII, p. 223, XXVIII, p. 269.
22. *Ibid.*, s. XXXVIII, p. 226.
23. *Ibid.*, s. XXXII, p. 222.

texte [24], la résistance du réel, qui surgit même lorsque l'inspiration est fournie par un souvenir littéraire. De même que Ronsard résiste à certaines formes de sublimation qu'il juge mensongères, il corrige la stylisation idéaliste par le naturel. Le symbole ne l'emporte jamais sur la réalité familière : ainsi l'orange et le citron, symboles d'amour [25], « signes muets », sont et restent des fruits, ainsi les yeux qui ne sont « sang ny chair » [26] sont pourtant des yeux de chair, qui, ensommeillés, indiquent le dédain lorsque, « d'un sourcil ramassé » [27] la belle ne daigne adresser à son amoureux « un seul petit regard » !

D'autre part, dans la droite ligne du *Second Livre*, les *Sonets* font entendre, avec une vigueur accrue, une violence juvénile — chez cet amant que l'âge ne refroidit pas, bouillonnant en son Automne, connaissant un Septembre plus chaud que le mois de juin [28] —, les ardeurs d'un « sang chaut » et des appels d'autant plus pressants au plaisir, dont le corps « non brutal » n'a point à avoir honte. Le « carpe diem » n'a jamais été plus éloquent, ni le goût du plaisir plus vif.

Ainsi, le *Second Livre* et les *Sonets,* jusqu'en 1585 — et au-delà [29] — constituent un répertoire de thèmes « naturels » et familiers, de motifs « épicuriens », lesquels connaissent une vive faveur, lors même que Desportes impose une stylisation toute différente.

I - Thèmes rustiques et naturels dans la poésie amoureuse

Par la présence d'éléments naturels, Ronsard crée dans le *Second Livre* « une indéniable impression de fraîcheur bucolique » [30] : le rosier franc et la rose sauvage [31], la châtaigne, le miel et le lait [32], la vigne et le lierre, le « lait rougi de mainte fraise » [33], les bocages d'Anjou, la lambruche errante, les « aubépins fleuris prés des roses sauvages » [34], le fouteau, les arbrisseaux, sont autant d'éléments empruntés à une nature toute proche, qu'animent le langage des « hupes et coqus et des ramiers rouhars » [35] et le bruit de la « fontaine clere » [36]. Alors qu'au Moyen Age, la description de la nature « ne cherche pas du tout à reproduire la réalité » [37], préférant le « topos » au contact immédiat, Ronsard,

---

24. Ainsi dans le sonnet XXX, p. 270 : à la célébration « précieuse » de l'œil-soleil s'unit l'évocation précise d'un ballet et de ses figures mouvantes.
25. *Ibid.,* s. XXVI, p. 217 : « Oranges et Citrons sont symboles d'Amour... »
26. *Ibid.,* s. XX, p. 262.
27. *Ibid.,* s. XVI, p. 209.
28. *Ibid.,* s. XV, pp. 258-259. Voir aussi *ibid.* s. XXI, p. 263 (le « sang bouillant »).
29. Voir plus bas, les chap. consacrés aux survivances.
30. Voir A. Micha, éd. du *Second Livre, op. cit.,* pp. XXIV-XXV.
31. Ronsard, *éd. cit.,* t. VII, s. VIII, p. 125.
32. *Ibid.,* s. X, p. 126.
33. *Ibid.,* s. XIII, p. 130.
34. *Ibid.,* s. LX, p. 177.
35. *Ibid.* Voir aussi *ibid., Ode,* p. 243 (l'aubépin, la lambrunche sauvage, fourmis, avettes et rossignolet).
36. *Ibid., Chanson,* p. 277 (v. 65).
37. Voir E.-R. Curtius, *La littérature européenne et le Moyen-Age latin,* PUF, 1956, p. 226.

tout en s'inspirant du paysage idéal (l'arbre, la prairie, la source ou le ruisseau), tel que l'a dessiné toute une tradition littéraire depuis les Idylles grecques et les Bucoliques latines, jusqu'à la pastorale, ne cesse de corriger cette stylisation par l'apport d'éléments concrets, qu'ils soient réels ou imaginaires, observés en Anjou, ou rêvés : le poète superpose, en somme, à l'intérieur d'un décor dont les principales composantes lui sont données par la tradition littéraire, à la fois les éléments d'une nature familière, et ceux d'un paysage idéal — idéalement vert, idéalement accordé au sentiment amoureux. Est-ce parce qu'il aperçoit le champ qui blondoie qu'il pense voir les beaux cheveux de soie de sa dame ? Ne serait-ce pas plutôt l'inverse ? Songeant au portrait qui l'obsède, au beau front égalé, au sourcil arqué, aux yeux brillants, il compose un paysage intérieur, table carrée d'ivoire, croissant au premier mois, étoiles ardentes [38]... Ce paysage, « fantastique » [39] comme le poète, s'il n'est pas toujours observé (qu'importe, du reste ?), est vrai : il est la forme, ou l'ensemble de formes que reçoit, dans sa mélancolique humeur, si créatrice, l'esprit d'un poète. Dans un décor de pastorale, où il est trop facile, sans doute, de retrouver tout l'artifice d'un paysage conventionnel, Ronsard fait vivre une nature animée, toujours douée de mouvement, saisie au moment même où elle bouge : champ frissonnant dans sa blondeur au premier vent, fleur s'épanouissant au premier matin, et dont les secrètes pulsations, sensibles au seul poète, s'accordent au grand rythme de l'Univers.

La nature ronsardienne, éclatante en son printemps qui est comme la jeunesse du monde, est tout entière occupée d'amour. La mer fait l'amour avec le vent, la cire fond à la chaleur du feu qui la prend toute [40], les fleurs s'offrent aux caresses du soleil [41], et la rose subit délicieusement la violence érotique de la pluie qui l'écrase sous ses baisers ardents comme ceux du soleil : « languissante elle meurt », plus belle d'être battue, ouverte, feuille à feuille, en un lent déshabillage...

Si donc, chez Ronsard, la nature paraît le lieu privilégié de l'amoureux déduit, c'est moins parce qu'elle constitue un décor plaisant pour les scènes de tendresse, ou même parce qu'elle participe au « mal ennuyeux » [42], que parce qu'elle est elle-même amour. Elle se montre moins spectatrice des jeux amoureux, même en sa bienveillante complicité, qu'actrice — grand premier rôle au théâtre de la vie. Le désir même pour Ronsard, le désir qui bouleverse tout l'être, corps et âme, trouve sa justification dans les forces cosmiques. Amour n'est-il pas « fils de la mer » [43] ? Le monde est constamment recréé, remodelé, par

---

38. Ronsard, *éd. cit.*, t. VII, *Chanson*, p. 277.
39. *Ibid.*, v. 17 et suiv. :
   « Mais ma raison est si bien corrompue
    Par une faulce imagination... »
et v. 69 et suiv. :
   « Voilà comment pour estre fantastique... »
40. *Ibid.*, *Chanson*, p. 285 : « *Comme la cire peu à peu...* »
41. *Ibid.*, *Chanson*, p. 280 :
   « Quand j'apperçoy des fleurs dans une prée
    S'épanouir au lever du Soleil... » (v. 53-54).
42. *Ibid.*, *Sonet*, p. 268.
43. *Ibid.*, *Chanson*, p. 314.

le désir des dieux, et lorsque Jupin, époint de sa semence, « l'humide sein de Junon ensemence » [44], c'est la terre tout entière qui revit, fécondée, et pour un temps rafraîchie, apaisée.

Tout naturellement, les thèmes amoureux s'unissent pour Ronsard aux thèmes rustiques : aimer, n'est-ce pas suivre la loi de Nature, et où connaître celle-ci plus intimement que dans les bocages, au milieu des prés ou au cœur des bois ?

La nature et l'amour.

Les disciples « bucoliques » de Ronsard [45] unissent volontiers la nature à l'évocation des plaisirs amoureux.

Claude Binet [46] célèbre les plaisirs simples de l'amour aux champs : Janot et Fleurie sont des amants heureux, qui jouissent tout à la fois du calme d'une nature préservée — véritable havre de paix à l'écart des troubles et du tumulte guerrier — et de la joie des ardeurs mutuelles, sans complications ni artifice, qu'ils se prouvent, le soir venu, au sein de leur grotte bien aménagée.

Il est vrai que le thème rustique est moins ici un élément de réalité qu'un élément mythique : la Nature, lieu de tranquillité, refuge du bonheur paisible, y est opposée aux agitations du « monde », menacé — déjà ! — par la civilisation urbaine... Binet aime à reprendre le thème horatien du « petit coin bien à soi », dont on est roi :

> « O mon petit bois verdelet
> O ma petite thessalye
> O petit tapis crespelet
> Je ne voudray estre roy... » [47],

mais le thème amoureux n'apparaît que furtivement : la nature n'est chez Binet qu'un décor agréable pour les protestations d'amour, elle cesse d'être un réservoir d'émotions. Si les éléments ronsardiens, le lis, le lait caillé, la bienfleurante rose [48], apparaissent encore, ils sont déjà affadis et la nature décolorée se laisse envahir par le mythe.

Plus proche de la stylisation ronsardienne, la nature apparaît chez I. Habert fraîche, palpable, animée. C'est une nature assoiffée d'amour :

> « Tout brusloit par les champs et le roy des flambeaux
> Tarissoit les estangs et sechoit les fleurettes,
> Les bergers retiroient leurs bandes camusettes
> Pour éviter le chaud à l'ombre des rameaux... » [49],

parlant d'amour...

---

44. *Id.*, t. IV, s. CXXVII, p. 123, « Or que Juppin... »

45. Voir M. Raymond, *L'Influence...*, *op. cit.*, II, pp. 219 et sq.

46. Claude Binet, né vers 1553, est un poète bucolique fidèle à l'esprit de la Pléiade et admirateur fervent de Ronsard, « père de France » (*Les Plaisirs de la vie rustique*, f° 14).

47. *Gayeté*, in *Div. Poésies de C. Binet*, à la suite des *Œuvres* de La Péruse, f° 156.

48. *Ibid., De son Amie*, f° 154 v°.

49. I. Habert, *Les trois livres des Météores*, *op. cit.*, *Sonnets*, p. 34 (sonnet I).

> « J'erre dans ces deserts et la nuit et le jour
> . . . .
> De mes cris sont remplis tous ces lieux d'alentour
> Desjà tous les poissons de ceste onde emperlée,
> Ces herbes et ces fleurs, ces rocs parlent d'amour. » [50]

Aussi choisit-il pour lieu des ébats amoureux le « creux » plein d'ombre, complice des amants :

> « Vien ma belle Florelle où l'ombre noir tremblote,
> Sur les bords mousselus des antres ténébreux,
> Il fait trop chaud ici : cherchons les bois ombreux,
> Le profond des vallons ou quelque fraîche grotte
> Entrons sous ce rocher : vien tost que je suçote
> Le coral de ta bouche ; embrassons nous tous deux
> Esteignons nos ardeurs, jouissons dans ce creux
> De nos douces amours... » [51]

Le sentiment de l'amour est ainsi lié au sentiment de la nature : accueillante, rafraîchissante, celle-ci sait offrir aux amants son silence, sa douceur ; elle est à la fois ombre et profondeur.

Les eaux claires, la limpide fontaine, les saules, les « pasles oliviers », sont aussi associés à l'expression du sentiment amoureux, tout comme les bois ombrageux : si le premier décor favorise la rêverie légère, le songe d'amour heureux, le deuxième inspire plutôt des désirs violents [52].

Du reste, Habert connaît surtout deux types de paysages : le paysage inquiétant, sombre, désertique, qui ne doit rien à Ronsard, et le paysage agréable, aux lignes adoucies, où l'on entend « le chant des oiseaux / Et le gazoullis de l'eau », composé essentiellement de champs et de prés « de mille fleurs diaprez » [53] : là s'épanouit une nature peu sauvage, proche du jardin cultivé, dessinée tendrement par un habile jardinier :

> « Icy mollit la pomme et rougit la cerise
> Aigre et douce au manger, la guigne et la merise,
> La poire pend icy jaune comme fin or,
> L'abricot et la pesche, et le pavis encor
> Delicieus au goût, et la cognasse fraîche... » [54]

C'est une nature virgilienne, aux champs baignés par l'éclatante lumière méditerranéenne, aux lignes peu accentuées, fertile et toujours accueillante, prête à recevoir plaintes et confidences amoureuses, peuplée de dieux et de nymphes :

> « Algues verdes, rochers, rivage, onde marine,
> Vous peuples escaillés, vous mariniers oiseaux,
> Vous Néréides sœurs, et vous Dieux de ces eaux,
> Et vous Zéphirs, oyez ma complainte amoureuse. » [55]

---

50. *Ibid.*, p. 34 v° (sonnet III).
51. *Ibid.*, p. 37 v° (sonnet XV).
52. Pour le premier décor, voir *Description d'une Fontaine*, in *Les Œuvres Poétiques*, f° 29. Pour le deuxième, *Sur un Bois*, in *Les Trois Livres des Météores*, *op. cit.*, f° 20.
53. *Id.*, *Les Météores*, Odes, XIV, f° 43 v°.
54. *Ibid.*, *Bergeries* (à la fin des *Météores*), f° 9, *Le Jardin*.
55. *Ibid.*, *Sonnets*, XIII, f° 60.

Aussi l'amant demande-t-il aux « humides vallons », aux « bocages verdoyants », aux « coteaux empemprez » et aux « préz esmaillez »[56] de compatir et de plaindre ses amoureux orages... Certes, la part de l'imitation et de la tradition littéraire est importante chez Habert, mais il est comme Ronsard sensible à tout ce qui, dans la nature, dit le désir, et soucieux d'accorder le sentiment amoureux au grand rythme saisonnier[57].

C'est le même souci de s'accorder au rythme de la nature qui incite Jamyn à chanter la saison des amours :

> « Or'que le plaisant Avril
>   Tout fertil
> Donne aux Plaines la verdure,
> Et Jupiter à son tour
>   Fait l'amour,
> Je veux imiter la nature.
> Voicy les jours de Venus
>   Revenus
> Où fait l'amour toute plante :
> La terre grosse produit
>   Un beau fruict :
> Ores toutes chose enfante.
> Mille espèces d'animaux
>   Inégaux
> Sur les campagnes bondissent,
> Et de Cupidon poussez
>   Insensez
> De leurs femelles joüissent.
> Voyant le flambeau d'aimer
>   Enflamer
> Les cieux, la mer et la terre,
> Doi-je mettre à nonchaloir
>   Le vouloir
> Du Dieu qui me fait la guerre... »[58]

L'homme, l'animal et la plante sont ici étroitement associés par le désir qui également les incite à rechercher l'union. La nature connaît saisonnièrement le cycle : désir, union, grossesse, enfantement, et le vocabulaire qui décrit ces diverses phases est celui-là même de l'acte humain : comme Jupiter, image de l'explosion sexuelle, la plante « fait l'amour », la terre « enfante », tout a un cœur, tout a un sexe dans cet univers anthropomorphique qui ne connaît pas de barrière entre les différentes espèces qui le peuplent. La jouissance qui rapproche chaque mâle, homme, animal, ou partie mâle de la plante, vers sa « moitié » femelle est tout à la fois pour l'amant une incitation à aimer charnellement, et une justification ; comme Habert, Jamyn propose le spectacle de la nature en rut à sa tendre amie : « La Nature est pour nous qui d'aimer nous commande »[59].

---

56. *Id., Œuvres Poétiques,* XXXI, f° 9 v°.
57. Voir *Météores,* Ode XIX *Le Printemps,* f. 50 v°.
58. Jamyn, *Œuvres Poétiques,* éd. Brunet, p. 222, *Chanson.*
59. *Ibid.,* p. 205.

Au reste, point n'est toujours besoin de tels spectacles pour que le désir d'amour s'inscrive dans le cœur de l'homme. Il suffit d'être aux aguets pour entendre, « en un plaisant espace », le bruit insinuant de l'eau « vivement coulante », pour sentir le « pourpre odorant » de la violette, et « la fleur du beau sang d'Adonis », pour voir boutonner la rose, et commander le Lys, surtout pour observer « le rameau du Lierre en ceinture grimpé », qui tient « le myrte vert de nœuds envelopé » et « la vigne joyeuse » embrassant « de main torte » le haut Orme branchu [60] ; alors les sens et la raison sont pris :

> « ...une frayeur embrasse
> Tous mes sens esperdus, et je n'eu le pouvoir
> Tant je fus estonné, presque de les r'avoir. » [61]

Tout en effet, dans ce tableau, s'adresse aux sens : les « odorantes couleurs », le bruit sautelant de la source, la richesse d'une nature épanouie. L'eau même, au lieu d'éteindre l'ardeur amoureuse qui dévore et assèche l'amant, brûle et altère :

> « Pour esteindre le feu qui m'alloit devorant
> Tout plat je m'accoudé...
> Et du creux de la main puisé l'onde azurée
> . . . .
> Hélas ! mais comme en l'eau ma bouche se baignoit
> Elle avaloit encor davantage la flame,
> Qui soufreuse, asprissoit la fievre de mon âme :
> Plus je humois de l'onde, et plus je me perdois... » [62]

Ainsi la nature en ses divers éléments est trop intimement liée à l'homme — le vent lui-même ne va-t-il pas baiser le « beau sein, (la) bouche et (le) visage » d'Oriane ? [63] — pour que la leçon que chaque année elle dispense ne soit pas entendue :

> « Voy ce beau mois plein de souefves odeurs,
> Où les forests, les plaines et les fleuves,
> Tertres et monts vestus de robes neuves
> Parent leur sein d'un million de fleurs !
> Tous animaux sauvages et privez
> Ont de l'Amour les esbats esprouvez
> En ce Printemps ami de la Jeunesse.
> Seuls nous perdons delices et plaisirs... » [64]

L'appel au plaisir se fonde chez Jamyn comme chez Ronsard sur la reconnaissance du désir comme instinct parfaitement justifié par les nécessités de la vie, il est, chez l'un comme chez l'autre, un élan biologique irrépressible, commun à toutes les espèces vivantes. Loin d'être vilipendé sous prétexte qu'il fait de l'homme une bête, il est réhabilité par l'observation des grandes lois naturelles communes — *heureusement* communes — à l'homme, à l'animal, à la plante :

---

60. *Ibid.*, p. 213.
61. *Ibid.*, p. 214.
62. *Ibid.*, p. 215.
63. *Ibid.*, *Au Vent Boree*, p. 66.
64. *Ibid.*, p. 69.

> « Tout fait l'amour, le soleil chaleureux
> Enceint la terre, allongeant sa journée.
> La terre aussi de fleurs encourtinée
> Se fait plus belle en regards amoureux.
> Rien sans amour n'est ici plantureux... » [65]

Comme chez son maître, la Nature chez Jamyn est « cette déesse euphorique et plantureuse qui maintient l'univers en état de création continue » [66], non l'égale, mais l'humble servante du destin... Si le Rhône fait l'amour avec la Saône [67], si le lierre embrasse la vigne, et le Soleil la terre, le désir prend une dimension cosmique, et l'homme amoureux participe étroitement à la création tout entière.

La nature et l'obsession amoureuse.

Ronsard, reprenant dans le *Second Livre* le thème majeur du lyrisme pétrarquien, composait pour chanter l'obsession du visage aimé un décor champêtre ; « dedans les boys », car rien n'est aussi plaisant « que les sauvages lieux », pour l'amoureux « pensif », où bocage, roc, ruisseau, fontaine ou arbre lui renvoient l'image de sa belle [68], le champ, la lune en son premier croissant, les étoiles, la rose et le chêne sauvage, lui parlent d'amour mieux que la ville ou le bourg [69].

P. de Brach, reprenant le thème, le rend plus pathétique, car le jardin, la fontaine, la fleur, l'herbe, le fruit... lui renvoient l'image de sa femme morte :

> « C'est icy le jardin où nous soulions choisir
> Et les fleurs et les fruicts que la saison amene :
> C'est ores le jardin où seul je me promene,
> Où je ne cueille rien que fruicts de desplaisir !
> C'est icy la fontaine où nous prenions plaisir
> De voir l'eau que son cours dans le vivier amene :
> C'est ores la fontaine, où, pour noier ma peine,
> De m'eslancer dedans j'ay mille fois desir.
> Mais voiez ce jardin, il n'est plante qui sorte,
> Fleur, herbe, feuille, fruict, qui n'ait la couleur morte. » [70]

La mort en ce jardin... Cultivé avec amour, image de la fécondité naturelle, rythmée par le cycle des saisons, le jardin a perdu son charme et son odeur, bouleversé par la mort d'Aymée qui impose le deuil à toute la nature :   « Leur verd comme le mien s'est perdu dans les cieux... » [71]

Les éléments naturels : pré, bois ou champs, renvoient cette image obsédante, tout parle, tout dit le deuil :

---

65. *Id., Artémis*, éd. cit. (1579), f° 164.
66. G. Gadoffre, *Ronsard par lui-même, op. cit.*, p. 107.
67. A. Jamyn, *Artémis, op. cit., Du Rosne et de la Sosne*, f° 175.
68. Ronsard, éd. cit., t. VII, *Sonet*, p. 258.
69. *Ibid., Chanson*, p. 277.
70. P. de Brach, *Les Amours d'Aymée, op. cit.*, liv. III, sonnet XVI, p. 235.
71. *Ibid.*, v. 11.

> « Lorsqu'en me promenant, mal-gré moy je m'essaie
> De donner quelque treve à l'ennuy qui me tient,
> L'object le plus plaisant en mon deuil m'entretient,
> Et aus coups de mes yeux je rengrege ma plaie.
> Je voy, voiant ce pré, ce bois, cette ozeraie,
> L'image de mon deuil... » [72]

L'oseraie dont Aymée s'occupa, l'arbre qu'elle planta « de sa main » et qu'elle avait « de sa main anté » [73], la source qui lui était agréable, tous ces éléments d'une réalité familière sont chargés de sens. Chantant « au vray » ses passions [74], il atteint la vérité de l'émotion lorsqu'il célèbre, en des vers déjà « romantiques », l'absence obsédante. Naguère, aujourd'hui : le contraste entre un passé tissé de joies communes et de plaisirs partagés [75] et le présent de la solitude :

> « C'estoit mon paradis, vous me l'avez osté » [76],

décolore le paysage, autrefois verdoyant :

> « Sombre allée de lauriers espaissement ombreuse,
> Qui me sers de carrière où je vais si souvent,
> Esperonné de deuil, cachant et ne trouvant
> Ce que m'a desrobé la tombe tenebreuse,
> Ta belle promenade un temps me fut heureuse,
> Quand nos devis alloient tes feuilles esmouvant,
> Mais ores que mes pleurs vont la terre abreuvant
> Autant que tu m'as pleu, je te trouve ennuieuse... » [77]

P. de Brach offre ainsi — de façon exceptionnelle à l'époque — l'exemple d'un poète qui, tout en utilisant une tradition littéraire, ne reste pas prisonnier du « topos » : il corrige, dans ses poèmes funèbres, la convention par la référence à un événement réel de sa vie privée et à des lieux ou des éléments concrets du décor familier.

La nature « sympathique ».

Les divers éléments :

L'invocation à la nature est, on le sait [78], un thème fort ancien, repris à l'envi par les pétrarquistes italiens et français. Quels éléments

---

72. *Ibid.*, sonnet XVIII, p. 236.
73. *Ibid.*, 1er tercet.
74. Voir notamment *ibid.*, liv. II, *Elegies* 1, v. 41 et suiv., p. 169.
75. Voir part. *ibid.*, liv. III, sonnet XIII, p. 231.
> « Ne te souvient il pas que nous avons esté
> Unis de corps, d'esprit, d'amour, de volonté,
> Durant le triste cours de ceste fresle vie... »
P. de Brach est loin de partager les vues de son ami Montaigne au sujet du mariage ! Si, pour ce dernier, « l'amour hait qu'on se tienne ailleurs que par luy, et se mesle laschement aux accointances qui sont dressées en entretenues soubs autre titre, comme est le mariage... » (*Les Essais*, III, V), le poète en revanche est de ceux qui « pensent faire honneur au mariage pour y joindre l'amour » (*ibid.*, p. 850).
76. *Ibid.*, liv. III, sonnet XXXII, p. 249.
77. *Ibid.*, liv. III, sonnet XVII, p. 236.
78. Voir notamment E.-R. Curtius, *La littérature européenne...*, *op. cit.*, p. 113, qui choisit comme exemple de *topos* poétique l'invocation à la nature. Pour la diffusion du thème dans la poésie de la Pléiade, cf. H. Weber, *La Création poétique...*, *op. cit.*, chap. V, pp. 319-322.

sont-ils retenus ? Ronsard prenait soin de mêler aux éléments du
« topos » : bois et champs... un certain nombre d'éléments concrets :
« Gastine, Loir », « cousteaux vineux » [79], le pin [80]...

Jamyn se borne à reprendre les mêmes éléments :

> « Couteaux vineux, adieu plaines herbeuses,
> Course de Loire aux rives sablonneuses
> . . . .
> Donques adieu, prez, monts, taillis et plaines
> Et vous chemins coupables de mes peines
> Que tant de fois j'ay frayé sous mes pas... » [81]

I. Habert en use pareillement :

> « O vous sommets pointus, et vous forets rameuses,
>   Rochers précipiteux, vous ruisseaux ondoyants,
>   Vous humides vallons, boccages verdoyants,
>   Vous costeaux empemprez vous grottes caverneuses,
> O vous prez esmaillez vous plaines spatieuses,
>   Vous torrents ravageux... » [82],

tout comme Birague :

> « O deserts sablonneux, ô plages blondoyantes,
>   O rivages herbus o tertres orgueilleux
>   O ruisseaux murmurans ô cousteaux sourcilleux. » [83]

Si l'on ajoute à ces textes le sonnet de Cornu :

> « Antres moussus cavernes ombrageuses
>   Prez arrousez, verdissants arbrisseaux
>   Tertres bossus et vous petits ruisseaux... » [84],

et une partie d'un sonnet de Courtin de Cissé :

> « Antres, taillis ruisseaux...
>   Fleuve...
>   Vous troupeaux escaillez et vous hostes des bois... » [85],

on peut, en superposant toutes ces invocations inspirées de Ronsard,
réunir en un nouveau « topos » leurs éléments : la nature « sympathique » — celle qui compatit, celle que l'on appelle comme témoin, et
qui peut être messagère — est d'abord décrite, dans un souci de variété,
comme *contrastée* : elle est faite de plaines, et de montagnes, de pointes
haut dressées et de creux profonds ; les lignes horizontales : plaines
ou déserts, s'y opposent aux lignes verticales : tertres, sommets, monts.
Les creux s'y opposent aux bosses, la caverne à la pointe d'une montagne.

D'autre part, la nature « sauvage » : les déserts, les rochers, les
montagnes... est « appelée » au même titre que la nature cultivée par
l'homme : les côteaux empemprés, les côteaux vineux, les abrisseaux,

---

79. Ronsard, *éd. cit.,* t. V, s. LVII, p. 59.
80. *Id.,* t. VII, *Sonet,* p. 255, ou *Sonet,* p. 274.
81. Jamyn, *Œuvres Poétiques, op. cit., Artemis,* f° 105 v° (Brunet, p. 142).
82. I. Habert, *Œuvres Poétiques, op. cit.,* XXXI, f° 9 v°.
83. Birague, *Premières Œuvres Poétiques, op. cit.,* XLIV, p. 15.
84. P. de Cornu, *Les Œuvres Poétiques, op. cit.,* LXXVI, p. 59.
85. J. Courtin de Cissé, *Mignardes et Gayes Poésies, op. cit.,* p. 17.

disent que la main de l'homme y travaille, alors que les antres, les taillis parlent davantage de solitude. Mais l'une et l'autre natures peuvent également compatir et pleurer.

Enfin le sec s'y oppose à l'humide, le sable des rives (Jamyn) ou des déserts (Birague) à l'herbe de la plaine (Jamyn) ou des rivages (Birague), comme l'aridité à la fertilité, le sommet ou le tertre dépourvus de végétation aux côteaux couverts de vignes (vineux ou empemprez).

Cette triple opposition qui caractérise la nature peut renvoyer à une dualité sexuelle : la nature apparaît en effet dans ces diverses invocations comme bi-sexuée, à la fois mâle et femelle. Certains éléments, le roc, le sommet, le mont, sont masculins, durs, secs, pointus et fermes. D'autres, la plaine, la caverne, la plage, sont féminins, plus moelleux, mouillés, arrondis...

Tandis que le sommet qui dresse sa pointe orgueilleuse vers le ciel représente le côté viril de la nature, la caverne au creux profond, sombre et humide, est l'image sexuelle de la nature féminine. Cette représentation ne doit pas étonner : on sait que l'univers entier est vu comme un grand corps, que le petit monde re-produit, et que, la terre, partie de cet univers, est elle-même un corps vivant, sexué, animé. Tout en elle, et d'abord le cycle saisonnier, parle de vie, de reproduction, de naissance et de mort. En son printemps, tout en elle invite à l'amour.

Aussi, cet appel à la sympathie profonde de la nature se fonde sur son être même : les contrastes qui s'observent en elle ne sont pas seulement de plaisantes variétés qui la rendent plus belle, mais aussi la manifestation de sa vie sexuelle. Elle est ainsi faite qu'elle peut comprendre le mal d'amour, et participer à la vie sentimentale des hommes.

L'invocation :

En même temps, le poète espère faire surgir, de cette invocation à une nature qui connaît l'amour et s'y livre, une contradiction ou un contraste entre le spectacle naturel, et l'état lamentable de l'amant : ainsi Flaminio de Birague, opposant à l'amour satisfait du Pô pour Thétis sa propre insatisfaction sentimentale...

> « O Pau impetueux qui va soulant tes eaux
> Dans le sein escumeux de l'ondoyant Nérée
> Payant le deu tribut à Thétis l'azurée
> Royne de l'Amphitrite et des baveux troupeaux,
> Arreste un peu ton cours, oy les tourments nouveaux... » [86],

ou I. Habert, rêvant de voir la nature entière s'étioler et devenir stérile pour marquer à l'égard du triste amant son active compassion :

> « Que sera ce de vous, ô fleurs delicieuses
> Qui peignez à mes chants vos chefs de cent couleurs,
> Fust quand l'Aube au matin vous baignoit de ses pleurs,
> Ou quand Phoebus plongeoit aux ondes escumeuses,
> Las ! que deviendrez vous ô rives sablonneuses
> Qui souliez escouter mes peines et langueurs ?
> Desertes vous serez sans jamais porter fleurs
> Tesmoignant à jamais mes peines douloureuses... » [87]

---

86. Birague, *op. cit.*, fº 29 vº.
87. Habert, *Météores, op. cit.*, XXX, fº 65.

Chaque élément, en effet, de la nature, le poisson écaillé en son
« liquide élément » [88], la fleur de soucy trop aimante [89], le vent Borée [90],
ne vit que par l'amour et ne parle que d'amour :

> « Par ces bois je me promène
> Cherchant remède à ma peine,
> Mais je n'en saurais trouver :
> Aussi n'y a (t) il remède
> Auquel le mal d'amour cède
> Car ici tout veut aimer. » [91]

Aussi Béroalde — comme Habert, Jamyn, Flaminio ou Nuysement [92] — invoque le bois et le rocher, les eaux et les antres — le
masculin et le féminin — pour réclamer une sympathie agissante :

> « Vous bois qui entendez le réson de ma plainte,
> Vous rochers, qui m'oyez quand mon âme contrainte
> Sous trop de cruauté se plaint de son malheur,
> Et vous, eaux, qui traînez en vos fuites tardives
> Les regrets que j'épands dessus vos molles rives,
> Soyez justes tesmoins de ma triste langueur.
> Vous, antres reculés où les ombres dernières
> De ceux à qui la mort a fermé les paupières
> Errent tant que leurs corps soient mis dans le tombeau,
> Recevez mes souspirs... » [93]

Dans le même esprit, J. de la Jessée en appelle aux éléments
opposés, monts et plaines, froid et chaud, terre et mer... :

> « O gentz o champs o boys o gays Oyeaux
> O drus Poissons, o fleuves, o ruisseaux,
> O prez o fleurs o rocs o monts o plaines
> O froid o chaud o mer o terre o cieux
> O vous Demons, o cahos stygieux...
> Voyez pour Dieu le comble de mes peines. » [94]

Ainsi, l'invocation à la nature sympathique, qui toujours trouve un
écho favorable

> « Ruisseaux, monts et forests entendent mes amours,
> Se plaisent d'y repondre... » [95],

car la nature est amour, « l'amour est la vertu que Nature a choisie » [96],
manifeste la complicité qui existe entre l'homme et les forces naturelles :

> « Les monts, les rocs les bois oyant son amitié
> Admiroient sa douleur et en avoient pitié... » [97]

88. Jamyn, op. cit., éd. Brunet, p. 57.
89. Ibid., p. 102, De la fleur du soucy.
90. Ibid., p. 66, Au Vent Borée.
91. Béroalde, Anthol., éd. Saulnier, pp. 37-38.
92. Pour l'invocation chez Nuysement, voir op. cit., LXII, p. 48 v°.
93. Béroade de Verville, Anthologie, éd. V.-L. Saulnier, op. cit., p. 52.
94. J. de la Jessée, op. cit., p. 778.
95. Jamyn, O.P., éd. Brunet, p. 137.
96. Ibid., p. 205.
97. Ibid., p. 263.

Nul romantisme au sens précis du terme : gémissante, compatissante, attentive, émue même, la Nature reste toujours distincte de l'homme, mais entre elle et lui, il y a toujours, même après 1570, une secrète connivence, car tous deux se reconnaissent faits pour aimer et s'accorder ensemble aux lois du Destin qui les dépasse l'un et l'autre.

Ainsi la nature ronsardienne survit encore, chez ces quelques poètes, dans son éclat, dans sa beauté joyeuse. Nature évidemment stylisée et idéalisée qui propose avant tout, au poète, un rêve. Nature mythique aussi, car la part du *topos* est grande, et la description, l'évocation ou la célébration de la nature se fondent, chez les Ronsardisants, moins sur l'observation, le contact immédiat, que sur les souvenirs littéraires et la fécondité de l'imagination, nourrie par la tradition et par le désir de créer un monde conforme aux aspirations.

Cependant, dès 1570, cette stylisation et ce mythe issus de Ronsard vont être concurrencés par une nouvelle stylisation et un nouveau mythe, issus du néo-pétrarquisme. Alors le paysage perdra ses vives couleurs, la campagne sa fraîcheur paisible, et la violence envahira une nature sauvage et fruste, accordée à la nouvelle sensibilité.

II - Les thèmes du lyrisme familier

Le *Second Livre des Amours* apporte à la poésie amoureuse, moins peut-être des thèmes « neufs » qu'un certain ton, une certaine qualité de poésie : le « beau stille bas, populaire et plaisant », s'accorde en effet à un lyrisme moyen, mesuré. Pour chanter sa belle, abandonnant (parfois) le marbre et l'ivoire, les lis et l'albâtre, Ronsard élit, non la rose sauvage, mais « le bouton d'un rosier franc » [98]. Ce choix semble symbolique d'une inspiration qui cherche son équilibre entre le lyrisme pétrarquiste de haut vol (qui n'est pas négligé pour autant) et la verve gauloise assez drue (elle-même assez bien représentée [99]) : les thèmes du *Second Livre* ne sont ni excessivement précieux (encore que l'on trouve mainte trace de préciosité [100]), ni très réalistes [101]... Au nombre des thèmes familiers, on peut compter celui de la belle malade, celui de l'envoi de fleurs sans façon, celui encore de la noyade dans le « méchant Loir » [102]... S'y ajoutent les menus incidents de la vie quotidienne : une réprimande mal accueillie [103], une beuverie, une anagramme-prétexte [104]... Mais en somme c'est là peu de chose ! Le *Second Livre* doit son apparente simplicité moins au choix de thèmes familiers et à la place accordée aux éléments concrets, qu'à l'élection d'un style. Aussi est-ce plutôt dans le

---

98. Ronsard, *éd. cit.*, t. VII, VIII, p. 125.

99. Voir notamment *ibid.*, IX, p. 125, XI, p. 127, XIV, p. 131, XXX, p. 147, LXII, p. 179.

100. Notamment *ibid.*, XII, p. 129, XXXIII, p. 150, XXXIV, p. 151, XXXVI, p. 153.

101. Tout au plus, quelques allusions à la possession ou à la jouissance : XXIX, p. 156, LXVI, p. 183. La description du corps de Marie ne s'écarte pas des modèles littéraires habituels.

102. Ronsard, *éd. cit.*, t. VII, XXX, p. 147, XXXV, p. 152, XIX, p. 136.

103. *Ibid.*, IX, p. 125.

104. *Ibid.*, XIII, p. 130, VII, p. 123.

recueil consacré à Hélène que les disciples font leur moisson : en effet, dans cet ensemble composé pour opposer, aux poésies de Desportes, un nouveau *canzoniere,* la familiarité et le naturel des thèmes, des motifs et du ton constituent, en un savant dosage, un plaisant contrepoint aux thèmes et au style pétrarquistes.

On y entend l'écho de conversations familières [105], menus propos échangés en toute liberté [106], on se souvient d'une promenade d'amoureux en coche [107], on fait allusion à de menus présents : une orange, un citron [108]... Ronsard y dessine à grands traits tout un cadre précis : l'escalier [109], la fenêtre [110], l'église [111], une grande salle [112]... Il recrée toute une atmosphère : un bal à la Cour [113], une danse, un ballet, dans la salle du Palais [114]; on aperçoit le grand escalier d'honneur, un bout de paysage, presque la campagne encore : Montmartre et « les champs alentour » [115], un coin de jardin, où, au bout d'une allée, « boutonne un soucy » [116], tout un univers doux-amer fait de disputes, de lettres envoyées ou reçues, de méprises, de pèlerinage sentimental sur une tombe [117]...

Plus remarquable encore que le nombre de détails, le mélange des tons ; commençant un sonnet sur le mode pétrarquiste [118] :

> « Te regardant assise auprès de ta cousine,
>   Belle comme une Aurore et toy comme un Soleil... »,

poursuivant en accumulant à la manière de Pétrarque les épithètes :

> « La chaste, saincte, belle et unique Angevine »...,

Ronsard abandonne soudain le premier ton, pour glisser au mode familier :
> « Toy comme *paresseuse* et pleine de *sommeil,*
> ....
> Pensive, tout à toy, *n'aimant rien que toy mesme,*
> Desdaignant un chacun d'*un sourcil ramassé...* »

Cette aisance à jouer de plusieurs claviers, à mélanger les tons, à varier les effets, ce souci de tempérer, par une familiarité malicieuse ou insolente, l'idéalisation pétrarquiste, ont séduit les disciples qui tentent à leur tour le subtil dosage.

---

105. *Id., Les Sonets pour Hélène, éd. cit.,* t. XVII, *Chanson,* p. 201, XLI, p. 229.
106. *Ibid.,* XXV, p. 216, XXVIII, p. 219.
107. *Ibid.,* XXXVIII, p. 226.
108. *Ibid.,* XXVI, p. 217.
109. *Ibid.,* IX, p. 204.
110. *Ibid.,* XXVIII, p. 219.
111. *Ibid.,* XXXVIII, p. 226 (v. 5).
112. *Ibid.,* XXX, p. 270, XL, p. 278.
113. *Ibid.,* IV, p. 250.
114. *Ibid.,* XXX, p. 270.
115. *Ibid.,* XXVIII, p. 219 (v. 2).
116. *Ibid.,* XXXVIII, p. 276.
117. *Ibid.,* XLII, p. 279.
118. *Ibid.,* XVI, p. 209 : la juxtaposition des adjectifs, à la mode italienne (cf. aussi *ibid.,* XXIV, p. 215, XXXI, p. 221) — usage souvent critiqué par Ronsard lui-même — comme l'emploi des comparaisons et métaphores florales, sont de goût pétrarquiste.

Scènes familières.

Jamyn est incontestablement de tous les disciples celui qui fait la plus large place aux thèmes familiers.

Le bal. A l'imitation de son maître, il évoque les souvenirs de bal :

« Je tenois en dançant la blanche main de celle
Qui m'a donné en proye à l'amoureuse ardeur :
La dance ne tenoit en toute sa rondeur
Beauté qui ne cedast à sa clairté nouvelle.
Jamais félicité je ne pense avoir telle
Que j'eu pressant la main qui me pressoit le cœur.
. . . .
O belle et tendre main, hélas ! pardonne moy
Si je te pressois trop... » [119]

Cette piécette, bien qu'elle ne suive pas à notre connaissance un modèle précis, est pourtant très « ronsardienne » : l'émotion légère, le trouble du cœur et des sens, l'évocation discrète de la volupté que Jamyn ressentirait à « presser le coral » d'une si belle bouche, l'allusion rapide au cercle parfait que compose le ballet, cet ensemble de traits mi-observés, mi-rêvés, corrige, comme chez Ronsard, la préciosité du thème — éloge de la blanche main qui « tient (la) liberté contrainte » (dernier tercet) et des motifs (« pressant la main qui me pressoit le cœur »).

Dans une *Elégie,* Jamyn revient sur le thème :

« Mon Dieu que ton visage en l'esprit me revient,
Ton geste, ton parler ! qu'un amant se souvient
Des faveurs que luy fait une douce maistresse !
Il me semble qu'encor ta main d'ivoire presse
La mienne, comme au soir que d'un visage humain
Tu mis après le bal ta main dessus ma main,
La coulant doucement de si gentille sorte
Qu'encor le souvenir tout d'aise me transporte... » [120]

Dans la fine observation du geste, dans l'expression vive et naturelle de la joie, Jamyn est encore ici tout près de Ronsard.

La maladie. La dame malade. — La maladie de la belle est un thème relativement fréquent : il donne lieu, non pas à un tableau dramatique, mais, en général, à des charmants tableautins qui présentent la dame dans un abandon inhabituel, pâlie et alanguie. Ronsard, dans la *Continuation,* voyant le barbier « seigner » sa maîtresse, feignait de se « pâmer » devant « ce sang si noir » [121]. Encore n'était-ce pas à proprement parler d'une maladie qu'il s'agissait, mais plutôt d'un malaise, d'un état maladif qui exigeait ce traitement du reste banal. Ailleurs, il évoque la « fievre quarte » [122] qui maintient sa maîtresse dans un état de

119. Jamyn, *Œuvres Poétiques,* éd. 1579, *Oriane,* liv. II, f° 93.
120. *Ibid.,* f° 80. Cf. Le Loyer, Flore et la danse, *op. cit.,* XLVI, p. 17 v°.
121. Ronsard, *éd. cit.,* t. VII, XXXVI, p. 153.
122. *Ibid.,* XLIV, p. 161.

langueur... Dans les *Sonets,* enfin, il fait plusieurs fois allusion [123] à la maladie d'Hélène, à sa langueur qui la fait rester, en plein mois d'août, « assise aupres du feu ».

A. de Cotel propose, à la manière de Ronsard, le tableau de la maîtresse au lit, « demy-morte », mais le réalisme familier le cède à la préciosité du trait :

> « Quand vous estiez au lict demy morte, mignonne,
> Pallas, Venus, Diane autour de vos costez
> L'une ayant de regret les esprits transportes,
> L'une invoquant la Mort, l'autre ostant sa couronne,
> Pour perdre, en vous perdant, sa sage nourrissonne,
> Son miroir (son portrait) de toutes les beautez,
> Le temple sainct sacré aux simples chastetez,
> Je contois au passeur qui les ombres rançonne
> Que si vous fussiez morte...
> Pallas, Venus, Diane, avec mesme trepas,
> Eussent laissé le monde...
> Atropos le veit bien, qui força sa fierté
> Miracle ! et d'un seul coup vous rendant la santé
> Ressuscitant un mort, sauva quatre déesses ! » [124]

De même Gilles Durant traite de façon précieuse le thème de la Belle malade, invoquant Amour pour qu'il vienne secourir celle qui « languist malade » :

> « ...et peu à peu ses jours
> Vont à leur soir, la fievre croist toujours,
> Qui d'heure en heure en ses veines empire.
> Guaris la tost de ce mal furieux,
> Car si la Mort s'empare de ses yeux,
> C'est fait de toy : ta puissance est brisée :
> Chasse l'ardeur qui ses os va bruslant,
> Ou bien au lieu de ce feu violent
> Fais que du tien elle soit embrazée. » [125]

On reconnaît là un écho de la prière ronsardienne *à Phoebus* [126], description semblable des effets du mal, et jeux analogues sur les conséquences dramatiques de l'éventuelle mort de la dame, sauvée « in extremis » par décision supérieure !

Dans un registre plus familier, Durant invoque Phœbus à son tour :

---

123. Dans les *Sonets,* quelques pièces présentent une Hélène maussade, « pensive toute à soy », revêche et froide. Plusieurs sonnets, plus explicites, seront portés, de la section des *Amours diverses* de 1578, dans les deux livres de *Sonets* en 1584 et 1587, notamment le XXX (*éd. cit.,* t. XVII, p. 311) qui montre la froide Hélène grelottant en plein mois d'août « assise auprès du feu », « toute palle en une robbe grise », le XXIV (*ibid.,* p. 307) qui décrit une Hélène de glace « toute neige, et son cœur tout armé de glaçons ». Le sonnet XLIV (*ibid.,* p. 325), bien qu'il n'ait jamais figuré dans les *Sonets* (mais dans les *Am. Div.*) paraît pourtant avoir été inspiré par Hélène, « l'esté » dans son lit se couchant « malade »... Le poète semble voir, dans cet état maladif d'Hélène, la revanche de Nature insatisfaite.

124. A. de Cotel, *Mignardes..., op. cit.,* XV, p. 5 v°.

125. Gilles Durant, *Premières Amours,* XLVIII, p. 15.

126. Ronsard, *A Phœbus* in *Les Am. Div., éd. cit.,* t. XVII, p. 300.

« Grand medecin, Dieu des herbes puissant,
Qui çà et là toutes choses œillades :
As tu point vu ma maistresse malade
Pencher au lit son beau chef languissant ?
Desjà son teint s'en va tout blesmissant
Sa bouche a pris une teinture fade,
Son œil s'esteint, son maintien est maussade,
Tant la couleur va sa vie abaissant.
Ren luy, Soleil, sa première vigueur,
Et de ses os, estrange la langueur,
Qui peu à peu tant de beautez efface,
Elle, en honneur de son teint revenu,
Te port'ra peint sur le haut de sa face,
Où de cent vœux tu seras recogneu. » [127]

Il y a ici plus de réalisme dans la peinture de la maladie, et un souci plus marqué de décrire les divers effets du mal.

J. de la Jessée, reprenant plusieurs fois le thème, tantôt de façon assez précieuse, tantôt de manière plus réaliste, adresse aussi une prière à Phœbus, proche de celle de Ronsard, mêlant à des remarques assez brutales des considérations plus sophistiquées :

« Ah quelle estrange et dure cruauté !
Elle est malade et le sont auprez d'elle
Le Jeu, l'Amour et la Grace fidelle :
Voyants languir une si grand beauté.
Desjà ternit sa gaye nouveauté
Son poil detords nos esprits n'encordelle :
Et de ses yeux la bessonne chandelle
Estaint sa flame et fuit ma privauté.
Dieu médecin, pourras tu le permettre
Qu'à ton défaut l'aspre mort ose mettre
Sur ce beau corps son fier bras odieux ?
Plutost, Phoebus, sa guerison procure !
Tu ne fis onc une plus noble cure :
Car d'elle pend la santé de trois Dieux. » [128]

On voit que le thème, à la fois réaliste et précieux, joue sur le mélange de familiarité enjouée et d'idéalisation.

Le poète malade. Variation sur le thème de la maladie, la maladie du poète permet de faire gentiment compliment à la bonne infirmière ; J. de la Jessée rend grâce à Marguerite :

« J'estoy malade, et mon ame exposée
A mesme soing que mes sens presque occis,
Laissoit son faix : sans les yeux adoucis
De ma maistresse, au trespas opposée.
Songneuse elle a ma langueur repoussée
Me restaurant entre mes griefs soucis,
Comme un pré sec aux jours moins accourcis
S'engaillardit par la fraîche rosée.
Reprend ainsi ta victoire et mon heur
O rare Nymphe ! Ains assemble à l'honneur
D'une déesse et l'aide et le mérite.

---

127. G. Durant, *op. cit., Am. et Meslanges,* XLVI, p. 37.
128. J. de la Jessée, *La Marguerite, op. cit.,* p. 791.

> Pour bien ourdir, faire tu ne devois
> Plus grand chef d'œuvre : et moy je ne pouvois
> Guarir ainsi sans une Marguerite. » [129]

Cornu traite le même thème avec un souci plus marqué pour les traits réalistes, plus proche en ce sens des pathétiques aveux de Ronsard vieilli, accablé par la maladie et l'âge :

> « Languissant et perclus et plein de maladie
> Je gisois dans mon lit, n'ayant aucun repos,
> Mon corps n'estoit rien plus qu'une assemblée d'os,
> Qu'un fantaume saisi d'une fievre endormie... » [130]

A la fois familier, par le jeu des images qui décrivent le triste état du malade, et précieux, parce qu'il entraîne le motif du combat d'Amour et de la Mort, le thème de la maladie est caractéristique du lyrisme ronsardien qui prend appui pour s'élever sur les menus faits de la vie quotidienne.

Dans la *Continuation,* Ronsard, reprenant un thème illustré par Ovide dans l'*Ars Amatoria,* qui affirmait que la couleur pâle seule convient à l'amant, écrit un sonnet d'un ton très direct, rasant la prose en sa première moitié, et mêlant aux considérations habituelles sur la dureté impitoyable de la Belle, des réflexions moqueuses sur son propre comportement :

> « Chacun qui voit ma couleur triste et noire
> Me dit, Ronsard, vous estes amoureus... » [131]

P. de Brach reprend, mi-narquois mi-ému, le thème du mal d'amour, qui affecte le corps autant que le cœur :

> « Quiconque voit ma coleur fade,
> Mon front pencif, mon œil pleureux,
> Me dit : « Brach, vous estes malade,
> Ou bien vous estes amoureus.
> Si c'est qu'Amour ainsi vous rende
> On sçait bien pour quelle beauté... » [132]

Ces croquis rapides, ces scénettes sans façon, qui permettent un ton détendu, l'usage d'un vocabulaire simplifié, d'une syntaxe sans contrainte, sont assez rares. Peut-être les disciples ont-ils été retenus par les critiques que dut subir Ronsard lorsqu'il tenta ce compromis, et dont on trouve un écho dans le sonnet liminaire à Pontus de Tyard [133] qui formule de si vives plaintes contre le public : « Quand j'escri bassement, il ne fait qu'en medire... »

La Gouvernante importune.

Les plaintes contre la Vieille, ennemie des amants, font partie des thèmes familiers par les allusions à la vie quotidienne de la jeune fille,

---

129. *Ibid.,* p. 833.
130. P. de Cornu, *op. cit.,* XXXVI, p. 24.
131. Ronsard, *éd. cit.,* t. VII, XXXII, p. 149. Souvenir d'Ovide, *Ars Am.,* I, 738 : « Ut qui te videat dicere possit : Amas. »
132. P. de Brach, *Aymée, op. cit.,* liv. II, *Ode* II, p. 131.
133. Ronsard, *éd. cit.,* t. VII, I, p. 115. Tyard s'était vu reprocher, pour ses *Erreurs Amoureuses* (1549) la subtilité et l'obscurité d'un langage pétrarquisant (et coloré de platonisme). De même Ronsard, « à (son) commencement », avait paru obscur avant de se « démentir », « parlant trop bassement » au gré du public.

mais peuvent aussi devenir un lieu commun de la poésie satirique, par le réalisme grinçant de certaines imprécations et la violence de la verve.

A. Jamyn hésite un peu, mêlant la liberté du ton, des comparaisons, du vocabulaire, à l'humour souvent gaulois : la geôlière n'est-elle pas successivement comparée au Dragon furieux qui garde la toison, à Argus aux cent yeux, à une gardienne de troupeaux appointée par la jalouse Junon...

> « Hé ! d'où nous vient cette rude geoliere
> Qui tient ma Dame en chambre prisonnière,
> Qui d'un souci trop superstitieux
> M'oste le bien de revoir ses beaux yeux ?
> Celle vrayment est bien dure et ferrée
> Qui tient captive une fille serrée
> Loin de celuy qui luy est serviteur
> Fay transformer en un Chien plein d'abois
> Cette vilaine à la criarde voix... » [134]

Dans un registre plus doux, Pontoux s'emporte contre la mère-geôlière qui surveille de trop près sa fille Henriette :

> « Si je la vois ou si je parle à elle,
> Ou si je veux desrober un baiser,
> Secrètement pour mon cœur apaiser
> Voici soudain sa mère qui l'appelle.
> Elle à l'instant s'enfuit de course isnelle
> A la maison, craintive, pour n'oser
> Mettre en courroux et de noise embrazer
> La Vieille, las ! qui tant luy est rebelle ! » [135]

Ce sont là des accents rarissimes, tant dans la poésie de Pontoux qui ne fait aux thèmes familiers qu'une place extrêmement réduite [136] que dans la production de l'époque, qui va du pétrarquisme aux mignardises, en négligeant presque totalement les éléments réalistes.

Les cadeaux, les menus présents...

A peu près seul en son temps — est-ce parce qu'il eut le privilège de vivre dans la familiarité de Ronsard, partageant son intimité ? — Jamyn accorde une place, importante par comparaison, aux thèmes empruntés aux événements de la vie quotidienne : un anneau qui se brise [137], une chanson que l'on envoie à la Belle [138], une visite à un ami malade, au chevet duquel il rencontrera sa dame, venue en voisine [139]. Le thème des petits cadeaux est repris plusieurs fois dans le livre consacré à Oriane ; sa dame lui offre des jarretières [140], l'amant à son tour envoie un lacet :

---

134. Jamyn, *O.P.*, liv. II, *Oriane,* f° 85.
135. Pontoux, l'*Idée, op. cit.*, LXXIX, p. 55.
136. Notamment CCLV, p. 143, CCLIX, p. 145.
137. Jamyn, *O.P.*, éd. Brunet, p. 62.
138. *Id.*, éd. cit., *Oriane,* f° 80 v°.
139. *Ibid., Oriane,* f° 80.
140. *Ibid., Oriane,* f° 103 v°.

« Ce beau lacet en May je te presente :
Ce beau lacet tissu de main sçavante,
Trois fois heureux qui ton corps lacera :
Où loin de toi ton Amadis sera
Ayant d'ennui la face pallissante.
Il est fragile, et pource il ne ressemble
A ce lien qui nous estreint ensemble. » [141]

Le don d'une rose « dont Aymée au soir (lui) fit présent » [142], ou d'une feuille de laurier qui va du sein d'Aymée dans la main du poète [143], donne à P. de Brach l'occasion de cesser ses plaintes pour caresser une Muse plus familière : encore est-ce, ici encore, l'exception, dans les deux livres d'*Amours* soumis assez strictement au nouveau pétrarquisme.

Mais voici, plus « ronsardien », le don d'un bouquet champêtre ; P. Le Loyer emprunte à Ronsard les motifs rustiques pour célébrer sur le mode familier cet envoi sans façon :

« Je te donne, mon miel, ce beau bouquet de fleurs,
Lié tout à l'entour d'un fil de soye blanche,
Là, le vermeil œillet, et là la rose franche
Expriment nayvement tes plus vives couleurs.
Pour les fleurs de Printemps meslées de verdeur
Donne moy ton printemps (...)
Pour cet œillet vermeil, pour cette franche rose,
Donne moy un baiser... » [144]

Encore doit-on constater que si le souvenir de l'envoi ronsardien est évidemment très précis, Le Loyer, à la différence du maître, ne choisit pas, pour sa leçon d'amour, des fleurs sur le point de se faner, et évite la brutalité moqueuse qui faisait du sonnet-modèle un petit chef-d'œuvre dans le goût médiéval, où le réalisme se mêlait à l'angoisse, la galanterie à la pointe cynique.

En dépit de ces quelques exercices, d'ailleurs isolés, il faut constater la pauvreté des thèmes du réalisme familier, même chez ceux qui se réclament de Ronsard. Seul Jamyn tente une synthèse (parfois heureuse) de la préciosité pétrarquiste et de la simplicité ; il est le seul aussi à composer des sonnets à partir des menus incidents, des gestes (la belle qui danse..., la belle jouant du lut [145]...) de la vie quotidienne, seul à faire entrer la vie, la réalité du monde sensible dans la poésie. Ailleurs, l'incident, l'accident, le détail concret, la réalité observée avec humour et pénétration, le « petit fait vrai », disparaissent de la poésie amoureuse. Cet appauvrissement va de pair avec la décoloration du monde naturel que l'on observe à la même époque. L'accord, réussi dans les deux livres de *Sonets,* du réalisme familier, de la simplicité parfois brutale, et de la nouvelle préciosité pétrarquiste, cet alliage de naturel et d'artifice, apparaît unique en son genre. D'un côté, en effet, certains continuent à s'inscrire dans la tradition du *Premier Livre,* faisant ainsi, après 1570, figure d'attardés (Boton, Le Loyer, Pontoux) ; de l'autre,

141. *Ibid., Oriane,* f° 80.
142. P. de Brach, *op. cit.,* liv. I, XL, p. 102.
143. *Ibid.,* liv. II, XXIX, p. 182.
144. P. Le Loyer, *op. cit.,* LXVIII, p. 27 v°.
145. Jamyn, *O.P., éd. cit., Oriane,* f° 94.

les poètes de cour, plus qu'à l'influence de Ronsard, sont sensibles au prestige de Desportes, et découvrent avec délice les subtilités italiennes et leur séduction incomparable. Les uns comme les autres semblent déjà ne voir en Ronsard que l'auteur des *Folastries*, le père des mignardises. La stylisation ronsardienne, plus encore celle des *Sonets* que celle des *Continuations*, ne suscite plus guère d'imitation créatrice. D'autres motifs, d'autres figures, apportent, en 1570, une nouvelle stylisation du sentiment amoureux.

III - Thèmes épicuriens

Les thèmes épicuriens : invitation au plaisir, célébration des jouissances amoureuses, plaintes contre le « faux honneur » et l'hypocrisie des dames — constituent une véritable tradition de la poésie amoureuse, et cela, bien avant Ronsard. Dès 1550, dans les *Odes*, Ronsard avait repris les motifs les plus populaires de l'hédonisme latin : « vivez, si m'en croyez... ». Si, en 1552-1553, ces thèmes sont moins exploités, on les retrouve dans les *Continuations,* avec discrétion, dans les *Meslanges* (*Sonets à Sinope*) avec une pointe de franc cynisme. Enfin, les deux livres de *Sonets pour Hélène* constituent un recueil de thèmes épicuriens : l'appel au plaisir s'y fait d'autant plus pressant qu'il se fonde sur une vision de la proche décrépitude, et sur un sentiment très vif de la finitude humaine. Ces thèmes abondamment représentés dans l'œuvre ronsardienne masquent du reste — et déjà pour les disciples — ce qui les soutient : un sentiment aigu de la mélancolie, qui est comme le versant noir de l'inspiration ronsardienne, le moins connu, peut-être. Alors qu'ils sont, chez Ronsard, le contrepoint d'une inspiration plus douloureuse et plus amère, ils apparaissent le plus souvent après 1570 comme l'apport léger et libre d'une conception toute païenne de la vie et de l'amour.

Il en va un peu différemment des thèmes gaulois. Ils sont inexistants dans les *Amours* (il y a bien des allusions gaillardes, mais jamais de lyrisme débridé, comme dans les *Folastries* parues sous l'anonymat), et aussi — ce qui peut davantage étonner — dans les *Continuations.* Les pièces « gauloises » des deux livres de *Sonets* de 1578 seront retranchées et portées dans la section des *Amours Diverses*. En revanche, les *Folastries* fournissent des modèles de descriptions libres et lascives dans la veine gauloise.

1. Le « carpe diem » et ses variations.

Le « carpe diem », qui, depuis Horace, a été si souvent entendu en latin comme en français [146], est associé communément au nom de Ronsard depuis l'*Ode à Cassandre* parue en 1553 dans le *Cinquième Livre des Odes* [147] : « Cueillés, cueillés vôtre jeunesse... » Dans la *Continuation,* Ronsard reprend le « topos » de la fuite du temps :

    « Peletier mon ami le temps leger s'enfuit... » [148],

---

146. Voir Laumonier, *éd. cit.,* t. V, note 1, p. 197, et *id., Ronsard poète lyr., op. cit.,* pp. 581-591.
147. Ronsard, *éd. cit.,* t. V, p. 196.
148. *Id.,* t. VII, p. 119.

« Le temps s'en va, le temps s'en va, ma Dame... » [149],
dont il fait, comme le poète latin, un aiguillon qui doit inciter à la
jouissance amoureuse : « Pour ce aimés moi... ». Les *Sonets* de 1578
reprennent le topos, en particulier dans le sonnet XXIV du Livre II [150] :
« Cueillez dès aujourd'huy les roses de la vie ». Tout cela est connu,
trop connu même, car Ronsard se trouve ainsi enfermé dans une
définition sommaire : il est — pour les disciples comme pour l'opinion
commune — « le poète de l'amour et des roses » [151], amateur de chair
fraîche (ce qui est vrai) et chantre sans souci des amours faciles (ce qui
est moins exact)...

L'appel à la douce cueillette se retrouve partout chez les provinciaux
comme chez les poètes de cour, au milieu de recueils pétrarquistes,
comme au sein des mignardes poésies.

Floraisons.

Nicolas Debaste invite Janne au plaisir dans le style de la *Continuation* : « Cueillons la fleur de l'aage... » [152]. Chez lui aussi l'appel se
fonde sur la précarité de l'existence :

> « Notre vie n'est rien, ce n'est qu'un peu de vent,
> Ou ce n'est qu'un filet qui se rompt bien souvent
> Entre les sacrez doits de la funeste Parque... » [153]

Sensible comme Ronsard à l'écoulement, au « passage », il prétend
arrêter et non « couler » le temps fugace du plaisir :

> « Pendant que nous avons le temps et la saison,
> Usons de nos amours en droit et en raison
> Ne laissons pas couler ceste belle journée
> Sans nous entrebaiser, nous n'aurons pas toujours
> Moyen d'entretenir nos jeux et nos amours. » [154]

Et encore ceci, qui est un compliment adressé à Ronsard tout autant
qu'à Janne, tant le vocabulaire, les métaphores florales, le mouvement,
sont ronsardiens :

> « Maistresse, cependant que la fleur de vostre sage
> S'espand tout à l'entour de ce mortel pourpris,
> Cueillons la je vous prie par passe temps et ris,
> Et molissez un peu vers moy vostre courage... » [155]

Très fidèle lecteur des *Continuations*, Jacques de Romieu s'adresse,
comme lui, à une jeune Marie, pour lui donner sentencieusement une
leçon imitée de très près du sonnet ronsardien :

> « Que sert ce double rang d'ivoyrines perlettes,
> Ce musc, cet ambre gris, cette gorge de lait,
> Et ces divins Soleils (...)

---

149. *Ibid.*, XXXV, p. 152. Souvenir d'Horace (*Carm.*, II, XIV) :
« Eheu, fugaces, Postume, Postume
Labuntur anni... »
150. *Id.*, t. XVII, p. 266. Cf. notamment l'élégie de 1567 : « J'ay ce matin
amassé de ma main... »
151. M. Raymond, *Baroque et renaissance poétique*, *op. cit.*, p. 82.
152. N. Debaste, *Passions d'Amour*, *op. cit.*, sonnet, f° 17.
153. *Ibid.*, f° 17 v°.
154. *Ibid.*, f° 17 v°.
155. *Ibid.*, f° 17 v°.

> Où nichent à l'envi tant de graces parfaites ?
> Qui ne cueil au matin la belle fleur, Marie,
>   Le soir la trouvera le chef pendant, fletrie [156],
>   Il n'est que l'amasser quand elle est en vigueur.
> Or vous estes la fleur des fleurs la non-pareille
> . . . .
>   (...) cueillon la donc... » [157]

L'invitation à l'amour trouve, comme chez Ronsard, ses meilleurs arguments dans la constatation, qui pour être un lieu commun n'a point perdu sa force, du caractère éphémère de la beauté féminine ; mais alors que Ronsard mettait avec une lourdeur voulue l'accent sur la soudaineté du déclin, nuançant de goujaterie le compliment le plus délicat, J. de Romieu choisit de mettre en évidence l'inutilité du refus, comme le fait ici Pontoux :

> « Dame, aimez moy, tandis que la beauté
>   Florit en vous, aimez moy donc, Madame,
>   Que vous sert-il d'ainsi tuer mon ame,
>   Par les assauts de vostre cruauté ? » [158]

Que sert ? Que vous sert-il ?... A l'insidieuse question, l'amant s'empresse de répondre que cela ne sert à rien, et que mieux vaut se montrer « raisonnable » :

> « Aymés moy donque ma Mignonne
>   Ma toute belle et toute bonne,
>   Tandis que la jeune saison
>   De cueillir la fleur tendrelette
>   Au vergier d'amour doucelette
>   Epoinçonne nostre sayson. » [159]

C'est aussi l'argument que retient Boyssières :

> « Aussi bien le temps qui coule
>   Emportera ta beauté
>   Et la mort qui blesme roulle
>   Nous percera le costé... » [160],

comme Nuysement :

> « Telie voy ces lis, ces œillets et ces roses
>   Languir à chef baissé dès qu'elles sont descloses :
>   Qui t'émeuvent d'avoir de toy mesme pitié.
>   Cueillons donques les fleurs de ta verde jeunesse,
>   Et folle n'atten pas que la blanche vieillesse
>   Te prive de sentir les fruits d'une amitié. » [161]

---

156. Cf. Ronsard, t. VII, p. 152 : « Qui ne les eust à ce vespre cueillies... » et Marulle, *Epigr.*, II, *ad Naeeream* :
>   « Quod si tarda venis, non ver breue, non violas, sed
>   (Proh facinus !) sentes, cana, rubosque metes. »
157. J. de Romieu, *op. cit.*, XV, f° 19.
158. Pontoux, *op. cit.*, CXIV, p. 72.
159. *Ibid.*, *Chanson*, p. 178.
160. Boyssières, *op. cit.*, *Baiser*, II, f° 45.
161. Nuysement, *op. cit.*, XXX, p. 40 v°.

Flaminio de Birague [162], Blanchon [163], F. Brétin [164], Cornu [165]... font entendre le même appel, usant des mêmes métaphores. L'identification de la verte jeunesse à la fleur, le parallèle établi entre la saison de la femme et le cycle naturel, la description des charmes féminins par le recours aux motifs floraux, toutes ces figures auxquelles Ronsard a habitué ses lecteurs se retrouvent chez les disciples, qu'ils soient comme Pontoux ou J. de Romieu soucieux surtout de bien tourner le compliment, ou, comme Nuysement et Birague, davantage enclins à nuancer d'une pointe pathétique leur appel frénétique au plaisir.

La vieille accroupie...

Après l'image relativement heureuse et gaie, même si elle est nuancée d'angoisse sourde, l'image plus grinçante, et déjà plus sombre de la Belle devenue vieille, c'est-à-dire laide, apporte au « carpe diem » une variation spirituelle.

Qui ne se souvient du tableau sinistre que Ronsard proposait à la belle Hélène. « Vous serez au fouyer une vieille accroupie... » : il suffisait de quelques traits d'un art minutieux, proche du réalisme gothique, pour détruire l'illusoire beauté et l'hypocrite vertu, condamnée au regret... Nuysement démolit à son tour le fragile édifice de la beauté féminine, anticipant les temps — si proches ! — où le rapide déclin mettra à bas l'orgueil de la « glorieuse » :

> « Quand l'or de tes cheveux qui ton beau front redore
> En la belle saison de ton plus gay printemps :
> Et quant le cours aellé de tes ans florissans
> Feront place au destin qui tout ronge et devore :
> Quand ce beau teint rosin qui ta face colore,
> Et quand les rais persans de tes Astres luisants,
> Perdront lustre et vigueur : mille souspirs cuisants
> Te sortiront du flanc, et te poindront encore,
> Mais il sera trop tard de maudire le jour
> Que tu n'auras daigné cueillir les fruits d'amour ! » [166]

Tout le texte s'articule autour de l'opposition aujourd'hui-demain : confrontée à un avenir fait de laideur et de tristesse poignante, la beauté lumineuse du présent perd son éclat, comme la jeunesse, sa légèreté. Mais en même temps, ce futur si proche et si redoutable rend plus précieuse encore la délicate splendeur, luisante et vigoureuse, de la fille dorée en son printemps. Par-delà la première moitié du XVI° s., c'est un retour à la fin du Moyen Age avec, chez Nuysement comme chez le Ronsard des *Sonets,* une même obsédante présence de la mort, de la mort charnelle, qui ronge et dévore la tendre chair. Chez l'un comme chez l'autre, qui se projettent dans un futur décoloré, blanchi, il y a la même appréhension, la même crainte de devoir dire un jour : « trop

---

162. Birague, *op. cit.,* LVII, p. 19 : « Cueillez les fleurs de vostre beau printemps... »
163. Blanchon, *op. cit.,* XLI, p. 21 : « Culhons les fresches fleurs de la verde jeunesse... »
164. Brétin, *op. cit., Estreinte à sa dame,* p. 22.
165. Cornu, *op. cit.,* p. 74 (souvenirs très précis de Ronsard, *Hél.,* II, XXIV).
166. Nuysement, *op. cit.,* XXXI, p. 40 v°.

tard... ». Si l'invitation à aimer se fait alors plus pressante, elle se détache sur un fond sombre, sur la nuit, toujours présente au cœur de ces amants mélancoliques.

C'est bien aussi le tableau de la vieille accroupie qui inspire Cornu :

> « Alors vieille et sans deduit
> Veillant jusques à minuit
> La quenoille à la ceinture
> Tu diras : que j'avois d'heur
> Quand j'auois un serviteur
> M'aimant d'une amitié pure ! » [167]

Bien qu'il ne puisse sans doute s'agir d'imitation directe (ses poésies ayant paru comme les *Sonets* en 1578), on retrouve chez A. de Cotel un tableau de la Belle devenue vieille, délaissée par les amants, loin des ris et des jeux :

> « Alors pauvrette en vain tu te regretteras
> Le temps en vain perdu, et en ton cœur diras :
> Hélas ! qu'est maintenant ma beauté devenue ? » [168]

Ici encore on entend l'écho du « topos » médiéval « ubi sunt ?... », et le texte évoque discrètement les Regrets que Villon mettait dans la bouche de la belle Haulmière, avec moins de réalisme sans doute chez de Cotel, mais un sens aussi aigu de la vanité et de la fragilité.

Présence de la mort.

Le sentiment quotidien de l'existence était fait pour Ronsard d'inquiétudes, et même d'angoisses, que la poésie tentait d'exorciser — parfois avec succès, si l'on songe à certains poèmes sur la mort de Marie et tout particulièrement au très beau sonnet : « Comme on voit sur la branche... », où la mort est acceptée et l'angoisse conjurée. L'appel au plaisir s'achève souvent sur un « memento mori » :

> « Corydon va querir m'amie
> Avant que la Parque blesmie
> M'envoye aus eternelles nuits. » [169]

Les disciples ont aimé à rappeler l'échéance fatale pour donner au « carpe diem » une résonance plus grave : ainsi Pontoux à mainte reprise [170] associe à la requête du baiser l'évocation de la mort :

> « Viens tost donques ma mignarde
> Viens tost (et ne tarde plus)
> M'accoler toute gaillarde
> Car la jeunesse
> Nous laisse (...)
> Sans déduit (...)
> Et la vieillesse nous suit. » [171]

---

167. Cornu, *op. cit.*, XCIV, p. 74.
168. A. de Cotel, *op. cit.*, *Bergeries*, p. 32.
169. Ronsard, *Odelette*, éd. Laumonier, t. VI, p. 104.
170. Notamment, *op. cit.*, pp. 216, 246, 249.
171. *Ibid.*, p. 217.

Gilles Durant se souvient de l'odelette à Corydon [172] :

> « Ores que je suis dispos
> Je veux boire sans repos,
> De peur que la maladie
> Un de ces jours ne me die,
> Me hapant à l'impourveu,
> Meurs gallant, c'est assés beu. » [173]

A son tour, il achève sur la menace directe un appel pressant :

> « Vien friande m'accoler (...)
> De peur que le ciel jaloux (...)
> Un de ces jours ne nous die :
> Tout beau, enfants, c'est assez. » [174]

Les *Odes* d'I. Habert font à plusieurs reprises [175] écho aux thèmes ronsardiens et proposent volontiers les motifs et les images du *carpe diem,* par exemple dans cette Ode consacrée au Printemps :

> « Cependant qu'avons le temps
> Et que ce jeune Printemps
> Nous échauffe, nous incite,
> Nous anime et nous invite
> A rechercher nos plaisirs,
> Appaise mes chauds desirs
> Sans perdre nostre jeunesse
> Et attendre que vieillesse
> Délaissant l'infernal bord
> Nous vienne offrir à la mort. » [176]

Enfin Jamyn propose une variation assez personnelle, où il se souvient des métaphores florales et des comparaisons habituelles entre les saisons et la vie humaine, pour réclamer, non sans quelque impertinence, la fleur qui ne vit qu'un printemps :

> « Si la beauté perist, ne l'épargne, maistresse,
> Tandis qu'elle fleurist [177] en sa jeune vigueur :
> Croy moy, je te supplie, devant que la vieillesse
> Te sillonne le front, fay plaisir de ta fleur.
> On voit tomber un fruict quand il est plus que meur,
> Ayant en vain passé la saison de jeunesse !
> La feuille tombe après, jaunissant sa verdeur,
> Et l'Hyver sans cheveux les noires forests laisse.
> Ainsi ta grand'beauté trop meure deviendra.
> La ride sur ta face en sillon s'estendra,
> Et soudain ce beau feu ne sera plus que cendre.
> N'espargne donc la fleur qui n'a que son Printemps. » [178]

---

172. Ronsard, t. VI, p. 107.
173. La variante (1584) est encore plus brutale :
> « Je t'ay maintenant veincu :
> Meurs galland, c'est trop vescu. »
174. G. Durant, *Les Gayetés amoureuses, Baiser,* p. 40.
175. I. Habert, *Météores, op. cit., Odes,* VII, p. 40, XII, p. 43.
176. *Ibid., Odes,* XIX, p. 50 v°.
177. Souvenir de Ronsard, *Am. Div.,* t. XVII, p. 313., « Si la beauté se perd, fais en part de bonne heure... »
178. Jamyn, *éd. cit.* (1579), *Oriane,* f° 99 v°.

Bien que le texte soit évidemment plein de réminiscences, Jamyn lui a donné un ton particulier, brutal, rude ; l'évocation de la décrépitude et du déclin prend plus de place et est plus vigoureusement traitée que l'allusion très rapide à la beauté actuelle. L'appel, à la différence des invitations précédentes, est insolent dans sa précision même : Jamyn ne déteste pas à l'occasion se montrer « réaliste », il ne redoute pas une certaine crudité [179]. Les appels du premier quatrain et du dernier tercet sont dépourvus d'ambiguïté, dans leur sèche éloquence, et le désir s'y exprime à découvert, sans être même justifié par la sensualité, absente du sonnet, comme de l'œuvre de Jamyn. C'est là, en somme, œuvre de doctrinaire, plus sentencieuse qu'émue.

Ces trois motifs : floraison, décrépitude, mort ou vieillesse, distincts pour l'analyse, mais évidemment le plus souvent confondus, montrent à l'évidence que l'épicurisme, en cette deuxième moitié du siècle, retrouve souvent des accents assez directs, se fondant sur une vue relativement sombre de l'existence, dont il souligne la précarité. Comme chez Ronsard, l'appel au plaisir se détache sur un fond d'inquiétude, sinon d'angoisse, et l'amant le plus léger n'oublie jamais, lors même qu'il invite sa belle aux doux ébats, que bientôt il sera trop tard, quand ce matin ou ce soir, il sera « victime de l'orque noir » [180]...

2. L'ÉLOGE DU PLAISIR.

Se proposant de « gouster la douceur des douceurs la meilleure », Ronsard invitait instamment au plaisir sa maîtresse dans les deux livres des *Continuations* : « Aimez moi, nous prendrons les plaisirs de la vie... » [181]. Il s'emporte contre la sotte qui refuse ses faveurs et avoue qu'il n'est point d'amoureux « qui ne perdist le cœur, perdant sa récompense » [182]. C'est moins l'amour qu'il chante, que le désir immortel et l'émoi sensuel. Au reste, dans l'*Elégie à son livre,* il déclare crûment ne pas croire à l'amour chaste qui ne se contente que de promesses. Pétrarque n'est plus en amour le grand maître :

> « Ou bien il jouissoit de sa Laurette, ou bien
> Il estoit un grand fat... » [183]

Pour lui, en tout cas, point d'hésitation : la « garison » de sa « misère » ne dépend que du « point que l'honneur... deffend » [184].

Les *Sonets pour Hélène* (après les brûlants sonnets consacrés à la troublante Sinope qui glace son cœur [185] et émeut tout son sang [186]) ne sont pas davantage un éloge de la chasteté : au contraire, l'ardeur sensuelle ne fut jamais aussi vive, ni la célébration du plaisir aussi franche :

---

179. *Ibid.,* f° 80 v° (2ᵉ quatrain).
180. Voir notamment Brétin, *op. cit.,* p. 22, « Avant que la Parque noire... ».
181. Ronsard, *éd. cit.,* t. VII, VII, p. 124.
182. *Ibid.,* XVI, p. 134.
183. *Ibid.,* p. 317, v. 49-50.
184. *Ibid., Sonet,* p. 273.
185. *Id., Second livre des Meslanges, éd. cit.,* t. X, V, p. 90.
186. *Ibid.,* VI, p. 91.

> « Vous distes que des corps les amours sont pollues.
> Tel dire n'est sinon qu'imagination... » [187]

Les Ronsardisants se montrent après 1570 très aisément convaincus qu'« aimer l'esprit, Madame, est aimer la sottise » [188]...

La fête amoureuse.

Claude de Pontoux réserve à ses *Autres excellens sonnets* l'éloge du plaisir : il n'en est que plus libre pour chanter l'aise qui le saisit quand sa belle s'abandonne, le « baisottant d'un amoureux desir ». Lorsque

> « Laissant la cruauté fière
> De son port audacieux
> D'un regard plus gracieux... » [189],

sa dame vient « ressusciter » son âme, c'est alors, dans les ris et les jeux, la fête amoureuse qu'il célèbre dans la joie retrouvée :

> « Je crois ô Dieux que celebrez la feste
> La haut ensemblement et nous gettez le reste
> De vos nectars dont vous estes soullés. » [190]

Cet amour du plaisir le conduit naturellement à quitter sans regret, pour une maîtresse moins farouche, la dame qui se refuse :

> « Adieu la cruauté
> De ma dame rebelle
> Puisque d'une plus belle
> Je reçoy privauté » [191],

suivant en cela les leçons de la *Continuation* [192].

Cependant, bien qu'il soit fidèle lecteur de Ronsard et que plusieurs *Chansons* s'inspirent des pièces légères des *Continuations,* la description des délices amoureuses et de la fête sensuelle ne tient pas chez Pontoux une place très grande (en dehors de quelques *Baisers* strophiques de style mignard [193]).

I. Habert, en revanche, poète plus sensuel, plus tendre, célèbre les amoureux combats. Qu'il rende grâce à Amour, dans un sonnet lascif [194] d'avoir « receu tant d'heur, de liesse et de bien », ou chante la mort heureuse — mort amoureuse — qui lui sert « d'une seconde vie » [195], il semble délivré par la jouissance de la crainte qui assombrissait Ronsard :

> « Les combats amoureux sur tous combats me plaisent.
> Je ne désire rien que ces baisers si dous :
> Ce sont les seuls trésors qui mon envie appaisent... » [196],

---

187. *Id.*, t. XVII, XLI, p. 229, voir aussi XXV, p. 266.
188. *Ibid.*, XLII, p. 231.
189. Pontoux, l'*Idée, op. cit.*, p. 164.
190. *Ibid.*, p. 161.
191. *Ibid.*, Chanson, p. 234.
192. Ronsard, t. VII, XXV, p. 143.
193. Pontoux, *op. cit.*, pp. 161 r°, 186, 216 ; aussi pp. 142, 32 et *passim*.
194. Habert, *Météores, op. cit.*, XXIV, p. 19.
195. *Ibid.*, *Stances sur le Baiser*, I, p. 28.
196. *Ibid.*, II, p. 28 v°.

et ne songe plus qu'à donner « la douce fin à (ses) naissans desirs », à passer le temps « en amoureux plaisirs », pour avoir par Amour « une vie seconde » [197].

La description de la fête qui embrase ses sens, comme celle de la Belle « pasmée » entre ses bras, témoignent éloquemment de son goût pour le plaisir, qui lui est plus cher que l'amour :

> « Ma maistresse dormoit couchée entre mes bras,
> De baisers ravissans estant toute pasmée
> De plaisirs amoureux aiant l'ame charmée,
> Et les membres lassés des cypriens esbats... » [198]

Aussi entend-on souvent Habert appeler au plaisir la Belle complaisante, comme P. de Cornu, en des termes pressants, invite sa maîtresse :

> « Hé bien mon doux soucy nous voici dans ce bois
> Couchez dessus le vert de ceste herbe mollette
> Personne ne nous voit. Hélas mon amourette
> Fay moy jouir du bien désiré tant de fois. » [199]

Gilles Durant, dont la poésie épicurienne ne retient guère que le thème du plaisir, décrit aussi précisément que possible — compte tenu d'un certain nombre de contraintes, dont même les textes les plus libres n'osent se débarrasser — les jeux de la fête amoureuse :

> « Alors sur le lit doré
> Mignardement préparé
> Dessus la folastre couche
> Nous dressons nostre escarmouche.
> Je me deschargeay soudain
> De l'ardeur dont j'estois plein.
> . . . .
> Et lors tout doucement j'entre
> Au creux de ce petit antre
> Où Cypris fait son sejour,
> Dedans les vergers d'Amour,
> . . . .
> En ce lieu me pourmenant,
> Gaillard je vay moissonnant
> Mille sortes de fleurettes... » [200]

Comme J. Courtin de Cissé ou Cornu, G. Durant décrit aussi, à l'occasion du baiser moiteux, les jeux amoureux : les feintes, les parades, les essais. Tous trois célèbrent apparemment sans nul souci, aussi librement que Ronsard dans ses *Folastries*, les ébats et les plaisirs d'un amour lascif, et sont plus à l'aise lorsqu'il s'agit d'érotisme que lorsqu'ils s'essaient au pétrarquisme langoureux.

---

197. *Id., O.P.* (1582), XLIX, p. 21.
198. *Id., Météores, Stances*, V, p. 29 v°.
199. Cornu, *op. cit.*, XXXII, p. 105.
200. G. Durant, *Les Gayetez am., op. cit.*, p. 30 v°.

L'émoi sensuel.

Décrivant librement les délices sensuelles, Habert, J. Courtin de Cissé, A. de Cotel, Gilles Durant, P. de Cornu, semblent avoir décidé de faire mentir l'adage « animal post coitum triste » : pour eux nulle tristesse, ni l'ombre de la mélancolie, ne viennent assombrir un plaisir qui est, d'abord, un émoi des sens.

Ainsi, Habert, dans sa célébration du plaisir, chante le bonheur sans crainte, libéré de toute angoisse :

> « Dieu que je suis heureux quand je baise à loisir
> Le pourpre souspirant de tes levres mollettes,
> Quand nous faisons frayer le bout de nos languettes
> D'une humide rencontre, ô dieu, que de plaisir ! » [201]

J. Courtin de Cissé décrit l'émoi sensuel qui l'envahit lorsqu'il se laisse complaisamment aller, dans un abandon langoureux :

> « Cruelle je me meurs, las je me meurs, cruelle,
> Voy mes yeux obscurcis d'une ombrageuse nuit,
> Je me perds, je m'esgare et le soleil qui luit
> N'eslance plus sur moy sa divine estincelle.
> Ne detourne tes yeux, voi mon pied qui chancelle
> Chargé malencontreux du malheur qui me suit
> . . . .
> Ma force devient foible, et la moite chaleur
> Qui vive entretenoit mes poumons et mon cœur
> Peu à peu se froidist, jà la Parque m'entombe... » [202]

Le Cinquième point.

Sur ce thème ancien [203] Pasquier, qui abandonne le pétrarquisme pour la veine légère, exécute une variation souriante :

> « Je ne veux encore le poinct
> Qui tant follement nous affolle,
> Je veux tout en un coup avoir
> Le devis, le baiser, le voir,
> L'atouchement, la jouissance... » [204]

Debaste préfère à l'énumération l'allusion, et compose en forme de devinette un petit texte qui en appelle à la perspicacité du lecteur :

> « Cinq points sont en amour, mais de trois seulement
> Je voudrois obtenir la pleine jouissance,
> Du premier je voudrois en avoir suffisance
> Et qu'après le second ne manquast nullement
> Du dernier je ne veux, car par trop follement
> Amour m'auroit soumis à son obéissance,
> Et ne veux qu'il obtienne en moy telle puissance
> Car il me plaist d'aimer plus libéralement.

201. Habert, *Météores, op. cit.*, VI, p. 29 v°.
202. J. Courtin de Cissé, *op. cit., Le Premier livre des Am. de Rosine*, p. 28 v°.
203. Voir pour les « cinq points en amour » dont l'expression remonte aux troubadours, Laumonier, *Ronsard poète lyr., op. cit.*, p. 514 et suiv., *id., éd. cit.*, t. IV, p. 132, n. 4, et R. Trinquet, *The topos « Quinque lineae sunt amoris » used by R...*, B.H.R., XV, 1953, p. 220.
204. *La Jeunesse d'E. Pasquier, op. cit., Chanson*, p. 381.

> Je ne desire avoir l'usufruit du troisième
> Mais je ne me pourrois souler du quatrième
> Attendu que ce point m'aiguillonne si fort. » [205]

Toutes ces célébrations du plaisir, même sous leur forme paradoxale, témoignent du succès des thèmes ronsardiens, de l'hédonisme ronsardien qui fleurit dans le *Second Livre* et s'épanouit plus vivement dans les *Sonets*. L'épicurisme souriant, même lorsqu'il se nuance d'angoisse, la légèreté, la facilité — tout ce qui constitue le versant rose de l'inspiration ronsardienne — séduisent les successeurs de Ronsard, plus à l'aise dans l'éloge de la délice amoureuse, que dans les thèmes du réalisme familier.

3. Contre l'honneur.

Ronsard reproche à la petite Marie son obstination à interdire à l'amant citadin le point que « l'honneur » lui défend [206] : c'est pourtant le seul, dit-il, qui l'intéresse vraiment... Mais ce sont là des plaintes sans gravité, un jeu. Dans les *Sonets*, avec plus d'emportement et une conviction plus vive, il s'en prend, plein de colère, à la sottise d'Hélène, alléguant l'honneur et la loi, « noms pleins d'imposture » [207], pour refuser à son amant ce que la Nature pourtant lui commande de céder. La protestation de l'amant contre l'odieuse tyrannie de l'honneur, ce vain souci, fréquente chez les Italiens [208], est dans la bonne tradition gauloise [209].

C'est à cette tradition gauloise, bien représentée dans son œuvre, que se rattache Cornu lorsqu'il met dans la bouche de la dame, séduite par les propositions de son ami, auxquelles elle feint un moment de résister, ces protestations d'une vertu faiblissante :

> « Un honneur ennemy de nature et de l'âge
> Qui bride maugré moy le vol de mon courage
> M'empesche sans rien plus d'apaiser tes ennuis... » [210]

Si l'honneur est, pour un temps, allégué, on voit qu'il n'est respecté que par obligation : n'est-il pas en effet ennemi de nature, qui invite à l'amour, et de l'âge, de la jeunesse ardente qui incite au déduit ? Ces remarques se situent elles aussi dans le droit fil d'une tradition illustrée par les contes et nouvelles du Moyen Age et de la Renaissance, et l'on sait bien quel crédit accorde l'amant à ces bonnes raisons. La dame, comme jadis et naguère, feint d'associer plaisir et déshonneur :

> « Quoy ! Manier la cuisse et de tant s'azarder
> Que de toucher au lieu dont je suis honorée
> N'est ce pas pour me rendre à plein déshonorée ? » [211]

---

205. Debaste, *op. cit.*, sonnet, p. 40.
206. Ronsard, *éd. cit.*, t. VII, p. 273.
207. *Id., éd. cit.*, t. XVII, XXV, p. 266.
208. Notamment Bembo, *éd. cit.*, *Stanze* 36, p. 666, « Il pregio d'onestate... » ; T. Tasso, *Aminta*, I, 583-588 ; Mauro, *Capitoli, In disonore dell' Onore*.
209. Voir notamment les réflexions qu'inspire aux devisants de l'*Heptaméron*, le vain souci d'honneur « couverture » de la lubricité (*26e Nouvelle*, Garnier, p. 220).
210. Cornu, *op. cit.*, XVIII, p. 94.
211. *Ibid.*, XXV, p. 97.

L'honneur est placé trop bas pour résister bien longtemps, aussi la dame
continue-t-elle à respecter la tradition en choisissant assez vite le plaisant
déshonneur :   « Non, j'ayme beaucoup mieux estre déshonorée
                 Et...
                 Guérir...
                 Ton chef, ton front... » [212]

Trop tendrement compatissante pour opposer aux désirs de l'ami
une rigueur égoïste, la dame cesse bientôt toute feinte résistance, qui
n'avait d'autre fin que de rendre plus piquant le jeu d'amour :

               « Non, je ne saurois plus user de resistance,
                 Sus donc mon grand amy... » [213]

Ces petites scènes dessinent l'histoire du nom d'honneur, vilipendé
dans la bonne humeur, méprisé avec entrain, allégué par malice... Gilles
Durant ne manque pas de s'emporter à la manière de Ronsard contre
ce « nom feint et trompeur », ce « vain titre d'honneur », auquel il
consacre... une Elégie [214]. Il oppose l'innocence heureuse du siècle d'or,

               « Pour ce qu'en ceste innocence,
                 On n'avoit point cognoissance (...)
                 De ce vain tiltre d'honneur »,

à la corruption d'un siècle qui a perdu son innocence et respecte
« l'honneur tyran de nos aises » qui attiédit les braises des amoureux.
Reprenant l'image ronsardienne de l'honneur-couverture :

               « Vous trompez vostre sexe (...)
                 (...) et du faux vous domtez
                 Vos plaisirs vos desirs (...)
                 Sous l'ombre d'une sotte et vaine couverture » [215],

Durant s'écrie :

               « Mais Honneur tu as osté
                 Ceste douce liberté
                 Voilant de la couverture
                 Les plaisirs de la Nature. » [216]

Les plaintes contre l'honneur se fondent sur les principes d'une
morale naturelle, amie de la vérité : le faux, le mensonge, sont du côté
de ceux qui allèguent le souci de l'honneur pour se refuser au plaisir,
naturel, *ergo* légitime...

L'intelligence, l'honnêteté, l'amour du vrai, le sens de l'utile et de
l'agréable, plaident en faveur de l'irrespect : aux fausses valeurs, s'opposent ainsi des valeurs données pour authentiquement morales.

C'est aussi sur l'amour de la réalité que se fonde Jamyn lorsqu'il
s'attaque au mythe de l'honneur, dans une longue et sentencieuse pièce :

212. *Ibid.*, XXVI, p. 98.
213. *Ibid.*, XXVII, p. 98.
214. G. Durant, *Dern. Am.*, op. cit., *Elégie*, II, p. 73.
215. Ronsard, *Hél.*, éd. cit., t. XVII, XXV, p. 267. Cf. *Heptaméron, 26ᵉ Nouv.*,
les discours de Saffredent et Hircan, p. 220 ou *20ᵉ Nouvelle*, p. 154.
216. G. Durant, *Autres Gayetez...*, op. cit., *Contre l'honneur*, p. 87.

> « Je ne me plains d'Amour...
> Je me plains de l'Honneur qui nous aveugle tous,
> De l'honneur vieil tyran qui commande le monde... » [217]

Plusieurs arguments mettent en relief l'absurdité d'une obéissance au tyran : d'abord Jamyn, reprenant un thème qui lui est cher [218], oppose la vanité de ce culte à la réalité de l'amour : n'est-ce pas à cause d'un « nom », « vain sans profit ny plaisir » que la pucelle a honte d'un sentiment naturel, utile à l'espèce et agréable au cœur de l'homme ?

Deuxième argument, d'un autre ordre : pourquoi se donner à soi-même un mal supplémentaire, et faire « nuisance » aux vœux des amants ?

Troisième argument, qui découle logiquement du code naturaliste : la Nature « innocente » est « indigne d'estre haïe » : tout bon, elle a fait tout bon ! Dédaigner le plaisir au nom du monstre qui a nom « honneur », c'est trahir la Nature, « cette bonne mère ». En effet, n'est-ce pas elle qui « d'aimer nous commande » ? L'Amour n'est-il pas « la vertu que Nature a choisie » ? Alors, ne quittons pas la Nature d'un pas...

La suite du texte présente un réquisitoire contre le monstre, le « fantosme », qu'il convient de repousser, puisqu'il fait peur « comme épouvantail » aux ignorants, craintifs comme des enfants apeurés par l'obscurité.

Les effets d'un tel respect du nom d'Honneur ? Jamyn les énumère sans reprendre souffle : « il tourmente, il poind, il blesse, il picque », envenimant et détruisant tout plaisir innocent. Il aveugle, en outre, et interdit de voir le vrai. Pis encore : il domine les sens, les égarant, les conduisant à tenir pour vraies des « fictions » à loisir inventées. Enfin, « ce fantosme importun » ne lâche plus la femme qui s'abandonne à lui : au lit, à table, « à disner, à souper », le monstre se couche ou s'assied auprès de sa victime qu'il ne quitte plus, la tenant « le mors en la bouche » alors que l'« avoine » est devant... De franc arbitre, point ; de pouvoir de décision, point non plus...

Avant d'achever sur des conseils aux dames, et précisément à Oriane, Jamyn glisse une pointe grivoise :

> « Quiconque estime tant ce faux honneur mondain
> Me le face un petit toucher avec la main... »

Il y aurait encore « mille arguments » mais Jamyn renonce à les donner tous, préférant lancer une dernière exhortation :

> « Je vous pry, desormais ne mettez en avant
> Ce nom fait à plaisir qui est moins que le vent,
> Et ne m'alléguez plus : « Je haïrois ma vie
> La voyant de reproche ou de honte suivie ! »
> Ce sont propos d'enfants remplis de vanité... »

---

217. A. Jamyn, *O.P.*, éd. Brunet, p. 203 (*Oriane, éd. cit.*, f° 97).
218. Voir notamment *Oriane, éd. cit.*, f° 103 v°, 105 v° (« En suivant Nature on ne peut s'égarer »), 104 (« le vray ciment de durable alliance / Est sans mentir la douce jouissance »).

D'autres variations apparaissent chez Le Loyer[219] qui oppose
« l'honneur tout glacé » à l'« Amour plein de flammes », ou chez
Blanchon qui reprend des arguments bien connus :

> « Ce nom d'honneur dont vous faites tant conte,
> Ce n'est qu'un mot à plaisir inventé
> Un fondement sur le sable planté
> Un songe vain, une fable et un conte. »[220]

Ce sont là des échos d'une morale naturelle, amie du plaisir,
soucieuse d'efficacité et de vérité, celle-là même que Ronsard illustrait,
dans toute son œuvre, mais particulièrement dans les *Sonets* de 1578,
et qui était pour lui l'expression naïve de son amour de la vie :
« Mespriser les vivans », disait-il à Hélène, « est un signe d'orgueil »[221].
L'orgueil, la démesure, ne plaisent pas davantage aux disciples.

4. THÈMES GAULOIS.

Les « gauloiseries », on le sait, ne sont pas seulement gauloises ;
les Italiens par exemple ne dédaignent pas de plaisanter assez grassement
et la vie sexuelle est encore en cette fin de siècle prétexte à calembours,
à jeux d'esprit : tout se passe encore comme si une certaine crainte,
faite d'ignorance pour une bonne part, se masquait en empruntant les
armes de la grossièreté ou de l'indécence. Bien que la poésie amoureuse
ne soit guère le lieu idéal des plaisanteries gauloises, les disciples de
Ronsard unissent parfois aux thèmes pétrarquistes un certain nombre
de thèmes gaulois, traditionnels dans le conte, le fabliau ou la nouvelle,
inattendus au sein d'un recueil d'amour courtois.

Béroalde de Verville, P. de Cornu, A. Jamyn, Habert, se souvien-
nent parfois de la tradition gauloise. Habert dans ses *Dernières Amours,*
qui ont comme décor la mer, ses barques pleines de filets, ses habitants
fabuleux, Nymphes et Dieux, propose à plusieurs reprises[222] des plaisanteries équivoques sur le « poisson ferme et gros » ou « le rouget tout
vif » qu'il offre à sa maîtresse.

Cornu s'amuse, sur le thème des « pudenda »[223], de quelques
énigmes grossières[224], et manifeste souvent la persistance de la veine
gauloise par le réalisme des expressions et l'esprit « raillard » qui préside
à certains jeux d'amour.

Quant à Jamyn, il ne pétrarquise pas toujours : il sait aussi concilier
la tradition gauloise avec son amour pour la réalité en proposant à sa
dame l'exemple de la belle Aurore qui préfère à Tithon dont les forces
déclinent le gaillard Céphale[225] : qui est « aux dous ebats de l'amour
inutile » ne mérite pas la fidélité d'une dame !

Surtout il faut noter que, si, tout compte fait, les thèmes « gaulois »
sont relativement rares, l'esprit gaulois anime plusieurs recueils : qu'il

---

219. Le Loyer, *op. cit.*, LXIV, p. 16 v°. Cf. aussi LXV, p. 17.
220. Blanchon, *op. cit.*, 2° liv., *Pasithée*, LXXIII, p. 161.
221. Ronsard, *éd. cit.*, t. XVII, XLII, p. 280.
222. Habert, *Météores, op. cit., Dern. Am., Pescheries,* VI, p. 58 v°, IX, p. 59.
223. Voir Ronsard, *éd. cit.*, t. V, pp. 92 et 93.
224. Voir Cornu, *op. cit.*, p. 194.
225. Jamyn, *O.P.*, éd. Brunet, p. 73.

s'agisse des plaisanteries sur l'insatiable ardeur des femmes, ou sur le cocuage qui inspire Jamyn par exemple [226], ou qu'il s'agisse de réflexions traditionnellement désabusées sur la vertu féminine, ou les capacités de résistance à la séduction ; que le poète refuse de voir dans l'« honneur » autre chose qu'un nom « vain », ou qu'il feigne de s'étonner de l'inconstance féminine, qu'il vilipende le mari jaloux, ou se vante comme Pontoux [227] des avantages que Nature lui attribua, il espère toujours obtenir de son lecteur la complicité que le conteur escomptait lorsqu'il narrait quelque nouveau « tour » de la ruse féminine, ou de l'énergie masculine.

Cependant, la veine gauloise coule plus naturellement dans certains recueils particuliers, comme l'album consacré à *La Puce*, et, si on la trouve chez les poètes que nous citons, elle est retenue et étroitement canalisée. La proximité immédiate des thèmes pétrarquistes ne lui convient guère, et elle s'épanouit plus librement dans la poésie satirique.

On peut seulement affirmer qu'elle persiste, à l'intérieur des recueils amoureux, un peu à la manière d'une rivière souterraine, mais sa résurgence sera plus tardive, dans les toutes dernières années du siècle.

L'influence du Second Livre et des Sonets de 1578.

Fort importante en ce qui concerne le succès du style, des motifs et des thèmes « mignards », l'influence de Ronsard est moindre si l'on considère les thèmes naturels et familiers qui donnaient au *Second Livre* et aux *Sonets pour Hélène* leur saveur et leur goût. En effet, la nature offre encore aux disciples : Jamyn en premier lieu, et I. Habert, mais aussi Birague, Cornu, Béroalde à un moindre degré, sa multiple splendeur, ses couleurs chaudes, son parfum. Néanmoins le monde naturel commence à se décolorer, le mythe tend à l'emporter sur les éléments de réalité. Plus important encore : un autre paysage impose un nouveau « topos » à partir de 1570 chez les poètes les plus doués (Birague, Béroalde, Nuysement, d'Aubigné) et ce nouveau paysage, sombre, désert, voire sinistre, ne doit plus grand-chose à la stylisation ronsardienne.

De même, la familiarité, le goût pour les éléments concrets, les menus faits de la vie quotidienne, bref, la chaude présence du monde sensible qui, des *Continuations* aux *Sonets*, caractérise l'œuvre ronsardienne, s'évanouit progressivement : encore, chez La Jessée, Cornu, Jamyn surtout..., la réalité affleure au détour d'un vers. Beaucoup moins chez Habert, plus du tout chez J. de Romieu, Courtin de Cissé, A. de Cotel, Birague... Que signifie cette perte de contact ? C'est le secret que, sans doute, la poésie de Desportes enferme...

Enfin, la persistance des thèmes épicuriens semble bien indiquer que, dès cette époque, et du vivant même de Ronsard, les disciples, les successeurs et le public, ont tendance à mutiler l'œuvre ronsardienne, qui survit surtout grâce aux motifs légers et souriants. Les nombreuses variations exécutées sur le « carpe diem » s'ajoutent aux thèmes mignards et folâtres, dont le succès ne se dément pas. Ces deux « traditions » si souvent confondues chez A. de Cotel, Courtin de Cissé, Cornu, Durant...

---

226. *Ibid., Pour un Cocu*, p. 255.
227. Pontoux, *op. cit.*, p. 143.

attestent à la fois l'influence de Ronsard durant toute la seconde moitié du siècle, et la dégradation progressive des courants issus de la Pléiade : de plus en plus, Ronsard devient, dans l'opinion commune, le poète de l'amour facile, des roses, des mignardises, un nouveau Catulle, un nouveau Tibulle...

En même temps, il apparaît, après 1570, au moment où s'affirme Desportes, comme un poète *traditionnel* : peu sensibles à sa véritable grandeur, disciples et successeurs, simplifiant au prix de la schématisation la complexité de son œuvre, qui n'est pourtant pas homogène, ont tendance à voir en lui — par opposition au poète moderne Desportes — le représentant d'une tradition « classique », le dernier et le plus grand des « classiques », celui qui unit la tradition des Elégiaques latins et la tradition gauloise : n'est-ce pas du reste cette double tradition qui assura le succès des *Continuations* ?

Si aujourd'hui Ronsard reste dans l'opinion commune, trop souvent, le poète de « Mignonne allons voir si la rose... », c'est, en partie, dès 1570 que commence la mutilation dont son œuvre est l'objet.

L'INFLUENCE DE RONSARD
SUR LA POESIE AMOUREUSE 1570-1585

L'influence de Ronsard s'exerce sur toute la production poétique, provinciale ou parisienne, de 1570 à 1585. Il n'est pas un seul poète de l'amour qui ne connaisse et n'imite les recueils amoureux de Ronsard, même si, comme Blanchon, Boyssières, de Brach, il subit l'influence dominante de Desportes.

Cependant, la province accuse un certain retard. D'une part, les provinciaux sont plus sensibles à l'influence des *Amours* de 1552-1553, qu'à celle des *Sonets* pour Hélène, au pétrarquisme faisandé. Ils ont tendance à ne voir en Ronsard que le nouveau Pétrarque, sans bien démêler l'évolution de leur maître de 1552 à 1578. Du reste, qu'ils soient à Paris ou en province, les disciples n'ont pas saisi le caractère propre du dernier Canzoniere de Ronsard, qui est tout autre chose qu'un recueil néo-pétrarquiste à la manière de Desportes. D'autre part, alors que, dès 1570-1572, tout Paris pour Desportes a les yeux du duc d'Anjou, les provinciaux comme Pontoux continuent à pétrarquiser selon les canons de 1550, voire de 1530. Ils font souvent figure d'attardés, au moment où les salons de la capitale sont le temple du nouveau goût.

A Paris, en effet, dans les milieux aristocratiques proches de la cour, l'influence de Ronsard s'exerce parallèlement à celle de Desportes. Celui-ci n'apparaît-il pas bien souvent comme un élève de Ronsard, destiné à recueillir sa succession ? Ne voit-on pas les amis de Ronsard mettre leurs pas dans ceux du poète plus jeune ? Jamyn le page, s'il ronsardise dans les *Amours d'Oriane*, mêle Ronsard et Desportes dans *Artémis*, et se met à l'école de Desportes lorsqu'il écrit les *Amours d'Eurymédon et Callirée*.

Cela dit, comment s'exerce, tout au long de ces quinze années, l'influence dominante de Ronsard ? Nous avons pu observer que tous les recueils n'ont pas connu le même succès. En dépit de la profusion des thèmes pétrarquistes, les *Amours* de 1552 ont paru très souvent aux contemporains déjà archaïques par leur style et certains de leurs motifs. La mythologie ronsardienne en particulier a semblé difficile à déchiffrer, obscure au goût du « simple populaire ». En revanche, les *Continuations* ont séduit, par leur facilité et leur douceur, bon nombre de poètes, davantage portés vers les mignardises d'amour : le succès du *Second Livre des Amours* l'atteste. Enfin, les deux livres des *Sonets pour Hélène,* dernière flambée brûlante d'un poète qui vit « comme au Printemps de nature amoureux », feux d'un Septembre plus chaud que Juin, paraissent trop tard peut-être pour corriger le nouveau goût qui va s'affirmant : le succès même du dernier recueil, qui semble dû à l'apparence, au ralliement supposé de Ronsard à la nouvelle mode, confirme qu'un vaste contre-sens a dénaturé la signification de l'œuvre ronsardienne, saluée comme néo-pétrarquiste au moment même où Ronsard, avec la plus grande netteté, avec une furieuse brutalité même, n'accueille dans son œuvre les thèmes néo-pétrarquistes ou « platoniciens » que pour les refuser au nom du « vray » qui déteste les mensonges.

Cette vue d'ensemble se voit corrigée, mais non démentie, par l'étude détaillée des thèmes et motifs retenus par les disciples. Nous avons insisté sur les modifications que les disciples faisaient subir aux schémas pétrarquistes utilisés par Ronsard dans le *Premier Livre.* Sans qu'on puisse peut-être parler de contre-sens, l'imitation purement *formelle* a faussé profondément le pétrarquisme de Ronsard, pure rhétorique, pur mouvement lyrique. Devenus répertoire de thèmes et de motifs pétrarquistes, les *Amours* connaissent un succès fondé sur un malentendu, qu'aggrave leur nouvelle présentation, en 1560, comme le livre de l'amour idéalement pur, consacré à la seule Cassandre. Ronsard semble ici avoir tendu un piège, dans lequel sont tombés bon nombre de lecteurs. Pour le *Second Livre des Amours,* il semble qu'il en aille autrement. Ronsard lui-même, choisissant de changer de style, se rapproche davantage du goût reconnu du public pour le style « bas », plus facile et plus accordé à une inspiration « catullienne ». Avec l'éloge de l'inconstance, n'est-ce point une palinodie que l'on observe ? Le nombre des Chansons de la *Nouvelle Continuation* semble bien indiquer un changement d'inspiration. Cependant, ici encore, n'y a-t-il pas malentendu ? Ronsard, certes, fait une place aux thèmes légers et mignards, mais abandonne-t-il pour autant le pétrarquisme ? Répudie-t-il la préciosité ? S'il adoucit certaines lignes trop rudes de son premier massif, s'il tempère par l'introduction des mignardises et des motifs « naturels » un lyrisme jugé « débridé », il se garde bien de confondre mesure et bassesse. Le beau style « bas » n'est pas à ses yeux le style relâché, mais un style où les éléments familiers se mêlent aux éléments « d'ostentation ». Il tente une nouvelle stylisation du sentiment amoureux, fondée non sur les débris du pétrarquisme, mais sur un dosage savant de simplicité et de préciosité. Les *Continuations* seront imitées avec constance : mais chez les disciples, les thèmes « mignards » et « folâtres » l'emportent nettement sur les thèmes du lyrisme naturel et familier. Certains, G. Durant, J. Courtin de Cissé, A. de Cotel, composent des recueils entiers de « gaies et mignardes poésies ». Il n'est plus question de dosage, ni d'élaboration... Les grâces affectées, les douceurs douceâtres, la mollesse énervée, triomphent, au nom de Ronsard, et ce n'est pas le moindre paradoxe. Le Pan de la Renaissance, le Satyre toujours vert, devient berger...

Enfin, à considérer la fortune du dernier recueil ronsardien, on voit se confirmer l'impression première. Plusieurs poètes, et non des moindres, un Jamyn, un P. de Brach, un Boyssières, un La Jessée, d'autres encore, sont conquis par la « préciosité tempérée » des *Sonets pour Hélène,* et font place aux thèmes familiers chers à Ronsard. En 1578, celui-ci reste encore un modèle régulièrement suivi, imité de près par ceux-là mêmes qui prisent Desportes et s'inspirent des *Amours de Diane.* Mais, pour eux, l'apparence néo-pétrarquiste des deux livres de *Sonets* les a, en quelque sorte, abusés. Mettant sur le même rayon de leur bibliothèque les *Amours de Diane* et les *Sonets pour Hélène,* ils ont souvent confondu dans une même admiration deux stylisations très différentes du sentiment amoureux. De ces deux œuvres, également importantes pour l'histoire de la poésie et celle de l'imagination, ils n'ont retenu que l'apparence : l'appareil néo-pétrarquiste, ses motifs, ses figures. Mais leur est demeuré étranger le mélange proprement ronsardien de réalisme familier et de subtilité pétrarquiste, comme leur est restée mystérieuse l'union intime des thèmes platoniciens et des thèmes hédonistes, qui donne aux *Sonets pour Hélène* leur caractère singulier, fait de fraîcheur et d'amertume, et leur tonalité particulière, passionnée et douce-amère. Le meilleur de Ronsard semble s'être perdu. A considérer ses recueils comme des répertoires de thèmes à la mode, les disciples les plus fidèles se sont montrés infidèles, en accordant d'abord aux thèmes du lyrisme « mignard » une place et une importance qu'ils n'avaient pas chez Ronsard, où ils servaient de contrepoint à une vision amère de l'amour, en mutilant ensuite les thèmes épicuriens, dont ils ne gardent que le visage rose et lisse d'un érotisme sans complication, enfin — et surtout — en vidant de tout contenu les images et les motifs lyriques, qui subsistent chez eux comme des formes vaines et artificielles. Déformant le monde pour l'informer selon sa vision propre, Ronsard imposait un ordre à un univers cohérent, sous la multiplicité des images qui l'expriment, et singulier, à partir du chaos des sensations primitives : il s'agissait pour lui d'arriver à l'unité, à la perception de l'un, à travers le multiple et l'accidentel. Toute son œuvre débouche sur ce cri : « Car l'amour et la mort n'est qu'une même chose » [228]. Par une remarquable aberration, les poètes ses successeurs l'ont placé tout à côté de Desportes, le chantre du multiple, de l'incohérence, du chaos — celui qui fait éclater l'univers de la mesure et de l'harmonie, le poète de la contingence et de l'oubli.

---

228. C'est le dernier vers du dernier sonnet, *Hélène, éd. cit.,* t. XVII, p. 295.

DEUXIÈME PARTIE

DESPORTES

INTRODUCTION

L'ITALIANISME DE 1570 ET LA PRECIOSITE MONDAINE

Dès 1570, Ronsard, s'il reste le maître reconnu, ne domine plus seul la poésie amoureuse. Les *Œuvres* de Desportes, publiées en 1573, circulent en manuscrits depuis quelques années [1]. Elles correspondent exactement au goût de ce public restreint, précieuses, femmes cultivées appartenant aux couches « supérieures » de la société aristocratique, comme Claude-Catherine de Clermont-Dampierre, maréchale de Retz, reines ou princesses, comme Marguerite de Valois, la belle Hippolyte, courtisans et seigneurs comme Bussy..., qui assure le succès d'une œuvre écrite pour lui et pour lui seul.

La poésie de Desportes manifeste une remarquable opportunité [2]. Dès 1570 les contemporains ont l'impression que Desportes succède à Ronsard et le remplace. Nicolas Rapin [3] et le disciple de Desportes Jean de Montereul [4] témoignent que Ronsard sentit très vite qu'un rival le menaçait. Arnold Van Buchel, d'Utrecht, de passage à Paris, rapporte que « Ronsard, maladroitement interrogé par un courtisan de ses admirateurs sur la différence qu'il trouvait entre lui-même et Desportes, répondit qu'ils différaient entre eux comme un poète d'un poétaste (sic) » [5]. Du reste, Ronsard lisait les premiers sonnets manuscrits de Desportes selon toute vraisemblance pour y étudier les manifestations du nouveau goût littéraire [6], et s'interroger, en créateur conscient de son art, sur les caractères d'une poésie dont il sentait bien qu'elle différait profondément de la sienne.

Il convient d'ajouter qu'une partie importante de l'œuvre de Ronsard s'est faite contre le goût de ce public qui trouve enfin en

---

1. Voir Lavaud, *Desportes, op. cit.,* chap. II, III et IV.
2. L'expression est de C. Faisant, *Les relations de Ronsard et de Desportes,* in B.H.R., t. XXVIII, pp. 323-353.
3. N. Rapin, *Regrets sur la mort de Desportes,* in *Les Œuvres latines et françoises,* Paris, 1610, f° 52, cit. par Faisant, *ibid.*
4. J. de Montereul, dans le *Tombeau* de Desportes, *cit. ibid.*
5. A. van Buchel, *cit.* par C. Faisant, *ibid.*
6. Voir M. Morrisson, *art. cit.,* p. 295 (*B.H.R.,* 1966).

Desportes son interprète [7], et que la partie de son œuvre qui a obtenu le succès le plus franc s'est faite contre son propre goût, ou, en tout cas, en limitant et en bornant, non sans regret ni sans lutte, ses ambitieux projets.

Desportes, au contraire, voit s'établir, en quelque sorte naturellement, une parfaite coïncidence entre son projet et son public. Alors que l'on sent chez Ronsard, tout au long de sa carrière [8], des dissonances, et un écart entre ses réalisations et ses intentions — reflet exact des contradictions qui ne cessent de se creuser entre son esthétique et celle du public —, un Desportes, un Jamyn, un La Roque, dans le dernier tiers du siècle, sont en parfaite adéquation avec leurs lecteurs. Désormais, l'histoire de la poésie amoureuse se confond presque avec celle de la petite société polie et mondaine, pour laquelle elle est composée. C'est la défaite des hautes ambitions de la Pléiade, c'est aussi le triomphe du bien dire, et le prestige de la forme. Ronsard, témoin lucide de son temps, voit avec amertume le déferlement de la nouvelle vague. Les *Sonets pour Hélène* en témoignent, avec leurs cris contre le siècle « tout embourbé d'avarice vilaine, qui met comme ignorant les vertus à desdain » [9], contre les courtisans, devenus arbitres en matière littéraire [10], contre la Cour même, « ta nourrice, escole de mentir » [11]. Il est permis de penser que l'abandon de Ronsard :

« Je m'enfuy du combat, ma bataille est desfaite... » [12]

trahit moins la lassitude de l'amant vieilli que l'amertume du poète devant l'affirmation d'une mode qui n'a guère son assentiment [13].

La retraite de Ronsard, s'effaçant devant Desportes [14], manifeste peut-être une pointe de jalousie ou de dépit — comme le pensaient les contemporains — mais surtout la conscience très nette qu'il y a désor-

---

7. Dès 1555, le sonnet liminaire de la *Continuation* adressé à Pontus de Tyard (qui avait été accusé d'obscurité pour ses *Erreurs amoureuses*, et avait résumé dans son *Solitaire Premier* les divers reproches qu'adressaient à Ronsard les courtisans) montrait que, déjà, le goût mondain s'accordait mal avec le lyrisme ronsardien :
   « Thiard, chacun disoit à mon commencement
         Que j'estoi trop obscur au simple populaire... »
Le « simple populaire » représente ce public instruit, mais point savant, frivole, et mondain, qui goûte les Mignardises et autres douceurs...
   8. Comme en témoignent les « brusques reculs » dont parle C. Faisant, *art. cit.*, p. 348 : Ronsard fait succéder aux poésies de circonstance et aux pièces encomiastiques, réquisitoires et discours satiriques. Voir aussi Marcel Raymond, *Baroque et Renaissance, op. cit.*, p. 76 (« une discordance (...) entre les intentions et les réalisations du poète »).
   9. Ronsard, *éd. cit.*, t. XVII, *Hélène*, I, X, p. 205.
   10. *Ibid.*, I, XLII, p. 230 : « Il faut en disputant Trimegiste approuver... »
   11. *Ibid.*, II, XLVIII, p. 284. Pour la haine de Ronsard contre la Cour « escole de mentir », cf. I. Silver, *Pierre de Ronsard : Panegyrist, Pensioner and Satirist of the French Court, Rom. Review*, XLV (1954), pp. 89-108.
   12. *Ibid.*, II, LIII, p. 294 (avant-dernier sonnet du recueil).
   13. En 1565, dans l'*Abbrégé de l'Art Poëtique François*, Ronsard s'en prend à « la plus grande part de ceux de nostre temps, qui pensent (...) avoir accomply je ne scay quoy de grand, quand ils ont rymé de la prose en vers », et vise particulièrement les Italianisants, qui « empoulent » et « fardent » les vers. D'autre part, et dans le même esprit, il se moque de la fatuité et de la mièvrerie des poètes courtisans, dans le *Sixiesme* et le *Septiesme Livre* des Poèmes (1569).
   14. « Aux plus gaillars quittant la Poësie... » (*Sixiesme livre*).

mais une incompatibilité entre les desseins du Pindare français et les nouvelles formes poétiques.

Il ne s'agit donc pas d'un accident dans la carrière d'un poète soucieux d'affirmer la réalité de la fonction d'écrivain — ni d'une rivalité personnelle, qui réduirait l'histoire de la poésie à une série d'incidents : la composante psychologique n'est pas ici l'essentiel ; il s'agit de l'évolution générale du goût et de la sensibilité, perceptible dès avant l'ascension de Desportes, et qui va se confirmer à partir de 1570.

CHAPITRE PREMIER

DESPORTES ET LE NEO-PETRARQUISME

I - La préciosité mondaine en 1570

A. L'ITALIANISME DE 1570.

Nous avons pu observer, dans les précédents chapitres, une évolution du goût depuis 1550. Les *Amours* de 1552 paraissent déjà archaïques en 1570. A plus forte raison, un Boton, qui pétrarquise selon les canons de 1530, fait figure d'attardé, et avec lui tous ceux qui s'inscrivent dans la seule tradition du *Premier Livre des Amours*. D'un autre côté, un disciple très proche de Ronsard comme Jamyn, s'ouvre à l'influence de Desportes : des *Amours* d'Oriane à celles d'Artémis, il dessine l'évolution de la poésie amoureuse, qui, en France, comme en Italie, retourne au pétrarquisme un peu délaissé du Quattrocento (Tebaldeo, Sasso). Aux environs de 1570, un nouvel italianisme est à la mode.

Certes, l'influence italienne est une constante du siècle. Déjà Marot, dès sa jeunesse, avant l'exil à Ferrare, pétrarquise [1]. Et chez Scève, l'expression de l'amour douloureux est d'inspiration pétrarquiste [2]. On connaît suffisamment le goût pour les Italiens que manifestent Ronsard et la Pléiade [3].

Mais, en 1570, la dominante italienne s'accentue et se modifie. Elle s'accentue : Ronsard, éclectique, comme Scève [4], ne puisait pas chez les seuls Italiens : l'*Anthologie,* le pseudo-Anacréon, les érotiques latins lui fournissaient des modèles. Son œuvre apparaît au confluent de

1. Voir Mayer et Bentley-Cranch, *Clément Marot, poète pétrarquiste,* in B.H.R., 1966, t. XXVIII, pp. 32-51.
2. Sur le « pétrarquisme » de Scève, voir la thèse de M. V.-L. Saulnier, *Maurice Scève, op. cit.,* et en part. sur le « pétrarquisme » avant Pétrarque, la mise au point du chap. XI, pp. 204-206.
3. Voir les thèses de Marius Piéri, *Le pétrarquisme au XVIe siècle, op. cit.* (ouvrage vieilli et sur bien des points dépassé, mais qui donne une idée des influences exercées par les Italiens) et Vianey, *Le Pétrarquisme en France au XVIe siècle, op. cit.,* qui corrige bien des affirmations du précédent. Pour une mise au point de ces thèses, cf. V.-L. Saulnier, *Scève, op. cit.,* pp. 206-207.
4. Voir V.-L. Saulnier, *Scève, op. cit.,* pp. 204-206.

plusieurs traditions distinctes [5]. Desportes, lui, puise presque exclusivement chez les Italiens, et ne rencontre guère que les Muses d'Italie [6]. « Il s'estoit fourni sur les Italiens qui sont merveilleusement mignards aux choses d'amour », dit Du Perron [7]. Si, en effet, il fait quelques emprunts aux néo-latins, aux latins, et aux Espagnols, les imitations italiennes sont de loin les plus nombreuses [8].

Mais surtout, la dominante italienne se modifie. V. L. Saulnier a montré la légèreté du schéma suivant lequel aurait succédé au « séraphinisme » du pétrarquisme français avant 1550, une inspiration pétrarquiste plus pure, idéaliste et platonisante, et a souligné qu'« on ne voit pas que Pétrarque ait jamais été éclipsé comme modèle par ses émules italiens » [9]. S'il est vain d'opposer une génération « mondaine » de 1530 à une génération pétrarquiste-platoniste de 1550, il semble en revanche légitime de caractériser la génération de 1570 comme celle du pétrarquisme précieux, mondain ; après 1560, en effet, si Pétrarque n'est pas totalement délaissé, sa gloire est moins brillante, et c'est le triomphe du Quattrocento, Serafino, Tebaldeo, P. Sasso, Philoxeno, et des Italiens précieux contemporains, Di Costanzo, B. Rota, Tansillo, Coppetta [10]. En ce sens, Desportes et ses émules apparaissent comme le point d'aboutissement d'une tradition précieuse, qui remplace la courtoisie par la galanterie, et l'héroïsme chevaleresque par le culte de l'audace amoureuse [11].

Le dernier quart du siècle, sans pour autant renier Pétrarque, semble lui préférer le pétrarquisme « infidèle » des Précieux[12], et avec Desportes, Jamyn, Passerat, Bertaut, c'est le nouveau goût italien qui triomphe, et qui s'impose au début du XVII⁰ s.

---

5. La première tradition est bien une tradition italienne, celle du lyrisme courtois « puisée non pas à sa source languedocienne ou française mais chez Pétrarque et ses disciples italiens », la deuxième est la tradition érotique gréco-latine, tantôt puisée directement, tantôt filtrée par les Latins du moyen-âge ou les Italiens de la Renaissance ; la troisième enfin est la tradition « gothique » réaliste-irréaliste. Voir sur ce point M. Raymond, *Quelques aspects de la poésie de Ronsard*, in *Baroque et Renaissance poétique, op. cit.*, pp. 76-81.
6. « Desportes differs strikingly from the Pléiade poets, in *Diane* and *Hippolyte*, by his choice of *purely* Italian models, and his deliberate neglect of the poetry of Greek and Roman Antiquity... », M. Morrisson, *art. cit.*, p. 295.
7. *Perroniana*, in *Scaligerana, Tuana, Perroniana...*, éd. 1740, t. I, p. 428.
8. Voir sur ce point le travail très précis de J. Lavaud, *Desportes..., op. cit.*, pp. 175-193.
9. V.-L. Saulnier, *M. Scève, op. cit.*, p. 208.
10. Voir Vianey, *Le pétrarquisme..., op. cit.*, pp. 192-206.
11. Voir R. Bray, *La préciosité et les Précieux*, Albin-Michel, 1948, p. 71 : « A Desportes aboutissent quatre siècles de préciosité, un mouvement qui, sans être absolument continu, manifeste la permanence d'une tradition... »
12. H. Weber (éd. crit. du *Printemps, op. cit.*, p. 13) à l'appui de la thèse de Vianey, pense que les vers amoureux d'Aubigné « s'apparentent... à ceux des poètes en faveur dans la deuxième moitié du siècle : Angelo di Costanzo, Coppetta, et Tansillo », et à ceux du Quattrocento finissant et du début du Cinquecento, Serafino, Tebaldeo...

B. Les salons : Rhodente et Dictynne.

Le nouvel italianisme, mode précieuse, frivole, toute occupée de galanteries, se répand dans les milieux aristocratiques, qui assurent sa diffusion et son rayonnement dans les cercles mondains. C'est bien autour de 1570 (et non point vers 1620) qu'il convient de situer la naissance de ce qu'on nomme communément la préciosité, et qui n'est pas un phénomène proprement littéraire, mais un phénomène moral et social [13], l'expression la plus claire des mœurs nouvelles, des habitudes, des jeux et divertissements, de l'esprit et des goûts d'une petite société — petite par le nombre des élus, mais importante parce qu'elle donne le ton, impose une certaine idée de la littérature et spécialement de la poésie, bref parce qu'elle est le milieu où vivent et évoluent la plupart des poètes de l'époque, et non des moindres.

Phénomène social, la préciosité naît du développement de la vie de société [14], plus précisément de la vie mondaine, de ses fantaisies, de ses modes : la littérature apparaît comme un jeu, qui a ses règles, sa loi, ses exigences. Les genres mineurs sont mis à l'honneur : quatrains, cartels, sonnets et élégies sont rimés au gré des circonstances, « en prise directe » sur tel menu incident, ou accident (la mort qui n'épargne ni le Louvre ni les familiers de la petite société), bien connu des membres du cercle.

La poésie précieuse naît ainsi dans les salons, chez les Villeroy, ou à l'hôtel de Dampierre, où une cinquantaine d'années avant que la divine Arthénice règne sur son célèbre cercle, on peut observer une vie, des manières, un « style », comparables à ceux que connaîtront les salons de l'hôtel de Rambouillet, ou de la rue de Tournon (chez Madame des Loges), ou du Palais-Royal (Madame de Brégy)...

Les salons en effet s'ouvrent largement aux poètes — et c'est un phénomène nouveau : Ronsard, par exemple, s'il est reçu en 1570 à Conflans, dans le château de Nicolas de Neufville, n'est pas un habitué de son salon parisien. Mais les habitudes changent : les salons deviennent les temples de la mode qui naît pour ainsi dire dans leur ombre. L'état de la société mondaine et de la société, sous Charles IX, suffit, note M. Raymond [15], à expliquer « les préférences des courtisans pour une littérature galante, polie et subtile », et cela, d'autant plus naturellement que l'air que l'on respire à la Cour est italien, comme sont Italiens les grands personnages : Strozzi, Birague, Gondi, et l'entourage immédiat de la Reine. Desportes, à son retour d'Italie, acclimate sans difficulté en France les Muses italiennes, et la préciosité italienne.

Le salon de Nicolas de Neufville, seigneur de Villeroy, est déjà un « cénacle » littéraire, où fréquentent beaux esprits et poètes, dames éprises de « douceurs » italiennes, et grands seigneurs lettrés : il est animé par l'épouse de ce grand personnage, secrétaire d'Etat et ministre du roi Charles IX, Madeleine de l'Aubépine [16], qui appartient à une

---

13. R. Bray, *op. cit.*, p. 15.
14. Voir G. Mongrédien, *Les Précieux et les Précieuses,* Mercure de France, 1963, pp. 11-12.
15. M. Raymond, *L'Influence...*, *op. cit.*, II, p. 63.
16. Voir notamment *ibid.*, VI, pp. 64-65, et J. Lavaud, Desportes, *op. cit.*, pp. 39-72.

bonne famille de robe, et dont le frère Claude avait succédé comme secrétaire d'Etat à son père en 1567. Madeleine et Claude sont lettrés, Madeleine traduit les *Héroïdes* d'Ovide et compose agréablement en vers. Ronsard, qui la tenait pour sa fille d'alliance, la chantait sous le nom de Rhodente en 1565, et célébrait ses yeux « bruns, dous, courtois, delicieux »[17] : cette belle Rose, fleurissant sur l'Aubépin, devient plus familièrement « Rozette » pour Desportes, qui fut son amant, et lui adresse, pour se plaindre de son infidélité durant le séjour en Pologne qui éloigna d'elle son amant-poète, la célèbre chanson : « Rozette pour un peu d'absence... »[18], à laquelle Rozette répondit spirituellement...

Moins savant que sa volage épouse, mais ami des lettres, Nicolas de Neufville aime aussi les poètes et la poésie, comme en témoigne l'album où il a transcrit ou fait transcrire les poèmes de ses amis. Figurent dans cet album des poésies de Desportes, un familier, mais aussi de Passerat, Dorat, Jamyn et Ronsard : poésies de circonstances, qui souvent se répondent ou s'appellent, et qui donnent une assez bonne idée des genres retenus : cartels, quatrains, sonnets, élégies, et du ton adopté. On aimait dans l'entourage du seigneur de Villeroy les pointes satiriques[19], les facéties, et l'on s'inscrivait volontiers dans la tradition gauloise, comme le montrent les plaisanteries sur le cocuage, ou sur la légèreté féminine. Qu'il reçoive à Paris ou dans sa belle propriété de Conflans, entre Seine et Marne, dont Ronsard loua les jardins, le bocage, la rivière et les champs d'alentour[20], Nicolas de Neufville s'entoure de joyeux compagnons qui occupent gaîment leurs loisirs : la poésie est l'un de ces divertissements.

Ainsi, auprès de Nicolas de Neufville et de la belle Madeleine, c'est déjà un cercle « précieux » qui se forme, si l'on entend par là un petit groupe de familiers qui ont en commun la culture, les préoccupations, l'esprit, qui partagent la même vie, et ont tendance à considérer la poésie comme le reflet de leurs soucis, de leurs jeux, des accidents et incidents qui les ont fait, ensemble, rire ou pleurer. La poésie « précieuse » est en effet l'œuvre pour ainsi dire collective, faite par l'un pour tous, parfois par tous pour l'un ou l'autre : ainsi lorsque meurt Claude de l'Aubépine, en 1570, Desportes, Ronsard, Baïf, Dorat, Jamyn, etc., composent un tombeau à la mémoire du défunt[21]. Ou bien, pour ridiculiser les lamentations de Bénigne le Ménestrier, un fonctionnaire des finances royales, ami des Villeroy, on voit Nicolas de Neufville, Jamyn, Ronsard lui-même, Baïf, composer des quatrains satiriques qui démolissent les ambitions du pauvre financier-poète[22]. C'est bien là l'esprit « précieux » (point toujours aimable !) qui se fonde sur la complicité souriante des membres du cercle.

Plus important encore, le salon de l'hôtel de Dampierre, où fréquente également Desportes.

Claude-Catherine de Clermont-Dampierre possède en effet le salon littéraire le plus illustre de l'époque, celui dont on peut dire à bon droit

---

17. Voir M. Raymond, *op. cit.*, II, p. 64.
18. Voir Lavaud, *op. cit.*, p. 235.
19. *Ibid.*, p. 51.
20. *Ibid.*, p. 57.
21. *Ibid.*, pp. 42-43.
22. *Ibid.*, p. 50.

qu'il fut, bien avant celui de la marquise de Rambouillet, le premier salon précieux. Claude-Catherine, de la branche des Clermont-Surgères par son père, appartenait par sa mère à l'illustre famille des Vivonne. Epouse en premières noces de Jean d'Annebaut, baron de Retz, elle se remaria en 1565 avec Albert de Gondi, de petite noblesse florentine : celui-ci fut nommé en 1573 maréchal de France (puis en 1581 sa terre de Retz, apportée par sa femme, fut érigée en duché-pairie). Ces précisions ne sont pas inutiles pour situer le Salon de la Maréchale de Retz : salon véritablement aristocratique, où les beaux esprits et les poètes rencontrent des dames bien nées et d'authentiques grands seigneurs.

Chez la Maréchale, en ce « sejour heureux qui assemble / Mille deitez ensemble », comme le dit Rapin [23], elle-même mise « au rang des plus doctes et mieux versée tant en la poésie et art oratoire, qu'en philosophie, mathématiques, histoire et autres sciences » au témoignage de La Croix du Maine [24], fait figure véritablement de maîtresse et de muse : G. du Souhait la compte au nombre des neuf Muses, et d'Aubigné parle avec une admiration non feinte du « grand œuvre » qu'il voudrait bien « arracher du secret » et montrer au public, pour révéler l'excellence de la Maréchale. Au reste, ce salon, particulièrement splendide dans les dernières années du règne de Charles IX, réunit « tout ce que Paris comptait de plus brillant » [25].

C'est là que l'on observe avec la plus grande netteté le mariage d'un nouveau pétrarquisme et de l'italianisme : non seulement les Italiens, les Gondi, les Birague, les Delbène, les Strozzi... occupent des postes importants, mais l'on voit un Flaminio de Birague, frère de Ludovic, composer en français des poésies qui sont loin d'être dépourvues d'intérêt.

La Maréchale de Retz, Pasithée ou Dictynne, est chantée par Pontus de Tyard, par Jodelle, Desportes, Jamyn, J. de la Jessée, Birague, M. de Romieu, E. Pasquier, N. Rapin, d'autres encore. L'album de la Maréchale, composé aux alentours de 1573-1575, rassemble des poésies de Laval, Jodelle, Jamyn, Desportes, et le début d'une élégie de S. G. de la Roque. On retrouve, dans son salon, A. d'Aubigné, A. Mathieu de Laval, Biard, Claude Billard, sieur de Courgenay, F. Chouaine, G. Vaillant de Guélis, abbé de Pimpont... Il suffit de parcourir l'album pour « se convaincre que le néo-pétrarquisme trouve en elle ses tenants les plus décidés », dit M. Raymond [26]. Son salon n'est-il pas « le sanctuaire du néo-pétrarquisme ? » ; c'est un « curieux conservatoire des belles manières et du beau langage », dont l'importance a été reconnue, et qui fait sentir son influence sur toutes les manifestations littéraires de quelque importance autour de 1570.

---

23. Cité par Lavaud, *ibid.*, p. 77.
24. *Ibid.*, p. 77.
25. *Ibid.*, pp. 72-107. Voir aussi M. Raymond, *op. cit.*, II, pp. 65-68, et Th. Graur, *Jamyn...*, *op. cit.*, pp. 179-187.
26. M. Raymond, *ibid.*, II, p. 67.

La poésie précieuse qui s'épanouit dans les salons n'est pas moins prisée chez les Huguenots de la Cour. A l'album célèbre de Dictynne, fait écho celui de Louise de Coligny, fille de l'Amiral [27].

On peut dire qu'autour de 1570 se forme, à partir d'une tradition italienne solidement implantée, et se confirme, tout un goût précieux, lié très fortement à l'évolution de la société aristocratique, et au développement de la vie de cour, qui forme une société dans la société.

La préciosité est la fleur de l'oisiveté, de l'inaction ; elle est l'expression littéraire des goûts et des plaisirs d'un petit milieu très fermé, qui se donne ses propres lois, son propre code, qui établit sa hiérarchie particulière : au centre et au sommet est placée la grande dame, maîtresse reconnue par tous. D'elle partent les divers cercles concentriques de ses admirateurs et de ses poètes, sur lesquels elle étend ses « rets » qui enserrent étroitement en un seul filet le petit monde qui gravite autour d'elle. Les poètes, nouveaux troubadours, se trouvent naturellement intégrés dans ce système, pour célébrer les rites du nouveau cérémonial. Qu'ils soient d'origine noble comme Birague, ou roturière comme Desportes, ils se retrouvent assimilés, et pour être dorée, leur servitude n'est pas moins bien souvent une espèce de servage, contre lequel Ronsard n'a pas de mots assez durs, auxquels feront écho les protestations d'Aubigné. Le salon, déjà, se substitue à la cour, et devient « l'asile du geste précieux » [28]. Ne voit-on pas Marguerite de Valois se former aux mœurs polies de la nouvelle société dans le salon de Dictynne, dont sa Cour, à partir de 1605, sera en quelque sorte la réplique [29] ? Le salon en effet devient la place toute indiquée pour le jeu d'amour, pour la coquetterie et le compliment galant ; dominé et animé par les dames, il est tout occupé d'amour et de frivolité, refuge à l'écart de la vie, dont le bruit et la fureur n'arrivent qu'en échos assourdis.

Désormais, l'histoire de la poésie amoureuse se confond, jusqu'en 1610, avec celle de la petite société mondaine pour laquelle elle est composée. Dans l'évolution de la poésie amoureuse, ces premiers salons ont leur importance ; ils contribuent à codifier le goût nouveau et à imposer une mode nouvelle :

— d'abord, l'influence féminine y est dominante : non seulement, en effet, le salon se groupe autour de la maîtresse des lieux, qui en est le centre vivant, mais encore autour de Madeleine de l'Aubépine, plus encore autour de la Maréchale, gravitent en essaim toutes les belles amies : par exemple, les huit compagnes favorites de Claude-Catherine forment avec elle le groupe des Neuf Muses, que les habitués appellent aussi les Nymphes : Callipante (ou Erye ou Eryce), Pistère, Imérée, Statyre, Scaride, Fysée, Sigifile et Calitée. La Maréchale est Pasithée. Si pour nous ces surnoms sont obscurs, ne doutons pas de leur transpa-

---

27. *Ibid.*, II, p. 68 n. 1. Voir Van Hamel, *L'Album de Louise de Coligny*, R.H.L., 1903, p. 232.
28. R. Bray, *op. cit.*, p. 104.
29. Voir Y. Fukui, *Raffinement précieux dans la poésie française du XVIIe siècle*, Paris, Nizet, 1964, à propos de la Cour de Marguerite et du rôle de la Maréchale. Mais Y. Fukui fait naître (abusivement) la poésie de salon plus tard, vers 1630 seulement. Pourtant, les principaux caractères de la poésie précieuse de 1630 sont déjà visibles dans le dernier tiers du XVIe s., et le Salon de la Maréchale annonce celui de Mme de Rambouillet.

rence pour les familiers du salon « vert ». Marty-Lavaud avait déjà déchiffré le surnom de la Maréchale (l'un de ses surmons, car elle est aussi Dictynne ou Artémis) ; J. Lavaud a pu identifier Callipante, qui n'est autre que Marguerite de Valois, reine de Navarre, et Pistère, Henriette de Clèves ; peut-être aussi Hélène de Surgères se cache-t-elle sous le nom de Statyre. En tout cas, parmi les Belles du salon, on retrouve aussi bien des grandes dames amies de la reine Margot, que les dames d'honneur de Catherine de Médicis (comme Hélène).

Le nombre et la qualité des dames font naturellement que la poésie parle volontiers d'amour, et que l'on tourne aisément le madrigal. Ronsard lui-même prit peut-être dans le salon vert l'idée de célébrer Hélène.

— ensuite, cette poésie soumise à l'amour, si elle ne fait plus entendre qu'en échos très assourdis la note ronsardienne, est une poésie pétrarquiste : c'est que la grandeur de la dame, sa haute position sociale, sa distinction, inclinent le poète à garder — ou à feindre de garder, car le jeu n'est pas absent — une grande réserve : célébrant la Maréchale, ou l'une des Nymphes (épouses parfois d'illustres personnages), l'amant se place dans l'humble position de l'adorateur sans espoir. Il ne s'agit plus de « tastonner le tetin » d'une petite Marie, ni de célébrer le chaud baiser de la bourgeoise Sinope, rencontrée au hasard d'une promenade au bord de la Seine. Certes, les Nymphes ne sont pas des vestales, et les dames « d'honneur » de Catherine n'ont pas de l'honneur une idée très étroite (bien au contraire !), mais il convient de respecter les conventions, à la lettre, sinon dans l'esprit. Aussi le pétrarquisme, qui exalte la parfaite soumission, et place très haut l'objet de la passion, est-il de rigueur, dans cette poésie polie en tous les sens du terme.

Bien entendu, les poètes ne se prennent plus depuis longtemps pour Pétrarque, pas plus qu'ils ne confondent les dames, libres et enjouées, prêtes à l'aventure, coquettes et lascives (que l'on relise Brantôme !), avec l'idéale Laure. Non. Mais ils retiennent du pétrarquisme simplifié, schématisé, gauchi, l'expression facile d'un culte fervent pour une dame très haute.

— enfin, née dans des cercles nécessairement très restreints, la poésie précieuse pétrarquisante se nourrit surtout des menus faits de la vie de salon, des habitudes, des us et coutumes des familiers du lieu : une maladie, un départ, un retour, sont prétextes à rimer. C'est là un des caractères de la poésie précieuse : cette importance accordée aux faits insignifiants, ce choix délibéré de l'anecdote, de la bagatelle, ce souci de rattacher le poème à l'occasion qui lui donna naissance.

Plus encore : le « petit fait vrai » s'efface très vite derrière la parure ornementale du langage. A partir de l'incident-prétexte, ou du thème-prétexte, le poète précieux recherche l'expression la plus vive, la plus étonnante, la plus « riche ». C'est ainsi que la mythologie sera utilisée comme un masque transparent : que la maréchale soit enceinte, c'est « un beau petit Achille » qu'on lui souhaite [30]. Que son époux

---

30.   « Et faictes que Madame, exempte de douleur,
              Se délivre bien tost d'un beau petit Achille... »
(cit. par Lavaud, *op. cit.*, p. 103).

revienne après une mission en Angleterre, le voilà sacré nouvel Ulysse, « nostre Ulisse françois » [31]. Cet agrandissement par le recours à la fable fait bien entendu partie de la petite comédie que jouent, non sans humour, nos mondains ; il indique aussi le rôle assigné au langage, au « beau langage » : recouvrir la réalité (menue) qui servit de prétexte, et l'annuler par la surcharge décorative, qui crée une nouvelle fable.

De même, les jeux bien connus sur les noms propres, noms réels ou noms d'emprunt, d'abord créent une complicité heureuse entre le poète et son public, ensuite tissent un nouveau mythe, qui tient par la seule force du langage. Ainsi lorsque Pontus de Tyard, se mettant à la nouvelle mode, consacre quelques sonnets à Pasithée, séduit par le beau nom de Retz, il se déclare enserré par des *rets* si forts qu'il ne les saura jamais défaire :

> « Si quelcun veut sçavoir qui me lie et enflame,
> Qui esclave a rendu ma franche liberté
> . . . .
> C'est le feu, c'est le Noeu, qui lie ainsi mon ame... » [32]

Né d'un « jeu de mots » (Retz-rets), tout le texte est un hommage rendu aux mots. La poésie précieuse tout entière est un hymne à la gloire du langage, dans la mesure où elle est un discours qui ne se nourrit que de lui-même : les « complications » qu'on lui reproche, les subtilités dont elle se régale, les inventions ingénieuses, les pointes et concetti, les artifices et même le galimatias, témoignent de l'importance accordée au style, et de l'exaspération du langage [33].

Ainsi, naît, dans les salons parisiens, aux alentours des années 1570, une poésie « précieuse » qui accorde du prix au « bien dire », galante, polie, à l'image des cercles mondains qui la virent naître et lui assurèrent le succès, une poésie pétrarquisante, qui a oublié Pétrarque pour s'attacher aux poètes du Quattrocento, et aux nouveaux poètes précieux comme Costanzo.

II - Le néo-pétrarquisme

A. LE NÉO-PÉTRARQUISME ET L'AMOUR.

Il y a donc, et bien avant la mort de Ronsard, un renouvellement du goût, dont témoigne éloquemment la faveur que la Cour d'Henri III et les grands salons littéraires manifestent à Desportes. « Philippe Desportes, note Arnold Van Buchel, est un homme souple et très écouté à la cour » [34]. En l'absence de Ronsard, retiré à Croixval, il est rapidement devenu le poète à la mode. Si Ronsard n'attaque jamais son rival [35],

---

31. Voir Lavaud, *ibid.*, p. 102.
32. Pontus de Tyard, éd. Marty-Laveaux, p. 88.
33. Voir Montaigne, *Les Essais*, éd. Villey-Saulnier, PUF, p. 873, « J'ay desdain de ces menües pointes et allusions verbales qui nasquirent depuis ». Il oppose au langage plein, de chair et d'os — (celui d'autrefois), le langage « vide » de ses contemporains. Montaigne, ne l'oublions pas, commence la rédaction des Essais au moment où Desportes compose ses premières poésies amoureuses.
34. A. Buchel, *Description de Paris*, 1585-1586, cit. par C. Faisant, *art. cit.*, p. 324.
35. Il y a bien un quatrain épigrammatique assez dur, mais son interprétation est douteuse. Voir, outre Lavaud, M. Raymond, *op. cit.*, II, p. 76 et C. Faisant, *R. et Desp.*, *art. cit.*, p. 325.

si même il se retire volontairement devant « un plus jeune écrivain que l'âge favorise » [36], s'il feint de mépriser la poésie amoureuse :

> « Au jeune âge convient chanter telles chansons :
> A moy d'enfler la trompe, et de plus graves sons
> Resveiller par les champs les Françoises armées » [37],

il ne manque pas de s'en prendre à la nouvelle mode répandue à la cour et dans les salons, à toute cette poésie galante qui en français parle italien, et il proscrit « la manière de composer des Italiens » qui ne sert « qu'à ampouler et farder les vers » [38].

L'année 1573 marque le triomphe du néo-pétrarquisme illustré par les *Premières Œuvres* de Ph. Desportes, véritable événement littéraire : la poésie du Chartrain est le reflet de la Cour et des salons, qui sont ses véritables assises. Elle a déjà son public, et l'agrément du roi Henri III ne fait qu'assurer davantage le succès de ce nouveau pétrarquisme, que Ronsard « défie » en prétendant s'y rallier lorsqu'il publie les *Sonets* pour Hélène [39].

Par ses qualités immédiatement sensibles — la clarté, l'aisance, la douceur, l'ingéniosité — la poésie de Desportes convient admirablement à ce public restreint mais tout-puissant, qui goûte plus le madrigal et la chanson, que le lyrisme de haut vol. Mais il faut ici prendre garde : le néo-pétrarquisme est, certes, d'abord, un phénomène social, il est le langage d'un groupe ; mais il est aussi un phénomène littéraire, et, comme tel, il échappe aux simplifications abusives. Disons qu'il y a au moins en 1570 deux manières d'être néo-pétrarquiste. Le néo-pétrarquisme de Desportes, tel que nous l'avons rapidement défini, est précieux et abstrait, sa poésie est moins sentimentale que *psychologique* : on dirait volontiers que l'analyse du sentiment se substitue chez lui au sentiment et à la sensation immédiate. Une espèce de métaphysique amoureuse remplace en effet le sentiment vécu de l'amour-passion. La clarté, la logique de l'explication, une certaine rigueur dans l'exploration sentimentale, l'emportent désormais sur le mouvement même de l'émotion. Ce qui est donné chez Ronsard dans l'immédiateté de la sensation première, cette unité du sens et du mouvement, passent chez Desportes par l'intermédiaire de la rhétorique et de la casuistique amoureuses. En d'autres termes, la rhétorique n'est plus pour lui l'appui d'un mouvement lyrique, mais un instrument d'élucidation psychologique. C'est là un premier néo-pétrarquisme.

Il y a, moins connu, et plus secret, un autre néo-pétrarquisme — un pétrarquisme « noir », qui est comme le versant nocturne et inquiétant de la préciosité mondaine. C'est celui de Jodelle, dans ses *Amours* (posthumes, 1574) [40], celui aussi de Jamyn — volontiers cruel. La fureur

---

36. Ronsard, *éd. cit.*, t. XVII, p. 340.
37. *Ibid.*, p. 341.
38. *Abbrégé de l'Art Poëtique François,* Laumonier, t. XIV.
39. Voir M. Morrisson, *art. cit.*, p. 303 et suiv. : « These bitter, personal sonnets are anti-Petrarchan sonnets. »
40. Jodelle, *Œuvres Complètes,* éd. établie, annotée et présentée par Enea Balmas, NRF, Gallimard, 1965.

l'alimente — et un sentiment « noir » de l'existence. La tension prend le pas sur la clarté, et la violence l'anime plus que la douceur. C'est le néo-pétrarquisme noir qui fait éclater l'harmonie du monde ronsardien, tandis que son printemps vert et fleuri se change en un automne orangé, couleur de mort.

De ces deux néo-pétrarquismes, seul nous intéresse ici le premier, le néo-pétrarquisme « blanc », celui de Desportes et de ses disciples fidèles : Blanchon, Boyssières, La Jessée, Scévole de Sainte-Marthe, et des deux plus grands : Bertaut et du Perron — qui propose une nouvelle stylisation du sentiment amoureux. Le néo-pétrarquisme noir, discernable chez Jamyn et chez Jodelle, alimentera une nouvelle psychologie de l'amour qui trouvera avec d'Aubigné, Birague, Nuysement, Béroalde, sa parfaite expression et que nous étudierons plus loin, car, à tous égards, elle institue une véritable rupture — non seulement par rapport au ronsardisme, ce qui est trop évident, mais encore par rapport au pétrarquisme « blanc » : en effet, à partir d'une vision néo-pétrarquiste de l'amour, le « quatuor » que constituent d'Aubigné, Birague, Nuysement et Béroalde, tentera — en allant jusqu'au bout de la métaphysique pétrarquiste, de se frayer un nouveau chemin, sinueux, tortueux, qui leur permettra d'aller beaucoup plus loin dans l'exploration systématique du sentiment amoureux et de son obsédante présence, rouge et noire, au cœur de l'amant.

Bien différemment, le néo-pétrarquisme blanc apparaît comme un langage clos, avec ses figures essentielles, ses motifs de prédilection, ses symboles particuliers, sa mythologie propre, et, en même temps comme un jeu sur ce langage — vu comme un ensemble inépuisable de signes. Le néo-pétrarquisme n'a pas de relation avec le sentiment de l'amour : cette poésie n'est rien moins que sentimentale —, ni avec les affections du cœur. Mais elle ne parle que d'amour, ou pour mieux dire elle *parle l'amour,* elle le réduit aux signes du langage, elle le fait, elle le crée en le disant : le sentiment ne préexiste pas pour les poètes de cette sorte et d'abord pour Desportes, il ne s'*exprime* pas par la poésie, il n'est qu'au moment où il est dit et meurt lorsque la parole se tait. C'est à coup sûr là qu'il faut chercher les raisons du mépris dont on accable si aisément les poètes néo-pétrarquistes : les (rares) lecteurs, et surtout les lecteurs d'après le romantisme, n'ont vu dans le néo-pétrarquisme qu'une (apparente) contradiction.

En effet, la poésie de Desportes leur a paru tout entière consacrée à l'amour ; mais ils n'y ont pas trouvé le sentiment amoureux. Aussi ont-ils communément parlé d'artifice, de préciosité, d'insincérité : ces vocables masquaient leur gêne, et aussi leur incompréhension : Desportes n'est pas Baudelaire ! Ils se sont épuisés à chercher vainement dans cette œuvre trace d'une passion « réelle », d'un sentiment « vraiment » ressenti, d'une « émotion ».

Le néo-pétrarquisme « blanc » en général et l'œuvre de Desportes en particulier, sont admirables dans la mesure où, pour la première fois sans doute, la poésie ose se débarrasser de sa gangue sentimentale, pour ne pas craindre la « blancheur » : une œuvre blanche, sans nul sentiment, nourrie de la seule passion des mots, voilà ce qu'est à nos yeux Desportes. Et ce n'est point un hasard si le superbe Malherbe a si minutieusement lu Desportes : sa lecture, passionnée, comme on sait, passionnante, est la première — et la seule ? — tentative pour restituer la grandeur d'un poète qui s'est voulu poète — et non poète d'amour, artisan du langage, ouvrier des mots. Qu'on ne s'étonne plus de la pauvreté du « sentiment amoureux » dans les poésies de Desportes, il a aimé, d'une passion exclusive, la littérature (sa bibliothèque extraordinaire en témoigne, et sa générosité, prêtant un livre, sans le réclamer) et le langage. Entre Malherbe et lui, c'est bien d'une rivalité amoureuse qu'il s'agit : tous deux n'ont-ils pas brûlé d'une passion véritable, exclusive, jalouse, pour le langage ? A-t-on suffisamment observé que les commentaires de Malherbe, dont on souligne la dureté malicieuse, la verdeur, ne disent pas, comme nous, « quelle insincérité ! Que d'artifices ! etc. ». Malherbe dit (nous citons au hasard) : « Ces frases differentes sont mal jointes », il dit « superflu », « mal exprimé », il dit « recevoir des pleurs » n'est guère bien dit » et « quel langage ! »... Cette lecture critique, dans sa minutie, dans sa rudesse, met l'accent — toujours — sur l'essentiel. Malherbe, à tout moment, questionne : « Avez-vous lu Desportes ? » Avons-nous lu Malherbe ?

B. Thèmes néo-pétrarquistes et thèmes platoniciens
   dans la poésie de Desportes.

Les Thèmes néo-pétrarquistes.

On connaît l'ampleur de la dette de Desportes à l'égard des Italiens, dénoncée dès 1579 par H. Estienne [41], un peu plus tard par Pasquier [42]. En 1610, P. de Deimier note que « Desportes a fait merveille de s'approprier les conceptions amoureuses des poètes espagnols et italiens » [43]. Il est ici inutile de résumer les résultats bien connus de l'enquête menée par J. Lavaud [44] : rappelons qu'elle met en lumière l'importance des imitations italiennes. En outre, il est reconnu qu'« avec Desportes, nous sommes en plein pétrarquisme italien, celui de Tebaldeo et Sasso » [45]. Vianey [46] avait montré l'importance des *Fiori* de Riscelli, et l'influence prépondérante de di Costanzo. Kastner [47] a, à son tour, indiqué l'étendue de la dette du poète à l'égard des *Rime de gli illustrissimi sig. Academi Eterei*, parues en 1567 à Ferrare : Guardini, B. Rota, tels sont les contemporains qui sont imités, sans oublier l'Arioste dont le succès va grandissant [48].

L'œuvre de Desportes apparaît à première vue comme un vaste et monotone répertoire de thèmes néo-pétrarquistes. « Dès les premières

---

41. Henri Estienne, *La Précellence du langage françois*, nouv. éd., L. Feugère, Paris, 1850, cit. par Lavaud, *op. cit.*, p. 175.

42. E. Pasquier, *Les Recherches de la France*, in *Œuvres...*, éd. 1723, t. I, col. 717-718.

43. P. de Deimier, *Académie de l'Art Poëtique*, Paris, 1610.

44. Voir Lavaud, *Desportes, op. cit.*, chap. III, pp. 175-210.

45. *Ibid.*, p. 128.

46. Voir Vianey, *Le pétrarquisme...*, *op. cit.*, pp. 232 et 236-237.

47. Kastner, *Desportes et Angelo di Costanzo*, R.H.L., 1908, pp. 113-118 ; *Desportes et Guarini*, R.H.L., 1910, pp. 124-131.

48. Sur l'influence de l'Arioste, voir A. Cioranesco, *L'Arioste en France*, *op. cit.*

pages, écrit à propos des *Amours de Diane* J. Lavaud, nous voilà plongés
en plein pétrarquisme italien et dans le pire, celui du Quattrocento
finissant » [49]. Et R. Bray reconnaît à Desportes un mérite, « celui d'être
une somme de la préciosité médiévale et renaissante » [50]. C'est beaucoup,
et c'est bien peu ! L'inventaire des thèmes pétrarquistes a été conduit
avec suffisamment de précision et de rigueur, notamment par J. Lavaud,
pour qu'on puisse se borner ici à noter que la poésie de Desportes forme
« un unique poème qu'on pourrait intituler « Thème avec variations » [51].
Ce thème unique c'est celui du mal d'amour, du martyre, ou encore de
l'obsession amoureuse, qui envahit sonnets, stances, élégies et chansons.
On y retrouve les emblèmes précieux : le feu, le soleil, et les larmes, et
les obsédantes figures du lyrisme pétrarquiste : le poison et la guerre,
la mer et les naufrages, les vents et les soupirs, qui composent comme un
unique chant aux modulations monotones.

Nous nous proposons d'étudier plus loin la thématique de Desportes,
ses motifs, ses figures. Qu'il nous suffise pour le moment d'un répertoire
sommaire des thèmes pétrarquistes.

D'abord, se proposent à nous tous les thèmes du mal d'amour ;
à lire les *Amours de Diane*, ou les *Amours d'Hippolyte*, ou *Cléonice*,
c'est la qualité de la peine et de son aigreur qui retient l'attention : la
bouche « incessamment aux cris d'Amour ouverte » [52] ne dit que la
souffrance, le mal qui « (les) sens va troublant ». Impossible de se
distraire d'un tel mal : « blessé d'une playe inhumaine » [53], l'amant est
d'autant moins prêt à se défendre qu'il adore son ennemie, réservant
pour lui-même la haine qui couve en son sein.

Point de repos en cette souffrance : la nuit paraît une année [54], et
rien ne saurait « alleger » un esprit « languissant » [55].

Point non plus de désir de repos : le mal d'amour est irremplaçable :

> « Plus j'ay de connoissance et plus je determine
> De n'aimer rien que vous... » [56]

L'amant le plus aigrement « tenaillé » est aussi le plus obstiné :
fidèle à la « sauvage loy d'Amour », l'âme obstinée

> « Cherche ce qui (la) tue, et s'y plaist follement. » [57]

Si bien que ce martyre si communément célébré se change en délices ;
rien n'est plus amer que l'amour, rien n'est plus doux :

> « Mes fers me contentent si fort
> Que je ne hay moins que la mort
> L'estat que Franchise on appelle... » [58]

Les pleurs même, les plaintes et les cris, sont superflus : brûlé d'une

---

49. *Desportes, op. cit.,* p. 128.
50. *La Préciosité, op. cit.,* p. 72.
51. Tortel, *Le lyrisme au* XVIIe *siècle,* in *Hist. des Littératures,* Pléiade, t. III,
p. 345.
52. *Diane,* I, p. 29.
53. *Hippolyte,* p. 95.
54. *Ibid.,* p. 48.
55. *Cléonice,* p. 49.
56. *Ibid.,* p. 16.
57. *Hipp.,* p. 37 (*Complainte*).
58. *Ibid.,* p. 49 (*Chanson*).

flamme « couverte » [59], l'amant se tait, ennemi de son bien, trouvant son plaisir à se déplaire, cachant sa peine « à celle qui (le) tue », contraignant son vouloir « pour ne faire apparoir / la douleur... » [60].

On voit déjà la qualité propre du mal de Desportes : son obsession amoureuse ne se nourrit pas, comme celle de Ronsard, de souvenirs ; la mémoire ici n'est d'aucun secours ; l'amour n'appelle pas davantage la satisfaction : *il se déclare et s'épuise en se déclarant*. Tout le plaisir ici est de dire la souffrance, et de trouver une intime satisfaction dans cette récitation monocorde :

> « Je ne demande pas que mon mal s'adoucisse
> . . . .
> Pour fruit de mes labeurs donne moy seulement
> Que mon nom glorieux vive eternellement. » [61]

Très curieusement, l'obsession amoureuse se change en obsession « littéraire » : l'amant à qui toujours, qu'il lise, qu'il écrive, qu'il parle ou se taise [62], un bel œil fait la guerre, ne pourra plus écrire sinon d'amour :

> « D'autre sujet je ne compose
> Ma main n'escrit plus d'autre chose. » [63]

Ensuite, apparaît le thème des rigueurs de la Belle ; l'ardent vouloir qui consume l'amant, l'élan heureux qui « jusqu'au troisième ciel » [64] l'élève, se heurte à l'obstacle prévu, voire désiré secrètement : le « dur refus », « dernier supplice » infligé à l'amant [65], porte à son maximum la ferveur brûlante de qui se méprise [66], se hait [67], se veut mal à soi-même. Toute la poésie de Desportes célèbre la rigueur, la dureté, la méchanceté de la Belle insensible, qui procure à son pitoyable amant la douceur insoupçonnée des supplices :

> « Bien souvent Hippolyte à grand tort courroucée
> Arme son cœur de glace et d'éclairs ses regards.
> Preste à lascher sur moy tant de feux et de dards
> Que la mort pour me prendre à la main avancée,
> Mais voyant de frayeur mon audace abbaissée,
> Ma force esvanouye, et mes sens tout espars,
> Elle...
> Desdaigne une despouille à ses pieds renversée.
> . . . .
> Puissé je un jour (...)
> Apprendre à Jupiter (...)
> Comme il peut estre *doux mesme en nous foudroyant*. » [68]

C'est là le deuxième paradoxe de l'érotique néo-pétrarquiste : non seulement l'amant trouve sa satisfaction à réciter le martyre, obsédé

---

59. *Diane*, I, p. 29.
60. *Ibid.*, p. 92.
61. *Hipp.*, p. 79.
62. *Ibid.*, p. 46.
63. *Ibid.*, p. 43 (v. 31-32).
64. *Diane*, I, p. 28.
65. *Ibid.*, p. 35.
66. *Ibid.*, p. 36.
67. *Hipp.*, 95 (v. 16).
68. *Ibid.*, p. 99.

moins par l'image de la dame que par la nécessité de dire son mal, mais encore, également éloigné de Ronsard, il ne s'emporte plus contre les rigueurs de la Belle insensible, car il goûte la douceur des menaces, et le plaisir de l'évanouissement. Devenu « une despouille », l'amant jouit de son abaissement et de sa position humiliée. Tout le livre consacré à Hippolyte-Marguerite dit le plaisir qu'il y a à aimer « trop haut », à se perdre dans son désir téméraire ; tout y est appel au châtiment, doux châtiment imploré tout au long du poème :

> « Les courroux, les rigueurs, le temps et la distance
>   Serviront de rempart... »[69],

et tout, aussi, manifeste qu'un choix est fait en faveur du tourment :

> « Car mon cruel tourment m'est si fort agreable
>   Que je tasche à durer pour le faire durer. »[70]

Ainsi s'établissent, sur les bases d'un pétrarquisme ordinaire, les nouveaux rapports de l'amant et de sa dame : d'un côté, la rigueur, la grandeur (de la position sociale), l'insouciante insensibilité ; de l'autre, l'ennui, l'humble posture, le plaisir à souffrir ; plus encore : l'incitation à faire souffrir. N'est-ce pas, comme le suggère assez explicitement *Hippolyte,* pour susciter la punition délicieuse que l'amant se plaît à se faire plus humble et plus soumis, pensant non pas apaiser mais au contraire éveiller la colère du bourreau en lui criant merci ?

> « Celle qui de mon mal ne prend point de souci
> . . . .
>   Se rit de mes douleurs si tost que je commance
>   A me plaindre...
>   J'ay beau m'humilier et luy crier mercy
>   Mercy de l'aimer trop...
>   Elle en est plus rebelle... »[71]

Desportes répète sans se lasser que la douleur lui est plaisir, et le tourment, jouissance :

> « Car sa rigueur m'est douce, et mon mal me contente... »[72]

Pour prix d'une amour ferme, constante en dépit des maux, demande-t-il moins de rigueur ? Point. Au contraire.

> « Pour tant d'ennuis divers
> . . . .
>   Pour vostre doux orgueil...
> . . . .
>   O beaux yeux...
>   Je ne demande pas que m'accordiez la paix,
>   Que vous soyez plus doux...
>   Pour tout bien je requiers, que *croissant en rigueur*
>   Pour butte à tous vos traits vous choisissiez mon cœur ! »[73]

---

69. *Ibid.,* p. 119.
70. *Ibid.,* p. 118.
71. *Ibid.,* p. 129.
72. *Ibid.,* p. 129.
73. *Ibid.,* p. 114.

Singulière passion, qui se nourrit de refus, recherche l'impossible chemin d'une volupté particulière, s'enivre de larmes et de rires cruels.

Enfin, au martyre d'amour et aux rigueurs désirées, s'ajoute le thème, pétrarquiste également, de l'absence. On sait quels accents Ronsard et les Ronsardisants avaient ajoutés à Pétrarque ; on sait aussi que l'absence, liée intimement à l'obsession amoureuse, donnait lieu à de multiples variations sur le thème de la permanence de l'image aimée. Il en va différemment chez Desportes.

Tout d'abord l'absence est chantée de façon conventionnelle :

> « Las ! que me sert de voir ces belles plaines
> . . . .
> C'est autant d'eau pour reverdir mes peines
> Ne voyant point celle pour qui je meurs
> . . . .
> Las ! que me sert d'estre loin de ses yeux... » [74]

Simple variation sur le thème de l'obsession, l'absence de la dame n'est au début qu'une vive souffrance, qui, déjà, commence à se faire apprécier ; l'amant n'écarte-t-il pas de lui, pour mieux se donner à son mal, tous les objets qui l'en peuvent distraire [75] ? Puis l'absence devient agréable : l'amant ne désire déjà plus mettre « en oubly » la beauté dont sa douleur « procede » :

> « J'ayme trop mieux ne m'alleger en rien. » [76]

Bientôt, il ne s'agira plus de résister à l'obsession, mais au contraire de « rafraichir » l'absence : amoureux de sa peine, et de sa servitude, l'amant « par mille inventions » [77] tâchera de garder « verte » en lui l'image lointaine, s'enivrant du plaisir de souffrir.

Quand l'âme est ainsi totalement absorbée dans sa muette contemplation, quand l'absence se trouve « digérée », assimilée au goût de la vie — une vie atone, languissante, insipide — alors le retour de la Belle, par la rupture qu'il provoque, apparaît comme un danger : le désir même qu'éveille l'espoir du retour devient suspect. L'équilibre est si fragile, la « composition » si précaire, que la présence de la dame est redoutable. On parvient ainsi à un état paradoxal : la souffrance infligée par l'absence s'est changée en douce habitude, son aigreur devient plaisir.

En revanche, l'annonce d'une présence prochaine, d'abord source de joie :

> « Je sens fleurir les plaisirs en mon ame...
> Pensant au bien qui me doit advenir
> Cet heureux jour que je verray Madame... » [78],

devient très vite source d'angoisse :

> « Mais, ô mes Yeux, pourrez vous soustenir
> Ses chauds regars pleins d'amoureuse flame ?
> Que me sert las ! si fort la desirer,
> Fol que je suis ? » [79]

---

74. *Diane,* I, p. 53.
75. *Ibid.,* p. 61.
76. *Ibid.,* p. 62.
77. *Ibid.,* p. 102.
78. *Hipp.,* p. 25, premier quatrain.
79. *Hipp.,* 2e quatrain (fin) et 1er tercet.

Car, en fin de compte, l'absence est nécessaire pour cet amant qui choisit de trouver son plaisir dans la souffrance, et dont l'âme, instable, fragile, mal assurée, ne peut maintenir sa quiétude qu'au sein de l'inquiétude — trop faible pour supporter les rayons de l'œil qui le blesse, amie de sa peine, laquelle lui donne en quelque sorte la consistance qui, originellement, lui fait défaut :

> « Je tremble et ne veux pas mourir
> De peur de voir mourir ma peine » [80]...

Refusant avec énergie le plaisir, toujours « de peu de durée » [81], l'amant s'enchante de sentir en lui la flamme de la douleur, par laquelle seule il se sent exister :

> « Toujours durera ma douleur :
> Car mon amoureuse chaleur
> Est de l'essence de mon ame. » [82]

Les trois thèmes : le martyre amoureux, les rigueurs de la dame, l'absence (ou l'obsession amoureuse) sont les thèmes majeurs du lyrisme pétrarquiste, ancien ou nouveau : parfaitement cohérents, ils se réduisent à l'unité d'une plainte monotone, monocorde, qui, à travers les variations singulières de chaque recueil (*Hippolyte* et l'audace, *Cléonice* et la rupture...), revient, lancinante, assurer qu'il n'y a pas d'amour heureux.

Mais déjà se fait jour la différence entre l'ancien pétrarquisme et le nouveau : avec Desportes, la différence est moins quantitative — (encore que, par exemple, le thème de l'absence soit traité par lui plus que par Ronsard ou ses épigones, ou que le thème des rigueurs de la dame revienne inlassablement) — que *qualitative*. En effet, plus de sursaut, plus d'énergique volonté, plus de lutte : la résistance ronsardienne est morte ; désormais l'amant se livre en aveugle au sentiment amoureux, faible, éperdu (ce sont des termes qui reviennent plus d'une fois), évanoui, heureux de son humiliation, soumis totalement à la douleur qui le fait vivre, car elle secoue son inertie et excite ses nerfs.

Si Desportes utilise sans retenue le schéma pétrarquiste, qui oppose la grandeur respectable d'une dame interdite à l'humble attitude d'un amant dont les soupirs restent vains et stériles, c'est en modifiant profondément les rapports amoureux : l'amant maintenant recherche cette grandeur qui fait obstacle ; loin de nuire à l'amour, l'absence est son garant ; le courroux de la maîtresse, sa dureté, son insensibilité, sont aussi nécessaires à l'amant que l'air qu'il respire ou tente de respirer, en sa délicieuse anémie. Ce qui était objet de souffrance devient gage de plaisir : déjà *Hippolyte* multipliait les étranges déclarations d'allégeance. N'y voyait-on pas l'amant exiger inlassablement la torture, remercier la dame de sa cruauté, souhaiter un « trépas horrible et detestable » [83] ? Et trouver, en cette soif de souffrance, son seul délec-

---

80. *Ibid.*, p. 63.
81. *Ibid.*, p. 62, v. 87.
82. *Ibid.*, p. 63, v. 106-108.
83. *Ibid.*, p. 110, v. 36.

table plaisir [84] ? Voici que *Cléonice* manifeste plus clairement encore le
choix initial, la souffrance n'est pas donnée pour le malheur d'un amant
insatisfait, elle est recherchée patiemment, seul moyen de vivre et de se
sentir vivre :   « ...Monstrons au contraire
                       Que ce malheur forcé nous est choix volontaire. » [85]

Etonnante déclaration ! et qui ne doit rien, qu'on ne s'y trompe pas, à
un quelconque « stoïcisme » : bien au contraire, ce que Desportes ne
cesse de dire, c'est la volupté des larmes,

        « Que sera ce de vous, privez de la lumière,
         Pauvres yeux, dont le ciel vous contraint separer ?
         Nous ferons de nos pleurs une large rivière... » [86],

et le plaisir de l'« outrage » :

        « Je n'aime rien si fort que ce qui plus m'outrage. » [87]

Ainsi un premier pétrarquisme est constamment démenti, corrigé,
annulé par Desportes, non qu'il le refuse — bien au contraire ! — mais
parce qu'il a osé — le premier — aller jusqu'au bout de ses indications,
non par révolte (Desportes sur ce point encore agit autrement que
Ronsard l'impatient), mais par une feinte soumission qui altère profondément l'esprit pétrarquiste. Pétrarque était en proie à une douloureuse
contradiction : les sens « tenaillés » par l'appel de la chair « travaillée »,
le cœur porté vers la pureté idéale d'un amour sans compromission ;
Ronsard, autrement, rêvait de briser, par la violence d'un élan à la fois
charnel et spirituel, le carcan qui le tenait malgré lui prisonnier.
Desportes ne voit plus contradiction, prison, ou impossibilité : pour lui,
ce qui était obstacle devient voie ouverte à une expérience propre ; il fait
un « choix volontaire » de ce qui était à autrui imposé. Préférant la
volupté des larmes, le plaisir de la contrainte, si rude soit-elle, il chasse
le sentiment de l'amour pour se consacrer tout entier à la célébration
du mal :   « Je beny vos rigueurs, j'adore ma souffrance » [88],

heureux d'oublier toute chose [89], jouissant de sa seule pensée :

        « Et le mal qui me tuë est vie à ma pensée. » [90]

Les thèmes néo-platoniciens.

A la différence de Ronsard qui, lorsqu'il compose les *Sonets pour
Hélène* au moment où s'épanouit le néo-platonisme mondain, s'insurge
contre la philosophie « menteuse » de Platon, Desportes offre l'expres-

84. Voir par ex. *ibid.*, p. 116 :
        « D'aise et d'ennuy mon ame est toute esmeuë
        . . . .
        Qui penseroit d'une mesme fontaine
        Pouvoir couler le repos et la paine ? »
85. *Cléon.*, p. 57.
86. *Ibid.*, p. 60.
87. *Ibid.*, p. 44.
88. *Ibid.*, p. 41.
89. *Ibid.*, p. 25.
90. *Ibid.*, p. 24.

sion la plus claire du platonisme tel qu'il apparaît après la traduction des *Dialoghi d'Amore* de Léon Hébreu [91]. Il est d'ailleurs salué par Ronsard comme sectateur de Platon [92].

Desportes, du reste, emprunte plus que des thèmes à ce platonisme mondain à la mode. Tantôt, il « paraphrase » Platon, tantôt il lui doit un ton, un accent [93].

R.M. Burgess fait un inventaire complet des thèmes et idées platoniciens repris par Desportes. Nous nous contenterons de résumer brièvement son étude : suivant le *Timée* et ses schémas explicatifs, Desportes voit dans la création du monde un passage du chaos originel, où « l'air, la mer, la terre et la belle lumière / Meslés confusément, faisoient un pesant corps » [94], aux « paisibles accords » de la matière harmonisée. L'Amour est la force organisatrice, qui réduit et compose l'état chaotique. En même temps, le monde s'*arrondit,* trouvant avec la forme ronde son unité et sa beauté :

> « D'une chose sans forme il en fit une ronde,
> Que pour son ornement, on appelle le monde
> Entretenu d'amour, dont il est tout remply. »[95]

Aussi Desportes identifie-t-il à la rondeur du monde, signe de sa perfection et de sa victoire sur l'informe, la rondeur de l'anneau porté par la Dame :

> « Tu es tout rond ; parfaite est la rondeur. » [96]

Ces thèmes semblent venir directement de Platon, du *Timée* plus particulièrement ici, et s'insèrent naturellement dans toute une tradition, qui, avec Marguerite de Navarre et Héroët, mêle le platonisme aux choses de l'amour.

De même, l'idée que se fait Desportes de la nature de l'âme semble plus proche du platonisme que du christianisme [97].

> « En la mort seulement se corrompt la matière
> Qui tient des éléments ; l'ame demeure entière
> Franche et libre du corps, et s'en revolle aux cieux. » [98]

La mystique néo-platonicienne avait mis l'accent sur cette soif de l'âme à retourner à son lieu d'origine ; Desportes, confondant l'esprit et l'âme, illustre à mainte reprise cette aspiration de l'être immatériel à rejoindre le ciel :

> « Mon esprit, nay du ciel, au ciel toujours aspire. »[99]

Il utilise curieusement ce thème pour affirmer avec plus de force la joie du servage amoureux :

---

91. Sur le platonisme, voir P. Kristeller, *The Philosophy of Marsilio Ficino,* trad. angl., Columbia U.P., 1943, et R. Marcel, *Marsile Ficin,* Class. de l'humanisme, B. Lettres, P., 1958.
92. Burgess, *Platonism in Desportes,* Univ. of North Carolina Press, n° 22, 1954, p. 21.
93. *Ibid.,* p. 22.
94. Desportes, *Diane, Chant d'Amour,* p. 147, v. 26-27.
95. *Ibid.,* v. 31 et sq.
96. *Ibid.,* LI, p. 99.
97. Voir Burgess, *op. cit.,* p. 41.
98. *Hipp., Stanses,* p. 160, v. 7-9.
99. *Ibid.,* Elégie, p. 33, v. 49.

> « Car, bien que mon esprit ait celeste origine,
>   Il se tient bien heureux d'estre à vous asservy. » [100]

Enfin, il reprend le thème illustré par Du Bellay [101] de l'âme emprisonnée dans l'étroit corset du corps :

> « O pauvre corps ! jusqu'à quelle journée
>   Retiendras tu mon ame emprisonnée
>   En tant de fers, la gardant qu'elle vole
>   Après son bien, dont l'espoir me console ? » [102]

Ce motif platonicien s'accorde chez lui avec le motif mondain des fers et des chaînes qui enserrent l'amant captif de sa dame. Il devient en somme un contrepoint au thème du martyre, et se vide de son contexte spirituel pour traduire un nouvel aspect de la souffrance infligée par Amour.

De même, après Scève, Marguerite de Navarre, Héroët et la Pléiade, Desportes fait de fréquentes allusions à la théorie célèbre des Idées, qui donna lieu à tant d'interprétations [103] :

> « Sur la plus belle Idée au ciel vous fustes faite,
>   Voulant nature un jour monstrer tout son pouvoir ;
>   Depuis vous lui servez de forme et de miroir... » [104]

Un héritage complexe devient matière à compliment galant. D'une philosophie hautaine et difficile, Desportes tire des variations poétiques, réduisant tout un enseignement à l'apport de quelques thèmes, détournés de leur fin.

> « J'aimois vostre beauté passegere et muable,
>   Comme un ombre de l'autre éternelle et durable,
>   Qui sur l'aile d'amour dans les cieux m'elevoit. » [105]

La conception que Desportes a de l'amour est moins purement platonicienne, car elle mêle au schéma platonicien des relents de pétrarquisme. Et platonisme et pétrarquisme sont si loin d'être frères que le pétrarquisme est, par bien des aspects, un « anti-platonisme » [106].

Ainsi, l'inspiration pétrarquiste chez Desportes ne doit plus rien, en somme, à Pétrarque lui-même, comme le platonisme qui colore le sentiment de l'amour n'est plus redevable à Platon : pétrarquisme et platonisme deviennent chez Desportes un répertoire d'images, une ressource du langage. Qu'on ne cherche pas chez lui la survivance des grands mythes platoniciens — dont ne subsistent plus que des traces diffuses, ni du grand mythe pétrarquien de la passion impossible et de la « division » — dont il ne reste ici que le thème de l'éloignement, de la distance qui sépare matériellement et sentimentalement les amants. Si, en effet, platonisme et pétrarquisme sont d'une certaine manière opposés dans la première moitié du siècle, en revanche, dans le dernier quart du siècle, le pétrarquisme altéré et modifié de Desportes se marie sans

---

100. *Diane, Stanses*, II, p. 320, v. 11-12.
101. Du Bellay, l'*Olive*, « Si nostre vie est moins qu'une journée... » (s. CXIII).
102. Desportes, éd. Michiels, *Epitaphes, Complainte*, pp. 487-488, v. 17 et sq.
103. Voir dans Burgess, *op. cit.*, chap. IV, un résumé des diverses interprétations de la Renaissance, et R.V. Merrill with R.J. Clements, *Platonism in French Renaissance Poetry, op. cit.*, chap. II, pp. 29-58.
104. Desportes, *Diane*, II, p. 311.
105. *Cléon.*, XCIV, p. 122.
106. V.-L. Saulnier, *M. Scève, op. cit.*, p. 207.

difficulté au platonisme mondain vidé de sa substance « idéologique » :
de ce qui était une doctrine cohérente et systématique, comme de ce qui
était une véritable théorie de l'amour, naît un enfant bâtard, rejeton
anémique issu d'un sang trop riche, qui revendique avec assurance un
double héritage dont il n'est pourtant que trop assuré qu'il ne reste que
des miettes éparses. Ce bâtard audacieux — l'appellera-t-on un pétrarquisme platonisant ? ou un platonisme pétrarquisant ?, son nom même
est un défi ou une trahison —, si illégitime que paraisse sa filiation,
père à son tour d'une race douteuse (les néo-pétrarquistes issus de
Desportes), est, en tout cas, prolifique : que l'on en juge plutôt par les
innombrables variations que suscitent, après 1570, les thèmes de la
distance qui sépare les amants, de la chasteté, du martyre et de l'essor
de l'âme [107]...

---

107. Nous résumons ici un chapitre de la thèse supprimé : en effet, avec le
triomphe de la mode néo-pétrarquiste, les poètes parisiens, familiers de Dictynne
(Baïf, Belleau, Pontus de Tyard, des anciens de la Pléiade) comme aussi Rapin,
La Jessée, Birague, S.-G. de la Roque, Pasquier, G. du Souhait, et les provinciaux
(La Meschinière, Boyssières, Blanchon, de Brach...), illustrent avec abondance les
thèmes chers à Desportes, notamment dans des élégies, dont la structure narrative
se prête aux récits et aux « histoires » d'amour. Au nombre de ces thèmes : les
souffrances de l'amant et les rigueurs de la Belle, l'absence (thème majeur du
lyrisme néo-pétrarquiste, chez Bertaut notamment), illustrée par des motifs solaires
et lunaires, l'inconstance, masculine et féminine (Bertaut, de Brach, Scévole e
Sainte-Marthe, la Jessée, Boyssières, etc.). Ces différents thèmes néo-pétrarquistes
sont illustrés par des motifs spécifiques : le fer et le feu (motifs opposés), les
flammes et les chaînes (motifs contrastés), le poison ou le venin et les cordes ou
les lacs (motifs associés), la prison, le joug, et les divers motifs « élémentaires »
(eau, vent) et « naturels » (foudre, orages, tempêtes et chaos...).
    Il faut noter la fécondité de ces thèmes et motifs (voir Racine, brillant
héritier de la préciosité néo-pétrarquiste), et regretter que ce « matériel » ne soit
pas encore étudié systématiquement.

LE LYRISME AMOUREUX DE DESPORTES :
ETUDE DE THEMES

N'est-il point injuste de considérer la poésie de Desportes comme un simple répertoire de thèmes platoniciens et pétrarquistes ? Ne court-on pas le risque de passer à côté de l'originalité réelle du poète, de la marque qu'il imprime au lyrisme amoureux de son temps ? Le bilan que dressent avec une rigueur minutieuse les spécialistes ne peut manquer de se révéler décevant, et, peut-être, trompeur. Si l'on s'en tient, en effet, à l'appréciation de la place qu'occupe, dans l'histoire littéraire, la poésie de Desportes, on s'aperçoit que son importance est considérable, encore qu'insuffisamment mise en lumière ; or, l'étude des sources et le recensement des influences — pour utiles qu'ils soient — ne permettent pas une explication de son rôle, et de la part qu'il faut bien lui reconnaître dans la naissance d'une nouvelle esthétique, pré-classique par bon nombre de ses aspects formels. Même de ce point de vue, une étude de thèmes qui se limiterait à la seule énumération et à une classification sommaire — thèmes « pétrarquistes », thèmes « platoniques »... — risquerait de masquer l'essentiel, l'élaboration, à partir de schémas « donnés », d'une poétique singulière qui établit sur l'acceptation de contraintes le libre jeu de sa propre démarche. D'autre part, si l'on tente de saisir les caractères du lyrisme de Desportes en eux-mêmes, on ne peut manquer d'être frappé par leur « modernité » : Desportes, par plus d'un aspect — et pas seulement par les aspects formels du langage poétique, ni par la place accordée, dans les imitations comme dans les influences étrangères subies, aux contemporains — est *singulièrement* moderne. Il nous appartiendra de préciser ce point, en tentant de faire une lecture « naïve » des textes. Non pas, certes, en niant le poids de l'histoire, mais, au contraire, en tentant de réduire, par l'histoire, l'écart qui sépare l'écrivain du commentateur. Car enfin, s'agissant des structures profondes de la sensibilité et de l'imagination, l'historien et le critique atteignent leurs formes historiques : en ce sens, il n'y a pas de lecture naïve, si l'on entend par là une lecture qui refuse l'information, qui prétend que l'œuvre considérée est un îlot. Mais, en tenant compte de la *situation* particulière de la poésie de Desportes, nous voudrions la lire en nous dégageant, dans toute la mesure du possible, des préjugés, des *a priori*, qui, avant même le moment précis de la lecture, informent, déforment, les premiers contacts et la première approche. Lecture naïve

donc, en ce sens que nous accepterons ce que dit Desportes, sans chercher ce qu'il a « voulu » dire, ou encore nous lui ferons ce crédit de
considérer qu'il a dit ce qu'il a voulu dire. Ces apparents truismes ont
leur importance, si l'on veut bien considérer que Desportes n'a, en
somme, jamais été pris au sérieux, tant les commentateurs ont décidé de
ne voir qu'enflure, exagération ou mauvais goût, là où, par un parti pris
inverse, nous décidons de voir l'exacte *déclaration* (au sens tragique du
terme [1]) d'une conscience poétique.

Certes, la poésie de Desportes est, d'abord, décevante, et même
irritante : elle n'est emplie que du seul thème amoureux ; encore ce
thème apparaît-il comme singulièrement pauvre. Pour qui vient de lire
les *Sonnets pour Hélène,* quel dépaysement ! Ici, à tout moment, la
réalité affleure, le monde extérieur et ses repères, le monde intérieur
et ses conflits ; là, un long poème monotone, sans paysage, sans ouverture, ni sur la nature, ni sur le moi... Tout critique semble alors porter
en lui un romantique qui s'ignore : il se désole de ce qui lui paraît
sécheresse et vide. Quoi ! pas de sentiment réellement ressenti ? Aucune
allusion aux circonstances réelles de la vie ? Cet amour même, si
ardemment proclamé, à qui, au juste, s'adresse-t-il ? Qui parle ici ?
Et à qui ? Cette poésie fait, visiblement, si peu de place au moi ! Les
rares éclairs sont fournis par une mythologie dégradée, comme usée par
un trop long commerce : Icare, Narcisse... Les motifs réputés poétiques
(les eaux de l'oubli, la nuit trop claire...) sont peu exploités. La comparaison avec Ronsard ne vaut rien à Desportes !

Singulière poésie amoureuse, en effet, qui chante l'absence de
l'aimée, adore ses rigueurs, sollicite son courroux, qui célèbre, non la
possession, mais la dépossession, jamais le souvenir, mais plutôt la perte
de mémoire, ou l'évanouissement des sensations et l'effacement des
sentiments...

L'inexistence du monde extérieur : une poésie sans objets.

Desportes n'est pas, comme Ronsard, un poète pour qui le monde
extérieur existe. La nature est un simple décor agréable, qui n'est vu ni
même regardé, et dont la description — au reste rapide — correspond
à une tradition littéraire déjà ancienne ; peu d'éléments suffisent à
évoquer la campagne : l'herbe, les forêts, un rossignol...

> « Desjà la petite herbe, au gré du doux Zephyre,
> Navré de son amour, branle tout doucement.
>   Les forests ont repris leur vert accoustrement
> Le ciel rit, l'air est chaud, le vent molet soupire,
> Le rossignol se plaint... » [2]

Pour être, comme l'observe l'éditeur de Desportes, exceptionnels [3],
la description et son mouvement relèvent du *topos* de la « reverdie » ;

---

1. Se déclarer, pour le héros tragique, c'est porter au jour un faisceau de
sentiments jusque-là enfoui dans la nuit de la conscience et devenir ce que l'on est.
Cf. Giraudoux, *Electre,* I, sc. 3, « Quand se *déclare*-t-elle ? (...) Quel jour, à quelle
heure se *déclare*-t-elle ? Quel jour *devient*-elle Electre ? »
2. *Diane,* V, p. 31.
3. Cf. *Ibid.,* p. 31 (note 1).

à peine peut-on noter, en dehors des détails conventionnels, la douceur un peu fade de ce printemps, corrigée par la chaleur souriante et comme alanguie d'un paysage propice à l'effusion amoureuse. D'ailleurs très vite le mythe envahit cette campagne, partagée entre Mars et l'Amour, porteurs de mort cruelle.

Si le printemps n'inspire guère Desportes, l'été lui propose un spectacle plus étonnant :

> « Durant les grand's chaleurs, j'ay veu cent mille fois
> Qu'en voyant un esclair flamboyer en la nüe,
> Soudain comme transie et morte devenüe,
> Tu perdois tout à coup la parole et la vois... » [4]

L'image fulgurante du deuxième vers — même si elle est plutôt souvenir littéraire [5] que chose vue — s'oppose heureusement à la description amusée de la peur féminine, comme s'oppose, à la froideur glacée de la dame, la fournaise estivale : Ronsard aime aussi ces jeux discrets. Mais ici le phénomène naturel — un éclair, il est vrai... — rapidement évoqué, n'est guère qu'un prétexte pour amener la comparaison attendue avec l'œil de Diane. Fragile indice, dont la seule fonction consiste à faire éclater, au dernier tercet, les pouvoirs métaphoriques de l'éclair féminin.

Les saisons n'apportent guère à Desportes que leurs motifs les plus conventionnels : « l'Esté bouillant » qui cuit de chaleurs [6], le printemps et sa « belle verdeur » [7], fleurettes et amourettes [8], l'« hyver soucieux » [9], « tout noirci de brouillars, obscurs et pluvieux », avec ses fiers aquilons, ses frimas, ses gelées, et sa glace éternelle... Si les saisons fournissent quelques comparaisons, jamais l'évocation n'est précise ni même pittoresque, elle n'est pas alimentée par une sensibilité en éveil devant les spectacles naturels, comme c'est le cas d'Aubigné en son *Printemps* orangé, ou de Ronsard.

Tout se passe comme si Desportes se refusait à voir et observer le monde naturel : la tradition littéraire lui suffit, et il lui emprunte sans trop se soucier de « vérité » (comme le lui reproche Malherbe, bien imprudemment [10]) les quelques éléments dont il a besoin pour fournir un décor champêtre au thème de l'obsession amoureuse :

> « Je me perds bien souvent, pensant perdre ma peine,
> De rocher en rocher, de fontaine en fontaine,
> Mais je pers seulement mes pas et mon estude,
> Car, par my le silence et par la solitude,
> J'ay toujours à l'oreille un chaos amoureux.
>   Si je suis par les champs, je reçoy fascherie ;
>   Si je suis par les prez, je hay l'herbe fleurie ;

---

4. *Diane*, I, XIII, p. 45.
5. Cf. Ronsard, *éd. cit.*, t. VII, XLVIII, p. 164 : « Tu as beau, Jupiter, l'air de flammes dissouldre... »
6. *Diane*, I, *Dialogue*, p. 134.
7. *Ibid.*, *Complainte*, p. 146.
8. *Ibid.*, *Complainte*, p. 144.
9. *Ibid.*, LII, p. 101.
10. Voir par ex. le commentaire du sonnet XIX de *Diane* (*éd. cit.*, p. 53) : « A quel propos ces arbrisseaux parmy les fruits et les fleurs ? »

> Si je suis dans les bois, je n'y puis demeurer,
> Et sa belle verdeur accroist ma doleance,
> Car on dit que le verd est couleur d'esperance. » [11]

Le rocher et la fontaine (la source d'eau vive) n'ont aucune référence au réel : le rocher est ce qui désigne l'espace solitaire, il renvoie dans l'opinion commune à la notion de désert, de lieu écarté, hostile ou au moins indifférent à l'homme ; la fontaine parle aussi de solitude, mais d'une solitude animée, vivante : son bruit est plaisant, se détachant sur le silence qui règne dans une nature paisible. Il suffit pour dégager les notions enveloppées par le roc et la source de parler du « silence » et de la « solitude » : rien ici ne suggère un contact immédiat avec les choses, une appréhension sensible du monde. Bien au contraire : tout indique qu'à la réalité du monde naturel, le poète préfère la stylisation, et voit dans chaque objet de ce monde un emblème ou un symbole. Les champs, les prés, les bois, qui apparaissent groupés, conformément à un *topos* respecté depuis longtemps (Ronsard, d'Aubigné), ne sont pas davantage appelés comme éléments de réalité. Ils sont là, comme le rocher ou la fontaine, pour désigner la nature dans ce qu'elle a de sauvage et de gai à la fois : « belle verdeur » et « herbe fleurie » représentent le versant heureux de l'imagination bucolique, et, à ce titre, sont les supports des sentiments qui dominent dans le cœur de l'amant : tristesse et sécheresse... L'utilisation emblématique est clairement déclarée dans le dernier vers, où le vert est donné, non comme la représentation chromatique d'une nature présente, mais comme une valeur symbolique (« couleur d'espérance »).

Bref, constamment, « le penser » se substitue à la sensation, de même que, à peine nommé, l'objet se dissout dans la représentation « intellectuelle » :

> « J'ay mille autres pensers et mille et mille et mille,
> Qui font qu'incessamment mon esprit se distile... » [12],

tantôt par un transfert métaphorique qui établit entre l'objet appelé et tel aspect du corps de la dame une relation analogique :

> « En hyver que je voy les montagnes desertes,
> Blanchissantes par tout et de neiges couvertes,
> Las ! ce dy je, Madame ha le teint *tout pareil*... » [13],

tantôt par une utilisation allégorique d'un phénomène naturel — les torrents, par exemple — pour la description duquel tous les éléments retenus sont choisis, non en fonction de leur pittoresque ou de leur précision, mais en fonction de leur utilisation figurée :

> « Quand je voy les torrens qui des roches dessandent
> Et d'un cours furieux à bouillons se respandent
> Ils *me font souvenir* de mes pleurs abondans... »

La nature cesse d'être un réservoir d'émotions : elle devient un répertoire de figures et d'emblèmes. Ses objets sont de simples supports — non

---

11. *Diane*, I, *Complainte*, p. 145.
12. *Ibid.*, p. 146.
13. *Ibid.*, p. 146.

pour la sensation, ni même le sentiment, mais pour la commodité d'une représentation intellectuelle qui cherche dans le monde naturel des correspondances. Il ne s'agit guère pour le poète, voyant le torrent, de sentir ses larmes, mais plutôt, pour *dire* les larmes, de nommer le torrent. Notons que, si, à l'évidence, le torrent n'a pas de référent dans la réalité sensible, de même les larmes n'existent que dans l'instant où elles sont désignées. Jamais Desportes ne cherche l'adéquation entre le réel et le vécu — mais la *représentation* par le langage du réel et du vécu. Il ne *voit* littéralement pas, il n'a pas à voir :

> « A qui ne veut rien voir inutile est la veüe... » [14]

Aussi bien, tous les poèmes de Desportes proclament éloquemment l'inexistence du monde sensible : des objets, il ne consent à voir que ceux qui lui renvoient l'image de son mal, il ne les « reconnaît pas » (« Comme celuy qui veit... / Un jardin bigarré... / Ne le recognoist plus... » [15]). Que sert en effet de voir, à qui ne se voit plus lui-même :

> « Las ! que me sert de voir ces belles plaines,
> Pleines de fruits, d'arbrisseaux et de fleurs ;
> De voir ces prez bigarrez de couleurs
> Et l'argent vif des bruyantes fontaines ? » [16]

Tout ce qui s'offre à lui est frappé d'irréalité, et devient l'écho douloureux d'un monde tout intérieur :

> « Tout ce qui s'offre à moy ne me fait qu'offenser » [17],

perçu dans la plus grande confusion. Si le « paysage mental » est si trouble (« Ignorant qui je suis... » [18]), le paysage extérieur est reçu dans le désordre d'une conscience stupéfaite :

> « Je ne recognoy plus tous ces lieux où je vois,
> Et m'égare... » [19]

Ainsi le monde extérieur se dissout, ses objets n'ont aucun degré de réalité, et les organes qui permettent de saisir la beauté du monde, l'œil, l'oreille, sont réputés inutiles :

> « A quoy mes yeux, m'estes vous nécessaires ?
> Et, n'oyant plus un langage si doux,
> Oreilles, las, de quoy me servez vous ? » [20]

Refusant de voir, refusant d'entendre, le poète ne tient plus au monde que par l'ennui, et la volonté de le dire.

En dehors de la nature, du reste, nul objet n'accroche l'attention ou les sens du poète : pas de « présent » qui relie le poète à sa dame, aucune trace d'un quelconque fétichisme amoureux qui lui ferait élire tel objet — chaîne, miroir, ou scofion... — comme tant d'autres. A peine voit-on apparaître un livre feuilleté par la dame au moment du coucher [21],

---

14. *Diane*, I, *Complainte*, p. 140.
15. *Ibid.*, p. 140.
16. *Ibid.*, XIX, p. 53.
17. *Ibid.*, *Complainte*, p. 141.
18. *Ibid.*, p. 141.
19. *Ibid.*, p. 140.
20. *Ibid.*, p. 138 (*Plainte*).
21. *Diane*, II, p. 199.

un gant baisé par surprise [22], un anneau [23] ; le décor familier ? fort peu
de chose ; on aperçoit furtivement un coin de la salle de bal :

> « J'estoi dans une salle ombragée de la presse
> Pour voir sans estre vu Madame qui dansoit... » [24],

ou, ailleurs, les « poeles » polonais qui entassent « filles, garçons et
bœufs tout ensemble » ; parfois un lit, semé de chardons, mouillé de
larmes torrentielles [25]. Encore faut-il noter que la salle et le lit font
partie du « matériel » couramment utilisé par les poètes, au même titre
que la « cameretta » : ce ne sont pas — ou ce sont à peine — des
éléments de réalité. Nulle description de lieux, nulle évocation si rapide
soit-elle du milieu, pas d'atmosphère, sinon raréfiée : une poésie toute
abstraite, où l'amour se nourrit de sa propre substance, un univers
mental dans lequel tout fait écho à l'ennui qui redouble, s'alimentant à
sa propre source. Le monde sensible est absent : ses couleurs, ses
parfums, ses bruits et son goût ne sont plus perceptibles ; d'ailleurs
Desportes n'a point besoin d'yeux pour voir (« Mais mon cœur... /
Remarqua *sans mes yeux* les pas de ma princesse... » [26]), ni d'oreilles
pour entendre, ni de sens pour percevoir la rumeur confuse qui monte
du monde : il lui suffit de se mettre à l'écoute des bruits internes, du
chaos, et puis de se « voir changer en Voix... » [27].

Les objets s'effacent, la réalité même du monde extérieur se trouve
mise en doute, ou réduite à un jeu d'apparences fuyantes. Est-ce, comme
on se plaît à le dire, au profit de l'analyse psychologique ?

L'insignifiance des sentiments : une poésie sans sujet.

Apparemment, le poète, en effet, « disparaît derrière son langage » [28]. Pour qui s'en tient à l'expression des sentiments, et cherche
« le vécu » à travers l'énoncé, Desportes est doublement décourageant :
il ne traite qu'un seul thème, et célèbre, sans lassitude, ne s'écartant pas
— à première vue — des schémas néo-pétrarquistes, les beautés de sa
dame, sa rigueur, ses mérites, il se plaint du martyre subi, regrette sa
première liberté, ou jure une constance immortelle... En outre, il accepte
sans réticence les artifices et les règles du jeu néo-pétrarquiste : aucun
sentiment n'est donné pour « vrai », nulle confusion n'est possible entre
l'amant et le poète — et cela pas seulement quand il s'agit d'œuvres de
commande ; on comprend la déception de ceux qui, accoutumés aux
confessions romantiques et aux effusions de cœurs naïvement « sincères »,
assimilent lyrisme et expression de sentiments personnels. Rien dans
cette œuvre ne dit la part prise par l'individu au mal dont souffre le
poète, tout nous indique que le moi est absent de ce long poème qui ne

---

22. *Ibid.*, p. 225.
23. *Diane*, I, LI, p. 99.
24. *Hipp.*, LXIII, p. 115. Cf. Ronsard, *Sonets pour Hél.*, éd. cit., t. XVII,
p. 270 : « Le soir qu'Amour vous fist en la salle descendre... »
25. *Hipp.*, p. 92.
26. *Ibid.*, p. 115.
27. *Diane*, I, p. 75.
28. L'expression est de Jean Tortel, in *Le lyrisme...*, *op. cit.*, p. 345 (*Hist.
des litt.*).

se nourrit jamais de la vie, construit en marge, pour ainsi dire, d'une histoire personnelle.

Que nous propose-t-on ? Un discours, où le « je » dialogue avec un « toi », où une voix crée, pour lui répondre, un écho assourdi. Car Diane, Hippolyte, Cléonice, ne sont pas plus réelles ni plus présentes que la nature ou les objets du monde extérieur. La dame est une chaude absence, un beau nom... Elle se confond avec Amour. Plus encore : l'amant lui-même — le « je » — n'a aucun degré de réalité. Pas plus que la dame, il n'est une personne, il n'a ni identité (« je ne sais qui je suis »), ni consistance (« j'enfante des pensers qui me vont devorant »[29]), ni cohérence : « agité »[30], tourmenté, il ne perçoit que le chaos interne[31]. Il n'y a pas de sujet dans cette poésie à la première personne : le moi n'apparaît jamais, nulle confession, pas même une confidence en ces vers « enfans du cœur »[32], pas d'épanchement. Le poète s'efface constamment derrière l'objet de son discours, se laissant dévorer par le langage, seul point de contact entre lui et le monde.

C'est là qu'apparaît la véritable originalité de Desportes, le ton propre de sa voix, inimitable ; nul sentiment, en effet, sinon celui de la non-existence, du vide intérieur, du chaos :

> « ...Toute lasche et pesante
> Ma vigueur s'affoiblit, mon ame est languissante,
> Et par trop de désir, la puissance me faut. »[33]

Nulle sensation, sinon celle qui naît furtivement de la découverte de cet état ambigu, ni « estre », ni « non estre », que Desportes curieusement interroge... Nulle présence au monde, ni à soi-même. L'état de mort « à demy » que décrit avec tant d'attention scrupuleuse Montaigne[34], ce voluptueux « esvanouissement », plus proche de la mort que de la vie, n'est-il pas, tout compte fait, très voisin de l'état de conscience engourdie et heureuse que Desportes donne pour sien ? Dans un cas comme dans l'autre, tout commence par le choc accidentel qui laisse, « n'ayant ny mouvement ny sentiment, non plus qu'une souche », l'être se mesurer avec le non-être. Puis, un peu de vie « mais par les menus » : elle ne tient plus « qu'au bout des lèvres », et il n'y a qu'à se laisser glisser mollement, à s'abandonner pour que les sensations délicieuses du vide envahissent et submergent une conscience alanguie. Enfin, ne sachant ni d'où il vient, ni où il va, le « demi-mort » reçoit dans la confusion des « pensements vains, en nüe », qui ne viennent pas de chez lui. Montaigne dit superbement : « Ce que l'ame y prestoit, c'estoit en songe, touchée bien legierement, et comme lechee seulement et arrosee par la molle impression des sens... ». Toute la poésie amoureuse de

---

29. *Diane,* I, *Procez...,* p. 157, v. 87.
30. *Ibid.,* XLVI, p. 94 : « Une ardeur me saisit, je suis tout agité... »
31. *Ibid.,* X, p. 41 :
> « Sans fin, mesme discours je refais et desfaits ;
> O miserable esprit ! quel amour, quelle paix
> D'un chaos si confus débrouillera la masse ? »
32. *Ibid.,* XXXVIII, p. 79 : « Mes vers (enfans du cœur)... »
33. *Diverses Amours, Stances,* V, p. 40.
34. Cf. Montaigne, *Les Essais,* II, VI (la « mort à cheval »). Les citations qui suivent viennent de ce chapitre célèbre des *Essais.*

Desportes constitue un commentaire de cette description — avec cette seule différence que ce qui est pour Montaigne une expérience unique, fruit d'une commotion accidentelle, est donné par le poète pour le seul état (état poétique) qu'il connaisse.

Ainsi, alors que tout, et d'abord ses sens, si aigus, rattache Ronsard à la vie, à la vie palpable, concrète, et au goût de la vie, Desportes, lui, continuellement se dérobe, s'efface, s'« estrange », et cette dérobade, déconcertante, attachante, donne à sa poésie sa pâle couleur et ses accents assourdis.

*
* *

A. L'INERTIE, LE « DISCORD », LA MOBILITÉ.

Les thèmes néo-pétrarquistes et platoniciens, si abondamment illustrés par Desportes, constituent en quelque sorte l'enveloppe qui « nappe » onctueusement une préparation, dérobant ainsi en les « masquant » les éléments qui entrent en composition. Un bon cuisinier n'aime point à dévoiler ses secrets. La sauce pétrarquiste a dégoûté le lecteur trop pressé... Pourtant la poésie de Desportes a son goût propre : au-dessous de ces thèmes si conventionnels, se cache une appréhension du monde et de l'autre, qui repose sur une vision propre au poète.

L'inertie.

L'état premier que décrit Desportes est un état d'inertie, de « vague pensée » :

> « Je fais mille desseins, je tiens mille propos,
> Et rien ne dure ferme en *ma vague pensée*... » [35]

Pensée faible et débile, ouverte à tous les vents, pensée vide, qui ignore la durée et la consistance, languissante, qui subit les chocs sans trouver d'assiette :

> « Jamais foible vaisseau deçà delà porté
> Par les fiers Aquilons, ne fut tant agité
> L'Hyver en pleine mer, que *ma vague pensée*
> Est des flots amoureux haut et bas élancée. » [36]

La première amour ne suffit pas à fixer cette errance :

> « Comme on voit bien souvent une eau foible et debile
> Qui du cœur d'un rocher goutte à goutte distile...
> De ma première amour le cours estoit semblable,
> Elle erroit peu à peu, çà et là variable,
> Le moindre empeschement la pouvoit arrester. » [37]

Le premier contact avec le monde a lieu dans l'assoupissement d'une conscience engourdie, comme gelée. Son seul sentiment est celui de sa propre faiblesse, de son indécision.

Dans cet état d'inertie, tout objet blesse :

> « Je ne voy rien qu'objets qui me deplaisent... » [38]

35. Elégie, XIV, p. 105 (*éd. cit.*).
36. *Hippolyte, Elégie*, p. 73.
37. *Ibid., Stances*, p. 161.
38. *Diane*, II, *Plainte*, p. 202.

L'œil, fermé jusque là, goûtant sa nuit, s'il s'ouvre à la lumière, ne rencontre qu'obstacles :

« Mon œil ne choisist rien qu'objets qui le tourmentent » [39] ;

car il est sans défense, et « sans conduitte » [40] : habitué à sa nuit coustumière, il ne reçoit du jour que l'éclat qui le blesse. Alors l'indécision, comme l'ennui, redouble, et l'amant ne sait plus où il est, incapable d'avancer :   « Et si je fais un pas, toute chose me nuit... » [41],

réduit soit à errer, chétif : « Je me pers bien souvent... » [42], soit à tenter, en demeurant immobile, de fixer le vertige, l'âme folle [43], et les sens égarés.

La clarté même du soleil se révèle trop vive pour un amant qui ne supporte que l'ombre :

« Il m'esblouit la vue, au lieu qu'il leur éclaire,
Il échauffe les cœurs, et me va consumant. » [44],

qui se plaint « d'avoir trop de veüe » [45], et languit si la lumière un instant déchire l'obscurité qui douce l'environne :

« Toute clairté rend mes yeux languissants
Je n'entend rien qui n'offense mes sens... » [46]

Cette faiblesse, qui caractérise le premier état d'une pensée qui vit comme en songe, cette étrange incapacité, si souvent soulignée, à s'assurer, rendent le désir même impossible, « Je ne puis plus ses efforts endurer... » [47], pour une âme si fragile que le moindre remuement la secoue et l'irrite.

Chez Desportes, en effet, nulle tension d'un esprit tout appliqué à son objet, comme chez Sponde, s'efforçant au milieu des vagues de constituer, par une inertie vigilante, un point fixe où se brise le flot ; nulle attente, nulle résistance, au contraire :

« Car je m'emporte, et je me dois laisser...
Mille frayeurs dans mon ame s'épandent.
Le desespoir aussi tost s'en rend maistre,
Rien ne sauroit contre luy m'asseurer... » [48]

La pensée ne se concentre pas, au prix de mille efforts, raidie dans un sursaut qui lui tient lieu d'armature : elle n'a pas, ici, de centre, et est le jouet facile d'impressions fugaces et contradictoires qui ôtent au poète jusqu'au sentiment de sa propre identité :

---

39. *Diane*, I, *Chanson*, p. 1, p. 140.
40. *Ibid.*, *Complainte*, p. 145 : « Mes yeux comme aveuglez demeurent sans conduitte... »
41. *Ibid.*, p. 145.
42. *Ibid.*, p. 145.
43. *Diane*, I, XXX, p. 71.
44. *Hipp.*, *Fantasie*, p. 45.
45. *Ibid.*, *Chanson*, p. 151.
46. *Diane*, II, *Plainte*, p. 202.
47. *Ibid.*, p. 202.
48. *Ibid.*, p. 203.

> « D'un soucy mort cent mille en font renaistre (...)
> Hélas ! perdez cette rage importune,
> Hostes cruels des esprits angoissez :
> Je sais mon mal et le connois assez (...)
> Je suis le champ où vous faites la guerre.
> L'un veut troubler l'espoir dont je me flatte,
> L'autre combat ma constance et ma foy,
> L'autre soustient que je ne suis plus moy. » [49]

Desportes décrit l'impossible fermeté, l'inertie d'une âme molle, que rien n'absorbe, où tout progressivement se retire, pour laisser l'esprit dans sa vacuité première, toujours disponible, jamais empli, s'offrant sans pouvoir résister à toutes les secousses qu'Amour produira en lui : « on perd temps contre luy de se mettre en deffence... » [50].

Tout ce que perçoit alors cette âme, vide de sentiment, ce sont des mouvements contradictoires qui la secouent, et lui donnent l'illusion de l'existence, une existence précaire, menacée à tout moment : car l'amour n'est rien qu'un nouveau labyrinthe, une nouvelle errance,

> « Bref je sçay pour mon mal, comme une telle vie,
> *Inconstante, incertaine,* à tous maux asservie,
> S'égare au labyrinth de diverses *erreurs,*
> Sujette à la rigueur de toutes les fureurs... » [51],

et loin d'accorder l'unité à l'être, il le fait vivre dans la contradiction :

> « Amour en même temps m'aiguillonne et m'arreste
> M'asseure et me fait peur, m'ard et me va glaçant,
> Me pourchasse et me fuit, me rend foible et puissant,
> Me fait victorieux et marche sur ma teste... » [52]

Les sensations se succèdent sans que l'une d'elles soit assez fortement reçue pour que l'âme trouve enfin son point d'équilibre. Bien au contraire, l'amour ne produit que trouble et changement en la fantaisie :

> « Voilà par quels detours erre ma fantaisie,
> Collant ores à l'amour, ores à la jalousie. » [53]

La difficulté est bien là : dans cette impossibilité maintes fois proclamée de « coller » à *un* sentiment, d'adhérer sans partage et sans hésitation à la vie qui chemine sourdement. « Sans cœur, sans mouvement, sans lumière et sans vie », mort à lui-même, l'amant ne peut échapper à cette appréhension du « creux » [54], du vide, et en même temps, il est impuissant à durer, et ne peut se saisir que dans la mouvance :

> « J'erre égaré d'esprit, furieux, inconstant :
> Et ce qui plus me plaist me deplaist à l'instant :
> J'ay froid, je suis en feu, je m'asseure et desfie :
> Sans yeux je voy ma perte, et sans langue je crie,
> Je demande secours, et m'élance au trespas :
> Or je suis plein d'amour, et or' je n'aime pas,
> Et couve en mon esprit un discord tant extreme
> Qu'aimant je me veux mal de ce que je vous aime. » [55]

---

49. *Ibid.,* pp. 203-204.
50. *Ibid.,* XII, p. 211.
51. *Hipp., Elégie,* p. 78.
52. *Ibid.,* XXVII, p. 55.
53. *Elégies,* XIV, pp. 105 et suiv.
54. *Diane,* II, VI, p. 200.
55. *Hipp., Elégie,* p. 73.

Ainsi, à partir d'une description de l'état inerte et vague, caractérisé par la débilité d'une conscience endormie, le poète se déclare comme un nœud de contradictions internes qui lui interdisent de saisir l'unité de son être, trop mutilé (sans cœur, sans yeux, sans langue...) pour constituer un centre. Il ne découvre en lui que le « discord »...

Le « discord ».

L'accent est mis ainsi sur le *discord,* la discordance, la fêlure intime : non point le divorce douloureusement ressenti par un Sponde, un Chassignet, qui ne savent se résoudre à tolérer en eux la contradiction et s'insurgent contre le duel qui divise leur être — mais plutôt le *désordre,* la dissonance. Le discord est l'état chaotique de l'entendement et de l'esprit qui refuse la simplicité et la clarté pour s'ouvrir confusément à toutes les impressions qui « lèchent » l'âme sans la pénétrer, dans un état d'inertie qui souvent se confond avec la mollesse, voire la paresse.

Le chaos interne est décrit par Desportes comme un assemblage de contrariétés :

> « D'aise et d'ennuy mon ame est toute esmeüe (...)
> De cent couleurs mon visage se müe,
> Je tremble tout, et suis aventureux.
> Qui penseroit d'une mesme fontaine
> Pouvoir couler le repos et la peine,
> Peur, hardiesse, ennuy, contentement ?
> Comme au Chaos tout se mesloit ensemble,
> Ainsi cet œil cent contraires assemble
> Dans le chaos de mon entendement. » [56]

Alors que, chez Ronsard, la fonction première d'Amour est précisément d'organiser le chaos originel, de le réduire, et de parfaire l'inachevé, l'amour ici fait sentir le chaos, transforme l'amant en caméléon, et, loin de démêler le désordre, « assemble » les contraires. L'amour ne modifie donc pas la situation initiale — l'inertie — mais il fait sentir de manière plus aiguë un état qui était en somme mieux accepté dans l'indifférence. Poussé par l'amour, l'amant transporté hors de lui-même est livré au désordre :

> « C'est une lente mort de mille morts suivie,
> Un chaos de pensers où l'esprit se confond. » [57]

A la différence de Ronsard, de Jamyn, Desportes ne met jamais l'accent sur l'unité retrouvée, mais sur les contrariétés qu'Amour révèle : la naissance à l'amour ne se fait pas dans la joie d'une conscience heureuse, mais dans la torpeur indécise. Tout est toujours chez Desportes ambigu :

> « O journée inconstante heureuse et malheureuse,
> *Je ne sçay si maudire ou louer je te doy...*
> Que d'estranges chaos en moy se remesloyent » [58],

et l'esprit — l'entendement — ne tend plus chez lui à la permanence et

---

56. *Ibid.,* LXIV, p. 116.
57. *Elégies,* XIV, pp. 105 et suiv.
58. *Cléonice,* XII, p. 22.

à la constance dans l'unité de la conscience organisatrice, mais se « confond » dans le « chaos de pensers »...

Au reste, il faut le préciser pour marquer la singularité de Desportes lorsqu'il aborde le thème du chaos, alors que les poètes baroques de l'inconstance noire, saisie par une conscience *tragique,* et définie comme une situation impossible, que seule peut transcender la foi, se donnent pour les hommes du sursaut, de la résistance active et vigilante (Sponde, Chassignet...), nous ne trouvons ici qu'un état de passivité langoureuse, d'abandon délicieux au *discord* :

> « Quand je sentois brusler mon cœur
> Je me plaisois en ma langueur,
> Et nommois heureuse ma flamme. » [59]

Desportes refuse de se « mettre en défense » et de « faire résistance » [60] : il accepte — il recherche ? — l'atonie d'une conscience engourdie de sommeil, respectueuse du mal subi, et recevant, dans la plus grande confusion — signe du désordre mental —, les effets contraires du désir et de la raison :

> « Quel martire assez fort, quelle gesne inconnüe,
> Est esgale au tourment d'un cœur bien allumé
> Qui se trouvant prochain de l'objet mieux aymé
> Se défend par raison la parole et la veüe ?
> C'est un *chaos nouveau,* meslant *confusément*
> Avec mille glaçons le plus chaud élément,
> *Et le trop grand respect* avec l'impatience... » [61]

Ainsi, jamais d'état stable, ni d'assiette heureuse : si l'absence, tout naturellement, suscite l'in-quiétude, et fait vivre comme en suspens, la présence immédiate de l'objet, d'une manière plus étonnante, provoque la même indécision douloureuse ; un premier mouvement entraîne le cœur vers l'objet désiré, un second mouvement le retient et le freine. Patience et impatience, respect et désir, jouent, en un mouvement d'oscillation pendulaire, à se rapprocher pour s'éloigner davantage, et cet écart maintenu difficilement définit le nouveau chaos, qui brise l'unité de l'être en lui interdisant l'arrêt.

La mobilité, la fuite des choses et des êtres.

Ainsi, n'offrant aucune résistance, corps inerte et âme morte, le poète est en proie à tous les accidents qui menacent une vie si fragile, si peu apte à découvrir, dehors comme dedans, un point d'équilibre. Lorsque l'esprit s'exerce à l'analyse, il ne perçoit, dans le chaos de ses pensers, que l'indice du discord : défaut d'harmonie, défaut de cohérence, défaut de constance. L'emblème est le papillon léger :

> « Ainsi qu'au clair d'une chandelle,
> Le gay papillon volant
> Va grillant le bout de son aile
> Et perd la vie en s'esbatant...

---

59. *Div. Am., Ode, éd. cit.,* p. 74.
60. *Cléon.,* XXXIII, p. 46, et *Hipp.,* XI, p. 22, *Complainte,* p. 38, v. 9.
61. *Cléonice,* XCIII, p. 121.

> Ainsi le désir qui m'affole
> Trompé d'un desir gratieux
> Fait hélas qu'aveugle je vole... » [62]

Comme Montaigne, Desportes pourrait dire que tout est muable, et la constance même, « un branle plus languissant ». Mais si Montaigne s'efforce, en faisant « acte de présence » au monde, de rétablir l'unité des modes de durée, s'il tente de corriger la promptitude de la fuite par la promptitude de la saisie, et demande à l'écriture de faire surgir « de l'oubliance » les songes et les « fantasies » à travers lesquels il essaie de retrouver le moi perdu [63], Desportes, lui, s'abandonne au chaos des sensations et à la fuite des sentiments. Est-ce par asthénie ? ou par goût secret de la confusion ? En tout cas, sous la multiplicité des apparences, il ne cherche jamais à dégager une « forme », une essence immuable, soustraite au devenir, pas plus qu'il ne tente de découvrir, dans l'univers multiforme qui l'entoure, des lois et des normes. Il semble au contraire se plaire dans cette inconstance qui le blesse et l'affole, tel le « gay » papillon, qui ne cesse de s'ébattre, lors même que sa vie est menacée...
Constamment assailli,

> « Un objet à l'instant (...)
> Me fait triste et joyeux, malheureux et constant,
> M'esclaire et m'esblouit, me fait vivre et me tue... » [64],

constamment agressé par l'éclat d'une lumière trop vive, Desportes offre l'image la plus exacte d'une âme « comme léchée seulement... par la molle impression des sens », qui frémit au moindre contact — sans bouger vraiment —, qui s'émeut, mais n'est jamais réellement pénétrée par la sensation, toujours superficielle. Il est vrai que les sentiments qui viennent secouer — en vain — sa léthargie, s'évanouissent tout aussitôt. Rien ne saurait perdurer dans cette âme si faiblement attachée au corps que l'union est toujours remise en cause, douteuse...

> « J'avois nourry mes feux secrettement ardens
> Douze ans, bruslant toujours entre mille accidens
> Et j'en sens tout à coup la chaleur refroidie... » [65]

Né soudainement, le sentiment tout aussi soudainement s'efface : l'âme n'en garde qu'une trace secrète, la marque d'un creux ; fondé « sur l'arène » [66], « esclair », l'amour « d'oubly recompensée » boit le breuvage des eaux d'Oubly [67]. Le penser auquel l'amant tente désespérément

---

62. *Hipp.*, *Chanson*, pp. 95-96.
63. Cf. l'étonnante page en III, V, « Sur des vers de Virgile », éd. Villey-Saulnier aux PUF, pp. 876-877 : « Il m'en advient comme de mes songes : en songeant, je les recommande à ma mémoire (car je songe volontiers que je songe), mais le lendemain je me représente bien leur couleur (...) ; mais quels ils estoient au reste, *plus j'ahane à le trouver, plus je l'enfonce en l'oubliance* ». La mémoire défaille, ce n'est point à la mémoire « volontaire » qu'il convient de confier les pensers profonds. Davantage encore, la fuite du souvenir est d'autant plus rapide que l'effort pour le retenir est plus grand. Rechercher le passé pour lui-même, c'est se condamner à une « queste » inutile (vaine image). Seule peut fixer l'insaisissable *l'écriture*, qui « met en rolle » les extravagances de l'esprit.
64. *Hipp.*, XVI, p. 27.
65. *Div. Am.*, III, p. 16.
66. *Cléonice*, LXXXVI, p. 114 : « fondement sur l'arene ».
67. *Ibid.*, LXXXV, p. 113, et LXXXIV, p. 112.

de s'accrocher, « le souvenir / De la flamme autresfois si vive... » [68] « si soudain » « prend... cesse » à son tour. La sensation la plus vive en un instant s'évanouit, *s'éclipse* [69]. Qu'il regarde son corps, l'amant n'y voit que les effets destructeurs du temps :

> « Ma vigueur peu à peu se fond
> Le sang ne bout plus dans mes veines
> Comme un trait mes beaux jours s'en vont,
> Me laissans foible... » [70]

Qu'il regarde le monde — lui qui a tant de mal à garder l'œil ouvert,

> « J'ay l'œil cave...
> Ma prunelle est toute éblouye... » [71],

il n'y découvre que légèreté et mobilité :

> « Le temps leger s'enfuit sans m'en appercevoir (...)
> Il n'est vieil, ni boiteux, c'est un enfant qui vole... » [72]

Point d'assuré rempart. Si Desportes met ainsi l'accent sur l'inconstance des sentiments, ce n'est point seulement pour se plaindre de la frivole légèreté de sa maîtresse. C'est qu'il se sait incapable de saisir un sentiment sans qu'aussitôt surgisse le sentiment contraire, sans que son être subisse des soudaines mutations qui l'altèrent et l'empêchent de durer :

> « Je me suis vu muer
> En cerf...
> Depuis je devins cygne
> Après je devins fleur
> Puis je fus fait fontaine
> Or je suis salamandre... » [73],

sans que l'équilibre se révèle précaire :

> « De ce qui plus me plaist je reçois déplaisir
> Voulant *trouver mon cœur*, j'esgare mon désir. » [74]

Le sentiment amoureux le plus parfait s'efface de lui-même, et s'évanouit en un instant.

> « Toutefois or' *en un moment*
> Je ne sens plus tant de tourment
> Mon âme n'est plus si craintive
> Ton poil ne me semble si beau... » [75]

Le poète n'est jamais assez fort ni assez sûr pour soutenir l'assaut des sentiments violents ; il avoue une radicale impuissance, qui paralyse tous ses mouvements :

---

68. *Ibid.*, XCI, p. 119.
69. *Ibid.*, XCII, p. 120.
70. *Ibid.*, *Ode*, p. 123.
71. *Ibid.*, p. 123.
72. *Ibid.*, XXI, p. 34.
73. *Diane*, I, XXXIV, p. 75.
74. *Hipp.*, XXVII, p. 55.
75. *Div. Am.*, *Ode*, p. 75.

> « Je le veux mais en vain ; toute lasche et pesante
> Ma vigueur s'affoiblit, mon âme est languissante,
> Et par trop de désir la puissance me faut...
> Un chaos amoureux dans mon âme s'assemble
> Je ne sçay que je fais, je ne sçay qui je suis. »[76]

C'est l'univers des sentiments périssables et des amours mortes,

> « La jalousie est bien signe d'amour,
> Mais c'est d'une amour morte »[77],

le monde où chacun se paie d'inconstance, où l'amour se reprend et où toute ardeur un beau jour refroidit.

Desportes se montre incapable de retenir un sentiment, de fixer une sensation, et même une image, une forme ; dès qu'il s'agit de fonder, d'établir une passion, il est frappé d'impuissance sentimentale ou affective. Tout est fuyant dans cette poésie, mais aussi dans cette âme, qu'aucun objet, qu'aucun sentiment n'habitent à demeure. Comment d'ailleurs retiendrait-il quelque amour, lui qui ne peut se retenir sur la pente où il glisse insensiblement ? Même lorsque l'amant affirme : « le changement est contre ma nature »[78], sans mentir, car il ne saurait changer, « quelque chose » change en lui-même, lorsqu'il fait profession de « constance admirable », cette constance dont il se targue est-elle autre chose que pure passivité, pure inertie, qui ne résistent ni au temps ni à l'obstacle ?

> « Puis que vous estimez que mon cueur soit muable (...)
> Et que mieux je vous sers, plus je suis languissant (...)
> Adieu, Madame, adieu... »[79]

C'est ainsi que « tout amour s'efface », et que le souvenir même ne survit pas aux amours défuntes.

> « Mais en fin les dédains l'un sur l'autre amassez
> M'ont si bien garanti des martyres passez
> Qu'à peine il me souvient de vous avoir aimée... »[80]

Par là, Desportes contribue à enraciner une vision du monde « baroque », marquée par le flux et le reflux perpétuel. Le thème médiéval des hasards de Fortune, mainte fois repris[81], illustre cette inconstance des choses et des êtres :

> « Tout va comme il plaist à Fortune
> Elle seule est Royne ici-bas.
> S'il y a quelque providence
> Au Ciel elle a résidence
> Ailleurs on ne la connaît pas... »[82]

76. *Ibid., Stanses*, p. 23.
77. *Ibid., Plainte*, p. 19.
78. *Diane*, I, p. 84. Aux serments d'amour éternel, succèdent les adieux de l'amant dépité : la constance ne peut être qu'un leurre dans un monde soumis au change.
79. *Ibid.*, I, p. 109. Voir aussi *ibid.*, 1, p. 294, « j'accepte mon congé ».
80. *Hipp.*, p. 123.
81. Notamment *Div. Am.*, p. 121, *Elégies*, X, p. 87, *Cléon.*, Ode, p. 123.
82. *Diane* II *Complainte*, p. 250.

Si bien que l'inconstance, fondée sur la grande loi du monde [83], devient, en matière amoureuse, la règle : « Hé qui seroit constant parmi tant d'inconstance ? » [84]. Si les hommes sont « legers et muables » [85], la femme, créature mobile entre toutes, est, par excellence, le sexe infidèle.

> « Je croiray que la femme, et n'en seray blasmé,
> Entre tout ce qui est ou fut jamais formé,
> Est de la plus changeante et plus fausse nature. » [86]

Ce qui frappe Desportes, c'est moins le changement, inéluctable, que la rapidité avec laquelle il s'opère [87], la soudaineté de l'effacement :

> « Quels destins rigoureux, quel horrible meffait
> Rend un si ferme nœud *soudainement deffait*
> Et couvre une clairté si luisante et si belle ? » [88]

Rien, par conséquent, ne peut retenir le poète dans ce monde où tout objet échappe, où tout être est muable, où tout sentiment s'efface... L'univers mental de Desportes est celui de la dissolution, de l'évanouissement. Avant qu'Amour tente de remuer cette âme si débile, il n'y a que confusion et indécision, errance. Quand vient l'amour, c'est l'assaut des contraires, le discord, et le chaos. Après l'amour, l'âme est abandonnée à son vide, et le « visage blesme » [89] témoigne de l'étrange faiblesse, de l'incapacité à vivre. La « force esvanouye » et les « sens tout espars » [90], « sourd, sans pouls et sans halaine » [91], gelé d'étonnement, « despouille » sans vigueur [92], l'amant languissant ne tient au monde que par sa stupeur. Sans mémoire, sans passé, il n'a pas d'avenir, et ne peut saisir le présent.

Discord, chaos, mobilité, inconstance, la fréquence de ces motifs révèle un poète de la pâleur, de la fadeur, de l'asthénie. Ayant détruit toute référence et toute allusion à un monde réel, se refusant à *voir* et à *entendre*, Desportes choisit de décrire un état de sensibilité engourdie, assourdie, de vide intérieur, qui est l'expression la plus adéquate de la vie atone, aphone... Le premier, il s'attache, non pas à l'analyse psychologique des sentiments, ni à l'évocation du mal d'amour, mais à l'expression de la précarité, de l'indécise confusion, du malaise, d'une conscience toujours menacée, toujours blessée, déséquilibrée et saisie de vertige.

---

83. *Diane* I, p. 84 (le ciel, l'air « inconstant », la mer « sans fermeté », la Nature variable).
84. *Ibid.*, II, p. 308.
85. *Div. Am., Chanson*, p. 131.
86. *Diane*, II, p. 264.
87. Malherbe reprendra à son tour le thème des vicissitudes de Fortune : lui aussi mettra l'accent sur la rapidité du changement et la brutalité des mutations. Il célébrera l'irruption soudaine, le changement radical — qui deviendront chez lui thèmes politiques (la rupture avec un passé sanglant).
88. *Diane*, II, p. 265.
89. *Cléon.*, p. 115.
90. *Hipp.*, p. 99.
91. *Ibid.*, p. 139.
92. *Ibid.*, p. 99.

En effet, c'est moins l'amour qui est ici célébré, que l'incertitude du sentiment, l'indétermination sentimentale, « l'erreur ». L'inconstance, l'incohérence, sont au centre de cette analyse. Desportes ne tient pas assez solidement au monde pour explorer méthodiquement l'univers passionnel : il ne faut pas alors s'étonner si l'amour chez lui n'est jamais cet élan, ce mouvement irrésistible, qui emportent Ronsard, le soulèvent, le font « planer » au-dessus des contingences. Au contraire : l'amour a perdu sa vigueur, car rien n'est ressenti, en cette âme qui aime à se dire « debile », « foible », assez fortement pour que soit secouée l'inertie qui paralyse, pour que soit éveillée la torpeur qui engourdit. « Ce pauvre Actéon sans pitié dévoré / Par ses propres pensers » [93], ce « cœur débauché » [94] que rien ne peut plus étonner, cet amant « palle et blanc » que le sang abandonne [95], ne nous disent rien d'autre que la difficulté, maintes fois éprouvée, à vivre pleinement, dans l'unité d'une conscience heureuse. Pour qui, comme Desportes, ne sent en soi que le vide d'une pensée qui erre, et l'inconstance d'une vie qui s'échappe, le rapport au monde ne s'établit plus, comme pour Ronsard, dans la « prise », dans la prompte « saisie », mais dans l'absence. L'inexistence du monde extérieur et de ses objets, l'in-signifiance des sentiments, renvoient à une conscience vide, absente à elle-même.

B. LE SENTIMENT DE L'« ESTRANGER ».

Dans un tel état de vide sentimental, le poète, étranger à son amour, que déjà il ne reconnaît plus pour sien, se sent devenir étranger à lui-même, privé de tout et de lui-même. La dérive commence, que Desportes ne cesse de décrire : « J'erre seul, tout pensif, ignorant qui je suis... » [96] : l'absence de la dame le renvoie à sa propre insignifiance, mais sa présence, loin de combler le cœur de l'amant, le « gèle » également. Aimer, n'est-ce point se quitter ? Desportes décrit l'abandon, la démission d'un être qui trouve sa loi ailleurs : il est « le polype » attaché à l'objet [97]. Tout ce qui pourrait lui donner l'illusion d'unité, la mémoire, le jeu des souvenirs, s'efface en lui. Il est ailleurs, il est autre...

L'absence.

Desportes chante l'absence, et ne peut chanter qu'elle :

> « Hélas ! à ce départ qu'il se voit séparé
> De ce qui l'a fait vivre heureux en sa détresse,
> Que ne meurt-il soudain... » [98]

Le bonheur s'écrit au passé : le présent n'a aucune réalité, aucune consistance, pour ce cœur qui se ferme. L'absence de la dame devient

---

93. *Diane*, II, p. 315.
94. *Ibid.*, I, p. 59.
95. *Ibid.*, I, p. 94.
96. *Diane*, I, p. 141.
97. *Ibid.*, II, p. 205.
98. *Ibid.*, I, p. 80.

la figure la plus pure et la plus significative ; le poète ne *la* quitte pas,
c'est *lui* qu'il quitte, se perdant définitivement, s'oubliant :

> « Privé des doux regards (...)
> Je vy trop malheureux. Mais non je ne vy pas (...)
> Aussi bien puis je vivre,...
> Sans cœur, sans mouvement, sans lumière et sans vie.
> Non, non, je ne vy point, *je suis mort dedans moy...* » [99]

Certes, le thème est « donné » par la tradition pétrarquiste : mais
a-t-on suffisamment observé à quel point il s'accorde à la thématique
profonde du poète ? L'absence en effet n'est pas seulement le départ
de la belle, ou son éloignement physique : elle est la distance même qui
sépare, non les corps, mais les âmes. « Faire l'amour aux âmes » [100]
était un souhait de Desportes : cela même est interdit, si l'amant précisément n'a plus d'âme, si l'esprit se retire loin de ce corps inerte.

> « Chacun jour mon esprit loin du corps se retire
> Je tumbe en pasmoison, je pers le mouvement,
> Ma couleur devient palle, et tout en un moment,
> Je n'entens, je ne voy, je ne sens ny respire.
> Revenant puis après, vers le ciel je souspire
> J'ouvre les yeux ternis, je m'esmeus doucement,
> Comme un qui a dormi... » [101]

Comme un qui a dormi... : ces « petites morts » [102] sont le signe d'un
assoupissement, d'une somnolence, qui découvrent un être démuni, privé,
non d'elle, mais de lui :

> « Mais ce qui m'affligea d'un regret plus extresme
> Fut que je me trouvay sans vous et *sans moi-mesme.* » [103]

Desportes est bien le poète de la vie sans âme, de la vie séparée, de
l'éloignement, si l'on veut, mais d'un éloignement qui marque surtout
la rupture du lien qui maintenait assemblées les parties du moi :

> « Comment puis je tant vivre esloigné de ma vie,
> Sans âme et sans esprit, palle et défiguré ? » [104]

Le thème n'a rien de « romantique » : l'absence ne dépeuple pas
l'univers, elle ne creuse pas un vide, elle n'est même pas un sentiment ;
elle est donnée initialement comme l'image d'une conscience vide, qui
ne se nourrit que de langage et s'épuise à dire l'éloignement. L'absence
est *choisie,* parce qu'elle apparaît comme l'état de l'âme, inerte, ouverte
à toutes les impulsions qui la « lèchent » sans la pénétrer, sans couleur
et sans force. Le poète, par l'absence, sœur de la mort, « petite mort »,
s'éprouve comme absent à lui-même, sans affection comme sans
mémoire.

---

99. *Ibid.,* II, p. 200.
100. *Cléon.,* p. 120.
101. *Diane,* II, p. 299.
102. *Ibid.,* V, II.
103. *Elégie,* VIII, p. 64 (v. 57-58). Voir aussi *Hipp.,* XL, p. 85 :
> « Je fu si transporté
> Que de moy mesme helas ! je perdi la mémoire. »
104. *Hipp.,* p. 83.

La perte de mémoire.

Elle est, d'abord, le fait de la dame : celle-ci « perd le souvenir » des amours passées. Son infidélité est donnée pour une infidélité de l'oublieuse mémoire : si aucun sentiment ne résiste à l'érosion temporelle, si aucun amour ne dure, c'est que l'esprit est incapable de conserver les images du passé proche. L'inconstance amoureuse est donc un cas particulier de la faiblesse mentale et sentimentale, qui interdit à chacun de s'assurer :

> « Où sont ces chastes feux (...)
> Qui fait que leur ardeur en vous se diminüe ?
> Et cette ferme foy, qu'est elle devenüe ...?
> A quel bien desormais faut il plus aspirer,
> Puisque rien icy bas ferme ne continüe ?
> Tout n'est que vent, que songe et peinture en la nüe,
> Qui se passe aussi tost qu'on s'en pense asseurer.
> Las ! s'il n'estoit ainsi, quel fleuve d'oubliance
> Quel nouveau changement, quelle ire ou quelle offense,
> En vous de nostre amour perdoit le souvenir ? » [105]

L'oubli désigne la « feinte » : si nul amour ne résiste, s'effaçant très vite d'un cœur naguère sensible, c'est que l'amour est mimé, non éprouvé réellement ; l'oubli agit alors comme un révélateur, découvrant la fausseté sous le masque emprunté, l'imposture :

> « Feintes affections, veritables desdains,
> Memoire qu'une absence a bien tost effacée :
> Vraye et parfaite amour d'oubly recompensée... » [106]

Mais bientôt l'absence crée l'oubli au cœur même de l'amant : lui aussi sent sa mémoire défaillir, lui ôtant le seul lien qui le rattache à son passé. Ce n'est d'abord qu'une crainte : cette amour infinie

> « ...pourra-t-elle bien perdre le souvenir
> De la flamme austrefois si vive en sa pensée ? » [107]

Puis une consolation : en un monde soumis à la loi d'inconstance, l'inconstante mémoire assure un port :

> « Pauvre cœur désolé...
> N'en gemy point si fort, cesse d'en murmurer...
>   Songe au cours de ce monde et à son inconstance,
> Qui fait qu'un mesme estat ne se peut asseurer...
>   L'amant contant n'aguère ore est plein de furie,
> Et le désespéré s'esjouyt à son tour :
> Ainsi dessous le ciel toute chose varie. » [108]

Ainsi, l'amant est constamment affronté au temps : qu'il tente, par la mémoire, de garder vive la trace qu'Amour fit, ou qu'il espère perdre le souvenir d'avoir aimé, il est rejeté dans le monde des sentiments périssables.

---

105. *Cléon.*, p. 111.
106. *Ibid.*, p. 113.
107. *Ibid.*, p. 119.
108. *Ibid.*, p. 109.

Même le transport d'amour le conduit à semblable constatation :
on ne peut échapper à l'absence.

L'aliénation.

> « Quand premier Hippolyte eut sur moi la victoire
> Et que j'ouvry mes yeux au jour de sa beauté
> Je ne sçay qu'il m'advint : je fu si transporté
> Que de moy-même hélas ! je perdi la mémoire
> Et pour mieux y penser, chassay le souvenir
> De toute autre beauté que devant j'avois veüe. » [109]

Ainsi, lors même que la dame affirme sa présence, l'amant ne sent
rien d'autre qu'absence. Le transport d'amour, loin d'unir deux amants,
les rend étrangers l'un à l'autre, ou plutôt, l'amant s'aliène, devenant
subitement autre, perdant son identité, sans toutefois compenser cette
perte par la possession de l'autre — qui reste un leurre. « J'oubliay
toute affaire, mesme, je m'oubliay », dit le poète, « je me trouvay sans
moy » [110]. Ce thème, devenu banal, retrouve ici un accent neuf, car
Desportes lui associe le thème de la dépossession.

> « Car je pers mes souspirs où j'ai perdu mon âme
> Et me plains sans cesser du mal que je reçoy
> Depuis qu'estant à vous, je ne suis plus à moy. » [111]

Desportes donne un sens nouveau au motif bien connu du transfert
de l'amant dans le cœur de sa Belle : « Ce n'est plus moi qui vis, c'est
elle qui vit en moi ». Chez lui, en effet, la mort de l'amant — mort à
soi-même — n'est pas suivie de sa résurrection dans le cœur et le corps
de l'aimée, elle s'accomplit dans un état de confusion, de réelle indétermination :

> « Je ne sçay qui je suis, je ne me connois point » [112],

qui conduit à une espèce d'impasse.

Rien donc — et pas même la présence si peu réelle de l'aimée —
ne peut « déterminer » le poète, lui donner une assiette qui l'assure et
le fixe.

L'estranger.

> « Ce fut lors que mon heur en malheur se changea
> Et que mon plus grand bien quant et vous s'estrangea. » [113]

Ce sentiment de l'*estrange,* de l'*estranger,* est peut-être le seul sentiment
ressenti avec quelque acuité. L'estranger, c'est, d'abord, le pays lointain,

---

109. *Hipp.*, p. 85.
110. *Elégies*, II, p. 17, et XIII, p. 99, « M'estant perdu moy mesme en vostre
amitié vaine ».
111. *Ibid*, XII, p. 94.
112. *Div. Am.*, p. 136, v. 41. Ce vers résume assez bien la dominante du
lyrisme amoureux de Desportes, et montre très clairement l'altération du platonisme
en cette fin de siècle : l'amour ne saurait être instrument de connaissance ; il ne
permet plus de retrouver l'unité originelle (mythe de l'Androgyne). Tout au plus,
l'amour révèle-t-il à l'amant le monde de contrariétés, d'incohérence, d'obscurité
qui l'habite...
113. *Elégies*, VIII, p. 64 (v. 51-52).

l'exil... Le jeune Desportes, suivant son prince en Pologne, a ressenti vivement le drame des ruptures [114]. C'est aussi le monde des sentiments violents qui élèvent l'âme au-dessus d'elle-même : le parfait amant, selon la tradition pétrarcho-platonisante, se fait étranger à lui-même pour vivre tout entier dans le cœur de la dame.

C'est enfin, l'éloignement des sources de vie : les yeux de l'aimée, selon le schéma pétrarquiste :

> « Et toustefois je ne veux m'estranger
> De vos beaux yeux, ainçois de ma misère. » [115]

Le plus souvent, c'est de lui-même que « s'estrange » le poète, devenu un autre pour lui ; à la lettre, il ne se reconnaît pas :

> « L'aspre fureur de mon mal véhément
> Si hors de moy m'estrange et me retire
> Que *je ne sçay si c'est moy qui soupire...* » [116]

Par là, Desportes rejoint le thème de l'aliénation et de la passivité :

> « Et connois que ma veüe estoit fort esgarée
> Quand de moindre clarté ne pouvoit s'estranger. » [117]

Le motif est fréquemment repris dans *les Amours d'Hippolyte* :

> « Je sçay comme l'amant en l'amante se change
> Et comme au *gré d'autruy* de soy-même on s'estrange...
> Comme on change d'état cent fois en un moment... » [118]

Ainsi l'amour qui aliène, qui fait vivre comme « un polype » attaché au corps étranger, n'apporte ni la cohérence, ni la sécurité, à l'être divisé de l'amant. Né d'un conflit, il se nourrit de contrariétés, et, faisant vivre « ailleurs », il renforce l'impression d'étrangeté que ressent Desportes. Etranger à son amour, étranger à lui-même, il n'a aucun contact — sinon désagréable — avec le monde et autrui. Cette conscience vide, cette « vague pensée », sont le signe d'une *indifférence* : pour qui n'a, avec le monde, aucune médiation, tout se vaut, tout est pareil. Même la souffrance — qui pourrait donner au cœur un point d'appui, une certitude (« Celuy qui sent son mal et qui le connoist bien / Est encore vivant... » [119]), est refusée à l'amant « estrangé » :

> « Ne dites plus, Amants, que l'absence inhumaine
> Tourmente vostre esprit d'un mal démesuré :
> Car qui laisse sa Dame et s'en voit séparé,
> *N'a point de sentiment* pour souffrir de la paine.
> Ce n'est plus rien de luy qu'une semblance vaine,
> Qu'un corps qui ne sent rien, palle et defiguré... » [119]

L'absence, réputée le plus grand des maux, est décrite par Desportes comme un défaut de sentiment, un défaut de douleur :

---

114. Voir *Div. Am.,* les poèmes écrits en Pologne, qui forment une longue plainte (p. 121, 71).
115. *Diane,* I, XVII, p. 50.
116. *Diane,* I, p. 54.
117. *Ibid.,* II, p. 308.
118. *Hipp.,* p. 77, v. 111-114.
119. *Diane,* II, p. 270.

> « ...mais *on ne sent plus rien*
> Aussi tost que le corps est laissé de son ame.
>   Donc, si c'est une mort, on peut voir clairement
> Que celuy ne fut onc eloigné de sa Dame
> Qui surnomma douleur un tel éloignement. » (*ibid.*)

Ainsi, rien ne demeure en cette âme que tout sentiment abandonne, que nulle sensation, pas même la douleur, ne rattache à la vie.

A la différence des poètes « pétrarquistes » de la Pléiade, qui voyaient dans l'amour une aliénation « active », un transfert qui assurait à l'être une unité et une consistance qui lui viennent d'autrui, un repos heureux et assuré, Desportes décrit une aliénation toute passive, qui redouble le sentiment qu'il a de son « estrangeté ».

La mobilité extrême des sensations reçues dans la confusion, l'indétermination du sentiment, le « gel » en présence de la dame, ou la défection de la sensibilité causée par son absence, empêchent l'âme de se connaître, et de saisir son unité. Toute réalité — y compris la réalité de la douleur — se dérobe, le monde insaisissable échappe, et l'univers ennemi n'offre d'autre image que celle de l'étrangeté, en laquelle le poète reconnaît sa propre figure :

> « Tous ceux que je rencontre, en quelque part que j'erre,
> Sont autant d'*ennemis* qui me livrent la guerre :
> S'ils sont vestus de noir, je croy soudainement
> Que c'est pour faire voir à la beauté que j'ayme,
> Qu'ils sont pleins de constance ou de tristesse extreme,
> Et deviens *ennemy* de leur accoustrement.
>   L'incarnat me fait foy de leur dure souffrance,
> Le verd me fait trembler avec son esperance,
> Je connay par le bleu les jaloux comme moy :
> Le bleu, c'est jalousie, et la mer en est peinte... » [120]

Tout vêtement déguise, toute peinture masque : les objets ennemis renvoient le poète à son inconsistance, comme l'« estat de ce monde », « jeu d'inconsistance » [121], le renvoie à sa propre mobilité.

C. Les métamorphoses.

Traditionnel depuis la poésie grecque et latine [122], le thème des métamorphoses illustre soit le désir de changement, l'évasion hors des limites étroites du corps-prison, soit l'incapacité de se saisir comme être durable. Dans le premier cas, le rêveur accomplit un parcours libre et heureux, ascendant ; dans le deuxième cas, il ressent le changement qui l'affecte comme une contrainte, une punition, ou un malheureux accident : il retombe alors dans sa matérialité, et subit la métamorphose passivement. Devenir oiseau, c'est recevoir des dieux la plus prestigieuse des récompenses, se débarrasser des liens si contraignants de la pesante matière — et le rêve est un rêve heureux. Devenir roche sous les

---

120. *Ibid.*, II, p. 261, v. 91 et suiv.
121. Voir notamment *Diane*, II, pp. 307 (« le temps leger au change accoustumé »), 302, etc., 275, 223, etc. *Cléon.*, p. 109.
122. Notamment Ovide et l'Anthologie grecque.

regards sévères de l'aimée, c'est un châtiment terrible, et un cauchemar.

Desportes explore l'une et l'autre possibilités — tantôt dans le vertige d'une conscience, pour un moment, libérée, tantôt dans l'amertume d'une rêverie mélancolique. Dans les deux cas, la métamorphose est le signe d'une impossibilité à durer, à continuer dans son être : qu'il tente de s'échapper par le haut, dans la sublimation du désir, ou par le bas, dans la négation du désir (devenir roche, c'est ne plus désirer), le poète ne cesse de déclarer l'ambiguïté de sa position, et l'irréalité de sa présence au monde. L'oiseau et la roche sont les emblèmes de la dualité — de cette double postulation, vers le haut et vers le bas, qui anime en même temps sa vie intérieure. La légèreté de l'oiseau, son aisance à relier le ciel à la terre, qui font de lui une créature intermédiaire — un messager — parlent au rêveur d'évasion, d'ouverture à la vie spirituelle ; en outre, l'oiseau pour Desportes (et l'Aigle tout particulièrement) est toujours représenté dans son vol : il est ce qui toujours va, dans un mouvement incessant de prodigieuse liberté. La roche, au contraire, parle d'immobilité, elle est l'immuable ; elle a du poids, elle écrase et elle stérilise tout ce qui est léger. Enfin, si l'oiseau est le symbole de l'activité, la roche est une force passive, non agissante.

Alors que l'oiseau représente communément la victoire de l'esprit sur le monde matériel, pesant et bas — la défaite de l'instinct grossier et de la sensualité embourbée dans la terre —, la roche symbolise, dans l'imagination poétique du XVIᵉ s., la matière la plus dure, la plus résistante, la plus sourde au désir d'envol — lourde et puissamment engagée dans le dernier des éléments, la terre.

Le Rocher.

La transformation en roche est, d'abord, la punition de l'insensibilité ; comme telle, elle semble réservée à la dame, devenue, par une première mutation, Méduse :

> « Narcisse devint fleur d'avoir vu sa figure.
> Craignez donques, Madame, un semblable danger,
> Non de devenir fleur, mais de vous voir *changer*
> Par vostre œil de Meduse, *en quelque roche dure.* » [123]

Mais elle peut aussi atteindre l'amant, surpris en plein vol par le regard de sa Belle qui le stérilise et le pétrifie :

> « Au contraire à l'instant que je m'ose approcher
> De ma belle Meduse, inhumaine et felonne,
> Un traict de ses regards me transforme en rocher. » [124]

Enfin, la transformation en roc qui affecte le cœur, siège du sentiment, permet de durer, de résister ; elle exprime le rêve de fermeté, d'assurance, seul réconfort dans un monde de passions qui rend impuissant et stérile [125].

---

123. *Hipp.*, p. 29. Pour Méduse, voir Ovide, *Mét.*, IV, 765 et suiv., V, 177 et suiv. Pour la métamorphose en pierre, voir la légende de Niobé. Le roc est traditionnellement symbole de dureté inaltérable, de résistance au changement (ex. le rocher sur lequel s'écrasent les flots). Voir *Diane*, I, 105 et 63, II, LIV, p. 293.
124. *Hipp.*, p. 86.
125. « Je pers soudainement l'esprit et la puissance... », *Div. Am., Complainte,* p. 67, v. 42.

« J'ay le cœur tout serré de glace et de froidure,
Ils (*les monts audacieux*) sont pleins de rochers, et mon deuil véhément
M'a privé tout d'un coup d'ame et de sentiment,
Et m'a changé l'esprit en une roche dure.
Si je n'eusse eu le cœur en rocher transmué,
L'excessive douleur aussi tost m'eust tué
Par une seule mort mettant fin à mes peines :
J'eusse été sous le poix mille fois abbattu
Sans durer aux soucis... » [126]

On voit donc que la métamorphose est chez Desportes ambiguë ; d'une part, elle marque l'échec : c'est au moment même où l'amant tente, par un vol nouveau, de dépasser sa condition, que, par la soudaine mutation en rocher, il retombe dans sa pesante matérialité :

« Emporté tout ainsi de ma *haute* pensée
Je vole aventureux aux soleils de vos yeux,
Et voy mille beautez qui m'*élèvent* aux cieux,
Et me font oublier toute peine passée.
Mais hélas ! je n'ay pas le bouclier renommé,
Dont contre tous perils Vulcan l'avoit armé,
Par lequel sans danger il peut voir la Gorgonne... » [127]

« A l'instant », l'oiseau devient roche, et cette défaite est celle de l'esprit, de la haute pensée, du désir d'élévation. D'autre part, la métamorphose en roche peut aussi désigner la victoire, et cette modification du mythe est propre à Desportes : en effet, la pierre est une protection, un rempart assuré ; la seule manière de *durer,* c'est d'être rocher, à l'abri des atteintes de l'« excessive douleur ». « Mon cœur, aux flots du mal, semble un roc endurci... » [128] ; le grand nombre de métaphores qui présentent le cœur comme un rocher, « le roc de ma poitrine dure » [129], atteste du pouvoir que prend, sur l'imagination, la pierre, ce bloc glacé qui résiste et refuse de fondre.

Ainsi, la métamorphose en rocher illustre en elle-même les deux désirs contradictoires du poète : échapper à la pesanteur, se dégager de la matérialité, et devenir un élément du monde minéral, pierre parmi les pierres. Pétrifié, l'amant n'offre plus prise à tout ce qui le blesse : « mon cœur est une roche à toute autre sagette » [130].

L'Oiseau.

La métamorphose en Aigle, l'oiseau de Jupiter, combine à la fois l'image stimulante d'un grand vol en plein ciel, libéré de toute entrave matérielle (par opposition avec le vol de l'homme-oiseau, empenné artificiellement, et gêné en son essor par les ailes de cire, qui disent la fragilité de l'évasion), et l'image éclairante et nourrissante d'un vol orbital autour du Soleil source de vie.

---

126. *Ibid.,* v. 63 et suiv. (pp. 69-70).
127. *Hipp.,* p. 86.
128. *Diane,* II, p. 293.
129. *Ibid.,* pp. 63 et 30.
130. *Ibid.,* II, p. 313.

> « L'Aigle courrier du foudre, et ministre fidèle
> Du tonnant Jupiter, Roy des oiseaux s'appelle,
> Pource que sans fléchir il soustient de ses yeux
> Les traits esblouïssants du Soleil radieux...
>   Moy donc qui dresse au ciel mon vol adventureux
> Doy-je pas me nommer l'Aigle des amoureux ?
> Car si l'Aigle regarde un Soleil plein de flame,
> Je soustiens fermement les deux yeux de Madame... » [131]

Ce jeu de l'imagination en liberté permet à l'amant, toujours rebuté, toujours souffrant, de devenir, le temps d'une rêverie, celui qui « tient l'œil au Soleil » [132], l'oiseau « ministre de l'orage », tourbillonnant autour de la lumière sans être aveuglé ou ébloui par son éclat. Dans la nuit des sens où il se perd, dans le dédale de sentiments qui ne sont jamais tout à fait éclaircis, il goûte, grâce à une imaginaire métamorphose, le plaisir de se dresser, ferme et robuste, face aux flammes et aux éclairs.

> « Que je vous porte envie, ô bois ! ô monts ! ô plaines !
> Hé que ne fait le ciel pour adoucir mes peines
> Que je sois parmy vous en oyseau transmué,
>   En arbre, en fleur, en roc, en fontaine champestre ?
> Il ne me chaut en quoy (...) » [133]

Le thème favorise donc l'essor de l'imagination : Desportes rêve d'un vol dans l'espace, dégagé de la pesanteur, une approche de la lumière nourrissante du Soleil père de la vie. Il rêve de se perdre dans la nue « d'une aile à plain vol par la vague élancée », où, « soustenu de l'air », il puisse cesser tout mouvement, cesser même de voler [134]. L'amant-oiseau est libre, il vit dans la lumière, il a trouvé son point d'appui : aucune métamorphose n'est plus apaisante.

En effet, l'oiseau a tous les attributs qui comblent l'attente de l'amant : non seulement, il s'élève sans effort, et semble ignorer la pesanteur, l'inertie qui attachent au sol ; par sa liberté qui le distingue des autres créatures, il connaît seul, « s'eslevant sur tout autre », l'essor sans contrainte qui lui permet de sublimer les élans charnels (l'oiseau parle d'immatérialité, de légèreté, de pureté aussi), mais encore il est celui qui « soustient » l'éblouissement, et résiste au Soleil. Aussi ses privilèges s'opposent-ils nettement aux diverses contraintes qui pèsent sur l'amant, inerte, prisonnier, incapable de supporter « l'ombreuse nuit » et la clarté trop vive. Rêver de devenir oiseau, pour Desportes, c'est se rêver radicalement *autre,* se quitter.

Ainsi, par des voies différentes, la Roche et l'Oiseau disent un même désir — désir de transformer une défaite en victoire —, et une même incapacité : impossible de durer, impossible d'atteindre une certaine permanence. L'amoureux plus qu'un autre se heurte au changement :

> « Je sçay des Amoureux les changemens divers,
> Leurs pensers incertains, leurs desirs plus couvers, (...)
> Leurs discordans accords, leurs regrets et leurs pleurs

---

131. *Hipp.*, p. 75, v. 51 et suiv.
132. *Ibid.*, p. 28.
133. *Cléon.*, p. 61.
134. *Elégies*, VIII, p. 64, v. 51 et suiv.

> Bref je sçay pour mon mal, comme une telle vie,
> Inconstante, incertaine, à tous maux asservie,
> S'égare au labyrinth de diverses erreurs... » [135]

Autres Métamorphoses.

Cette attirance pour les états du changement, crainte et désir mêlés, se manifeste dans l'élection d'un certain nombre de symboles qui tous montrent « comme on change d'estat cent fois en un moment » [136]. Par une imagination assez proche de celle d'Aubigné, Desportes se plaît à faire de l'Astre rougi [137] le signe même de l'horreur :

> « Quand vous m'aurez tué pour vous avoir aimée
> Vous serez par les dieux en Astre transformée,
> Haineux, *rouge de sang*, d'orgueil et de fureur... » [138]

Il aime à opposer, à l'image des beautés de sa dame, l'image de sa métamorphose prochaine :

> « Le feu de ses beaux yeux par les ans s'esteindra... » [139]

Mais les métamorphoses futures de la femme ne suffisent pas à apaiser la douleur née de sa vue. Aussi le poète préfère-t-il rêver à sa propre mutation, toujours possible en un monde soumis à la loi de changement :

> « Pauvre cœur désolé...
> Songe au cours de ce monde et à son inconstance,
> Qui fait qu'un mesme estat ne se peut asseurer :
> Peut estre apres les maux qu'on te fait endurer,
> Le Sort te livrera quelque meilleure chance (...)
> Ainsi dessous le ciel toute chose varie... » [140]

Desportes se voit avec délices changé en *cendres*, recueillies dans le sein de la Belle : la métamorphose, pour être moins stimulante que la métamorphose en oiseau, est, en un sens, plus apaisante. Quelle sécurité, enfin, en ce monument ! Tout y est donné : la nuit, douce pour qui ne supporte pas la lumière aveuglante, la chaleur d'une flamme couvée délicatement, le lieu clos, bien fermé, à l'abri des agressions...

> « Enfin l'Amour cruel à ce point m'a rangé
> Que ma triste despouille en cendre est convertie (...)
> Au moins pour le loyer de m'avoir outragé,
> Faites ainsi que feit la Royne de Carie,
> Non par amour comme elle, ains pleine de furie :
> Beuvez le peu de cendre en quoy je suis changé.
> La soif de me tuer s'esteindra dans vostre ame,
> Et ma cendre qui couve une eternelle flame
> Fera que vos glaçons se fondront tout soudain.
> Mais ce qui plus rendroit ma douleur consolée
> Seroit de *me voir clos* dans un tel Mausolée !
> Fut-il donc monument si beau que vostre sein ? » [141]

---

135. *Hipp.*, p. 78, v. 120 et suiv.
136. *Ibid.*, v. 114.
137. A. d'Aubigné, *Le Printemps, éd. cit.*, p. 124, v. 3 (« ô astres rougissantz »).
138. *Cléon.*, p. 72.
139. *Ibid.*, p. 48.
140. *Ibid.*, p. 109.
141. *Ibid.*, p. 73. Le thème d'Artémise sera maintes fois repris après Desportes.
Cf. aussi A. d'Aubigné, *Le Printemps, op. cit.*, XII, p. 69.

Absorbé par sa maîtresse, contenu par elle, l'amant enfin pénètre ; à son tour, il devient monument : quelque chose qui reste, qui demeure... Du dehors au dedans, de l'inconstance à la constance, il a trouvé son lieu [142].

Mais l'apaisement ne dure que le temps d'une courte rêverie : pour qui comme Desportes « conte... le temps par le désir », il n'y a guère de pause possible, ni de métamorphose définitive : point d'état, mais seulement le passage [143]. L'amant va de métamorphose en métamorphose : sa joie est « fuitive » [144] et il n'est rien qui, en un instant, ne « change de figure » [145].

Peu importe, en un sens, la nature de la métamorphose, pourvu que se réalise un changement — si peu durable soit-il — qui permette la diversion [146]. Les métamorphoses successives [147] illustrent la difficulté à être, et à durer ; les mutations font que le poète, victime d'une Circé maligne, ne saurait plus se reconnaître :

> « Je ne suis veu muer, pour le commencement,
> En cerf, qui porte au flanc une fleche sanglante ;
> Depuis je devins cygne, et d'une voix dolente
> Je présagé ma mort, me pleignant doucement.
> Après je devins fleur languissante et panchée,
> Puis je fu fait fontaine aussi soudain seichée,
> Espuisant par mes yeux toute l'eau que j'avois ;
> Or je suis salemandre et vy dedans la flame ;
> Mais j'espère bientôt me voir changer en Voix... » [148]

Chacune de ces métamorphoses est à la fois douloureuse et agréable : aucune ne suffit à désigner pleinement le malaise, mais chacune, pour sa part, épuise un aspect de la souffrance. Les métaphores animales laissent encore au poète qui les imagine un répit : le cerf blessé, le cygne gémissant, sont proches de l'homme, et la reconnaissance est possible. La fleur et l'eau parlent toutes deux d'une vie qui s'efface, et s'évanouit, tandis que la salamandre évoque, par sa capacité à vivre dans le feu sans être consumée, la puissance irrésistible d'un amour qui échappe à la destruction. Mais la métamorphose la plus satisfaisante est la dernière : rêvant de devenir, comme Echo, une Voix, le poète imagine qu'il est débarrassé de l'enveloppe charnelle, enfin délivré d'une sensibilité trop vive (celle du cerf ou du cygne) et du danger (symbolisé par la sécheresse).

L'amour est présenté par Desportes comme l'artisan des métamorphoses successives : l'exposant « sans défense », il lui ôte son identité, pour le livrer, nef sans gouvernail, à toutes les humeurs qui le surprendront :

> « Je perdy la raison, la force et le courage,
>   Je devins Papillon, à ses yeux me brulant,

---

142. *Ibid.*, p. 40.
143. *Ibid.*, p. 27. L'origine du thème (« pendant que j'écris, vous changez... ») est A. di Costanzo (I *Fiori*, 1558).
144. *Ibid.*, p. 34.
145. *Ibid.*, p. 35.
146. *Ibid.*, p. 67, v. 8 « ...si tu pouvois / Me divertir de suyvre... ».
147. *Ibid.*, p. 61.
148. *Diane*, p. 75.

> Je vescu Salemandre en feu si violent,
> Et fus Cameleon [149] à l'air de son visage. » [150]

Le *phœnix* devient ainsi l'emblème de la vie amoureuse, à cause de sa double mutation. Devenu cendre, il est l'image de la réduction qu'Amour opère :

> « Je suis vostre Phenix, ô lumière immortelle !
> En cendre à vos rayons je me vay *reduisant...* » [151] ;

renaissant de ses cendres, il est l'image du renouvellement par le feu du désir :

> « Et peut estre qu'alors vous n'aurez deplaisir
> De revivre en mes vers chauds d'amoureux desir,
> Ainsi que le Phenix au feu *se renouvelle.* » [152]

Le thème revient souvent, de manière allusive :

> « Crains tu point le pouvoir des ans et de la mort ?
> Non : car si quelquefois je meurs par leur effort
> Aussitost je retourne en ma forme première. » [153],

ou d'une manière plus explicite :

> « Vous estes le soleil qui me donnez le jour,
> Et je suis le Phenix qui se brûle d'amour ;
> Puis, quand je suis bruslé, je renais de ma cendre. » [154]

Le Phénix, comme la Salamandre à laquelle il est fréquemment associé, appartient à la symbolique du Feu [155]. L'oiseau « unique » régénère et purifie tout à la fois, et il exprime le désir de profond renouvellement. Il dit aussi la victoire sur le Temps et la Mort. Il y a plus ici que le souci de composer des images : le thème des métamorphoses permet une rêverie apaisante, un essor libérateur de l'imagination.

Le thème est évidemment voisin de celui de l'inconstance, sous toutes ses formes. S'échappant à lui-même, s'oubliant au sein du plus grand chaos, le poète se sent devenir sans cesse autre. Changeant au gré d'autrui, s'« étrangeant », il rêve avec délice de diriger les mutations qu'il subit ; il s'aperçoit aussi que toutes les métamorphoses n'ont pas le même pouvoir de libération : certaines se révèlent stériles, refroidissantes (métamorphoses en pierre, en roc), d'autres apportent davantage, une revanche imaginaire qui permet au poète de s'enchanter de visions délicieuses, — un défi à l'instabilité. Ainsi en est-il du thème si caractéristique des *Amours* : celui du vol audacieux qui transforme l'amant, nouvel Icare, en voyageur ailé...

---

149. Sur le thème du Caméléon, voir Rousset, *Anthologie de la poésie baroque, op. cit.,* les textes d'Aubigné, Scudéry, Angot de l'Eperonnière. Un des motifs de la poésie baroque du « change ».

150. *Cléon.,* p. 83.

151. *Div. Am. Stances,* p. 198.

152. *Cléon.,* p. 88. Voir aussi *Pour les Chevaliers du Phenix, Cartels,* éd. Graham, p. 23.

153. *Diane,* I, p. 78.

154. *Ibid.,* II, p. 217.

155. Voir J.-P. Bayard, *Le Feu,* coll. *Symboles,* Flamm., 1958.

D. Le grand vol audacieux.

La monotonie que confère à ce long poème le retour lancinant de thèmes monocordes se trouve rompue, apparemment tout au moins, par l'introduction d'un motif au ton différent. Dans les *Amours de Diane*, apparaît, venant de Sannazar [156], le thème du vol audacieux :

> « Je ne me plains du vol que j'ay tenté,
> Jeune Dédale [157], aux périls téméraire ;
> Quoy qu'il en soit, j'auray de quoy me plaire,
> Fondant aux rais d'une telle beauté. » [158]

Il reste encore lié ici à une conception assez « molle » de l'amour, puisque Desportes retient moins l'audace de l'initiative que l'échec ; notons en outre que l'introduction du thème ne modifie pas la dominante : l'amour renforce la passivité première, et tout l'effet du vol est de rendre le poète « fondant », amolli comme la cire au soleil [159]. Ailleurs, sans qu'apparaisse Icare, le poète célèbre l'audace de qui ose aimer trop haut :

> « Et j'aime toutefois, n'ayant nulle espérance,
> Car *trop haut* est l'objet de ma présomption...
> Je considere assez qu'*en si haute entreprise*,
> Trop de discretion ne peut estre requise. » [160]

La haute entreprise favorise moins l'orgueil qu'un sentiment d'humble soumission aux caprices de l'objet. Les ailes de l'amant-oiseau restent de cire, et son vol est interrompu constamment par tous les accidents qui menacent sa fragilité naturelle :

> « Par la seulle douleur ce sorcier me remüe...
> Il me fait voller haut sur des ailes de cire,
> Puis me fait trebucher quand je vay m'elevant. » [161]

Ainsi, le vol aventureux est le signe, non de l'audace et de l'énergie, mais d'une humeur capricieuse et incertaine. Muable, parce qu'il est léger, le poète vole à tous les hasards, passe par « tous les destours hasardeux », et loin de suivre une progression continue, son vol trop hardi est sinueux, soumis à tous les vents qui agitent et poussent cette frêle conscience « seiche comme la fleur qui a senty le vent » [162].

> « J'ay couru, j'ay tourné, volage et variable,
> Selon que la jeunesse et l'erreur m'ont poussé,
> Et mon vol trop hardy jusqu'au ciel j'ay haussé,
> Dressant à mes désirs maint trophée honorable... » [163]

---

156. Sannazar, *I Fiori*, 281. L'imitation est particulièrement nette pour le sonnet liminaire d'*Hipp.* Origine : Ovide, *Ars Am.*, II, 44 ; *Métam.*, VIII (183 et suiv.).

157. Commentaire (judicieux) de Malherbe : « Je croy qu'il veut dire *Icare* par le *Jeune Dédale...* »

158. *Diane*, I, 67.

159. L'image de la cire fondant à la chaleur, commune à Ronsard (*éd. cit.*, t. VII, p. 285) et à Desportes, est voisine, par ses suggestions, de l'image liquide. Fondant, l'amant devient eau : « C'est une eau que je fay, de tout ce que j'amasse... » (*Diane*, I, 97).

160. *Diane*, I, p. 113.

161. *Ibid.*, *Procez contre Amour*, p. 153, v. 65 et suiv.

162. *Ibid.*, v. 78.

163. *Ibid.*, II, p. 322.

Dans les *Amours d'Hippolyte,* le célèbre sonnet qui ouvre le recueil met l'accent, un peu différemment, sur la gloire de l'entreprise :

« Est-il plus beau dessein ou plus riche tombeau ? »[164]

Le vol d'Icare, « le jeune audacieux », permet une rêverie à la fois exaltante et amère. Exaltante, certes : n'a-t-il pas trouvé un « chemin nouveau » pour faire d'une chute inévitable un succès qui défie le temps ? Mais amère, à coup sûr : le vol aventureux est signe d'impuissance, il fait éclater l'incapacité où se trouve le poète de se fixer, de trouver une issue. La mort d'Icare, brûlé vif, n'est-elle pas l'image de la condition qui est faite à Desportes ? Inconstant, volage, par nature impuissant à fixer son être, il choisit en rêve la fin brutale et magnifique la plus propre à satisfaire son désir d'anéantissement, sa volonté de se répandre en cendres :

« Il eut pour le brûler des astres le plus beau. »[165]

Le vol hardi permet ainsi de camoufler un échec ; l'aveu d'impuissance, s'il n'est pas masqué, est en tout cas corrigé :

« Le pouvoir lui faillit mais non la hardiesse. »

Hardiesse un peu vaine, audace d'avance condamnée (« le ciel fut son désir ») : qu'importe ? En ce chaos de pensées où se meurt la conscience, le grand vol reste le seul point où puisse s'accrocher le désir, la seule possibilité d'échapper à la « lascheté », ou encore à la lente agonie.

Cette interprétation semble confirmée par un autre sonnet du même recueil, très explicite :

« Amour peut à son gré me tenir oppressé,
Et m'estre (hélas à tort !) rigoureux et contraire...
    Je voy bien mon erreur, et que j'ay commencé,
(Nouveau frère d'Icare) un vol trop téméraire,
Mais je le voy trop tard, et ne m'en puis distraire...
    Il faut continuer, quoy que j'en doive attendre :
Ce fut témérité de l'oser entreprendre,
Ce seroit laschecé de ne poursuivre pas. »[166]

Il s'agit bien de continuer, de persévérer, non dans l'espoir de réussir, mais dans le souci de trouver, par ce dessein, une fermeté — « Je veux demeurer ferme » —, une consistance qui donne à l'être son unité : c'est un effort pour ne pas se « distraire », pour opposer, à la diversité des mouvements qui oppressent le poète, la continuité d'une entreprise vitalisante. Un culte de l'énergie, du courage, même sans but précis : l'âme éparse, éparpillée, balancée par le flot tumultueux du désir, est soudain « bandée » dans un sursaut qui doit permettre seulement de « poursuivre », de « continuer ».

Il est remarquable que cette nouvelle ardeur, ce nouveau dessein, ne brisent pas l'état d'inconstance et de chaos langoureux : ils le masquent plutôt, et l'« oser » apparaît plus comme une feinte, comme un déguisement du vide existentiel, que comme une victoire de la fermeté sur l'inconstance :

---

164. *Hipp.,* pp. 11-12, v. 14.
165. *Ibid.,* v. 11.
166. *Ibid.,* p. 20.

> « Le fait que j'entreprens veut un courage haut,
> Constant et patient qui souffre sans se plaindre,
> Qui *durant sa langueur joyeux se puisse feindre...* » [167]

Pour célébrer la belle audace vaine, Desportes trouve des accents d'énergie qui rompent heureusement avec la douceur molle d'autres pièces, et annoncent les meilleurs vers de Bertaut. La quête de la gloire et de la renommée devient l'unique dessein, et l'audace la seule voie possible :

> « Appelle qui voudra Phaëton misérable
> D'avoir trop entrepris, je l'estime louable :
> Car au moins il est cheut un haut fait poursuivant,
> Et par son trespas mesme il s'est rendu vivant :
> J'aimerois mieux courir à ma perte asseurée,
> Poursuivant courageux une chose *honorée,*
> Que lasche et bas de cœur mille biens recevoir
> De ceux que le commun aisement peut avoir.
>
> . . . .
>
> L'*honneur* suit les hazars, et l'homme audacieux
> Par son malheur s'*honore,* et se rend *glorieux.*
> Le jeune enfant Icare en sert de témoignage :
> Car si volant au Ciel il perdit son plumage,
> Touché des chauds rayons du celeste flambeau,
> Le *fameux* Ocean luy servit de tombeau (...)
> Bien heureux le malheur qui croist la *renommée.* » [168]

On pourrait déjà saisir ici des éléments pré-cornéliens : à l'origine, un même état d'indétermination et de confusion, un même flottement. Mais, dans ce chaos, la volonté s'affirme, d'abord nourrie d'elle-même, sans autre fin qu'elle-même et sa propre affirmation. La recherche de la gloire, confondue, pour Desportes, avec celle de l'honneur et de la renommée, tend à remplir un vide, à apporter un réconfort. Comme l'homme de Corneille, l'amant de Desportes projette une image embellie de lui-même, avec laquelle il essaie de se confondre. La ressemblance s'arrête là, car Desportes reconnaît qu'il est impuissant à user de sa raison :

> « Je sçay que je me pers pour croire à ma jeunesse :
> Je voy par la Raison que c'est trop m'abuzer,
> Inutile sçavoir dont je ne puis uzer,
> Miserable Raison dont la force est maistresse. » [169]

Un sonnet du même recueil nous éclaire sur les contradictions qui ne cessent d'alimenter ce lyrisme du haut vol. Dans les quatrains [170], Desportes laisse la rêverie l'emporter ; l'image embellie qu'il projette est celle du valeureux Persée :

> « Je ressemble en aimant au valeureux Persée
> Que sa belle entreprise a fait si glorieux,
> Ayant d'un vol nouveau pris la route des dieux,
> Et sur tous les mortels sa poursuite haussée.
> Emporté tout ainsi de ma haute pensée
> Je vole aventureux aux Soleils de vos yeux... » [171]

---

167. *Ibid., Elégie,* pp. 33-36, v. 24-26.
168. *Ibid.,* v. 41-58.
169. *Ibid., Complainte,* p .37, v. 5-8.
170. La source est Costanzo, *Che Perseo, un tempo...* (*I Fiori,* 39).
171. *Hipp.,* p. 86.

Il essaie ainsi d'échapper « par le haut » au conflit des passions malheureuses, et espère effacer, par l'éblouissement, le souvenir de « toute peine passée » : c'est un rêve d'envol, de dépassement ; oiseau aventureux, l'amant « empenné » s'élève comme sans effort et développe sans entrave sa nouvelle puissance.

Mais les tercets ramènent, non à la réalité, mais à une nouvelle forme d'aliénation : l'imagination n'est pas suffisamment libérée par les images exaltantes du vol sans entrave pour pouvoir emporter le poète vers un monde apaisé de pure harmonie. C'est la chute, et c'est aussi le retour à la stérilité initiale :

> « Mais helas ! je n'ay pas le bouclier renommé (...)
> Au contraire à l'instant que je m'ose approcher
> De ma belle Meduse, inhumaine et felonne,
> Un traict de ses regards me transforme en rocher. » [172]

Ainsi, au thème du haut vol aventureux, s'ajoute toujours le thème de la pétrification, comme aux rêveries « célestes » s'opposent les rêveries de la terre-prison. A « l'homme grossier en la terre arresté » [173], Desportes tente de substituer « le nouveau Geant que l'orgueil va touchant » [174] ; s'il se plaît à imaginer ses libres évolutions dans un ciel éblouissant qui est lumière :

> « Moy donc qui dresse au ciel mon vol adventureux
> Doy-je pas me nommer l'Aigle des Amoureux ?
> Car si l'Aigle regarde un Soleil plein de flame,
> Je soustiens fermement les deux yeux de Madame... » [175],

s'il lui arrive de s'affranchir des contraintes qui le retiennent au sol :

> « Ravy de mon penser si hautement je vole,
> Que je conte un à un les astres radieux,
> J'oy les divers accords du mouvement des cieux,
> Et voy ce qui se meut sous l'un et l'autre pole » [176],

jamais il n'est à l'abri du terrible regard qui le foudroie à terre :

> « Au lieu de mont sur mont haut eslevé de terre,
> Espoirs, songes, pensers l'un à l'autre accrochant,
> Je pense estre bien haut, quand en vous approchant,
> Sur moy vostre bel œil mille foudres desserre. » [177]

Loin de rompre l'harmonie des thèmes monocordes, et de constituer, par ses accents plus énergiques, une brisure dans une œuvre qui chante en sourdine l'écartèlement et le divorce, le motif du Vol, avec ses accords contrastés, contribue à donner à cette poésie du vide un prolongement parfaitement accordé à la tonalité d'ensemble.

---

172. Le thème du regard qui pétrifie est fréquemment repris, associé au thème de Méduse (cf. n. 123). Cf. Ronsard, *Les Am.*, *éd. cit.*, t. IV, s. XXXI, p. 35, et VIII, p. 12) (thème d'origine pétrarquiste).
173. *Hipp.*, *Stances*, p. 98, v. 12.
174. *Ibid.*, p. 124.
175. *Ibid.*, *Elégie*, p. 75, v. 56 et suiv.
176. *Ibid.*, p. 134.
177. *Ibid.*, p. 124.

Il signifie que, dans un monde soumis à l'inconstance, l'imagination elle-même est entravée dans son essor par son incapacité à durer. Comme Montaigne qui se désole de voir tomber dans l'oubliance les fantaisies les plus plaisantes de ses songes, Desportes ne peut se retenir à rien, pas même à ses rêves. La célébration du « bel oser » n'est pas exempte d'amertume, car c'est une rêverie avortée :

> « J'ose et je n'ose pas, je m'arreste et galope ;
> Bref j'ourdis une toile ainsi que Penelope,
> Dont je desfay la nuict ce que j'ay fait le jour... » [178]

Le « petit oiseau » [179] est constamment retenu dans son envol par la pesanteur d'une âme inerte, rattachée lourdement à la terre. La rêverie la plus féconde, la plus apaisante, se voit « en un instant » interrompue :

> « Avoir pour toute guide un desir temeraire,
> Et comme les Titans au Ciel vouloir monter,
> Sur un mont de pensers l'Esperance planter
> Puis tout voir renverser par Fortune contraire (...)
> Ce sont les lois qu'Amour de ses traits escrivit
> Sur le roc de mon cœur... » [180]

Les motifs qui ont le Vol pour noyau montrent clairement la double postulation qui divise le poète : deux forces contraires agissent en effet sur son imagination, d'un côté sollicitée par l'énergie libératrice des images de vol, de départ, d'échappée ; d'un autre côté, retenue et bridée par le poids aliénant des images de la terre-prison, de la pierre, du roc.

En cela, Desportes rejoint la psychologie collective qui s'exprime à travers le mythe d'Icare : celui-ci en effet annonce un désir de sublimation, la recherche d'une harmonie intérieure qui passe nécessairement par la solution des conflits. Voler, c'est dépasser le niveau des problèmes d'ordre affectif, non pas les nier, mais les résoudre en s'élevant largement au-dessus d'eux, survoler ses propres contradictions. Mais en même temps, le rêveur dénonce son impuissance, son défaut de maturité, d'assurance ; une secrète angoisse habite toujours celui qui désire voler, soit qu'il redoute l'échec de sa tentative, soit qu'il s'aperçoive de la vanité de ses efforts et de la difficulté qu'il éprouve à avancer, à progresser. L'air même résiste, et bientôt le rêve heureux se mue en cauchemar : la chute menace, expression symbolique des échecs, conséquence d'une attitude mauvaise envers la vie et ses difficultés.

Desportes déclare, dans sa poésie, cette ambition et ce recul : il dit à la fois le prodigieux désir d'ascension, l'énergie, et la pauvreté du moyen choisi, plus propre au velléitaire qu'au volontaire. L'envol, comme toute évasion, renvoie le rêveur à sa propre impuissance, à son inadaptation —, et Desportes, qui désire trouver enfin la fermeté, l'assurance, ne découvre, tout compte fait, que sa fragilité, dont l'aile de cire est le signe.

---

178. *Diane*, II, p. 231.
179. *Ibid.*, v. 9 « Comme un petit oiseau j'approche de la proye ».
180. *Hipp.*, p. 89. Cf. Montaigne, *Les Essais, éd. cit.*, II, 1, p. 333.

Conclusion

DESPORTES, POÈTE DE L'INCOHÉRENCE

Tous les thèmes recensés ici : le « discord » et la mobilité, l'« estranger » et l'absence, les métamorphoses et le vol, manifestent une grande cohérence : l'œuvre de Desportes apparaît comme un long poème monotone, monocorde, dont on ne peut guère dire qu'il est composé, du moins si le mot laisse entendre que tous les éléments s'ordonnent, dans une succession réglée et conforme aux lois de la logique, au sein d'un ensemble fermé, mais plutôt « accordé » au sens musical du terme ; à partir d'une perception initiale, s'y font entendre diverses modulations, dont chacune creuse, pour sa part, un aspect de la réalité mouvante. L'unité du poème ne tient pas à la réunion d'une multiplicité d'éléments, hiérarchisés et fixés, nettement articulés, et dont chacun aurait sa place, sa fonction précise et sa (relative) autonomie : si, parfois, l'analyse que nous avons proposée donne l'impression d'une répétition, c'est que les thèmes s'enchevêtrent, se pénètrent, provoquent des échos et des tautologies. Non point pourtant par maladresse, ou par incapacité à organiser, mais parce que l'unité de l'œuvre est d'un autre ordre. L'unité est ici le résultat d'une convergence : tous les motifs recensés, tous les thèmes analysés, vont dans le même sens, et, par des voies diverses, aboutissent au même point — à la découverte de l'indifférence, ou encore de l'égale valeur de toute chose, de tout objet, de tout sentiment. Pour Desportes, les objets (sentiments, discours, sensations, idées) échappent à eux-mêmes, et lui échappent : incertain de sa propre identité, ne sachant qui il est, il est aussi incertain des autres, du monde auquel rien ne l'attache, des choses de ce monde, qui se confondent et s'évanouissent s'il essaie de les saisir. C'est bien là qu'est le principe d'unité de cette œuvre : dans la convergence qui fait des motifs divers un motif unique, l'appréhension d'un monde singulier ; monde du multiple, monde de l'incohérence, de l'inconsistance générale, de la fuite.

La cohérence de l'œuvre tient donc tout entière dans la description de l'incohérence, sa consistance, dans la description de l'inconsistance, son unité enfin, dans la découverte du multiple. Paradoxale présence, aujourd'hui, d'un poète qui ne cesse de dire l'absence, étonnante chaleur, pour le lecteur moderne, d'un poète du gel, de la froideur.

Apparemment, aucun progrès dans cette œuvre, qui part de la constatation du vide, du vague, et se referme sur l'échec d'un vol aventureux, audacieux mais condamné à la chute. Pourtant, à y regarder de plus près, cette défaite n'est-elle pas le signe d'une conquête ?

Au début, on l'a dit, il n'y a littéralement rien : une vague pensée qui erre, sans forme, sans adhérence ; une inertie étrange, mollesse ou passivité, qui est pur malaise, pur ennui. Tout ce que sent le poète, c'est qu'il ne sent rien, qu'il s'échappe, devenant absent à lui-même. Les tentatives pour se ressaisir, pour monter, et échapper « par le haut » à une condition misérable, échouent, et le rêve d'envol s'achève en cauchemar de la chute.

Mais tout se passe comme si Desportes acceptait cette faiblesse, comme s'il reprenait à son compte cette débilité — dont si souvent il s'enchante. Incapable de connaître la durée, la permanence, il choisit de connaître le vertige, l'évanouissement, et d'explorer le vide d'une existence ouverte à tous les vents. En un moment, s'efface le sentiment que l'on croyait le plus durable, en un instant disparaît le souvenir le plus vif. Mais Desportes ignore le tragique, et n'essaie pas de trouver, à travers la fragilité du présent, une impossible permanence, une illusoire fermeté. Bien au contraire, il voit dans la mobilité sa seule assurance, dans l'inconstance son seul refuge.

L'être alors ne se découvre pas dans son passé, par la mémoire, comme un esprit identique, s'opposant par le sentiment de sa continuité à l'évanescence. Mais il se découvre autrement, dans l'instant qui met à nu sa faiblesse, comme élément muable au sein d'un univers muable, toujours disponible, toujours prêt à changer, acceptant la « mue », et affirmant son existence dans le mouvement. « Chaque jour nouvelle fantasie... », dit Montaigne [181], « et se meuvent nos humeurs avecques les mouvemens du temps... » ; Desportes à sa manière ne déclare point autre chose.

Aussi cette œuvre, dont la tonalité d'ensemble est mélancolique, terne, grise, nous parle, certes, d'un échec : celui de la conscience qui ne réussit pas à saisir, à garder, les objets qui se présentent à elle ; mais aussi d'un succès, si l'on considère que le poète du multiple, de l'incohérence, a tenté, par le langage — son seul recours — une figuration originale de la vie sentimentale.

---

181. Le chap. I : « De l'inconstance de nos actions » est un commentaire étonnamment précis des poésies de Desportes : mêmes thèmes, mêmes motifs, même vision du monde...

CHAPITRE III

FIGURES MYTHIQUES DU LYRISME NEO-PETRARQUISTE

L'étude du lyrisme de Desportes nous a permis de discerner un ensemble de motifs qui donnent à cette œuvre sa cohérence et son unité. C'est ainsi que, par exemple, les thèmes des métamorphoses ou du Vol nous ont paru intéressants dans la mesure où ils informent une vision singulière du monde et de l'amour. Il n'est pas ici possible de faire, pour chacun des poètes néo-pétrarquistes, une étude particulière, mais la fréquence avec laquelle reparaissent, chez les épigones de Desportes, certains motifs, nous a paru mériter l'attention. On se propose donc de rassembler, parmi les motifs communs à ces poètes, tous ceux qui, venus des fables et des mythes bien connus, constituent quelques groupes homogènes.

Les figures mythiques que nous avons retenues sont de trois sortes : d'abord *les figures liées au symbolisme du feu*, Phénix et Prométhée. Puis *les figures de l'hybris*, Ixion et Tantale, Actéon. Enfin, *les figures liées au symbolisme de l'air :* Icare et Phaëton. A cela, s'ajoute l'énigmatique visage de *Méduse*. Toutes ces figures — qui apparaissent chez Desportes — confèrent à la poésie néo-pétrarquiste un fort pouvoir mythique. A une poésie parfois fade et terne, ces figures donnent leur éclat, et leur mystère. C'est par elles que les poètes les plus originaux — Habert, La Roque, Jamyn —, sans s'écarter des schémas néo-pétrarquistes, découvrent la réalité sentimentale : elles sollicitent l'imagination, la nourrissent, et nous restituent, sous l'éclat fulgurant des images et des scènes qu'elles font surgir, tout un monde ignoré de fantaisies secrètes et de désirs tus. Les mythes auxquels se rattachent ces diverses figures n'ont pas encore perdu leur force et leur singulier pouvoir d'attraction.

I - La symbolique du feu : le Phénix et Prométhée

Le Phénix — l'oiseau régénéré par le feu purificateur — et Prométhée — le voleur de feu —, sont des figures qui, pour dissemblables qu'elles soient, ont en commun de se rattacher à la symbolique du feu. Le feu en effet, par exemple dans certains rites initiatiques, provoque la mort et la renaissance, accomplissant ainsi une régénération de l'être, par destruction des souillures, et le mythe du Phénix relève de cette interprétation. Qui a la maîtrise du feu s'élève à un niveau supérieur de connaissance et de puissance — et le mythe de Prométhée éclaire cette signification.

D'autre part, le feu correspond, dans la mentalité collective profonde, à la couleur rouge et au cœur. Il symbolise les passions, et tout particulièrement la passion d'amour. Aussi n'est-il point surprenant que la poésie amoureuse fasse aux deux figures mythiques du Phénix et de Prométhée une place privilégiée.

A. LE PHÉNIX.

Nous avons rencontré chez Desportes la figure du Phénix[1] dont la double mutation[2] représente symboliquement les deux aspects de la vie amoureuse. A l'abondante iconographie, correspond, dans la poésie amoureuse de la fin du XVIᵉ s., une très riche illustration du thème.

Alors que les Pères de l'Eglise citent la légende du Phénix pour donner au martyr qui meurt par le feu l'assurance de la résurrection, et souligner le caractère régénérateur du sacrifice librement consenti[3], le poète néo-pétrarquiste improvise de subtiles variations pour découvrir entre l'Oiseau et l'Amant d'exactes équivalences.

L'Oiseau, le Soleil.

Dans une Ode, Habert, avant d'établir la comparaison entre l'oiseau et la dame, également uniques, reprend les principaux éléments de la légende :

> « Aux déserts de l'Orient
> Où le Soleil flamboyant
> De sa chevelure blonde
> Premier va donnant le jour,
> Le Phénix fait son sejour
> Roy des oiseaux du monde.
> Son corps estant enflammé
> Puis en cendre consumé
> Retourne en vive semence
> Un ver de la cendre naist
> Et du ver un œuf se fait
> De l'œuf l'oiseau prend naissance.
> . . . .
> O Roy des chantres de l'air,
> Vien tost en ces lieux voller
> Et te sacrer à ma maistresse,
> Elle est unique en beauté
> Comme Phénix en clarté
> Comme toy en son espèce.
> Tu adores le *Soleil,*
> Moy son front, son teint, son œil... »[4]

---

1. Voir plus haut n. 151 du chapitre II.
2. Réduit d'abord en cendre, le Phénix renaît, plus beau, sous l'effet des flammes.
3. Notamment Grégoire de Nazianze (*Préceptes pour les chastes*), Denys Le Periégète (*Physiologus*), Ambroise (*De Trinitate*), Tertullien. Cf. J.-P. Bayard, *Le Feu, op. cit.,* pp. 24-25.
4. I. Habert, *Les O.P.* (1582), *op. cit., Ode,* XXIII, p. 55 v°, *Du Phœnix,* str. 1, 2, 3, 6, 11 et 12.

Le caractère unique de l'oiseau est ici mis en relation avec le caractère de la Dame « unique en beauté » : le fait est à retenir, car, de façon générale, l'Oiseau est plutôt l'image de l'Amant. C'est là, chez Habert, un premier indice de son indépendance par rapport à la grande tradition qui rattache le Phénix et l'amoureux.

Un autre texte d'Isaac Habert permet de préciser son apport personnel à la diffusion de la légende : dans un sonnet des *Météores*, l'épigone de Desportes tisse un filet extrêmement serré de motifs mythiques empruntés à la tradition « populaire » — à travers lequel, et sous une forme paradoxale, il présente les rapports ambigus de l'amant et de sa maîtresse.

> « Le Phénix *non pareil* roy des oiseaux du monde
> Adore le Soleil *unique* en sa clarté,
> *Unique* en mon amour, j'adore ta beauté,
> Immortelle beauté qui n'a *point de seconde.*
>
> L'Orient qui perleus en richesses abonde
> S'orgueillit du Phénix *rare* en son *unité*,
> La France s'esjouït de voir ta déité,
> Que révèrent les Dieux, les Cieux, la terre et l'onde.
>
> Le Phénix chargé d'ans se va renouveler
> Dessus un nid d'odeurs qui perfume tout l'air,
> Pour revivre il s'oppose au Soleil qui l'enflame.
>
> Je seray ton Phénix, je seray ton Soleil,
> Mourant, je renaistray aux rais de ton bel œil,
> Bienheureuse est la mort qui peut redonner l'âme. » [5]

Les quatrains se fondent sur la répétition et les reprises ; les tercets sont centrés sur l'idée de renaissance. Cette rupture, cette absence de concordance entre quatrains et tercets, renvoient à un renversement de thématique, tout à fait inhabituel.

Le premier quatrain s'ouvre sur l'affirmation du caractère unique de l'oiseau, image de l'amant ; à la répétition centrale : soleil *unique, unique* en mon amour, répond un écho : *non pareil* roy, *qui n'a point de seconde.* Le phœnix en effet est « l'oiseau unique », dans tous les sens du terme : incomparable, d'abord, car sa splendeur (« Ingentes oculi ; credas geminos hyacinthos / Quorum de medio Lucida flamma micat ») [6] est sans égale, son plumage or et cramoisi (qui rappelle ses liens avec le feu solaire), ses plumes scintillantes font de lui l'image même d'une beauté qui échappe à la destruction : « la même splendeur réapparaîtra » après sa dissolution. Seul de son espèce, ensuite, et c'est un point que soulignent également les légendes [7], sans autre père que lui-même, né de lui-même, échappant aux lois ordinaires de la reproduction ; n'est-il pas, du reste, au Moyen Age, le symbole de la nature divine ? Son extraordinaire longévité (25 920 ans selon une légende), ses attributs sans commune mesure avec ceux des autres oiseaux, le fait aussi que, seul de tous les animaux, il soit représenté

---

5. *Id., Les Météores, op. cit.*, 2ᵉ partie *Les Amours*, sonnet X, p. 24.
6. Lactance.
7. Voir Tertullien, « Je veux parler de cet oiseau insigne... fameux par son unicité. »

nimbé de rayons comme Apollon, le Christ et les saints [8], lui donnent une place très particulière. Unique enfin, dans la mesure où il est, à lui seul, le mâle et la femelle, où il se suffit totalement à lui-même, vivant en autarcie, tirant sa vie de sa mort. Le Phénix en effet, et c'est surtout cet extraordinaire pouvoir que célébrera le poète, est, comme le disait Tertullien, « fameux par sa postérité », se renouvelant lui-même, dans une fin qui est une naissance, « redevenant Phénix là où il n'y avait plus rien, redevenant lui-même alors qu'il n'était plus, étant un autre, étant le même » [9]. Triplement unique, le Phénix apparaît alors comme la figure exemplaire de l'amant « unique en (son) amour ».

Les rapports qu'entretient avec le Soleil unique en sa clarté l'oiseau unique sont eux-mêmes la métaphore des rapports de l'amant avec sa maîtresse : le Phœnix est associé, par exemple dans l'ancienne Egypte, au cycle quotidien du Soleil ; il est le symbole des révolutions solaires : se levant avec l'Aurore sur les eaux du Nil, il se consume et s'éteint dans la nuit, avant de retrouver, à l'aube d'un nouveau jour, une nouvelle vie. Le Phœnix est ainsi l'oiseau solaire, et l'éclat particulier de son plumage indique qu'il tire du soleil sa beauté ; c'est aussi aux yeux du rayon solaire qu'il allume le bûcher qui le consumera. Il offre enfin, par sa mort et sa renaissance, un exemple accompli de la force vivifiante et régénératrice de l'Astre. L'existence même du Phénix est donc un culte rendu quotidiennement au Soleil salutaire. Si la femme est représentée comme le Soleil de l'amant [10], par sa clarté et sa beauté, le culte qui lui est rendu est comparable à celui que le Phœnix rend au Soleil. Le monde humain se fait l'exacte réplique du grand Monde, et les relations amoureuses reproduisent les liens qui unissent l'Astre et l'Oiseau.

Mais, par un glissement remarquable, le dernier vers du quatrain corrige cette comparaison fondée sur la répétition (l'amant « répète » le Phoenix, la dame « répète » le Soleil). En effet, alors que les premiers vers fondaient sur leur caractère unique la ressemblance qui rapproche l'amant de l'oiseau, le quatrième vers introduit une rupture : la dame — et non l'amant — devient un Phœnix, par son immortelle beauté. Le cliché est ici détruit : l'immortelle beauté renvoie explicitement à la définition de l'oiseau qui renaît, rajeuni, éclatant de splendeur neuve, de même que l'expression-cheville « qui n'a point de seconde » prend tout son sens si on voit en elle l'écho du vers 1 : « Le Phénix *non pareil...* », et des vers 3 et 4 : « Soleil *unique...* », « *unique* en mon amour ». Le Phénix, d'abord image de l'amant, devient donc, par ce glissement, l'image de la dame, et cette ambivalence rappelle que le phénix est androgyne ; mâle, il figure la félicité, femelle, il est l'emblème de la reine [11].

Le deuxième quatrain explicite ce renversement : s'ouvrant sur l'Orient, il rappelle les liens qui unissent le Soleil et l'oiseau. Retrouvant vie et beauté par le feu, l'oiseau est aussi fils du Soleil, feu et soleil étant liés, car le feu, rouge comme le soleil, chauffe comme l'astre, et

---

8. Voir Réau, *Iconographie de l'art chrétien*, P.U.F., p. 97.
9. Cit. par Bayard, *op. cit.*, p. 24.
10. Voir Habert, *Les Mét.*, *op. cit.*, passim et notamment XIII, p. 24, « J'accompare au Soleil ces beaux soleils », XXI, p. 26 v°.
11. Voir le *Dictionnaire des Symboles*, Laffont, 1969, p. 597.

vivifie, régénère comme lui. C'est au moment où le Soleil se lève à l'orient que le Phénix renaît. Mais l'Orient perleux est aussi le lieu géographique où les légendes situent la première naissance de l'oiseau ; surtout, l'Orient se trouve ici défini par ses richesses — fabuleuses — et ses perles, qui sont un symbole lunaire, lié à la féminité, emblème de l'amour. La perle, en Orient, a un caractère noble dérivé de sa sacralité : ornant les couronnes des rois, elle est le signe du sacré. Les deux premiers vers préparent ainsi la présentation de la femme, comme une « déité » révérée par l'univers. L'Orient a pour équivalent la France, et le Phénix la femme, sacralisée par l'hommage.

Le premier tercet peut alors revenir à l'aspect le plus connu de la vie légendaire du Phénix : sa longévité exceptionnelle ignore la décrépitude et la vieillesse ; il se consume sur un nid d'odeurs, un bûcher d'aromates [12].

Le dernier tercet rend pleinement explicite l'identification de l'amant et du soleil, à laquelle aboutissait la strophe précédente, mais à nouveau annule la comparaison de la femme et du phénix, en confondant, comme dans le premier quatrain, le phénix et l'amant.

« Je seray ton Phénix » : apparemment, par delà la rupture instituée par les deux strophes centrales, le vers reprend les affirmations du quatrain, qui proposait de superposer à l'image de l'oiseau celle de l'amant unique en son amour. Mais l'affirmation est immédiatement corrigée par une deuxième affirmation : « je seray ton soleil », qui infirme les premières propositions : « Le Phénix... / Adore le Soleil / J'adore ta beauté... »

Au terme du deuxième quatrain, est donc renversée l'identification proposée par le premier (mais déjà corrigée par la présentation au vers 4 de « l'immortelle beauté qui n'a point de seconde », c'est-à-dire de la femme-Phœnix).

Les tercets imposent une autre série qui tout à la fois confirme la première série (identification de l'amant et de l'oiseau, distinction du soleil et de l'amant) et la brouille : l'amant est Soleil (et non plus la dame).

Inversement, cette deuxième série confirme l'identification de la femme et du soleil proposée par la première série (premier quatrain) : l'avant-dernier vers du sonnet fait écho au vers 2 :

« Adore le *Soleil* unique en sa *clarté*
. . . .
Mourant je renaistrai aux *rais* de ton bel *œil.* »

Cette nouvelle équivalence de l'œil et du Soleil (banale) prend un sens précis à cause du premier tercet : « Pour revivre il s'oppose au Soleil qui l'enflame » : ils sont les emblèmes du feu vivifiant, régénérant le Phœnix, oiseau-amant.

Mais si cette deuxième série confirme l'identification double des quatrains (amant-oiseau, dame-soleil), en un autre sens, elle la corrige

---

12. D'après le *Physiologus*, le phénix se pose, lorsqu'il est cinq fois centenaire, « chargé d'ans », sur un cèdre du Liban, charge ses ailes de santal et d'encens, « nid d'odeurs », et prend son vol vers Héliopolis, la cité du Soleil. Cf. Réau, *op. cit.*, p. 96.

aussitôt par l'introduction du nouveau motif, discordant : « je serai *ton* Phoenix, je serai *ton* soleil » ; par un dernier retournement, le Phœnix, d'abord image de l'amant, puis emblème de la femme-déité, devient le symbole de la victoire de l'âme sur la mort. En cela, le poète retrouve la mystique chrétienne qui voit dans l'Oiseau le symbole de la Résurrection (motif christologique), mais la détourne en l'utilisant au profit d'une vision païenne. De même, le Soleil, d'abord distinct de l'amant, devient la figure de l'amant *apparemment* soumis à la dame. La répétition — étrange — de l'adjectif possessif (*Ton* Phœnix, *ton* soleil) marque le terme de ces métamorphoses mentales :

le Phœnix non pareil (est) *ton* Phœnix,
le Soleil unique   (est) *ton* Soleil.

Le texte ainsi ne s'achève pas sur la soumission, qui n'est qu'apparente, de l'amant à sa dame, mais au contraire sur une captation de pouvoirs. Plus rien d'« elle » ne subsiste, tous ses pouvoirs sont passés aux mains du poète, devenu Phœnix issu d'un Phœnix, devenu soleil issu d'un soleil, si bien que la victoire de l'âme est aussi celle du principe mâle (le soleil) sur le principe femelle (la déité, la perle). C'est bien cette opposition — essentielle, car il s'agit de vie ou de mort —, entre un principe féminin et un principe masculin — qui est au centre du texte, et l'on dirait volontiers qu'il s'agit de redonner au Soleil, usurpé par la femme, son caractère mâle : tout s'achève quand enfin le soleil, principe d'autorité, a vaincu.

Le texte, à travers ce réseau très serré d'images mythiques, découvre donc un processus dramatique ; la femme-soleil de la première strophe, déité incomparable, dans la première série d'équivalences, fait d'abord éclater ses pouvoirs, qu'elle tient du Feu, dans le premier tercet : elle « enflame ». Mais ces pouvoirs sont moins actifs qu'il n'y paraît : le dernier vers du tercet rappelle très exactement la mort par le feu solaire de l'oiseau fabuleux, allumant *lui-même* son bûcher aux rayons du soleil, préparant sa mort pour devenir cendres. La femme-soleil fait moins apparaître sa force que l'étonnant privilège de l'amant-oiseau, et la victoire finale est celle de l'amant, à l'âme immortelle (substitution caractéristique de l'âme immortelle à la beauté immortelle). Le poème décrit bien un drame, mais qui se joue plus entre l'amant et lui-même, qu'entre celui-ci et sa maîtresse, dont on dirait volontiers qu'elle n'est qu'instrument.

D'autre part, à travers ce drame, se dévoilent des relations ambiguës entre l'amant et l'amante : se présentant, d'abord, sous la forme du Phœnix, l'amant semble céder progressivement ses attributs à la femme ; mais cet abandon est une conquête : le Soleil, d'abord métaphore de l'œil féminin, par là de la femme elle-même, devient, dans la deuxième série d'équivalences, le substitut de la forme virile, l'emblème (bien connu) de l'autorité masculine. « Je seray ton Soleil » peut en ce sens s'interpréter comme l'aveu d'une volonté créatrice [13] ; n'est-ce pas suggérer que l'amant *fait* sa maîtresse, qu'il la façonne, bref, qu'il lui donne vie.

---

13. On sait que le Soleil, chez les peuples à mythologie astrale, est le symbole du père, comme il l'est dans les dessins enfantins. Symbole de la chaleur et de tout ce qui rayonne : autorité, ascendant, pouvoir...

Si bien qu'on peut lire dans ce texte complexe une célébration orgueilleuse de l'amant-soleil, peut-être du poète-soleil, car seul il donne à la femme ce rayonnement qui la rend admirable. Le symbole de ce don est la perle d'Orient : si la femme est déité, révérée comme telle par l'univers, c'est parce que l'Orient — métaphore du poète, dont la perle est le poème — lui accorde son éclat.

Cette dernière interprétation, qui voit dans ce texte une métaphore des pouvoirs du poète, retrouvant son âme immortelle en transformant en perle-poème les brûlures d'Amour, ne serait-elle pas confirmée par cet autre sonnet d'I. Habert ?

> « Amour m'a descouvert une beauté si belle,
> Que je brusle et englace et en me consumant
> J'esprouve tant me plaît ma flamme et mon tourment,
> Que qui meurt en aymant reprend vie immortelle.
>
> Comme l'unique oiseau de ceste ardeur nouvelle
> Je renais, et ma flame et son nom chèrement
> Je porte sur le dos au front du firmament
> Pour les faire reluire en sa vouste éternelle.
>
> Les pasles mariniers errans dessus les eaux
> Pour mieux suivre leur route ont recours aux flambeaux,
> Qui les guident par tout sur l'onde marinière,
>
> Ceux là qui se mettront sur l'amoureuse mer
> Prendront de la beauté qu'Amour me fait aymer
> Pour voguer bienheureux, le nom clair de lumière. »[14]

Ici encore, bien que son nom n'apparaisse pas, la figure du Phœnix est au centre. Mais, curieusement, le texte commence là où l'autre s'achevait, par la constatation que la mort, donnée par les brûlures d'Amour, conduit à revivre. Le deuxième quatrain propose, comme le sonnet précédent, d'identifier l'amant qui vit dans la flamme au phœnix, « l'unique oiseau de ceste ardeur nouvelle », mais, plus explicitement, il illustre, par le recours à la figure mythique, la fonction du poète. « Et ma flame et son nom chèrement / Je porte... » : le vol de l'Oiseau jusqu'en la voûte éternelle est celui du poète, donnant vie et clarté (célébrité) à sa belle, ou plutôt à son nom.

Les tercets, qui développent la chaîne métaphorique des images maritimes, révèlent à leur manière le rôle qui est dévolu à l'aimée : elle est flambeau, elle est guide lumineux, mais la lumière véritable vient du poète, seul dispensateur de clarté.

Ainsi, chez Habert, le mythe du Phœnix est solaire, lié à la conscience créatrice du poète, et fécond en images triomphantes. A travers les contradictions qui animent ces textes, se fait jour un renversement original de la thématique habituelle, qui fait éclater le cadre néo-pétrarquiste en plaçant au tout premier plan la figure de l'Amant-Poète, et non plus celle de la Dame, simple reflet, qui ne luit que parce que l'Oiseau merveilleux porte son nom jusqu'aux cieux.

---

14. Habert, *Les Météores, op. cit.*, sonnet III, p. 13.

L'Oiseau, la mort.

Mais le Phénix parle aussi de mort : Pierre de Brach fait de l'oiseau légendaire le symbole de la mort désirée, de la mort impossible :

> « Avant que de mourir, mainte trompe qui sonne
> De ma prochaine mort va le jour annonçant,
> Le cri que par le dueil ma langue va poussant
> Porté jusques aux cieux dedans les cieux résonne.
>
> Ma vie que la Mort de sa flesche n'estonne
> Va chatouillant sa fin par un chant languissant
> Près de Méandre ainsi le cygne blanchissant
> A son proche trespas un chant funeste donne.
>
> Phoenix pour me brusler j'ay dressé l'appareil
> Mais du feu de l'amour, non du feu du soleil,
> Feu qu'une mort attise et met mon cœur en flamme
>
> O Phoenix pour renaistre on te dit bienheureux
> Moi désastré ! si mort je prenois nouvelle ame
> Qui naistre ne pourray que toujours malheureux. » [15]

Les quatrains s'articulent autour de la notion de cri : d'un cri qui s'élève, qui monte « porté jusques aux cieux », « dedans les cieux ». Ces images de l'envol engendrent à la fin du deuxième quatrain « le cygne blanchissant », l'oiseau au chant célèbre, l'oiseau funèbre, dont la couleur annonce le passage de la mort [16].

Le Cygne en effet a une signification complexe : il est l'oiseau qui dit la *mort* prochaine ; l'oiseau du *chant* (selon la tradition, son premier chant est aussi dernier) et enfin la créature *céleste* qui se délivre de son apparence charnelle pour retourner au Ciel. Par ces trois suggestions, le Cygne est la première métaphore de l'amant endeuillé : le chant du cygne a souvent, du reste, été interprété comme les éloquents serments d'amour, qui précèdent et annoncent le terme normal (la mort amoureuse), et, mourant en chantant, chantant en mourant, l'oiseau est le symbole du désir.

Aussi, le passage du cygne au phénix est-il naturellement amené par un certain nombre de coïncidences : l'oiseau, image de mort prochaine, appelle l'oiseau-image de la résurrection ; la mort du cygne n'est pas une mort totale : quittant son corps, en mourant, il rejoint, par l'âme, les régions supérieures. Aussi est-il assez proche du phénix, dont la mort est nécessaire pour que la recréation par le feu soit possible. Le premier tercet tisse ainsi avec les quatrains des échos visibles. La mort, l'amour, le chant d'amour, le chant de mort, sont les thèmes qui articulent les trois strophes.

La figure du Phœnix prend alors dans les tercets une dimension nouvelle : d'abord se reconnaissant sous les traits du Phœnix, l'amant s'en distingue dans le dernier tercet. Par la brûlure, l'oiseau et l'amant se confondent ; par le feu désiré, nécessaire à la mort, ils unissent un instant leurs destins. Mais les différences éclatent ; c'est la mort (d'Aymée) qui attise les cendres et enflamme l'appareil du bûcher, alors

---

15. P. de Brach, *op. cit.*, sonnet XXX, p. 247.
16. Le Cygne apparaît encore chez de Brach, *op. cit.*, 1er livre, s. XXIII, p. 45, et *Elégies*, II, p. 52, « Le chant pipeur du Cygne blanchissant », et chez Blanchon, *Pasithée, op. cit.*, XXIV, p. 109. Voir aussi Bertaut, *op. cit.*, *Stances*, p. 341.

que le phœnix légendaire demande au Soleil, au principe même de vie, de lui apporter la mort. Surtout, le phénix n'est pas l'image de la mort, mais celle de la vie qui triomphe de la mort, aussi la rêverie que suscite son mythe, loin d'être apaisante, éveille t elle crainte et angoisse, chez cet amant qui ne désire que la mort.

En effet, tout l'effort du poète est de susciter une rêverie, non sur la vie triomphante, mais sur la mort apaisante : c'est un refus de la vie, un refus de la naissance, de la renaissance du désir amoureux. Aussi — et c'est là l'originalité de P. de Brach — l'amant n'accepte-t-il, de la double mutation du Phénix, que la première, sa métamorphose en cendres brûlantes. La dame morte attire l'amant, et cette force d'attraction, ce pôle nocturne de la poésie de P. de Brach, vainquent le désir, ou au moins le soumettent. Eros ici est constamment dominé par Thanatos [17], l'instinct de vie par l'instinct de mort.

Chez Flaminio de Birague, également, l'Oiseau fabuleux parle de mort :

> « Qui veut voir icy bas un Astre reluisant
> Et s'esgayer au joug d'une douce misere
> Voye mon beau Phénix (...)
>
> Ce sacré saint oiseau, ce Phoenix tout-plaisant
> Qui par sa grand douceur adoucirait Megere
> Qui souplement volant, d'une voix présagère,
> M'annonce le malheur qui me va seduisant.
>
> Devin, hélas ! prédit tout clair ma mort prochaine... » [18]

Au lieu d'être, comme chez de Brach, associé au Cygne, le Phénix ici usurpe les pouvoirs de l'oiseau de la mort. Par une sorte de contamination des deux mythes, l'oiseau qui dit la vie immortelle chante alors la mort prochaine. Le Phénix-Cygne de Birague est l'image douce et cruelle à la fois d'une passion qui se nourrit d'un feu, destructeur et fécond.

L'Oiseau et l'ambivalence de la vie amoureuse.

Parce qu'il parle d'une mort douce, par la flamme, mais aussi d'une vie qui se poursuit à travers des morts successives, le Phénix devient la figure de l'ambivalence. A. Jamyn illustre ainsi le double mouvement de la vie amoureuse :

> « Comme le seul Phénix, au terme de son âge
> Amasse les rameaux du bois mieux odorant [19]
> En forest de Sabée, afin qu'en se mourant
> Pour le moins d'un beau feu se brusle son plumage
>
> Ainsi je fais amas voyant vostre visage
> De cent douces beautez que mon cœur va tirant :
> Puis j'en allume un feu doucement martyrant
> Qui me donne la vie en mon propre dommage.
>
> La flamme du Phoenix vient du flambeau des Cieux

17. Voir par ex. chez de Brach, *op. cit.*, l'utilisation du cyprès, arbre de mort qui annonce la vie, liv. 3°, s. XVII, p. 236.
18. F. de Birague, *op. cit.*, *Les Amours*, XCIV, p. 34 v°.
19. Allusion au bûcher d'aromates.

> Et la mienne s'embrase au soleil de vos yeux
> Où je commets larcin comme fit Prométhée
>
> Aussi je suis puni d'un mal continuel ;
> Car Amour qui se change en un vautour cruel
> Me déchire toujours d'un main indomtée. » [20]

La dialectique de la mort et de la vie — de la vie se jouant de la mort, et naissant de la mort même — s'achève en une constatation désolée : cette vie qui renaît continuellement est une succession de morts douloureuses, et l'amant choisit finalement de se reconnaître dans la figure du Vautour qui martyrise l'amant-Prométhée ; ce glissement du thème principal à un thème secondaire témoigne d'une résistance, d'une contestation du mythe du Phénix. Dans l'univers raréfié, pauvre en oxygène, qui est celui de la passion, le Phénix devient l'image insupportable d'un essor libre, vigoureux. Aussi Jamyn corrige-t-il cette image en insistant sur la pulvérisation, sur la défaite :

> « Comme cet Univers de tout temps n'a porté
> Qu'un seul rare Phénix, qui mourant renouvelle :
> Ainsi de tous costez la terre universelle
> Ne porte que vous seule unique de beauté.
>
> C'est la raison pourquoy d'Amaranthe je donne
> A vos perfections l'immortelle couronne,
> Heureux cent fois l'Amour qui dans le ciel volant
>
> Se fait pour mieux revivre à vos beautez defaire :
> Et comme le Phenix tousjours se va bruslant
> D'une flamme celeste et mon élémentaire ! » [21]

Ces vers éclairent la résistance au mythe glorieux : par l'Amour, l'amant est « défait », brûlé. Curieusement, le Phénix associé à la Dame, au début, devient progressivement la figure d'Amour détruit par les beautés. C'est donc moins l'énergie amoureuse, que la destruction douloureuse de l'amant par l'amour que suggère la figure double de Phénix ; La Roque [22] illustre également, par la reprise du même motif, l'ambivalence de la passion, qui est tout à la fois une mort impossible, et une mort continuelle :

> « Las ! Je mourus un jour entamé de ses traits
> Mais je revins en vie incontinent après
> Merveille qu'un mortel ne peut jamais comprendre.
>
> Bref tout mort et transi je souffris du tourment
> Et donc il est certain que la mort d'un Amant
> Est la mort du Phoenix qui renaist de ses cendres. » [23]

---

20. Jamyn, *Les Œuvres Poëtiques*, éd. 1579, *op. cit.*, sonnet, p. 128 r°.
21. *Ibid.*, p. 161.
22. S.-G. de la Roque (1565 ?-1615 ?), poète clermontois, ami de Malherbe, qui fit sa connaissance lorsqu'il était au service du Grand Prieur de Provence. Sur l'influence qu'il exerça sur Malherbe, voir R. Fromilhague, *La Vie de Malherbe*, A. Colin, 1954, pp. 65-66, 74-82.
23. *Id., Les Œuvres* (éd. 1609), *Narcize*, XXX, p. 143.

Le Phénix et l'instinct de vie.

Le Phénix, pourtant, est aussi l'image de la vie invincible, du triomphe amoureux. Bernier de la Brousse [24] oppose, au Phénix image de la mort douloureuse [25], le Phénix image de la résurrection :

> « L'Oyseau miraculeux de l'heureuse Arabie
>   Qui vit sans parangon sous le manteau des cieux
>   Quand il a sillonné le grand fleuve oublieux
>   Il respire en son corps une seconde vie (...)
>
> Moy Phénix des Amans, je me niche à dessein
>   Et construis mon bucher sur les monts de ton sein
>   Du bois de mon amour des fidèles l'eslite.
>
> Puis battant ardemment l'aile de mon desir,
>   Ton bel œil mon Soleil à qui j'ose m'offrir
>   Me tûe incontinent ; et puis me ressuscite. » [26]

Dans un même mouvement, La Roque illustre, par la figure du Phénix, la permanence du sentiment amoureux, la constance admirable au sein du tourment :

> « Ces langueurs, ces desdains (...)
>   Ne pourront de mon cœur vostre amour divertir,
>   Ny moins de vos desirs faire tomber les aisles.
>
> Comme vous surpassez les autres en beauté,
>   Je veux estre un Phénix entre les plus fidelles,
>   Malgré le sort, l'envie et vostre cruauté. » [27]

Ainsi, la figure du Phénix reçoit de multiples traductions : se confondant pour I. Habert avec l'image solaire du poète, au nom immortel, le Phénix s'oppose pour P. de Brach au Cygne comme le désir de vie s'oppose au désir de mort « totale », et chez Jamyn au Vautour, comme le « doux » martyre par le feu s'oppose au « mal continuel » et à la déchirure. Se consumant en cendres, puis naissant d'elles, l'oiseau parle d'une mort prochaine — mort de l'amour, ou plutôt du désir —, mais il parle aussi d'une vie indomptable et triomphante par effort de constance. Derrière ces différentes modulations, l'aspect mythique est pourtant le même : Phénix est l'image d'une renaissance possible, d'une re-création, d'un cycle heureusement ininterrompu : vie - mort - vie. Dans la poésie amoureuse, la double mutation

---

24. J. Bernier de la Brousse (? - 1623), avocat à Poitiers, publie dans cette ville en 1618 ses *Euvres Poetiques* d'inspiration néo-pétrarquiste. Les démons, la nuit et ses prestiges, les songes, l'inconstance..., autant de thèmes que J. Bernier de la Brousse traite avec un certain bonheur.

25. Voir *id., op. cit., Hélène, Stances,* pp. 25-26 :
    « Les cendres sont icy d'un amant miserable
    En constance et en foy, un Phoenix admirable,
    Qui n'eut rien pour loyer de son fidèle amour
    Qu'un supplice eternel, et au lieu d'une Dame,
    Il adora, trompé, une fère en amour (...)
    Car je sçay que l'effort (...)
    Me réduira sans fruict où Phoenix nous attire... »

26. *Ibid., Thisbée,* XXXIII, p. 71 v°.

27. S.G. de la Roque, *op. cit., Narcize,* CVII, p. 201. Voir aussi *Ibid., Caritée,* LXII, p. 103, le Phénix associé à d'autres figures mythiques (Prométhée, Tantale, Sisyphe).

du Phénix illustre le mouvement même de la vie mourante des amants :
réduction, à l'état de cendres, sous l'effet des brûlures d'amour ; renaissance triomphante, par l'immortel désir — et le conflit qui anime toute
passion : d'un côté le puissant désir de mort, dernier terme de
l'exaltation charnelle ; de l'autre, le désir de vie immortelle. Ces deux
pôles sont particulièrement visibles dans la poésie néo-pétrarquiste,
qui célèbre à la fois, et souvent d'un même élan, la force destructrice,
réductrice, voire castratrice, du sentiment amoureux, et son immense
pouvoir d'éveil [28].

B. La figure de Prométhée.

Le voleur de feu [29], l'ami des hommes, le rival des dieux, du plus
grand d'entre eux, Zeus, « Prométhée aux subtils desseins », se trouve
au centre d'un mythe exaltant la volonté humaine et le triomphe final,
au terme des supplices, de l'esprit et de l'intellect.

A première vue, rien ne dispose Prométhée à devenir une figure
privilégiée de la vie sentimentale. Cependant, deux éléments retiennent
l'attention dans son histoire, qui se déroule en trois temps : le temps
de la conquête, par la ruse et la perfidie [30], le temps des supplices [31], le
temps de la divinisation [32]. Le principal élément, qui sera parfois seul
retenu par les poètes, est constitué par le récit des supplices : comme
Tantale ou Sisyphe, auxquels il est si fréquemment associé, Prométhée
connaît une souffrance chaque jour renouvelée, et meurt de ne pas
mourir. Dans un temps momentanément bloqué, il est condamné à une
histoire répétitive. Après le temps de la conquête, et avant le temps de
l'ascension, la vie de Prométhée se fige en un long recommencement.

Un deuxième élément, retenu par quelques poètes, est constitué par
l'interprétation du mythe, qui fait de Prométhée le héros de la volonté
bonne, et aussi de l'audace : par sa révolte, Prométhée libère, non les
sens, mais l'intelligence, avide de s'élever jusqu'à la table des dieux,
et de ravir à l'esprit divin quelques semences, quelques étincelles de
vive lumière.

La tentation est grande de donner à ces deux éléments une
traduction métaphorique qui fasse d'eux les images de la vie de

---

28. Pour d'autres apparitions du Phénix, voir G. Durant, *Les Amours, op. cit.,*
XXX, *Pancharis..., Stances,* pp. 80-81, *Sonnet,* p. 81 ; G. de Tours, *Prem. Œuvres
et Souspirs amoureux, Anne,* IV, p. 40 ; Bertaut, *op. cit., Stances,* pp. 342-344 ;
Trellon, le *troisième livre du Cavalier Parfait,* III, p. 122 v° et *Stances,* p. 193 ;
Beaujeu, *Les Amours,* XLII, p. 42 ; Deimier, *op. cit.,* CLXV, p. 146 ; Papillon, *op.
cit.* ; Théophile, CXLI, p. 115 ; Scalion de Virbluneau, *op. cit.,* XXXV, p. 86 v°,
et LXXXVII, p. 57 ; Bernier de la Brousse, *op. cit.,* XXXIII, p. 71 v° ; Blanchon,
op. cit., Diane, LVI, p. 29 ; J. de la Jessée, *op. cit.,* p. 807.

29. Prométhée déroba à Zeus des semences de feu, pour les apporter sur
la terre.

30. Ruse et perfidie de Prométhée sont soulignées par Hésiode, *Théogonie,*
v. 521-524, qui insiste sur la fourberie du personnage. Eschyle au contraire le loue
d'avoir, grâce au larcin, délivré les hommes de l'obsession de la mort (*Prom.
enchaîné,* 7, 110-250).

31. L'Aigle aux ailes déployées, ministre de Zeus, dévore le foie du héros,
foie immortel qui, la nuit, se reforme...

32. Libéré par Héraklès, Prométhée sera admis au rang des Dieux.

l'amant : les supplices infligés au héros seront l'image même des supplices infligés à l'amant, et l'audace de son projet rappellera la hardiesse de celui qui ose aimer trop haut. Si, par là, le mythe perd son pouvoir d'éveil, et se dévitalise, en revanche, le lyrisme amoureux néo-pétrarquiste gagne en énergie, mettant résolument l'accent sur la rage d'Amour, sa force, son étrange pouvoir de destruction permanente.

Les supplices.

Nuysement garde du mythe l'image horrible du foie becqueté par le vautour :

> « Le vautour affamé qui du vieil Prométhée
> Becquete sans repos le poulmon renaissant (...)
>
> Celuy par qui amont est la pierre portée
> Celuy qui altéré vit dans l'eau languissante (...)
> Ce n'est que fiction (...)
>
> Mais las ! bouchant les yeux en mon affliction
> Tu feins de n'en rien voir : et sans compassion
> Tu tiens pour fabuleux mon tourment véritable. » [33]

Il oppose, au mensonge de la fable, la réalité d'une vie doulou-reuse, et sans ajouter foi à la belle fiction, il y voit l'image véridique d'une existence vouée aux supplices. Sceptique mais séduit esthétique-ment, il retrouve dans le mythe l'expression symbolique d'un mal immortel.

Parfois le supplice prométhéen devient image de la mort souhaitée :

> « Combien de fois au soir sous la nuit brune
> Errant comme un Taureau par amour furieux,
> Ay je maudit le sort, la nature et les Dieux,
> Le Ciel l'Air la Terre et Phoebus et la Lune.
>
> Combien ay-je invoqué par les ombreux destours
> Des bois remplis d'effroy la mort à mon secours
> Et souhaitté me voir Prométhée ou Prothée. » [34]

Chez Birague, de même, Prométhée parle surtout de supplices : il est également associé aux autres suppliciés célèbres, Tantale, Sisyphe, Ixion...

> « Plustost de Prométhée la douleur coustumière
> Me tourmente toujours, et l'ardente fureur
> Des filles d'Achéron toujours pleines d'erreurs
> Bourrelle mon esprit d'une rage meurtriere,
>
> Plustost puissé-je encor souffrir la passion
> De l'avare Tantale et du fol Ixion,
> Du cauteleux Sisyphe et du paillard Titié,
>
> Que j'adore inconstant jamais autre beauté,
> Que la vostre, Madame... » [35]

Durand [36] fait du supplice prométhéen l'image même du mal d'amour :

---

33. Nuysement, *op. cit.*, XXII, p. 38.
34. *Ibid.*, LX, p. 48.
35. Birague, *op. cit.*, XIX, p. 6.
36. Sur E. Durand et sa destinée tragique voir Lachèvre, *Notice sur E. Durand*, in le *Livre d'Amour, op. cit.*, pp. XIX-LVI et J. Tardieu, *E.D. poète supplicié*, in *Cahiers du Sud*, n° spécial, *Le Préclassicisme*, 1952, pp. 189-195.

> « Toy qui de ton poulmon pais une Aigle affamée
> Voy qu'Amour prend en moy sa proye accoustumée,
> Et que j'ay plus que toy des renaissantes morts,
> Car ton mal éternel tourne en accoustumance
> Mais tantost plein d'espoir tantost sans espérance,
> La trêve de mon mal en accroist les efforts » [37],

et Scalion de Birbluneau, de même, voit dans sa maîtresse un nouveau vautour :
> « Puisque vostre rigueur en desespoir me laisse,
> Je suis le Prométhée et elle est le Vautour. » [38]

Le thème des supplices a inspiré aussi Blanchon et Bernier de la Brousse. Le premier, sensible à l'exacerbation néo-pétrarquiste, retrouve, avec la brutalité de l'image finale, le sens de la cruauté :
> « Voy que de feu dedans moy je recelle
> Touché au cœur d'un foudre rougissant (...)
>
> Las ! plus je sers, plus je suis tormenté,
> Mon mal renaist comme à un Prométhée,
> Sentant l'Oyseau becqueter *hors d'haleine*. » [39]

Bernier de la Brousse, plus tendre et plus soumis, utilise avec bonheur l'image du sein-rocher pour exprimer la douceur violente d'un désir qui « ronge le foie » :
> « Je souspire sans cesse accompagné des Manes
> Qui habitent les bords des ondes stygianes,
>
> Je suis un Prométhée qui perds cent fois la vie
> Sur les rocs de ton sein, ma douce et chère envie,
> Estrange loy d'Amour !... » [40]

Ainsi, de l'histoire complexe que donnait le mythe, plusieurs poètes ne gardent que l'élément central, et réduisent la figure énigmatique du voleur de feu au visage pâli de l'amant-martyr [41].

A ce thème du supplice, s'ajoute celui de l'*audacieux larcin*.

Jamyn retient du mythe, non plus seulement le motif du tourment, mais celui d'une belle audace ; Prométhée apparaît comme le génial larron, image embellie et flatteuse de l'amant qui recueille à la dérobée quelque menue faveur :
> « L'autre jour que mon œil regardoit d'avanture
> Le vostre, et mon esprit voloit à l'unisson,
> De vos almes regards je devins un larron,
> Dont j'ay vescu depuis, heureuse nourriture.
>
> Je sçay bien que je suis sacrilege et malin,
> De (mortel) dérober ce bien qui est divin,
> D'un semblable larcin fut puni Prométhée,

---

37. E. Durand, *Les Méditations*, éd. Lachèvre, *Stances,* p. 75 (4ᵉ str.).
38. Scalion de Virbluneau, *op. cit.*, 2ᵉ liv., CXLII, p. 73 v°.
39. Blanchon, *op. cit., Pasithée*, XLIV, p. 119. Le dernier vers contient une notation originale, peu exploitée dans l'ensemble de la production poétique de l'époque...
40. Bernier de la Brousse, *op. cit., Les Adv. de Cloris et Marphire*, V, p. 49.
41. Pour d'autres variations, cf. Bernier de la Brousse, *op. cit., Elegie*, p. 47 ; Blanchon, *op. cit., Dione*, LXVII, p. 34 ; Jodelle, *Les Œuvres*, éd. posth. (1574), XXV, p. 7 (B.N. Rés. Ye 450) ; Pontoux, *op. cit.*, LIX, p. 45, CLXII, p. 96 ; La Roque, *op. cit., Caritée*, LXII, p. 103, et LXXXIX, p. 123, sans compter, ici ou là, d'innombrables allusions à Prométhée, par ex. Papillon, *op. cit.*, CLIII, p. 123 ; *Théoph.*, XLIX, p. 47 ; d'Aubigné (*Print.*, *op. cit.*, p. 298), etc.

> Ainsi contre un rocher il pleura son péché ;
> Et moy pour me nourrir d'une œillade empruntée
> Contre un roc de rigueur je languis attaché. » [42]

A l'image mythique du voleur de feu, se substitue celle de l'amant dérobant une œillade, feu du regard, tandis que le caractère nourrissant du regard féminin, « douce pasture », rappelle implicitement la fécondité du feu, père de toute vie.

En même temps, héros de la folle audace, Prométhée sera associé à Icare, dont la témérité sera si souvent comparée à celle de l'amant qui ose « aimer trop haut ».

Que nous apprennent, sur la mentalité néo-pétrarquiste, les figures mythiques liées au symbolisme du feu ?

A première vue, le Phénix est, plus que Prométhée, associé à l'élément : pour ce dernier, en effet, le motif des supplices semble l'emporter, dans l'imagination, sur tous les autres motifs développés par la fable. Néanmoins Birague, Blanchon, et surtout Jamyn voient dans le voleur de feu l'image exacte de l'amant, dérobant, pour son plus grand tourment, le feu qui brille dans l'œil divin de la dame. La rouge passion, l'« ardente fureur », qui animent l'amoureux sont un feu constamment entretenu, dévorant l'âme et brisant toute résistance. Ainsi née du feu d'une œillade, la passion couve comme le feu dans le cœur exalté de l'amant, attisée au moindre regard. La démesure acceptée, qui est au centre de la vision néo-pétrarquiste de l'amour, prend, avec la symbolique du feu, toute son importance : réduit en cendres brûlantes, fine poussière qui vole au vent des désirs, l'amant-Prométhée est à la fois audacieux et soumis.

Le Phénix permet de développer une thématique plus riche et plus complexe : c'est le déroulement complet du cycle amoureux que retrace son histoire. En outre, le feu n'est plus seulement l'image de la passion, mais aussi le principe de vie, d'une vie triomphante, jaillissante, surgissant de la mort. Si Prométhée représente un pôle de la vie amoureuse — pôle nocturne, pôle noir d'une passion exaltée dans la démesure —, le Phénix représente son pôle solaire — lumineusement clair, pôle d'espoir et de confiance. Les deux figures, dans leurs contrastes et leurs différences, illustrent l'ambivalence de l'amour néo-pétrarquiste, force terrible de destruction et d'anéantissement, force non moins terrible d'éveil à la vie. C'est bien là, du reste, la double signification du feu mythique, à la fois destructeur et régénérateur, porteur de mort (et comme tel néfaste), et principe de purification.

II - Les figures exemplaires de l'hybris

IXION ET TANTALE.

Le plus souvent associés, Ixion et Tantale, auxquels s'ajoute parfois Sisyphe [43], sont les figures du tourment qui s'attache aux vices humains

---

42. Jamyn, *op. cit.* (éd. 1579), *Artemis*, p. 134.
43. Ixion et Tantale sont associés dans la plupart des textes cités. Ils ont souvent pour compagnons Sisyphe et Prométhée. A eux quatre, ils sont l'image du mal (subi) et de la souffrance.

et à certaines formes de perversité [44]. Le rappel de leur supplice est, pour le poète néo-pétrarquiste, l'occasion de témoigner de ses propres tourments, et le thème fournit surtout, plus qu'une réflexion sur la folle audace, ou sur la vanité de l'insolence, une pointe qui permet de clore habilement un sonnet.

Nuysement associe ces grandes figures de la mythologie aux Danaïdes, proches de Sisyphe dans la mesure où elles sont comme lui condamnées à répéter inutilement le même acte, proches de Tantale, puisque, dans les deux cas, l'eau est l'élément principal du supplice.

> « Passans, ne cherchez plus dessous l'Orque infernal
> D'*Ixion,* de Sisyphe et des Bellides sœurs
> Comme aux siècles passés les travaux punisseurs,
> Ny l'importune soif du mal-heureux *Tantale.*
>
> Car sans tenter Junon, sans tuer, sans voller,
> Je tourne, monte, emplis, roüë, cuve, rocher,
> Et sans tromper les Dieux, ou leurs secrets redire,
> La soif me cuit dans l'eau... » [45]

Habert se contente du trio tragique : Sisyphe, Ixion, Tantale, images d'un tourment toujours renaissant :

> « *Sisyphe* mal heureux, *Ixion* et *Tantale*
> Pour leur fraude, larcins et leurs iniquitez [46]
> Par le juste vouloir [47] des saintes déitez
> Souffrent mille tourmens dans la fosse infernale.
>
> L'un portant un rocher toujours monte et dévalle,
> L'autre a le chef, les pieds et les bras garrotez
> A la roue d'airain tournant de tous costez,
> L'autre brusle de soif dedans l'onde avernale.
>
> Mais le dieu qui nourrit mon ame en passions
> Me donne incessamment des peines plus cruelles,
> Que celles de Sisyph, Tantale et Ixion. » [48]

---

44. Ixion, qui poursuivit de ses assiduités Héra-Junon, après un premier crime (il avait tué son beau-père) qui lui fut pardonné par Zeus, osa étreindre l'épouse du dieu, métamorphosée en nue. Pour le châtier, Zeus l'attacha à une roue ailée et enflammée (voir l'abondante iconographie qui s'inspire de ce thème). Quant à Tantale, pour avoir offert aux Dieux, qui l'avaient invité à leur table et qu'il désirait festoyer en retour, les membres de son fils, il fut précipité aux Enfers où il connut le supplice que l'on sait. Tous deux « osèrent » et leur châtiment fut à l'exacte mesure de leur hybris. Notons cependant que si le poète néo-pétrarquiste fait volontiers allusion à la faute d'Ixion (étreindre une nue...), il passe en général sous silence le crime de Tantale.

45. Nuysement, *op. cit.,* sonnet LXVII, p. 49 v°.

46. Le mouvement ternaire du deuxième quatrain et du premier tercet laisserait penser que chaque substantif se rapporte, dans l'ordre d'apparition, à un seul héros. En fait, il semble que chaque terme choisi ne rappelle pas précisément telle faute, mais que l'ensemble des trois décrit de façon générale les crimes de tous. (« Larcins » d'ordinaire s'applique plutôt à la faute géniale de Prométhée).

47. Il n'y a pas, du moins à cette époque, de critique, implicite ou explicite, de la Jalousie des Dieux, pleinement justifiée ici. Pour célébrer la belle audace, le choix se portera plutôt sur la figure d'Icare, ou celle d'Actéon.

48. Habert, *Œuvres Poétiques, op. cit.,* XXXIX, p. 14 v°. Un pas sera accompli avec Durand, quelques années plus tard, qui opposera, à ces « fables mensongères », la réalité d'une damnation ou d'un salut entièrement aux mains de sa maîtresse.

Tout le sonnet s'organise en fonction du tercet final, et de sa pointe. Celle-ci contribue à ôter au mythe son caractère symbolique, tout en le vidant de sa signification : il reste alors trois images d'un tourment âpre avec lequel le poète identifie son mal.

Si Ixion devient la figure du désir violent et pervers, Tantale est celle du désir insatisfait :

> « Quand je la voy baiser folastrement
> Ce chien heureux (...)
> Je pense, ô Dieux ! Est il rien qui égale
> Les doux plaisirs qu'elle pourroit donner ?
> Mais que me sert tout aise imaginer
> Puisque je suis auprès d'elle *Tantale* ? » [49]

C'est ce même aspect que souligne Pontoux, qui recourt à Ixion et Tantale pour souligner l'insatisfaction qui le mine :

> « Falloit-il donc qu'en danger je me misse
> Entre Charybde et Scylle, pour entrer
> Au labyrinth duquel me depestrer
> Onc je n'ay peu pour chose que je feisse...
> Sî j'y trouvois, pour paistre mon désir
> A tout le moins quelque brin de plaisir,
> J'aurois en gré le reste de ma peine,
> Mais je n'y vy qu'en toute affliction
> Comme un Tantale ou comme un Ixion... » [50]

Les deux figures sont ici synonymes et renvoient au thème du supplice : la soif de Tantale est assimilée au désir d'amour, explicitement, tandis qu'implicitement, Ixion est lui aussi l'image d'un désir déréglé. Par contamination des deux mythes, le supplice de la soif — attribué à Tantale, devient celui d'Ixion. Ces figures mythiques sont utilisées pour dire l'insatisfaction amoureuse, et exprimer, d'une manière hyperbolique, le tourment du désir stérile. Aussi apparaissent-elles comme particulièrement représentatives du lyrisme néo-pétrarquiste, qui accorde à la stérilité, au mutisme, à l'absence, une place privilégiée [51].

Tantale apparaît aussi associé, non plus seulement à Ixion, mais à Prométhée, Phœnix, Sisyphe, Icare... Il n'est plus alors que l'une des multiples formes que revêt l'amant insatisfait :

> « Amour m'a fait un second Prométhée,
> Que le vautour va sans fin dévorant,
> Un Papillon qui meurt s'énamourant,
> De la clarté qui lui est présentée.
> Un seul Phenix à la flame apprestée
> Qui pour autrui tout soudain va mourant,
> Icare aussi dont la cheute esventée
> Refroidit ceux qui haut vont aspirant.

---

49. Jamyn, *O.P.*, éd. 1579, *op. cit.*, p. 159 v°.
50. Pontoux, l'*Idée*, *op. cit.*, XXI, p. 25.
51. Voir aussi Ixion et Tantale associés chez Bernier de la Brousse, *op. cit.*, *Rencontre*, II, XVI, p. 51 :
> « Mon luth ne peut fleschir tant de fols envieux,
> Orphée accoisa bien le Royaume du Somme,
> Pluton, ses noirs esprits, et fit cesser les maux
> D'Ixie et de Tantal' sur la roüe, en ses eaux. »
et chez Blanchon, *op. cit.*, *Pasithée*, XXXII, p. 113, *Dione*, IX, p. 5.

> Je suis encor un Tantal'misérable ;
> Sisyph courbé sous le poids qui l'accable,
> L'oyseau qui chante approchant son trespas... » [52]

Ixion.

Lorsqu'Ixion apparaît seul, il est, plus que le symbole du supplicié, l'image d'un désir follement assouvi ; c'est ainsi que, pour Bernier de la Brousse, le sort d'Ixion, s'il est peu enviable, est opposé au tourment encore plus stérile de l'amant insatisfait :

> « Pauvre Ixion, pauvre amant miserable,
> Infortuné, chétif audacieux,
> Tu fis l'amour à la Royne des Cieux
> Mesme dessein m'a rendu ton semblable (...)

> Car toy pressant ta nüe à ton plaisir,
> Tu accomplis ton amoureux desir,
> Moy, je n'ay rien que le seul nom d'Hélène. » [53]

Boyssières compare, de manière plus subtile, la roue d'Ixion qui rappelle son supplice, à l'Amour qui « grillonne » sa chair :

> « La roue d'Ixion n'est à luy plus felonne
> Que l'Amour m'est felon, et son feu inhumain :
> De moment en moment, de demain en demain,
> Je suis cuit de brasiers et la mort me talonne.

> Mars n'est point si cruel aussi en ses batailles,
> Comme me sont d'Amour les crochets et tenailles,
> Qui rouges de son feu me grillonnent la chair. » [54]

Les trois motifs principaux de la fable d'Ixion : le viol d'Héra, l'étreinte avec la nue, le « rouage », disent à la fois la violence du désir téméraire, comme chez Jamyn :

> « Mon desir en amour, pauvre Ixion, est tel
> Que le tien violant, hautain et téméraire...
> Aussi d'esgal tourment j'ay senti le salaire
> Cloué sur une roüe au supplice immortel... » [55],

la dérisoire satisfaction d'un amour qui se paît de nuées, et la nécessaire punition du sentiment sacrilège, comme chez Boyssières :

> « Ha ! je voi bien que c'est, ton cuivre et ton acier
> (Compagnon d'Ixion) contre moy carnacier
> Me fait mourir. » [56]

Tantôt considéré comme l'un des grands criminels, l'égal dans le mal de Tantale ou de Sisyphe, et comme tel justement condamné par Nuysement :

> « L'impudent Ixion, trompé du faux nuage
> Pourchassant de Junon la sainte Déité,
> Eust pour juste loyer (...)
> L'inesperé labeur d'un éternel rouage » [57],

_____

52. La Roque, *op. cit.*, *Caritée*, LXII, p. 103.
53. Bernier de la Brousse, *op. cit.*, *Hélène*, XXIX, p. 9.
54. Boyssières, *op. cit.*, XXXV, p. 49 v°.
55. Jamyn, *O.P.*, 1579, *op. cit.*, p. 159.
56. Boyssières, *op. cit.*, XLIX, p. 59 r°.
57. Nuysement, *op. cit.*, *Div. Poemes, Sonet*, p. 80.

tantôt réhabilité, devenu la figure de l'amant furieux, justifié par la
violence même du désir qui l'emporte, comme chez Bernier de la
Brousse, Ixion représente dans un cas comme dans l'autre, une forme
particulière d'hybris, la démesure qui s'attache nécessairement au sentiment amoureux lorsqu'il est vécu dans l'exaspération des sens. L'impu-
dent Ixion est aussi le « pauvre Ixion » lascif, victime d'une sensualité
exigeante, et son illusoire victoire, payée si cher, ne laisse pas d'être
tentante aux yeux de maint amant, qui, tel Grisel [58], accepterait volontiers la « passion » à condition d'avoir goûté le fruit défendu :

> « Celuy pour qui Junon prit un trompeur nuage
> Essayant de forfaire à sa divinité,
> Fut aigrement puni pour sa témérité
> D'un tourment qui toujours l'accompagne de rage.
>
> Je voudray bien pourtant d'un amoureux baiser
> Pris de son beau corail mon tourment apaiser (...)
> Deussay je par après vivre en la passion
> Qu'on fait souffrir là bas au lascif Ixion. » [59]

Ainsi le mythe d'Ixion suscite des rêveries diverses [60] : le « rouage »
parle de la dureté froide et stérile des métaux, cuivre et acier, de l'aigre
contact avec l'insensibilité féminine, tranchante et perverse (n'est-ce point
perversité que prendre comme Junon la forme douteuse d'une nue pour
envelopper et réduire à l'impuissance le chaud désir masculin ?). Mais
le supplice même évoque la douceur de l'illusoire étreinte, et l'imagination poétique se nourrit de cette image stimulante qui dit la force
étonnante du désir, satisfait d'un nuage. Enfin le thème du viol garde,
dans le mythe d'Ixion, son inquiétant prestige ; abusant d'une « sainte
Déité », refusant de brider son désir furieux, l'amant propose au poète
l'image même de sa condition ambiguë : soumission parfaite, et envie
sacrilège, acceptation du servage sans espoir, et rupture idéale —
accomplie imaginairement — du contrat détestable. C'est ainsi que
Grisel refuse d'être Ixion, et rêve d'être Ixion, condamne son insolence
et justifie son forfait.

Alors que Sisyphe, Tantale ou Prométhée, ne sont que des images
indirectes du malheur de l'amant, Ixion, par la nature même de sa faute,
et son origine, peut offrir l'image directe d'un tourment amoureux égaré
jusqu'au crime. Il sollicite ainsi l'imagination des poètes néo-pétrarquistes, qui, prisonniers d'un certain code, et apparemment respectueux
de contraintes qu'ils supportent pourtant impatiemment, rêvent d'un

---

58. Grisel (1567-1622) publie à Rouen en 1599 ses « *Premières Œuvres Poetiques...* », d'inspiration légère.

59. *Id., op. cit.*, XVII, p. 75.

60. Pour d'autres variations sur le thème d'Ixion, cf. M. de Romieu, *op. cit.*,
p. 22 ; Pasquier, *La Jeunesse, op. cit., Elégie*, p. 346 ; Papillon, *op. cit., Noémie*,
XXIII, p. 184 :
    « Tout fleurit beaucoup mieux, c'est la perfection,
    Mais s'il ne plaist au Ciel, veux tu comme Ixion
    Forcer la déité, souffrant mortelle rage ? »,
Blanchon, *op. cit.*, liv. I, L, p. 26, liv. II, L, p. 122 et (associé à Actéon), liv. I, IV,
p. 3, IX, p. 5 ; Durand, *Stances, op. cit.*, p. 74 (associé aux autres suppliciés) ;
Papillon, *op. cit., La Delice d'Amour*, p. 302 ; Trellon, *Felice*, XLVIII, p. 81 ;
Bernier de la Brousse, *op. cit., Cloris et Marphire, Rencontre III*, VII, p. 56 v° ;
Beaujeu, *op. cit.*, CXII, p. 59 v° ; C. Expilly de la Poëpe, *op. cit., Elegie*, p. 75.

geste « spectaculaire », condamné d'avance à l'échec. Comme Actéon, mais d'une manière plus scandaleuse encore dans la mesure où l'acte est volontaire, fruit d'une pensée audacieuse, Ixion est celui qui a bravé l'interdit majeur, préférant l'illusoire plaisir d'une étreinte coupable à la stérilité d'un respect impuissant. L'un par la seule vue, l'autre par l'acte violent, les deux héros suspendent, un moment, le temps, et transgressent dans leur ardeur insolente les interdits qui brident leur courage.

Actéon.

La figure d'Actéon semble s'imposer au lyrisme amoureux néo-pétrarquiste par sa remarquable expressivité ; d'un côté, en effet, la faute d'Actéon [61] se prête à des variations plaisantes ; le motif central est constitué par le spectacle de la beauté nue, aperçue à la dérobée, ou surprise par hasard ; à partir de là, plusieurs possibilités : affaiblir le motif (les beautés du visage substituées à celles du corps), ou le renverser (« moi qui n'ai pu voir votre corps, je suis pourtant comme Actéon déchiré »). D'un autre côté, la punition d'Actéon [62] se prête à des images où peut se déployer le goût de l'expression hyperbolique (le chien dévorant). Enfin, un motif secondaire — celui de la chasse — permet de traduire cette quête de l'amour, passionnée et sans espoir, que le néo-pétrarquisme exprime avec bonheur.

Le thème de la beauté surprise ou le bain de Diane.

Papillon choisit d'illustrer par la figure d'Actéon le thème de la beauté qui tue, du « teint gorgonien » [63] :

> « Avant que d'adorer le Ciel de vos beautez,
>   D'un clin d'œil triplement j'apperceu d'advanture,
>   Vostre visage (Amour), (...)
>
> Vous teniez ce Cristal (miroir des Deitez)
>   Qui me representa vostre sainte figure,
>   Et ce riche pourtraict, riche de la peinture
>   Des braves traits naïfs de vos divinitez.
>
> Si j'ay donc veu d'un coup diverse vostre face
>   Que peut en esperer mon cœur qui vous pourchasse ?
>   Ha ! Je crains que ce teint ne soit gorgonien.
>
> Mais s'il faut que ma mort procède de ma vüe,
>   Un nouvel Actéon je me desire bien :
>   Il n'est rien de si beau comme une beauté nüe. » [64]

Le motif mythique a surtout fourni ici, en dehors à l'allusion à la chasse, les thèmes du regard et de l'œil. L'amant, avant même de voir le visage de sa dame, en aperçoit une double image : le reflet que lui renvoie le miroir, et la représentation ornée que lui propose le portrait peint. A cette double image, se superpose la vue des beautés ; si bien

---

61. Actéon, chassant dans les bois, aperçut Diane qui se baignait nue.
62. Actéon fut mis en pièces par ses propres chiens, après avoir été transformé en cerf par la déesse.
63. Allusion à Méduse et à son regard « empierrant » ou « enrochant » : l'œil qui tue...
64. Papillon, op. cit., Théophile, V, p. 7.

que, d'un seul coup d'œil, l'amant contemple trois visages, tous trois semblables et pourtant différents. Une image glacée par le « cristal » : la dame dont le reflet est aperçu tient plus de la déesse que de la femme, sa « sainte figure » suscite plus d'admiration que de désir. Une image richement ornée, qui la présente comme une divinité pompeusement parée, « riche de la peinture ». Enfin, une image naïve, celle qu'offre le « chef d'œuvre de Nature ». L'œil de l'amant, devant cette face « diverse » qui s'offre « d'un coup » à sa contemplation muette, s'avoue frappé de stupeur : son regard sacrilège, qui a audacieusement multiplié le visage féminin, et décomposé ses traits, doit lui apporter la mort figée par pétrification.

Le nouvel Actéon, tué lui aussi pour avoir vu, témoigne à la fois de l'audace de l'amant, et de la cruauté féminine. Mais il faut ajouter que le dernier trait (« il n'est rien de si beau comme une beauté nüe ») corrige heureusement le caractère conventionnel de la plainte qui s'exprime dans le tercet final. Et surtout le thème de la beauté qui tue est ici complètement renouvelé par l'introduction dans les trois premières strophes du triple aspect de la dame, et de la multiplication de ses traits.

Reprenant ce thème de la vue qui tue, Godard le traite de manière sensiblement différente. Plus proche du mythe, il place au centre la vision de Diane se baignant nue :

> « Je voudrois estre ainsi comme un Penthée [65]
> Nouveau toureau pour me voir deschiré
> De la dent croche et de l'ongle acérée
> D'une panthère à la peau tachetée.
>
> Je voudrois voir Diane une nuictée
> Baigner à nud, pour estre dévoré
> Comme Actéon : le trespas asseuré
> Auroit bientost ma douleur limitée... » [66]

L'allusion à Actéon s'inscrit dans un rêve de mutilation : être dévoré, être déchiré, c'est accorder à la passion tout pouvoir de destruction. L'image qui s'impose, le bain de la blanche Diane, auquel assiste, dans la nuit brune, l'Œil coupable, traduit le désir d'être coupable, et l'appel de la punition.

Les chiens de Diane.

Le chien, dans la poésie du XVIᵉ s., est d'abord l'animal « brutal », qui manifeste son agressivité naturelle en déployant une violence hostile à l'homme : il mord, il déchire, il lacère la tendre peau, dans des accès de rage furieuse. Plus encore que le loup, auquel il est fréquemment associé, et qui représente la cruauté, il dit la violence et le goût de la

---

65. Penthée, Thébain descendant de Cadmos, se rendit sur le Cithéron pour espionner les femmes qui, en costume de Bacchantes, célébraient les mystères de Dionysos. Aperçu par elles, alors qu'il se dissimulait dans un pin, il fut pris et mis à mort, déchiré membre par membre par sa propre mère Agavé, qui, dans son délire, ne l'avait pas reconnu. Comme Actéon auquel il est ici associé, il est le type de l'audacieux — de celui qui voit ce qui est interdit — mais en outre, Penthée, à la différence d'Actéon (qui aperçut Diane par hasard), est le type même de l'impie qui, dans son orgueil, s'oppose à un culte et refuse de croire.

66. Godard, *op. cit.*, La Flore, XXXVII, p. 19.

mort [67]. Ensuite, le chien est aussi l'image de la vie débridée, particulièrement de la sexualité débridée [68]. Le chien apparaît donc lorsque se manifeste une certaine démesure, et précisément lorsque se déclare un désir sexuel anormal : il est alors à la fois l'image même de cette brutalité (au sens propre du terme) et sa punition exemplaire.

Le mythe d'Actéon exploite ces suggestions ; Actéon est puni pour avoir vu la beauté nue, pour avoir porté ses yeux — organe de la concupiscence — sur un spectacle interdit : le corps blanc et chaste de Diane, la déesse-vierge. Les chiens lancés sur lui [69] défont ce désir audacieux ; en même temps, ils vengent la pureté et l'innocence en reportant sur l'insolent le supplice qu'il rêvait de faire subir au beau corps qui s'offrait à sa vue téméraire.

A. Jamyn reprend le thème d'Actéon en rassemblant les trois motifs : le motif de la chasse, le motif du regard téméraire, et le motif du supplice, le troisième motif prenant une fonction directrice, tandis que les deux autres restent subordonnés à cet élément central.

« Je ressemble au Chasseur qui vit la beauté nüe
De la chaste Diane extreme en cruauté :
Car il fut par ses chiens en pièces emporté,
Et luy cousta bien cher une si belle vûe.

Ah ! Qu'un homme souvent sans y penser se tüe,
Et que j'ay chèrement un plaisir acheté...

Le penser, le désir, l'espérance et la peur
Sont les Amoureux chiens qui m'assaillent le cœur,
Me deschirans les flancs d'une importune presse.

J'ay beau crier aux chiens : Hélas ! épargnez moy... » [70]

Le motif central est préparé par l'alliance de mots qui caractérise Diane, chaste et cruelle, et qui renvoie à la fois à l'interdit qui frappe le spectacle, et à la violence attribuée dans la légende à la Chasseresse sauvage, qui fait des fauves sa compagnie habituelle. Diane en effet est la vierge, insoumise, indomptable, refusant le joug, et aussi la femme farouche que sa virginité même rend insensible, vindicative, barbare

---

67. Le chien recherche l'homme vivant pour le déchirer, et en faire carnage. Cf. d'Aubigné, *Les Trag.*, VI, p. 348-350 :
« Les chiens se sont soulés des superbes tétins
Que tu enflois d'orgueil, et ceste gorge unie
Et ceste tendre peau fust des mastins la vie... »
Le chien est une bête sauvage, il apparaît souvent au XVIᵉ s. sous l'aspect du « mastin enragé / Qui de sa dent cruelle mord un homme... » (Ronsard, *Hél.*, II, XV, *éd. cit.*, t. XVII, p. 259).

68. Est « cynique » celui qui se conduit comme un chien, et n'impose nulle mesure à ses désirs sexuels. Le chien est impudique. A. d'Aubigné célèbre les noces sanglantes du Chien et de la Reine (*Trag.*, VI, pp. 356-358), tous deux images de la vie *brute* : le Chien représente la nature sauvage (sans la grâce), la Reine, pis encore, la nature dénaturée. Le vice du chien est « naturel », le vice royal contre-nature.

69. Les chiens qui lacèrent Actéon sont les propres chiens du chasseur, mais ils se font les instruments de la colère de Diane.

70. A. Jamyn, éd. 1579, *op. cit.*, sonnet p. 188 v°, « *Comparaison d'Actéon* ».

(assoiffée de sang [71]). Le premier motif se dédouble : beauté du spectacle entrevu, cruauté extrême de la femme. Le thème du supplice se dédouble également ; à la punition exemplaire d'Actéon, lacéré par ses propres chiens (ses propres désirs), se joint la punition exemplaire de l'amant, déchiré par ses propres sentiments : le penser, le désir, l'espérance et la peur. Jamyn, par le choix de tels motifs, rend compte de la passion amoureuse en des termes qui suggèrent la mutilation, voire l'opération chirurgicale (trancher, deschirer, assaillir, emporter en pièces) et l'agression. L'amour, et plus précisément ici le désir, mutilent l'être, et le déchirent ; cette mutilation, cette déchirure, sont acceptées comme le juste prix, le salaire exact (« lui cousta bien cher », « un plaisir acheté ») du regard posé imprudemment sur un objet interdit. La culpabilité est bien ici celle de l'*œil*, dont l'ensemble du texte dit la faute (« une si belle *vüe* »).

Très proche du texte de Jamyn, le sonnet que compose Blanchon, semblable par le mouvement d'ensemble, et le choix des motifs, s'en distingue par le déplacement des éléments secondaires :

> « Je ressemble à celuy qui vid la Nymphe nue,
>   Chassant dans le vallon où il fust arresté,
>   Soudainement espris de la rare beauté
>   Qu'à son dam fust par luy dans le bain recognüe :
>
> Psecas n'heust pas si tost descouvert sa venüe
>   Qu'il fust de ses levriers mortellement traitté
>   Ainsi pour avoir veu vostre divinité
>   Je me vois dévoré d'une meütte cognüe.
>
> Le zele, le desir et la crainte et l'espoir
>   Sont les chiens acharnez, dont j'entre en desespoir,
>   Et j'ay beau m'escrier, ô mes chiens prenez garde
>
> Vostre maistre je suis, hélas ! cognoissez moy,
>   Une voix me respond : il n'est permis à toy
>   Voir la divinité qu'un seul Jupin regarde. » [72]

Blanchon, tout en mettant, comme Jamyn, l'accent sur la culpabilité du « voyeur », est plus sensible à la soudaineté du trait, et à la rapidité de la « réponse ». L'introduction de Jupin, en écho à la désignation de la femme comme « divinité », tend à présenter le duel amoureux comme l'affrontement de l'individu et d'une transcendance : tout ici dit l'audace sacrilège, et la profanation. Le regard impudique de l'amant découvre l'objet sacré et le viole.

---

71. Voir chez A. d'Aubigné le double visage de Diane, blanc comme sucre, mais aussi blanc comme arsenic : à la fois beau, séduisant, image d'une pureté virginale, et pourtant inquiétant, cruel, « homicide », image de la cruauté d'une vierge insensible. Cf. *Le Printemps, éd. cit.,* XLII, p. 103 :

> « Le sucre est blanc (...)
> Plus blanc est l'arsenic, mais c'est un lustre feint,
> Car c'est mort. c'est poison à celuy qui le mange —
> Vostre blanc en plaisir taint ma rouge douleur... »

La blancheur qui caractérise le visage de Diane est ambivalente : elle dit sa beauté, sa pureté, et sa froideur mauvaise, voire sa perversité.

72. Blanchon, *op. cit., Pasithée,* XXXV, p. 114. Ce texte est postérieur à celui de Jamyn. Mais il s'agit non d'une imitation mais d'une variation à partir d'un modèle commun : Pétrarque, Canz., *Nel dolce tempo de la prima etade...,* v. 147 et suiv.

Sponde reprend ce même motif qui relie la faute et le tourment à l'œil, mais en inversant les termes :

« Je suis cet Acteon de ses chiens deschiré !
Et l'esclat de mon ame est si bien altéré
Qu'elle, qui me devroit faire vivre, me tüe :

Deux Deesses nous ont tramé tout nostre sort,
Mais pour divers sujets nous trouvons mesme mort,
Moy de ne la voir point, et luy de l'avoir vüe. » [73]

Sponde n'a retenu du thème mythique que le supplice subi par le chasseur : en effet, l'amour pour Sponde est un duel qui oppose constamment l'âme de l'amant, éprise de constance et de stabilité — et son cœur, voué au changement. Dans cette lutte qui engendre un conflit permanent, l'être est morcelé, déchiré.

Aussi la fin tragique d'Actéon, poursuivi par la meute de chiens qui ne le reconnaît plus et le met en pièces, lui paraît-elle le plus propre à suggérer le tourment de l'amoureux et son déchirement. Mais il n'oublie pas pour autant la faute d'Actéon : la pointe finale suggère un renversement des apparences. Délaissant le thème du regard coupable, Sponde lui préfère le thème de l'absence cruelle. C'est peut-être pourquoi le tercet final paraît moins rigoureux, et moins riche que les premières strophes : il y a une sorte d'affaiblissement du thème principal, d'affadissement, ce qui permet sans doute au sonnet de trouver plus naturellement sa place entre IV et VI (sur le thème de l'absence), mais lui ôte *in fine* son caractère haletant, et brise l'élan constitué par les assauts successifs.

La Chasse, l'effronté veneur.

Le thème du chasseur insolent est secondaire par rapport au thème de la beauté surprise, ou de celui du carnage. Néanmoins, il est utilisé comme contrepoint dramatique. I. Habert l'utilise pour ouvrir le texte sur une apparente opposition :

« Celuy ne suis je point, divine chasseresse,
Qui veneur effronté t'apperceut dedans l'eau
Comme tu te baignois avecques ton troupeau,
Veneur, rendu la proye à sa meute traistresse.

De chasser n'ay je garde (...)
Mais je le voudrois bien et Actéon nouveau
Mourir tout d'une fois qui de mourir ne cesse.

Acteon en payement de sa temerité
Pour avoir offencé ta sainte Deité,
Tu voulus qu'il mourust, et moy j'en meurs d'envie. » [74]

C'est ici une variation sur le thème de la mort impossible : tout oppose Actéon et l'amant, que ne rapproche que le nom de leur Belle impitoyable [75]. Le Chasseur devient la figure idéale de l'amant meurtri, et sa fin, la seule issue souhaitée.

---

73. Sponde, *Poésies*, éd. Boase-Ruchon, Cailler, Genève, 1949, sonnet V, p. 177.
74. I. Habert, *Œuvres Poét.* (1582), *éd. cit.*, VII, p. 2 v°.
75. Diane est le nom des maîtresses d'I. Habert, d'Aubigné, Jodelle, etc.

Nuysement voit dans le mythe l'occasion de célébrer la Vierge chasseresse, et de se présenter lui-même sous les traits du chasseur :

« Affin qu'à l'advenir on t'adore ô Dëesse
    Je plante en ton honneur ce laurier immortel,
    Je te sacre ce temple (...)

Fait nouvel Acteon, je veux hanter ces bois
    Serf de ta déité (...)

Mais bien veux je à jamais t'appandre mille vœux,
    Chanter ta chasteté... » [76]

Si les images cruelles sont atténuées, si l'horrible mort n'est plus au centre du texte, en revanche la sujétion de l'amant est mise en lumière : le « nouvel Actéon » est moins effronté que résigné ; sa soumission, sa dévotion, font de cet amant blessé, amoureux de sa blessure, le chantre de la passion maudite, le miroir du malheur.

Enfin, chez Scalion de Virbluneau, le thème d'Actéon permet d'exploiter un motif présent dans le mythe, mais suggéré plus qu'explicitement exprimé : la cruauté vindicative de la Chasseresse, qui s'est signalée à mainte reprise comme une déesse sanguinaire, poursuivant les cerfs, tuant de ses flèches les humains qui ont, pour des motifs divers, suscité son ire impitoyable [77].

« Pour donner de ma foy les preuves manifestes,
    Mon ame en vous servant est tombée en langueur,
    Amour, crainte et regret, desespoir et fureur,
    Sont de ma loyauté les marques plus secrètes.

Je suis vostre Acteon, ma Diane vous estes
    Qui m'embrasez plus fort, quand plus vostre froideur
    Veut esteindre le feu allumé dans mon cœur,
    Prenant vostre plaisir du mal que vous me faistes. » [78]

Les rapports d'Actéon et de Diane-Artémis sont alors ceux de l'esclave et de son maître, de la victime et de son bourreau, victime d'autant plus soumise qu'elle souffre davantage, bourreau d'autant plus cruel qu'il trouve son plaisir dans les souffrances qu'il inflige.

Ainsi à partir d'un même récit mythique, les illustrations proposées par les poètes se chargent d'une signification différente, selon que tel ou tel aspect est souligné. Cependant, qu'il s'agisse du motif de la chasse, du motif de la beauté surprise, ou encore celui de l'horrible punition, ces trois variations sur un même thème développent les images cruelles

---

76. Nuysement, *op. cit.*, XLI, p. 43.
77. On retrouve dans le *Printemps* d'Aubigné ce visage sanglant de l'Artémis tauroscytienne, qui agrée les sacrifices humains. Cf., *éd. cit.*, XCVI, p. 164 et XCVII, p. 165 : « Le temple consacré, tel qu'en Tauroscytie
    Fust celuy où le sang appaisoit ton envie... »
78. Scalion de Virbluneau, *op. cit., Sec. Liv.*, XCI, p. 64 v°.

qui s'associent au nom de Diane [79], la farouche, le bel animal sauvage, l'« indomtable » déesse qui se « soulle » de sang [80].

Actéon, qui a vu ce qui ne doit pas être vu, s'il parle à l'imagination, comme Ixion, son frère en insolence, d'une transgression redoutée et désirée, suscite bien d'autres rêveries, où le goût de la cruauté s'allie à la tendresse. Le mythe, à la différence de celui d'Ixion — où Héra-Junon est absente, ou vue seulement comme une forme douteuse, fantôme ou nuage —, accorde une grande importance à la personne de la femme. Et il n'est point indifférent que la femme défendue soit Diane-Artémis, la plus farouche des déesses, interdite, non plus par son rang, ou sa situation d'épouse du roi des Dieux comme Junon, mais par sa seule volonté. Vierge cruelle, assoiffée de sang, éprise de violence, Diane, dans sa blancheur superbe, attire les regards et les refuse, se donne en spectacle et rejette le spectateur téméraire. Elle mutile et déchire, faisant payer le plaisir insolite du prix du sang. Devant elle, Actéon paraît plus malheureux qu'insolent, plus malchanceux que téméraire. Et c'est bien cet aspect du récit mythique qui attire les poètes néo-pétrarquistes.

III - Le thème du grand vol audacieux

Le thème du vol audacieux qui emporte l'amant jusqu'aux cieux fait évidemment partie des thèmes mythologiques, au même titre que les précédents : Icare, Phaëton, sont les héros bien connus d'aventures

---

79. Pour le thème de Diane-Artémis, fière et cruelle, voir en part. A. d'Aubigné, le *Printemps*, XCVI, p. 164 :
> « A moins de cent taureaux on ne fait cesser l'ire
> De Diane en courroux, ... »
et XCVII, p. 165 ; voir aussi Jodelle (rééd. Balmas), *passim*, et I. Habert, le *Premier livre des Amours de Diane*, XXIV, p. 7 :
> « Royne des hauts sommets, et des forests ombreuses,
> Déesse au triple front (...)
> Viens avec ton troupeau dessus ces rives creuses
> Fay cesser de tes chiens les volans abbois. »

80. Voir les *Am. de Diane* de Desp., *éd. cit.*, I, XXXIV, p. 75, et II, LXXI, p. 315. On retrouve le thème d'Actéon notamment chez : Du Mas, *Lydie...*, *op. cit.*, IV, p. 106 :
> « Ha ! je suis Acteon transformé
> Tant m'a ma Nimphe estroitement charmé,
> Nouvelle sœur au villageois d'Amphrise. »
Pasquier, *La Jeunesse...*, *op. cit.*, *Elégie*, p. 346 (Actéon associé aux héros suppliciés, Icare, Sisyphe, Tantale, Ixion, Prométhée) ; C. de Beaujeu, *op. cit.*, XX, p. 36 v°, CXI, p. 59 r° et XCII, p. 59 r° (associé à Ixion). Des allusions rapides dans une *Elégie*, p. 134 v° et *Stances*, pp. 112-113 ; Blanchon, *op. cit.*, *Dione*, IV, p. 3, *Pasithée*, XXV, p. 114 :
> « Je ressemble à celuy qui veid la Nymphe nue
> Chassant dans le vallon... »
La Roque, *op. cit.*, *Caritée*, LXXVI, p. 122 :
> « Amour trouva Diane en la claire fontaine
> Lorsqu'elle se baignoit dans les flotz argentez,
> Sans crainte d'estre veue en ces bois escartez
> Où jadis le Chasseur perdoit sa forme humaine... »
et *ibid.*, *Chanson*, p. 123.

qui, plus que d'autres, parlent à l'imagination de l'homme. S'il mérite d'être étudié à part, c'est, d'abord, à cause de son importance dans la poésie néo-pétrarquiste. Il n'est pas un seul recueil d'inspiration néo-pétrarquiste qui ne revienne sur ce thème, et à plusieurs reprises, surtout après le célèbre sonnet que Desportes plaça en tête de ses *Amours d'Hippolyte* [81]. C'est, ensuite, parce que ce thème a connu une fortune extraordinaire, sans commune mesure avec celle qu'ont connue d'autres thèmes néo-pétrarquistes — et cela au sein d'œuvres qui s'éloignent considérablement des sources d'inspiration néo-pétrarquistes, ou les modifient. Le thème, enfin, nous semble avoir une place très particulière par sa singulière force de suggestion : il offre une perspective privilégiée pour étudier la transformation d'un mythe, affecté de contenus différents, lorsqu'il est repris par un groupe relativement homogène qui choisit d'exprimer sa sensibilité propre à travers un récit « donné », déjà constitué en sens plein.

Le mythe d'Icare est en effet particulièrement séduisant : à travers le récit des aventures du fils de Dédale, qui réussit à s'évader de sa prison [82] avec l'aide de Pasiphaé et grâce aux ailes de cire fabriquées par son père, on peut lire, outre le désir d'évasion, le rêve d'envol. La chute d'Icare, qui, en dépit des conseils paternels, s'est trop approché du Soleil, reste le symbole des aspirations téméraires, et de l'insolente audace. Il est intéressant de constater que la tentative d'Icare, considérée traditionnellement comme insensée, comme la marque d'une imagination déréglée par la mégalomanie [83], parfois même vue comme l'aventure exemplairement malheureuse de l'âme coupable [84], va se trouver valorisée, et exaltée dans le lyrisme amoureux d'inspiration néo-pétrarquiste, au point de figurer un des aspects essentiels de la vie idéale de l'amant.

Quant à Phaëton, fils du Soleil, qui avait obtenu de son père la permission de conduire son char [85], et monta si haut que Zeus se vit contraint, pour éviter une conflagration universelle, de le foudroyer, il témoigne également, mais avec des nuances différentes, du « bel oser », et d'une témérité d'autant plus folle qu'elle est le fait d'un tout jeune homme, encore mal assuré, peu à son aise dans les hauteurs où le conduisit son audace. Les poètes néo-pétrarquistes auront fort peu à faire pour que ce mythe devienne l'image de l'aventure amoureuse :

---

81. *Hipp.*, éd. cit., s. I, p. 11. La source est Sannazar, *Icaro cadde qui quest' onde il sanno...* (I Fiori, 281). Cf. *id.*, *Diane*, I, XXVIII, p. 67. *Hipp.*, IX, p. 20, *Cléon.*, II, p. 11, IX, p. 18, et, plus haut, chap. II (le vol audacieux dans la poésie de Desportes), pp. 260-264.

82. Le labyrinthe dans lequel il avait été enfermé en compagnie de Dédale son père par Minos. Le labyrinthe figure la prison dans laquelle l'amant-martyr subit sa peine interminable...

83. S'approchant du Soleil, dans sa course folle, Icare est l'image de l'ambition démesurée. Symbole de la témérité insensée et d'une forme d'hybris, il incarne la double perversion du jugement (le jugement sain et rassis étant représenté par Dédale) et de la témérité folle.

84. Pour les auteurs chrétiens des premiers siècles, la mésaventure du héros est celle de l'âme égarée, qui prétend s'élever vers les cieux, soutenue par les ailes fragiles d'un amour de cire (un faux amour), alors que seul l'amour divin pourrait aider à cette ascension.

85. Voir surtout Ovide, *Mét.*, II, 19 et suiv.

la dame n'est-elle pas comparée au Soleil, embrasant le jeune amant de feux aussi chauds que ceux de l'astre ? Et l'amoureux lui-même n'est-il pas un « nouveau Phaëton », puisque, comme lui, il aspire, guidé par l'Amour, à voler au ciel des Beautés ? Enfin, Phaëton et l'Amant ne sont-ils pas également foudroyés ?

Les aventures d'Icare et de Phaëton ont entre elles de notables différences [86], mais, de l'ensemble des textes consacrés aux héros, surgit leur ressemblance. Pour les néo-pétrarquistes, les deux aventures n'en sont qu'une : celle de l'Amant égaré par son désir, et cherchant, dans une quête présomptueuse, une mort éclatante.

On peut à l'analyse dégager de ce mythe jumelé un certain nombre d'éléments, assez distincts en général pour qu'il soit possible de les considérer comme des *motifs* : le motif des ailes de cire, le motif de la mer-tombeau, le motif du vol — qui expriment une vue de l'amour fondée sur la valorisation du « haut désir » et du courage généreux.

a. LES MOTIFS.

Les ailes de cire.

Icare, fils de Dédale, se noya lorsque la cire de ses ailes fondit à la chaleur du Soleil : l'image de la cire se fondant à la chaleur du feu était depuis longtemps associée [87] au trouble qui « défait » le cœur de l'amant et le convertit en pure flamme [88].

L'image des ailes corrige cette suggestion : les ailes, en effet, parlent d'envol libre et heureux. Le rapprochement des deux notions, l'aile, la cire, fait surgir, en même temps que l'idée d'une évasion possible, la notion d'un danger précis. C'est ce double sentiment qui anime Jamyn :

> « De là [89] vient que je fonds comme nege fonduë [90]
> Sous la tiède chaleur (...)
> Du fils Dedalien la double aele de cire
> Reprend l'audacieux lequel trop haut aspire :

---

86. Notamment celle-ci : alors qu'Icare commit une faute par présomption, se refusant, dans son insolence juvénile, à suivre les sages conseils paternels, Phaëton dut sa chute à son affolement et à son inexpérience. Le premier est coupable d'hybris, le deuxième d'imprudence...

87. Voir par ex. Marulle :
> « Ignitos quotios tuos ocellos
> In me, vita, repente *qualis*
> *Cera* defluit impotente flamma... » (II, 1).

88. Cf. Ronsard s'inspirant de Marulle, *Nouvelle Continuation, éd. cit.,* t. VII, *Chanson,* p. 285 :
> « Comme la cire peu à peu (...)
> Se fond à la chaleur du feu... »

89. De là : du feu de tes yeux-soleils.

90. La neige qui fond au soleil est souvent associée à la cire qui fond à la chaleur du foyer. Voir encore Marulle, II, 1 :
> « Aut nix vere novo calente sole,
> Totis artubus effluo... »

et Ronsard, *Chanson, cit.* :
> « Ou comme au feste d'une roche,
> La nege, encores non foulée,
> Au soleil se perd escoulée... »

La chaleur du Soleil lui fondit les cerceaux
Des aeles qu'il avoit pour traverser les eaux.
De mesme ne suivant la region moyenne,
J'ay crainte d'imiter la chute Icarienne
La race de Clymene aujourd'hui Phaëton
Ne voudroit de son pere estre le chareton
Et n'oseroit guider sur la haute carriere
Ethon et Pyroïs [91]... » [92]

Le motif permet de dévoiler l'ambiguïté du sentiment amoureux : « fondant » comme neige ou comme cire, l'amant est sensible à la douce chaleur qui s'empare de lui ; mais une crainte assez inavouable persiste — qui se fait jour à travers les métaphores : celle de se perdre, de s'aliéner totalement dans son désir même. C'est bien là un des thèmes du néo-pétrarquisme issu de Desportes : l'amour fait que l'amant en l'amante se change, et cette dépossession est tout à la fois le charme et le risque majeur de la séduction amoureuse.

Blanchon, qui se fait dans ses *Amours de Diane* l'émule de Desportes, reprenant le célèbre sonnet du maître, met aussi l'accent sur le danger : « Ce jeune audacieux qui voulust entreprendre
De voler dans le Ciel, heust la mer pour tombeau,
Et après de son nom fut donné nom à l'eau [93]
Ou en baissant son vol fut contraint de descendre.

Pour estre trop hardy l'infortuné Léandre [94]
N'ayant pas sceu choisir le temps serein et beau,
Fut repoussé des vents, et par un sort nouveau
Veid les flots, et la Mort, en nageant le surprendre.

Hélas ! j'en suis ainsi pour avoir entrepris
D'aymer la déité de ma belle Cypris
J'ay fondu au soleil la cire de mes aeles,

Et perdu le flambeau qui me foit abismer
Poussé des Aquilons au milieu de la mer
Ou je meurs sans mercy dans les ondes cruelles. » [95]

On voit que, alors que Desportes met l'accent sur la beauté de l'entreprise, « Est il plus beau dessein... », Blanchon développe les thèmes de la chute brutale, de la fonte soudaine, de la « descente ». L'aventure icarienne est alors le symbole, non de l'essor vigoureux, ni de la belle audace, mais de la *déperdition*.

---

91. Ethon (ou Aethon) et Pyroïs sont, avec Phlégon et Eoos, les chevaux rapides d'Hélios, le Soleil. Chacun de ces noms évoque l'idée de flamme, de feu, ou de lumière.

92. Jamyn, *éd. cit., Elégie*, pp. 166 v°, 168 r°.

93. La mer Icarienne, qui entoure Samos.

94. Léandre, jeune homme d'Abydos, était l'amant de Héro, prêtresse d'Aphrodite, qui était de Sestos : pour la retrouver, il devait, chaque nuit, traverser à la nage l'Hellespont. Il était guidé, durant sa traversée, par une lanterne qu'allumait, en haut de la tour surmontant sa maison, Héra. Une nuit la lanterne s'éteignit, et Léandre, égaré, ne put atteindre la rive. Il mourut noyé. Son cadavre fut apporté par les flots au pied même de la tour, d'où sa maîtresse guettait son arrivée. Désespérée, Héro se précipita dans les flots, pour suivre dans la mort son amant. Cf. Ovide, *Hér.*, XVIII, XIX ; Virg., *Géorg.*, III, p. 258. Voir sur ce thème Beaujeu, *op. cit., Elégie*, p. 126.

95. Blanchon, *op. cit.*, I, XXX, p. 16.

La Roque voit dans la figure d'Icare le symbole du cœur brûlé, du cœur consumé, fondant aux rayons du Soleil d'amour :

> « O plaisans arbrisseaux frais et delicieux,
> Où las et travaillé le repos je vien prendre,
> Accompagné d'Amour qui mon cœur a sceu rendre
> Un miserable Icare aux rais de deux beaux yeux... » [96]

Ce motif permet d'illustrer à la fois l'élévation de l'amant grâce à l'Amour, l'essor libre de son être (« J'iray plein de lumière au ciel de vos beaux yeux » [97]), et la dépossession, la mort à soi-même.

La Mer, l'Abîme.

Le rêve d'envol, si longtemps insatisfait, s'accompagne souvent de l'obsession de la chute. Icare et Phaéton traduisent parfaitement cette double postulation, ce désir mêlé de crainte, cette aspiration à se libérer de la prison charnelle et l'angoisse qui ne quitte pas le rêveur. Si les ailes symbolisent clairement le désir d'échapper au monde matériel, et de trouver, dans l'air, la liberté d'une démarche soustraite à la pesanteur, la matière même dont elles sont faites — la cire malléable —, suscite doute et inquiétude sur le succès d'une telle entreprise : Icare reste l'image d'un rêve insensé. Pour Phaéton, c'est le cheval qui représente à la fois l'essor vigoureux, et son risque : rapide, évoluant sans contrainte sur la route qui lui est tracée, l'équipage céleste est difficilement maniable [98].

La chute, brutale, inexorable, est au centre des deux aventures. Dans les deux cas, elle est provoquée directement par une ascension mal dirigée et mal contrôlée : l'audace pour l'un, l'inexpérience pour l'autre, conduisent les jeunes gens à leur perte. Dans les deux cas aussi, le Soleil est responsable de la mort des héros : il fait fondre la cire des ailes d'Icare, il embrase de ses feux le Char de Phaéton, sur l'ordre de Zeus. Enfin, pour tous deux, c'est l'eau qui recueille leurs corps, et la mer qui devient leur tombeau [99].

Sur ce motif de la mer-abîme, et de la chute mortelle dans l'élément liquide, les poètes néo-pétrarquistes sont d'autant plus portés à exécuter des variations qu'ils tiennent la mer comme le symbole même d'Amour et de ses orages. Ainsi La Roque développe, à partir de ce noyau « mer-amour », toute une série de métaphores qui reprennent, du thème d'Icare, le motif de la chute :

> « A cet audacieux je me vay comparant,
> Qui cheut parmy les flots, au Soleil aspirant,
> Et volla sans prevoir sa fin triste et fatale,

---

96. La Roque, *op. cit.*, *Phyllis*, LVII, p. 29.
97. *Ibid.*, *Narcize, Stances*, p. 215.
98. Le cheval est le symbole de l'emportement, de la fougue indomptable. Voir par ex. la symbolique platonicienne du cheval noir, représentant l'appétit sensuel, et du cheval blanc, représentant l'élan vers le bien (*Phèdre*), et Ronsard, *éd. cit.*, t. IV, p. 25.
99. Le récit renvoie à la symbolique traditionnelle des Eléments : le feu détruit et purifie (un désir insolent de grandeur ici) ; l'eau, élément vital, est aussi symbole de la mort : elle engloutit dans ses abîmes insondables (voir le mythe de Léandre, n. 94).

> Doncq's'il me faut perir, tresbuchant rudement,
>   Dedans la mer d'Amour que j'ay creu follement,
>   Vous serez mon Soleil, moy le fils de Dédale. » [100]

A la « haultesse » de la dame, s'oppose l'« estat abaissé » de l'amant ; la différence d'état, de situation sociale, peut-être, est redoublée par la différence d'état psychologique : d'un côté la rigueur « hautaine », de l'autre l'humilité d'un cœur langoureux. Mais le mouvement d'élévation qui s'affirme corrige cette opposition. Tout l'effort de l'amant consiste à s'élever jusqu'au niveau supérieur de l'Astre ; mais l'amant pétrarquiste sait aussi que tout effort est vain, et toute hardiesse condamnée par avance. Aussi le texte n'est-il pas l'éloge de l'audace, mais la célébration de la belle chute.

Il se fonde sur les équivalences traditionnellement établies entre l'univers et le monde de la passion : le Soleil est l'image de la dame, la mer troublée, celle des flots amoureux... La chute d'Icare dans la mer est alors le symbole d'une autre chute, d'un anéantissement de l'amant, conduit à la défaite, incapable de franchir la distance qui le sépare de l'objet de son désir.

C'est également la chute malheureuse que célèbre Jamyn :

> « D'un trop hautain desir qui mon esprit esgare,
>   Je volois emplumé dans le profond des cieux,
>   Quand un faux desepoir sur mon aise envieux
>   Mes aeles emplomba pour me faire un **Icare**.
> Il voulust m'abysmer en l'élément barbare
>   De la mer amoureuse, et jà presque mes yeux
>   Se noyoient en l'obscur du torrent stygieux,
>   Sans Amour qui des siens le courage rampare... » [101]

La chute en abîme dans la mer amoureuse trouve ici son expression la plus claire : tout comme la mer, qui protège ou qui engloutit, élément serein ou barbare, l'amour est ambivalent ; il permet à l'amant emplumé de s'élever très haut, et de gravir les degrés qui conduisent au ciel de la passion satisfaite, mais il suscite aussi, avec le désespoir, la retombée dans le monde matériel des appétits bas. Le texte met en lumière le double sentiment qui anime l'amant dans son haut désir, à la fois l'espérance et la peur. Il y a en effet, dans les vues néo-pétrarquistes, une étrange dualité : à la soumission parfaite de l'amant, se substitue une attitude plus complexe, faite d'admiration et de crainte, voire d'amour et de haine.

Papillon, tout en reprenant le motif de l'eau-tombeau, exécute une variation originale en brisant le cadre néo-pétrarquiste conservé par Jamyn et La Roque :

> « Je voleray au Ciel sans que (nouvel Icare)
>   Je crains de tresbucher dans le profond de l'eau.
>   Ce qui estoit ma vie est ores mon tombeau,
>   L'on m'est prodigue alors qu'on me deust estre avare. » [102]

---

100. La Roque, *op. cit.*, *Narcize*, XXVI, p. 141. La mer pour ce poète qui recueille la tradition néo-pétrarquiste, est à la fois associée à la mort (*ibid.*, *Caritée*, XXVIII, p. 82) et à l'amour ; elle est l'image vivante des ennuis de l'amant : « je me vay comparant à la mer vagabonde » (*Narcize*, XXVIII, p. 142) et aussi de l'inconstance féminine...

101. A. Jamyn, *op. cit.*, *Artémis*, p. 146 v°.

102. Papillon, *op. cit.*, *Noémie*, LXXXIV, p. 233.

Si Papillon envisage la Chute sans frayeur, assuré de sa valeur enfin reconnue, et, du reste, envieux de proclamer sa victoire, Trellon, pour sa part, toujours « glorieux », et résolu d'affirmer sa supériorité et la singularité de son « génie », accepte d'avance le danger, voire le trépas, si le haut destin auquel il se croit promis l'exige...

> « Si je tombe du Ciel ma cheute sera belle,
> Jamais un brave cœur n'a crainte du danger
> J'acquerray par ma mort une vie immortelle :
> Ce seul honneur suffit pour mon mal alléger (...)
>
> Un homme courageux doit toujours entreprendre
> Quelque chose de grand, pour immortel se rendre
> Il faut toujours porter nos pensées en haut.
>
> Le beau dessein fait naître une belle victoire
> Ou bien si quelquefois par infortune il fault
> L'honneur qu'il a de soy lui donne assez de gloire. » [103]

Ces mâles accents, ce goût pré-cornélien d'un héroïsme gratuit, montrent que la Chute d'Icare exalte l'imagination tout autant que son audacieux projet.

La mer-abîme, la mer-tombeau, se caractérise par sa cruauté ; elle est l'image même de la dureté féminine à laquelle se heurte la passivité molle de l'amant de cire. Aussi la Chute n'est plus sauf pour Trellon le signe éclatant d'une belle audace un peu folle, mais la marque d'une témérité sans grandeur.

Icare propose ainsi, à Jamyn, à Papillon, à Trellon, à Blanchon, plusieurs images possibles d'une même aventure fatale. Si Jamyn conjure l'angoisse de la chute en multipliant les « remparts », pour éviter le naufrage, Papillon met l'accent sur la division, l'hésitation, l'ambiguïté du désir amoureux « sanglante fièvre » ; Trellon accepte d'avance tous les périls, moins soucieux à vrai dire du succès que de la confirmation de son exemplaire audace, et Blanchon, comme Desportes son maître, plus retenu et plus inquiet, voit dans la Chute le symbole même d'une lutte d'avance perdue.

Deimier propose une illustration plus subtile du thème de la chute en identifiant totalement Phaëton à lui-même :

> « Ce Phaëton, cet enfant de Cyprine
> Jeune orgueilleux et trop ambitieux
> S'aventurant au ciel de tes beaux yeux,
> Porte sa gloire et mon ame en ruine,
>
> Voulant guider ceste estoile divine,
> Dont les regards vont décorant les cieux,
> Des rais divins de tes feux glorieux,
> Mirent la peur en sa foible poitrine
>
> Tout estonné d'y voir tant de beauté
> Las il se veit en bas précipité,
> Et tout bruslant de ta celeste flame
>
> Le fier destin le fit choir en mon cœur
> Et tes beaux yeux faschés de son erreur
> Pour le punir vont foudroyant mon ame. » [104]

---

103. Trellon, *op. cit.*, XLIX, p. 81.
104. Deimier, *op. cit.*, *Am. de Parthenie*, LXXXV, p. 67.

Dans un texte dont l'inspiration néo-pétrarquiste est d'une évidente netteté, et comme à l'état pur, il est d'abord remarquable que l'amour s'exprime en termes de défaite, d'erreur, de ruine. La chute de Phaëton est provoquée par Amour, et les sentiments qui accompagnent le désir sont la peur, la conscience de sa faiblesse, l'étonnement. En outre, les effets du désir sont décrits comme des chutes, des accidents douloureux, imprévisibles. Le cœur de l'amant, tombeau vivant de Phaëton, dit, plus encore que l'audace du désir, la cruauté de la dame, et le caractère pervers de ses relations avec l'amant : elle « punit », elle corrige, elle inspire la peur. Il est intéressant de constater ici encore que l'amour néo-pétrarquiste parle plus de punition, de sujétion, de crainte, que d'entente ou d'accord [105].

Le thème de la chute dans l'abîme paraît caractéristique d'une nouvelle manière de saisir les relations amoureuses : la femme prend, dans la poésie néo-pétrarquiste, un visage hostile, et non plus indifférent. Elle s'ingénie à faire sentir le poids de la *différence* qui la sépare de l'amant, à l'humilier de toutes les manières [106]. Chez les néo-pétrarquistes qui iront « jusqu'au bout » du néo-pétrarquisme, Jodelle, Nuysement, Béroalde, Birague, d'Aubigné — les tragiques —, c'est-à-dire chez les premiers « Baroques », on trouve même une vue très noire de la femme : n'est-elle pas avant la lettre « sadique », cette femme qui jouit de la souffrance qu'elle inflige, et se rit « de moy... ensanglantée » [107] ? N'est-elle pas, d'une certaine manière, comparable à la mante religieuse qui dévore le mâle au cours de l'acte sexuel ? On retrouve, chez Papillon, le frénétique amant de Noémie, cette même angoisse : « l'on m'est prodigue alors qu'on me deust estre avare » ; les faveurs accordées suscitent chez lui crainte et stupéfaction, « sanglante fiebvre ».

Si le mythe d'Icare et celui de Phaëton, différents à l'origine, sont pour les néo-pétrarquistes si semblables, n'est-ce pas parce que la chute en est le motif central ?

Le vol.

Il peut paraître arbitraire de séparer ainsi, par l'analyse, le motif du Vol des motifs de l'aile ou de la chute. Mais, d'abord, les textes poétiques eux-mêmes nous inclinent à une telle distinction : Trellon, La Roque, Blanchon, d'autres encore, introduisent le motif du Vol séparément, et pour dire autre chose. Ensuite, si l'on veut étudier l'imagination poétique à la fin du XVIe s., il faut distinguer les thèmes de l'essor, des thèmes — voisins et opposés — de la chute, de l'abîme. Le mythe d'Icare est précisément important dans la mesure où il provoque des rêveries contradictoires, dans la mesure aussi où il apparaît

---

105. Il conviendrait de comparer la vision pétrarquiste de l'amour et les vues néo-pétrarquistes : la soumission volontaire, librement et joyeusement consentie, devient sujétion durement ressentie (et impatiemment !), la « crainte » salutaire, le respect, se changent en peur trouble, voire en angoisse (Beaujeu, Bernier de la Brousse). Des rapports différents unissent les amants : la haine n'est pas le sentiment le moins fort !

106. Voir Jodelle, *Poètes du XVIe siècle, éd. cit.*, XLVII, p. 730.

107. *Le Printemps, éd. cit.*, LXII, p. 126.

comme ambivalent — parlant à la fois de liberté et d'aliénation, de mort et de vie, de belle audace et d'insolente témérité.

Le motif du vol exprime un désir de sublimation, de recherche d'harmonie intérieure : une volonté, en somme, de dépasser tout à la fois le monde des appétits bas, l'univers de la pesanteur, et les conflits aigus. Mais plus cette volonté s'exalte, plus l'incapacité de voler se révèle (les ailes de cire), et plus cette impuissance se mue en angoisse (la mer-abîme). Aussi le rêve d'envol s'achève-t-il toujours en cauchemar de chute, retombée brutale dans le monde refusé et redouté. Dans le domaine de l'amour, le rêve d'envol est caractéristique d'une mentalité collective prisonnière des cadres qu'elle s'est imposés — les cadres pétrarquistes —, mal à l'aise à l'intérieur d'un système dont elle perçoit confusément les contradictions, et qui brise, ou tente de briser, ce carcan qui la fait étouffer. L'échec de la tentative est d'autant plus dur qu'était liée à l'aventure la libération de l'être aliéné par le sentiment amoureux. Tomber n'est plus alors seulement prendre conscience de la vanité d'un tel projet, mais aussi se perdre.

La Roque exalte le haut vol, qui hausse tout à la fois l'amant et le poète :

« Et si mon style estoit au desir tout semblable
J'irois d'un vol esgal au grand Aigle admirable
Porter vostre louange au celeste sejour. » [108]

Le vol est le symbole de l'ambition qui élève l'amant, et le porte à égalité avec sa dame :

« Souffrez qu'en vous aymant je vole dans les cieux.
Hélas ! ne soyez plus à mes desirs contraire.
Mes pensers ont esté toujours ambitieux
Et me plais en amour à estre temeraire.

Vous avez beau verser sur moy vostre rigueur
Vous avez beau prescher que je change de cœur,
Mon dessein en est faict, il est irrevocable.

Je veux mourir pour vous... » [109]

Cependant l'image du haut vol est corrigée par celle de la descente :

« Je semble à Phaëton, je veux trop entreprendre
Il est vray qu'il vouloit demeurer dans les Cieux
Et moy je ne veux rien que monter pour descendre... » [110]

Le Vol en effet propose deux rêveries opposées : une rêverie stimulante, qui permet à l'amant de libérer son imagination et lui offre les images plaisantes d'un essor vigoureux en plein ciel, libéré de toute entrave ; une rêverie plus amère et plus stérile, secrètement angoissée, qui l'entraîne « vers le bas », le ramène à la constatation de son impuissante faiblesse. J. Courtin de Cissé illustre la première forme de ce rêve d'envol : « Que je voudrois eslevé sur mes aisles
Voler là haut dans le sejour des Dieux,
Et d'un penser saintement curieux
Sonder de près les choses eternelles,

_____

108. La Roque, *op. cit.*, Narcize, III, p. 129. Voir également *ibid.*, IV, p. 130 et *ibid.*, CX, p. 203 (Phaëton).
109. Trellon, *op. cit.*, Am. de Felice, XLV, p. 80.
110. *Ibid.*, XXIII, p. 127.

> Esguillonné de tes emprises belles
> Je chercheray les misteres des cieux
> Franc de la terre, elevant soucieux
> Mes chauts esprits au dessus des estoilles ! » [111]

Le désir d'élévation se confond ici avec la saine « curiosité » : nulle crainte, nulle angoisse, ne ternissent l'éclat du rêve... C'est aussi un même souci de grandeur et de gloire hautaine qui anime le rêve de Bernier de la Brousse :

> « Mais j'ay desir d'estre l'Aigle audacieux
> A l'aile prompte et au bec sanguinaire.
>
> Par tel moyen hardy je voleray
> Vers mon Soleil que je contempleray
> Dedans son Ciel vray centre de ma Gloire... » [112]

Mais Blanchon, comme les autres néo-pétrarquistes fidèles à la leçon de Desportes, illustre l'autre forme du rêve, sa face « noire », inquiétante :

> « J'ay mon vol *trop hardy* jusqu'aux nues haussé,
> La jeunesse et l'*erreur* m'ont donné ce courage
> Dont *je crains* que Jupin me darde son orage
> Comme sur les Tytans jadis il fut lancé,
>
> Qui vouloient sur Olimp' planter Osse entassé,
> Pour escheler les Cieux et y prendre advantage.
> Ainsi pour trop oser, je crains à mon dommage
> De tresbucher en bas fièrement repoussé. » [113]

Ces deux variations opposées illustrent les diverses suggestions du Vol. Se détacher du sol, quitter « le vulgaire », se hausser au-dessus de soi-même, quelle tentation pour l'amant-esclave ! Mais voler *trop* haut, « escheler les Cieux », n'est-ce point aussi solliciter la punition, aller au-devant de l'orage, le provoquer ? Conscient à la fois de la beauté du geste et du risque, le poète, écartelé, ne sait choisir et son doute dit à la fois son désir et sa peur.

b. LES VALEURS.

Le haut désir.

De l'ensemble de ces motifs, se dégage une valorisation du *désir*, du haut désir, du chaud désir. Le thème du grand vol audacieux permet de célébrer, non pas le désir satisfait, l'union consommée, ni même le rêve d'union heureuse, mais l'essor idéal d'un amour qui se nourrirait de sa propre expression, qui se satisferait de sa propre force. A vrai dire, dans tous les textes qui ont pour centre le mythe d'Icare ou celui de Phaëton, l'image de la femme est particulièrement pauvre, voire absente totalement. Dira-t-on qu'elle est sublimée, comme elle l'est dans les thèmes néo-platoniciens ? Pas exactement : en effet, ici, la femme n'est que le prétexte utilisé pour chanter la grandeur virile d'un courage qui ne craint pas d'« escheler » les cieux. En aucun cas, le désir sublimé

111. J. Courtin de Cissé, *O.P., op. cit.,* p. 7 v°.
112. Bernier de la Brousse, *Les Adv. de Cloris..., op. cit.,* V, p. 44.
113. Blanchon, *Pasithée,* XXVIII, p. 110.

ne réunira les amants dans une même contemplation du beau ou de bien ; au contraire, le thème permet une célébration du désir solitaire et de la seule grandeur de l'amant [114].

La Roque chante le désir « chaud » qui porte jusqu'aux nues l'amant ivre de sa propre audace :

> « Puis qu'à si beau Soleil j'ay mon aisle estendue,
> Plus mon desir me pousse et m'esleve là-haut,
> Plus je pers mon sejour, plus mon desir est chaud,
> Je mesprise la terre et surmonte la nûe.
>
> Je ne crains le malheur ny la perte cogneüe
> Du jeune audacieux, ny son funèbre saut,
> Bien que je tombe ainsi, chétif, il ne me chaut :
> La mort pour tel dessein n'espouvante ma veüe. » [115]

Il ne s'agit plus, de fait, de chanter la grandeur de la dame impitoyable, mais seulement l'audacieuse énergie de l'amant, qui, par son seul effort, fait, de tout amour, une éclatante victoire :

> « Hé ! dois je appréhender nulle peine mortelle
> Quel péril maintenant me rebute et m'assaut,
> Qu'il me puisse tiédir un courage si chaut,
> Ayant pour mon object une chose si belle (...)
>
> Heureux qui va sa flamme au Soleil allumant,
> Hausse toy mon desir, il faut qu'un brave amant
> Vive comme Adonis et meure comme Icare. » [116]

Le haut désir célébré par Jamyn témoigne à la fois de l'audace orgueilleuse : « Je ressemble à ces monts : ils sont demesurez,
> *Mon haut desir* s'égale à leur cime hautaine,
> De leur teste jaillit mainte source et fontaine,
> Et maints ruisseaux pleurans de mes yeux sont tirez.
>
> De rochers *orgueilleux* leurs flancs sont remparés,
> D'aspres et durs pensers... » [117],

et de l'impuissance reconnue à résoudre les contradictions ; impossible d'aimer bassement, impossible d'atteindre au sublime :

> « Je ne m'ose vanter d'aimer *si hautement*,
> Car mon aele de cire au Ciel ne peut atteindre,
> Et toustefois Amour ne me sauroit contraindre
> Employant tous ses traits, d'aimer *plus bassement*. » [118]

Birague célèbre le haut désir en soulignant la grandeur du dessein, quelle que soit la fin de l'aventure :

> « J'ayme *si hautement* que je n'ose nommer
> La divine beauté Royne de mon courage
> De peur que le vulgaire ignorant et volage
> De ma temerité ne vienne me blasmer (...)

---

114. N'est-ce pas là le trait caractéristique d'une poésie qui refuse la réalité comme source d'inspiration ? La réalité matérielle, certes, mais aussi la réalité du sentiment, lui-même chassé du poème, et celle des sens. Ni sentimentale, ni sensuelle, la poésie néo-pétrarquiste est essentiellement *mythique*.

115. La Roque, *op. cit.*, *Phyllis*, IV, p. 3.

116. *Ibid.*, *Caritée*, LXXXVII, p. 123.

117. Jamyn, *op. cit.*, *Comparaison des monts*, p. 149.

118. *Ibid.*, IV, p. 155 v°.

> Que si mon entreprise est haute et malaisée,
> La victoire en sera plus belle et plus prisée. » [119]

La chute, alors, n'est plus la fin lamentable qui attend l'audacieux et le punit d'avoir osé, mais au contraire la preuve éclatante d'une victoire remportée sur soi-même :

> « Si j'aime dans le ciel je suis égal aux Dieux
> Si je tombe du ciel, un trespas glorieux
> Couronnera ma fin de gloire et de loüange. » [120]

L'échec lui-même est valorisé, comme signe d'une ambition louable, et d'un mépris hautain des craintes « vulgaires ».

La belle audace, la folle audace.

Deux modulations apparemment opposées : la célébration de la belle audace, la condamnation de la témérité, méritent réflexion. C'est là que se fait jour le plus clairement l'ambivalence du rêve d'envol : à la fois le désir d'échapper au monde plein de contradictions difficiles à surmonter, et la conscience qu'une telle attitude est parfaitement vaine. De même que le motif du vol libre et heureux s'accompagne du motif des ailes de cire, et de la chute, de même, la recherche de valeurs positives : la glorification du haut désir, la célébration du courage, débouche sur la découverte de leur vanité.

La belle audace.

Jamyn, qui mêle au néo-pétrarquisme des *Amours d'Artémis* un certain nombre de thèmes platoniciens, est davantage sensible à la qualité du courage qui guide l'amant.

> « Qu'à mon oreille on ne chante la fable
> De Phaëton qui fut précipité
> Sous le brandon...
> Pour avoir plus que sa force tenté.

> Je guideray d'un courage indomptable
> Le char d'Amour dans le ciel emporté
> Et si je suis contre terre jetté
> Si belle mort sera fort honorable... » [121]

De même, La Roque reconnaît le courage, même téméraire, comme la seule valeur positive ; dans un monde régi étroitement par la nécessité, et dans lequel aucune échappée n'est possible, le seul plaisir permis est celui de manifester, par l'audace d'un désir qui se sait condamné, la liberté de viser trop haut :

> « Puisque je recognois que le Ciel détermine
> Que je languisse encore en la captivité,
> Je me tiens bien heureux qu'une telle beauté
> Me cause en la servant le bien ou la ruine.

> La mort de Phaëton honora son desir,
> Si le peril est grand, tel sera le plaisir... » [122]

---

119. Birague, *op. cit.*, IV, p. 2.
120. *Ibid.*, VIII, p. 3.
121. Jamyn, *op. cit.*, Artemis, De Phaëton, p. 128 v°.
122. La Roque, *op. cit.*, Caritée, II, p. 62.

On voit déjà là les accents de la générosité qui animera après 1600 le lyrisme « pré-cornélien », en germe chez Bertaut, La Roque.

Blanchon préfère la « brave hardiesse », au nom de l'honneur, à la timidité sans risque :

> « Non, non, parmy les ans la gloire est triomphée
> De ceux qui ont acquis un valeureux trofée,
> D'une brave hardiesse aspirant au plus haut.
>
> Qui meurt en poursuyvant une bonne adventure
> Son nom et sa vertu n'ont point de sépulture. » [123]

Le goût pour la maxime bien frappée, l'énergie de l'affirmation, la tranquille assurance de celui qui est conscient de sa propre valeur, sont déjà le signe d'une virile audace, ennemie de la soumission servile, et la première manifestation (chez Blanchon, comme chez Bertaut) d'un sursaut libérateur. Désormais les valeurs « mâles » reprennent vie : l'honneur, le sens et le goût de la gloire, le mépris du danger, le souci du « nom »...

La folle audace.

Au thème de la belle audace, s'unit le thème de la folle audace, de même qu'au rêve d'envol s'oppose le cauchemar de la chute. L'union et l'opposition des thèmes renvoient à l'ambivalence du désir, qui tout à la fois élève l'amant et le menace de « fine trahison ». Phaéton et Icare, souvent associés, témoignent également de la folie humaine :

> « Et je crains vous aymant de cheoir en mesme peyne,
> Que fut jadis là hault le mignon de Climène,
> Qui brusla la Libie et se veit abismer
>
> Pour avoir entrepris par dessus sa puissance,
> Ou comme l'autre enfant privé de connoissance
> Qui donna de son nom un surnom à la mer » [124],

mais d'une folie heureuse, acceptée librement, en toute conscience :

> « Je crains que pour aimer trop haut je ne ressemble
> A la témérité du fol Clyménien,
> Qui menant de Poebus le coche sans moyen,
> Fit choir coche, chevaux et cocher tout ensemble (...)
>
> On dit que Phaëton fut heureux en sa mort,
> (Combien que ce sujet repugnast à son sort)
> D'avoir fini ses jours en si haute entreprise,
>
> Belle s'il est ainsi, je seray donc heureux... » [125]

Bernier de la Brousse chante le « fol oser » de Phaéton, en qui il se reconnaît : « Arbres qui lamentez [126] la cruelle infortune
> De ce pauvre garçon, qui trop audacieux
> Dans le tour recourbé du grand plancher des cieux
> Osa pousser le char du frère de la Lune,
>
> Plus ne pleurez sa mort, plus grande est ma fortune :

---

123. Blanchon, *Pasithée*, XXVII, p. 110.
124. Blanchon, *op. cit.*, Sec. Liv., XXVI, p. 110.
125. Grisel, *Prem. O.P.*, *op. cit.*, VII, p. 70.
126. Ces arbres sont les peupliers, en lesquels furent changées les sœurs de Phaëton qui pleuraient son trépas.

> Mais sourcez avec moy un fleuve de vos yeux,
> J'ay comme luy chétif ! visité les hauts lieux,
> Et en bas comme luy je ressens la mort brune... » [127]

On trouve une justification à la chute dans la témérité :

> « Mais moy comme un rocher remply de fermeté,
> Tant moins vous faites cas de ma fidelité,
> C'est lors que mon amour a plus de violence.
> Quand Phaëton tomba du haut du firmament
> Pour présumer de soy trop temerairement
> Son oser meritoit sa chute, et davantage... » [128]

Un sonnet de Godard éclaire parfaitement l'ambivalence du sentiment amoureux néo-pétrarquiste : l'aspiration idéale au pur amour qui hausse jusqu'aux cieux, et comble de gloire l'amant généreux ; le cauchemar de chute qui habite le rêveur, redoutant de se perdre :

> « Une jeune Icare englouty dans la mer
> Un chaud soleil sentit à son dommage,
> Moy j'en sens deux à qui je fais hommage,
> Dans l'air d'Amour voulant *trop haut* ramer.
>
> Fol est celuy qui veut trop haut aimer
> En haute mer plus cruel est l'orage,
> On doit par tout moderer son courage
> Aux hauts desirs la porte il faut fermer.
>
> D'aspirer haut quand très-bien on y pense
> La seule mort on a pour rescompense,
> Tesmoing Icare et tesmoing Phaëton... » [129]

C. Expilly de la Poëpe distingue l'audace du projet amoureux, de celle de l'entreprise ; blâmant celle-ci, il accepte, non sans restrictions, celle-là :

> « Je blasme quelquefois mon desir temeraire,
> Resvant et repensant à ce qui m'est contraire,
> Et dis en souspirant : las ! c'est trop entrepris,
> D'Icare et Phaëton le dessain fut repris,
>
> L'un qui trop courageux avec aisles de cire
> Voulut au ciel voler, l'autre importun conduire
> Les chevaux et le char du Soleil radieux
> Et courir mal appris la carrière des cieux.
>
> Ainsy mon cœur hardy sans prevoir son dommage
> Aux fortunes d'Amour, volontaire s'engage
> S'esloingne loin de terre et trop audacieux
>
> Entreprend de voller aussi haut que les Cieux.
> Aveugle en son erreur, qui le faira descendre,
> Non point pour trop aimer, mais pour trop entreprendre. » [130]

---

127. Bernier de la Brousse, *op. cit.*, *Thisbée*, LXXX, p. 86 v°.
128. Trellon, *op. cit.*, *Sylvie*, 7ᵉ str. des *Stances*, p. 38. Voir aussi *ibid.*, VI, p. 38 et XLV, p. 80.
129. Godard, *La Flore...*, *op. cit.*, V, p. 3.
130. C. Expilly de la Poëpe, *op. cit.*, *Elégies*, II, p. 86.

Ainsi, le thème d'Icare et de Phaëton [131] est lié fortement aux thèmes de l'hybris : comme Actéon, Ixion, Tantale..., Icare et Phaëton ont « osé ». Comme eux, ils disent la démesure, la folie du désir, le vertige du danger. Tous du reste témoignent de la fragilité de l'homme : aucune de ces entreprises ne s'est achevée sur une victoire personnelle. La « punition », la « chute », ou le « supplice », marquent la vanité de la belle audace, et aucun de ces mythes n'est réconfortant. Il est significatif que très souvent, les noms des audacieux apparaissent groupés (chez Pasquier par exemple sept noms sont énumérés) : on est beaucoup plus sensible au caractère commun des récits mythiques qu'à leurs différences [132].

Cependant, le mythe d'Icare et celui de Phaëton ont leurs caractères propres : dans la mesure où ils expriment le rêve d'envol, d'ascension, ils marquent la volonté de l'homme de sublimer les conflits qui « nouent » l'âme captive. Ils sont désir d'harmonie intérieure, aspiration à dépasser les contradictions. Mais le mythe dit, en même temps que ce désir, l'incapacité de le réaliser, et cette impuissance (dont le symbole est la cire) se mue en angoisse. Sous la beauté du projet, se cache la vanité de l'entreprise, toujours soulignée — et le sentiment qui se fait jour est un sentiment aigu de culpabilité (aimer *trop* haut, désir *trop* chaud, *trop* oser), qui appelle la punition. Le vol audacieux se termine toujours par la chute, brutale, inexorable, attendue et redoutée à la fois. Le beau rêve se transforme en cauchemar, expression de l'impuissance à vivre sur les hauts sommets de l'échec, d'une mauvaise attitude envers la vie.

L'image du vol est en quelque sorte le substitut de l'action impossible, et l'envol est une revanche imaginaire, mais médiocre et dérisoire, peu proportionnée aux besoins réels, insatisfaisante. Ne peut-on lire dans ce thème, dont la fréquence est remarquable, l'échec d'une conception collective de l'amour (le néo-pétrarquisme) qui se révèle inadaptée à la société, ou au groupe social qui la reconnaît, et qui cherche, à travers le mythe, une justification ? Dans la poésie amoureuse du dernier quart du XVI° s., le mythe d'Icare-Phaëton dit la fuite dans l'irréel du poète qui, prisonnier d'un code d'amour désuet — l'amour « idéal » — essaie

---

131. Le thème d'Icare et de Phaëton se retrouve notamment chez : P. de Brach, *op. cit., Troisième livre*, XXXV, pp. 264-265 ; Béroalde (Icare), *Elégies*, I, p. 17 v° ; Pasquier, *Elégies*, p. 356 ; La Roque, *Elégies*, VII, p. 405 ; Virbluneau, *op. cit.*, liv. III à Mme de Boufflers, V, p. 121 ; Papillon utilise le verbe « phaëtonniser », in *Chanson*, p. 235 et ailleurs ; thème de Phaëton et Icare : *Div. Poésies*, LXII, p. 477 ; Du Mas, *Stances*, pp. 214-217 : « J'advoue mon erreur... » ; Bouchet d'Ambillou, *La Pastorelle Sidère*, III, p. 79 ; Durand, *Stances*, pp. 74-76 (str. 6) ; Beaujeu, *op. cit.*, XCIX (Phaëton) et *Stances*, pp. 112-113 (trop oser) ; Bertaut, éd. Chenevière, *Stances*, p. 342.

Certains confondent Icare avec son père Dédale : outre Desportes, Passerat (Elégie I) et du Mas (« Dédale emplumé »).

132. Au nombre de ces différences, celle-ci : Ixion, Actéon, ont été punis, l'un pour avoir voulu étreindre une femme interdite, l'autre pour avoir vu la beauté nue. Tous deux peuvent être des images directes de l'amant et d'un désir audacieux. Mais Prométhée, Tantale, Icare ou Phaëton ne sont pas des amoureux, et leur perversité n'est pas d'ordre sexuel : leurs mythes doivent être *transposés* pour *devenir* des figures de l'audace amoureuse. On observe une même variété en ce qui concerne les symboles de la punition (feu, eau, roc...).

de trouver, dans la sublimation risquée, une voie pour fuir les contradictions, au lieu de les assumer. Sensibles, comme Ronsard l'était déjà, au « mensonge » pétrarquiste, mais incapables d'inventer un nouveau mode de relations, les poètes ont choisi le mythe pour exprimer à travers lui les aspirations confuses et parfois contradictoires qu'ils ne peuvent ni effacer, ni satisfaire pleinement.

La Méduse.

Autre figure mythique fréquemment exploitée par les néo-pétrarquistes, Méduse, l'une des trois Gorgones [133], représente symboliquement l'image déformée de soi que projette, d'une manière excessivement exaltée, la conscience coupable. Reflétant la culpabilité reconnue, mais non assumée, et supportée dans l'exaltation contraire à l'esprit réparateur, la tête de la Méduse pétrifie d'horreur qui a le malheur de la voir. Son « regard empierrant », qui éprouvait Desportes [134], suscite chez ses disciples un cortège d'images impressionnantes.

La Roque transforme le sens ordinaire du mythe, en voyant dans la pierre le symbole d'une résistance aux souffrances et à la mort. Aussi la transformation en roc est-elle souhaitée, et non redoutée :

> « Niobé tes enfants jadis furent heureux
> D'avoir été changez en rocher et en pierre,
> Avant que la beauté qui me livre la guerre
> Eust fait voir en naissant ses effets amoureux.
> Que n'ay je veu Méduse au lieu de son visage !
> Las ! Je serois exempt du tourment qui m'outrage,
> M'ayant changé en roc où la mort ne peut rien... » [135]

Méduse devient en somme la figure d'une puissance secourable — le signe de l'insensibilité désirée [136].

Méduse garde encore pourtant son caractère monstrueux pour Pontoux, fasciné par une femme-mégère, dont l'œil le pétrifie, sans qu'il puisse se détacher [137], mais c'est Flaminio de Birague qui réussit le mieux à traduire, par le recours à Méduse, le sentiment contradictoire qui anime l'amant : adoration pour la dame, et haine violente pour sa dureté :

> « Renais, renais encore, Meduse monstrueuse,
> Et transforme en rocher par ton hideux regard
> Ce mien corps transpercé de maint amoureux dard
> Comme sous forme humaine une mort outrageuse.
>
> Mais puisque mes souspirs et ma constante foy
> N'esmeuvent à pitié de mon cruel esmoy

---

133. Méduse a pour sœurs Euryale et Sthéno. A elles trois, elles représentent les déformations monstrueuses de la conscience, égarée par des pulsions perverses : Euryale serait la perversion sexuelle, Sthéno la perversion « sociale », Méduse la pulsion spirituelle, mal assumée, pervertie en « stagnation vaniteuse ».

134. Voir plus haut chap. II, notes 123 et 172.

135. La Roque, *op. cit.*, *Carité*, XXV, p. 73.

136. Voir *ibid.*, *Narcize*, CLXVI, p. 248 :

> « Quand vous jettez sur moy les rais de vostre vue,
> Je voudrois à l'instant estre un ferme rocher... »

137. Pontoux, *op. cit.*, CCVIII, p. 119.

> La cruelle beauté qui règne en mon courage,
>
> Ains mon martyre accroist comme croist mon amour,
> Lors que j'auray perdu la lumière du jour,
> Mon cœur soit sa dépouille et funeste héritage. » [138]

Ici Méduse apparaît véritablement sous sa forme monstrueuse : alors que la renaissance du Phœnix suscitait des images apaisantes et réconciliatrices, la survie de la Méduse, appelée par deux fois, est, d'entrée de jeu, un élément inquiétant, souligné par le rythme haletant du vers, et soutenu par l'allitération en m-. La monstruosité de Méduse est moins physique que morale : sa tête seule, parfois son seul regard, sont évoqués. Ce n'est pas non plus son étonnant pouvoir qui est en cause : ou plutôt, si ce pouvoir fascine, c'est parce que Méduse est une projection de l'être sur lequel s'exerce ce pouvoir. Méduse, c'est le monstre en l'homme, souterrain, ténébreux, et l'on comprend que le mythe oppose l'Œil et le Corps regardé : le « hideux regard » qui se pose sur un corps sans défense et le fige instantanément, l'œil qui empierre qui le fixe, sont partie même de ce corps, de cet être. L'angoisse est d'autant plus secrète qu'elle paralyse ce que l'homme a d'intime, la conscience de soi. Méduse n'agit pas seulement en figeant ce qui se présentait devant elle comme la vie même dans son mouvement ; elle rend transparent ce qui était caché, le vice, le défaut secret. « Ce mien corps transpercé » devient alors lui-même monstrueux.

Les images des tercets sont à mettre en relation avec la soif d'affranchissement et le goût des ténèbres. Corps à jamais durci, cœur figé, trop constant, l'amant choisit l'anéantissement, et lègue un « bloc dur et glacé » à la femme-Méduse, insensible et perverse.

Par la figure de Méduse, le poète néo-pétrarquiste accuse le caractère monstrueux de cet amour si étrangement déraisonnable : sous les mots d'un culte fervent, si exalté qu'il paraît parfois calculé, tant l'excès même de cette adoration semble redevable au verbe, sous la soumission exacte de l'amant, entré volontairement en Purgatoire pour brûler de passion mauvaise, se fait jour une espèce de haine aussi violente que l'amour, et qui procède d'une même attirance, toute charnelle. Les aspects nocturnes de cette passion délirante n'ont pas été suffisamment soulignés : c'est pourtant par l'entremise du néo-pétrarquisme et de ses fictions ardentes que l'Amour Noir est entré dans la littérature française. Nulle figure ne nous semble plus significative à cet égard que celle de Méduse, femme à visage de monstre, dont le hideux regard, redoutable pour l'amant sans force qui devant elle succombe, dit à la fois l'emprise toute physique sur l'être qu'elle a, pour son malheur, élu, et l'insensibilité froide qui caractérise la Maîtresse mauvaise. Lorsque les pétrarquistes évoquaient l'œil qui tue, le regard qui « enroche », certes ils exprimaient déjà une crainte, une secrète angoisse qui saisissait l'amant « pétrifié » devant tant de beauté, tant de froideur... Mais la crainte était encore délicieuse, et l'angoisse conjurée par l'espoir de rendre enfin sensible la Belle de marbre. Désormais la peur l'emporte sur l'espérance, et la haine apparaît : la

---

138. Birague, *op. cit.*, XLIII, p. 14 v°.

femme-monstre, perverse et frigide, vierge et corrompue, aimant à mal
faire, n'inspire plus que terreur...

Godard par exemple avoue son angoisse :

> « Tu disois vray, ô divin Pithagore,
> Dedans le corps de ma belle Pandore
> Se mist l'esprit, lequel pierre me rend
> De la Gorgone au regard empierrant,
> Bien que son chef sans serpents se redore.
> Son seul regard m'endurcit en rocher,
> Sans oz, sans nerfs, sans veines et sans chair. » [139]

Devenir pierre, mais pierre encore sensible au mal subi, perdre sa
chair pour n'être plus que roche stérile, voilà la métamorphose promise
par la femme-Méduse. C'est ce cauchemar qui tourmente du Mas [140] :

> « Je pense fuyr Scylle et Charibde m'engouffre (...)
> Ah ! ces yeux, non plus yeux mais bien perilleux gouffre,
> Où je m'attends d'ancrer (...)
> S'opposent au butin (...)
> Changeant mon corps en pierre et tous mes os en souffre.
> Esclave à ses valets, par estrange meschef,
> Ma Princesse avisa de Gorgone le chef... » [141]

Et lorsque de Brach, célébrant le beau regard d'Aymée, qui
« doucement (son) cœur de ses rayons enflamme », essaie, après
Ronsard [142], d'en dire les merveilleux pouvoirs, il déclare à son tour
l'étrange phénomène :

> « Encore n'est ce pas tout ; car tout soudainement
> Comme un homme esperdu je viens sans sentiment,
> La figure prenant d'une image de pierre
>
> On s'enpierroit voiant le chef Medusien :
> Que ton regard, Aymée, est pire que le sien,
> Qui tout d'un coup m'enflamme et m'englace et m'anpierre ! » [143]

Ainsi le désir amoureux, né d'un regard, est-il ressenti comme une
glace : la femme en même temps sollicite ce désir, se plaît à le faire
naitre, et lui refuse satisfaction.

A la fois toute-puissante et froide, son pouvoir étant à la mesure
de sa froideur, Méduse devient ainsi, pour maint poète [144], la figure
féminine par excellence, celle dont le seul regard, chargé d'animosité,
fige la vie et la pétrifie. Elle permet l'accès au monde minéral de
l'insensibilité — et l'on sait l'importance, dans la poésie amoureuse du

139. Godard, op. cit., La Flore, XV, p. 8 v°.
140. Du Mas (? - ?) publie en 1609 ses Œuvres Meslees d'inspiration néo-
pétrarquiste. C'est le poète de la Nuit et des Ombres (voir plus bas, deuxième
partie du deuxième livre). Appartient à la Cour de la Reine Marguerite.
141. Ibid., Sonnets, III, p. 106.
142. Ronsard, Les Amours, éd. cit., t. IV, VIII, p. 12 et XXXI, p. 35.
143. P. de Brach, Aymée, op. cit., liv. II, s. IV, p. 119.
144. Voir notamment Guy de Tours, op. cit., XXII, p. 80 v° ; Bernier de
la Brousse, op. cit., Thisbée, LXXIII, p. 85 ; Gombauld, Les Poésies (1636), Elégie,
X, p. 98 ; J. de la Jessée, op. cit., Margu., p. 827, p. 852, p. 897 (El. II) et p. 946
(El. XI).

siècle, des images minérales [145] —, ou plutôt elle l'impose. Méduse
exerce ainsi une double fascination : elle représente la dureté stérile, le
grand bloc dur qui s'oppose à l'essor du désir, et comme telle, elle fait
rêver l'amant faible, énervé, que sa mollesse inquiète ; et elle représente
la froideur marmoréenne d'une pierre belle, pure, mais inaccessible à
la chaleur, à la vie, et, ainsi, elle fait rêver l'amant saturnien, trop
sensible, trop émotif, qui tout à la fois redoute de devenir pierre, et le
désire fortement. Par son regard terrible qui tombe sur l'amant, la
femme-Méduse rappelle aussi son pouvoir, sa force contraignante, et le
plaisir méchant qu'elle prend à réduire, à « castrer » une virilité qui ne
peut s'affirmer.

Conclusion

   Les figures mythiques, liées au symbolisme du feu ou de l'air,
comme le Phénix, Prométhée, Icare ou Phaëton, représentatives de
l'hybris, comme Ixion ou Tantale, de l'insolence effrontée, comme
Actéon, ou encore de la culpabilité mal assumée comme Méduse,
remplissent, dans la poésie néo-pétrarquiste, une triple fonction d'ornementation, d'élucidation « psychologique », et de révélation.
   Leur fonction ornementale est la plus visible : dans une poésie
abstraite, d'où le monde extérieur est chassé, où les qualités sensibles
de l'univers physique disparaissent, les figures mythiques brillent seules
de leur éclat douteux et magnifique. Elles projettent sur les textes une
étrange lumière, les rendant à la fois clairs et opaques : la clarté
qu'aperçoit d'abord le lecteur, croyant retrouver, avec Prométhée ou
Icare, le monde familier de la mythologie classique, ses héros, son
atmosphère, s'assombrit très vite par la résistance du symbole à une
interprétation univoque. Lorsque Habert se cache sous la figure du
Phénix, c'est à une pluralité de sens que renvoie le mythe. La lumière
qui nourrit l'oiseau de feu, si elle fait baigner le poème dans une onde
éclatante et répand son chatoiement sur la matière même du texte,
recouvre d'un halo mystérieux le déroulement irrégulier des strophes.
   Aussi n'est-ce pas seulement pour sa valeur « poétique » que le
néo-pétrarquiste utilise le mythe. Il espère à travers lui se définir, et
cerner les limites de sa personnalité, mieux, de sa fonction de poète.
Lorsqu'il nous dit qu'il *est* Prométhée, ou qu'il *est* Icare, c'est qu'il tente
de saisir à la fois l'essence du héros, la qualité de son geste, et son
propre comportement, sa manière d'être. Ce n'est point certes de
psychologie individuelle qu'il est ici question : le néo-pétrarquiste n'est
pas la matière de son livre, en tant qu'individu ; la caractérologie,
même sommaire, ne l'intéresse pas. Mais, à travers le Phénix, c'est la
fonction du poète-solaire qu'il tente de définir, comme à travers le mythe
de Méduse, c'est la relation de l'amant à sa dame qu'il essaie de préciser.

---

   145. Il conviendrait d'examiner chez A. d'Aubigné par exemple les multiples
références au monde minéral (la pierre, le roc, le rocher, mais aussi le marbre,
l'albâtre, etc.) et leur fonction dans le monde de la passion.

La figure mythique apparaît comme un relais, comme un intermédiaire entre le monde culturel reçu et la conscience. C'est en creusant inlassablement les virtualités des histoires mythiques que le poète tout à la fois s'approprie cette culture et se définit par rapport à elle. Toutes proportions gardées et *mutatis mutandis,* il nous semble que les héros et les « grands hommes » appelés en témoignage par l'auteur des *Essais* — Alexandre ou Socrate, Plutarque ou Epaminondas — jouent le même rôle que ces figures mythiques, qui ne sont que les formes multiples qui hantent une imagination et l'*informent.* En ce sens, Prométhée ou Icare, Ixion ou Actéon, sont des « révélateurs » : renvoyant à une symbolique collective, ils ont ce privilège de tenir par leurs racines à la conscience profonde, et d'émerger à la surface de la mentalité de chacun.

En fait — et c'est là la fonction véritable du mythe dans la poésie néo-pétrarquiste, les figures héroïques révèlent le poète à lui-même (et non l'homme). Le mythe permet de projeter hors de soi un certain nombre d'émotions, de désirs ou de craintes — qui sont émotions, désirs ou craintes de poète. Quand Habert, Birague ou Jamyn insistent sur tel élément dramatique de l'histoire mythique — la pétrification, le foie rongé, ou la fusion de la cire, par exemple —, ils ne font rien d'autre que réagir naturellement en poètes, ré-écrivant l'histoire, la remodelant, voire la mutilant, au lieu de la rationaliser et de la critiquer.

Ainsi le néo-pétrarquisme nous redit à sa manière la liaison du mythe et de la poésie.

RUPTURES

De 1570 aux années 1585-1590, la poésie amoureuse est multi-forme : si l'on considère les recueils des Ronsardisants, la poésie manifeste une remarquable continuité ; s'insérant dans une tradition, elle reprend un certain nombre de thèmes (pétrarquistes, folâtres, familiers...), et se pose en héritière d'un passé récent (l'héritage ronsardien dans sa complexité), lui-même fortement enraciné dans une culture classique. D'un autre côté, que l'on envisage la poésie néo-pétrarquiste, et l'on peut observer que, si l'héritage est différent, plus « moderne », et davantage ouvert aux influences étrangères (espagnoles et italiennes), les Néo-pétrarquistes français, sans renier l'héritage ronsardien, s'inscrivent également dans une tradition lyrique. Leur culture, pour la plupart d'entre eux, n'est pas sensiblement différente de celle des Ronsardisants, et bon nombre de poètes, comme Jamyn, ou P. de Brach, se rattachent à la fois et sans contradiction à Ronsard et à Desportes.

Cependant, dès 1570, se fait jour, dans la poésie amoureuse, tant chez les Ronsardisants, que chez les disciples de Desportes, une nouvelle sensibilité : elle informe, parfois de façon latente et confuse (Boyssières, Pontoux...), parfois avec une grande clarté (Béroalde, Birague...) leur vision de l'amour, et des relations nouvelles qui unissent l'amant à sa dame. De 1570 à la fin du siècle, en cette période réputée stérile [1] pour le lyrisme amoureux, des courants originaux apparaissent, non point à l'écart, mais en marge des traditions pétrarquiste et néo-pétrarquiste. En germe chez d'Aubigné, Béroalde, Nuysement, Birague, le quatuor « tragique » à la voix « rude et forte » [2], une thématique originale naît et va s'épanouir dans des œuvres étranges et parfois magnifiques, noires et brillantes : celles de Bernier de la Brousse, Scalion de Virbluneau, La Roque, tous authentiques poètes, celles encore de Godard, d'I. du Ryer, de C. Expilly de la Poëpe, de Ch. de Beaujeu, plus inégales, mais traversées d'éclairs et, souvent, d'une surprenante beauté, convulsive, frénétique.

Par plusieurs aspects, cette nouvelle poésie instaure une véritable rupture : il nous a paru souhaitable de distinguer, dans l'ensemble de la production amoureuse, d'une part une poésie qui, bien qu'elle ouvre de nouvelles perspectives, et d'une certaine manière consacre la défaite de formes anciennes, se rattache encore à l'acquis pétrarquiste — et l'étude de d'Aubigné, et de ses compagnons en « fureur », nous permettra de préciser ce lien et sa progressive dissolution ; d'autre part une poésie plus libre à l'égard des traditions et des conventions, une poésie dont les formes et les thèmes manifestent avec éclat l'affirmation d'une sensibilité et d'une esthétique baroques.

Mais notre étude serait incomplète si nous ne nous penchions aussi sur une poésie d'un type bien différent, née dans les dernières années du siècle, mais dont les thèmes n'apparaîtront dans toute leur force que dans le premier quart du XVIIe s. : poésie d'inspiration toute différente, légère et insouciante, qui se plaira à chanter l'inconstance « blanche », et dira adieu, non sans un certain cynisme, au pétrarquisme et au néo-pétrarquisme. Avec Trellon, Guy de Tours, Etienne Durand, d'autres

---

1. Allais, *op. cit.*, *pass.* et notamment pp. 80, 284.
2. Nuysement, *op. cit.*, CI, p. 58.

encore, se manifestera, parfois de façon provocante, un choix fait en faveur de la liberté, du détachement, qui est aussi une célébration de la rupture sous toutes ses formes, et un refus de l'amour-passion, de l'engagement, de la liaison d'amour.

A travers ces trois modes poétiques, qui n'engagent pas seulement une esthétique, mais une véritable éthique amoureuse — poésie « pré-baroque » d'Aubigné et ses compagnons, poésie pleinement baroque de Bernier de la Brousse, Beaujeu, La Roque..., poésie « réaliste » de Durand ou Trellon, c'est bien à une rupture que l'on assiste, et l'intérêt majeur de la production poétique de 1570 à 1600 tient essentiellement à l'ambivalence de l'époque, qui, telle Janus, a encore une face tournée vers le passé fécond, tout en présentant son autre face à l'avenir. Encore lourde des traditions nourricières du XVI⁰ s., ayant parfaitement assimilé un héritage complexe, la poésie célèbre à sa manière le crépuscule, tout en chantant l'aube des temps nouveaux :

> « Je sers l'aube qui naist, toy le soir mutiné... »[3]

_____

3. A. d'Aubigné, *Le Print.*, V, p. 61.

PREMIÈRE PARTIE

ORIENTATIONS BAROQUES

Dans son ensemble, la poésie amoureuse de 1570 à 1585 semble se partager entre deux grandes tendances, l'une représentant la sphère d'influence de Ronsard, l'autre celle de Desportes. Cette vue schématique doit être corrigée par l'observation faite à plusieurs reprises : il n'y a pas de cloison étanche, et l'on passe d'autant plus insensiblement d'une sphère à l'autre que, nous l'avons vu, bon nombre de poètes amoureux se réclament à la fois, explicitement ou implicitement, des deux maîtres. En outre, si Ronsard se rallie, apparemment au moins, au néo-pétrarquisme en 1578, Desportes imite, directement ou indirectement, Ronsard.

Plus encore : le nouveau courant poétique, pré-baroque, qui se manifeste chez d'Aubigné, Béroalde, Nuysement, Birague, La Jessée, s'il marque une rupture avec la poésie de Ronsard *et* celle de Desportes, se fonde de manière indubitable sur la double tradition magistrale : en effet, et c'est un fait qu'il faut souligner —, ces poètes pré-baroques partent tous sans exception d'une vision pétrarquiste de l'amour. Si dans leur exaltation, qui est bien leur caractère commun, ils vont jusqu'à briser le moule pétrarquiste, leur point de départ commun est le pétrarquisme, dont ils gardent les schémas, les formules, l'expression métaphorique. Ils puisent indistinctement chez Ronsard et chez Desportes la matière même de leurs poèmes, leur force rhétorique, la psychologie qui les anime.

Leur œuvre a un intérêt majeur : elle montre comment, à partir d'une esthétique acceptée globalement, un poète, en allant jusqu'au bout d'une « leçon », arrive, non seulement à modifier, mais même à démolir un ensemble cohérent (la vision néo-pétrarquiste de l'amour), pour lui substituer une esthétique nouvelle, qui se construit en somme sur les débris d'une tradition. Un exemple permettra peut-être d'éclairer ce jeu si particulier, et ces rapports si ambigus du néo-pétrarquisme et du premier baroque français : on sait qu'Aubigné, dans son *Printemps,* fait la part belle à la préciosité italienne, et imite, directement, par le recours aux originaux, ou indirectement en s'inspirant des imitations françaises, les pétrarquistes italiens de la fin du XVe s. ou du début du XVIe s. — ceux-là précisément qui sont les maîtres de Desportes. Mais en même temps, la violence de l'image charnelle, le goût prononcé pour le spectacle horrible, le dérèglement d'une imagination qui se complaît dans l'expression outrée (pour se borner à ces trois aspects immédiatement visibles dans son œuvre), détruisent l'équilibre fragile du néo-pétrarquisme, et imposent, non seulement de l'amour, mais de la vie même et du rapport de l'artiste au monde, une vue qui n'est plus déjà celle de Desportes ni celle des néo-pétrarquistes.

Il serait aussi dangereux de méconnaître l'importance de cette tradition néo-pétrarquiste comme fondement du phénomène baroque, que d'ignorer les modifications que lui ont apportées les poètes du dérèglement et de la fureur.

CHAPITRE PREMIER

LES THEMES DE L'AMOUR FURIEUX

Par opposition au néo-pétrarquisme « blanc » d'un Bertaut, d'un Scévole de Sainte Marthe, ou d'un Blanchon, trop souvent immobilisé dans des formes stéréotypées, et toujours mesuré, le néo-pétrarquisme « noir » de Jamyn, d'Aubigné, de Béroalde, de Nuysement, de La Jessée ou de Birague, forcené, enragé — la violence étant le point commun de ces poètes « furieux »[1], impose ses artifices et sa vive tension à l'expression du sentiment amoureux : les pièces les plus curieuses laissent entrevoir, sous l'éclat déjà baroque des métaphores charnelles, un monde singulier, désarticulé et éclaté, au sein duquel ce que Jamyn nomme « la vive écriture » essaie de parer les coups que le Temps imprime « à toute chose naissante ». La violence acceptée ou réclamée affecte à la fois la forme de l'œuvre, qui répond, par l'usage d'un « vers inusité »[2] au besoin de dire « ce qui n'a point de terme et de limite » (et cette impatience à souffrir les limites est un trait caractéristique du Baroque), et son sens, puisque l'œuvre entière peut être lue comme un long cri sauvage.

Les poètes « pré-baroques » sont les artisans des formes nouvelles, expérimentées avec prudence par La Jessée, Jamyn, plus retenus, avec une emphase furieuse par les quatre poètes « enragés » : Birague et Nuysement, Béroalde et d'Aubigné. Tous font éclater les contraintes pétrarquistes, et fondent sur les débris de cette tradition une esthétique du dérèglement, qui correspond à une psychologie de la démesure et de l'excès. Pour eux tous, pourrait-on dire, s'il n'y a pas *trop*, il n'y a pas *assez* : le principe même qui anime leur œuvre, et en constitue le dénominateur commun, est celui de l'*état extrême*.

L'amour sera alors saisi dans son énergie élémentaire, comme une force vive qui exalte l'amant, le portant au dernier degré de la fureur et de la folie, hors de lui-même, le maintenant dans un état de tension

---

1. A. d'Aubigné revendique sa « fureur » : « ...Il devint amoureux de Diane Salviaty (...) et lors il composa ce que nous appelons son *Printemps,* où il y a plusieurs choses moins polies, mais quelque fureur qui sera au gré de plusieurs » (*Sa vie à ses enfants,* éd. Reaume-de Caussade, t. I, p. 18).

2. Pour la « vive écriture » qui est bouclier contre le Temps, voir Jamyn, *O.P.,* éd. Brunet, p. 91 ; pour l'usage d'un « vers inusité », *ibid.,* p. 92 et pour le désir de dire « ce qui n'a point de terme et de limite », *ibid.,* p. 93 (*Artémis*).

telle qu'il est toujours au bord du gouffre, menacé par la chute brutale, la rupture. Né de la conception néo-pétrarquiste, perçu comme une distance entre l'amant et l'aimée, l'amour chez ces poètes tentera de combler le fossé, de réduire l'écart, désormais insupportable. Il s'agit moins de s'opposer formellement aux schémas néo-pétrarquistes, qui sont en gros respectés, que de transformer de l'intérieur et de modifier le rapport qui unit l'amant à l'aimée. S'il y a rupture, elle est dans le changement de tonalité, d'accent. Différence de degré, non d'essence.

I - Le thème de la rage

Alors que Desportes et ses disciples fidèles : Blanchon, Boyssières, Scévole de Sainte Marthe..., ainsi que son élève le plus doué, Bertaut, s'abandonnent passivement à la domination cruelle d'une dame qui les « tyrannise », et vont jusqu'à rechercher un servage qui les maintient dans un état doux-amer de voluptueuse dépendance, les poètes « pré-baroques », qui continuent à utiliser les mêmes schémas précieux et se nourrissent aux mêmes sources poétiques, transforment, en leur donnant une intensité dramatique plus forte, les thèmes majeurs du lyrisme néo-pétrarquiste.

C'est ainsi que d'Aubigné le furieux confond dans un même cri la rage d'écrire et la rage d'aimer. Il livre tout à la fois

> « (ses) regrets et (ses) larmes versées
> Et (ses) sanglots (...)
> (...) (ses) vers, (ses) rages et (ses) cris... » [3]

Son projet premier est de faire de sa poésie l'image même de la fureur qui l'anime : les « vers-secrétaires », comme disait Du Bellay, sont ici les messagers de la « destresse » !

> « Car depuis qu'en aimant je souffre,
> Il faut qu'ils sentent comme moy
> La poudre, la mesche et le souffre. » [4]

Petits soldats, les vers disent, non la douceur d'aimer, mais la brûlure :

> « Mes souspirs eschauffez, mes desirs insolents,
> Mes regrets impuissants, mes sanglots violents,
> Qui font de ma raison une guerre civile. » [5]

Qu'on n'y cherche donc ni mesure, ni joliesse, ni grâce : nés de la rage qui couve dans le cœur de l'amant, les vers portent témoignage des « orages » ; le livre d'amour,

> « Avorté avant les jours
> D'une ame pleine d'angoisse » [6],

est un cri sans apprêt.

---

3. A. d'Aubigné, *Le Printemps, l'hécatombe à Diane et les Stances,* éd. comm. par H. Weber, PUF, 1960, *Stances,* I, p. 172, v. 7 à 12. Sauf indic. contraire, toutes les citations d'Aubigné (pour la poésie amoureuse) réfèrent à cette édition.
4. *Ibid.,* sonnets, IV, p. 59.
5. *Ibid.,* s. IX, pp. 65-66.
6. *Ibid.,* Préface, p. 40, v. 45-46.

L'amour pour d'Aubigné se caractérise par sa violence : dans un monde envahi par les éléments déchaînés, l'amant ne connaît de la vie que les tourbillons. Pris par les flots, submergé, il ne lui reste que la ressource de crier, et d'épancher en longs accès de rage furieuse le trop-plein de passion qui l'emporte loin des rivages paisibles de la raison :

> « En un petit esquif esperdu, malheureux,
>   Exposé à l'horreur de la mer *enragée*,
>   Je disputoy'le sort de ma vie engagée
>   Avecq' les tourbillons des bises outrageux.
>
> Tout accourt à ma mort : Orion pluvieux
>   Creve un deluge espais, et ma barque chargée
>   De flotz avecq'ma vie estoit my-submergée,
>   N'ayant autre secours que mon cry vers les cieux. » [7]

Le poète confond dans un même dérèglement la fureur amoureuse et la fureur d'un vers « innocent » : s'épanouissant dans un climat tragique de deuil et de larmes, l'amour se manifeste par les cris et les accès mal contrôlés d'une fureur « tragique » :

> « Je confesse, j'eu tort, quand d'un accent amer,
>   Sans feindre, j'esclatay des passions sans feinte...
>
> Vous verriez mignarder une Venus pudique,
>   Mille cupidonneaux, et ma *fureur tragique*
>   Et mon luc et ma Muse auront un autre but... » [8]

Le vers est fou, car est folle l'âme « de raison despourvue », qui répond à la froideur par la rage, et par la fureur à l'ingratitude :

> « Excusez les effectz de l'amour aveuglée,
>   Excusez la fureur ardente et desréglée,
>   Puis que ce n'est point crime où l'innocence faut. » [9]

D'Aubigné recherche, à travers ce dérèglement forcené, la parfaite adéquation du vers sans feintise et de la passion sans feinte :

> « Ce n'est point un dessein formé à mon plaisir (...)
> Je n'ay point marchandé au gage du plaisir,
>   Nature de sa main, de son art, de son stile
>   A escript sur mon front l'amour du difficile... » [10]

La rage amoureuse secrète son humeur amère, et, comme l'« aspre courage » des pénitents « enhardiz à leur perte et sur soy courageux » les livre tout entiers aux sombres délices de l'auto-punition [11], la fureur bientôt se nourrit elle-même, et

> « ce cœur se fait tout pareil
> Furieux de sa même rage. » [12]

Ainsi, les cris et les sanglots, les regrets et les larmes, ne sont plus seulement des emblèmes, librement choisis, de la passion amoureuse,

---

7. *Ibid.*, s. II, p. 56.
8. *Ibid.*, s. XCIII, p. 160.
9. *Ibid.*, s. XCII, p. 159.
10. *Ibid.*, s. XCVIII, p. 166.
11. *Ibid.*, LXXIV, p. 140.
12. *Ibid.*, St. XX, p. 227, v. 21-22.

mais deviennent une nourriture substantielle de l'âme violentée. La rage, épurée par le feu de la poésie, dispense à l'âme, égarée par la douleur, son plus sûr remède, l'oubli d'elle-même.

> « Je graveray mon nom sur ce cœur endurcy,
> Le bruslant de mes feux, le mynant de mes larmes. » [13]

Se retournant vers l'objet de sa passion, elle s'emporte jusqu'à le faire semblable à elle, utilisant le « feu trop violent de (ses) pleurs » [14] pour opérer un véritable transfert — dont le renversement du thème précieux habituel [15] est, sur le plan littéraire, l'exact symbole —. La rage n'est pas alors apaisée, mais plutôt transmuée : elle n'est plus « devorante braise », elle quitte le cœur consumé de l'amant pour transformer en bloc fumant et dur le cœur inaccessible de l'aimée ; l'excès alors sera bénéfique, la rage, feu violent, attisée par les soupirs et les pleurs, sera noyée par « l'abondance d'eau » :

> « Je tromperay l'enfant, car pensant m'embraser,
> Tant de pleurs sortiront sur le feu qui m'enflame
> Qu'il noyera sa fournaise au lieu de l'arroser. » [16]

La rage ne peut donc qu'être excessive, sous peine d'impuissance.

L'excès même ici est condition de succès : ce n'est qu'en devenant « furieux » que le cœur de l'amant peut inciser le cœur « de marbre et d'estoffe plus dure » de l'aimée.

Ainsi la rage cesse-t-elle d'être pour d'Aubigné la vaine expression du martyre amoureux : elle acquiert une valeur — cathartique —, et une fonction — créatrice. Par la rage, librement exprimée et recherchée, l'amant tout à la fois résiste aux puissances amollissantes et finalement destructrices, et trouve une issue pour le débordement passionnel qui le paralyse. Ce que l'on nomme le « volontarisme » [17] d'Aubigné n'est pas autre chose que l'utilisation à des fins d'édification personnelle de la « fureur », dont le caractère positif et bénéfique se trouve ici souligné.

De la même manière, Béroalde et Birague commencent par ne pas distinguer l'amour de la rage. Flaminio de Birague ressent d'abord comme une oppression le mal véhément qu'il appelle fureur :

> « Ores que de *fureur* mon âme est oppressée,
> Et que je dance au bal des neuf sçavantes sœurs,
> Quel sentier puis je battre ?... » [18]

Il semble alors que seul puisse le réconforter l'appel aux Puissances :

> « O dieux qui habitez les voustes estoilées,
> Et l'Orque ténébreux et les plaines salées,
> Regardez en pitié mon enuy véhément. » [19]

Mais Birague imagine d'autres remèdes pour apaiser sa rage, et il se livre aux délices du souvenir amoureux [20].

---

13. *Ibid.*, s. LXVIII, pp. 133-134.
14. *Ibid.*, s. LXXIII, p. 139.
15. Voir *ibid.*, la note 5 d'H. Weber, p. 139.
16. *Ibid.*, LXXIII, p. 139, dern. tercet.
17. Voir le comm. de Weber, *ibid.*, notamment p. 275 (St. XX).
18. F. de Birague, *Sonnets*, V, p. 95.
19. *Ibid.*, p. 10 v° (s. XXXIV).
20. *Ibid.*, *Chanson*, p. 101.

Béroalde lie le thème de la rage à celui de l'« aveugle fureur » :

> « Fuyés, esprits, fuyés, votre mort, votre horreur,
> Ploye sous les efforts de l'aveugle fureur,
> Qu'excite dans le sang une rage amoureuse.
> Tout votre vain pouvoir n'a pouvoir sur l'amour. » [21]

Toute licence, sauf contre l'amour, ou plutôt contre la rage. La poésie de Béroalde est secouée par des frissons et des spasmes, qui disloquent le rythme du vers, et font que le cri de rage se confond avec le cri d'amour. La fureur envahit l'être, et l'amour ne se distingue plus des accès forcenés d'une colère qui emporte l'amant dans les zones dangereuses que baigne l'onde Acherontée :

> « De fureur, de soucy mon ame tourmentée
> Sous votre cruauté, désire contre un fer,
> Caché dedans mon cœur, tresbuscher en l'Enfer,
> Pour s'aller rafraichir en l'onde Achérontée. » [22]

Parvenu à un degré d'excitation extrême, sous la morsure du désir violent, l'amant perd toute chaleur, et devient un corps vide, sans substance, « un vain corps » :

> « Ma vie n'est plus rien que ceste humeur gelée,
> Qui esteint mes esprits, et la douce chaleur
> Dont jadis je vivois, s'eslongnant de mon cœur,
> Me laissant un *vain corps,* de moy s'est envollée. » [23]

Par un apparent paradoxe, l'excès de chaleur devient humeur gelée, le trop-plein d'âme se change en absence d'âme, les rayons lumineux du Soleil ne créent qu'ombre et obscurité opaque :

> « Je ne suis plus celuy qui respiroit la vie
> De vos yeux mon Soleil, je ne suis qu'*un vain corps* (...)
> Je suis l'ombre... » [24]

La poésie de Béroalde s'abandonne au vertige de la fuite : perte de substance, évanouissement du sentiment submergé par le tourment excessif, ruine de l'âme écrasée sous le poids des fureurs filles de la Nuit : la fureur n'est plus pour lui, comme pour d'Aubigné, la nourriture d'une âme forcenée qui vit de ses transports et se fonde dans la tourmente, mais l'épuisement, goutte à goutte, de la liqueur de vie, le dernier effort d'un esprit agité :

> « De feu d'horreur de mort de peine de ruyne
> Jours nuits ans temps momens je me sens tourmenté
> Et sous les fers meurtriers de ma captivité
> Je voys l'amour cruel qui mon ame ruyne.
>
> Je me pers de langueur de douleur je me mine
> Ma vie fuit de moy par *trop* de cruauté,
> Et de mortels desdains mon esprit agitté
> Sent le dernier effort qui ma vie termine. » [25]

---

21. Béroalde, *Souspirs, éd. cit.,* XX, f° 9.
22. *Ibid.,* VIII, f° 6.
23. *Ibid.,* IX, f° 6 v°.
24. *Ibid.,* XII, f° 7.
25. *Ibid.,* XIX, f° 9.

Chez J. de la Jessée, à partir d'un schéma strictement néo-pétrarquiste, se développent les images de l'amoureux chaos. Mais c'est vite le prétexte pour laisser éclater une fureur bouillonnante qui, logée trop étroitement dans le cadre strict du sonnet, s'épand de préférence dans les formes plus larges du sonnet rapporté, ou joue sur les accumulations systématiques qui font déborder le vers. L'amoureuse rage est le thème majeur de cette poésie qui forcène :

> « L'amour et la fureur m'affolle tellement
> Qu'un sanglier escumeux si transporté n'enrage (...)

> Quel soucy, quel esmoy, j'esgalle à mon tourment ?
> J'endure mal sur mal, outrage sur outrage...
> Et plus je sens l'effort d'une amoureuse rage,
> Et moins vous soulagez mon grief forcenement. » [26]

Mais, à la différence du trio « tragique » : d'Aubigné, Birague, Béroalde, — La Jessée se contente le plus souvent de crier et de s'emporter, sans attendre autre chose de la rage qui le possède qu'un apaisement momentané :

> « Tant je foisonne en rages et douleurs,
> Tragique horreur, ne cherche ailleurs des larmes,
> Des peurs, des coups, des geines, des alarmes :
> C'est moy qui suis un chaos de malheurs ! » [27]

Finalement, c'est dans la confusion qu'il ressent le mieux l'amoureux chaos, et il ne cherche guère à explorer sa rage :

> « Le jeune cerf navré d'une blessure fresche,
> Devançant les veneurs, porte son traict meurtrier :
> Et l'oyseau de sa fin Chantre, Augure et Courrier,
> Alléché de ses chants le trespas même allèche.

> Je traine, dy, ressens, jette, chéris, reçois,
> Garrot, accord, langueur, onde, flame, murmure,
> En cerf, Cygne, fleuron, eau, Salemendre et voix. » [28]

A travers le thème commun de la rage amoureuse, on peut saisir l'hésitation de la poésie autour de 1580 : d'un côté, elle hérite de Desportes une perception nouvelle de l'amour, principe de confusion, d'indétermination ; de l'autre, elle répudie un certain nombre de schémas formels ; en simplifiant beaucoup, on pourrait dire que le « classicisme » n'a plus valeur contraignante. A des sentiments violents, dont la vie est faite de heurts, de chaos, d'agitation extrême, convient une expression elle-même chaotique, apparemment désordonnée, emphatique. Il faut dire plus, et le dire autrement. La rage qui envahit les vers amoureux d'Aubigné, de Béroalde, de Birague, ou de la Jessée, affecte la forme même du sonnet, dont la structure éclate, et celle du vers, qui se démultiplie en une pluralité d'accents [29].

---

26. J. de la Jessée, *op. cit.*, p. 860.
27. *Ibid.*, p. 832.
28. *Ibid.*, p. 843.
29. Pour d'autres variations sur le thème de la rage, cf. P. de Brach, *op. cit.*, XXVIII, p. 77, El., VI, p. 88, et Nuysement, *op. cit.*, LXX, p. 50 v°.

L'extase.

Le thème de l'extase est très proche de celui de la rage. En un sens, l'extase est l'issue naturelle de la rage, et son assouvissement.

> « Pour soulager le feu qui te brûloit d'envie
> Dit-elle en m'accolant, je veux, ma chère vie,
> Me perdre entre tes bras
> Et te baiser si fort que nos âmes béantes
> Après telles faveurs soient à la fois contentes
> De ces mignars appas... » [30]

La rage — excès de sensations violentes qui rendent l'âme chaotique et la vident de sa substance — appelle la pâmoison des sens, la mort douce qui réconcilie pour un temps le corps bourrelé et l'âme martyrée, en un même moment :

> « Quand je touche vos mains et qu'à l'extrême bord,
> De ma levre les joint (...)
> Mon ame sort de moy et me laissant sans vie
> M'abandonne au doux mal d'une agreable mort. » [31]

L'extase, pur moment hors du temps, perte d'âme, est silence :

> « Je ne sçay s'il te souviendroit
> Quand ta main blanche et grasselette
> Mesloit de liaison bien faicte
> Ton doigt mescogneu de mon doigt.
> En ce las d'amour se perdoit,
> Comme au cep, mon ame subjecte. » [32]

Mais le poète de 1580 associe très souvent aux images fondantes de l'extase-oubli, les rouges emblèmes de l'extase sensuelle, dont les autels fumants embrasent le cœur dilaté de l'amant.

> « A l'escler violent de ta face divine,
> N'estant qu'homme mortel, ta celeste beauté
> Me fist goutter la mort, la mort et la ruyne
> Pour de nouveau venir à l'immortalité.
> Ma bouch'oza toucher la bouche cramoisie
> Pour cueillir sans la mort, l'immortelle beaulté
> J'ay vescu de nectar, j'ay sucsé l'ambroisye,
> Savourant le plus doux de la divinité.
> Aux yeux des dieux jalloux, remplis de frenaisie,
> J'ay des autels fumants comme les aultres dieux,
> Et pour moy, Dieu segret, rougit la Jalousie. » [33]

Cette magnifique célébration de la jouissance — mort suivie d'une nouvelle naissance —, cueillie comme une fleur d'« ubris » [34], et toute vibrante d'ardeur sensuelle, substitue à la rage inassouvie une nouvelle fureur, alimentée par l'éclair violent du regard, nourrie de feu divin ;

---

30. F. de Birague, *op. cit., Secondes Am., Chanson*, p. 101.
31. Beroalde, *Les Souspirs, op. cit.*, XLIX, p. 25 v°.
32. A. d'Aubigné, le *Printemps, op. cit.*, XXXV, p. 96.
33. *Ibid.*, Stances, XIII, p. 233.
34. Comme l'indique nettement le vers suivant :
    « Tandis que j'ay cueilli le baiser et la couche... »

il ne s'agit alors plus de détruire, ni même de se détruire, mais de goûter la ruine et la mort, de savourer tout à la fois sa victoire et la défaite des dieux jaloux, dans un mouvement frénétique de fierté triomphale. La vie, la mort, sont alors saisies dans leur intimité, mieux, dans leur identité profonde :

> « Si je vis, jamais ravie
>   Ne soit ceste vie icy
> Mais si c'est mort, que la vie
>   Jamais n'ait de moy soucy :
> Si je vis, si je meurs, o bien heureux ce jour
>   Ou Paradis d'Amour ! » [35]

Il est d'ailleurs remarquable que la jouissance ne marque pas le terme de la fureur, si elle est la fin de la peur et du mal [36], mais plutôt le début prometteur d'une énergie nouvelle, qui anime l'amant devenu Titan.

Ainsi, la fureur qui s'épand en rage ou en pâmoison, et ruisselle en flots tumultueux dans la poésie amoureuse pré-baroque, si elle prend ses racines dans la vision néo-pétrarquiste de l'amour, qui dit l'écartèlement, la division, et l'interne chaos d'une âme aliénée, déborde largement ce cadre : la violence physique des images, comme le caractère charnel du symbole, renvoient à une conscience déchirée, plus vulnérable encore en cette époque divisée et marquée par l'instabilité, à une expérience nouvelle de la souffrance et de la jouissance ressenties avec davantage d'acuité. L'expressivité de cette poésie, sa recherche de figures violentes, l'exaltation du discours haussé d'un ton par rapport au discours néo-pétrarquiste, sont à mettre en corrélation avec la tension qui anime le sentiment amoureux. Celui-ci se manifeste comme une irritation des sens, un prurit, il n'est pas installé dans le cœur de l'amant, mais toujours saisi dans le trouble et l'angoisse comme un potentiel de forces vives qui s'accumulent et se gonflent, prêtes à éclater. L'amour furieux est avant tout une prodigieuse dépense d'énergie, une perte de substance.

II - Le cœur arraché, le cœur mis à nu...

Le thème du cœur arraché est d'origine pétrarquiste : Pétrarque, dans ses *Rime*, imagine que la Dame presse de sa main douce et cruelle le cœur de l'amant, arraché à sa poitrine [37]. Du Bellay donne à l'image un caractère de cruauté plus accentué, en insistant sur la souffrance des « vives entrailles » [38]. R. Garnier, dans sa *Porcie*, confère au motif une coloration sadique, en le dramatisant au maximum [39].

35. A. d'Aubigné, *Odes*, VIII, in *Œuvres* (Pléiade), p. 301.
36. *Id., Printemps, éd. cit.*, XIX, p. 76.
37. Pétrarque, *Rime*, XXIII, *Nel dolce tempo...*, v. 72 et suiv. :
      « Questa, che col mirar gli animi fura,
      M'aperse il petto, *e'l cor prese con mano.* »
38. Du Bellay, *Vers lyr.*, XI, *A une Dame cruelle et inexorable* :
      « Pourquoi arraches tu le cœur (...)
      Pourquoy fais-tu, ainsi que deux tenailles,
      Sentir tes mains en mes vives entrailles ? »
39. R. Garnier, *Porcie*, éd. Pinvert, t. I, p. 75 :
      « Tirez mon cœur ravi de ses mortes entrailles
      Et le repinçotez de flambantes tenailles. »

D'Aubigné traite le thème d'une manière saisissante. D'abord, il tire toutes les conséquences de l'image-mère, qui se développe chez lui en métaphores charnelles ; ensuite, il accentue le pathétique, discret chez Pétrarque et encore chez Du Bellay, en organisant en tableau — le tableau d'une agonie — tous les aspects physiques et physiologiques de ce morcèlement douloureux :

> « Quand du sort inhumain les tenailles flambantes
> Du milieu de mon corps tirent cruellement
> Mon cœur qui bat encor' et pousse obstinément
> Abandonnant le corps, ses pleintes impuissantes,
>
> Que je sen de douleurs, de peines violentes !
> Mon corps demeure sec, abbatu de tourment,
> Et le cœur qu'on m'arrache est de mon sentiment,
> Ces partz meurent en moy, l'une de l'autre absentes,
>
> Tous mes sens esperduz souffrent de ses rigueurs,
> Et tous esgalement portent de ses malheurs
> L'infiny qu'on ne peut pour despartir estreindre... » [40]

Plusieurs modifications sont immédiatement perceptibles : en premier lieu, le cœur perd son caractère abstrait de siège du sentiment et de la volonté ; il devient un organe vivant, encore vivant (et c'est là une première source du pathétique) au moment du supplice. En outre, les images de la réalité sont chargées de sens métaphorique : le cœur bat encore, il exerce sa fonction physiologique réelle, mais les battements sont vus bientôt comme des plaintes ; c'est dire que l'organe est saisi à la fois dans sa réalité et dans son aspect mythique, comme le lieu des échanges sentimentaux. Plus encore, il est lui-même affecté, comme un être humain, de qualités morales et sentimentales : il est « obstiné », il est impuissant. D'Aubigné charge ainsi la réalité physique de tout un appareil pathétique, qui la rend immédiatement sensible à l'imagination.

D'autre part, d'Aubigné opère une dichotomie : au lieu d'identifier le cœur et l'être, il s'attache à les distinguer : cœur et corps mènent une existence séparée, physiquement et sentimentalement. Physiquement, le cœur surgit, hors du corps qui jusqu'alors l'abritait, et ce surgissement inattendu, ce transfert, sont ressentis avec une espèce d'horreur, comme une mutilation particulièrement insupportable, d'autant qu'elle s'effectue... sans anesthésie, dans la douleur (les tenailles sont devenues « flambantes », et l'action quasiment chirurgicale est décrite comme un savant supplice). Sentimentalement, les effets de l'opération ne sont pas moins surprenants, inattendus, horriblement précis : alors que le cœur est présenté comme une masse vivante, douée de sensibilité, le corps, lui, une fois abandonné, « demeure sec », et cette sécheresse, loin d'être rassurante, est un surcroît de douleur. En effet, le corps, sous l'excessive morsure, perd tout sentiment, « abbatu de torment », tandis que le cœur, séparé du corps, participe à son aventure, et meurt de ne pas mourir.

Enfin, par une dernière modification du schéma, d'Aubigné introduit, entre cœur et corps, un troisième élément, qui participe à la douleur de l'un et de l'autre, sans se confondre avec eux, le moi, qui assiste impuissant au divorce étrange qui affecte ses « parts ».

---

40. D'Aubigné, *Le Print.*, éd. cit., s. L, p. 112.

C'est à ce troisième acteur qu'est confié le commentaire : « Que je sens de douleurs de peines violentes », qui, commençant dès le deuxième quatrain, envahit les tercets. La portée du commentaire est double : il apporte au tableau du supplice sa densité pathétique ; il faut un « sujet » pour que la torture soit pleinement efficace. En outre, le commentaire distingue le cœur-objet et le cœur-sujet : le cœur-objet est spectacle, horrible. Le cœur-sujet est spectateur, horrifié. Ce dédoublement permet du reste la pointe finale :

> « Car l'amour est un feu et le feu divisé
> En mille et mille corps ne peut estre espuisé,
> Et pour estre party, chaque part n'en est moindre. »

Le cœur-objet une fois arraché, la brûlure d'amour reste aussi vive, car le cœur-sujet, aux sens éperdus, continue de souffrir, infiniment...

On saisit là la rupture entre une tradition pétrarquiste et la nouvelle esthétique : l'image-mère est certes identique, mais d'Aubigné transforme un motif précieux en *vision*. D'une part, de l'image centrale, il tire une multiplicité d'images qui se groupent en réseau (le cœur-le corps ; bat-pleintes ; tenailles-tirent, arrachent) et en réseau significatif (toutes les images, tous les motifs, mettent l'accent sur la lenteur du démembrement, sur la réalité physique d'une interminable agonie). D'autre part, ce réseau en quelque sorte obsessionnel renvoie, dans la mentalité animiste, à une croyance en la sensibilité universelle. Pour le poète, le cœur peut devenir objet, dur et lisse, enrobé de matière, mais à l'inverse, tout objet est doté de sensibilité, tout est être, tout sent. Dans cette perspective, le thème de l'arrache-cœur n'est pas un cliché, mais l'expression concrète d'une mentalité pour laquelle il y a constamment des échanges, verticaux et horizontaux, entre le monde de la chair et le monde de l'esprit.

Les Stances du *Printemps* présentent un peu différemment le thème de l'arrache-cœur. Les Stances II esquissent à peine le motif du cœur séparé du corps, du corps « vollé du cœur » :

> « Ha ! cors vollé du cœur, tu brusles sans ta flamme,
> Sans esprit je respire et mon pis et mon mieux,
> J'affecte sans vouloir, je m'anyme sans ame,
> Je vis sans avoir sang, je regarde sans yeux (...)
> Et le cors délaissé ne veult que le Sercueil. » [41]

Par rapport au sonnet, l'éclairage est sensiblement modifié, puisqu'il met en lumière, non plus les souffrances du cœur arraché, mais l'exil du corps, demeuré orphelin : les images antithétiques de la strophe citée ont leur origine dans l'identification — sous-entendue — du cœur et de la flamme de vie, du cœur et de l'esprit, ou de la volonté, du cœur et du sang. Le cœur est défini tout à la fois comme le siège d'Amour, comme le lieu matériel des échanges, comme le lien spirituel entre Chair et Ame, il est l'œil du corps, et sa flamme vive. On peut voir [42] dans ce jeu d'images un commentaire subtil des antithèses pétrarquiennes :

> « Veggio senz'ochi, e non ho lingue, e grido » [43],

41. *Ibid., Stances*, II, p. 191, v. 9 et suiv.
42. Voir le comm. de Weber, *ibid.*, p. 192, n. 8.
43. « Pace non trovo... », *Rime*, CXXXIV, éd. Chiorboli (sonnet des contradictions).

mais ici, à la différence de Scève par exemple, qui accentuait le caractère abstrait des images, en cherchant l'expression la plus dense et la plus synthétique [44], A. d'Aubigné accumule les négations (sans ta flamme, sans esprit, sans vouloir, sans avoir sang, sans yeux), signes visibles du divorce, repères perceptibles de l'absence, tout en gardant leur caractère concret à chacune des manifestations de la vie séparée. Ainsi, à tous les niveaux, et à chacun des étages de l'être, la division cruelle éclate : le cœur est le *corps* de l'âme (son sang, sa vie), comme l'âme est l'œil et la flamme du cœur. Le corps « vollé du cœur » est déjà un corps mort, avant la mort, et sa vie artificielle est supplice. La vie sans cœur, la vie sans âme, la vie sans souffle vital, est livrée au vent, qui emporte sans détruire « les passions du cœur, les maulx de la pensée », laissant sur place un corps promis à la mort, un corps qui n'est plus habité que du désir de mort.

Les Stances III reprennent avec plus d'ampleur et une tonalité différente ce thème, traité dans les Stances II avec quelque froideur et une hésitation entre l'abstraction pétrarquiste et la réalité charnelle, à peine indiquée.

> « A longs filets de sang, ce lamentable corps
>   Tire du lieu qu'il fuit le lien de son ame,
>   Et séparé du cœur qu'il a laissé dehors
>   Dedans les fors liens et aux mains de sa dame,
>   Il s'enfuit de sa vie et cherche mille morts.
> Plus les rouges destins arrachent loin du cœur
>   Mon estommac pillé, j'espanche mes entrailles
>   Par le chemin qui est marqué de ma douleur :
>   La beauté de Diane, ainsy que des tenailles,
>   Tirent l'un d'un costé, l'autre suit le malheur. » [45]

La brutalité de l'attaque, qui place d'emblée le lecteur dans un climat sanglant, projette toute la lumière sur le geste décrit : immédiatement sensible — nulle comparaison, l'image même s'efface, et n'est plus lisible qu'en filigrane —, la réalité est d'abord charnelle. Le « lamentable corps », volé, délaissé, dans les Stances précédentes, redevient ici un corps réel, matérialisé, dont les souffrances s'inscrivent sur la terre en lettres de sang. Il est saisi dans un mouvement de fuite éperdue, et les premiers vers jouent sur la valeur *à la fois* concrète et abstraite de chacun des éléments qui composent le geste : le lieu que fuit le corps est l'espace matériel qui voit son supplice, comme il est en même temps le lieu abstrait qui unit ce corps à son âme. De même, et par un jeu analogue, le cœur laissé dehors est, concrètement, l'organe physiologique, mutilé et séparé chirurgicalement du corps qui l'abritait, et, en même temps, *le signe* de la vie, le lieu métaphorique du sentiment (aussi est-il à la fois dehors et dedans, libre et prisonnier).

La deuxième strophe matérialise encore davantage l'ensemble de gestes, presque sans image (à peine, au vers 9, l'image bien connue des tenailles qui fouaillent le cœur). Aux filets de sang du premier vers,

---

44. Scève, *La Délie*, LXXI : « Car tu vivras sans Cœur, sans Corps, sans Ame... »
45. A. d'Aubigné, *Stances*, III, p. 193, v. 1 à 10.

correspond la couleur rouge des destins, doublement matérialisés, puisqu'ils sont à la fois *sang*, matière épaisse, coagulée, et *mains*, qui arrachent « mon estommac pillé ». L'image s'efface sous la violence crue du geste décrit, comme, dans le même temps, le cœur perd son caractère semi-abstrait (lieu du sentiment), pour devenir estomac, réalité purement charnelle. De même, la démarche sanglante décrite aux premiers vers, se précise et se matérialise davantage à partir du vers 7 : le lamentable corps n'est plus qu'un estomac pillé, la fuite devient épanchement d'entrailles sanglantes, et le lieu mi-abstrait mi-concret se fait « chemin » marqué concrètement par les traces visibles du sang perdu. Enfin, la beauté de Diane — abstraction — devient la figure concrète des tenailles, qui écartèlent le corps d'un côté, le cœur de l'autre. Le cœur arraché est un cœur déchiré, partagé, matériellement divisé.

Ainsi, des Sonnets aux Stances [46] le thème se développe, et va vers une plus vive matérialisation. Le caractère dramatique s'en trouve accentué, et la violence contenue, et comme retenue par l'ambiguïté du jeu sur le concret-abstrait, se donne un cours plus libre. Elle envahira la nature proche, puis, par un mouvement d'amplification, s'étendra jusqu'au cosmos (vers 76 et suiv. « D'un crespe noir la lune en gemit desguisée »).

Dans les Stances VIII, enfin, le thème du cœur arraché s'accompagne d'un symbolisme érotique suggéré par l'offre du « pougnard nu », baisé trois fois avant d'être présenté à la Belle et offert à ses mains. Le geste amoureux, refusé par la dame, devient alors geste criminel, tandis que la fureur du désir trouve sa compensation mythique dans l'épanchement du sang, jailli du cœur « tout chaud ».

> « Belle, pour estancher les flambeaux de ton yre,
> Prens ce fer en tes mains pour m'en ouvrir le sein,
> Puis mon cœur haletant hors de son lieu retire,
> Et le pressant tout chault, estouffe en l'autre main
> Sa vie et son martire. » [47]

Le désir inavoué d'ouvrir, de faire rougir de sang l'ivoire, trouve sa traduction symbolique dans la volonté d'être ouvert, saignant, par les doigts blancs d'une main habile et cruelle [48]. Le masochisme évident de ces strophes est l'envers d'un désir érotique à coloration sadique [49].

*
**

Béroalde traite de façon plus conventionnelle le thème du *cœur entamé* :

> « Amour qui de cent coups mon pauvre cœur entame,
> Cachant dedans mes os de ses flames l'ardeur,
> Me fait de vains souspirs plaindre pour la rigueur
> Des yeux dont les rayons donnent vie à mon âme. » [50]

46. Sur le problème de l'antériorité des sonnets, voir *ibid.*, Weber, pp. 10-11.
47. A. d'Aubigné, *ibid.*, p. 217.
48. Cf. notamment *ibid.*, s. XLIX, p. 111 (le corps arraché par l'inique cruauté de la dame mauvaise) et LXII, p. 126 (« Se rire en sa blancheur de moy ensanglantée »).
49. Pour le thème phallique du poignard qui déchire un cœur qui ne veut pas s'ouvrir, cf. outre Magny (*Souspirs*, CXII) et G. Durant (*Complainte, op. cit.*, p. 35 v°), N. Le Digne, *Furieuses Reproches*, in *Muses Ralliées*, 1603, f. 207 v°.
50. Béroalde, *Souspirs, op. cit.*, VI, f. 4 v°.

Il garde dans sa fureur une certaine mollesse plaintive, et ne va pas jusqu'au bout de l'image, qui reste comme en suspens, mi-abstraite, mi-concrète, dans une indécision qui n'est pas encore baroque, si elle n'est déjà plus purement pétrarquiste :

> « Permettez que ma main mon triste cœur entame,
> Pour chasser de mon sang, ma vie et ma douleur. » [51]

Le geste ici est à peine suggéré : les images charnelles ne sont pas suffisamment matérialisées pour cesser d'être images, c'est-à-dire représentations d'une réalité elle-même symbolique. A mi-chemin entre la figuration précieuse et la matérialisation du geste, comme entre la brutalité et la tendresse élégiaque, le traitement du thème reste inachevé.

Birague manifeste une hésitation de même nature, lorsqu'il traite le thème du cœur séparé.

> « Donques tu ne veux plus retourner avec moy,
> Tu me veux délaisser (...)
> Mais las ! sans toy mon cœur comment pourray je vivre ? » [52]

Lui aussi essaie, par la violence de l'image charnelle, de tirer le maximum d'intensité d'un motif commun aux poètes contemporains :

> « Car arrachant mon cœur, par vos brandons ardens,
> Vous brulastes ma langue et les poumons dedans... » [53]

Mais ni Béroalde ni Birague n'atteignent le même degré d'intensité pathétique qu'Aubigné, et le tableau, à peine esquissé, s'achève en plaintes communes, sans déboucher sur une vision précise et hallucinée à la fois.

Cependant, chez ces trois poètes, à des degrés divers, le traitement du thème précieux est déjà baroque : l'image du cœur arraché prend une réalité toute physique, atténuée chez Birague et Béroalde, pleinement exprimée chez d'Aubigné, qui en somme « prend à la lettre » les diverses images et comparaisons, les vide progressivement de leur caractère allégorique ou symbolique ou analogique, en tirant toutes les conséquences d'une proposition première [54].

Le cœur mis à nu.

Le thème du cœur mis à nu remonte aux poètes latins. Ovide [55] exprimait le désir d'offrir son cœur aux yeux de sa maîtresse, pour qu'elle puisse y lire, à livre ouvert, les peines qu'Amour y grave. Marot [56] propose aussi à sa dame une lecture semblable, et ajoute, au

---

51. *Ibid.*, XI, f. 7.
52. Birague, *op. cit.*, XCI, p. 33 v°.
53. *Ibid.*, Elégie, pp. 89-90.
54. Pour un traitement analogue, cf. Scalion de Virbluneau, *Loyalles et Pudiques Am.*, *op. cit.*, troisième liv. LXXXIV, p. 100, ou I. du Ryer, *Le Temps perdu, Stances*, pp. 37-38.
55. Ovide, *Mét.*, II, v. 92-94 :
> « Aspice vultus
> Ecce meos, utinamque oculos in pectora posses
> Inserere... »
56. Marot, *El.*, III, *Puisque le jour...*, éd. Grenier, I, p. 294.

thème du cœur ouvert, celui du portrait « engravé » [57]. Les Italiens pétrarquistes, comme Sasso, développent plus librement les suggestions qui naissent de l'idée première, en s'attachant à décrire, avec davantage de précision dans le détail, un cœur couleur de sang, noirâtre, mordu, crevassé, haletant comme un homme à l'agonie [58].

Desportes, à l'imitation de Sasso, découvre un cœur meurtri, sur lequel se lit le portrait de la dame :

> « Si vous voyez mon cœur, ainsi que mon visage,
> Meurdry, couvert de sang, percé de toutes parts,
> Au milieu d'un grand feu qu'alument vos regards,
> Reconnoissant dessus vostre figure empreinte,
> Vous seriez (j'en suis seur) de souspirer contrainte. » [59]

D'Aubigné s'empare du thème, et, tout en suivant de très près Sasso, donne à chaque détail une charge nouvelle, en accentuant la noire fureur qui alimentait déjà, mais d'une manière plus plaintive, le poème italien :

> « Si vous voyiez mon cœur ainsi que mon visage,
> Vous le verriez sanglant, transpercé mille fois,
> Tout bruslé, crevassé, vous seriez sans ma voix
> Forcée à me pleurer et briser vostre rage... » [60]

Le cœur mis à nu est vu tel que l'a rendu le long supplice amoureux, et l'insistance sur les détails horribles masque l'aspect quasiment allégorique de la représentation, qui n'est pas sans rappeler l'iconographie du Christ souffrant. Sur le thème précieux de l'ouverture du cœur offert à la contemplation sadique de la dame, d'Aubigné exécute des variations si brutalement réalistes que nous sommes plus près de la rouge atmosphère des *Tragiques* que des raffinements subtils et quintessenciés d'un Desportes et d'un Sasso.

> « Au tribunal d'amour, après mon dernier jour,
> Mon cœur sera porté, diffamé de bruslures,
> Il sera exposé, on verra ses blessures,
> Pour cognoistre qui fit un si estrange tour.
> A la face et aux yeux de la celeste cour
> Où se preuvent les mains innocentes ou pures
> Il seignera sur toy, et compleignant d'injures,
> Il demandera justice au juge aveugle Amour... » [61]

Ces quatrains à la couleur rouge traduisent une des obsessions d'Aubigné : le désir de montrer la blessure, d'exposer le corps supplicié, pour qu'il porte témoignage par sa seule apparence, et qu'il soit, par son seul

---

57.   « Vous y verriez vostre nom engravé
        Avec le deuil qui me tient aggravé... »
58. Sasso : « Se vedesti, Madonna, el triste core...
        Tu piangeresti meco el mio dolore (...)
        Un sangue d'un color nero e giazzato,
        Morso, batuto, puncto e lacerato,
        Spirando a tratti come l'huom che more. »
59. Desportes, *éd. cit., Elegies*, I, XI, p. 264.
60. A. d'Aubigné, *Print.*, XCIV, p. 161.
61. *Ibid.*, C, p. 168. La place même du sonnet (dernier de l'*Héc.*) montre qu'il s'agit d'une victoire ultime après laquelle il n'y a plus rien à désirer...

aspect, immédiatement visible à l'œil du juge, acte d'accusation [62]. Mis à nu, le cœur déjà cadavre reste vivant, et le sang qu'il épanche en présence du meurtrier est à la fois protestation et accusation [63]. La fureur amoureuse se tourne alors en haine rageuse, qui procède d'une même fascination charnelle. L'obsession sanglante joue sur un double registre : inondant de sang chaud Diane tout entière, le poète la possède enfin, et cette possession horrible est ressentie comme une compensation satisfaisante pour l'imagination. Mais en même temps, renonçant à l'intimité des relations amoureuses, le poète rêve d'une possession publique, « à la face et aux yeux de la céleste cour », parce que la vengeance n'est satisfaisante que si elle est vue de tous, que si elle éclate triomphalement comme la victoire incontestable de l'innocent sur le pervers [64].

On saisit comment, chez d'Aubigné, une obsession première — la mise à nu, la découverte, s'exprime avec une remarquable continuité à travers des thèmes apparemment très divers : du *Printemps*, épineuse fleur d'une jeunesse amoureuse, aux *Tragiques* de la maturité engagée, nulle rupture, mais l'approfondissement d'une même recherche. Par un mouvement d'extériorisation, le poète projette sur des réalités différentes : l'amour, la guerre, un même dessein, qui vise à découvrir, à dévoiler, une constante de son imagination, la nécessité d'une *ouverture sanglante au monde,* qui est un appel, une manière de forcer le monde à se révéler, à prendre position. Le cœur sanglant de l'amant mis à nu [65] devant la céleste cour, comme le corps supplicié du martyr protestant porté devant le Christ au jour du Jugement, ont une force contraignante : ils sont signes visibles du divorce, devant lesquels la justice *doit* se prononcer, et ce qu'elle dira consommera la longue attente, et fera retrouver l'unité perdue.

Ce même mouvement se retrouve dans les *Stances*, avec une insistance encore plus forte sur le divorce, la déchirure :

> « J'ouvre mon estommac, une tumbe sanglante
> De maux enseveliz : pour Dieu tourne tes yeux,
> Diane, et voy au fond mon cœur party en deux
> Et mes poulmons gravez d'une ardeur violente,
> Voy mon sang escumeux tout noircy par la flame. » [66]

A l'appel à la contemplation sadique, se joint ici un geste apparemment masochiste : « j'ouvre mon estommac », comme si la fureur, ne pouvant s'apaiser dans l'amour, se tournait vers l'auto-destruction, qui devient spectacle offert, mais aussi jouissance amère de son propre corps, témoin du divorce. Cependant, le poète n'en reste pas là, et la

---

62. Voir dans *Les Trag.,* le même mouvement : le corps supplicié du martyr proteste, témoigne devant Dieu, accuse, et triomphe ; par ex. VI, v. 619-622, VII, v. 110 et suiv.

63. Le cadavre de l'homme assassiné, s'il saigne devant le présumé coupable, l'accuse formellement : témoignage irrécusable ! Cf. Jamyn, éd. Brunet, p. 96. Le sang répandu fume de courroux : cf. *Le Cid,* II, VIII. Voir également *Trag.,* I, v. 589.

64. Même exigence, et un même registre d'images obsédantes, dans les *Trag.,* VII, 650 et suiv., 725 et suiv.

65. Cf. *Héc., éd. cit.,* LIV, p. 117, v. 11, « Que ne puis-je arracher, monstrer mon cœur au jour ? ».

66. *Print., éd. cit., Stances,* VI, p. 211.

découverte du cœur meurtri, dont il s'enchante, n'est qu'une étape :
elle est un appel, une manière de forcer autrui à voir, comme l'indique
la répétition des indications : « tourne tes yeux », « voy », « voy »,
« considere »... La jouissance n'est satisfaisante que sous le regard de
l'autre, et le poète désigne successivement les lieux où ce regard doit
se porter : le cœur, parti en deux, dont la division est cri, les poumons
en feu, le sang noirci, les os secs, et aussi les lieux plus cachés, l'âme
en sa retraite. Chacun de ces lieux est privilégié, puisque chacun porte
un signe visible et différent : déchirure, brûlure, noircissure, sécheresse.
A l'amère satisfaction que procure l'ouverture béante sous le regard
d'autrui, se joint le plaisir de témoigner par des témoins irrécusables :
le masochisme apparent est donc plutôt volonté d'être vu, nécessité de
forcer à voir qui n'a point d'yeux.

Mais, en un second temps, le poète imagine une autre satisfaction,
plus substantielle : en effet, le regard va changer, et les yeux qui ne
voulaient pas voir, forcés de se poser sur des objets choisis, se
transforment :

> « A ce feu dévorant de ton yre alumée
> *Ton œil enflé* gesmit... » [67]

Tout le poème est construit sur le thème de l'œil, car le cœur mis à nu
n'a de valeur que s'il est vu. Aussi d'Aubigné, après avoir forcé l'œil à
se tourner, le contemple dans sa première modification, humidifié par
le pleur :

> « ...et tes yeux inhumains
> Pleurent, non de pitié, mais flambanz de cholère. »

Il est bientôt temps d'apercevoir la deuxième modification :
l'enflure. L'œil criminel est transformé par le spectacle du crime, mais,
par une intuition saisissante, ce n'est pas le remords ou la pitié qui
agissent ainsi, mais, très matériellement, l'âcre odeur d'un cœur qui se
consume.

> « Rien n'attendrit tes yeux que mon aigre fumée. »

Ce cœur qui brûle, découvert, apparaît comme une hostie offerte à la
cruauté insatiable de l'aimée, mais, par un retournement, l'apaisement
de l'ire de la Dame hostile apporte à l'amant son propre apaisement,
puisqu'il devient, en quelque sorte, l'instrument de sa fin, le propre
auteur de son supplice. Il retrouve, en cendres, l'unité perdue, épuisé
mais réconcilié. Ici encore, ce jeu d'obsessions est voisin de celui des
Tragiques : les cendres des brûlés, « précieuses graines » de vie, apportent en même temps l'apaisement et la satisfaction d'être reconnu pour
témoin. L'apparente défaite est victoire, le supplice se change en
jouissance, mais il a fallu le démembrement, la violente déchirure, pour
que puisse s'accomplir la réunion.

On retrouve dans les *Tragiques*, intégré à une réalité différente, le
registre habituel des obsessions du poète : le sang qui partout ruisselle,
criant pour appeler le regard, le démembrement qui porte témoignage
d'une division insupportable, la hantise de la « mort à demy », du
demi-cadavre, qui, du sein de la mort, en appelle à la vie, tous signes

---

67. *Ibid.,* v. 13 et suiv. Voir les *Trag.,* VII, 986, « Vostre ame à sa mesure
enflera de souci... »

matériels, visualisés, qui portent le même sens : la démonstration, l'ostentation, la dé-couverte.

Du *Printemps* aux *Tragiques,* la poésie d'Aubigné manifeste une remarquable continuité : à travers des thèmes différents, un même registre d'images quasiment obsessionnelles. Et par la violence et l'horreur, une même volonté de forcer, de contraindre, par tous les moyens, la réalité à se révéler, à se découvrir. Un même dessein : « faire brèche », ouvrir, tout ce qui s'oppose à l'être. Partir du divorce, de la déchirure, pour aboutir à l'extase, pur silence, dans le sein de Dieu, refuge de l'unité. Toute sa réflexion est orientée vers la fin des contradictions : la division — qu'il s'agisse de la séparation des amants, ou des luttes intestines des Français — ressentie avec force et horreur comme l'image même de la condition humaine, trouve sa solution définitive dans l'intimité avec un Dieu Un.

Le thème du cœur mis à nu chez les contemporains d'Aubigné.

Béroalde de Verville traite le thème de façon conventionnelle :

> « Voulés vous voir mon cœur, ouvrez moy la poictrine,
> Vous y verrés les traits de vos rares beautes,
> Vous verrez en mon sang mille diversités
> Esmues par l'amour qui par vous y domine.
>
> Vous y verrez l'ardeur de ma flame divine,
> Vous verrés tout au près mes poumons agittés. » [68]

Cependant, à travers la banalité du propos, on aperçoit ici une représentation du corps qui n'est pas sans intérêt : d'abord, le cœur est le centre vivant de toutes les activités ; conformément aux dessins-miniatures comme on en trouve à l'époque sur certains manuscrits [69], le cœur percé de la flèche d'Amour voit les traits de sa Dame gravés en lui. Le sang se compose de « mille diversités », et est le siège de mouvements divers. Ensuite, tous les sentiments sont matérialisés : l'ardeur sensuelle est matérialisée par l'image de la *flame,* le soupir amoureux par celle du poumon. A chaque sentiment, son siège ; à chaque lieu, son propre mouvement.

D'autre part, l'insistance avec laquelle le thème revient est elle-même significative : elle témoigne d'une vive curiosité pour tout ce qui touche au corps humain, trop ignoré. Surtout, elle indique la prédilection d'une époque pour la matérialisation du sentiment. Le cœur « appelle » le sang, comme le soupir « appelle » le poumon, ou la flamme amoureuse, le feu. A l'inverse d'une représentation symbolique, cette représentation du corps — à la fois désir et lieu du désir — n'est pas allégorique, mais elle matérialise tout sentiment.

Même représentation du cœur ouvert chez Amadis Jamyn :

> « Si je porte en mon cœur une playe incurable,
> Vos yeux ont fait le coup, (...)
>
> Vous estes la meurdriere, hélas ! inexorable !
> Si tost que je vous voy le cœur me bat soudain :

68. Béroalde, *Les Souspirs..., op. cit.,* XXXI, f. 14 v°.
69. Voir par ex. le Manuscrit de poésies amoureuses conservé à la B.M. de Toulon.

Tout mon sang se ramasse en tel endroit mal sain,
Et bouillant veut jaillir encontre le coupable.

Bien que mort et muet je ne m'aille plaignant,
Je vous puis accuser par l'ulcère saignant
Qui lorsqu'en approchez decele vostre offence.

Ainsi quand le meurdrier vient approcher d'un corps
Que son fer a tué, le sang jaillit dehors,
Et les esprits esmeus demandent la vengeance. » [70]

Ici, le cœur mis à nu a d'abord une fonction accusatrice : ulcère saignant, il témoigne immédiatement de la violence qui lui est faite. Accumulant tout le sang du corps, le cœur est à la fois le siège du sentiment amoureux, du ressentiment, et de l'esprit de vengeance. D'autre part, et comme chez d'Aubigné, le sang a un double mouvement : concentration en l'endroit infecté, « mal sain », et jaillissement. « Et bouillant veut jaillir », le sang jaillit dehors : se rassemblant au centre de l'être, le sang mal contenu, bouillonnant, ne demande qu'à s'échapper, pour agresser le coupable.

Ainsi se trouvent liés cœur et sang, à partir du moment où, à l'image spiritualisée du cœur : lieu de l'élan amoureux, se substitue l'image matérielle du cœur, organe essentiel de la vie du corps. Cette matérialisation n'est du reste nullement un obstacle au développement d'un thème sentimental : l'ulcère saignant sent et veut. Doué d'intuition, il « décèle » l'offense, agité de désirs, il « veut » jaillir, ému, il « demande » vengeance. Toutes ces suggestions ne sont pas incompatibles dans l'univers mental d'un poète de 1570, pour lequel la matière est animée d'une sensibilité assez comparable à la sensibilité humaine, et aux yeux duquel le dualisme est dépourvu de signification [71].

Comme Béroalde et Jamyn, P. de Brach présente le cœur ouvert à la Belle impitoyable : s'inspirant de la troisième Elégie de Marot, il prétend faire voir « dans l'esttomac ouvert » l'image vive de son amour.

« Hélas ! que pleust à Dieu que la mere Nature
Eust faite en ma poitrine une large ouverture :
Tu verrois, tu verrois imprimés dans mon cœur
Ta bouche, ton beau front, tes yeux pleins de rigueur,
Tes yeux par où l'Amour mille et mille traits darde (...)
Tu verrois ton portrait... » [72]

Bien que la violence soit ici atténuée, et que, rapidement, de Brach glisse de la représentation matérielle — le cœur « imprimé » — à la représentation morale — le cœur montrant les bons sentiments de l'amant injustement accusé —, la présence de l'image charnelle : la large ouverture qui fend la poitrine, témoigne d'un goût commun pour les manifestations physiques de la vie.

---

70. Jamyn, *O.P.*, éd. Brunet, p. 96.
71. Pour l'animisme d'Aubigné, cf. *Trag.*, VII, v. 671 : « Un arbre *sent...* »
72. P. de Brach, *op. cit.*, liv. I, El. III, p. 63.

III - Le thème du sang

Illustrant le climat tragique d'une époque, le sang qui inonde la scène, dans le théâtre « baroque », ruisselle aussi dans la poésie amoureuse, témoignant du goût d'une époque pour toutes les manifestations de la vie charnelle, de la vie crue du corps.

Le thème du sang, du rouge, du sanglant, chez d'Aubigné.

Le sang apparaît d'abord, dans l'*Hécatombe,* lié à l'horreur de la guerre : rouge est le champ de bataille, rouge, l'âme du soldat à l'agonie. Par surimpression, l'image du champ laisse apercevoir celle du combat amoureux.

> « Je suis le champ *sanglant* où la fureur hostile
> Vomit le meurtre *rouge,* et la scytique horreur
> Qui saccage le *sang,* richesse de mon cœur,
> Et en se debattant font leur terre stérile. » [73]

Le champ chez d'Aubigné est toujours le lieu de l'affrontement hostile, aussi appelle-t-il naturellement la couleur *rouge,* et il est vu en action, vomissant ou fumant :

> « En fin, lors que le champ par les plombs d'une grelle
> Fume d'ames en haut, ensanglanté d'horreur... » [74]

Lieu naturel du combat, le champ ensanglanté est l'image même du cœur, ulcère saignant ; la couleur rouge les recouvre également l'un et l'autre, et la même fureur les habite. Par une assimilation voisine, le sang, richesse du cœur, est vu comme la terre fertile du champ, et, symétriquement (dans le premier quatrain), la terre saccagée est vue comme un corps mort. Le champ, grand corps meurtri, « vomit » ; le sang, terre du corps, est « saccagé » : ce double transfert, cette métaphore croisée, sont les signes d'une assimilation, qui n'est pas pur jeu de mots, mais expression d'une croyance. Dans un univers animé et universellement sensible, il n'y a pas d'hiatus entre l'homme et la nature, abreuvés du même sang.

Tout naturellement, la réalité de la guerre sert de contrepoint dramatique à l'expression du sentiment amoureux, et la couleur rouge du combat devient celle de l'amour :

> « Je vis un jour un soldat terrassé,
> Blessé à mort de la main ennemie,
> Avecq' le sang, l'ame rouge ravie
> Se débattoit dans le sein transpercé.
>
> De mille morts ce perissant pressé
> Grinçoit les dentz en l'extreme agonie (...)
>
> Ha, di-je alors, pareille est ma blessure... » [75]

Le rouge a ici double valeur, concrète et symbolique : placé immédiatement après le mot « sang », le rouge éclaire de pourpre le tableau tout entier, mais appliqué à l'« ame », il prend une valeur morale, et

---

73. A. d'Aubigné, *Le Print., op. cit.,* VIII, p. 64.
74. *Ibid.,* X, p. 66.
75. *Ibid.,* XIV, p. 71.

témoigne de la violence d'un sentiment ou d'une sensation : l'âme rougie du sang du corps est rouge aussi de souffrance.

Ces mêmes correspondances sont soulignées en dehors même des images de la guerre qui leur donnent naissance : dans le sonnet « blanc » [76], où domine le contraste du blanc éclatant et de toutes les teintes du noir (le noir, le basané, le noircy, le noir éteint), le rouge de la douleur se change en plaisir blanchissant :

> « Vostre blanc en plaisir taint ma rouge douleur... »

La couleur rouge affecte indistinctement toutes les manifestations de la vie sentimentale ou affective, rouge est l'arrogance [77] comme rouge est la Jalousie, fleur vénéneuse qui s'épanouit, cadeau empoisonné du Dieu Envieux [78].

D'autre part, un grand nombre de sonnets de l'*Hécatombe* trahissent une obsession du *sang*. Le sang met en valeur la blancheur de l'albâtre :

> « ...Voyez qui sont ces doigts
> D'albâtre ensanglantez... » [79]

Il rehausse d'une pointe rouge la fadeur du blanc pur, et marque du sceau de la cruauté le rire moqueur de la belle insensible :

> « Puis je voir la beauté qui me contraint mourir
> Se rire en sa blancheur de moy ensanglantée ? » [80]

Le sang qui éclabousse la face moqueuse de la belle marque en un sens une revanche de l'amant, qui modifie l'éclat de la beauté. Mais en même temps, la belle couverte de sang n'est que plus belle et plus impitoyable, et le triomphe apparent de l'amant s'achève en défaite : le sang glisse sans pénétrer sur le visage lisse de l'aimée, image d'une impossible possession. Le comble du malheur est atteint lorsque le sang même est refusé :

> « Mais elle fait secher de fievre continue
> Ma vie en languissant, et ne veult toutefois,
> De peur d'avoir pitié de celuy qu'elle tuhe,
> Rougir de mon sang chault l'yvoire de ses doigtz. » [81]

Au-delà de sa valeur esthétique, le sang prend donc une valeur de compensation : il est un « ersatz », et permet sur le plan imaginaire les plus brûlantes revanches.

Enfin, un groupe de sonnets, à la fin de l'*Hécatombe* [82], présentent le sang comme nourriture. Au thème de la terre « yvre de mon sang » [83],

---

76. *Ibid.*, XLII, p. 103.
77. *Ibid.*, St. XIV, p. 237. Voir aussi *Trag.*, VI, le rouge associé aux passions mauvaises (colère, orgueil...), par ex., VI, v. 809.
78. *Ibid.*, St. XIII, p. 233 et suiv.
79. *Ibid.*, s. XXI, p. 80.
80. *Ibid.*, s. LXII, p. 126. L'antithèse, certes, est banale : cf. cit. par H. Weber, *ibid.*, n. 3, Desportes et Grévin, mais A. d'Aubigné atteint, par la forte concentration des images cruelles, diffuses chez ces deux poètes, et par le degré d'abstraction, à une pureté mallarméenne du vers.
81. *Ibid.*, St. VIII, p. 217. Pour des images semblables dans la poésie italienne, cf. Weber, *ibid.*, n. 6 ; chez Baïf et Pontus, un même contraste de couleurs, et, dans les *Muses Ralliées* (1603, f° 143) une opposition de même ordre entre la neige des mains et le rouge agressif du sang...
82. *Ibid.*, XCVI, p. 164, XCVII, p. 165, C, p. 168.
83. *Ibid.*, s. LX, p. 124.

qui sera puissamment repris dans les *Tragiques,* répond le thème de la dame assoiffée de sang. Diane se voit offrir un cent de sonnets rougissants :

« Je brusle avecq'mon ame et mon sang rougissant
Cent amoureux sonnetz donnez pour mon martire
Mais quoy ? puis-je cognoistre au creux de mes hosties,
A leurs boyaux fumans, à leurs rouges parties
Ou l'ire ou la pitié de ma divinité ? » [84]

Diane est ainsi identifiée avec Diane-Artémis, la buveuse de sang humain, mais, plus inhumaine qu'elle, elle reste insensible à ce don de sang qui devait la « souller ». On retrouve là la même obsession : le rêve de couvrir de sang la belle impitoyable, le rêve de la posséder par le sang versé sur elle, se heurte à la froideur blanche qui est sevrage [85]. Le masochisme d'Aubigné ne trouve, pour combler son attente, qu'indifférence glacée, alors qu'il appelle un sadisme de compréhension. La plaie alors se fait couteau, et l'amant d'abord se transforme en un monceau de sang :

« Ouy, je suis proprement à ton nom immortel
Le temple consacré, tel qu'en Tauroscytie
Fust celuy où le sang appaisoit ton envie,
Mon esthommac pourpré est un pareil autel (...)
Si tu m'embrases plus, n'atten'de moy sinon
Un monceau de sang, d'os, de cendres et de braize. » [86]

Mais la possession ne s'accomplit sur le plan imaginaire que lorsque ce sang jaillira pour inonder la dame qui refuse de s'en abreuver :

« Il seignera sur toy... » [87]

Les *Stances* illustrent la même obsession ; le fantôme vengeur de l'amoureux viendra du sein des Enfers, le sang en la bouche, et le sang jaillissant inondera la dame :

« ...et la plaie mortelle
Qu'elle fit en mon sein reseignera sur elle...
Aux plus subtils demons des regions hautaines
Je presteray mon corps pour leur faire vestir,
Pasle, desfiguré, vray miroir de mes peines ;
En songe, en visions, ilz lui feront sentir
Proche son ennemy, dont la face meurtrie
Demande sang pour sang, et vie pour la vie. » [88]

Ces images cruelles d'un amour qui exige sang pour sang sont proches des motifs « sanguinaires » librement développés dans les *Stances* ; le poète se complaît à savourer l'image de la curée, à forte valeur érotique et sadique :

« D'où as tu, sanguynaire, extrait ce naturel ?
Est-ce des creux rochers de l'ardente Libie
Où tu fouillois aux reins de quelqu'aspit mortel
Le roux venin, le suc de ta sanglante vie,
Pour donner la curée aux chaleurs de ton flanc... » [89]

---

84. *Ibid.,* XCVI, p. 164.
85. *Ibid.,* LXXXIX, p. 156, v. 6, « Tu m'as sevré... »
86. *Ibid.,* XCVII, p. 165.
87. *Ibid.,* C, p. 168.
88. *Ibid.,* St. IV, p. 201.
89. *Ibid.,* St. XIV, p. 237, v. 7 et suiv.

Il s'agit bien de « folle volupté » [90] ; toutes les images réunies ici expriment, outre le goût pervers pour le sang, le désir d'éventrer, de fouiller, de sonder, pour pouvoir se repaître et s'abreuver de sang, en une jouissance monstrueuse et apaisante.

Le sang apparaît ainsi sous plusieurs aspects : il est couleur, il est nourriture [91] de la sensualité la plus exigeante, il est amer breuvage de l'appétit pervers, il est jaillissement accusateur, instrument de la jouissance sous sa forme monstrueuse, il abreuve :

> « Ores es tu contente, o Nature meurtriere,
> De tes plus chers enfants impitoiable mere,
> Tigresse sans pitié,
> As tu saoullé de sang ta soif aspr'et sanglante... » [92]

Sous chacun de ces aspects, le sang est à la fois signe visible de la cruauté de la nature féminine — qu'elle soit amante ou mère, la femme est vue comme la goule assoiffée de sang, dont la chaleur lubrique réclame le bain régénérateur —, et seul apaisement au désir brûlant. Le sang apaise de deux manières (complémentaires) : il se substitue à la possession, marquant de sa trace visible le corps de l'aimée et il assouvit la fureur de l'amant, lorsque celui-ci rêve de devenir cadavre sanglant :

> « Frape doncq, il est temps, ma dextre, que tu face
> Flotter mon sang fumeux, bouillonnant par la place
> Soubz le cors roidissant... » [93]

Le sang exerce sur d'Aubigné une véritable fascination. Parti de la sanglante horreur de la guerre, qui nourrit son imagination lors même qu'il s'attarde aux évocations sensuelles de la jouissance amoureuse, il en vient bientôt, par une amplification dramatique, à voir le sang ruisseler sur tous les emblèmes de la vie érotique : sein, poignard nu, visage découvert, cœur transpercé. Le sang tiré par violence d'autrui confond alors ses ruisseaux avec ceux du sang offert en témoignage [94], tandis que le rêve de saigner abondamment, de s'épancher en liqueur rouge, se mêle au rêve de faire saigner, de forcer le sang à appeler le sang, « sang pour sang, vie pour vie ». Dans un dernier effort, le sang envahit les astres rougissants [95], les « rouges destins » [96], dans un élargissement cosmique caractéristique de l'imagination d'Aubigné [97].

---

90. *Ibid.*, v. 21.
91. Cf. *Les Trag.*, I, v. 129-130 :
> « Or vivez de venin, sanglante geniture,
> Je n'ay plus que du *sang* pour vostre *nourriture*... »
92. *Id., Le Print.*, St. XVI, p. 244. Pour l'image de la Nature dénaturée, marâtre acharnée à la perte de l'enfant, voir les *Trag.*, passim et notamment I, v. 89 et suiv.
93. *Ibid., St.*, XVI, p. 245, v. 55 et suiv.
94. Il est intéressant de constater dans *Les Trag.* la double valeur du sang : coulant, il est celui des bourreaux (VI, v. 559, « sanglant, ton sang *coula...* »), il fuit le pervers (*ibid.*, v. 679, le sang « fuitif » de Julien), il désigne le vice, la perversité (v. 815 « leur sang coula...). Le sang *versé* au contraire est celui des victimes. La passivité douloureuse s'oppose à une activité cruelle. (VI, v. 633, « Ces bourreaux furieux eurent des mains fumantes / Du sang tiede *versé*... »
95. *Id., Print.*, s. LX, p. 124.
96. *Ibid., St.*, III, p. 192, v. 6.
97. Dans *Les Trag.* appliquées à une réalité différente (martyre) on retrouve les mêmes associations, VII, v. 913 et suiv. (les yeux du ciel saignent, la lune prend « son visage de sang »...)

Toutes ces images sanglantes, dont la cohérence — avant même les *Tragiques,* est remarquable, renvoient à une obsession — toujours semblable sous des formes variées — : celle de la découverte, de la mise à nu. Parce qu'il est « pur » [98], parce qu'il est l'être sous sa forme la moins contestable, témoin irrécusable, le sang *révèle* : il suffit de suivre ses traces pour découvrir l'être [99].

Le thème du sang chez les contemporains d'Aubigné.

Bien que le thème du sang soit moins fréquemment illustré chez les autres poètes pré-baroques que chez d'Aubigné, il revient cependant avec une insistance remarquable : certes, les images sanglantes ne s'organisent pas véritablement en réseau obsédant comme dans le *Printemps,* mais elles manifestent, par le retour d'un certain nombre de motifs identiques, un goût commun, une même sensibilité profondément affectée par la vie physiologique du corps, si tendre et si sensible, et un même désir de traduire par des métaphores charnelles la violence de la rage amoureuse.

Le sang offert.

Un des motifs principaux est l'offrande de sang. Le sang s'identifiant dans la mentalité commune à la vie — donner son sang, c'est donner sa vie —, l'amant désespéré, désirant donner à la belle impitoyable un témoignage irrécusable de sa passion — soit qu'elle en doute, soit qu'elle ne la mesure pas à sa juste importance, soit encore qu'elle en vienne à accuser le fidèle serviteur d'inconstance —, rêve de révéler, par l'épanchement, la vérité de son amour.

C'est dans cet esprit que Flaminio de Birague, reprenant la complainte de l'amant désespéré, célèbre la douceur amère d'une mort offerte en témoignage à l'insensible maîtresse. Non point une mort langoureuse, mais une mort violente, qui succède à une première ouverture sanglante, celle du cœur provoquée par Amour.

Le sang est ainsi offert à l'odorat de l'aimée, qui le « hume » pour s'en repaître :
« Je sens déjà saillir de toute fosse obscure
Mille fiers animaux, goulument animés
Qui à me dévorer mettront toute leur cure
D'un loup m'entomberont les boyaus affamez...
Or t'esjouis ingrate en ma mort douloureuse
Viens humer tout mon sang, soule toy desormais.
Je t'offre de mon cœur l'offrande bienheureuse. » [100]

P. de Brach fait à sa dame semblable proposition :
« Le seul remède à me guérir
C'est l'espoir que j'ay de mourir (...)
Je le veus : par un coup plus fort
Haste toy de cercher ma mort
T'enyvrant au sang de mes plaies. » [101]

---

98. Cf. *Print., St.,* I, p. 172, v. 173 : « Neuf goutes de sang *pur* naistront sur ma serviette... » C'est parce qu'il est pur que le sang abandonne le corps du pervers.
99. *Ibid.,* St., III, v. 11 et suiv., p. 194.
100. F. de Birague, *op. cit., Stances,* p. 82.
101. P. de Brach, *op. cit.,* liv. II, Ode, I, p. 127.

Si l'on trouvait chez les poètes latins, Properce en particulier, une invitation de ce genre [102], P. de Brach a sensiblement modifié l'image, y ajoutant une notation cruelle, qui renvoie à une conception de l'amour bien différente ; la dame est présentée comme une déesse avide de sang frais, capable de prendre un monstrueux plaisir à étancher sa soif dénaturée, et les relations qu'elle entretient avec son serviteur sont elles-mêmes nouvelles, fondées sur le besoin de souffrir ou de faire souffrir.

Plus remarquable encore par sa violence, Nuysement « vomit » sa rouge douleur, trouvant l'apaisement dans l'excès même de sa rage qui le fait éclater en mouvements furieux :

> « Comme on voit en esté une bruiante nue
>   Que le roide Aquillon va parmy l'air roulant,
>   Pleine de tous costez se crever grommelant,
>   Et vomir le discord qui la rendoit emue :
>
> Tantost embraser l'air d'une flamme incognue (...)
>   Ainsi mon esthomac comblé d'amoureux feu
>   Qui de tes chauds regards croist toujours peu à peu,
>   Veut vomir la douleur qui le brule et l'entame. » [103]

Bien que l'image sanglante ne soit ici qu'allusive, tout le texte suggère la réalité d'un épanchement sanglant : la comparaison qui ouvre le sonnet propose déjà une lecture de ce genre, puisque l'orage naturel est décrit comme un acte physiologique, la nue se crève, comme le cœur se crève, et vomit comme l'estomac. L'alliance du concret et de l'abstrait rend plus sensible cette offrande d'un cœur, qui porte, par son épanchement, témoignage. Car tout l'effort de Nuysement est de témoigner par le sang :

> « Mon sang brusle, et mon front d'une paleur esteinte
> Témoigne... » [104]

De même, Béroalde imagine une ultime satisfaction : que le sang, lui tenant lieu de larmes, soit « juste témoin » du mal subi...

> « Je veus estre un beau mort vivant entre les morts,
>   Mourant entre les vifs (...)
> *Larmes toutes de sang* monstreront ma douleur,
>   Les visibles souspirs des fragmens de mon cœur,
>   Seront *justes tesmoins* du malheur que j'endure... » [105]

Ainsi l'offrande de sang, dernier témoignage, assouvit à la fois la cruauté de la dame et la fureur désespérée de l'amant.

Le sang et l'apaisement.

Comme A. d'Aubigné, rêvant de satisfaire en imagination, par l'écoulement sanglant, le désir furieux qui l'anime, Nuysement propose à sa fureur le seul apaisement qui lui convienne :

102. Properce, *El.*, II, IX, 37 et suiv.
103. Nuysement, *op. cit.*, X, p. 35 v°.
104. *Ibid.*, XXIII, p. 39.
105. Béroalde, *Souspirs, op. cit., Complainte*, f° 47.

> « Malgré eux, malgré toy, desdaignant ta rigueur,
> De ce poignart icy, je perceray mon cœur,
> Et rendray de mon sang ma fureur assouvie. » [106]

Le sang seul brise la rage, et, utilisé comme un fer (auquel il est fréquemment associé dans la symbolique collective), éteint la flamme, rouge comme lui, de la passion amoureuse :

> « Je veux forcer mes mains de briser le sainct trait
> Qui premier ulcera mes poulmons et mon âme,
> Je veux forcer mon sang d'esteindre ceste flamme... »

Si l'image reste ici rapide et relativement discrète, la thématique de l'ensemble du recueil illustre les vertus du sang, un sang-matière riche et lourd, qui nourrit et rassasie, qui abreuve et régénère. Le sang accumulé devient étang, non pas vaste étendue plate et lisse, plaine liquide, mais accumulation tumultueuse de matière rouge, animée de tourbillons qui envahissent les veines,

> « De mes yeux languissants descoullent deux torrents,
> Ma playe fait de sang un estang par dedans,
> Qui regorgeant se crève et s'espand dans mes veines. » [107]

C'est dans ce sang-étang, pléthorique, vivant, qu'Amour cruel se baigne [108] et se rassasie, tandis que l'amant se sent défaillir, ouvert, vidé de sa substance, apaisé par l'hémorragie.

C'est un apaisement de même sorte que décrit A. Jamyn, lorsqu'il pense répondre à la cruauté d'Artémis, que seul assouvit le sang qu'elle se plaît à faire couler, par un témoignage sanglant.

> « Apres que mille traits tirez de tes beautez
> Ont souillé dans mon sang leurs pointures dorées
> Afin que tes rigueurs fussent demesurées
> Et que muet je fusse à tant de cruautez ;
>
> En ma langue tes dards se sont englantez
> Imitant la fureur des superbes Terees,
> Et tout d'un mesme coup leurs pointes acerees
> M'ont le cœur et l'espoir et la vois emportez. » [109]

Si, comme chez Nuysement, de l'excès même du mal, naît une espèce de satisfaction amère, et si Jamyn décrit avec volupté l'étrange défaillance de l'être sous les assauts mauvais de la fureur féminine, le texte prend une tonalité particulière par l'introduction du thème « littéraire » : l'encre « perdurable », l'encre-sang, témoigne de manière irrécusable, et « découvre » la cruauté reçue. Par là, ce qui est insupportable à l'amant-victime devient précieux pour l'écrivain-Philomèle, qui fera de ce sang la matière même de sa poésie. Qu'importe que l'amant soit sans voix si le poète, lui, a la voix assez forte pour transformer la douleur en poème ? Le sang chez Jamyn a double fonction : d'apaisement, lorsqu'il contente l'appétit cruel de la dame ; de révélation, lorsqu'il porte témoignage, par l'œuvre, d'un mal ressenti dans toute sa violence.

---

106. Nuysement, *op. cit.*, XXXIII, p. 41.
107. *Ibid.*, SLIII, p. 43 v°.
108. *Ibid.*, *Stances*, p. 62.
109. Jamyn, éd. Brunet, p. 94 (Comparaison de Teree).

Les divers états du sang.

Le sang est souvent associé au fer : liquide s'épanchant du cœur ouvert, métaphore de la vie, il s'oppose au fer, matière solide et résistante, métaphore de la mort. Ainsi Jamyn voit dans le sang liquide l'accessoire du trait qui le déchire :

> « J'avois en main la guerrière Iliade
> Quand l'Archerot, d'une forte tirade,
> Rompit son sein, et le cueur me chercha,
> Et bien avant sa pointure y cacha.
> Comme un fer chaud (...)
> Siffle fumeux (...)
> Ainsi le trait par Amour décoché
> Au fond du cœur profondément fiché
> Siffle en mon sang où sa force il détrempe,
> Sang qui lui sert d'une trop bonne trempe
> A mon malheur... » [110]

Sang gelé.

Mais le sang peut cesser d'être liquide. Se figeant soudain, il n'est plus alors comme quand il coulait, ruisselant, la vie dans sa fluidité. Perdant sa liquidité, il devient matière dure et coagulée. Pour Béroalde, « le sang n'est plus sang » :

> « Ma vie n'est plus rien que ceste humeur gelée
> Qui esteint mes esprits, et la douce chaleur
> Dont jadis je vivois, s'eslougnant de mon cœur,
> Me laissant un vain corps, de moy s'est envolée. » [111]

Le sang gelé, matière froide et compacte, a perdu à la fois son humidité nourrissante et sa chaleur, qualités fécondantes de la vie physiologique :

> « Mon sang est tout gellé (...)
> Mes nerfs sont retirés et je sens amortie
> La vertu qui tenoit mes esprits en chaleur,
> Mes os n'ont plus en eux ceste agreable humeur
> Qui les entretenoit, et ma force est faillie.
> De mon cerveau séché goutte à goutte est sortie
> La douce humidité qui lui donnait vigueur (...)
> Et je n'attens plus rien qu'en mon heure dernière
> La mort de mes poulmons oste le mouvement. » [112]

L'agréable humeur, la douce humidité, la chaleur, sont les qualités du sang liquide, vivant, circulant. Refroidi, rendu compact et sec, il cesse de se mouvoir ; comme une plante qui manque d'eau, tout organe alors périt : les nerfs sont « retirés », les esprits refroidis, le cerveau asséché, les yeux aveuglés. Seul subsiste, comme un balancier fou, le mouvement spasmodique des poumons, bientôt arrêté à jamais.

Cette représentation du sang gelé, caractéristique d'une poésie qui utilise les images physiologiques dans leur brutalité, se retrouve aussi, de façon plus allusive, chez Jamyn :

---

110. *Id., Artémis, éd. cit., Elégie*, p. 124 v°.
111. Beroalde, *Souspirs, op. cit.*, IX, p. 6 v°.
112. *Ibid.*, LV, p. 36 v°.

« Je criay, mais mon sang qui se gela de crainte
Fait estoufer ma voix sous l'esthomac contrainte. » [113]

Le cœur privé de sang.

Les poètes pré-baroques aiment, comme d'Aubigné, les états ambigus, entre l'« estre » et le « non-estre » comme dit Montaigne, et ils s'attachent à décrire la situation difficile du cœur privé de sang, que le défaut d'irrigation rend infirme.

J. de la Jessée se présente en amant-martyr, blême et alangui, atteint dans ses forces vives :

« Amour m'attaint d'une ardeur si cruelle
Grillant mon ame, et me piquant au flanc :
Qu'il m'a sucé des veines tout le sang,
Du cœur la force, et des os la mouëlle.
    Ainsi j'accroy ma maigreur naturelle,
J'ay le teint blesme, et le visage blanc... » [114]

Le sang, associé ici à la force et à la moelle, est bien le principe de la vie et de l'énergie ; la blancheur inquiétante de l'amant témoigne de cette déperdition, de ce manque. Cause de ce désastre, Amour qui « grille » conduit au desséchement l'amant furieux.

A. Jamyn ajoute à un tableau très proche de celui-là une notation cruelle :

« Tel que le froid serpent (...)
Tel s'agite mon cœur privé de ses esprits,
Delaissé de son sang, qui de crainte soudaine
Tremble (...)
Toutefois roule aux pieds de celle qui l'a pris. » [115]

Ce cœur « délaissé de son sang » témoigne, par un mouvement brutal, du choc subi et désigne de façon spectaculaire les responsabilités. De la même manière, le sang chez Nuysement quitte son lieu naturel, le cœur qui défaille, et, brûlant au lieu de rafraîchir, est signe visible de l'échec [116]. Béroalde enfin décrit l'état de « mort à demy », l'étonnante sécheresse d'un être exsangue, encore souffrant bien qu'au bord extrême de la vie :

« De mon sang exalé toute l'humeur périe
Me laisse desséché et l'esprit de mon cœur
Esteint par trop d'ennuy, me pousse en ma douleur
Aux extremes effaits de la melancholie.

Ha ! Presques hors de moy forcenant de furie
Tué, brisé, rompu, accablé de malheur,
J'ay soucy, j'ay despit, j'ay crainte, j'ay horreur
De ces yeux, de mon mal, de la mort, de ma vie. » [117]

Ces thèmes renvoient à l'intérêt manifesté alors pour tout ce qui touche à la mort et à sa liaison intime avec la vie, pour les états intermédiaires de l'être « mort à demy », et à demi-vivant, pour le mystère de l'agonie, ce combat entre l'être et le non-être. La poésie

113. Jamyn, O.P., éd. Brunet, p. 108.
114. J. de la Jessée, op. cit., p. 784.
115. Jamyn, Artémis, éd. cit., p. 189 v°.
116. Nuysement, op. cit., XVIII, p. 39.
117. Beroalde, Souspirs, LXIII, p. 46 v°.

amoureuse n'est pas seule à porter témoignage [118], mais elle le fait avec un éclat particulier, dans la mesure où elle s'attache à l'action qui, avec le sommeil, manifeste le mieux l'absorption et la dissipation de l'âme, et son lien avec la mort [119].

Ainsi, les thèmes sanglants manifestent, chez les lyriques pré-baroques, outre un goût nouveau pour tout ce qui touche à la vie matérielle du corps et de ses fonctions, la naissance d'un érotisme furieusement ouvert à la cruauté. Du néo-pétrarquisme reçu en héritage, d'Aubigné et Nuysement, Birague et Béroalde, Jamyn, La Jessée, retiennent l'image de la femme tyrannique, capricieuse et légère, qui s'ingénie à torturer, autant qu'il est en son pouvoir, l'amant passif et étrangement soumis qui s'aliène et s'« estrange ». Mais cette image se trouve modifiée et dramatisée : la femme cruelle de Desportes ou Jodelle devient ici sanguinaire, son goût à infliger la souffrance devient soif de sang. La nature même du rapport qui l'unit à l'amant est altérée : la relation traditionnelle de supériorité d'une dame par rapport à son amoureux se trouve ici transformée en relation du bourreau à sa consentante victime. Si cet aspect est particulièrement visible dans le *Printemps* d'Aubigné, qui multiplie les images présentant l'amante comme un vampire, et plus atténué chez les contemporains, il n'en reste pas moins vrai que tous ces poètes, à des degrés certes différents, marquent, avec une insistance troublante, la poésie amoureuse du rouge sceau de la cruauté. Le sang offert à la dame en témoignage, le sang-liquide apaisant, ou le sang-matière, indiquent un nouveau parcours, une piste fraîche, jalonnée de traces sanglantes...

Les thèmes de l'amour furieux et la sensibilité poétique.

Les « sanglots violents », les cris et les larmes « toutes de sang » définissent une nouvelle sensibilité, et une nouvelle conception de l'amour. D'une part, autour des années 1570-1575, l'homme devient plus accessible à la pitié comme à la cruauté, son âme s'affine et goûte dans leur horreur ou leur exaltante beauté des spectacles qui, naguère, le laissaient indifférent : le spectacle quotidien d'actes criminels ou d'admirables exploits secoue l'inertie sentimentale, et apporte délectation ou déplaisir. « Je vy, dit Montaigne [120], en une saison en laquelle nous foisonnons en exemples incroyables de ce vice (la cruauté), par la licence de nos guerres civiles ; et ne voit on rien aux histoires anciennes *de plus extreme* que ce que nous en essayons tous les jours. Mais cela ne m'y a nullement apprivoisé... » Ce témoignage d'un esprit si tendre et si sensible est significatif, comme celui que nous donne dans ses *Tragiques* A. d'Aubigné, d'une modification profonde des sentiments. L'horreur tragique fait désormais partie du sentiment quotidien de l'existence, l'« extreme » devient la marque de tout événement. Aussi voit-on la poésie s'ouvrir naturellement à cette fureur, à ce débordement, qui caractérisent la « saison » des guerres fratricides. Une conscience

---

118. Voir notamment la terrible description de l'homme « demi-mort » « demi-vif » dans *Les Trag.*, I, v. 383-396.
119. Cf. Montaigne, *Les Essais, éd. cit.*, III, V, p. 878.
120. *Ibid.*, II, XI, p. 932.

plus aiguë des états extrêmes de l'âme, saisie dans la béatitude ou dans
le tourment insupportable d'une interminable agonie, une réflexion plus
subtile sur la jouissance et ses rapports avec la souffrance (Montaigne
encore, et d'Aubigné...), voilà ce qui définit la nouvelle sensibilité, fine
et perspicace.

D'autre part, la psychologie de l'amour se modifie en profondeur :
l'analyse de Montaigne met l'accent sur l'ardeur d'une action si folle,
qui « se fonde au seul plaisir », à laquelle il faut « de la piqueure et de
la cuison » [121] ; l'amour est vu comme la « naturelle violence », un
« animal glouton et avide » qui « forcene » et souffle « sa rage » dans
les corps [122]. La poésie pré-baroque illustre cette analyse : point d'amour
sans désir tyrannique, sans dérèglement, sans fureur. Béroalde, A. d'Aubigné, Nuysement, Birague... disent tous, et dans les mêmes termes,
l'excessive ardeur d'une rage amoureuse qui détruit le fragile équilibre
d'une âme mal assurée, et la tient, comme dit Montaigne, « en haleine ».
L'amour est une « agitation mordicante » qui sollicite et chatouille
l'imagination. Il devient le point de repère d'une existence incarnée, qui
plonge ses racines dans la vie organique du corps. De ce point de vue,
les images et métaphores charnelles qui décrivent l'Eros dans sa crudité
témoignent de la liaison de l'âme et du corps, cette question laissée
sans réponse [123].

Ainsi la poésie pré-baroque, dans sa fureur, dans son excessive
ardeur, éclaire le lecteur sur les modifications de la sensibilité et de la
psychologie amoureuse à partir des années 1570-1580. Sa beauté vient
de l'acceptation du délire, du dérèglement. Comme Montaigne, le poète
est partagé : l'amour lui apparaît à la fois comme l'action la plus folle,
avec sa « rage indiscrette », ses « absurdes mouvement escervelez et
estourdis », la plus « trouble », et aussi la plus utile et plaisante.

---

121. *Ibid.*, III, V, p. 854.
122. *Ibid.*, III, V, p. 859.
123. Cf. Montaigne citant Saint-Augustin (cité de Dieu, XXX, X), *Essais*, II,
XII, p. 539.

MODIFICATIONS DU PAYSAGE ET DU DECOR NATUREL
DANS LA POESIE PRE-BAROQUE (1570-1590)

L'étude de l'héritage ronsardien nous a permis de constater [1] que la nature animée et odorante du Vendômois apparaissait encore après 1570 chez les épigones (Jamyn, de Brach, Habert...). Mais, sauf chez les fidèles disciples de Ronsard, qui maintiennent, parfois sans conviction, la tradition « méditerranéenne » d'une nature ensoleillée, épanouie et chaude, dont la sympathie est accordée aux sentiments délicats et un peu mièvres de l'amant-berger, la tendance générale de la poésie après 1570, comme cela apparaît avec une netteté parfaite chez Desportes, est d'évacuer le monde extérieur et ses objets. Les Néo-pétrarquistes, à la différence des Pétrarquistes, ne font plus place aux lieux concrets, aux rivières familières, aux montagnes proches, au bocage. La nature, si elle est encore invoquée, est une nature abstraite, dont les éléments : bois, fontaine, source ou forêt, sont conventionnels, appelés mais non décrits, groupés en faisceau, indissociables. Dans cette poésie qui chante la dépossession, l'absence, le vide, nulle place n'est faite au sentiment de la nature : décoloré, privé d'âme et de voix, le paysage renvoie l'amant à son chaos interne.

C'est par rapport à ces deux stylisations qu'éclate le mieux la nouveauté du paysage pré-baroque. D'un côté, il s'oppose au paysage ronsardien par sa noire splendeur : sombre, orageux, lourd de menace, il ne constitue plus un décor agréable pour la promenade d'amoureux, ou pour les jeux du souvenir ; l'automne orangé, couleur de mort, a succédé au printemps matinal, comme le brun a remplacé le vert et ses nuances acides. D'un autre côté, il s'oppose encore davantage au décor néo-pétrarquiste : les éléments que retiennent les poètes pré-baroques composent en effet un paysage mental qui s'accorde à l'âme inquiète, sensible, et toute retenue par les images de la mort. Si le poète pré-baroque écarte, comme le néo-pétrarquiste, toute référence à la réalité extérieure du monde, en revanche, il accorde une importance très grande au paysage intérieur, et projette dans la description d'une réalité imaginaire ses désirs et ses craintes. La nature, pour être ainsi corrigée et modifiée, née de l'angoisse plus que de la vue, n'en est pas moins présente dans les recueils amoureux, nature recomposée par la

---

1. Voir plus haut, premier livre, première partie, chap. III.

sensibilité, organisée, non plus par un créateur soucieux d'harmonie, mais par un démiurge un peu fou, qui s'empare du monde pour le déformer.

Le décor naturel chez les poètes pré-baroques est donc encore lié à l'expression du sentiment amoureux, dont il constitue le reflet. La nature sympathique s'ouvre désormais à la noire fureur : elle n'écoute plus les tendres soupirs, mais les imprécations et les cris violents ; elle est peuplée de sombres puissances, acharnées à mal faire, exigeantes, cruelles ; elle se laisse enfin envahir par une nuit effrayante, propice au sabbat des sorciers et des malicieux démons...

D'autre part, la nature naguère verdoyante et féconde en son humidité, se dessèche et se stérilise : le « locus amoenus »[2] cède la place à un autre topos, celui du paysage sauvage. D'une stylisation à une autre, d'un « lieu » à un autre, la poésie décrit l'évolution de la mentalité poétique, et du goût : désormais, et durant toute la période baroque en France, la nuit et ses ombres, le désert et ses vastes espaces dépeuplés, la nature sauvage, seront plus féconds poétiquement que le jour, la prairie délicieusement fraîche et le bocage.

I - Les thèmes des ombres et de la nuit

L'amant furieux qui forcène en sa rage n'a pas d'yeux pour contempler la beauté du monde, ni d'oreilles pour ouïr le murmure apaisant des sources vives. A sa douleur qui s'épanche en cris violents, à son angoisse, convient seule la désolation d'un paysage vide, obscurci par d'étranges ténèbres. Il se plaît à parcourir les espaces dépeuplés, s'enchante du grondement des torrents qui, comme lui, vomissent l'aigreur, se jette à corps perdu dans les gouffres qui s'ouvrent devant lui et lui proposent l'anéantissement.

La nuit fantastique de Béroalde.

Béroalde « chemine à tâtons par le sentier d'amour »[3] : privé de jour, livré à l'« erreur » de ses yeux[4], il va en aveugle, et parcourt en tous sens un lieu mal défini, aux frontières imprécises. Le décor dans lequel il se plaît est sauvage, envahi par l'obscurité, douce à ses yeux fatigués, et peuplé d'ombres menaçantes et rassurantes à la fois :

> « Mon esprit erre en bas en la plaine obscurcie,
> Et mon corps au tombeau croist le nombre des morts,
> Ma vie sous l'horreur des meurtrissants efforts
> Qui bourrellent mon cœur, de moy s'est départie. »[5]

Sa nuit est pleine de fureur et de bruit : non plus royaume du silence et de la paix, mais domaine réservé à la cruauté, à la folie des Filles

---

2. Pour les principaux éléments qui composent ce topos, voir Curtius, *op. cit.*, p. 240.
3. Beroalde, *Anth., op. cit.*, VI, p. 26.
4. *Ibid.*, p. 27.
5. *Id., Souspirs, op. cit.*, XII, f. 7.

de la Nuit auxquelles sans réticence il se livre, pour qu'elles le froissent et le déchirent :

> « Vous Filles de la Nuit, vous Fureurs eternelles,
> Vous qui froissez là-bas, dessous vos mains cruelles,
> Les esprits eschappés du monde et de leur corps,
> Chassés par vos rigueurs la rigueur de ma gesne,
> Et si la peine peut se chasser par la peine,
> Faites fuir de moy par ma mort mille morts. » [6]

Au clair paysage ronsardien, lumineux et printanier, éclatant dans sa parfaite sérénité, s'oppose un paysage d'ombre et de mort, animé non plus par les dieux du Jour, à l'aube d'un matin d'été, mais par les puissances d'en bas, déesses nocturnes acharnées à déchiqueter l'âme vagabonde de l'amant éperdu :

> « Perdés, froissés, tués ceste ame vagabonde,
> Qui délaissant le jour cherche vostre manoir,
> O Puissances d'en bas... » [7]

Le paysage de Béroalde est constitué par des éléments sombres : ombreuses forêts, « des obscures nuits l'horreur espouvantable », antres écartés. La lumière du soleil n'y pénètre pas, et l'ombre hostile se fait la complice du désespoir :

> « Je veux seul escarté ores dans un bocage
> Ores par les rochers, souspirer mon dommage
> Et plaindre sous l'horreur du destin irrité.
> Je veux auprès des eaux tristement murmurantes
> Et près l'obscurité des grottes effrayantes
> Soulager mon esprit de soucis tourmenté. » [8]

Les ténèbres sont à la fois recherchées — comme seul lieu possible — et haïes, englobées dans un refus total de la vie. En même temps le poète rêve de devenir lui-même ombre ténébreuse, sans épaisseur, sans corps :

> « Je veux d'un coup mortel perçant mon triste cœur,
> Tomber ombre légère et croistre misérable
> Le nombre des esprits de la plaine effroyable
> Qui sans corps, vains, legers, toujours surpris de peur,
> Sont là-bas vagabonds tallonez de l'horreur...
> Que je cherche la nuit, que j'abhorre le jour
> En encore s'il se peut qu'en ces plaintes funèbres
> Afin de n'aymer rien, je haye les tenebres. » [9]

Ce paysage obscur, peuplé d'ombres, n'est pas moins « idéal » que le paysage verdoyant du Vendômois, pas moins stylisé, il est même en un sens plus conventionnel, et se rattache à un « lieu » : la description des Enfers, celle des Champs Elyséens. Il est en tout cas envahi par le mythe, et il est significatif qu'il prenne désormais le pas sur le paysage idyllique.

---

6. *Ibid.*, **XIX**, f. 9.
7. *Ibid.*, **XX**, f. 9.
8. *Ibid.*, *Adieu*, f. 41 v°.
9. *Ibid.*, *Elegie*, V, f° 37 et suiv.

La nuit blesme de Birague.

Le décor de Birague est assez semblable ; le thème de la nuit est ici utilisé pour le contraste qu'il offre au thème de la clarté luisante :

> « Tous ces oiseaux qui sous la Nuit obscure
> D'un triste vol se plaignent lentement
> Ne sont témoins du doux commencement
> De mon amour sainte loyale et pure
>
> Les clairs ruisseaux les bois et la verdure
> Des pres fleuris d'un beau bigarrement
> Sont seuls temoins du bien et du tourment
> Que pour aimer égallement j'endure
>
> La Nuit n'eut seu dans son sein recéler
> Mon feu luisant, qui peut estinceler
> Parmy les cieux, aux Enfers, et sous l'onde... » [10]

L'ombre, les ténèbres composent un décor idéal pour l'amant « orphelin de ses sens » qui se plaît à errer, devenu lui-même une ombre, « aux effroyables bois », compagnons de silence :

> « Hoste mélancholique
> Des tombeaux et des crois
> J'erreray fantastique
> Aux effroyables bois,
> Compagnon des forêts
> Et des démons secrets.
> . . . .
> Bref je hais la lumière
> Qui me monstre autre objet
> Que ma douce guerrière
> . . . .
> Je suis jà ombre blesme
> Orphelin de mes sens
> Errant idole affreux
> Dans l'Orque ténébreux. » [11]

Les « ombrages secrets », les « deserts escartez » deviennent les « seurs témoins » des amours « rebelles » [12].

Le lyrisme des ombres et de la nuit chez du Perron.

Du Perron célèbre la Nuit magnifique, traversée d'éclairs, illuminée par les étoiles, cette nuit plus belle que le jour, confidente et complice :

> « Quand le flambeau du monde
> Quitte l'autre sejour
> Et sort du sein de l'onde
> Pour rallumer le jour
> Pressé de la douleur qui trouble son repos
> Devers lui je m'adresse et lui tiens ces propos (...)
> Je cherche les ténèbres
> Les antres et les bois
> Dont les accents funèbres
> Répondent à ma voix

_____

10. Birague, *op. cit.*, V, p. 2.
11. *Ibid., Ode,* p. 90.
12. *Ibid.*, VIII, p. 3.

> La crainte et la terreur marchent à mon côté
> Et de mes propres cris je suis espouvanté.
> Pendant que le jour dure
> Des autres tant souhaité
> Je cours à l'aventure
> Parmi l'obscurité
> Cherchant quelque accident qui finisse mon sort
> Et ne vivant sans plus que pour chercher la mort... » [13]

Ici, les ombres ne sont plus seulement l'écho intime de la douleur amoureuse, dont elles se font les complices : elles sont une clarté supérieure qui guide l'âme assoiffée d'obscurité. On observe un renversement de la thématique habituelle : la nuit éternelle « éblouit » la prunelle, et, loin de procurer l'heureux sommeil, tient les yeux bien ouverts sur l'immensité ténébreuse ; le jour, lieu de la vive clarté, devient ici séjour de l'obscurité. L'astre noctrune est un nouveau soleil, aux flammes claires et belles ; la clarté éblouissante de la nuit est préférée à l'obscurité angoissante du jour, car elle seule guide vers la nuit du tombeau — nuit si éclairante qu'elle transforme enfin la nuit en jour, l'hiver en été, et la mort en vie.

La recherche de la nuit et le goût des ombres ne va pas sans une sorte de peur devant les prestiges fallacieux du jour qui éclaire cruellement la souffrance amoureuse. L'ombre est moins chez du Perron le séjour de l'horreur que le lieu d'une tristesse douce et finalement apaisante. La prédilection pour les tableaux sombres de la vie nocturne est un trait caractéristique de la sensibilité meurtrie après 1570.

La Nuit triste et sombre de Nuysement.

> « Une nuit triste et sombre
> M'entourneroit le chef, si mon feu peu à peu
> En forceant l'épaisseur ne triomphoit de l'ombre. » [14]

Tout commence chez Nuysement par un combat contre les ombres : le décor stylisé retient comme éléments essentiels le « grand voelle obscurci » annonciateur de l'orage qui devient la figure expressive du tourment amoureux, et « l'éternelle nuit » au sein de laquelle brille étrangement le regard luisant de la dame.

Mais progressivement les ténèbres cessent d'être ennemies : l'appel à la mort est bientôt lancé, et par un renversement dont les poètes contemporains offrent maint exemple, la nuit hostile devient la nuit aimée, seule dispensatrice d'amer plaisir.

> « Combien combien de fois au soir sous la nuit brune
> Errant comme un taureau par amour furieux
> Ay je maudit le sort la nature et les dieux
> . . . .
> Combien ay je invoqué par les ombreux destours
> Des bois remplys d'effroy la mort à mon secours ? » [15]

Les ténèbres effroyables commencent d'être recherchées parce qu'elles stimulent plus que la douteuse clarté du jour l'imagination

---

13. Du Perron, *Œuvres Complètes*, éd. 1622, *Complainte*, V, p. 62.
14. Nuysement, *op. cit.*, XLVII, p. 44 v°.
15. *Ibid.*, LX, p. 48.

amoureuse, qui se plaît à être secouée et comme excitée au contact de l'étrange, de l'insolite. Comme d'Aubigné et en même temps que lui, Nuysement déteste ce qu'il aime, et lui préfère ce qu'il hait. Détournant son attention des chemins fleuris de l'éternel printemps, il recherche tout ce qui blesse une sensibilité trop longtemps émoussée par des spectacles fades et trouve son plaisir dans la contemplation d'images sombres, surgies d'une nuit en laquelle il voit la métaphore de son esprit inquiet :

> « Desjà plus à mes yeux nulle clarté ne luit,
> Vif j'adore l'horreur d'une éternelle nuit,
> Tout ce qui peut ayder m'est mortel et contraire,
> Je ne puis concevoir plaisir qu'à me déplaire... » [16]

La nuit image de la mort, « l'éternelle nuict » [17] se confond avec la nuit épaisse du bois ténébreux — qui devient à son tour la métaphore de la mort ; à l'horreur secrétée par le paysage insolite, répond la fureur de l'amant-taureau :

> « Or que le grand flambeau qui redore les cieux
> Se plonge sous les eaux (...)
> J'erreray par l'obscur dans l'épaisseur des bois.
> . . . .
> J'invoque les fureurs pour toute médecine... » [18]

L'amour furieux, qui s'épanche en ces « vers comme moy furieux » [19], crée ainsi un monde à son image : le monde de la nuit envahie par les ténèbres, le petit peuple des Ombres ennemies, qui recouvrent de leur courtine brune un paysage irréel, surgi d'une imagination volontiers fantasque.

La nuit en plein jour d'Aubigné.

Ami des « umbres », des bois, et des « sauvages lieux » [20], A. d'Aubigné ne voit partout que ténèbres, car « un bandeau de fureur espais presse (ses) yeux » [21]. Le jour le plus clair devient soudain pour lui la nuit, lorsque, portant ses pas dans les chemins « où se trame (sa) mort » [22], il observe la métamorphose surprenante du Ciel qui se voile de noir pour s'associer à la douleur de l'amant [23] :

> « Mais quoi ! desja les Cieux s'acordent à pleurer,
> Le soleil s'obscurcit, une amere rosée
> Vient de gouttes de fiel la terre ennamourer,
> D'un crespe noir la lune en gemist desguisée,
> Et tout pour mon amour veult ma mort honorer.
>
> Au plus hault de midi, des estoilles les feuz
> Voiant que le soleil a perdu sa lumière

---

16. *Ibid.*, *Prière*, p. 58 v°.
17. *Ibid.*, LVII, p. 47.
18. *Ibid.*, *Stances*, p. 61.
19. *Ibid.*, Sonnet, CI, p. 58.
20. A. d'Aubigné, *Le Print.*, *op. cit.*, Stances, p. 173.
21. *Ibid.*, p. 195.
22. *Ibid.*, p. 195.
23. Comme il se voilera de noir pour s'associer à la douleur du martyr protestant, *Trag.*, VII, p. 913.

> Jectent sur son trespas leurs pitoiables jeuz
> Et d'errines aspectz soulagent ma misère :
> L'hymne de mon trespas est chanté par les cieux... » [24]

L'obscurcissement du soleil, le noir déguisement de la lune, l'apparition des étoiles en plein midi, composent un tableau sinistre : ce renversement brutal des fonctions des éléments, cette étonnante participation de la nature endeuillée [25], sont le signe d'une complicité entre l'amant, qui voit l'invisible [26], et les Anges affligés. La nuit désormais prend le parti de l'amoureux désespéré : elle naît en plein jour, manifestant sa pitié pour si « chaudes passions ».

La Nuit d'Aubigné est aussi nécessaire au projet criminel de l'amant trahi : n'est-elle pas le domaine des âmes errantes, insatisfaites, qu'elle couvre de son ombre protectrice ? Le poète imagine avec ferveur que, descendu dans l'« Enfer creux et blesme » [27], il pourra y observer le renversement de situation qu'il aime à envisager [28], le repos pour le mal aimé, la punition et le tourment pour l'inconstante. D'en bas, alors, il montera, la nuit, fantôme vengeur :

> « Je briseray la nuit des rideaux de sa couche
> Assiégeant des trois Seurs infernalles son lit,
> Portant le feu, la plainte et le sang en ma bouche :
> Le resveil ordinaire est l'effroy de la nuit,
> Mon cry contre le Ciel frapera la vengeance
> Du meurtre ensanglanté fait par son inconstance.
>
> Non, l'air n'a pas perdu ses souspirs miserables,
> Mocqués, meurtris, payez par des traistres sousris !
> Ces souspirs renaistront, viendront espouventables
> T'effrayer à minuit de leurs funestes cris ;
> L'air a serré mes pleurs en noirs et gros nuages
> Pour crever à minuit de gresles et d'orages. » [29]

La nuit alors est effroi : elle retentit de cris, se couvre de nuages. Midi ou minuit, ces deux moments privilégiés pour la plainte ou pour le soupir, sonnent l'heure de l'honneur ou du déshonneur. Pour elle, l'inconstante, la parjure, minuit apporte le châtiment, pour lui, l'amoureux trahi, la vengeance la plus satisfaisante.

Ces thèmes nocturnes, encore relativement rares jusqu'en 1590, sont significatifs à plus d'un titre : notons d'abord que la Nuit reste opposée au Jour, comme l'obscurité à la lumière, alors que, pour les Baroques, elle échangera ses pouvoirs avec le Jour ; claire et luisante, la Nuit baroque sera complice des jeux, tandis qu'assombri, le Jour sera ennemi. Cependant, déjà s'amorce ce renversement chez d'Aubigné par exemple, ou encore dans cette *Complainte* de La Jessée :

---

24. A. d'Aubigné, *Le Print.*, *op. cit.*, p. 199.
25. Voir *ibid.*, n. 30, les textes cités par H. Weber : outre Ronsard, Senèque (*Hercule fur.*, v. 939-944) et le Politien.
26. A. d'Aubigné, *ibid.*, p. 199, v. 89 : « Je les voy de mes yeux bien qu'ilz soient invisibles... »
27. *Ibid.*, p. 205.
28. Voir l'étonnante description dans *Les Trag.*, VII, du renversement des fonctions élémentaires, v. 929 et suiv.
29. A. d'Aubigné, *Le Print.*, *éd. cit.*, p. 207.

> « Le jour serein m'est une obscure nuit,
> Lors que je perds le Soleil qui m'enflamme (...)
> Ainsi quand l'Oeil qui sert de lampe aux Dieux
> Tombe dans l'onde (...)
> La terre couve une horreur, un silence,
> Et veufs d'honneur s'embrunissent les Cieux... » [30]

Mais en général, le poète se borne à décrire l'absence de sa dame comme une nuit épouvantable, comparable à celle qui s'étend, effroyable, sur la terre :   « Alors que le Soleil fait eclipse à la terre

> (Le globe de la Lune estant mis entre-deux)
> La terre se lamente, et d'un front tenebreux
> Monstre qu'une frayeur toute en soy la resserre.
>
> Quand aussy le flambeau qui durant la nuict erre
> Et qui passe en un mois tous les signes des Cieux
> Seul eclipse, il paroist chagrin et soucieux,
> Et la terre le fasche en lui faisant la guerre.
>
> Donc je pleure à bon droit (...)
> Voyant les beaux soleils de la jeunesse esteins,
> Qui s'eclipsant à moy m'enferment en la biere. » [31]

La Nuit est décrite comme le royaume des ténèbres mortelles, suscitant le souci et l'angoisse : si le jour devient nuit, il se fait horrible et effrayant. La Jessée et Jamyn confirment sur ce point les vues de Birague ou de Béroalde : à la nuit est liée l'horreur, que la nuit soit la vraie nuit, ou le jour devenu nuit, ou la nuit en plein jour. Le poète pré-baroque, s'il accorde aux ombres une place, non négligeable, déteste les nocturnes, et affirme sa préférence pour le jour luisant.

Ensuite, nous devons noter l'alliance de la nuit et de la mort : la nuit scintillante de Jamyn est une exception [32]. Partout ailleurs, la nuit parle de la tombe, de l'anéantissement désiré. La présence dans la poésie amoureuse du thème nocturne est souvent l'indice d'un refus du jour et de la vie : refus désolé, voire désespéré chez Birague et d'Aubigné, car il est le signe de l'échec.

Enfin, commence à se faire jour chez Nuysement et A. d'Aubigné un sentiment nouveau : la recherche passionnée de la Nuit, non pas parce qu'elle serait délicieuse et apaisante, mais au contraire parce qu'elle manifeste l'horreur, la laideur d'un monde sans couleur et sans vie. Les Baroques reprendront en l'amplifiant le thème de l'attirance paradoxale pour tout ce qui déplaît : déjà les deux poètes déclarent leur goût étrange pour ce qui blesse la sensibilité, leur accord avec ce qui fait mal, ce qui déchire, ce qui contrarie à la fois le sens du beau et l'amour du bien. La Nuit maléfique, la Nuit horrible, est alors chantée pour sa laideur, délicieuse pour qui se déteste soi-même.

---

30. La Jessée, *op. cit.*, p. 1064.
31. Jamyn, *O.P.*, éd. Brunet, p. 117.
32. *Ibid.*, p. 265 :
> « Lorsque durant la nuit les astres font leur bal
> Et devant leurs rayons ne sont mis aucuns voiles
> Je contemple le Ciel tout parsemé d'estoilles
> Et voyant les plus beaux des feux du firmament
> Scintiller... »

Jamyn est particulièrement sensible (dans *Artémis*) au *luisant*, à l'*étincelle*, à l'*éclair*...

Cette thématique complexe, qui fait place au paradoxe, est l'annonce d'une nouvelle thématique qui s'épanouira pleinement en climat baroque. Ainsi se compose un nouveau paysage mental après 1570, dont les thèmes nocturnes sont un élément important, car ils constituent la toile de fond sur laquelle se détache un décor bizarre, irréel, surgi de l'imaginaire.

II - Le décor sinistre

Si la nuit horrible étend sur la poésie d'amour ses ombres mali-cieuses, si l'amant désespéré se perd dans un monde « sans couleur » [33], le nouveau paysage qui commence à se dessiner après 1570, hors des chemins ronsardiens, est caractérisé par la présence d'éléments horribles. Dans ce domaine encore, la poésie pré-baroque s'inscrit dans une tradition tout en instituant une rupture : les poètes de 1550-1560, en effet, recherchaient souvent [34] les lieux sauvages et déserts, déjà célébrés par Pétrarque, pour y chanter, à l'écart du monde, une passion vouée à l'échec. D'Aubigné et ses compagnons introduisent, dans ce paysage dont la tradition remonte aux poètes latins [35], reprise en Italie au milieu du XVIᵉ s. [36], des éléments nouveaux, caractéristiques d'un nouveau mode de sensibilité, modifiée et modelée par les horreurs des guerres civiles. Ils pratiquent une sorte de surenchère, acceptant comme point de départ le « lieu » que constitue la plainte de l'amant isolé au sein d'une nature désolée, image du deuil de son cœur, mais le transformant en accentuant et en dramatisant au maximum les principaux traits du *topos*. C'est ainsi que le paysage devient désertique, et que le désert lui-même se change en paysage infernal : la nature se couvre d'ombres sinistres, tandis que l'horrible, voire le macabre, se trouvent liés à l'expression du sentiment amoureux. Le poète éprouve le besoin d'ins-taller l'objet amoureux ou son image obsédante au sein d'un monde étrange et glacé, soumis au noir déterminisme des puissances d'en-bas.

PRINCIPAUX ÉLÉMENTS DU DÉCOR NATUREL APRÈS 1570.

Schématiquement, quatre éléments distincts composent le nouveau paysage mythique des poètes pré-baroques :
1) *Le sauvage, le désertique* : le lieu idéal, propre à la plainte ou au cri, n'est plus seulement un coin préservé à l'écart des hommes, et du bruit des sanglantes cités, mais une terre aride, infertile, désertique ; plaisante parce qu'elle déplaît, séduisante parce qu'elle est horrible. Associé à l'évocation d'un tel lieu, l'amour furieux se rassasiera de laideur.

---

33. Birague, *op. cit.*, XXXVI, p. 11.
34. Voir les exemples que donne H. Weber, *La Création poét.*, *op. cit.*, chap. V, pp. 307-311.
35. Pour les latins, notamment Properce, *El.*, I, XVIII, « Haec certe deserta loca... » et Tibulle, *El.*, IV, XIII (« Secretis... silvis / Qua nulla humano sit via trita pede... »
36. Pour les Italiens, cf. Sannazar, *canz.*, XI (1559), Serafino (publ. par L. Dolce, 1563), *Disperate*.

2) *Le funèbre :* les ombres qui endeuillent le lieu idéal, que jamais le soleil ne visite, le rendent propice à la mort ; les oiseaux mêmes qui, chez Ronsard, gazouillaient, poussent des cris terribles et annoncent à toute heure la mort. La nature, source et expression de la vie créatrice pour Ronsard et les Ronsardiens, est ici frappée de stérilité, et n'enfante que l'image de la mort.

3) *Le sinistre :* triste et violent, le décor funèbre impose à l'amant un certain nombre de visions désolantes, de spectacles repoussants, atroces. L'image de la dame sera associée à d'autres images cruelles, et l'amour se saoulera de visions « fantastiques ».

4) *L'élément infernal :* celui-là complète et résume les autres ; les lieux infernaux sont par excellence sauvages, sinistres ; ils sont la représentation mythique d'un au-delà vu comme un espace clos et limité, noir et opaque. Les lieux infernaux sont décrits par des éléments de réalité : cavernes, grottes, fleuves, plaines, etc., et, en même temps, ce sont des endroits irréels ou surréels, un au-delà déjà sensible, avant-goût de l'enfer tel qu'on l'imagine à partir des données sensibles.

Ces divers éléments ne sont distingués que pour la clarté de l'analyse : le plus souvent, ils apparaissent groupés et associés étroitement les uns aux autres.

a) *Le sauvage, le désertique.*

« J'aime fort les jardins qui sentent le sauvage » disait Ronsard : le sauvage, vers 1560, c'est la nature exubérante, s'épanouissant librement en dehors de toute contrainte, luxuriante et « pleine ». Après 1570, le sauvage c'est, bien différemment, une nature désertique, désolée, vide. Plus de jardin, même irrégulièrement tracé, plus de foisonnement végétal : des lieux sans vie, aussi abstraits que l'horreur qui les habite.

A. d'Aubigné, s'il s'inspire encore, dans l'*Hécatombe*, de Ronsard, laissant les « verds rameaux » du mirthe et du cyprès [37] lui servir d'abri, accueillant les Nymphes et les fleurs, « soucis, œillets et lys », est déjà plus sensible à tout ce qui, dans la nature, lui renvoie l'image d'une âme solitaire [38]. *Les Stances* de façon plus nette encore ont pour toile de fond un décor sauvage et rude :

> « Usons ici le fiel de nos fascheuses vies,
>   Horriblant de nos cris les umbres de ses bois :
> Ces rochés esgarés, ces fontaines suivies
>   Par l'écho des forestz respondront à nos voix.
>
> Les vens continuels, l'espais de ses nuages,
>   Ces estans noirs remplis d'aspiz, non de poissons,
> Les cerfs craintifs, les ours et lezardes sauvages
>   Trancheront leur repos pour ouïr mes chansons (...)
>
> Helas ! pans forestiers et vous faunes sauvages,
>   Ne guerissez vous point la plaie qui me nuit (...)
> Accourez, deitez qui habitez ces lieux... » [39]

---

37. A. d'Aubigné, *Le Print.*, op. cit., XIX, p. 76.
38. *Ibid.*, LXXVII, p. 143.
39. *Ibid.*, *Stances*, I, p. 172, v. 25 et suiv.

Les principaux éléments de ces lieux sauvages sont, certes, apportés par les traditions ; outre la tradition latine [40], on reconnaît l'héritage de la Pléiade : un séjour plein d'ombre, un endroit sauvage habité par la tempête, peuplé de déités et de démons — associé ici à l'héritage italien de la « disperata » : un décor sinistre, fait pour déplaire, c'est-à-dire pour plaire à l'amoureux désespéré qui s'épanche volontiers lorsqu'il fuit les lieux aimés pour se réfugier dans un monde froid et triste [41]. Pour bon nombre de traits, le décor de la « disperata » emprunte à la stylisation épique, elle-même calquée sur les modèles antiques et bibliques [42] : arbres et animaux (l'ours par exemple) viennent de la poésie et de la rhétorique antiques ; de même, les rochers, les vents et les nuages, les forêts et la faune, sont matière épique.

Mais si l'aspect conventionnel du décor est important, rattachant le lyrisme pré-baroque à toute une tradition composite, l'utilisation qui en est faite marque une rupture avec cette tradition. Alors que Tansillo, par exemple, ne rassemble tous les éléments que pour faire entendre une plainte désolée, A. d'Aubigné assigne une autre fonction au décor sauvage : il prépare le décor macabre qui s'installe progressivement, auquel il sert de porche et d'entrée. L'essentiel n'est plus d'attirer l'attention — en les invoquant successivement, comme dans la « disperata » italienne — sur les éléments du paysage, mais de créer une atmosphère par le recours à la réalité naturelle, mi-réelle (encore que le « réalisme » soit mis en doute par le mythe), mi-irréelle. Plus précisément, le paysage mental naît à la fois d'un paysage réel, observé, d'un paysage donné par la tradition littéraire, et d'un paysage imaginé par l'esprit « fantastique » qui aime à retrouver, groupés en quelques strophes, les principaux aspects d'une nature sympathique (qui « repond » et qui « ouït »), et redoutable à la fois. En « ces champs ennemis du plaisir de (ses) yeux » [43], le poète s'abreuve d'amère volupté, et, s'il invoque les « pans forestiers », les « faunes sauvages » et les déités du lieu, c'est moins pour implorer leur secours, que pour avoir en eux un témoin de sa perte [44].

Le désert d'Aubigné devient ainsi un élément nécessaire à l'expression du mal d'amour ; pour qui se nourrit de larmes sanglantes, seul le décor sauvage dans son austère grandeur convient à l'âme « asséchée » : la fécondité même d'une nature épanouie paraît une insulte, la stérilité d'un champ sec et dépouillé, un agréable complément, un miroir exact du sentiment. « Je cherche les deserts, les roches egairées,
Les forestz sans chemin, les chesnes perissans,
Mais je hais les forestz de leurs feuilles parées,
Les sejours frequentez, les chemins blanchissans (...)

---

40. Notamment les Elegiaques ; cf. Properce, *El.* I, XVIII « Haec certe deserta loca... »
41. Voir *Le Print.*, *éd. cit.*, appendice n° II, p. 306, la « Disperata » de F. d'Amboise.
42. Voir Curtius, *op. cit.*, pp. 113-114.
43. A. d'Aubigné, *Le Print.*, St. I, p. 177, v. 68.
44. *Ibid.*, v. 141-144, « la terre autour de moy crevera de sang teinte... »
45. *Ibid.*, v. 93 et suiv.

> J'ayme à voir de beautez la branche deschargée,
> A fouller le feuillage estendu par l'effort
> D'autonne, sans espoir leur couleur orangée
> Me donne pour plaisir l'ymage de la mort. » [45]

Au décor réel, apparu furtivement, la forêt de Talcy, sa splendeur, se sentiers, s'oppose le décor rêvé, dont chaque élément est la projection imaginaire d'un désir que la réalité ne saurait, par sa beauté, satisfaire. Aussi bien, nul besoin de sortir pour apercevoir la beauté horrible du monde extérieur, c'est en lui que le poète trouve le paysage idéal, surgi d'une vision [46] :

> « Un eternel horreur, une nuit eternelle
> M'empeche de fuir et de sortir dehors... » [47]

Ce « cors emprisonné » [48], ce reclus, déchiffre mieux sa souffrance lorsqu'il compose, dans la solitude, un monde à son image, hivernal [49], glacé, noirci...

Il invente alors une nature amie, une nature laide et sauvage : « les grands arbres hautains », « les rochers endurcis », « les plus sterilles monts », « les chesnes endurcis », peuplée d'animaux réputés méchants : « les taureaux indomptez », « les serpents » et leurs « tortillons grouillans », « les lions, les tigres ou ours » [50]. Quel plaisir d'imaginer le renversement de l'ordre du monde [51] ! Voici que la bête sauvage gémit par sympathie, que l'eau claire se trouble, que l'arbre le plus sec sue de douleur ! Vengeance éclatante, inouïe, qui donne à l'amant un monde à sa mesure, bouleversé pour dire, par sa violence, le mal subi. Vengeance des monstres, repoussés, méprisés, redoutés : les pleurs qu'ils versent leur donne l'humanité que l'homme leur refusait. Profonde métamorphose, « hugolienne » par l'intuition qui anime le poète : les « bois et roches estranges » prennent âme, les « monstres estranges » prennent âme, tandis que la Femme se fait monstre [52].

Telle est l'étonnante fonction de la nature sauvage d'Aubigné : elle renvoie à son désir d'instaurer un changement radical de l'ordre donné ; d'une part, le poète découvre la secrète beauté du laid, du sauvage, leur accord profond avec une sensibilité vive et meurtrie, qui

---

46. De même *Les Tragiques* sont nés d'une vision. Cf. *Fers,* v. 1195 et suiv. (« les beaux secrets et tableaux » donnés par l'Ange en une vision extatique).
47. *Le Printemps,* St. I, p. 182, v. 109.
48. *Ibid.,* v. 112.
49. *Ibid.,* 121 et suiv. :
    « Ainsi comme le temps frisonnera sans cesse
    Un printemps de glaçons et tout l'an orageux... »
50. *Ibid.,* St. III, p. 113, v. 51-55.
51. *Ibid.,* v. 56-65. Cf. *Trag.,* l'inversion des Eléments qui déclare le crime commis contre l'Innocence, VI, v. 243-290 (le vent « noye » et « embrase », la terre devient lac, l'air se charge de souillures...) et VII, 929-931 (le feu, la terre, l'eau, se mêlent et confondent leurs pouvoirs au « funebre mesler »).
52. *Ibid.,* St., III, v. 91-100. Le monstre n'est plus monstre, touché par la *pitié.* La femme n'est plus femme, « plus dure que les rocs », « plus cruelle que (...) monstres estranges ». Comme Hugo, d'Aubigné découvre la beauté du monstre (cf. *l'Homme qui rit*), cachée pour qui ne sait pas déchiffrer les apparences, et la monstruosité de la femme belle, à la fois pure et perverse, vierge et corrompue (Josyane).

ne supporte plus l'insolente splendeur, mensongère et vaine, du monde ; d'autre part, il lui confère le pouvoir de changement, ce qui est laid sera beau, ce qui est monstrueux sera humanisé, tandis que, dans le même temps, le beau révélera son horreur cachée, et la femme, le monstre qu'elle porte en elle.

Ainsi, l'intuition fondamentale qui anime l'œuvre d'Aubigné — cette passion de la découverte, de la révélation, qui opère un renversement total des valeurs (que l'on songe aux *Tragiques* et au renversement des fonctions naturelles dans le livre VII), modifie le schéma emprunté aux traditions littéraires ; à partir d'un thème assez conventionnel : la recherche des lieux sauvages, il réussit à faire passer un sens qui lui est propre, et charge la nature désertique, dépouillée, de témoigner et de sa beauté singulière (une beauté horrible), et de sa force efficace dans la mise à nu de cela seul qui, aux yeux du poète, est monstrueux, la cruelle insensibilité.

C'est trop peu dire que d'affirmer la prédilection pour la nature sauvage, et le caractère « romantique » d'un tel choix : il faut encore relier ce goût paradoxal pour le laid ou le triste à un projet central (visible tant dans le *Printemps* que dans les *Tragiques*) de dévoilement.

Par rapport à l'intuition d'Aubigné, le désert décrit chez les autres poètes : Nuysement, Habert, Birague ou La Jessée, paraît un lieu moins riche de sens. Pourtant, ils ont su accorder à leur imagination un décor emprunté à la tradition, et créer une atmosphère étrange, propice à la déclaration amoureuse de la rage qui, tous, les anime.

Isaac Habert, par exemple, dont l'œuvre est ouverte à l'imaginaire, invoque souvent les déserts [53] auxquels il raconte ses languissantes peines. Le désert est d'abord le lieu idéal pour l'épanchement d'une âme tourmentée :

> « J'avois longtemps erré par les sombres deserts,
> Triste, morne, et pensif, privé de la lumière,
> Mon seul sejour estoit une noire fondriere
> Pleine de songes vains, de fantosmes divers.

> Mais sitost que l'Amour (...)
> Eust chassé l'ombre espais de ma tendre paupiere,
> Et qu'il feit sous les loix mon ame prisonniere,
> Soudain j'abandonnay ses rocs de nuit couverts. » [54]

Le désert se caractérise ici par son obscurité pourvoyeuse de songes, il se confond avec la nuit qui couvre ses rocs. Il a surtout valeur métaphorique, puisqu'il est le désert de l'âme sans amour, engloutie en ses ténèbres. Il garde encore ici ses maléfices.

Mais le désert peut aussi devenir plaisant, et se faire objet de contemplation silencieuse : il n'est plus alors le lieu sauvage, plongé dans la nuit effrayante, mais se confond avec le bois, cet endroit mythique où vivent des créatures étranges.

> « Je suis si transporté d'aise et d'estonnement
> Quand j'entre dans ces bois, les loges eternelles
> De Pan et des Sylvains et des Dryades belles,
> Qu'oubliant qui je suis, je perds le sentiment...

---

53. I. Habert, *O.P.*, *op. cit.*, XIV, p. 4 v°, XXX et XXXI, p. 9 v°.
54. *Ibid.*, XLVIII, p. 20 v°.

> Je contemple esbahi les pointes verdissantes
> De ces bois ombrageux, et leurs branches pendantes.
> Je me plais dans l'horreur de ces déserts plaisants. » [55]

Avec ce texte, on est tout près de l'imagination « fantastique » des *Lyriques* de 1620, qui peuplent leurs *Solitude* de tableaux mouvants aux capricieux desseins.

Habert goûte comme A. d'Aubigné le plaisir du déplaisir, associant son aise à l'horreur que suscitent en lui les déserts. L'amour de l'horrible, la séduction de l'étrange, s'affirment ici comme réponse à l'insensibilité [56].

On verra de même, chez La Jessée, l'amant s'adresser de préférence au paysage sauvage de sa « Savoye » qui, avec ses montagnes, représente pour l'homme du XVIᵉ s. le lieu terrible par excellence, effrayant dans sa grandeur, repaire d'animaux épouvantables, et inaccessible à l'homme :

> « Je parle à vous, ô Grandes Roches,
> Où les bestes aux griffes croches
> Repaissent leurs ventres gourmands (...)
> Vos eaux (...)
> Vos chefs et croupes se hérissent
> En verds taillis... » [57]

Ces « grandes roches » sont pour le poète inspiratrices : elles disent l'horreur. Il leur parle, et son discours instaure entre elles et lui la communication impossible avec une nature douce et verdoyante, amie de sentiments mesurés.

Si Birague recherche également les déserts écartés, c'est que, rendu furieux, il ne peut trouver d'interlocuteur qu'au sein d'une nature inhabitée :

> « Par le milieu des desers écartez
> Dans la frayeur des Antres plus sauvages,
> Et sur le bord des plus lointains rivages,
> Je fuy les lieux des hommes habitez (...)
>
> Repose, amant, sous ces bocages sombres.
> Ces pleurs, ces cris, que j'espans sur tes ombres
> Sont les présens que de moy tu auras. » [58]

Le désert est pour lui l'ailleurs, l'au-delà : tout ce qui dit l'absence de l'homme. S'il invoque, en même temps que le désert, les tertres orgueilleux [59] et la montagne, c'est qu'ils sont aussi l'image du lointain, de l'inaccessible :

> « Déserts inhabites, orgueilleuses montaignes,
> Torrents impetueux, et vous Antres segrets, (...)
> Oyez le pyteux son de mes tristes regrets ! » [60]

Les déserts écartés sont « seurs tesmoins » des amours rebelles [61] : à l'amant isolé dans son désespoir, ennemi de la joie et du plaisir, ils

---

55. *Id., Météores, op. cit.*, XXIX, p. 20 (Sur un bois).
56. Cf. *ibid.*, s. III, p. 34.
57. J. de la Jessée, *op. cit.*, p. 1065.
58. Birague, *op. cit.*, XXXVII, p. 11 v°.
59. *Ibid.*, XLIV, p. 15.
60. *Ibid., Complainte*, p. 21 v°.
61. *Ibid.*, s. VIII, p. 77.

renvoient l'image idéale d'un lieu sauvage, d'un lieu qui garde son secret, couvert d'ombres terribles...

Birague invoque plus d'une fois la sympathie des déserts, auxquels il souhaite apprendre « mille tristes regrets » [62] : ne sont-ils pas lieu de refuge, fait pour garder le secret de l'amant, et retraite idéale, au loin ?

> « Vous de moy tant aimés, O desers solitaires,
> Où j'ay souvent sans fruit semé mes tristes voix,
> Soyez, je vous supplie, encore cette fois
> De mes derniers sanglots les loyaux secrétaires. » [63]

Pour lui, ami des ombres et de la nature sauvage, la stérilité même du paysage sablonneux est féconde : elle permet l'épanchement, la déclaration. L'apaisement trouvé au sein de la solitude n'est pas de même nature que celui que lui donnent les prés, les jardins, le bocage, ou le fleuve bondissant, mais tout aussi important, car il se fonde sur la reconnaissance d'une identité, dont le poète s'enchante ; cette âme désolée ne se découvre pleinement que dans un décor fait à sa mesure, austère et violent.

Dans un même mouvement de haine pour le printemps fleuri et la nature épanouie, Nuysement part chercher la sécheresse, la froideur, parmi les roches dures, sœurs de son cœur désenchanté :

> « Or que les grands couteaux de Pampre sont couverts,
> Que les champs sont ornés d'infinis sillons verds,
> Et que d'un bel émail la prée est revêtue,
> J'erre seul mi-transi dans ces lieux écartés,
> Et par le vain accent de mes vers rechantés
> Je décelle aux rochers la poison qui me tue. » [64]

L'évocation initiale d'une nature « ronsardienne », éclatante et féconde, cultivée par l'homme, sert de contrepoint à la recherche du lieu sauvage, fécondé par la seule parole du poète [65].

N'est-ce point un « redoublement » de sa plainte que réclame également Béroalde, lorsqu'il décide de s'adresser à tout ce qui, dans la nature sauvage, parle de tristesse, d'ombre et de mort ?

> « Je veux seul écarté, ores dans un bocage,
> Ores par les rochers, soupirer mon dommage,
> Et plaindre sous l'horreur du destin irrité (...)
> Vous, bois, qui entendez le réson de ma plainte,
> Vous, rochers, qui m'oyez quand mon ame contrainte
> Sous trop de cruauté se plaint de son malheur (...)
> Vous, antres reculés où les ombres dernières
> De ceux à qui la mort a fermé les paupières
> Errent tant que leurs corps soient mis dans le tombeau,
> Recevez mes soupirs, et d'une longue haleine
> Redoublez plusieurs fois la voix dont en ma peine
> Je demande en vos creux un remède nouveau. » [66]

---

62. *Ibid.*, XXVII, p. 9.
63. *Ibid.*, *Complainte*, p. 18.
64. Nuysement, *op. cit.*, LXVIII, p. 50.
65. Cf. *Ibid.*, LXII, p. 48 v° et p. 61.
66. Béroalde, *Souspirs, op. cit., A Dieu*, p. 41 v°.

Le désert alors a fonction poétique : il confère à la plaintive voix son ampleur, lui accordant, lorsqu'il la redouble, des accents éternels.

Au reste, rien peut-être ne montre mieux l'alliance du désert et de la souffrance, du lieu écarté et du désespoir, que le singulier Hermitage de Béroalde : retraite d'amour donnée pour retraite religieuse, où, tel Antoine, il subit d'étranges tentations...

> « Un jour, reconnaissant que je suis incapable,
> Belle, de vous servir, j'en vins au désespoir,
> Et prenant le chemin du désert effroyable,
> Je voulus m'y cacher pour jamais ne rien voir (...)
>
> . . . .
>
> Pour donques ne rien voir, j'élis un Hermitage,
> Pour le lieu destiné du reste de mes jours,
> Et me determinant dans sa grotte sauvage
> J'y pensais consumer ma vie et mes amours.
>
> . . . .
>
> Je n'estois presque plus qu'un décharné squelette,
> Où l'on ne connaissoit que l'esprit et les os
>
> . . . .
>
> Pour m'oster ce penser je faisois penitence
> Mais plus je m'affligeois plus je sentois d'amour. » [67]

Le désir de quitter le désert dit l'espoir, comme la volonté de faire retraite manifestait le désespoir. Les « lieux écartés » incitent à l'austérité et à la méditation : leur tristesse, délicieuse à l'amant éconduit, devient odieuse pour qui, à nouveau, espère. A la différence des autres amants, désespérés, Béroalde ici choisit finalement le jour, la joie, l'espoir, mais ce retournement permet d'apercevoir, par contraste, comment s'associent pour lui le désert, l'ombre, le désespoir, et ce qu'il nomme la « fascheuse humeur ».

Car le désert de Béroalde n'est pas apaisant ; l'amant n'y trouve nulle sympathie ; tout au contraire, il découvre dans les « désertes plaines » son essentielle insatisfaction, et l'horreur de sa condition :

> « Dans quel antre escarté m'irai-je retirer
> Dedans quelle forest iray je soupirer
> En quel lointain désert assez grand pour ma plainte
> Pleureray je le mal dont mon ame est atteinte ?
> Ou pourray je fuir pour échapper l'horreur
> Du tourment importun qui agite mon cœur..
>
> . . . .
>
> Les ombreuses forets et les désertes plaines
> Au lieu de m'alléger multiplient mes peines,
> Et lors que dans la mer se trempe le Soleil,
> La nuit qui doit cacher tout dessous le Sommeil
> Me presse d'avantage et assemble la flame
> Des tisons éternels qui eschaufent mon ame.
> Il ne faut point fuir, il me faut miserable
> Chercher des lieux cachés l'effroy espouvantable. » [68]

Ainsi le désert apparaît dans la poésie post-ronsardienne comme un lieu de convergence : viennent à lui tous ceux qui ont appris chez

---

67. *Ibid.*, *Ode*, p. 45.
68. *Ibid.*, *Elegie*, II, p. 18 v°.

Ronsard et ses compagnons à aimer les lieux isolés où l'amant se
« reprend », et s'épanche. Tous ceux aussi que Desportes a incités à
refuser de voir le monde extérieur dans son insolente beauté, et qui,
dans le désert, peuvent, sans être sollicités par l'appel de la verte nature,
se livrer à l'humeur triste qui les accable. Tous ceux enfin, tel Béroalde,
qui espèrent faire naître des accents nouveaux, s'accordant au triste
ombrage du lieu de retraite, et animer de leurs plaintes des lieux réputés
stériles.

b) *Le décor funèbre.*

La *Disperata* qui est à l'origine directe des *Disperades* françaises [69]
apporte et renouvelle la tradition du paysage désert : elle reflète également
un goût, neuf en ce dernier tiers du siècle, pour le macabre et
l'horrible, le funèbre. Le squelette et les ossements blanchis semblent
faire renouer la poésie moderne avec la poésie du XVe s., par-delà le
printemps de la Renaissance : voilà déjà de quoi étonner. La mort,
conjurée par Ronsard [70], revient sous sa forme la plus hideuse hanter
l'imagination d'une génération éprouvée par les spectacles sanglants et
la cruauté d'une saison « débordée », foisonnante en vices. Il n'est plus
temps de chanter dans la sérénité la dissolution harmonieuse de l'être [71] :
désormais, et jusqu'à la fin du siècle, la mort fait irruption brutalement,
saccage, et défait le corps qui se convulse. Le décor funèbre n'est plus
constitué d'objets lumineux, qui appellent l'âme à la contemplation et à
l'adoration : il se charge d'ombres menaçantes, s'ouvre sur des paysages
infernaux, s'alourdit.

S'il n'est pas surprenant de trouver dans les *Tragiques* d'Aubigné
l'image partout présente de la mort violente, des tortures, de l'agonie
qui n'en finit pas, et « l'éternelle soif de l'impossible mort » [72], il est
plus curieux de voir apparaître, dans son *Printemps,* le même registre
d'images macabres liées à l'expression du sentiment amoureux.

Le décor propice au songe d'amour est en effet un décor funèbre :

> « Le lieu de mon repos est une chambre peinte
>   De mil os blanchissants et de testes de mortz
>   . . . .
> Je mire en adorant dans une anathomie
>   Le portrait de Diane, entre les os, afin
>   Que voiant sa beauté ma fortune ennemie
>   L'environne partout de ma cruelle fin :
>
> Dans le cors de la mort j'ay enfermé ma vie
>   Et ma beauté paroist horrible dans les os... » [73]

Si ce décor est relativement fréquent lorsqu'il s'agit d'accorder à
la méditation religieuse un lieu adéquat, il est plus rarement utilisé pour
alimenter la rêverie amoureuse. Surtout, même dans les Stances italiennes

---

69. Voir Weber, éd. du *Printemps, op. cit.,* p. 14.
70. Par ex. dans les pièces consacrées à la mort de Marie et notamment
le sonnet « Comme on voit sur la branche... »
71. Voir le comment. de M. Raymond, in *Baroque et Ren., op. cit.,* p. 112.
72. A. d'Aubigné, *Les Trag.,* VII, v. 1022.
73. *Id., Le Print., op. cit., Stances,* pp. 176-177.

qui composent un décor macabre, l'élément conventionnel domine : le crâne, les os, les tombes. Ici, en revanche, d'Aubigné réussit un « mixage » étonnant, mêlant à ces mêmes éléments conventionnels des éléments de réalité (le portrait de Diane). Le décor cesse d'être extérieur : il devient l'exacte projection d'une âme triste, qui se concentre sur l'objet même de sa douleur, dont rien ne vient la distraire. Paysage mental, aux couleurs de l'obsédante mélancolie, qui seul convient à l'étrange acte d'amour : une « adoration », qui est méditation sur la souffrance, et tient de la délectation morose.

L'horrible, le macabre, sont seuls satisfaisants, pour cet amant ennemi de lui-même, qui veut contraindre l'image de la dame — à défaut de la dame elle-même — à voir la mort qui partout l'environne. Le seul spectacle plaisant sera le spectacle hideux (hideux comme les roches voisines, hideux comme la chevelure que l'amant laisse pousser librement, en signe de refus du « monde ») :

> « Tout cela qui sent l'homme à mourir me convie,
> En ce qui est hideux je cherche mon confort... » [74]

S'agit-il ici d'une simple thérapeutique, inspirée de l'homéopathie ? d'une perversion caractérisée, comme pourrait l'indiquer le geste sacrilège de l'amant plaçant l'image de Diane dans un cadre d'ossements ? d'une jouissance sado-masochiste ? Ce plaisir doux-amer trouvé dans la souffrance la plus vive, celle que l'amant rêve d'infliger à l'« autre » pour « châtier (sa) chair joyeuse », ou à lui-même :

> « Je veux punir les yeux (...)
> Tu n'auras plus de gans, o malheureuse dextre
> . . . .
> L'esthommac aveuglé (...)
> Ira neu et ouvert aux chaleurs et aux pluies... » [75],

cette voluptueuse tristesse, naissent au contact des objets macabres disposés avec soin pour exciter une imagination morbide qui goûte tout ce qui lui déplaît.

> « Heureux quand je rencontre une teste sechée,
> Un massacre de cerf... »,

heureux du malheur qui l'environne, le poète se laisse aller à la séduction de la mort :

> « J'ayme (...)
> A fouller le feuillage estendu par l'effort
> D'Automne, sans espoir leur couleur orangée
> Me donne pour plaisir l'ymage de la mort. » [76]

« Pour plaisir l'ymage de la mort » : telle est en effet la nature particulière de la volupté ressentie au contact de l'objet macabre, devant un

---

74. *Ibid.*, v. 89-90. Cf. Desportes, *Diane*, I, *Contre Amour*, éd. cit., p. 180, v. 134 suiv. :
> « Il deteste le bruit, il cherche le silence
> La clairté lui deplaist, et la vouste des Cieux,
> Le murmure des eaux, la fraischeur des ombrages (...)
> Et ne sçauroit rien voir qui contente ses yeux... »

75. A. d'Aubigné, *op. cit., St.,* I, v. 65-79.
76. *Ibid.*, v. 105-108.

spectacle funèbre ; ils provoquent immédiatement un mouvement de
profonde *sympathie* dans l'âme furieuse de douleur vaine, alors que
l'objet réputé plaisant, le spectacle charmant (les « oyscaux gais volant
à tire d'ailes », « la biche folle aux saults de ses enfans », les somp-
tueuses forêts « de leurs feuilles parées »), incitent le cœur glacé, le
cœur frissonnant [77], à se replier sur lui-même, ne trouvant qu'hostilité
dans l'insolente beauté de la nature. La vision de Diane devenue
cadavre vivant s'insère naturellement dans ce décor macabre, peuplé
d'ossements, qui donne à cet au-delà de l'amour sa force démoniaque :

> « Lors son teint perissant et ses beautez perdues
>   Seront l'horreur de ceux qui transis l'adoroient,
>   Ses yeux deshonorés des prunelles fondues
>   Seront telz que les miens... » [78]

Ainsi le plaisir d'amour — fait de déplaisir, voire de haine — est
avant-goût de la mort, non d'une mort douce, paisible évanouissement
des sensations et sentiments, mais mort violente, convulsée, faite d'un
assèchement progressif :

> « Mes os s'assecheront jusques à mon trespas... » [79],

mort que tout annonce, que chaque objet de ce monde funèbre présage
tristement :

> « Si quelque fois poussé d'une ame impatiente
>   Je vois précipitant mes fureurs dans les bois
>   M'eschauffant sur la mort d'une beste inocente,
>   Ou effraiant les eaux et les montz de ma voix,
>
>   Milles oiseaux de nuit, mille chansons mortelles
>   M'environnent, vollans par ordre sur mon front :
>   Que l'air en contrepoix fasché de mes querelles
>   Soit noircy de hiboux et de corbeaux en ront. » [80]

Ces oiseaux funèbres souvent associés dans la Disperata aux
« querelles » lugubres de l'amant [81], ne se contentent pas d'annoncer la
mort proche : ils sont aussi le cri de l'innocent condamné, de la « beste
innocente » pourchassée par l'amant, de l'amant lui-même « hors de
saison » [82] voué aux ténèbres. Leur chant est à la fois une déploration
et un cri de colère, tel le « concert de voix criantes, gemissantes et
hurlantes » que font entendre, huit jours après le massacre de la Saint-
Barthélemy, les corbeaux « noircissants le pavillon du Louvre » [83].

---

77. *Ibid.,* v. 121.
78. *Ibid.,* St., IV, p. 201, v. 91-96.
79. *Ibid.,* St. I, p. 188, v. 180.
80. *Ibid.,* p. 183, v. 125-132.
81. Cf. Serafino, cit. par Weber, *ibid.,* appendice I, v. 28-29, p. 302 :
       « Gufi è Cornici suonammi à gli orecchi,
         E vo qual Vespertil se non la notte... » (*Disperata Terza*),
et G. Scola, *Sec. parte delle Stanze, Dolce,* p. 288 :
       « Voglio continuamente udir il pianto
         Di Cocodrilli e poi di Pipistrelli... »
82. A. d'Aubigné, *Stances,* I, v. 123, p. 183.
83. *Id., Hist. univ.,* t. III, pp. 356-357 ; cf. *Les Trag., Les Fers,* v. 1017-1018 :
       « Le jour effraye l'œil quand l'insensé descouvre
         Les corbeaux noircissans le pavillon du Louvre. »

Le décor funèbre d'Aubigné, avec ses objets macabres propices à l'amère délectation, sa couleur blanche[84] et orangée[85], ses oiseaux nocturnes, s'il emprunte bon nombre d'éléments à la Disperata, est modifié par une sensibilité particulièrement attentive à tout ce qui, dans le monde naturel, est *signe* ; la cohérence de ce paysage, qu'on retrouvera associé, dans les *Tragiques,* à une souffrance d'un autre ordre, tient essentiellement à l'intention qui anime le poète : forcer la nature à se déclarer, à prendre parti, à témoigner, par sa transformation accomplie sous nos yeux, de l'injustice insupportable subie par l'innocent. Si le paysage se disloque et se défait dans un grand mouvement de révolte, si la terre se fend et l'eau s'assèche, si le ciel noircit, c'est que le crime — quelle que soit sa nature — introduit dans le monde une fêlure, un élément de désordre, une dissonance, que le poète est chargé de dénoncer par sa parole. Le cri est le premier devoir, la première nécessité. Il restera ensuite à appeler la deuxième métamorphose, celle qui, par la mort définitive de l'univers matériel, assurera la victoire de la victime, et le châtiment du coupable. Telle est la fonction du paysage funèbre du *Printemps* : témoigner, et annoncer le temps de la revanche.

A la suite d'Aubigné, mais de manière moins cohérente, Birague, Nuysement, Béroalde, Habert, accordent au décor funèbre une grande importance.

Dans ses *Premières Amours*, Birague aime à associer à ses « funèbres plaintes »[86] les oiseaux

« qui sous la Nuit obscure
D'un triste vol se plaignent lentement. »[87]

Comme A. d'Aubigné, il recherche l'objet hideux, image de la mort :

« Toujours l'objet hideux de cent morts inhumaines
Se présente à mes yeux, et la Parque à son rang
Epouvante mon cœur, ne voyant point le blanc
A quoi tendroient, hélas, mes espérances vaines.

Le soir dessus mon toit, les funèbres oiseaux
Annoncent mon trespas... »[88]

Le Hibou, qui apparaît en ce « Monde sans couleur »[89], devient l'emblème du misérable amant :

« Je fuy comme un Hibou la lumière des Cieux,
Et me tiens tout le jour dans un Antre effroyable. »[90]

---

84. Le blanc est la couleur symbolique du deuil (cf. civilisations orientales) notamment à la cour des Rois de France. C'est que le blanc est la couleur du *passage,* et comme telle associée à la mort qui est passage de la vie à une autre vie.
85. A mi-chemin du jaune et du rouge, l'orangé symbolise l'équilibre, la maîtrise des passions excessives (cf. le symbolisme de la fleur d'oranger sur le front des mariées). Mais l'orangé est aussi la couleur de la mort dans la symbolique du XVI⁰ s., peut-être parce que l'équilibre est difficile à atteindre. L'orangé symbolise l'infidélité et la luxure, l'échec en somme du rêve d'harmonie. Confondu avec le tanné, il signifie le désespoir : cf. Forcadel (Blason des Couleurs), « Et le tanné monstre le désespoir ». Cf. A. Jamyn et La Roque, *Caritée,* XXXII, p. 77, « le verd signifie esperance, l'orangé desespoir... »
86. Birague, *op. cit.,* LVII, p. 37 v°.
87. *Ibid.,* V, p. 2.
88. *Ibid.,* XXX, p. 10.
89. *Ibid.,* XXXI, p. 11.
90. *Ibid.,* CXXXIII, p. 49.

Mais c'est surtout dans ses *Secondes Amours*, plus furieuses, que le décor funèbre est mis en place. Alors, les « froids rochers ceints d'horreur admirable » [91], les antres qui résonnent de ses « plaintes mortelles » [92], les animaux goulus qui entourent la sépulture de l'amant désespéré [93], disent tous l'imminence de la mort désirée, et Birague compose pour ses amours défuntes un désolant Requiem :

> « C'estoit au jour piteux que la trouppe sacrée
> Des morts en Jesus-Christ avoit treve et repos,
> Gisant sous la froideur du cercueil en dépos,
> Quand de maint Requiem leur ame est honorée.
>
> Lors au doux souvenir de la seconde année
> Que mon cœur est défunt (...)
> Je formay tel sanglot (...). » [94]

Cette évocation plaintive des défuntes amours, dans une tonalité en mineur, s'attache aux objets funèbres : le cierge, la chandelle, le cercueil, qui deviennent les emblèmes du cœur meurtri. Ailleurs, Birague dessine à grands traits un paysage funèbre d'une austère tristesse, dans lequel les tombeaux, leurs croix, et les ombres blêmes renvoient à l'âme désolée l'image de sa langueur :

> « Hoste mélancholique
> Des tombeaux et des crois,
> J'erreray fantastique
> Aux effroyables bois,
> Compagnon des forests,
> Et des Daemons secrets.
>
> . . . .
>
> Les rochers solitaires
> Oreillez à mes sons
> Les Faunes et les Laires
> Rediront mes chansons,
> Chansons tristes tesmoings
> De mes funèbres soings
>
> . . . .
>
> Les Ombres éternelles
> Des Manes blesmissants
> Sont beaucoup plus fidelles
> A mes sens languissants
> Que l'Astre radieux
> Qui redore les Cieux.
>
> . . . .
>
> Bref je hay la lumière... » [95]

On retrouve chez Nuysement les principaux éléments qui servent à A. d'Aubigné pour composer le décor funèbre de sa déploration : le bois épais, sa sombre horreur, son silence qui n'est déchiré que du cri strident des oiseaux de nuit ; il est, dans sa stérile grandeur, le lieu idéal d'une course folle vers la mort :

91. *Ibid.*, II, p. 75 v°.
92. *Ibid.*, VIII, p. 77.
93. *Ibid.*, p. 84.
94. *Ibid.*, XXI, p. 88.
95. *Ibid.*, Ode, p. 90, str. 2, 3, 5, 10, 11, 15 et 16.

> « Je cerne ces forests de maints et maint circuits
> J'imprime mille pas sur ces sablons recuits,
> Alors que de fureur ma pauvre ame est atteinte,
> Pleurant, plaignant, criant deçà delà je cours,
> Les rochers et les bois et les fleuves sont sourds. »[96]

Comme d'Aubigné encore, il réclame un témoignage à cette vallée de la mort, à ces cruels animaux[97].

Le paysage funèbre qu'il décrit est à la fois terrestre et infernal, en deçà et au-delà des ondes stygieuses :

> « Dans le sombre manoir où les nuits ténébreuses
> Tiennent les yeux cillés des âmes malheureuses
> Suivant l'obscur sentier de ce gouffre avernal,
> Qui tourne obliquement dans le trosne infernal,
> . . . .
> Pour me voir transformé en figure impalpable,
> Tout déchiré, sanglant, hideux, palle, effroyable,
> Obscur, sans voix, sans bouche, et contraint de voller
> Cà et là nuit et jour, athome parmy l'air
> . . . .
> Or à Dieu, je m'en vay à courses vagabondes
> Repasser des Enfers les implacables ondes,
> Je m'en vay en un lieu où le soleil ne luit
> Ains où dure toujours une eternelle nuict. »[98]

De même, Jamyn, lorsqu'il veut composer un paysage funèbre qui convienne au deuil de Cléophon[99], mêle à l'évocation des ténèbres qui couvrent la terre, celle de la nuit infernale :

> « ...O mechantes tenèbres
> Qui me donnez des jours si tristes et funèbres,
> Pourquoy si promptement avez vous fait tomber
> Le feu qui commençoit encores à flamber ?
> Pourquoy si tost se perd l'Aurore messagère
> D'une si reluisante et celeste lumière ?
> Tenebres, je vous damne et vous bany là bas
> Dans le sein du Tartare où le Ciel ne luist pas.
> J'ay enterré ma joye au creux de vos tombeaux... »[100]

Le paysage funèbre, qui recouvre de ses ombres le jour le plus luisant, et rend la terre, naguère joyeuse, semblable au séjour stygieux, convient particulièrement à l'amant désolé dont l'âme se convertit en Idole errante :

> « Les Ombres, les Esprits, les Idoles affreuses
> Des Morts chargez d'offence errent durant la nuict :
> Et pour montrer leur peine et le mal qui les suit
> Font gemir le silence en longues voix piteuses.

---

96. Nuysement, *op. cit.*, *Stances*, p. 62.
97. *Ibid.*, *Stances*, p. 61.
98. *Ibid.*, *L'Acherontide*, p. 98.
99. A. Jamyn compose pour Henri III (Cleophon) la prosopopée de F. de Maugiron, et 26 sonnets sur la mort de Cailus, Maugiron, et Saint-Maigrin, les mignons du Roi, morts tragiquement en 1578, à l'issue d'une querelle. Cf. Th. Graur, *A. Jamyn*, *op. cit.*, pp. 240-244. Ronsard et Desportes composent également des vers pour le roi inconsolable (aussi Passerat, Blanchon, Birague...).
100. A. Jamyn, *O.P.*, éd. Brunet, p. 263.

Souvent tu peux ouïr mon ame tout ainsi
       Qui gemist (...)
Déesse pren pitié de son cruel tourment
Qu'elle ne coure plus autour du monument
Comme une Ombre maudite errante et déchassée. » [101]

Ainsi se crée entre un décor funèbre, dont les principaux éléments : l'ombre, le cierge, et la chandelle, l'oiseau nocturne, les Manes..., s'organisent autour de la pierre tombale ou du cercueil, et une âme endeuillée, éprise d'obscurité et blanche de frayeur, une secrète complicité : chaque objet de ce décor renvoie l'amant à son obsession et à son angoisse, ou plutôt, le cœur qui s'afflige et se repaît de tristesse aime à recréer un paysage mental qui s'accorde à la sensibilité du poète, aiguisée par la souffrance, voluptueusement attirée par tout ce qui parle de la mort, d'une mort si douce et si terrible.

c) *Le décor sinistre.*

Le désert, sauf peut-être chez Béroalde, cesse d'être considéré comme le lieu sinistre, il devient plaisant et agréable à l'âme ; le décor funèbre lui-même incite le poète à goûter une tristesse voluptueuse, plus douce qu'amère. Aussi pour composer un paysage véritablement sinistre, d'autres éléments seront introduits, qui susciteront l'horreur, l'angoisse.

A. d'Aubigné, s'il part de la description relativement conventionnelle d'une nature déserte et stérile, transforme progressivement le paysage qui devient bientôt le lieu d'une fureur rouge, « le champ sanglant où la fureur hostile / Vomit le meurtre rouge » [102]. Il n'est plus alors question de rechercher une certaine sympathie au sein d'une nature sèche comme le cœur, mais de forcer les éléments à dégager la folie qui les habite :

« Enfin lorsque le champ par les plombs d'une grelle
Fume d'ames en haut, ensanglanté d'hoorreur... » [103]

La terre-mère se fait marâtre, ennemie de ce fils qu'elle ne reconnaît plus pour sien, acharnée à sa perte :

« Je despite à ce coup ton inique puissance
O nature cruelle à tes propres enfantz !
Terre yvre de mon sang. » [104]

Vu par les yeux de l'âme égarée, tout objet perd son éclat :

« Les lys me semblent noirs, le miel aigre à outrance,
Les roses sentir mal, les oeilletz sans couleur,
Les mirthes, les lauriers ont perdu leur verdeur... » [105]

Le monde se décolore, perd saveur et parfum, et chacun des éléments qui le composent se fait métaphore du deuil :

---

101. *Id., Artemis, éd. cit.,* p. 184 v°.
102. A. d'Aubigné, *Le Printemps, op. cit.,* p. 64.
103. *Ibid.,* p. 66.
104. *Ibid.,* p. 124.
105. *Ibid.,* p. 136.

> « Je deploroy le sort d'une branche orpheline
> D'un saulle my-mangé, que la rustique main
> Faisoit servir d'appuy à un sep inhumain,
> Ingrat de ce qui l'ha preservé de ruine.
> La mort proche l'asseche. » [106]

Blanc, le paysage hivernal a pris vêtement de deuil (le blanc est associé [107] à l'image de la mort) :

> « Ores qu'on voit le ciel en cent mille bouchons
> Cracheter sur la terre une blanche dragée,
> Et que du gris hyver la perruque glacée
> Enfarine les champs de neige et de glaçons,
> Je veux garder la chambre... » [108]

Ainsi, chaque aspect du monde naturel, et de la lutte intestine qui le mine [109], renvoie à l'âme une image désolée :

> « On ne voit rien au ciel, en la terre pesante,
> Au feu, en l'eau, à l'air, qu'en le considerant
> Mon esprit affligé n'aille se martirant,
> Et mon ame sur soy cruellize insolente. » [110]

Chaque saison amène un déplaisir : l'hiver, s'il est doux, est trompeur (« J'en crain la queue... » [111]), le printemps qui manifeste le « vouloir vivre » [112] est en butte au froid envieux, l'été pluvieux gâte les promesses printanières, et l'automne orangé n'annonce que la mort glacée.

> « Sort inique et cruel ! le triste laboureur
> . . . .
> Prodigua de son temps l'inutile sueur,
> Car un hyver trop long estouffa son labeur,
> Luy derobbant le ciel par l'espais d'une nue
> Mille corbeaux pillarts saccagent à sa veue
> L'espic demy pourri, demy sec, demy meur.
> Un esté pluvieux, un automne de glace
> Font les fleurs et les fruits joncher l'humide place. » [113]

En ce désolant spectacle, l'amant reconnaît sa propre histoire :

> « A ! espoir avorté, inutiles sueurs !
> A ! mon temps consommé en glaces et en pleurs.
> Salaire de mon sang... » [114]

La terre, les cieux, la nature entière dans son mouvement cyclique, ne font que « sonner » les « complaintes » de ce cœur « diffamé de

---

106. *Ibid.*, p. 143.
107. Voir n. 84. Et ne pas oublier que le blanc est pour A. d'Aubigné ambivalent : il y a un bon blanc (celui de la robe des Justes, « ils sont vestus de blanc... » *Trag.*, VII, v. 738) et un mauvais blanc, un blanc faux et menteur, « Au jour de vostre *change*, on vous pare de blanc... », *Trag.*, VII, v. 181).
108. *Le Print.*, op. cit., LXXXIV, p. 150.
109. *Ibid.*, v. 9-10 : les « tormentz » de l'amant et de la nue qui se crève.
110. *Ibid.*, LXXXVII, p. 154.
111. *Ibid.*, LXXXIII, p. 150, v. 4.
112. *Ibid.* LXXXV, p. 151, v. 4 (le « vouloir de la nature »).
113. *Ibid.*, XCV, p. 162.
114. *Ibid.*, v. 11-14.
115. *Ibid.*, C, p. 168, v. 2.

bruslures » [115] qui se sent orphelin, sans lien avec ce monde hostile et déprimant.

Aussi tout l'effort de l'amant désespéré est-il de se réfugier, loin des « sejours frequentez », dans une forêt sans chemin — image du désarroi de l'âme, pour trouver dans les « chesnes perissans » l'image terrible de sa propre mort en acte, lente déperdition de force, agonie interminable, marquée par le vain sursaut. Le spectacle de scènes violentes, d'actes cruels, est alors savouré, dans son atroce beauté, par un cœur sombrement déterminé à détester la fraîcheur et la tendresse, pour reporter son attention sur la vue sinistre du mal absolu qu'est la souffrance infligée à l'innocent, bête ou homme :

> « Quel plaisir c'est de voir les vieilles haridelles
>   De qui les os mourants percent les vieilles peaux :
>   Je meurs des oyseaux gais volans à tire d'ailes,
>   De courccs de poulains ct dcs saulx dcs chcvrcaux !
>
> Heureux quant je rencontre une teste sechée,
>   Un massacre de cerf, quant j'oy les cris des fans ;
>   Mais mon ame se meurt de depit assechée
>   Voians la biche folle aux saulx de ses enfans. » [116]

Très vite, le paysage sauvage et désert devient sinistre, et d'Aubigné appelle de ses vœux l'orage et la tempête qui combleront son âme assoiffée de sympathie :

> « Jamais le cler soleil ne raionne ma teste,
>   Que le ciel impiteux me refuse son œil,
>   S'il pleut, qu'avec la pluie il creve de tempeste,
>   Avare du beau temps et jaloux du Soleil.
>
> Mon estre soit yver... » [117]

La fureur amoureuse se marie à la violence des éléments déchaînés par la tempête, et, progressivement, le paysage sinistre perd ses éléments de réalité pour devenir halluciné, pays du cauchemar et du délire :

> « Les herbes secheront sous mes pas, à la veue
>   Des miserables yeux dont les tristes regards
>   Feront tomber les fleurs et cacher dans la nue
>   La lune et le soleil et les astres espars.
>
> Ma presence fera dessecher les fontaines
>   Et les oiseaux passans tomber mortz à mes pieds (...)
>   La terre autour de moy crevera de sang teinte,
>   Et les arbres feuillus seront tost descouvertz. » [118]

L'univers se disloque et crève, touché par la même malédiction, il s'éteint comme les astres, mourant dans une blancheur stérile, à peine teintée par le sang que vomit la terre, à jamais dévitalisé.

Ce décor fantastique, cet étrange pays de la mort sèche, dans lequel le poète se meut en visionnaire, est déjà celui des *Tragiques,* qui chanteront, en des vers sombrement éclatants, la mort du Ciel qui précède le Jugement [119].

---

116. *Ibid.,* St I, p. 171, v. 97 et suiv.
117. *Ibid.,* v. 113 et suiv.
118. *Ibid.,* v. 133 et suiv.
119. *Id., Les Trag.,* VII, v. 913 et suiv.

On est ici très loin du pittoresque descriptif : dans son délire, le poète célèbre un étrange sabbat, aux rites surprenants, et toute l'atmosphère blanche et rouge des *Stances* et de l'*Hécatombe,* raréfiée, anémiée, prend un caractère à la fois violent et irréel :

« Tantost une fumée espaisse, noire, ou bleue,
　　Passant devant mes yeux me fera tressaillir ;
　　En bouc et en barbet, en facynant ma veue,
　　Au lit de mon repos il viendra m'assaillir... » [120]

Le paysage sinistre d'Aubigné, projection hallucinée d'un esprit « fantastique », « douces fictions » d'un poète « faciné » [121] par l'invisible, manifeste l'accord [122] d'une nature travaillée par l'angoisse humaine à laquelle elle réagit par sa brutale transformation, et d'une âme qui ne se tourne vers l'extérieur que pour y reconnaître les images de son mal, et de son inquiétude. La création tout entière, flore et faune, matière et esprit, est consubstantielle à l'être : mue par la pitié, bouleversée par la souffrance humaine, à laquelle elle participe activement, elle témoigne, par son désordre, de l'insupportable offense, de l'inacceptable violence. Le paysage sinistre de Clovis Hesteau de Nuysement est très proche, par sa tonalité, comme par sa fonction, de celui d'Aubigné. Lui aussi accorde à sa fureur un paysage dont tous les éléments, violemment désaccordés, éclatent et se disloquent, pour témoigner du mal subi injustement : « Puisse en dépit du Ciel et du grand Jupiter
　　Des signes du Soleil, des Astres, de la Lune,
　　De nature, de l'Art, du Destin, de Fortune,
　　D'amour, des Eléments, mon tourment s'irriter.

Que les vents enrages facent precipiter
　　Les estoilles du Ciel dans la mer une à une,
　　Que Phoebus et Phoebé rendent sa face brune
　　Et que son foudre mesme il ne puisse éviter.

Naisse à chaque moment mon amoureux martire. » [123]

Nuysement aime à décrire la décoloration progressive du paysage,

« Du soleil radieux la brillante splendeur
　　Et de la lune aussi la lumineuse face
　　Par un nuage espais, espars en l'air s'efface,
　　Lors qu'ils vont tournoyant la celeste rondeur.
　　L'hyver ravit aux fleurs la couleur et l'odeur... » [124]

sa destruction, son effacement. Il aime aussi la tristesse qui s'étend sur la terre à chaque automne, colorant de gris toute chose :

« Quand le grand œil du Ciel tournoyant l'Orizon
　　Se darde au Capricorne, où sa chaleur passée
　　Se retirant de nous rend la Terre glacée
　　Et nous fait ressentir l'hyvernalle saison,

---

120. *Ibid.,* v. 169 et suiv. Le bleu, couleur de l'irréalité, convient aux apparitions. D'autre part le bouc et le chien sont les formes que revêt volontiers le démon pour apparaître à l'homme. Tous deux (voir pour le chien plus haut la note 67 du chap. III, deuxième partie) sont des animaux *impurs.*
121. *Ibid.,* p. 199.
122. *Ibid.,* p. 198, v. 76, « ...desja les Cieux *s'acordent* à pleurer. ».
123. Nuysement, *op. cit.,* XXIII, p. 38 v°, XXIV, p. 38 v°.
124. *Ibid.,* XXX, p. 40 v°.

> L'air, lui voyant ravir l'amoureuse toison
> De mille et mille fleurs dont elle est tapissée,
> En pleure, et tout despit d'une humeur amassée
> Voelle son chef doré d'un autre chef grison... » [125]

Attentif au changement, à la muance, il se plaît à évoquer la transformation d'un décor qui se charge de menace et enfante l'angoisse :

> « Un grand voelle obscurcy parmy l'air s'estendoit,
> Qui rouant dans son sein une humeur detenue
> Semoit deçà delà une gresle menue,
> Qui marteloit la terre, et tombant se fendoit.
>
> Une autre vis à vis par le vuide pendoit,
> Où se formoit maint corps de figure incognue... » [126]

Le décor sinistre emprunte au monde naturel ses phénomènes : l'éclipse de soleil, l'orage, l'avalanche [127], la tempête [128], mais charge chacune de ces manifestations d'une signification, car toute modification du paysage renvoie aux sentiments d'une « pauvre ame dolente » [129] qui se « pourmène sans repos » deçà delà, engloutie dans la « mer d'ennuys », ensevelie « sous les vagues escumeuses » [130], semblable « au flot irrité / Qui court bruyant sa mort à l'escumeuse rive » [131].

Pour Nuysement, comme pour A. d'Aubigné, son compagnon en fureur, le plaisir naît de la contemplation d'un paysage lugubre et désolé, en lequel il aime à reconnaître l'image de son âme tourmentée et vagabonde.

J. de la Jessée, comme d'Aubigné et Nuysement, reprend à la tradition de la *Disperata* l'appel à la tempête cosmique, qui dissoudra l'univers et le rendra à son chaos originel. Dans l'ouverture effrayante du monde béant, dans son chaotique désordre, il voit l'exacte réplique à son désarroi :

> « Que tous les éléments soient bandés contre moy,
> Que les cieux, l'air et l'onde et la flamme et la terre
> M'assaillent pesle mesle, et que l'aspre tonnerre
> M'accable et me ravisse à celle que j'aimoy.
>
> Que la crainte, l'horreur, et la rage et l'esmoy
> Comme un Oreste fol m'espouvante et m'atterre,
> Que tout ce que l'Enfer de monstrueux enserre
> Redouble ici mon deuil, ma playe et mon effroy.
>
> Que pour moy le soleil se cache et s'obscurcisse
> Que les jours me soient nuits... » [132]

D'un ensemble d'éléments hétérogènes : le bouleversement universel, accompagné des signes habituels de la tempête (tonnerre, éclairs, et flamme), les figures fantastiques surgies des profondeurs infernales, l'éclipse du soleil, J. de la Jessée fait surgir une atmosphère enfièvrée, qui s'accorde aux assauts de rage d'une malheureuse passion.

---

125. *Ibid.*, XLI, p. 44 v°.
126. *Ibid.*, L, p. 45 v°.
127. *Ibid.*, X, p. 35 v°.
128. *Ibid.*, XXIII, p. 38 v°.
129. *Ibid.*, p. 52.
130. *Ibid.*, LVIII, p. 47 v° et LXXXIII, p. 53 v°.
131. *Ibid.*, p. 50.
132. J. de la Jessée, *op. cit.*, p. 1120.

Plus proche du paysage infernal, auquel il emprunte quelques éléments (la nuit, l'horreur, la lumière blafarde...), le décor sinistre de Flaminio de Birague, pauvre en détails concrets, dépourvu de pittoresque, est un décor imaginaire, qui donne moins à voir qu'à rêver :

« Desespéré, chétif, du repos de ma vie,
  Je chemine à grands pas au sentier douloureux
  De l'Orque espouvantable (...)
Là, l'horreur de la Nuit sombrement obscurcie
  Et l'effroy pallissant de l'Achéron ombreux
  Avec tous les tourmens des Enfers tenebreux
  Puissent combler mon chef d'indomtable manie... » [133]

Encore quelques notations de couleur ou de nuance, et les références aux lieux mythiques, permettent de définir les grands traits d'un paysage nocturne, dont la pâleur parle d'effroi. Chez Béroalde, l'abstraction l'emporte, les objets disparaissent, et le monde extérieur s'efface :

« Je me sens assailly d'un estrange malheur,
  Je ne voy près de moy que perte, que douleur,
  Que sang, que mort, qu'horreur, que misère, que peine,
  Et d'un long desespoir mon courage je gesne,
  Tant que d'un noir manteau s'obscurcissent les cieux. » [134]

Ainsi, plus encore que le paysage désertique ou funèbre, le paysage sinistre, dont la fonction est de susciter l'horreur ou l'angoisse, se dégage de la réalité observée pour se charger de mythe ; plus dépourvu d'éléments concrets, il tend davantage à mettre en place un monde imaginaire à la mesure de l'âme égarée qui se perd dans les ténèbres pâles. En marge du réel, le poète pré-baroque reconstruit un univers « sympathique », accordé à la tonalité de son inspiration, un univers proprement « fantastique », c'est-à-dire issu d'une imagination féconde qui utilise certains éléments donnés pour projeter librement les figures « inconnues », les formes monstrueuses qui peuplent ses rêveries désolées.

d) *Le paysage infernal.*

Le paysage infernal constitue en lui-même un *topos* dont les principaux traits sont déjà fixés par la tradition latine, et particulièrement par le livre VI de l'*Enéide,* elle-même tributaire, comme on sait, de la tradition grecque, et du XIe chant de l'*Odyssée*. Deux thèmes principaux rappellent la division du XIe chant en deux parties distinctes — la nécromantie et la descente aux enfers : d'une part, le poète pré-baroque se plaira à « évoquer » les morts, les Manes, les puissances d'en-bas ; d'autre part, il se souviendra des descriptions « classiques » pour dessiner à grands traits les lieux infernaux, leurs allées peuplées de fantômes, leurs bois, leurs champs et leurs bosquets.

L'ÉVOCATION DES OMBRES INFERNALES.

L'appel aux puissances infernales est traditionnel dans la *Disperata* : l'amant s'adresse à elles comme à l'ultime juridiction, pour qu'elles le

133. Birague, *op. cit.*, XVIII, p. 6.
134. Beroalde, *Souspirs, op. cit.*, Elegie, IV, f. 28.

livrent aux supplices réservés, dans le royaume noir, au criminel. A. d'Aubigné modifie cet appel : les « noires fureurs » cessent pour lui d'être extérieures à l'homme, elles font partie de son être — la plus intime ennemie du bonheur.

> « Cessez noires fureurs, Aerynes inhumaines,
> Esprits jamais lassez de nuire et de troubler ;
> Ingenieux servaux, inventeurs de mes peines :
> Si vous n'entreprenez rien que de m'acabler,
> Nous avons bientost fait, car ce que je machine
> S'acorde à vos desseins et cherche ma ruine. » [135]

Pour lui, la Parque hostile se fait « amiable » et pitoyable ; l'amant ne demande rien d'autre que longue vie pour l'aimée. Il ne rêve en effet plus, comme Ronsard, de trouver enfin aux enfers l'union impossible sur terre, ni de goûter l'amer plaisir que peut procurer le spectacle des tortures infligées à la Belle insensible : les remords qui tourmentent Diane vivante, goûtés, savourés du sein des Enfers par l'amant devenu ombre légère, lui paraissent plus agréables et plus satisfaisants pour l'imagination que n'importe quel châtiment infernal, à condition que la belle vive « cent ans » à « goutter les remords / De sa légèreté inhumaine, sanglante... » [136]. Alors, fantôme vengeur, l'amant pourra surgir du fond de l'éternelle nuit pour assiéger le lit de l'inconstante Diane, « Portant le feu, la plainte et le sang en la bouche... » [137]. Si, dans ce cas, l'amant rêve d'emprunter leurs pouvoirs aux « demons des regions hautaines », il peut aussi réclamer la complicité des démons qui hantent les cimetières :

> « Demons qui frequentez des sepulchres la lame,
> Aidés moy, dites moy nouvelles de mon ame
> Ou montrés moy les os qu'elle suit adorant
> De la morte amytié qui n'est morte en mourant. » [138]

L'appel aux Fureurs ou aux Démons témoigne, chez A. d'Aubigné, d'une conception animiste de l'univers, peuplé d'âmes, parcouru en tous sens par l'Esprit triomphant de la matière, elle-même douée de vie, d'une vie immortelle. Tout pour lui porte sens, choses et êtres sont unis par une étroite complicité, nulle barrière entre le monde de la chair et celui de l'âme. La créature n'est point isolée dans la création, mais reliée au monde invisible, avec lequel le contact est toujours et à tout moment possible.

Une intuition de même nature anime les « évocations » de Béroalde : le monde noir de la passion insatisfaite est peuplé de créatures cruelles ou pitoyables, actives en tout cas, et capables de prêter main forte à l'amant désespéré [139]. L'appel est demande de mort :

---

135. A. d'Aubigné, *Print.*, *op. cit.*, p. 201 (Stances IV). Sur le traditionnel appel aux furies dans la Disperata, voir Tebaldeo, *Disperata*, I, Serafino, *Disperata*, I et III, et F. d'Amboise (*le Pr.*, *op. cit.*, appendice II), v. 309 et suiv. :
> « Vous Eumenides (...)
> Vous provots enquesteurs (...)
> Je vous invoque... »
136. *Ibid.*, *St.*, IV, p. 201, v. 73 et suiv.
137. *Ibid.*, v. 79 et suiv.
138. *Ibid.*, *St.*, XIX, p. 273, v. 9 et suiv.
139. Beroalde, *Anthol*, *éd. cit.*, VII, p. 27.

> « Vous, esprits, qui toujours allés faisant la ronde
> . . . .
> Employés les secrets de tout vostre sçavoir
> Pour mettre en un esprit une peine seconde... » [140]

Comme Béroalde, Birague appelle « Des Euménides seurs la troupe furieuse » [141], Cerbère, Briarée, et « tout l'infernal tas », « la cruelle Atropos, Lachésis et Cloton », et convoque, pour ouïr ses plaintes, les Dieux d'en-bas et les Esprits qui peuplent l'empire de Pluton [142] :

> « Hélas je connoy bien qu'en la fleur de mon age,
> Il faut que je m'en aille aux palus Stygieux,
> *O Dieux qui habitez* les voustes estoilées
> *Et l'Orque tenébreux* et les plaines salées
> Regardez en pitié mon enuy vehement ! » [143]

Plus plaintif que Béroalde, il implore plus volontiers la compassion des puissances infernales :

> « Esprits qui habitez dans la fumée espoisse
> Du manoir ténébreux des horribles Enfers,
> Si vous sçaviez les maux qu'en aimant j'ay soufferz,
> Vous plaindriez mes tourmens... » [144]

Il s'adresse à l'ultime juridiction que constitue le peuple invisible des Esprits infernaux, pour obtenir de lui sa pitié, son aide, et son irrécusable témoignage :

> « Vous qui habitez l'Orque noir
> Laissez vostre horrible manoir,
> Sortez de la grotte avernale,
> Et venez tous icy haut voir
> Ma peine qui n'a point d'égale.
> O Proserpine, ô noir Pluton,
> Cerbère, Mégère, Alecton,
> Tysyphone, infernales Ombres,
> Atropos, Lachésis, Cloton,
> Venez tous ouïr mes encombres.
> Les tourmens qu'on souffre aux Enfers
> N'esgalent ceux que j'ay souffers
> Ma douleur est incomparable
> . . . .
> Venez donc esprits infernaux
> Prenez pitié de mes travaux. » [145]

L'appel à la pitié des esprits infernaux devient ainsi un thème habituel du lyrisme pré-baroque ; Nuysement qui se plaît à invoquer la terreur « des filles de la nuit » [146] s'adresse à son tour aux Manes :

> « O Manes qui errez parmy l'ombre eternelle
> Si quelque souvenir reste après le trespas,
> Au moins prenez pitié de ma douleur cruelle... » [147],

et aux Démons [148], comme à Pluton [149].

---

140. *Ibid.*, VIII, p. 28.
141. *Birague, op. cit.*, XLI, p. 14.
142. *Ibid., Elegie*, p. 57.
143. *Ibid.* XXXIII, p. 10.
144. *Ibid., Complainte*, p. 18.
145. *Ibid.*, 32 v° - 33 r°.
146. Nuysement, *op. cit.*, LXXVI, p. 52.
147. *Ibid.*, LXII, p. 48 v°.
148. *Ibid.*, p. 96 (*Jalousie de Candie*) et p. 99.
149. *Ibid.*, p. 101 et *Cartel*, pp. 103 v° - 104.

Tous les poètes furieux, qui ont choisi de chanter, non la joie d'amour, mais le forcènement, concluent un pacte avec les puissances infernales, pour tenter d'échapper au destin malheureux que les astres leur ont fixé ; ainsi I. Habert célèbre l'infernale Mégère, en laquelle il place son espérance :

> « Je veux donc invoquer l'infernale Mégère,
> La Parque inexorable, et l'homicide Mort,
> Pour me faire passer l'Achérontide bord,
> Car vivre je ne puis en douleur si amère. » [150]

Toutes ces évocations, tous ces appels destinés à faire surgir à la lumière le peuple noir des ombres aux formes multiples qui habitent les territoires d'en-bas, témoignent de la complicité entre le poète furieux et les forces obscures qui parlent de mort et de cruauté. Il est vrai que, en un sens, la croyance en l'existence de ces êtres immatériels, le sentiment de leur présence réelle, se font moins forts, moins assurés, et que la mythologie vivante de 1550 a perdu de son pouvoir. Mais il n'en reste pas moins une espèce de croyance poétique, un « credo » esthétique : pour être plus pâles, les figures des ténèbres n'en sont pas moins stimulantes pour l'imagination, et chargées d'une force efficace. En tous cas, dans l'exploration nouvelle d'un univers sombre et coloré par le seul éclat de la nuit, les Ombres, les Manes et les puissances infernales répandent une lueur blafarde, couleur de mort, qui s'accorde à la psychologie amoureuse et à sa fureur.

PRINCIPAUX ASPECTS DU PAYSAGE INFERNAL.

Enée, à son entrée dans le monde infernal, découvre un monde sans couleur [151], peuplé d'abstractions personnifiées, et de monstres divers [152], puis les eaux boueuses du fleuve infernal [153], et les marais (le Cocyte et le Styx). Ces éléments sont en général retenus pour définir globalement l'ensemble du monde silencieux, vide, et blafard. Nul souci, chez les poètes pré-baroques, de géographie infernale, pas de description précise de tel ou tel lieu virgilien, mais le désir de restituer une atmosphère étrange, de susciter l'horreur et le trouble, non point, comme Virgile, en révélant ce qui ne doit point être dit [154], mais en créant, à partir des données mythologiques, un monde sinistre à la mesure du deuil qui accable l'amant.

A. d'Aubigné se plaît à imaginer un Enfer redoutable pour l'inconstant et le parjure, mais doux au juste. Il est le royaume de la séparation, domaine heureux des Champs Elysées, où l'Anchise de Virgile montrait les jouissances des âmes élues [155], domaine sinistre des

---

150. I. Habert, *Météores, op. cit.,* IX, p. 30.
151. Virgile, *Enéide,* VI, v. 272 : « ...et rebus nox abstulit atra colorem. »
152. *Ibid.,* v. 273 et suiv. Pour les abstractions personnifiées : Luctus, Curae, Senectus, Metus, Fames, Egestas, etc. ; pour les monstres (« variarum monstra ferarum », v. 285), outre les Euménides et la Discorde, Centaures et Scylla, l'hydre de Lerne, les Gorgones, la Chimère, etc.
153. *Ibid.,* v. 296 : « Turbidus hic caeno vastaque voragine gurges... »
154. Cf. *ibid.,* v. 266-267 : « Sit mihi fas audita loqui... »
155. *Ibid.,* v. 637-651, description des Champs-Elysées et énumération des Justes.

Champs des Pleurs, où la justice enfin se prononce et condamne le
bourreau [156] :   « Quand mon esprit jadis sujet à ta colère
                    Aux Champs Eliziens achevera mes pleurs,
                    Je verray les amants qui de telle misère
                    Gousterent tels repos après de telz malheurs (...)
              A quiconques aura telle dame servie
                    Avecq' tant de rigeur et de fidellité
                    J'esgalleray ma mort, comme je fis ma vie
                    Maudissant à l'envy toute legereté,
                    Fuiant l'eau de l'oubly [157]...
              . . . .
              Je verray aux Enfers les peines preparées,
                    A celles là qui ont aymé legerement... » [158]

La division du royaume infernal en domaines distincts renvoie au
désir fondamental chez A. d'Aubigné d'opposer matériellement le monde
idéal de la récompense et de la revanche, au monde terrible du châtiment. Les Enfers peuvent alors représenter l'apaisement, l'ultime
satisfaction :   « Mon esprit satisfait errant par les brisées
                    Des enfers esgairez et des Champs Elizées
                        Rien ne regretteroit,
                    Que le mesme regret qu'auroit son ennemie
                    De la saincte amitié qu'encor après la vie
                        L'esprit emporteroit
                  . . . .
                  C'est fait, je veux mourir... » [159]

La représentation des Enfers comporte bon nombre d'éléments
traditionnels depuis Virgile dans la poésie : les ombres et la nuit,
l'Achéron qui entoure les enfers, les Esprits errants. Comme chez le
poète latin, les « âmes » défuntes connaissent là-bas une vie rudimen-
taire, des désirs, des intentions [160] ; A. d'Aubigné imagine que l'esprit
soupirera encore d'amour et de regret, qu'il s'entretiendra de ce que
fut son espérance... Le paysage infernal est un paysage tout semblable
aux « déserts » terrestres, ombrageux comme eux, et comme eux accordés
à la tristesse. Ce n'est point un lieu « fantastique », mais au contraire le
domaine raisonnable où tout enfin est à sa place : un monde d'ordre et
de paix, le dernier refuge de l'innocent persécuté. Le véritable enfer est
sur terre [161].

C'est à un aspect tout autre que Nuysement s'attache : l'Enfer qu'il
décrit est un lieu horrible, très proche des Champs des Pleurs virgiliens,
réservé comme eux à tous ceux qui sont morts prématurément, ou qui

---

156. *Ibid.*, v. 418-425 : les Champs des Pleurs accueillent ceux qui n'ont pas
encore rempli leur destinée et que Minos va juger.
157. Pour la fonction du Léthé, voir *ibid.*, v. 748-749.
158. A. d'Aubigné, *Le Print.*, *op. cit.*, St. IV, p. 201, v. 49 et suiv.
159. *Ibid.*, St. XVI, p. 244, v. 25 et suiv.
160. Cf. *Enéide*, VI, v. 318 et suiv. :
         « quid *vult* concursus ad amnem
             Quidve *petunt* animae ? »
161. Par ex. dans les visions d'horreur, les cauchemars, les angoisses qui
viendront tourmenter la belle endormie, cf. *ibid.*, St. IV, p. 208, v. 97 et suiv.

n'ont pu, à la suite de diverses circonstances, remplir leur destinée [162]. Parmi ces victimes, une place est faite à ceux qui moururent d'amour (« durus amor » [163]), que la mort même ne délivre pas de leur cruelle peine. Nuysement s'imagine parmi eux, ombre parmi les ombres, tourmenté jusque dans l'au-delà par les affres d'une passion condamnée :

> « Dans le sombre manoir où les nuits tenebreuses
> Tiennent les yeux cillés des ames malheureuses,
> Suivant l'obscur sentier de ce gouffre Avernal,
> Qui tourne obliquement dans le trosne infernal :
> Faisant face au destin, je devallay naguère
> Me rangeant sous les lois de l'horrible Megere,
> Dont les fouets fornouez ennemys du repos
> J'ay senti par trois fois imprimer sur mon dos.
> . . . .
> Dans le lieu où je loge une trouppe sifflante
> De serpents et d'aspits d'une cource glissante
> Me galloppe sans fin et poinçonnant mon flanc
> D'une avide fureur s'enyvre de mon sang. » [164]

Cette descente aux Enfers, qui donne lieu à une description assez précise des lieux, et à une évocation, fidèle à la tradition, de Mégère, l'une des trois Furies [165], est le signe d'un refus de la vie et du jour, plusieurs fois manifesté par Nuysement :

> « Or à Dieu, je m'en vais à courses vagabondes
> Repasser des Enfers les implacables ondes,
> Je m'en vais en un lieu où le Soleil ne luit,
> Ains où dure toujours une éternelle nuict. » [166]

Car l'Enfer est associé aux ténèbres : le jour luisant, insupportable à l'amant, est l'ennemi d'un cœur qui se repaît d'ombres. Il est également associé, à cause de ses fleuves et de ses marais, de ses lacs, à l'eau morte, à l'eau dormante. La nuit épaisse, l'onde cruelle, parlent toutes deux de la mort, et c'est bien cette secrète attirance vers la mort que dit Nuysement lorsqu'il évoque les lieux infernaux. Sa recherche des territoires de la mort apparaît souvent comme un défi lancé à la vie :

> « J'ai cherché des enfers les gouffres homicides,
> Pour dompter des fureurs les cruautez avides
> J'ay veu des monts bruslants (...)
> Défié les Demons dessous l'Orque engouffrez... » [167]

Par là, Nuysement redonne un sens nouveau à la descente aux enfers : il ne s'agit point pour lui d'obtenir une révélation, ni d'obtenir une éclatante revanche, mais plutôt, semble-t-il, de déclarer sa haine pour l'existence quotidienne, assombrie par la fatalité astrologique, et d'éprouver sa propre fureur, qui est bien une force vitale.

---

162. Cf. *Enéide*, VI, v. 426 et suiv : outre les enfants, les suicidés, les victimes d'Amour, les soldats tombés sur le champ de bataille, et les innocents condamnés à tort.
163. *Ibid.*, v. 442.
164. Nuysement, *op. cit.*, *L'Achérontide*, p. 98.
165. Voir *Enéide*, VI, 280, 555, 571, 605.
166. Nuysement, *op. cit.*, p. 101.
167. *Ibid.*, *Cartel*, pp. 103 v° - 104.

Béroalde et Birague sont animés d'une autre intention : tous deux ne conçoivent pas la descente aux enfers comme un défi, mais comme l'ultime témoignage de la tristesse à laquelle ils sont voués. Moins violents qu'Aubigné ou Nuysement, plus plaintifs, ils sont tout près de considérer l'enfer comme un refuge, une retraite. Aussi la description des lieux infernaux n'a point pour fonction, chez eux, de susciter l'angoisse, mais de créer une atmosphère doucement assombrie qui sera apaisante. La « plaine obscurcie » de Béroalde, l'onde Achérontée en laquelle il espère se refraîchir [168], sont légères pour son cœur langoureux, comme sont douces pour Birague les « nuits Acherontées » [169], comme sont apaisants les « palus Stygieux » [170] du monde sans couleur [171], les « ombres de là-bas » et les « champs tenariens » [172].

Cependant, Birague tente une autre voie : établissant de rigoureuses équivalences entre sa vie et l'enfer, il compose un paysage infernal qui, dans sa précision même, est donné pour l'image de l'âme ennuyée. A chaque lieu cité, à chaque objet du décor infernal, à chaque personnage évoqué, correspond un état de l'amant :

« Ma vie est un Enfer plein d'ennuis et de peines,
Mes tourmens outrageux sont les fouets punisseurs,
Et mes soucis mordans les serpens meurtrisseurs ;
Qui bourrellent mon cœur de cent morts inhumaines.

Comme là bas on voit les espérances vaines,
Ainsi tous mes espoirs meurent en leur verdeur,
J'ay fait de pleurs un Styx et mes vives ardeurs
Ont fait un Phlégeton qui boult dedans mes veines,

Mes soupirs redoublez et mes plaintives voix
Sont les horribles cris et furieux abbois
Du portier infernal qui abboye sans cesse... » [173]

Chacun des éléments cités a sa source dans la description traditionnelle de l'enfer, mais sa traduction métaphorique enlève toute réalité à ces lieux, ces objets, ce personnage, qui deviennent les emblèmes d'un amour noir, voué à l'échec. Le paysage infernal devient paysage mental.

I. Habert, s'il procède différemment, préférant appeler, par la citation, lieux et êtres infernaux, aboutit au même point ; son appel vise également à constituer, à partir d'éléments semblables à ceux qu'utilise Birague, un paysage caractéristique de sa sensibilité particulière à l'horreur :

« Que des sombres enfers les tremblantes horreurs
Viennent m'environner, les cavernes affreuses,
Les fleuves ensouffrez, les âmes malheureuses,
La mort, l'effroi, la peur, la rage et les fureurs,
Que je sois assailly des horribles terreurs
Du chien à trois gosiers [174], des Dires serpenteuses [175]

---

168. Béroalde, *op. cit.*, *Les Souspirs*, VIII, p. 6.
169. Birague, *op. cit.*, *Elégie*, p. 112 v°.
170. *Ibid.*, XXX, p. 10 v°.
171. *Ibid.*, XXXVI, p. 11.
172. *Ibid.*, XLI, p. 14.
173. *Ibid.*, XII, p. 4.
174. *Enéide*, VI, v. 417, description de Cerbère, le chien à la triple gueule (« trifauci »).
175. Cf. *ibid.*, v. 280-281 : les *Dirae* (les Dires), Tisiphone et Allecto ont la chevelure « serpenteuse » (« vipereum crinem »).

Des fantosmes volans, et des Ombres hideuses
De Tityre estendu [176] pour gémir ses erreurs... » [177]

Comme toujours, Habert est, de tous, le poète le plus fidèle à la tradition mythologique, et à l'héritage antique : mais il prend appui sur cet acquis pour faire naître un nouveau paysage mythique, qui emprunte à la poésie latine sa couleur noire, tout en devenant, par la fureur qui l'habite, le lieu idéal où s'épanche la violence amoureuse caractéristique de la nouvelle sensibilité.

Comme lui, Jamyn, alliant à l'héritage un goût nouveau pour les états furieux de l'âme, fait de l'Enfer un lieu des sauvages plaintes [178] : il refuse de boire l'eau d'oubli [179] et prétend faire luire « au delà du rivage oublieux » [180] un amour plus fort que la mort.

S'il lui arrive de rêver à une descente aux Enfers où il espère, « allant au precipice / Du regne obscur » [181], moins de « travail », s'il se plaît à imaginer, comme une éclatante revanche, que l'esprit de la dame à son tour descende « En la prison horrible et tenebreuse » [182], il se borne en général à présenter les lieux infernaux, conformément à la tradition, comme le royaume de l'ombre :

« Tenèbres, je vous damne et vous bany là bas
Dans le sein du Tartare où le Ciel ne luist pas.
Dans le gouffre de Styx pour jamais retirées
Jamais ne jouissez des flames ethérées... » [183]

Ainsi, le paysage infernal, avec sa topographie traditionnelle, ses objets, ses figures fantômatiques, est, dans le lyrisme pré-baroque, le lieu idéal, par son atmosphère, ses ombres, sa violence ouatée, où se déploie la fureur amoureuse. Qu'il soit donné comme l'endroit où s'exerce la vengeance, ou celui où s'épanouit la tristesse langoureuse de l'amant désespéré, il devient un paysage mental, aux couleurs de la mélancolie et de l'angoisse, parfaitement accordé par sa tonalité et ses formes vides, son inquiétant silence que ne troublent que les sifflements du fouet, ou les « abbois » du portier, à une sensibilité aiguë, exacerbée. Il est significatif que la description d'une nature amicale, heureusement épanouie, féconde, soit désormais abandonnée aux Bergeries, tandis que le monde infernal, dans son austère horreur, devient l'objet d'un vif intérêt. On assiste à la création d'un nouveau paysage mythique, étrange et captivant, issu du contact fécond entre une tradition retrouvée et une imagination qui se meut avec aisance dans le fantastique. Le mythe virgilien n'a point encore perdu son éclat et son prestige [184]...

---

176. Cf. *ibid.*, v. 595 et suiv. Celui que Birague nomme Tityre est en fait Tityos, ou Tityon, condamné à rester étendu au sol où son corps couvre neuf « hectares » (« per tota novem... jugera » v. 596). Sa faute : avoir outragé Héra (Homère, *Od.*, XI, 576).
177. I. Habert, *O.P.*, *op. cit.*, XIII, p. 3.
178. Jamyn, *Art.*, *op. cit.*, *Stances*, p. 140, « Du profond des Enfers... »
179. Le Lethé, cf. *Enéide*, VI, v. 748-749 et v. 705.
180. Jamyn, *O.P.*, éd. Brunet, p. 134.
181. *Ibid.*, *Chanson*, p. 235.
182. *Ibid.*, éd. Brunet, p. 236.
183. *Ibid.*, p. 263, *Complainte de Cléophon*.
184. Cf. Proust, *La Recherche...*, Pléiade, t. I, p. 427 : « Le vent ridait le Grand Lac (...) comme un lac ; de gros oiseaux parcouraient rapidement le Bois, comme un bois... »

III - Les eaux

Aux poètes épris de violences, les montagnes ne semblent jamais plus belles que lorsqu'elles sont de vagues et d'écume ; démontée, la mer offre le spectacle de l'aimable démesure. Stagnantes dans le marais, les eaux, image de la mort, exercent une autre séduction, non moins puissante, sur l'âme éprise de chants funèbres. La douceur dormante des eaux tristes recèle, en sa rêveuse mollesse, les images de l'ennui. Par contraste, les eaux claires, les eaux courantes, sont recherchées pour la rupture qu'elles instaurent au sein du précaire équilibre intérieur...

Le thème aquatique, chez Jamyn, d'Aubigné, Birague, Habert ou Béroalde, souvent uni aux thèmes infernaux (l'eau du Styx ou du Phlégeton, le Cocyte, le lac Averne...), s'accorde au thème amoureux, qu'il enrichit de notations subtiles qui jouent, soit en contraste, soit en coïncidence, avec la fureur du désespoir.

a) *La douceur dormante des eaux tristes.*

Le texte le plus étonnant du lyrisme pré-baroque, qui propose le motif impressionniste de l'eau-miroir, est assurément le célèbre sonnet de Du Perron :

> « Au bord tristement doux des eaux je me retire,
> Et voy couler ensemble, et les eaux, et mes jours,
> Je m'y voy sec et pasle, et si j'ayme toujours
> Leur resveuse mollesse où ma peine se mire.
>
> Au plus secret des bois je conte mon martyre,
> Je pleure mon martyre en chantant mes amours,
> Et si j'aime les bois et les bois les plus sours,
> Quand j'ay jetté mes cris, me les viennent redire.
>
> Dame dont les beautés me possedent si fort,
> Qu'estant absent de vous, je n'aime que la mort,
> Les eaux en vostre absence, et les bois me consolent.
>
> Je voy dedans les eaux, j'entens dedans les bois,
> L'image de mon teint, et celle de ma voix,
> Toutes peintes de morts qui nagent et qui volent. » [185]

Les eaux dessinent un véritable paysage mental : douces et molles — elles s'écoulent —, elles possèdent les mêmes qualités sensibles que l'âme du contemplateur, une tristesse aux teintes pâles et délavées, sans violence comme sans sursaut, le penchant pour la rêverie, qui est moins ici vagabondage que retour incessant des mêmes images, flux et reflux du monde sensible. Les eaux sont un miroir poli qui renvoient à l'amant le reflet dont il s'enchante. La mélancolie que suscite la vue de ces eaux rêveuses est légère et lente, calme, apaisante : rien d'angoissé, rien d'opprimant, le songe se poursuit sans rupture, tandis que progressivement l'eau se charge de la douleur humaine, mirant la peine ; s'assombrissant, elle devient invitation à rêver sur la mort et l'absence.

Les eaux douces deviennent d'ailleurs la figure de la mort, d'une mort douce, d'une mort ailée. L'eau apparaît comme l'équivalent, sur le plan imaginaire, de la mort consolatrice. Elle matérialise en quelque sorte la tristesse qu'elle communique à tous les éléments du décor, aux bois qui prêtent leur voix à ces eaux muettes.

---

185. Du Perron, *Œuvres, éd. cit.,* sonnet, p. 74.

L'eau calme incline à la réflexion : se plongeant dans la contemplation narcissique de son visage, l'amant se dissout dans l'eau, confondant son reflet avec celui de l'eau, laissant les « traits » de son visage et la pâleur de son teint flotter en surface, devenus images peintes de morts. L'eau, alors, n'est plus seulement, comme au premier regard, image de la mort : elle est le réceptacle vivant de la mort, des morts, qui trouvent en son sein un refuge apaisant. L'eau mélancolique porte la mort en elle, elle la secrète, et ouvre la porte à une rêverie aérée : elle emporte au loin, et passe comme passent les jours, mais en outre elle a l'étonnant pouvoir de dissoudre au sein de son devenir l'image du rêveur-nageur [186] qui sur elle se penche : réduit au teint et à la voix, celui-ci se disperse et se fond, devenu créature légère, quasiment immatérielle.

Le sonnet de Du Perron contient tous les éléments du lyrisme pré-baroque, en particulier la nature y est moins observée que rêvée, et comme absorbée par l'âme du rêveur ; d'autre part, l'eau-miroir y révèle sa séduction : elle donne au contemplateur double plaisir, plaisir d'observer le « passage », l'écoulement, l'universelle mobilité, plaisir plus délicat de goûter un spectacle funèbre, de savourer l'image de la mort, de sa mort.

Moins subtile et moins riche en résonances affectives, la rêverie de Béroalde de Verville est cependant elle aussi révélatrice du pouvoir des eaux ; tristes, incitant à la mélancolie, elles sont consolatrices :

> « Je veux auprès des eaux tristement murmurantes
> Et près l'obscurité des grottes effrayantes
> Soulager mon esprit de soucis tourmenté.
> . . . .
> Et vous eaux qui trainez en vos fuites tardives
> Les regrets que j'épans dessus vos molles rives,
> Soyez justes témoins de ma triste langueur... » [187]

La tristesse des eaux est associée à leur murmure, qui est une plainte, un soupir, plus qu'un chant heureux. Le bocage, les rochers, les grottes, les bois, composent un décor sombre et immobile, qu'anime seulement l'eau courante : ils ne sont là que pour servir d'écho à la plainte amoureuse, tandis que, par leur mollesse, leur paresse, les eaux s'accordent à la langueur de l'amant. Cette « triste langueur » en effet ne s'épanche nulle part aussi bien que sur le bord des molles rives, car l'eau, ses rivages, et le paysage naturel qui l'entoure (antres reculés, bois, rochers) composent, par leur sombre environnement, un tombeau provisoire pour les morts en quête de sépulture [188].

Par opposition à cette voluptueuse rêverie sur la mort, née au contact immédiat de l'eau triste, il arrive que l'eau douce, l'eau dormante, irrite le contemplateur, et l'amène à porter condamnation sur l'eau morte, stérile, impropre à la vie comme à l'amour. C'est le mouvement qui anime Sponde :

---

186. Pour l'assimilation du songe et du plonge, du rêveur et du nageur, et l'association du sommeil et de la mort, cf. d'Aubigné, *Les Trag.*, VII, v. 673-676 :
   « Comme un *nageur* venant du profond de son *plonge*
   Tous sortent de la *mort* comme l'on sort d'un *songe*. »
187. Béroalde, *Les Souspirs, op. cit.*, p. 41 v°.
188. Cf. l'*Enéide*, VI, v. 318-330.

> « Je contemplois un jour le dormant de ce fleuve
> Qui traine lentement les ondes dans la mer,
> Sans que les Aquilons le facent escumer
> Ni bondir, ravageur, sur les bords qu'il abreuve. »[189]

Le fleuve aux eaux dormantes est un fleuve mort, qui n'est défini que par son insupportable lenteur, son mouvement régulier et paresseux : il n'entraîne pas, il traîne, mourant en la peine. En contrepoint, le mouvement tumultueux qui définit le « vrai » fleuve, aussi vivant que le premier est mort, aussi fécond que le premier est stérile, indique bien qu'à l'immobilité est liée la mort, au mouvement, la vie.

Une telle eau n'a pas suffisamment de vie pour nourrir une médi-tation heureuse ; devant le dormant de ce fleuve, naissent quelques réflexions décevantes, inachevées, et se manifeste le refus de trouver en lui l'image de l'amour :

> « Ce fleuve, di je alors, ne sçait que c'est d'aimer ;
> Si quelque flamme eust peu ses glaces allumer,
> Il trouveroit l'amour ainsi que je le treuve ;
> S'il le sentoit si bien, il auroit plus de flots... »

C'est exactement le reproche que Jamyn adresse à la Saône, fleuve dormant :

> « Tu coules lentement au but de ta carrière
> Vers cette mer qui fend de ses flots escumeux
> Le millieu de la terre : et ton cours paresseux
> Tien plus forme d'estang que de prompte rivière... »[190]

La rêverie qu'elle suscite est bien différente de celle qu'inspire le Roi-fleuve, le Rhône[191] :

> « Solitaire et pensif je m'allois esgarant
> Sur le bord de la Seine ainsi qu'un lac dormante :
> Puis sur le pont de Rosne, où d'ardeur violente
> Il est prest d'embrasser ce qu'il va desirant.
> Que la Sosne au contraire en son cours me figure
> Le tranquille repos d'une beauté trop dure
> Qui mesprise l'amour d'un courage indonté. »[192]

La Saône-étang, la Saône-lac, « froide et lente »[193], image féminine du dédain[194] et de l'insensibilité, renvoie à l'amant le reflet du conflit amoureux qui l'oppose à sa maîtresse.

Ainsi les eaux tristes, les eaux douces, dormantes, rêveuses et paresseuses, celles du ruisseau ou celles du fleuve qui n'est pas fleuve, s'associent à la plainte d'amour — soit qu'elles provoquent une contem-plation silencieuse qui est méditation active sur la mort, soit encore qu'elles suscitent une réflexion critique, qui est méditation sur l'amour. Dans les deux cas, le poète tend à considérer l'eau comme le miroir

---

189. Sponde, *Poésies, op. cit.*, sonnet XIX, p. 191.
190. Jamyn, *Artemis, op. cit.*, p. 198.
191. Cf. *Ibid.*, p. 188 v° : « Comparaison sur le Rosne » :
　　« Le Rosne est un Monarque et se nomme le Roy
　　Des fleuves... »
192. *Ibid.*, p. 175.
193. *Ibid.*, p. 198, « A la Sosne » (« ton cours paresseux », v. 3).
194. Cf. *ibid.*, p. 196 v°.

de l'existence : sa rêverie, alimentée par la vue de l'écoulement régulier, débouche sur la découverte de l'univers sentimental, car l'eau parle d'amour et de mort.

b) *Les eaux violentes, les eaux en mouvement.*

Si l'eau morte suscite une rêverie triste et douce, l'amant furieux aime aussi à proposer à son imagination le spectacle excitant de l'eau en mouvement, en laquelle il se plaît à reconnaître une amie. A. d'Aubigné ouvre les sonnets de son *Hécatombe* sur les images marines : il place ainsi son œuvre sous le signe de la violence. Pour qui n'a que « des souspirs, de l'espoir et des pleurs », la tempête qui secoue les flots est l'équivalent de la tourmente, du naufrage subi dans « la mer amoureuse » :

> « Pour avoir mes souspirs, les vents lèvent les armes,
> Pour l'air sont mes espoirs volagers et menteurs,
> La mer me fait perir pour s'enfler de mes larmes. » [195]

Si l'eau des pleurs est depuis longtemps associée à l'onde, si l'amoureuse mer est l'image des tourments, A. d'Aubigné est le seul, sans doute, à imposer, à partir de ces schémas, sa vision personnelle du mal, représenté par l'*enflure* [196], signe visible d'une volonté mauvaise. La mer qui s'*enfle* des larmes, la mer vue comme un grand œil, dont le regard hostile surprend l'amant, témoigne de la volonté de faire participer activement les éléments déchaînés au drame personnel, et d'attribuer à l'eau une personnalité, et une responsabilité.

Ainsi, lorsqu'A. d'Aubigné reprend les équivalences pétrarquistes : la mer-les pleurs ; le vent-les soupirs ; l'amant-rocher, etc.[197], il anime les comparaisons conventionnelles d'une telle violence, surchargeant chaque élément d'un coefficient tragique, qu'il modifie complètement la perspective habituelle : il ne s'agit plus de décrire mécaniquement les effets d'Amour, mais de restituer dans son horreur un conflit pathétique, dont la mer démontée, « enragée », est l'image ; le mouvement furieux des flots est au centre du texte :

> « En un petit esquif esperdu, malheureux,
> Exposé à l'horreur de la mer enragée
> Je disputoy' le sort de ma vie engagée
> Avecq' les tourbillons des bises outrageux.
>
> Tout accourt à ma mort : Orion pluvieux
> Creve un deluge espais, et ma barque chargée
> De flotz avecq' ma vie estoit my-submergée... » [198]

Au lieu de parallélismes, un mouvement dramatique, qui s'achève en pointe ; au lieu d'une plainte élégiaque, un cri, seul recours de l'innocence aux abois [199].

La mer est donc pour A. d'Aubigné la figure de la vie, d'une vie tourmentée, instable, sans refuge : ses « espouvantables flotz », ses

---

195. A. d'Aubigné, *Le Print., op. cit.,* s. I, pp. 55-56.
196. Cf. notamment *ibid.,* St. VI, p. 211, v. 13 (l'enflure de l'œil).
197. Voir plus haut, premier livre, deuxième partie, chap. I.
198. A. d'Aubigné, *Le Print., op. cit.,* II, p. 57.
199. Dans *Les Tragiques,* le cri du martyr s'élevant jusqu'aux Cieux témoignera aussi de la souffrance injustement subie. Cf. par ex. VI (v. 463 et suiv.) : les cris des Innocents, des « voix non encor voix »...

« escumeuses rives », les « sables mouvantz » qui la bordent [200] sont le lieu d'un drame toujours renouvelé [201]. Si l'image marine se répète ainsi dans les quatre sonnets qui ouvrent l'*Hécatombe,* c'est qu'elle s'associe dans l'imagination d'Aubigné, par son ambivalence (la mer-la mort ; l'eau-la vie [202]), à l'amour, lui-même ambivalent, force de vie, force de mort. La mer est le tombeau noir, où s'engloutissent les espoirs, mais elle est aussi régénératrice, purifiant de ses eaux vives, toujours agitées, la souillure et le péché [203].

L'eau en mouvement, pour d'Aubigné, c'est aussi la pluie orageuse, image de la passion violente et agressive :

> « L'air a serré mes pleurs en noirs et gros nuages
> Pour crever à minuit de gresles et d'orages » [204],

ou le torrent et son aveugle fureur :

> « Que veullent ces torrens, ces eaux,
> Filles des neiges, des oraiges,
> Sy la raige de ces ruisseaux
> Ne bruit aussi fort que mes raiges ? » [205]

Ainsi, le poète se plaît à reconnaître dans la violence naturelle de l'eau libre l'image exacte de sa condition : une même fureur anime la mer et l'âme, un même désir les habite de déborder en flots rageurs, de « crever » brutalement. Image à la fois stimulante (par sa force énergétique) et apaisante : « crever » dit la vengeance possible, et la fin du mal subi.

Comme A. d'Aubigné, Nuysement, qui compose pour chanter la fureur amoureuse un paysage inquiétant, accorde aux eaux violentes une place privilégiée. Le spectacle de la mer démontée s'offre dans sa plaisante brutalité à qui veut repaître ses yeux d'une amère jouissance :

> « J'erre deçà delà par les mers incognues
> Où je ne vois sinon les fantosmes des nues,
> Et de nuit les flambeaux qui bigarrent les cieux.
>
> Tantost un vent austral s'enfle, et tout furieux,
> M'eslance sur le haut des grands roches cornues,
> Et puis m'ensevelit sous les vagues esmues.
> Voilà tout le plaisir dont je repais mes yeux. » [206]

La mer, associée à l'amour, dit chez lui l'angoisse :

---

200. *Le Print., op. cit.,* III, pp. 57-58.
201. Cf. *ibid.,* H. Weber, n. 3, la liaison du sable mouvant et de l'inconstance — fléau.
202. Cf. *Les Trag.,* VI, v. 233 et suiv. (le Déluge). L'eau qui apporte la vie aux Justes apporte la Mort aux Bourreaux :
> « Les *mesmes* flotz... s'en vont précipitant
> Les geants aux Enfers... »
203. *Ibid.,* VI, 240-241 :
> « En un petit troupeau les petits assemblés
> Se joüent sur la mort, pilotés par les Anges. »
et v. 291 et suiv. :
> « ...ô justicières eaux
> qui sceutes *distinguer* les lions des agneaux. »
204. *Id., Le Printemps,* p. 207.
205. *Ibid.,* p. 281.
206. Nuysement, *op. cit.,* LXXXIII, p. 53 v°.

> « Amour voit or mon ame en cette mer d'angoisse,
> Dont la sourde terreur pourroit estre esgallée
> Aux rochers casharez ; et l'alleine exallée
> De mes poulmons gesnez à l'horreur venteresse
> Ou comme on voit grossir dessus l'alpe cornue
> Un monceau blanchissant nourrisson de la nue,
> Qui fondant va noyant la prochaine campagne.
> Chaque jour sur mon chef un lourd amas de peines
> Il charge, puis à coup les espand sur mes veines
> Et fait la mer d'ennuys où mon ame se baigne. » [207]

L'avalanche, ce phénomène naturel qui se caractérise par l'imprévisible violence, l'eau qui crève et roule, la mer lourde masse agitée de vents, tout, dans la nature animée, renvoie l'amant à son mal. Aussi sont privilégiés les moments de fureur qui disloquent le monde naturel, le bouleversent et le désorganisent ; par exemple, le grand mouvement de printemps qui s'empare des eaux hivernales :

> « De la cime des monts les fiers torrents se roullent,
> Quand la nege fait place aux tresors du printemps.
> Des fontanières eaux s'engorgent les estangs,
> Et leurs calmes ruisseaux par les plaines descoulent.
> Les troupeaux amoureux les fleuves à bond refoulent,
> Les pasteurs font leur bal (...)
> Les glacez aquilons s'enserrent pour un temps,
> Et de l'humeur d'en bas les pléiades se soullent. » [208]

C'est là le spectacle de la liquidité triomphante : le poète saisit l'eau en mouvement au moment précis où elle subit une mutation : la neige, eau compacte, quand elle se change en heureuse liqueur, doucement coulante ; l'étang, eau immobile, eau morte, quand il se change en ruisseau, et, débordant, se met à couler. Tout devient humeur, tout fond, tout roule. L'amant, de même, subit l'agréable métamorphose : ses yeux se font torrents, sa plaie, étang, et tout son être est saisi par la mutation liquide.

Le spectacle des eaux en mouvement, à l'heure du dégel, suscite donc une rêverie assez particulière : alors que, pour la terre sèche, le dégel est le signe d'une nouvelle fertilité, d'une suspension « pour un temps » de la menace, pour l'amant, à l'inverse, la liquidité est signe de la mort proche :

> « De mes yeux languissants descoullent deux torrens
> Ma playe fait de sang un estang par dedans
> Qui regorgeant se crève... » [209]

L'être fond comme neige au soleil, ou rêve de fondre, mais la fontaine de sang est tout à la fois une satisfaction et un supplice.

Le motif de la « crevaison » apparaît encore lorsque Nuysement décrit un orage :

> « Comme on voit en été un bruiante nue
> . . . .
> Pleine de tous costes *se crever* grommelant
> Et vomir le discort qui la rendoit esmue... » [210]

207. *Ibid.*, p. 47 v°.
208. *Ibid.*, XLIII, p. 43 v°.
209. *Ibid.*, XLIII, p. 43 v°.
210. *Ibid.*, X, p. 35.

La violence apparaît toujours chez lui comme une violence élémentaire, qui tend à s'épanouir et à « charger » furieusement, apaisée seulement par la course folle vers la mort :

> « Alors que la fureur me bourrelle plus fort
> Mon poil en ceste horreur se dresse sur ma teste,
> Il me rend furieux en mon adversité
> Et suis, ô fier destin, comme un flot irrité
> Qui court bruyant sa mort, à l'escumeuse rive. » [211]

Nuysement et A. d'Aubigné font ainsi de l'eau écumeuse, de l'eau torrentielle, du flot irrité, de la mer agitée, l'emblème de leur âme soumise à la fureur. Ils sont du reste moins soucieux d'établir entre l'eau violente et l'âme forcenée d'exactes équivalences, que de proposer, comme objet de contemplation, les images du bouleversement saisonnier, de l'énergie élémentaire, ou de la force brute : l'eau, par ses multiples formes, son ambivalence, sa richesse de signification, se prête à la traduction métaphorique de la fureur.

Moins violent, Birague recherche surtout la sympathie de l'eau en mouvement ; il invoque les «flots baveux », les « vagues escumeuses » [212], ou le fleuve :

> « O Pau impetueux qui vas roulant tes eaux
> Dans le sein escumeux de l'ondoyant Nérée
> Payant le deu tribut à Thétis l'azurée
> Royne de l'Amphitrite et des baveux troupeaux
> Arreste un peu ton cours, oy les tourments nouveaux... » [213]

S'il s'exerce lui aussi à établir des correspondances entre l'« ondoyante mer » et ses pleurs, s'il voit dans l'eau violente l'image de sa peine, il ne renouvelle pas le thème par la concentration dramatique du trait, comme d'Aubigné, ou par la surcharge pathétique, comme Nuysement. Plus « classique », il reste comme en deçà de l'excès baroque.

La modération (relative) de Birague prend toute sa valeur lorsqu'on lui oppose l'extrême vigueur de Jamyn ; à partir de la même image-noyau, celui-ci développe avec rigueur une succession de métaphores tissées en réseau, qui font éclater la structure intelligible du sonnet, lui-même débordé par les flots de rage :

> « Mille flots amoureux incessammens roulans
> En mon esprit troublé, noyent mon premier aise,
> Et faut que ces torrens dans leurs rives j'appaise,
> Qui serrez de contrainte en sont plus violens.
>
> Le murmure des flots leurs cours amoncelans
> Sur les champs ravagez ne bruit de telle noise,
> Que ce chaos bouillant qui de moy ne s'accoise
> Trainant mille pensers l'un sur l'autre coulans.
>
> Et comme par les champs le débordé ravage
> Gaste des laboureurs l'espérance et l'ouvrage,
> Arrachant aux sillons la racine des blés,
>
> Ainsi la cruauté, la beauté, l'arrogance,
> Ayans tous leurs efforts contre moy redoublés
> Déracinent en moy de l'amour l'espérance. » [214]

211. *Ibid.*, LXX, p. 50 v°.
212. Birague, *op. cit.*, *Elegie*, II, p. 56.
213. *Ibid.*, LXXXII, p. 29 v°.
214. A. Jamyn, *O.P.*, éd. Brunet, p. 112.

Jamyn est particulièrement sensible à la violence contenue, empêchée, et à son débordement furieux lorsque se brise la digue. Il y voit la figure de son ardeur et lit dans l'eau du fleuve l'histoire de sa passion :

> « Le Rosne impetueux de roideur va courant
> A travers monts et rocs bouillonne et se tourmente,
> Roulant au gré d'Amour (...)
> Ha Dieux, ce dis je alors, que cet amoureux fleuve
> Me represente bien les tourments que j'épreuve... » [215]

Cette méditation sur le fleuve amoureux, sur le Monarque, le fleuve-roi, débouche sur la découverte d'une identité ; dans les bouillonnements du Rhône, dans ses flots impétueux, l'amant reconnaît l'ardeur qui est la sienne.

Un autre aspect de l'eau : sa profondeur pleine de vie, est mis en valeur dans la poésie d'Habert. Si la mer est, pour lui, le lieu idéal où s'épanche une plainte amoureuse, c'est que la mer-tombeau, l'eau profonde, appellent irrésistiblement l'amant désespéré.

> « Je veux noyer mon corps dans ces flots azurés
> . . . .
> Du plus profond des eaux, j'ay les Dieux attirés.
> Au bruit de mes clameurs, au bord de cette arène,
> S'amassent les poissons à mes mots soupirez.
> . . . .
> O vous Dieux de la mer et vous Nymphes aussi
> Soyez, soyez tesmoins qu'il n'y eust onc icy
> Un plus fidèle amant, j'en jure par vostre onde
> . . . .
> L'Ocean à ce coup sera mon seul tombeau. » [216]

Par opposition aux eaux limpides des ruisseaux sans profondeur, transparents par leur vide même, la mer est grosse de Dieux et de poissons, sourdement menaçante, recélant dans le cristal de ses ondes tout un peuple d'êtres ambigus. L'image mythique de la mer, chez I. Habert, se développe ainsi à partir du thème de la profondeur ; elle est ce dont on ne voit pas le fond, opaque et lourde, refuge de la mort. Alors qu'une rêverie apaisée naît auprès de la mer « en son lit endormie » [217], provisoirement rassurante en sa torpeur, l'onde « escumeuse », l'onde violente [218], qui bouillonne comme le sang, se fait la complice de la passion violente, à laquelle elle propose son asile inviolable.

Ainsi les eaux violentes, les eaux tumultueuses, celles du Fleuve-roi, celles de l'Océan-tombeau, ou de la mer « escumeuse », par leur agitation et leur mouvement, suscitent chez l'amant une rêverie bien différente de celle que lui procurent les eaux calmes : elles donnent l'image même de l'amour furieux, qui s'épanche en sanglots rageurs. Elles sont « sympathiques » : le poète pré-baroque, tel Jamyn, préfère, à la lenteur paresseuse de la Saône, signe d'une insensibilité féminine, le cours tempétueux du Rhône viril, mieux accordé à son sentiment de l'existence. Enfin, l'eau agitée, l'eau troublée, est une eau *vive* : animée,

215. *Id. Artemis, op. cit., Du Rosne et de la Sosne*, p. 175.
216. I. Habert, *Les Météores, op. cit.*, VIII, p. 59.
217. *Ibid.*, XXV, p. 63.
218. *Ibid.*, XIII, p. 60.

elle possède à la fois une force dynamique, et des sentiments comparables à ceux qui font mouvoir les hommes. Le poète demande au fleuve, à la mer, de lui communiquer, avec leur ardeur, qui bouillonne ou se crève, leur mobilité plaisante et leur violente vigueur.

c) *Les eaux claires, les eaux coulantes.*

Les eaux claires apportent à l'expression de l'amour une tonalité bien différente : elles sont rêve de fraîcheur. Près d'elles, l'amant poursuit harmonieusement une rêverie apaisée, songe d'amour pur, comme l'onde transparent, moment heureux où la nature amoureuse ouvre plus largement un sein béant pour accueillir les jeux innocents des amants.

Flaminio de Birague cherche auprès des « clairs ruisseaux », des « cristallins ruisseaux » [219], qui composent, avec les fraîches vallées et les tertres verdissants [220], un décor heureux, un réconfort, que ne peuvent évidemment lui apporter les noires eaux stygieuses. Près d'eux, le tourment amoureux, sans cesser, trouve un nouveau cours :

> « Les souspirs amoureux des peinturez oiseaux
> Les feuillars siffletans par l'ombrageux bocage
> L'obscur du sein béant d'une grotte sauvage,
> L'argenté passement des cristallins ruisseaux
> N'alentent point l'ardeur éprise en mon courage... » [221]

L'invocation aux eaux claires, gaiement murmurantes, n'a d'autre fin que de souligner, en contraste, la misère de l'amant : elles sont appelées en témoignage, et Birague se grise de leur fraîcheur, au sein même de l'« ennui » le plus violent.

> « O déserts sablonneux, ô plages blondoyantes,
> O rivages herbus (...)
> O ruisseaux murmurans, ô cousteaux sourcilleux
> . . . .
> O fleuves tournoyans, ô escueils perilleux
> O vallons ombrageux, ô sources ondoyantes,
> . . . .
> Vistes vous onc Amant plus que moy miserable ? » [222]

Les ruisseaux murmurants, les fleuves tournoyants, les sources ondoyantes, apportent trois aspects essentiels de l'eau en mouvement : son bruit égal et sourd, son mouvement circulaire, tourbillonnant, son ondulation incessante. Le jeu des participes présents souligne la vie de l'eau, son caractère mobile et changeant, par opposition aux adjectifs qui « fixent » rivages, déserts ou côteaux dans un état immuable. L'eau est perçue par Birague comme l'élément instable et capricieux, constamment inconstant, dont la seule loi est de n'en pas avoir, dont le seul principe de permanence est le refus de la permanence, elle est saisie comme insaisissable, vivant d'une vie légère et fugitive, stabilisée dans l'instable. Aussi rêve-t-il, d'un rêve toujours déçu, de l'arrêter, de la fixer — fût-ce un seul instant — pour en saisir l'essence. Mais une eau qui ne coule plus, est-ce encore de l'eau ?

219. Birague, *op. cit.*, XVII, p. 5 v°.
220. *Ibid.*, X, p. 3 v°.
221. *Ibid.*, CXXX, p. 47 v°.
222. *Ibid.*, XLIV, p. 15.

L'eau doucement murmurante se fait la complice du songe amoureux : c'est alors moins l'aspect limpide de l'eau, sa transparence, qui
déterminent l'heureux cours de la rêverie, que son bruit charmant,
renflé par intervalles, ses sonorités liquides, son langage amoureux ;
ainsi I. Habert choisit-il, pour rêver d'amour, le bruit et le son d'une
ondelette :

> « A l'ombre des myrtes verts,
> Sur un lict fait de fleurettes
> De roses, de violettes,
> Et de cent fleurons divers,
> Au doux bruit d'une ondelette,
> Qui sembloit parler d'amour,
> Roulant sur l'herbe mollette,
> Je me reposé un jour. » [223]

La musique en sourdine de l'eau coulante oriente vers le songe
érotique les rêveries désordonnées de l'amant, et le son de l'ondelette,
perçu faiblement, mais de façon continue, frappe avec régularité la
sensibilité, émue à la fois par les bruits, les odeurs et la vue : progressivement, l'amant se dégage des sensations réellement éprouvées pour
atteindre à une espèce d'extase sensible, ranimée à peine par la perception confuse du bruit de l'eau, qui donne aux images oniriques leur
qualité liquide.

L'eau coulante n'est pas seulement bruit et musique, elle est aussi
fraîcheur, invitation à boire :

> « Or que la Canicule ardente
> Par sa chaleur trop violente
> Fend la terre et boit les ruisseaux,
> Je veux couché sur ceste roche,
> D'où jamais le soleil n'approche,
> Prendre la fraîcheur des eaux...
> Cueille des fleurs sur ceste rive
> Jette les dans ceste onde vive... » [224]

Enfin, les eaux claires de la fontaine célébrée par Habert donnent,
par leur pureté tranquille, leur beauté transparente, un bonheur d'une
espèce particulière, qui tient de la contemplation esthétique, et de la
rêverie sentimentale :

> « Mais bien je veux descrire le cristal
> D'une fontaine ornement d'un beau val.
> Las de brosser les forests ombrageuses
> De traverser les ondes argenteuses,
> Et de grimper les rocs en divers lieux,
> Je descendy en ce val gracieux.
> Le doux plaisir, le cher contentement
> Que je receu de voir obscurément
> Dans ce vallon une claire fontaine
> Dont l'argent pur alloit baigner la plaine
> Qui au-dessous de ce lieu s'estendoit
> Ce qui plaisante à mes yeux la rendoit
> C'est le rocher à la gueule profonde
> Couvert de fleuve d'où couloit sa bonde,

223. Habert, *Les Météores, op. cit., Odes Amoureuses*, VI, p. 40.
224. *Ibid., Odes*, XIII, p. 43.

> Que Zephyrus de son tuyeau venteux
> Alloit soufflant par le lieu raboteux.
> Il n'y a point ny lymon ny d'ordure
> Dedans ceste eau, claire, argentine et pure... » [225]

La peine d'amour s'apaise, comme s'efface l'âcre tourment épanché dans les forêts sombres, auprès d'une eau si belle, sacrée aux yeux de l'amant diverti par la vue d'une telle limpidité.

Comme Habert, A. d'Aubigné est d'autant plus sensible à l'apaisement procuré par les eaux claires, qu'il sort lui aussi des domaines sinistres de la forêt terrible, du désert effrayant.

Lui qui, si souvent, chante la froideur humide des « eaux de la mer » en laquelle il reconnaît l'influence féminine [226], ou la liqueur brûlante des sources chaudes [227], il n'appelle les « claires fontaines » [228] que pour leur demander de faire écho à sa peine, il n'invoque les ruisseaux que pour les contraindre à pleurer avec lui :

> « Alors des cleres eaux l'estoumac herissé
> Sentit jusques au fond l'horreur de ma présence,
> Esloignant contre bas flot contre flot pressé ;
> Je fuis contre la source (...). » [229]

Cependant, en de rares instants dérobés au temps du malheur, il sait aussi goûter le plaisir que donne l'eau vive :

> « Je sen bannir ma peur et le mal que j'endure,
> Couché au doux abry d'un mirthe et d'un cyprès,
> . . . .
> Oyant virer au fil d'un muzicien murmure
> Mille Nymphes d'argent, qui de leurs flotz secrets
> Bebrouillent en riant les perles dans les prés,
> Et font les diamans rouler à l'aventure. » [230]

Moment privilégié, d'autant mieux savouré qu'il apparaît comme une parenthèse au milieu des moments d'angoisse et de fureur.

A d'autres heures, en revanche, les eaux claires se refusent à tuer la flamme amoureuse, et renvoient l'amant à son insatisfaction :

> « En fendant l'esthomac de la Saulne argentine
> Des avirons tranchants, qui en mille morceaux
> Faisoyent jaillir en l'air mille bluettes d'eaux,
> Je tuoy' dedans l'eau une flamme divine.
> . . . .
> Mille Nymphes des bois sortent leur chef d'argent
> Sur les saulles fueilluz et suivent en nageant
> De l'œil et de la voix, et mes cris et les rames. » [231]

225. *Id., les O.P.* (1582), *Description d'une Fontaine*, p. 29. Voir aussi : *Météores, op. cit., Sonnets*, XIX, XX, XXI, p. 39 r°/v° : description de fontaines à la manière ronsardienne.
226. A. d'Aubigné, *Le Printemps, op. cit.*, LXXXVIII, p. 155 :
« Tu es l'astre du froid et du humiditez
Et les eaux de la mer te suivent de nature... »
227. *Ibid.*, LXXX, p. 146 (« la vapeur des mynes sulphurées »).
228. *Ibid.*, LIX, p. 123, v. 3.
229. *Ibid., Stances* III, p. 193, v. 56 et suiv.
230. *Ibid.*, s. XIX, pp. 76-77.
231. *Ibid.*, s. XLVII, pp. 109-110.

Dans tous les cas, l'eau argentine parle à d'Aubigné d'espoir et de bonheur : elle est liée à l'amour, et à l'amour heureux.

Ainsi les eaux limpides s'associent, dans le lyrisme pré-baroque, à l'évocation du bonheur de vivre ; leur pureté, leur transparence font que l'amant se plaît auprès d'elles, lorsqu'il est lassé de parcourir les chemins égarés et les lieux voués à l'horreur, et retrouve, pour un instant, le goût du beau.

L'eau est donc un thème privilégié du lyrisme pré-baroque, dans la mesure où elle alimente diversement l'imagination poétique, tantôt la stimulant par le mouvement furieux qui l'anime, tantôt l'apaisant en lui proposant les images heureuses de sa transparence.

L'eau suscite, dans ses différents aspects, plusieurs rêveries : les eaux tristes, les eaux dormantes, semblent renvoyer au poète contemplatif qui sur elles se penche, le miroir brillant de sa peine ; elles portent à la mélancolie, mais à une mélancolie adoucie, apaisée. Elles sont douces, et leur douceur console, car elles paraissent avoir l'étonnant pouvoir d'alléger toute chose, d'ôter leur pesanteur aux objets. Leur triste murmure est comme une voix plaintive qui berce la douleur.

Les eaux violentes, agitées, s'enflent d'aigreur et de colère : le spectacle qu'elles offrent au poète est beau, d'une beauté sauvage. Elles se confondent souvent avec les flots du fleuve impétueux, car ce sont des eaux « viriles », dont l'énergie plaît à l'amant furieux. Le Rhône roidi et agressivement violent, qui emporte tout ce qu'il trouve en son cours, est le roi incontesté de ces eaux en mouvement.

Enfin, les eaux claires, limpides, parlent d'une pureté fragile, menacée, d'autant plus aimable qu'elle se détache sur un fond de violence et d'horreur. Elles proposent des moments de pur silence et d'extase sensible.

Ces trois voies ouvertes à l'imagination représentent bien les tendances complexes du lyrisme pré-baroque, à la fois furieux, rugissant, et débordant d'une tendresse contenue à grand peine, à la fois cruel et sensible, ami de la nuit et de la mort, et pourtant assoiffé de lumière. L'eau, par son ambivalence (n'est-elle pas associée à la mort comme à la vie, à la pureté comme à la souillure [232], à l'ombre comme à la luminosité), convient aux exigences contradictoires de ces poètes qui se réclament volontiers des puissances d'en-bas, mais savent encore goûter, dans sa fraîcheur, le spectacle de la vie naturelle la plus spontanée.

Conclusion

Le choix qui est ainsi fait, après 1570, des éléments du paysage, comme le traitement des principaux motifs qui composent le décor naturel, sont significatifs : ils définissent une nouvelle esthétique, dont les règles peuvent se résumer ainsi : préférer les ombres et les clartés

---

232. Voir notamment la symbolique de l'eau dans *Les Tragiques*, en part. VI, 233 et suiv., VII, 777-778, etc.

douteuses à la vive lumière, l'étrange ou le discordant à l'harmonieuse pureté des lignes et des contours ; élire des paysages sinistres, funèbres, les lieux de l'horreur, le domaine interdit, plutôt que les endroits plaisants et gais ; créer un monde violemment contrasté, dans lequel les images de la joie, de l'insouciance ou du plaisir ont pour unique fonction de mettre en valeur le spectacle de l'horrible ; témoigner enfin d'un goût nouveau pour la nature indomptée, sauvage, telle qu'elle se manifeste dans le cours violent d'un fleuve agité.

On ne saurait dire que le paysage, après 1570, perd ses éléments de réalité, car le décor idyllique de la Pléiade, le « locus amoenus », le paysage toujours vert, ne sont ni plus ni moins « vrais » que le décor tourmenté, disloqué, de Nuysement ou d'Aubigné. Mais le poète ne désire plus donner l'*illusion du réel*. Il préfère composer un paysage mental, aux couleurs de son âme, et il confond sans les distinguer, les éléments empruntés à la nature réellement observée (la forêt de Talcy, ou la Touvre...), les éléments empruntés à la tradition littéraire (les Enfers, les déserts, le bocage), et ceux enfin que son imagination propose à son attention (les eaux tristes, les eaux claires). Le critère pour retenir ou rejeter tel ou tel élément qui compose le décor n'est pas son degré de réalité, sa vraisemblance, mais son accord ou son désaccord avec la tonalité d'ensemble de l'œuvre. Le poète ne répugne pas à accepter le « fantastique », l'irréel, l'imaginaire, pour peu que cet élément coïncide avec le paysage dans lequel il s'inscrit.

C'est ainsi que le monde naturel, animé pour Ronsard par l'âme universelle, créateur d'émotions trop humaines, accordé aux impressions délicates d'un esprit amoureux de grâce et d'harmonie, d'une sensibilité particulièrement attentive au réel qui informe un rêve intérieur né du contact immédiat avec les choses de la vie et les formes concrètes, ce monde naturel devient étrangement « fantastique », c'est-à-dire ouvert sans crainte aux caprices librement acceptés d'une imagination débridée, qui n'emprunte à la réalité que pour plus aisément la détruire, dans un mouvement de furieuse iconoclastie. Nuysement, d'Aubigné, La Jessée, se plaisent, dans leur délire, à souhaiter la dislocation de l'univers, à rêver d'une conflagration universelle, à imaginer avec délices la ruine d'un monde hostile. Par là, ils manifestent de manière éclatante leur situation par rapport à la poésie précédente : à la fois héritiers d'une culture et d'une tradition, et farouches démolisseurs, ils s'installent sur les débris, conscients souvent, comme d'Aubigné le dit magnifiquement, de servir « l'aube qui naist », alors que Ronsard servait « le soir mutiné »[233].

Enfin, si ce paysage mental se manifeste par l'ouverture à l'imaginaire, il se laisse envahir par le mythe, comme le montre particulièrement le paysage infernal. Un bois devient *le* Bois, une forêt, *la* Forêt, un fleuve *le* Fleuve : tout est signe, tout est pourvu de sens, d'un sens que le poète pré-baroque s'applique à déchiffrer. Les lieux décrits n'appartiennent pas, en somme, au monde de l'espace : pourvus d'une légende, ils sont moins perçus par les sens (comme chez Ronsard) que par l'intelligence et la sensibilité, qui leur confèrent leur « humanité » : car,

---

233. A. d'Aubigné, *Le Print.*, op. cit., V, pp. 60-61.

on l'a vu, chaque élément du paysage, l'eau ou le désert, est convoqué en témoignage, appelé devant le tribunal imaginaire, il a à déclarer sa participation à la souffrance, à l'amour. En ce sens, le décor naturel pré-baroque est mythique, et le mythe qu'il exprime est celui de l'amour furieux.

L'esthétique nouvelle renvoie donc à une sensibilité nouvelle : le poète de 1570-1585 goûte davantage les sensations fortes, et désire leur donner une expression saisissante. Il se livre plus volontiers aux noires puissances, et s'enchante de son propre désarroi. Détestant les paysages verdoyants et les lignes tendrement adoucies du décor familier, il choisit de vivre en poésie au sein d'un monde renversé, dont l'eau lui présente l'image, d'un monde chaotique, bouleversé par la passion, et dont les fonctions s'inversent. Sensible à la séduction de l'étrange, de l'horrible, il s'épanouit dans un climat de sang et de larmes rageuses, et appelle de ses vœux l'orage et la tempête.

C'est en ce sens que l'on peut dire que le paysage naturel cher aux poètes de la nouvelle génération est à la fois fantastique, mythique, et « plein » d'une réalité humaine.

LE LYRISME PRE-BAROQUE

Nous remarquions que le lyrisme des années 1570-1585, s'il marquait une rupture avec la double tradition « magistrale » (Ronsard et Desportes), se fondait sur elle, et partait d'une vision « pétrarquiste » de l'amour.

L'étude des principaux thèmes et motifs pré-baroques nous permet maintenant de préciser davantage ce point. En effet, l'amour « furieux » qui éclate en cris désordonnés chez les poètes cités, et particulièrement chez le « quatuor » tragique, cette rage qui impose à la poésie sa violence, ne démentent point, il s'en faut, le pétrarquisme. N'est-ce pas le pétrarquisme qui a défini l'amour comme une véritable aliénation mentale, une « manie », une obsession ? N'est-ce pas le pétrarquisme qui a mis l'accent sur le « chaos », la division interne qui fait de l'amant un être déchiré, absent à lui-même, mutilé ? N'est-ce pas enfin le pétrarquisme authentique qui a fait de la nature entière le reflet sympathique de la peine amoureuse ? Il y avait là, sans nul doute, en germe, un fond de violence inhérent à ce caractère absolu de la passion pétrarquiste, donnée comme un désordre physiologique et mental (« je brûle et je gèle », « je ne sais où je suis, ni qui je suis »). C'est là le premier caractère du lyrisme amoureux pré-baroque : l'acceptation 'd'une « philosophie de l'amour » d'origine pétrarquiste, qui propose de voir dans la passion une force brutale, un conflit douloureux, une double postulation vers l'idéal et vers la réalité. De Ronsard à Desportes, de Desportes aux poètes pré-baroques, une constante : les contradictions « invivables » qu'Amour impose au cœur consumé de l'amant.

Mais cette affirmation, à peine posée, doit être corrigée : si Pétrarque souffre du divorce que la passion fait naître, si tout en lui proteste contre l'aliénation, si le sens du péché, de la faute, est toujours présent, Ronsard et Desportes réagissent autrement, le premier en tentant de sublimer le conflit charnel, le deuxième, tout païen, en réduisant la faute à une simple « erreur » (« j'ai tort d'aimer si haut »). En revanche, nos poètes de 1570-1585 ressentent bien autrement le conflit : ce n'est plus, chez eux, la « vie séparée », cœur et corps menant une existence distincte, c'est l'être « mixte », grossier, comme dit Montaigne, qui ressent, dans son corps même, le divorce insupportable. La passion n'est plus spiritualisée, désincarnée, ou en voie de l'être : le corps s'ouvre, la poitrine se fend, le cœur révèle sa vie intime.

Supplicié, l'amant l'est à la fois en son cœur, sanglant, et en son corps, martyrisé. Le fragile équilibre, maintenu, non sans peine, de Pétrarque à Ronsard, se rompt. La violence des images et des métaphores charnelles, la présence gênante du corps et de ses fonctions (respiration, digestion, circulation), montrent que, désormais, le conflit cesse d'être sentimental, pour devenir organique. Le désordre atteint l'être entier, chair et esprit, cœur et sens, corps et âme. Cette amplification dramatique est le deuxième caractère du lyrisme amoureux pré-baroque.

Enfin, si la nature pétrarquienne était sympathique, si Ronsard et Desportes invoquaient les prés, les bois, les champs, pour leur demander de compatir à leur peine ou d'amplifier l'écho de leurs plaintes, les poètes pré-baroques ne se contentent pas de reprendre ce thème du lyrisme authentiquement pétrarquiste. Le paysage naturel s'ouvre à l'imaginaire et se charge d'un sens mythique, qui renvoie à une nouvelle sensibilité, à une nouvelle manière de concevoir les rapports de l'homme avec le monde qui l'entoure. Une stylisation différente apparaît et c'est le troisième caractère du lyrisme pré-baroque.

Ces trois caractères définissent à la fois l'importance de l'acquis pétrarquiste, et sa transformation. Son importance, car le pétrarquisme est non seulement pour les poètes pré-baroques, un point de départ, une source vivante. Il est aussi une référence constante, explicite (Ronsard et Desportes sont plus d'une fois cités comme des maîtres), et implicite (dans la mesure, par exemple, où la nature que le poète détruit est, par plusieurs aspects, une nature ronsardienne, comme cela apparaît très clairement chez Birague, Habert, d'Aubigné). Sa transformation, car les poètes du dérèglement et de la fureur vont jusqu'à renverser l'esthétique pétrarquiste, lorsqu'ils affirment leur haine pour la vie, la lumière, la beauté et l'harmonie du monde, leur amour de l'horrible.

Ainsi le lyrisme pré-baroque, premier indice d'une rupture avec le passé, apparaît au point de confluence entre les eaux pétrarquistes et le fleuve baroque.

DEUXIÈME PARTIE

LES THÈMES DE L'ÉROS BAROQUE
(1585-1600)

A partir de 1585, la vague baroque déferle en poésie, accentuant particulièrement son emprise dans le domaine de la poésie religieuse, où éclatent les noms de Sponde, Chassignet, La Ceppède, d'Aubigné... La poésie amoureuse semble à l'écart, et, pour tout dire, de moindre qualité. Qui avoue préférer aux « sonnets de la mort »[1] les vers amoureux de Sponde ? Si les *Tragiques* connaissent, depuis peu, l'heure de la réhabilitation[2], le *Printemps* d'Aubigné ne jouit encore que d'une estime prudente et comme mesurée. Encore s'agit-il dans ces deux exemples de poètes pleinement reconnus comme tels. Que dire alors de la poésie de S.G. de la Roque, dont certains pensent pourtant[3] qu'elle mériterait une réédition, de celle d'I. du Ryer, de Ch. de Beaujeu, de Papillon, de bien d'autres encore, arrachés parfois à l'oubli par le soin des récentes anthologies[4], ou rejetés dans l'ombre, au gré du hasard ?

Pourtant, de 1585 à 1600, en dépit des affirmations hâtives de G. Allais[5], fleurit toute une œuvre amoureuse, aux tons et aux motifs étrangement « modernes ». Une œuvre, plutôt que des œuvres, tant cette poésie semble, à l'évidence, écrite par un seul — fleurs précieuses et parfois vénéneuses qui s'épanouissent dans une atmosphère noire et rouge, plus qu'à demi fantastique. Cette poésie étrange et attachante développe une thématique riche et cohérente — dans laquelle les motifs proprement « érotiques » apparaissent avec une grande netteté.

Comment définir le moins arbitrairement possible les thèmes baroques ? En l'absence de critères rigoureux, et surtout spécifiques[6],

---

1. Ainsi improprement nommés : suivant *les Stances de la Mort*, ils ont pour titre *Autres Sonnets sur le mesme subject.*
2. Voir la bibliographie. La thèse de J. Bailbé a paru en 1968.
3. Voir J. Hubert in *L'Esprit Créateur*, Minneapolis, 1961, « Il mérite une monographie et même une édition ».
4. Principalement (pour les dernières années) l'Anthologie de *l'Amour Noir* d'A.-M. Schmidt et l'*Anthologie de la Poésie Baroque* de J. Rousset.
5. Allais, *Malherbe et la poésie française à la fin du XVIᵉ siècle, op. cit.*, pp. 80 et 284. Selon l'auteur, la production poétique de 1589 à 1594 est maigre et de qualité médiocre (tout spécialement la poésie amoureuse). Allais, au reste, ne considère guère que Trellon et Guy de Tours, et Godard.
6. On sait que la principale difficulté est là : y a-t-il des critères du Baroque ? et de l'œuvre *littéraire* baroque ? Deux problèmes, par conséquent. On sait que J. Rousset a tenté d'établir des critères de l'œuvre littéraire (*La littérature de l'âge baroque, op. cit.*, pp. 181-182) : 1) l'instabilité ; 2) la mobilité ; 3) la métamorphose ; 4) la domination ou décor. Mais tout éclairants qu'ils sont, ces « critères » sont, a) *imprécis :* on n'aperçoit pas nettement ce qui distingue le critère 1 du critère 2 ; b) *équivoques :* applique-t-on ces critères à la thématique de l'œuvre ? ou à sa structure ? Il semble qu'il s'agisse plutôt de la structure (Rousset parle de « l'équilibre en voie de se défaire », de « l'unité mourante d'un *ensemble* », etc.). Pourtant à lire son *Anthologie,* il apparaît que les critères lui ont permis une analyse *thématique* de la poésie... c) *non spécifiques :* ils s'accordent bien davantage à l'étude des œuvres plastiques et sont insuffisants ou ambigus lorsqu'il s'agit du poème. Comment traduire dans l'univers du langage des notions comme « formes évanescentes », vision « multiple », « surfaces qui se gonflent ou se rompent », etc.

Cependant ces « critères » ont le mérite d'éclairer l'œuvre littéraire par référence à l'œuvre plastique, et surtout de faire saisir le paradoxe baroque (effort vers l'unité et la consistance à travers le multiple et l'incohérent).

nous considérerons provisoirement — quitte à nuancer ensuite le jugement, voire à modifier sensiblement l'énoncé — comme représentatifs d'une esthétique baroque tous les thèmes qui, se fondant sur une vision du monde caractérisée essentiellement par son instabilité, mettent en jeu une contestation radicale du réel, au nom d'une exigence supérieure. Par exemple, et pour éclaircir tout de suite les termes du débat, si nous considérons comme pleinement baroques les thèmes de l'inconstance « noire », de l'inconstance vécue dans le tourment d'une conscience égarée dans la contingence et assoiffée d'absolu (Sponde, Chassignet...), il nous paraît difficile et dangereux d'accorder la qualité baroque aux thèmes de l'inconstance « blanche », de l'inconstance heureuse, vécue dans l'insouciance, et accordée à un monde d'où est exclue toute transcendance. En somme, le baroque nous semble lié à *une conscience tragique,* qui tend à construire, en marge du monde réel et souvent contre lui, un « autre » monde, plus satisfaisant, dans lequel illusions, fantasmes et apparences tiendront lieu d'essence.

L'homme du baroque est un être sans racine, qui sent à toute heure glisser le sol sous ses pas, et qui, devant un univers saisi en pleine mutation, se sent pris de vertige. Sans assiette, comme sans point fixe de référence, il vacille, et tout autour de lui vacille. Sous ses yeux, rien de stable : le « mouvant de ce monde » l'enchante et menace de l'engloutir ; en lui-même, rien de stable : il est la proie de tous les accidents, soumis sans défense à toutes les agressions et aux soudaines mutations. L'homme baroque n'a pas d'essence. Echappant constamment à lui-même, il est le héros de la discontinuité. Il vit dans la succession désordonnée des instants, ignorant la durée, et ne connaît de l'existence que des « instantanés » [7].

M. Raymond étudie avec beaucoup d'intelligence et de finesse les critères de Woelfflin (dont il est le traducteur en langue française). Il reprend systématiquement (*Baroque et Renaissance, op. cit.,* pp. 24-44) les cinq couples de principes antithétiques proposés par Woelfflin (*Principes fondamentaux de l'histoire de l'Art*) et examine dans quelle mesure ils sont acceptables pour la définition d'un baroque *littéraire,* sans dissimuler les inconvénients et les difficultés (pp. 32-33). Il dégage ainsi deux modes de vision distincts, sinon opposés : a) le mode dit classique, « intellectuel » ou *différencié ;* b) le mode baroque, global ou indifférencié (pp. 37-38). M. Raymond propose de poser à l'œuvre littéraire un certain nombre de questions portant :
1) *sur la structure d'ensemble : ouverture* de la forme, existence ou défaut du *centre,* proportion ou disproportion, symétrie, etc., nature de *l'unité* de l'œuvre (unité complexe de l'œuvre baroque, compénétration ou emboîtement des parties — tension interne qui peut aller jusqu'à l'éclatement — composition « thématique ») ;
2) *sur la stylistique :* étude de l'expressivité et des figures qui disent la rupture, l'éclatement (oxymoron, hyperbole, etc.). Ces différentes « questions » sont fort intéressantes : elles permettent de saisir la *différence* du Baroque (par rapport à un certain classicisme) et la spécificité du Baroque *littéraire* qui est un style.
Les « critères » de J. Rousset et les « questions » de M. Raymond (celles-ci plus nettement que ceux-là) tentent donc de déterminer et d'apprécier le baroquisme d'un texte en se fondant sur un examen de la structure et de la stylistique auxquelles correspond un certain ordre de « contenus » (les thèmes et motifs, sentiments ou « idées »).
7. Cette description correspond à la fois à celle de Montaigne et à celle de Pascal (description de l'homme sans Dieu, premier « volet »). Que la nature de la transcendance soit différente chez l'un et chez l'autre est un autre problème.

Particulièrement sensible au change, il s'attache à tous les états intermédiaires, il s'intéresse aux êtres ambigus [8], aux apparences trompeuses ; il aime tout ce qui déçoit et abuse les sens, tout ce qui est susceptible d'interprétations multiples et contradictoires, *tout ce qui récuse un sens univoque.* Ouvert à tous les possibles, il ne voit partout que du contingent. Rien n'est clos pour lui, rien n'est définitif, rien ne saurait être parfait [9].

Cette sensibilité originale se manifeste pas l'élection d'un certain nombre de thèmes amoureux. Et d'abord, l'idée même que l'on se fait de l'amour a changé. A la recherche passionnée et parfois désespérée de l'impossible unité — à la quête de l'union totale des amants, corps et âme confondus, qu'un Ronsard ne renonçait pas à poursuivre à travers tous les pièges de l'amour-passion, et en dépit des nécessaires illusions — le poète baroque substitue la célébration de la tyrannique déesse Inconstance.

> « J'en aime une au matin,
> L'autre au soir me possède »,

tel semble être le principe des amours baroques, celui-là même qui fera de Dom Juan le héros baroque par excellence [10]. Mais ici prenons garde : toute inconstance n'est pas baroque. L'inconstance amoureuse des Baroques n'est pas affaire de psychologie individuelle, elle n'est pas le signe d'une quelconque faiblesse pathologique, d'une impuissance affective ou sexuelle [11] : elle est l'expression d'un mal métaphysique, et c'est ce qui distingue Dom Juan des « don juans ». Sans racine, l'homme baroque est aussi sans passé, il n'est pas fondé dans son être, il ne « persévère » pas dans son être : constamment affronté aux puissances de dissolution, son combat est un combat contre le Temps [12]. Il choisit, contre le Temps, *les* temps humains, le temps de la séduction, le temps de la fuite, le temps du mensonge... Mais justement, sa lutte n'a de sens que si se manifeste le Temps de l'éternité, et c'est pourquoi Dom Juan n'est pas absurde. Comment l'amant baroque pourrait-il ne pas être inconstant, puisque l'inconstance est le prix qu'il lui faut payer pour se donner l'illusion de la liberté ? Lorsque Ronsard choisit l'inconstance, c'est au prix du plus grand déchirement, et c'est encore une façon de lutter contre elle : nul choix n'est pour lui plus mutilant. Lorsque l'amant baroque choisit l'inconstance, c'est qu'il veut lutter à armes

---

8. Voir chez Montaigne l'histoire de Marie Germain, de fille devenue garçon, *Les Essais,* éd. Villey-Saulnier, I, XXI, p. 99 et chez Papillon le récit de la transformation d'une fille « en beauté souveraine » en « virile nature »... (*op. cit., Elégie,* pp. 178-180).

9. Voir encore Montaigne, *éd. cit.,* I, XX, p. 89 « ...et que la mort me treuve plantant mes choux, mais nonchalant d'elle, et *encore plus de mon jardin imparfait...* »

10. Dom Juan est constamment affronté à une Transcendance qui se manifeste sous des formes diverses (particulièrement celle du Commandeur, ou de la Femme Voilée) et triomphe à la fin (la foudre céleste).

11. Voir l'interprétation psychanalytique de l'inconstance donjuanesque dans Marañon, *Dom Juan et le donjuanisme,* rééd. coll. *Idées.* Sans la discuter ici, disons seulement qu'elle ne saurait s'appliquer au D.J. de Molière, qui est un personnage, non une personne.

12. Matérialisé comme on sait par la Femme portant la faux.

égales dans un monde qui ne connaît d'autre loi, et son choix est délivrance.

Mais l'inconstance, si elle apparaît comme l'élément le plus visible de cette nouvelle psychologie amoureuse, mieux, de cette métaphysique amoureuse —, n'est pas l'essentiel. Elle masque même, plus qu'elle ne révèle, un certain nombre de choix « premiers ». Le poète baroque est, d'abord, celui qui choisit le multiple contre l'un, l'existence contre l'essence, la division, la contradiction, contre toute logique. Il récuse les grands principes : A n'est pas B, A est A. Il n'accepte aucune vérité sans accepter en même temps la vérité contraire, et, s'il affirme la validité de la raison, c'est uniquement dans la mesure où la raison arrive à se nier elle-même : sa seule grandeur est dans la reconnaissance de sa faiblesse. Aussi le verra-t-on essayer de porter des coups à tout ce qui est considéré comme assuré. L'univers mental de l'homme de la Renaissance s'effrite et cède sous les assauts de cette logique implacable qui refuse la logique.

Pour nous en tenir aux thèmes amoureux, il est frappant de constater que le changement, après 1585, tient beaucoup moins aux thèmes qu'à l'attitude mentale face à ces thèmes, à la manière de les traiter, et au choix des motifs qui les illustrent. Les thèmes nocturnes, par exemple, ne sont pas l'apanage des poètes baroques, mais chez eux seuls, on constate une *valorisation de la nuit,* chargée de tous les prestiges attribués naguère au jour ; plus encore, une remise en cause des distinctions traditionnellement reconnues : le jour est le jour, la nuit s'oppose au jour ? Pour le poète baroque, le jour est la nuit, la nuit est le jour :   « Puisque le jour m'est nuit et que la nuit m'est jour... » [13] ;

le jour se charge d'ombres nocturnes qui l'assombrissent et le défigurent, tandis que la nuit éclatante et parée de séduction devient le jour lumineux des amants :

        « O nuits non nuits... » [14]

Autre trait : une homme est un homme, une femme est une femme ? Pour le poète baroque, règne l'indistinction sexuelle, ou plutôt le sexe est moins déterminé par la biologie que par la situation : la femme déguisée en homme est-elle une femme ? un homme ? Le roi Henri portant « habit monstrueux », le menton « pinceté », le visage « de blanc et de rouge empasté », montre « en la place d'un Roy, une putain fardée »,   « Si qu'au premier abord chacun estoit en peine
        S'il voyait un Roy femme ou bien un homme Reyne. » [15]

Le sexe même échappe à la fatalité biologique et peut, au gré des amants, changer :

        « Faictes donc le seigneur et je feray la dame » [16],

propose l'amant à sa complaisante maîtresse. Aucun être ne peut persévérer dans son être.

---

13. P. Pyard de la Mirande, in *Le Temple d'Apollon* (Recueil Collectif, 1611), t. I, p. 424.
14. Pasquier, *La Jeunesse, op. cit.,* LX, p. 388.
15. A. d'Aubigné, *Les Tragiques, Les Princes,* v. 781-796.
16. Papillon, *op. cit., Noémie,* LXXXVII, p. 227.

Refusant donc de distinguer la nuit du jour, l'homme de la femme, la folie de la raison, contestant d'avance les catégories, et le dualisme cartésien, le poète baroque choisit de dire l'instabilité du monde, il élit tout ce qui déguise, tout ce qui masque, tout ce qui montre à l'évidence que, sous les apparences, il n'y a rien, sinon de nouvelles apparences. Refus ontologique du fond, de la profondeur, la poésie baroque s'attache aux reflets chatoyants du réel, non pour démasquer l'essence, mais pour dénoncer l'imposture de tout réalisme. Pour elle, pas d'autre « fond » que les formes évanescentes, *l'être se confond avec le paraître*.

Ainsi l'inconstance n'est nullement la figure privilégiée de la thématique baroque : elle n'est que l'une des multiples formes de ce refus de l'essence — de cette mise en accusation de la profondeur.

Tous les thèmes du lyrisme amoureux baroque s'ordonnent autour de ce refus. Il s'agit bien de célébrer la grande fête des apparences, d'être avant tout sensible au paraître, d'affirmer implicitement que tout objet n'est que ce qu'il paraît, au moment où il le paraît — qu'il n'y a, au-delà de la sensation fugitive, aucune réalité objective [17]. Seule compte l'illusion, qui seule ne trompe pas, car elle se donne d'emblée pour ce qu'elle est : une agréable duperie, un aimable mensonge.

Les thèmes nocturnes, par exemple, illustrent parfaitement cet ensemble de croyances. La nuit déguise, elle crée un véritable théâtre des apparences ; par ses jeux d'ombres et de clartés douteuses, elle figure assez bien un monde à l'intérieur d'un monde — reflet trompeur d'une réalité instable. La nuit, en outre, est le domaine du mouvant, du changeant : du crépuscule à l'aube, que de modifications ! La nuit restitue à toute chose sa vérité, c'est-à-dire son essentielle ambiguïté. Domaine des ombres, des faux semblants, des figures fantômatiques, elle règne sur un peuple incertain, mi-réel, mi-irréel, aux frontières de la vie raisonnable. Ses songes sont mensonges ? Mais pour le poète baroque, rien n'est aussi vrai qu'un mensonge : il tient lieu de vérité.

Les thèmes du déguisement et de la parure sont complémentaires : le corps de la Belle, sous les ornements et les vêtements qui le parent et le cachent, est un peu celui de l'Homme Invisible : que l'on déroule lentement les bandelettes qui lui donnent forme, que l'on ôte parures et bijoux, que l'on efface le savant maquillage, et l'on découvre qu'il n'y a rien ; ornements, vêtements, parures et bijoux *sont* ce corps qu'ils prétendent cacher. Ils ne le prolongent pas, ils ne l'habillent pas : l'apparence, ici encore, est la seule réalité.

Les thèmes de la métamorphose, enfin, illustrent un parti semblable : l'être ne peut se saisir que dans sa mobilité — qui lui tient lieu d'essence provisoire. Il ne saurait y avoir de terme assigné au changement, sinon dans l'autre monde, domaine idéal de la Permanence, refuge de l'Etre Un. Les métamorphoses « mondaines » ne sont pas ressenties comme des altérations de l'être, tout au contraire il faut changer ou périr, et la mort même n'est qu'une métamorphose de plus, qui débouche sur l'ultime conversion, celle du corps périssable en corps glorieux [18].

---

17. Du moins, et la restriction est d'importance, dans le monde des hommes et à l'intérieur du temps humain.

18. Voir au livre VII des *Tragiques,* v. 531-534, 653-654 :
    « Et quand la mort dissout son corps, elle ne tue
    Le germe non mortel qui le tout restitue... »

Affirmer le caractère baroque de ces thèmes revient à leur reconnaître un certain nombre de traits propres. Il est insuffisant de dire que tous sont l'expression de l'instabilité, du change. Il convient d'ajouter qu'ils renvoient à une vision du monde assez cohérente : ce qui fonde en effet le prestige de l'instable, ce qui donne à ces thèmes leur relative unité, c'est la conscience du caractère précaire et toujours menacé, non seulement de la vie humaine, soumise aux altérations et aux risques de dissolution, mais surtout de l'autonomie même de l'homme. Le xve s. affirmait la précarité de l'existence humaine, mais il s'agissait essentiellement de l'existence corporelle — soumise à la décrépitude, à la déchéance physique, à la mort précoce. L'âme était soustraite au jeu de massacre : l'homme qui mourait ne mourait pas tout entier [19]. L'essence ne sombrait pas dans le naufrage inévitable de l'existence humaine. Pour l'homme baroque, même s'il a la foi — et l'attitude baroque suppose l'affirmation implicite ou explicite de la Transcendance — l'être humain est atteint tout entier, âme et chair, corps et esprit, par le change incessant, et ne cesse de mourir à tout instant. Il fait sien ce cri de Montaigne : « Combien de fois ce n'est plus moi ! » [20]. C'est bien, selon nous, dans cette contradiction très fortement ressentie, en particulier par les poètes religieux (Sponde, Chassignet, le protestant, le catholique), que réside le tragique baroque : impossible de ne pas changer, de ne pas bouger, dans un monde agité de soubresauts et de tempêtes ; impossible de se satisfaire de ce change et de cette mobilité, si séduisants pourtant, si « charmeurs ». L'homme baroque sait confusément ou clairement [21] que l'unité est un leurre, et que la permanence est un piège, et en même temps qu'il ne peut ne pas rechercher cette unité qui lui échappe et cette permanence qui lui est refusée. Il y a, en germe dans toute œuvre baroque, cette affirmation contradictoire : l'homme ne saisit que du contingent, il est inapte à saisir l'essence, tout le plaisir est dans le changement, mais le vide même de l'âme appelle l'infini insaisissable, dans une incertitude absolue. Le chrétien du xve s. pouvait bien se désoler de la précarité du sort humain, accuser Fortune d'être muable, et de changer constamment le cours des choses : il lui restait l'assurance qu'au sein même de l'inconstance, existait un principe transcendant, immuable.

Le doute qui s'empare de l'âme baroque à la fin du xvie s. interdit toute certitude autre qu'incertaine. Comme Montaigne qui n'ose affirmer qu'il ne sait rien, et ne peut qu'interroger sa propre ignorance, l'homme baroque, même s'il est croyant, ne peut construire aucune certitude sur le sable mouvant de ses pensées. S'il choisit l'existence contre l'essence, c'est que, tel Don Juan, il ne peut s'installer, se fixer : le monde est devenu cette « branloire perenne », et « la constance mesme n'est autre chose qu'un branle plus languissant » [22]. Ainsi le poète ne peut-il peindre

---

19. Voir Auerbach, *Mimésis*, trad. fr. N.R.F., 1968, pp. 279-280.
20. Montaigne, *Les Essais, éd. cit.*, XII, XIII, p. 1102 : « Combien de fois ce n'est plus moy ! » et III, VI, p. 817 : « Quelles Métamorphoses luy (*la vieillesse*) voy je faire tous les jours ! »
21. Conscience claire chez Sponde, d'Aubigné, Chassignet... ; conscience confuse chez certains poètes amoureux comme La Roque ou Bernier de la Brousse.
22. Montaigne, *Les Essais, éd. cit.*, III, II, pp. 804-805.

l'être, mais seulement le « passage ». Cependant, ce choix lui est douloureux, et ne va pas sans une secrète angoisse. Son plaisir même lui est
suspect. Il récuse les profondeurs, et ne s'attache qu'aux reflets du
monde, mais garde la nostalgie des certitudes. Toute son œuvre célébrera les apparences, mais il sait que ce sont des apparences. Sa situation
est rigoureusement « impossible » : n'atteignant jamais l'être, il ne peut
s'empêcher de désirer l'être, toujours absent. C'est le paradoxe baroque.

On saisit alors les dangers d'une analyse thématique. Apparemment, les thèmes de l'inconstance « blanche » sont très proches des
thèmes de l'inconstance « noire » : ils sont un cas particulier de
l'impossibilité reconnue d'atteindre l'être. Mais alors que l'inconstance
blanche est accueillie dans l'ivresse des sensations, l'inconstance noire
est vécue dans le tourment d'une conscience égarée dans la contingence.
Les poètes « blancs » se satisfont pleinement des valeurs du paraître,
les poètes « noirs » sont renvoyés à un principe transcendant qu'ils
reconnaissent, tout en sachant que leur certitude à ce sujet ne sera
jamais certaine. Les premiers ne connaissent ni le paradoxe baroque,
ni l'angoisse baroque : ils ne sont pas à proprement parler baroques.
Ce sont eux, les « pères » des libertins de 1620, Lingendes, Durand,
Vauquelin des Yveteaux... L'inconstance n'est baroque que dans la
mesure où son refus d'une essence immuable se fonde à la fois sur une
affirmation de l'être, et sur une négation de l'être, ou encore sur une
contestation de la transcendance que toute l'œuvre appelle et désire
(l'œuvre, et non l'homme). D'Aubigné et Sponde sont baroques,
Lingendes et Durand ne le sont pas.

Ainsi, les thèmes amoureux baroques sont liés à une conscience
tragique du monde qui, devant l'impossibilité reconnue d'atteindre par
des moyens humains l'essence des choses, cherche une voie paradoxale
pour approcher la seule réalité accessible : celle du paraître. Lorsque
Montaigne s'interdit de plonger son regard dans les profondeurs
obscures des « monstres » intérieurs à l'homme, des puissances souterraines qui grouillent au fond de l'être, c'est, peut-être, parce qu'il pense
que la surface de l'être est la seule profondeur possible pour l'homme.
Le poète amoureux n'agit pas différemment, portant son attention vers
toutes les formes mouvantes des apparences. L'amour pour lui se réduit
à ses gestes, mais rien ne peut faire que la description la plus précise
et la plus crue des gestes de l'amour ne débouche sur un malaise :
lorsque Papillon se livre à ses accès coutumiers de frénésie fiévreuse,
sa violence sacrilège n'exprime autre chose que le désir de se perdre
dans le piège des apparences sensibles, au-delà desquelles il n'y a rien,
sinon mélancolie charnelle et tristesse de dépossédé.

CHAPITRE PREMIER

LES THEMES NOCTURNES

Le règne de la Nuit, sorcière aux sourcils d'ébène, commence. A vrai dire, les poètes des quinze années précédentes avaient préparé son avènement : Habert, du Perron, Nuysement, Béroalde... avaient célébré la splendeur nocturne, et trouvé au sein des Ombres complices refuge et douceur. Ce sont là « accords » de préparation. Avec la poésie pleinement baroque, par un renversement de la thématique traditionnelle, la Nuit s'offre comme une nuit de lumière, dont la clarté scintillante éblouit[1]. Par opposition au jour, qui ne dispense que des clartés douteuses, la Nuit devient la « grande lumière sombre »[2].

A - Les thèmes nocturnes et les appâts de la nuit

Le paysage mental est nocturne : décrivant inlassablement le lieu idéal où se déploie l'instabilité, lieu de mouvances et d'incertitudes, le poète baroque circonscrit les espaces nocturnes.

1. LES NOCTURNES DE S.G. DE LA ROQUE.

La nuit est d'abord pour La Roque le lieu accueillant qui attire les plaintes et les accents désolés de l'amant insatisfait :

> « Or que la nuit et le silence
> Donnent place à la violence
> Des tristes accents de ma voix,
> Sortez mes plaintes desolées,
> Estonnez parmi ces vallées
> Les eaux, les rochers et les bois.
> Je viens sous la fraîcheur de l'ombre
> Pour augmenter l'amoureux nombre
> De ceux que j'y vois transformez,
> Courant à mon mal volontaire
> Je suis en Passe-solitaire
>   Changé par trop de cruauté (...)
> Depuis caché sous ce plumage
> Nuit et jour parmi ce bocage
>   Je fay retentir ma langueur...

---

1. Voir G. Genette, *Le Jour et la Nuit,* in *Figures II,* le Seuil, coll. Tel Quel, 1969, pp. 117 et suiv.
2. L'expression est de Péguy, *Œuvres Poétiques,* Pléiade, p. 622.

Maintenant la mort courroucée
   Se fait l'objet de ma pensée
   L'espoir m'est un monstre odieux
   Le jour m'importune et m'ennuie... » [3]

La nuit, représentée traditionnellement comme le refuge du silence, le havre de paix, devient ici le théâtre idéal où se *joue* la douleur : son silence est invitation à crier, à peupler de gémissements cette solitude. Elle est aussi fraîcheur : fraîcheur et silence s'opposent aux attributs du jour, tumulte et moiteur sèche. Elle est surtout le lieu où s'opèrent les métamorphoses : la *forme* humaine disparaît, et l'être est caché — masqué et protégé à la fois — sous le plumage de l'oiseau noir, figure de la vie nocturne. Se confondant avec la nuit qui lui a donné naissance, véritable source de vie, l'oiseau nocturne, désormais fils des ténèbres, ne peut que détester le jour ennemi — faux père nourricier —, et, par un dernier effort, détestant même ses yeux qui voient la lumière, ne connaître que l'obscure vie et se confondre avec ses ombres bénéfiques.

La nuit est ainsi associée à la mutation brusque, et aussi au tourment voluptueusement ressenti d'être autre tout en connaissant semblable douleur :

   « Pour avoir ma forme perdue,
   Je n'ay point perdu mon tourment. »

Certes, les paysages sombres sont recherchés pour l'harmonie qu'ils présentent avec la désolation de l'âme. Mais aussi parce que la nuit accueillante tend à devenir une figure maternelle, véritable « hostesse du repos » — et c'est là le fait nouveau ; elle semble avoir perdu son caractère hostile et inquiétant sans perdre pour autant son troublant mystère ni sa captivante tristesse, chère au cœur désemparé :

   « Obscur vallon, montagne sourcilleuse,
   Qui vers Phoeubus tiens opposé le dos,
   Nuict solitaire, hostesse du repos,
   Démons voisins de l'onde stygieuse,

   Rocher pierreux et vous caverne hideuse
   Où les ours et les lions sont enclos,
   Hibous, corbeaux, augures d'Atropos,
   Le seul objet d'une ame malheureuse,

   Triste desert du monde abandonné,
   Je suis esprit à grand tort condamné
   Aux feux, aux cris d'un enfer ordinaire... » [4]

La nuit devient cet étrange jardin zoologique, domaine préservé d'une mort présente par ses emblèmes, et la mort en ce jardin est douce-amère. L'âme baroque, telle la montagne qui obstinément tient « opposé le dos », fuit le Soleil ; préférant les états ambigus, mal définis, elle tient en sympathie les grands espaces sombres, eux-mêmes mal définis, puisque leurs frontières sont incertaines, à mi-chemin entre la terre habitée et le domaine des morts. Espaces étrangement contigus : le poète associe le renflement solide du roc, emblème de la matérialité, et le creux sombre et inquiétant de la caverne, trou béant où se cachent

---

3. S.G. de la Roque, *Œuvres* (1609), *op. cit.*, *Phyllis*, Complainte, pp. 52-54.
4. *Ibid.*, *Phyllis*, s. XIV, p. 8.

les monstres, porte ouverte à l'imagination, qui aime à peupler les
sombres solitudes d'animaux cruels et effrayants. Il est significatif
qu'aux bêtes traditionnellement citées lorsqu'il s'agit de décrire déserts
et forêts (ours et lions) s'ajoutent ici hiboux, corbeaux, oiseaux sinistres,
ambassadeurs de la mort. C'est que, par opposition au jour, dont la
lumière crue est la vie — la vie sociale, le domaine des activités
humaines, du *negotium* —, la nuit est très fortement liée, dans la sensibilité baroque, non pas seulement à l'idée de la mort, mais aussi à
l'attirance de la mort : elle appelle la mort, elle la manifeste, elle suscite
un cortège de rêveries sur la mort. Les lieux sombres où règne en
maîtresse absolue la nuit dominatrice sont voisins de l'onde stygieuse,
et sont animés par le petit peuple des Démons qui ouvrent la porte des
abîmes, envahis par les oiseaux funèbres, annonciateurs d'Atropos.
La nuit a permis la naissance d'une forme nouvelle, elle permet aussi
le passage, et conduit à la mort — la mort imaginée, la mort rêvée.

Cette secrète attirance mortelle, ce goût pour les ténèbres associés
à l'image de la mort — qui se doublent d'une espèce de haine pour le
Soleil, père du Jour ennemi, donnent à plusieurs poèmes de La Roque
leur éclat insolite :

> « En cest esloignement que verrez-vous mes yeux ?
> Un objet malheureux, une nuict solitaire,
> Car un amant privé du soleil qui l'esclaire
> Mesprise tous les jours la lumière des cieux.
>
> Et toy mon pauvre cœur pencif et soucieux,
> Hé, dy moy désormais ce qui pourra te plaire ?
> Un cruel desespoir, un travail ordinaire,
> Qui me face courir les plus sauvages lieux... » [5]

Les ténèbres, tout en gardant leur couleur d'épouvante — à cause
d'elle peut-être, deviennent une Nuit clémente et apaisante, siège d'un
otium attirant, tandis que le Jour, objet du mépris, reste le lieu des
dépressions et des tristesses stériles. Ce qui déplaît plaît, on savoure
lentement tout ce qui convie l'âme à apprécier une langueur mélancolique savamment entretenue par le spectacle du « sauvage lieu », et on
préfère les états sombres de l'être à la clarté non équivoque des plaisirs
ordinaires. Orphelin du jour, l'amant décide de devenir fils de la nuit,
issu de ses entrailles sombrement accueillantes :

> « Je suis le triste Oiseau de la nuit solitaire,
> Qui fuit sa mesme espèce et la clarté du jour
> De nouveau transformé par la rigueur d'Amour
> Pour annoncer l'augure au malheureux vulgaire.
>
> J'apprends à ces rochers mon tourment ordinaire
> Ces rochers plus secrets où je fais mon séjour
> Quand j'achève ma plainte, Echo parle à son tour,
> Tant que le jour survient qui soudain me fait taire.
>
> Depuis que j'eus perdu mon Soleil radieux,
> Un voile obscur et noir me vint bander les yeux,
> Me dérobant l'espoir qui maintenait ma vie,
>
> J'estois jadis un Aigle auprès de sa clarté... » [6]

---

5. *Ibid.*, *Phyllis*, s. XXX, p. 16.
6. *Ibid.*, *Phyllis*, s. XLI, p. 21.

La métamorphose en oiseau nocturne illustre la transformation de la sensibilité après 1585 : le jour et le monde des hommes sont unis dans un même mépris, comme incapables de satisfaire l'élémentaire besoin de solitude et d'ombre. Dédaignant le vulgaire, la masse grégaire qui ignore la tristesse plaisante de l'humeur noire, l'amant aux multiples métamorphoses veut se confondre avec la nuit. Il élit un paysage désertique, où seul culmine la masse informe du rocher, matière dure au gré de la sensibilité ordinaire, convenant parfaitement à ce cœur vidé de lumière et de vie. Le seul dialogue possible est celui de la voix avec elle-même : l'amant n'attend de la nature stérile nulle sympathie ; le contact s'est brisé avec le monde chaud et lumineux de la Renaissance à son printemps, le rocher est choisi pour son opacité (« et suis moins escouté / que si je me plaignois à quelque roche dure...[7] »), pour son indifférence. La naissance du jour est ressentie comme l'irruption d'une clarté ennemie, au sein de laquelle il n'y a plus que le silence imposé. Le jour est alors, par un renversement coutumier du paradoxe baroque, le lieu de la mort, tandis que les ténèbres sont reçues dans la gratitude, parce qu'elles sont nourrissantes, dispensant la vie au sein même de la mort :

« Je vivois de lumière, ore d'obscurité. »

C'est là la constatation essentielle, qui témoigne d'un changement de perspectives : même si Ronsard était, par plusieurs de ses aspects, un poète nocturne [8], il restait avant tout fils de la lumière, d'une lumière douce et apaisante, qui n'est pas aveuglante ni violemment contrastée, lumière d'Anjou ou de Touraine, premier éclat d'un printemps mouillé ; le poète baroque, lui, est fils de l'ombre, qu'il choisit pour son ténébreux éclat. Il sait faire surgir au sein des ténèbres élues pour séjour favori, la lumière vive et crue d'un jour nouveau — et tout son effort tend à faire naître de fulgurantes lueurs qui éclairent le monde nocturne et font de la nuit la brillante rivale d'un jour désormais pâli et moribond. La nuit plus belle que le jour, plus brillante que le jour, la nuit jour des amants, voilà ses thèmes de prédilection. Le « voile obscur et noir » qui vient « bander (ses) yeux », s'il lui dérobe le Soleil, lui permet d'apercevoir une autre lumière, sombre et couleur de mort ; c'est d'elle qu'il prétend désormais tirer son existence :

« O Nuit plaisante et sereine
Viens descouvrir à nos yeux
Ton beau char qui se pourmeine
Par les campagnes des cieux :
Sors de ta caverne obscure
Dans le saphir éclatant
Pendant qu'en ceste verdure
Je vais ton los racontant.
    Rallume ta clarté sainte
Que le grand Soleil jaloux
Avoit par sa flame estainte
Passant à midy sur nous.
O nuit des astres suivie

---

7. *Ibid., Phyllis,* s. XXXVI, p. 19.
8. Voir M. Raymond, *Baroque et Renaiss., op. cit.,* p. 82, et R. Antonioli, *Aspect du monde occulte chez Ronsard,* in *Lum. de la Pléiade, op. cit.,* pp. 215-217.

> Nuit favorable à nos sens
> Que seroit l'humaine vie
> Si (...)
> Tu n'apportois le repos ?
> O Nuit à jamais utile
> Nuit douce et pleine d'appâts,
> Sans toy tout seroit sterile
> Et secheroit icy bas.
> . . . .
> O nuit seul repos du monde
> Mirouer des feux de là haut
> Qui rends la terre féconde
> . . . .
> *O Nuit qu'au jour je préfère...* » [9]

La Nuit se trouve ainsi pourvue de tous les attributs du jour :
luminosité, douceur, fécondité même, beauté d'azur, et éclat ; seule elle
existe, souveraine, et c'est en son sein que luit le jour véritable :

> « Près de ceste beauté mes jours n'ont point de nuits,
> Car la nuict de mon cœur n'est que sa seule absence. » [10]

Le jour, la nuit, cessent leur jeu ; l'inéluctable succession du jour qui
engendre la nuit, de la nuit qui enfante le jour, laisse place à des
rapports nouveaux ; c'est le cœur qui est la nuit, en l'absence de la
dame, jour de l'amant :

> « Las ! On dit que la Roque a l'humeur solitaire
> Et qu'on le voit toujours dans un bois écarté,
> S'il cherche pour demeure un sauvage repaire,
> Le silence, l'horreur, l'ombre, l'obscurité,
> C'est que le beau Soleil qui cause sa clarté
> Luit ailleurs le privant de son jour salutaire. » [11]

Ce renversement des valeurs, ce prestige accordé à la Nuit, et cette
dévalorisation du jour, conduisent l'amant à choisir le monde sans
soleil :

> « Je me plais dans l'obscur d'un desert escarté
> par l'horreur et par l'ombre où l'amour me convie » [12],

le seul qui convienne à un amour tel qu'il le définit, illuminé soit par
la présence charnelle de la dame, soit par les rayons du souvenir :

> « Quand je suis loin de vous...
> Les moindres souvenirs des rayons de vos yeux
> Me vont guidant les pas aux plus sauvages lieux,
> Et m'esclairant le cœur, m'esclaircissent la voye. » [13]

Dans ce monde intérieur, point n'est besoin d'autre lumière ! L'amant
fils de la Nuit complice préfère le noir rayonnement des ténèbres au
jour trompeur, et établit « parmy ces monts où séjourne l'ombrage » [14]

---

9. La Roque, *op. cit.*, *Narcize, Odde à la Nuict*, p. 185.
10. *Ibid., Caritée*, XL, p. 83.
11. *Ibid., Caritée*, XLIII, p. 93.
12. *Ibid., Caritée*, LXIII, p. 104.
13. *Ibid., Caritée*, LXVI, p. 105.
14. *Ibid., Narcize*, LXVII, p. 174.

son seul séjour. Si le désir d'une longue nuit l'habite, l'obscurité souhaitée se révèle étrangement lumineuse pour ce cœur qui hait le soleil, et, au bout du voyage, c'est un jour plus lumineux que le jour qui attend l'amant des ténèbres :

> « Et ce que le soleil ne sceut par sa clarté
> Faire voir à mes yeux, pleins de pleurs et d'envie,
> Je l'ay veu, doux sommeil, en ton obscurité. » [15]

2. Autres paysages nocturnes.

Le paysage nocturne cher à Du Mas apparaît aussi comme un refuge, par le silence qui l'habite et la solitude qui y règne. Comme La Roque, il part d'une vision désolée du monde des hommes, et prétend trouver, au creux des espaces sombres, l'image de sa condition :

> « Dessous le silence des nuits
> J'erre, je cours, je vagabonde
> Pour eschaper à mes ennuis
> Je me veux séquestrer du monde,
> Afin de derober au Jour
> Mon infortune et mon amour.
>
> Ces champs de l'horreur habités
> Retraite de la solitude
> Ces bois partout desertés
> Fors que de mon inquiétude
> Tristes objets de ma douleur
> Me représentent mon malheur.
>
> Ces houx d'épines hérissés,
> Planchers de ces forests obscures
> Ces rocs de mousse tapissés
> Simulacres de sépultures
> Sinistres augures de mort
> Semblent refigurer mon sort.
>
> Ces antres reclus et relents
> Cachette d'hiboux et d'orfraies
> Me sont pronostiques sanglants
> De supplices et de tourments
> Malencontreux événements. » [16]

Tout commence en effet par une fuite : le monde, qui est associé au jour, comme le désert est associé à la nuit, est refusé, et comme gommé. Le poète lui oppose la vie nocturne retirée dans les champs, les bois, les forêts, images d'une existence vouée non à l'action, mais à la contemplation. Si la fuite se traduit par une série d'actions désordonnées et de mouvements précipités — « j'erre, je cours, je vagabonde... » — c'est que, désirant échapper aussi à lui-même, l'homme baroque ne se sent être que dans le libre vagabondage qui lui livrera dans sa nudité son malheur, dérobé au jour.

Le second mouvement est d'identification : il faut fixer les images et les sentiments flottants, et le choix se porte alors, comme chez La Roque, sur ces « champs de l'horreur habités » qui vont permettre

15. *Ibid.*, *Narcize*, XXXI, p. 143.
16. Du Mas, *op. cit.*, *Stances*, p. 220.

à la douleur de se mirer dans sa propre image : la nature en effet, une fois vidée de tout ce qui la peuple, et débarrassée de la lumière faussement éclairante du jour, une fois réduite à n'être que silence et obscurité, s'emplit d'horreur et d'inquiétude : c'est dire qu'elle n'existe que par ce que le poète lui donne ; perdant toute réalité sensible, elle devient pur sentiment. L'horreur qui habite les champs, la solitude qui s'y réfugie, l'inquiétude qui y établit sa demeure, sont apportées, en quelque sorte du dehors, par une sensibilité humaine, qui informe et modèle le monde extérieur à son image. La nature devient une collection de « tristes objets » qui, tous, représentent et miment le malheur : elle est une projection de la sensibilité, et n'a d'existence que subjective. Elle sort tout entière de l'imagination du poète, reflet de ses rêves et de ses illusions. Le réalisme familier cher à la Pléiade, et même, dans une certaine mesure, aux poètes de 1570-1585, cède la place aux descriptions imaginaires, souvent hallucinées, d'une nature envahie par le mythe commun à une époque.

C'est ainsi que, progressivement, dans le poème, houx et rocs se chargent de signification humaine : ils sont « simulacres », vaines images qui désignent la mort, « sinistres augures » qui n'ont d'autre fonction que de « figurer » l'existence promise à la mort, menacée par le néant. L'imagination baroque projette sur le monde naturel qu'elle crée entièrement — à partir de quelques archétypes — deux obsessions complémentaires : celle du *vertical,* roc ou arbre, qui dresse sa pointe hérissée au milieu d'un monde horizontal — plancher et tapis de mousse — comme une menace toujours présente ; celle du *creux,* antre ou cachette, à la profondeur inquiétante, parce qu'elle est pleine : hiboux, orfraies, y élisent refuge.

Le choix des oiseaux est caractéristique de ce nouveau mythe : ils ne sont ni plus ni moins réels que l'alouette ou le rossignol ; ils sont simplement chargés d'une autre signification : ils sont là pour témoigner de l'horreur et du goût de la mort. Oiseaux de nuit, ils désignent l'attirance mortelle de la nuit et ses sortilèges : ils disent qu'aimer la nuit, c'est préférer la mort, et, certes, il y a longtemps que la nuit parle de la mort, mais ils ajoutent autre chose : la mort n'est plus le sommeil, le dernier assoupissement, la voluptueuse langueur qui fait faner la rose épanouie de Ronsard ; elle est, annoncée par les hiboux et les orfraies, « meurtres et plaies », « supplices et tourments ». Avec son cortège d'images sanglantes, la mort pour le poète baroque n'est plus le passage, mais le lent supplice infligé comme à loisir, repoussant et fascinant.

Ainsi, le paysage nocturne n'est-il finalement que le lieu idéal où peut se déployer le désir de mort, redoutée et aimée. Tout se passe comme si l'évocation des champs de l'horreur habités n'avait pour fin que de préparer l'âme à goûter le plaisir du déplaisir :

> « Emporté par un fier despit
> Au-delà des plus fortes rages
> Mon âme n'a point de répit
> Mesme en ces lieux sauvages
> Qu'à se plaire en son déplaisir
> Effet d'un aveugle désir.
>
> J'ai beau recourir à la mort
> Pour faire mourir ma souffrance

Si la disgrace de mon sort
M'en interdit la délivrance
Mourir et vivre m'est tout un
Tant ce vivre m'est importun. » [17]

Là s'achève le voyage au sein des ténèbres : lorsque l'âme a reconnu sa duplicité, lorsque ce qui était donné comme fin : la solitude, le silence, le répit trouvé « dessous le silence des nuits », se révèle n'être qu'un moyen de poursuivre la quête du déplaisir. La nuit, si elle incite aux rêveries sur la mort, désir d'amour et désir de mort, favorise l'ambiguïté des sentiments : l'horreur ressentie devant le désert sauvage, inquiétant dans la nuit opaque, se double d'un agréable frisson parce qu'il provoque un choc, déplaisant et plaisant. Ce dégoût, ce déplaisir, sont des excitants. L'étrange séduit, il trouble et fascine à la fois. La mort, rêvée au creux de cet univers hostile et sombre, se confond bientôt avec la vie : « mourir et vivre m'est tout un ». Recherchant avant tout la sensation forte — celle qui emporte, qui soulève — l'âme baroque ne peut vivre que dans la « gêne » la plus violente. Refusant les états assurés au sein d'un monde chaleureux et animé, et la tranquillité que donne la persévérance, elle n'existe que dans le discontinu, mort après mort, ennui sur ennui. L'appel au tombeau dénote une familiarité soigneusement entretenue avec la mort, apprivoisée : semblable en cela au philosophe qui veut « s'accointer » avec la mort, le poète choisit d'ensevelir ses jours dans un sépulchre ; c'est dans « le creux d'un tombeau » qu'il élit domicile, et tous les objets funèbres qui peuplent sa rêverie mélancolique désignent inlassablement la précarité du sentiment amoureux et la menace qui pèse sur toute vie vouée au sentiment.

« Vous qui dans le creux d'un tombeau
Traînez mes liesses éteintes
Croyez vous faire un acte beau
De me sacrifier aux plaintes
Et d'ensevelir mes Amours
Dans le sépulchre de mes jours ? »

La mort cherchée n'apparaît pas au rendez-vous, et l'amant est rendu à sa nuit « cécité profonde » [18] :

« Dessoubs l'ombreux effroy de la nuict embrunie
Je cherchois languissant les repaires affreux
Des hostes de ces bois, pour pouvoir malheureux
En me perdant me perdre à ma peine infinie. » [19]

C'est en effet un échec qui est constaté : parti d'un libre vagabondage, qui devait lui permettre d'user sa peine et de s'échapper à lui-même, l'amant est renvoyé, au bout du chemin, au tourment initial, et le long détour accompli dans les sentiers perdus de la Nuit « Fille d'Erèbe et du Chaos » [20] se révèle inutile : il ne peut trouver au sein des espaces nocturnes qu'il parcourt en rêvant que les images funèbres surgies de son esprit, et le reflet de sa propre déception.

---

17. *Ibid.*, pp. 220 et suiv.
18. *Ibid.*, *Chanson*, p. 195.
19. *Ibid.*, XI, p. 110.
20. *Ibid.*, *Chanson*, p. 195.

3. Le Jour, la Nuit.

Le Jour et la Nuit, dont l'opposition traditionnelle soulignait l'unité du couple qu'ils forment [21], inversent leurs rapports : désormais, la Nuit se pare des attributs réservés au jour, la luminosité, l'éclat, la fécondité..., tandis que le Jour fait figure d'intrus, avec sa dureté froide et stérile, son hostilité, dans ce monde souterrain qui baigne dans la lumière blanche de la lune.

I. du Ryer illustre cette déviation du sémantisme nocturne lorsqu'il célèbre la clarté lumineuse de la Nuit :

« Clair flambeau de la nuit, dont la face argentée
Ne s'est veue jamais des amans souhaitée,
Je voudrois que ceus là qui fuyent la clarté
Et te vont sans raison outrageant de parolle
Fussent enveloppés de telle obscurité
Qu'ils prissent quelquefois Hercule pour Iolle.

Quant à moy je te tiens, Lumière belle et claire,
Pour astre favorable et Phare necessaire
D'autant que tu nous rends plus prompts et plus legers
Par secrette puissance aux amoureux services,
Et que tu as conduit sans crainte du danger
Tout ainsi qu'au grand jour au ciel de nos délices.

Luis donc de plus en plus, bel Astre que j'adore,
Demain encore plus, après demain encore
Et jamais plus ne soit obscurci ton beau cours.
C'est en quoy seulement mon beau Soleil t'excelle
Tu luis par intervalle et ma belle toujours
Luit de nuit et de jour d'une flamme éternelle. » [22]

La Nuit éclairée par la Lune est plus lumineuse que le Jour sans Soleil, privé des beaux yeux de Madame :

« Le Soleil ne luit plus, je ne voy que des nuits
Je ne sçay maintenant en quelle part je suis
Depuis que vos beaux yeux m'ont caché leur lumière. » [23]

La même alternance apparaît chez Grisel, qui tient la Nuit éclairée par l'image amoureuse pour le jour de sa pensée :

« O calme et sombre nuict des tourments médecine,
Quand tu as compagnon le doucereux repos,
O déesse vien tost et verse dans mes os
Ton miel pour adoucir la douleur qui me mine.
Demeure, j'aime mieux voir ta clarté rosine
Qu'espanche le Soleil sur le terrestre enclos
Que voir tout l'univers sous les tenebres clos. » [24]

Ces contradictions — la Nuit préférée au Jour, le Jour espéré pour sortir de la Nuit — éclatent dans un beau poème de Du Mas :

« O Nuit ô cécité profonde
Qui voillez la face du monde
D'un tissu de noire couleur
Fille d'Erèbe et du Chaos
Ne sauriez vous donner repos
A mon cœur outré de douleur ?

21. Voir Genette, *art. cit.*, p. 117.
22. I. du Ryer, *op. cit.*, *Stances*, p. 41.
23. *Ibid.*, *Stances*, p. 32.
24. Grisel, *Les Premières O.P.*, *op. cit.*, XIII, p. 73.

> Mais las en vain ténèbres sombres
> En vain j'espère que vos ombres
> Puissent allenter mes ennuis,
> Le jour et non que son flambeau
> Peut en me tirant du tombeau
> Dissiper l'obscur de mes nuits.
>
> Bcau jour il est temps que tu sortes
> Beau jour il est temps que tu portes
> A ma langueur quelque soutien,
> Car ô bel astre lumineux
> Tes raiz'conduisent avec eux
> Ma gloire, mon heur et mon bien. » [25]

Ces hésitations prolongées, ce choix de la nuit puis du jour, cette confusion même, conduisent naturellement Pasquier à ne plus distinguer la nuit du jour, le jour de la nuit :

> « O nuits non nuits ains journalières peines,
> O jours non jours ains tenebreuses nuits,
> O vie en deuil eschangée en ennuis,
> O triste dueil, non dueil, ains mort soudaine. » [26]

Même contradiction chez C. de Beaujeu, qui déclare *à la fois* sa crainte de la Nuit et son angoisse devant une lumière trop vive :

> « O Nuit où je me pers, ténèbre affreux et sombre,
> Pourquoy durez vous tant ? Faistes place aux flambeaux
> Que vous tenez là-bas arrestez sous les eaux,
> Pour rendre à mon malheur plus obscure vostre ombre.
>
> J'aime mieux demeurer pour jamais en encombre,
> Entouré de silence, entre ces deux tombeaux,
> Que d'estre en rien tenu à ces deux soleils beaux,
> Deux soleils, mais deux nuits, semblables à vous, Ombres.
>
> Je veux mourir plutôt qu'invoquer la lumière
> De tes yeux *trop luisants,* en frappant la chaudière
> Du Prestre au sacrifice en la nuict estonné. » [27]

Texte clair-obscur, opposant dans chacune des deux grandes divisions une strophe conventionnelle et explicite, une strophe difficile. Les quatrains semblent, par leurs dissonances mêmes, faire éclater les ambiguïtés du cœur : il déteste la nuit, et appelle de ses vœux le jour — mais le deuxième quatrain est un refus de la lumière. Les yeux-soleils sont des nuits : ils s'opposent au ténèbre affreux et sombre, mais ils sont chargés d'ombres nocturnes. La nuit est donc le jour pour l'amoureux des ténèbres, et la lumière qu'il appelle est celle de l'ombre, amie de qui refuse la vie au grand soleil. Le tercet établit le lien très fort qui unit la nuit à la mort : choisir la nuit et ses sortilèges, c'est opter pour la mort « entre ces deux tombeaux » (les yeux). Aucun plaisir n'est pur de douleur, et la douleur est un plaisir nouveau. Tout est feinte, duperie, et l'œil luisant de la dame, soleil-ombre, vie-tombeau, résume toute illusion : brillant, il dit l'obscurité ; donnant du plaisir, il fait naître la peine. La douceur cache la rudesse.

---

25. Du Mas, *op. cit.*, p. 195.
26. Pasquier, *La Jeunesse, op. cit.*, sonnet LX, p. 388.
27. Ch. de Beaujeu, *Les Amours, op. cit.*, LXII, p. 47.

De tels textes sont apparemment, par l'ambiguïté de leurs thèmes, difficiles à classer : éloge de la nuit, qui permet d'échapper à la luisance hostile de l'œil féminin ? éloge des clartés du jour, qui dissipe les monstres avortés des ténèbres et rend au malheur toute son évidente lumière ? En tout cas, la nuit, le jour, entretiennent des rapports qui ne sont pas seulement d'opposition : la nuit dont l'amant souhaite la disparition, n'est-elle pas la nuit métaphorique ? les deux yeux de la Belle sont « deux nuits », mais leur lumière est telle que leur luisance est jugée trop forte. On est apparemment au centre d'un réseau de contradictions : la nuit dont on espère la fin est souhaitée, de préférence au soleil-œil. L'œil lui-même, soleil éblouissant, est aussi une nuit. Le désir de mort, affirmé d'abord, est rejeté ensuite. C'est que C. de Beaujeu se meut dans un univers instable et chaotique, dans lequel il n'existe aucun principe de permanence, et qui est divisé en zones mouvantes et interchangeables, le domaine de la nuit empiétant sur le domaine de la lumière, sans que l'on sache avec certitude si la nuit est la limite temporelle du jour, ou l'ombre de la pensée, la nuit de la pensée, — ni si le jour est autre chose que l'éclat de l'œil de la Belle. Le poète dit surtout l'indétermination, l'hésitation...

> « Ces feux ne sont plus feux, leur douceur est perdue
> Ce sont orages forts qui esclattent sur moy
> Plains de souffles brûlants, de gresles et d'effroys,
>
> Ce ne sont plus les rais de ceste belle vue,
> Ce n'est plus la lumière en mon cœur attendue
> Ce n'est plus ce flambeau qui nourrissoit ma foy
> Ce n'est plus elle aussi ni je ne suis plus moy
> Mon âme en ceste amour erre tout éperdue. » [28]

La confusion n'est pas affaire d'indétermination sentimentale : elle vient de la confusion du monde et de la perception du monde, perçu dans le trouble d'une conscience égarée. L'identité même des amants est perdue en cet orage passionnel... Rien désormais n'est clair, ni assuré, tout est — toujours — remis en question.

Ce prestige des ombres nocturnes conduit aussi à proclamer ouvertement la haine du jour, comme le font Bernier de la Brousse :

> « Je hay l'alme clarté du jour » [29],

ou Deimier :
> « Ah ! Que tu es heureux, doux berger de Latmie,
> Que Diane te baise en ton tendre sommeil,
> Mais que tu dois haïr l'aurore et le resveil,
> Qui te tirent des bras d'une si douce amie,
> Ah ! si j'avois ce bien... Durant que le sommeil se glisse dans mon œil
> Je ne voudrois jamais que le brillant Soleil
> Vint bannir le repos de la nuit embrunie... » [30],

et la supériorité reconnue de la nuit [31] qui n'éclate jamais si bien que

---

28. *Ibid.*, LXXII, p. 49 v°.
29. Bernier de la Brousse, *op. cit.*, *Tristesse*, p. 24 v°.
30. Deimier, *op. cit.*, s. CLV, p. 142.
31. Voir plus tard Gombauld, *Œuvres* (1636), *op. cit.*, XXXI, p. 31 :
    « Durant la belle Nuit, dont mon ame ravie
    Preferoit les clartés à celles d'un beau jour... »

dans son apparente défaite, lorsqu'elle est niée, lorsqu'elle cesse de succéder au jour, car alors, la nuit n'est plus la nuit, mais l'ombre de la pensée, le jour n'est plus le jour, mais l'éclat des beaux yeux luisant dans l'ombre :

> « Près de cette beauté, mes jours n'ont point de nuits,
>   Car la nuict de mon cœur n'est que sa seule absence. » [32]

Au cycle naturel, l'amant baroque substitue une alternance toute subjective ; le jour est donné par la belle, la nuit est celle d'un cœur endeuillé :

> « Où luisez vous beaux yeux ? heureux qui vous admire
>   Et qui voit librement ce que voir ce que je ne puis
>   Hélas ! chère clarté, qui me souliez conduire,
>   Quand me donnerez vous (...)
>   Autant de jours luisants, que j'ay passé de nuicts ? » [33]

Godard, plus explicitement encore, témoigne de ce renversement des valeurs : la nuit n'existe pas « objectivement », elle est donnée (ou voilée) par les feux de Flore. D'elle seule dépend la journée, assombrie ou éclaircie.

> « Feux Deliens, ainsi qu'il vous plaira,
>   Faictes flamber vos lampes allumées,
>   Guidés les jours et les nuits assommées
>   De coy sommeil, comme il vous semblera !
>
> Deux feux astrés ma maistresse Flore a,
>   Par qui les nuits me sont ores semées,
>   Ores les jours, planettes estimées
>   Du Dieu Amour, lequel me les monstra.
>
> Quand je les voy, ma journée est venue :
>   Sinon ma nuict est voilée d'une nue.
>   Voilà mes jours, voilà mes sombres nuicts ! » [34]

Ce superbe dédain des jours et nuits ordinaires, cette indifférence magnifique à l'égard du monde extérieur et du cycle ordinaire du temps commun, cette assurance enfin, montrent que le poète préfère *sa* nuit à la nuit, *sa* journée à la journée, heureux de bouleverser l'ordre habituel, pour lui substituer un temps subjectif, enraciné dans l'œil-feu de la dame. Dépendance, servage ? Sans humiliation en tout cas, comme sans modestie. Au contraire, l'amant proclame, avec la prééminence de sa dame, le caractère privilégié de sa propre relation au monde : il ne dépend plus désormais du Temps ennemi, ni de l'affreuse nécessité : l'amour instaure une rupture, et suffit à donner sa lumière et sa vie à qui accepte son empire.

4. LA NUIT COMPLICE.

L'invocation à la Nuit « chasse-lumière » de Godard exprime l'adoration que manifeste, pour la déesse complice des amants séparés par le jour, le poète fils des ombres :

---

32. La Roque, *op. cit.*, *Caritée*, XL, p. 83.
33. *Ibid.*, *Phyllis*, XXXIII, p. 17.
34. Godard, *La Flore*, *op. cit.*, LXXIV, p. 32.

« Mère des Dieux, brune chasse lumière,
Au moite sein, au carrouse tiré
De noirs chevaux, qui du pole éthéré
Répands un Lethe à la source sommière,
Déesse Nuit, l'antique et la première,
Que ton char brun de cent feux esclairé,
Tombe plus tost dans le flot azuré,
Brosse plus tost ta route coustumière... » [35]

Plus explicite, un autre texte dévoile les charmes de la nuit, complice agissante des amants, qui « cèle » aux regards indiscrets l'ami qui va voir sa mie : « Muette Nuit qui de robe embrunie
Vestis les cieux au mantel estoilé
Ton noir chariot soit bien vite attelé
Jà le Soleil sa carrière a fournie.
Advance toy pour ma joye infinie,
Flore allant voir je veux estre voilé
De ton manteau. » [36]

La Nuit est alors la mère des plaisirs, l'éclatant flambeau du désir d'amour : ses ombres complices éclairent les jeux des amants protégés, et, à la différence du Jour jaloux, du jour ennemi, elle se fait l'amie des sens.

Comme La Roque [37], Grisel célèbre la nuit complice :

« Voile de ton noir bandeau
Le clair argentin flambeau
Nuict aux amants favorable,
Qui m'es trop plus agrëable
Que la clarté du soleil
Ne semble belle à mon œil,
Je te prie, ô nuit secrette,
Qu'aux moreaux de ta charrette,
Tu tiennes roide le frein
Pour tarder le viste train
De leur course trop legère. » [38]

Ce serait là un thème relativement conventionnel [39] qui rappellerait certaines invocations pétrarquistes à la nuit protectrice des amours, si ne se révélait une attitude mentale sensiblement différente : la nuit est préférée au jour, moins propice, et cette préférence se double d'une sorte de haine pour le jour —, et elle « contamine » l'image même de l'amour — amour nocturne, amour noir, délices ténébreuses.

L'invocation à la nuit, noire entremetteuse, ou à la « Vespre » sa conductrice, témoigne de cette prédilection nouvelle pour les ombres complices des ébats ; ainsi Godard célèbre avec gravité l'éloge du crépuscule ami :

---

35. *Ibid., La Flore*, CXXIII, p. 92.
36. *Ibid., La Flore*, LVIII, p. 29.
37. La Roque, *Narcize, Odde...*, p. 185.
38. Grisel, *op. cit., A la Nuict*, p. 64.
39. Thème assez banal, en effet, dans la poésie pétrarquiste — de Pétrarque lui-même à Ronsard. Cf. Ronsard, *éd. cit.*, t. IV, s. XX, p. 23 (dernier tercet) :
    « Et vouldroy bien que ceste nuict encore
    Durast toujours... »,
en écho à certaines « aubes » et « aubades » des troubadours, et à l'élégie ovidienne « Ad auroram ».

> « Vespre nuitale courrière
> Vespre nuitale fourrière,
> Vespre mignonne à Vénus,
> Qui la prend en sa tutelle,
> Vespre qui le char attelle
> De la Nuit aux feux menus,
> Vespre en beauté excellente... » [40]

La nuit plus claire que le jour, le crépuscule plus brillant que les étoiles, la lune plus claire que les étoiles qu'elle fait surgir de l'eau-berceau : tous ces thèmes disent — outre le goût pour le paradoxe — l'amour des ombres belles, et des clartés insolites. C'est ce même choix en faveur des lueurs nocturnes qui s'exprime chez G. Durant :

> « O Nuit heureuse Nuit ô Nuit plus agréable
> Que l'ardente lueur d'un jour mieux éclairé,
> Qui me fus à mon gré d'autant plus favorable
> Que moins — heureuse Nuit — je l'avois esperé,
> Falloit cependant que par ta jalousie [41]
> Nous fussions si matin importunez du jour ? » [42]

Ainsi, la thématique baroque de la nuit ne se contente pas de mettre en évidence la recherche des contrastes ; à travers ces couples anti-thétiques — jour-nuit, lumière-obscurité, ténèbres-clarté — le poète fait l'expérience de l'ambiguïté du monde sensible, dont les deux faces, diurne et nocturne, disent l'indétermination de toute réalité. Il refuse de faire crédit aux ressources de la logique : pour lui, rien n'est « clair comme le jour », et le jour sait voiler sa lumière et se faire plus sombre que la plus sombre des nuits ; la nuit peut, à l'inverse, se révéler, pour l'amant des ténèbres, lumineuse et transparente — plus belle, dans la clarté laiteuse de l'astre ami, que le plus beau des jours — si luit l'œil-soleil de la dame. Ainsi, le jour n'est plus jour, dès que l'amant perd le soleil qui l'éclaire et le chauffe ; la nuit cesse d'être nuit lorsqu'elle devient le jour lumineux des amants réunis.

Les jeux de l'ombre et de la lumière renvoient l'âme à ses incertitudes, à son errance éperdue, et un lent vagabondage au sein des espaces nocturnes conduit jusqu'aux frontières indécises du réel l'homme baroque, qui essaie d'arracher aux Enfers et aux Démons des lambeaux de vérité.

B - Les Enfers et l'invocation aux Démons

Le poète baroque se laisse volontiers emporter par la séduction de l'étrange ; son monde imaginaire est peuplé de figures bizarres, qui se forment et se déforment au gré capricieux de ses rêveries. Eprouvant à chaque instant de son existence l'inconstance et l'incohérence de son univers mental, il s'ouvre à tout ce qui lui donne sur la vie, réelle ou rêvée, des aperçus fulgurants. Au sein des images mouvantes, quelquefois délirantes, qui s'inscrivent en noir sur l'écran de ses songes, il découvre

---

40. Godard, *La Flore, op. cit.*, XXXV, p. 127.
41. Le reproche s'adresse à l'Aurore, trop tôt venue.
42. G. Durant, *Imitations..., op. cit., A une bonne Nuit*, p. 133.

le monde des « Esprits de la nuict sombre », et trouve dans ces visions infernales de quoi alimenter à la fois son goût pour les objets funèbres — et son appétit de voyages extraordinaires aux confins des terres habitées. Ce n'est jamais sans espoir qu'il interroge ou qu'il « provoque » le peuple des Ombres.

1. LES INVOCATIONS AUX DÉMONS, AUX PARQUES, AUX OMBRES INFERNALES.

Les Démons.

Les Démons, « esprits de la nuit », messagers des dieux, portent à l'amant, par les songes qu'ils lui accordent, les douces images dont dépend sa joie. S. Certon [43] salue en eux les ministres efficaces de ses désirs :

> « Mignards doux gratieux courtois aventureux
> Esprits de la nuit sombre, ô démons, si ma joye
> Despend toute de vous, et si je vous desploye
> Mes vers, mon passetemps, mon bien plus doucereux,
>
> Esprits mon doux plaisir, mon esbat amoureux
> Si pour vous je me plais à ceste nuit tant coye,
> N'engardez qu'à mon gré curieux je ne voye
> Le rond de vostre bal dont je suis désireux. » [44]

Ch. de Beaujeu donne à l'invocation aux Démons un caractère plus inquiétant : non content de recevoir des Esprits des songes agréables, il leur demande bien davantage, et attend d'eux qu'ils le guident jusqu'aux Enfers :

> « Saches que Palinure enseigna son vestige
> Au Prince descendu sur les Stygiens bords
> Errant là-bas en peine à cause que le corps
> Qui n'a point de tombeau cent ans son ame afflige
>
> L'amoureuse pitié, Marie, ainsi t'oblige
> De donner sépulture à moy las ! qui m'endors
> D'un sommeil effroyable et qui parmi les morts
> Laissant mes yeux gelés ombre noire voltige
>
> Hélas quel voltiger, quel chemin faut-il prendre ?
> En l'éternelle Nuit par où puis-je descendre :
> Je m'estonne de voir tant de sombres deserts...
>
> Dieux songes qui dormez sous la feuille immortelle,
> Venez à moy quelqu'un me conduire aux Enfers... » [45]

Cette descente volontaire aux Enfers, sous la conduite des démons, est le signe qu'un pacte est conclu avec les puissances nocturnes : les esprits auxquels Ronsard accordait une certaine confiance, non exempte de crainte, sont appelés en dernière instance, et l'amant attend d'eux la clef qui ouvre les portes de la vie souterraine. L'invocation au démon témoigne d'une complicité heureuse entre le monde des hommes et le

---

43. Salomon Certon (v. 1550 - v. 1610) est un curieux poète : ronsardisant attardé, il semble vivre à l'écart des modes... Ses *Vers Leipogrammes* sont publiés à Sedan en 1620.

44. *Ibid.*, p. 15.

45. Ch. de Beaujeu, *Les Amours, op. cit.*, LII, p. 44 v°.

monde élémentaire ; dans une longue Elégie, C. de Beaujeu raconte la singulière rencontre qu'il fit d'un « Démon qui volle » [46], et les savantes manœuvres qu'il essaya pour l'apprivoiser et apprendre de lui ce qui lui était réservé :

> « Versant souventes fois de mes pleurs sur la flame,
> Et du sang de mon cœur...
> Invoquant le Démon pour le faire venir,
> Et pour me rendre compte ainsi de l'advenir... »

Invoqué, le Démon accepte de répondre, et révèle ainsi sa « douce nature », ennemie de toute violence : il veut bien accepter, pour le compte de l'amant, quelque mission, servir d'intercesseur, voire, s'il le faut, d'entremetteur, mais en aucun cas il ne se mettrait au service d'une vengeance à exercer :

> « Mais en faveur des eaux, où pour jamais je loge,
> Ne m'envoye la nuit, pour surprendre à la gorge,
> Une fille en dormant, ni de son jeune amy,
> Espouvanter l'esprit, en ses bras endormy ;
> Je n'aime à faire mal à nulle créature... »

Ainsi prévenu, l'amant peut poser les questions qui lui tiennent à cœur : sa Belle accepte-t-elle l'idée de l'étreinte amoureuse ? La réponse du démon est agréable surprise :

> « Non, non, elle sçait bien,
> . . . .
> Qu'il faut que tu la tiennes une fois toute nue
> En tes bras, je sçay bien qu'elle y est resolue. »

Interrogé de façon plus précise sur l'éventualité d'un tel commerce, le Démon, dont la science n'est pas inépuisable, fixe rendez-vous à l'amant : dans trois jours, il sera en mesure de compléter ses renseignements ;

> « Je le veux, beau Démon, je le veux bien ainsi,
> Car puisque tu le veux, je le veux bien aussi.
> — A ce mot, dans les eaux, le messager s'eslance,
> Et va quérir chez lui plus qu'il n'a de science. »

Accord parfait, communication facile, gentillesse réciproque : les rapports de l'homme et du Démon sont aisés, agréables [47]...

Cette sollicitude affectueuse à l'égard des démons, cette complicité virile, se retrouvent chez Scalion de Virbluneau, qui reconnaît aux démons un statut équivoque : messagers des Dieux, ils ont connaissance de secrets qui échappent à l'homme, mais, créatures intermédiaires entre le ciel et la terre, ils peuvent, comme l'homme, être brûlés du feu d'Amour :

> « Petits démons, qui errez en tous lieux,
> Sans qu'à nos yeux vous désiriez paroistre,
> Quoy qu'aux humains vous faciez recognoistre
> Les hauts secrets et volontez des dieux,
>
> Gardez vous bien d'approcher de ce feu,
> Qui dans les cœurs tant de flamme fait croistre,
> Ny ne soyez curieux de cognoistre
> Ceste beauté qui nous pipe en son jeu.

----

46. *Ibid.*, *Elégie*, pp. 63-74.
47. Voir encore *ibid.*, s. XXIII, p. 102, *Aux Démons* « Vous qui, sans corps, Démons errez en France ».

> Quiconque soit qui ses graces contemple
> Demeure pris, vous en voyez l'exemple... » [48]

Le démon qu'invoque Du Mas se confond avec les forces naturelles, le ciel, l'air et les vents. Partie de la nature, il semble, comme elle, accessible au sentiment de pitié :

> « Antres moussus, et vous forests ombreuses,
> Astres flambants, les flèches du destin,
> *Aeslé Daemon, malicieux et fin,*
> Aer, ciel et vents, et vous, nuits plus affreuses,
> Oyez pour Dieu ma clameur et mes peines. » [49]

La complicité agissante du messager se change alors en compassion, et l'appel au démon malicieux de l'air se confond avec l'appel à la nature : c'est une sympathie qui est demandée, plus qu'une aide réelle.

Mais C. Expilly de la Poëpe exige davantage du Démon familier qui préside au cours de la destinée individuelle et auquel, plus d'une fois, il s'adresse [50] :

> « Démon qui présidez au dur cours de ma vie,
> Arrachez ce cruel, ce tyran, ce borreau,
> Ce soucy qui me ronge...
> Las ! Deslivrez du joug ma raison asservie. » [51]

Quant aux démons infernaux, dont le statut est différent, ils ont pour fonction de faire surgir l'image de la Belle, au creux profond de la nuit :

> « Pendant que le jour dure
> J'attens morne et transi (...)
> Et quand la nuit obscure
> Couvre le firmament,
> Dans une roche dure
> J'entre soudainement
> Invoquant les Demons de l'infernal manoir. » [52]

Tous ces motifs illustrent la complicité qui unit les démons, démons de l'air ou des eaux, démons « mixtes », démons infernaux, aux statuts peu définis, et les hommes. C'est un « bon usage » du démon utile. Mais il arrive aussi que l'homme se défie de la puissance démoniaque ou qu'il conteste l'existence du Démon.

L'appel à la sympathie des démons, qui ouvre un sonnet de Bernier de la Brousse, se transforme vite en défi :

> « Daimons qui composez les corps legers des nues,
> Qui distillez sur nous mille courans ruisseaux,
> Hé ! Pour Dieu, reprimez la course de ces eaux (...)
> Non, non, pleurez, Daimons, ne veuillez point cesser,
> Contenté malgré vous, je l'iray caresser... » [53]

Plus nettement, le démon apparaît chez Beaujeu comme nuisible, il est le mauvais génie qui entraîne l'homme à sa perte [54].

---

48. Scalion de Virbluneau, *op. cit., Premier liv.*, LXXIV, p. 21.
49. Du Mas, *op. cit., Sonnets*, p. 118.
50. C. Expilly de la Poëpe, *op. cit.*, XLIX, p. 36, LIV, p. 38.
51. *Ibid.*, LVII, p. 47.
52. La Roque, *op. cit., Caritée, Complainte*, p. 86.
53. Bernier de la Brousse, *op. cit., Meslanges, Sonnets, Autre*, p. 340.
54. Beaujeu, *op. cit., Sonets* XI, p. 142.

Enfin, chez Du Mas, on assiste aux débuts d'une attitude méprisante, premiers pas sur le chemin du scepticisme, voire de l'incrédulité :
> « Vous estes Esprits, je l'advoüe,
> Mais auprès d'un esprit si beau,
> Vous n'estes esprits que de boüe,
> Les hostes affreux d'un tombeau. » [55]

A première vue, les attitudes que révèlent ces diverses invocations sont multiples, voire contradictoires. Bernier, Beaujeu, Du Mas, Virbluneau, La Roque..., appellent la sympathie des Démons, et croient en leur puissance. Ils sont encore, dans une certaine mesure, les petits souverains de l'empire des Ombres, et leur complicité agissante en faveur de l'amant désemparé est espérée, ou exigée. Leur vie nocturne n'est pas étrangère à l'homme, qui connaît encore les rites d'appel, et en use sans terreur. On attend beaucoup de leur sympathie. Les mises en garde que leur adresse Scalion de Virbluneau, par exemple, montrent que leur nature est considérée comme toute semblable à la nature humaine : ils sentent, ils peuvent être séduits, ils sont accessibles à la pitié, et à l'amour. En même temps, et chez les mêmes poètes, on observe une attitude prudente, et défiante : on n'a pas oublié tout à fait le caractère envieux du démon, sa mauvaise volonté, son obstination, parfois, à se jouer de l'homme. Et surtout, une incrédulité ironique se fait jour : messagers des dieux, à mi-chemin entre le monde des dieux et le monde des hommes, ils subissent les contre-coups d'une critique presque systématique des dieux païens. Si, après Ronsard, le grand Pan est mort, si les dieux ont perdu leur prestige et leur vérité, leurs serviteurs fidèles à leur tour, avant de disparaître, pâlissent, sont « dévalués », dans la désaffection générale qui entraîne l'univers animé de la Renaissance vers sa ruine.

Aussi bien, le statut des démons a singulièrement changé. Conforme chez Ronsard à la démonologie courante, ce statut était tout à la fois rigoureux et ambigu, puisqu'il était le résultat d'un « croisement » entre les traditions humanistes et les croyances populaires. Après Ronsard, le statut du démon est vague, imprécis, et reflète seulement l'ensemble des croyances et des mythes populaires. La hiérarchie même qui réglait la nature et les attributs des divers démons est abolie.

Démons de l'air, démons des eaux, démons du monde souterrain, matériels ou immatériels, démons issus des cadavres refroidis qui errent le soir autour des tombes [56] ou dieux-songes, tout ce petit peuple se confond pour le poète de la fin du siècle, qui leur accorde à tous indistinctement un certain nombre de pouvoirs mal définis et peu assurés. Ils sont, en somme, ce qui subsiste du monde de l'au-delà, et les poètes les interrogent peut-être plus par habitude que par intérêt. Les démons sont invoqués avec plus de fantaisie que de foi. Elément décoratif d'une poésie qui se cherche, le démon est devenu inoffensif, et si l'on rappelle les craintes qu'il inspire ou les pouvoirs qu'on lui prête, c'est plutôt pour sourire et pour marquer aussitôt sa réserve à l'égard d'une tradition dont le sens est perdu.

---

55. Du Mas, *op. cit.*, *Contre le Balet des Esprits en faveur d'une fille*, p. 245.
56. Voir notamment Beaujeu, *Elegie*, p. 206, XXIII, p. 102 ; Bernier, *Stances*, p. 53 r°/v°.

L'invocation aux Ombres.

Lorsque Durand invoque les Ombres, il se défend mal d'un certain scepticisme :

« Ombres qui dans l'horreur de vos nuits éternelles,
Gémissez sans repos vos fautes criminelles
Quittez pour un petit vos manoirs gémissants
Et venez assurer qu'en sa peine fatale
L'Enfer n'a point de peine à mes peines égale
Ny point de feux aussi comme ceux que je sens... » [57]

L'Enfer a perdu ses couleurs d'épouvante, et les dieux leur pouvoir : si on appelle les Ombres, on leur demande de témoigner de leur peu de réalité, et le texte s'achève par une pointe désabusée, qui met en cause tout un système de croyances, et l'aveu d'une incrédulité manifeste.

L'invocation est plus chaleureuse chez Bernier de la Brousse :

« Fureurs qui bourrelez les Ombres criminelles,
Qui sont dans l'Achéron en peine et en douleurs,
Que ne tourmentez vous ces mastines cruelles
Qui par leur faux caquet enfantent mon malheur.
. . . .
Donques vous, ô Fureurs, vous Daimons, et vous Rages,
Qui foüettez les malins dans l'Infernal sejour,
Tous armez vous de feux, pour vanger ces outrages... » [58]

L'invocation aux Parques.

Grisel compose une prière éloquente, pour attirer la sympathie active des Parques :

« Semence de la nuict sombre
Et de l'Erèbe dieu de l'Ombre,
Qui fust dans la masse esclos,
Du pasle meslé chaos,
Filles superbes et palles,
Vous filandières fatales,
Qui disposez en vos mains
De la vie des humains,
Ne souffrez, ô tristes Parques,
Que la Charontide barque
Triomphe encor de mes ans
Et les rendez florissans
Faisant qu'homme je ne laisse
Le monde qu'en ma vieillesse...
Je vous promets à vous trois
Chacune un fuseau de choix... » [59]

Scalion de Virbluneau invoque également la Parque puissante :

« Parque, que tardes tu ? Que ne fais tu tirer
La barque de Charon, sur le bord qui ondoye
Afin qu'en me passant, mon esprit il convoye
Au repos des humains où je veux aspirer ?

A toy, douce ennemie, à toy seule je voue
Ceste immortelle foy. » [60]

57. Durand, *Le Livre d'Amour, éd. cit., Stances,* p. 74.
58. Bernier de la Brousse, *op. cit.,* p. 53.
59. Grisel, *op. cit., Vœux aux Dieux Antiques, Aux Parques,* p. 65.
60. Scalion de Virbluneau, *op. cit.,* liv. II, CXLV, p. 75.

Ainsi, les Démons, les Ombres, les Parques, figures de la vie nocturne, ont leur place dans le petit monde secret du poète de la fin du siècle, mais leur statut reste imprécis, voire contradictoire. Alors que certains poètes comme Beaujeu, Bernier de la Brousse, Grisel, Scalion de Virbluneau, vivent encore dans l'univers peuplé d'êtres souterrains ou aériens, et restent sensibles au prestige qui s'attache à ces figures nocturnes dont ils refusent de contester l'existence, Durand et Du Mas ont une attitude plus nuancée et plus subtile : le monde nocturne apparaît encore chez eux, mais dévalorisé. Chez tous, on constate une tendance à traiter les Démons et les Ombres davantage comme un élément décoratif : aussi importent peu les contradictions, les imprécisions, les ambiguïtés. Ils deviennent les belles images sensibles d'une imagination plus à l'aise dans « l'impressionisme » et le flou que dans la recherche philosophique d'une attitude cohérente. Survivances d'un monde en voie de disparition, Ombres et Démons témoignent à la fois de la persistance de l'univers nocturne, et de l'évanouissement progressif de la vision du monde qui les maintenait en vie. La route est ouverte aux libertins de 1620 ; ils recueilleront comme formes vides de substance les êtres animés, qui deviendront chez eux des figures « pittoresques » — trace sensible d'une mentalité naguère étrangère au comportement « raisonnable » de l'homme incrédule.

2. LES PAYSAGES INFERNAUX.

Deux thèmes animent les textes consacrés aux Enfers : le thème des supplices, et le thème de la descente aux Enfers.

a) *Le thème des supplices infernaux.*

Les Enfers restent, traditionnellement[61], et dans la mentalité commune de l'époque, le lieu où s'accomplit la sanction d'une vie honnête ou criminelle. Si la description des Champs Elysées, séjour des souterraines délices, ne se trouve pas dans la poésie amoureuse, en revanche — surtout à partir du livre VI de l'Enéide —, les poètes ont repris un certain nombre de motifs centrés sur le thème du supplice infligé *post mortem* à quelques héros « populaires » de la mythologie : Sisyphe, Ixion, Tantale, d'autres encore, deviennent les figures, moins de l'« ubris » qui causa leur perte[62], que du malheur attaché à toute existence humaine.

Ainsi E. Durand s'attache à montrer que les supplices infernaux ne sont rien au prix des souffrances infligées à l'amant :

« En vain par les destins, redoutables Enfers
Vos cachots sont remplis de supplices divers
Pour punir les forfaits des criminelles âmes,
Estans comme elles sont absentes de leur Dieu,
Ceste absence les doit tourmenter en ce lieu
Plus rigoureusement que vos foüets ny vos flames.

---

61. Les traditions sont multiples, d'Homère à Dante. Mais on constate surtout la survivance de la tradition virgilienne (*En.* VI). Voir plus haut, le chap. II de la Première Partie (paysages infernaux de 1570 à 1585).

62. En effet, pour célébrer la belle audace, les poètes élisent plutôt les figures d'Icare ou de Phaëton. Sisyphe, Ixion, Tantale et Prométhée sont les figures du malheur absolu. Voir plus haut, Premier livre, Deuxième partie, chap. III (figures mythiques du lyrisme néo-pétrarquiste).

Vos roües vos rochers et vos coulantes eaux
Que des filles en vain versent dans leurs vaisseaux
Ne peuvent approcher de ceste violence :
L'absence est le bourreau qui gehesne vos esprits
. . . .
Tous les maux de l'enfer ne sont rien qu'une absence. » [63]

Ailleurs, Durand compare son sort à celui des grands vaincus de la mythologie : Tantale, « qui brusle de soif dans les ondes fuitives », Ixion, « qui tourne toujours attaché de cent chaînes », Prométhée, « qui de (son) poulmon (paît) une aigle affamée », Sisyphe, « qu'un rocher tombant fait travailler sans cesse », pour conclure qu'il est à lui seul tous les damnés, et qu'il n'est pire supplice que celui qu'il endure :

« Voilà comme un bel œil me sert d'une eau fuyante,
D'une roüe sans fin, d'un'aigle ravissante,
D'un cible et d'un rocher insensible à mes vœux,
Beauté qui me donnez ceste mort immortelle,
Plus que tous les destins vous rendrez vous cruelle,
Pour damner et sauver il n'appartient qu'à vous. » [64]

L'énumération des supplices a pour principale fonction de préparer leur traduction métaphorique, et l'Enfer, souvent nommé, a perdu sa réalité épouvantable, pour devenir un réservoir d'images et de motifs.

C'est un semblable processus que l'on observe chez Du Mas ; le domaine étrange, peuplé de hurlements sinistres et baigné de larmes intarissables, est l'image de sa condition amoureuse : univers métaphorique dont la fonction décorative est indiscutable.

« Quel Enfer plein de cris et de larmes funèbres
D'angoisse de fureur, d'horreur et de ténèbres,
Pallanthe malheureux esgalle ton tourment ?
Privé de mon Soleil, si ma belle guerrière
M'avoit privé de vie ainsi que de lumière,
Mon Paradis seroit en son esloignement.
Le jour m'est un enfer... » [65]

Les séjours infernaux, fréquentés par les « démons voisins de l'onde stygieuse », sont l'image désolée de l'âme et de ses souffrances :

« Triste desert du monde abandonné,
Je suis esprit à grand tort condamné
Aux feux, aux cris d'un Enfer ordinaire,
Et viens à vous pour lamenter mon sort,
Fléchir le Ciel, ou s'il ne se peut faire,
Mouvoir l'Enfer, les Parques et la Mort. » [66]

Ainsi, le thème des supplices infernaux : tourments infinis, cris et feux, sévices et larmes, est traité après 1585 de façon originale ; il ne s'agit plus en effet de présenter les tableaux « vivants » d'un monde donné pour réel, ni de faire partager un ensemble de croyances, mais d'utiliser un certain nombre de motifs particulièrement expressifs,

---

63. E. Durand, *op. cit.*, *Stances de l'absence*, p. 82.
64. *Ibid.*, *Stances*, pp. 75-76.
65. Du Mas, *op. cit.*, *Stances*, pp. 234-235.
66. La Roque, *op. cit.*, *Phyllis*, XIV, p. 8.

accordés à la tonalité d'ensemble du sentiment amoureux, et de trouver en eux l'exacte équivalence du tourment, de la rage, qui s'emparent de l'amant. A cet amour donné comme un Enfer, convient une esthétique du mal absolu [67].

b) *La descente aux Enfers.*

L'Enfer, lieu des supplices, métaphore de l'âme désolée, devient pour l'amant, ami des ténèbres, l'endroit idéal où s'exerce le supplice de l'absence, et qui présente l'image rêvée de la mort. En ce « ténébreux empire », l'amant se retrouve tel qu'il se voit, « agité de fureur », en proie à l'ombre, comme Motin :

« Est ce mon erreur ou ma rage,
Qui m'a conduit sous cet ombrage,
Moins d'effect que d'Amour espoint,
Sejour des morts, demeures palles :
Croix ossements tombes fatales ;
L'espoir de ceux qui n'en ont point.
Je veoid dans ces froides ténèbres
L'une de ces fureurs célèbres
M'esclairer de son noir flambeau,
Et pour un presage sinistre
De mes maux le sanglant ministre,
L'Amour, m'apparoit en corbeau.
O que de monstres incroyables
Que de fantosmes effroyables
A mes yeux se viennent offrir,
M'ouvrant leur caverne profonde... » [68]

Les motivations qui ont conduit l'amant à accomplir cette descente sont laissées dans l'ombre, et, de même, la réalité du voyage est douteuse : s'agit-il d'un rêve ? d'une hallucination ? d'une anticipation ? En tout cas, l'amour est responsable du curieux projet ; lié fortement au désir de mort, il entraîne l'âme à ces vagabondages au creux des tombes, et son apparition fantastique sous la forme du Corbeau éclaire la liaison de la nuit — ombrage, demeures palles, froides ténèbres, noir flambeau, caverne — et de la mort qu'elle secrète : séjour des morts, croix, ossements, monstres et fantosmes —. L'amour, sanglant ministre, conduit à cette rêverie éveillée, peuplée d'images sinistres.

Un sonnet de La Roque propose une liaison de même nature entre la mort et l'amour :

« Au milieu de la nuit compagne du silence
Livré pour mes travaux au sommeil otieux
Amour armé de traits apparut à mes yeux
Sans me donner loisir de me mettre en défense.

Là tout plein de fureur et de grand violence
M'emporte de mon lit superbe et glorieux
Puis me faisant passer cent mille étranges lieux
Je me trouvay vivant dans un enfer d'absence.

67. Voir aussi Expilly de la Poëpe, *Elegie*, I, p. 83.
68. Motin, *Desespoir* in *Les Muses Gaillardes* (1609), p. 135. Sur Motin voir la notice de son éditeur P. d'Estrée au Cab. Bibliophile (1883), pp. I-XXXI (vie et œuvres).

> Lors il me fit souffrir au milieu des tourments
> Des feux, des cruautés et des gémissements,
> Agité de fureur, de rage, et de martyre.
>
> Mais ô merveilleux fait non jamais entendu !
> Disoit le nautonnier du ténébreux Empire,
> Qu'un mortel soit tout vif aux enfers descendu. » [69]

Apparemment se trouve ici résolue l'ambiguïté du texte précédent :
il s'agit bien d'un rêve surgi de la nuit profonde, et le premier quatrain
laisse entendre que l'on se trouve devant une des multiples variations
sur le thème du songe. Mais le déroulement du poème fait naître de
nouvelles ambiguïtés : ce voyage qui s'accomplit est-il seulement un
parcours rêvé ? Aucun retour à la réalité ne marque la fin du poème,
qui donne pour réel l'étonnant transfert. Certes, la descente aux enfers
est l'occasion d'évoquer ses supplices, mais on y trouve exprimé le
sentiment de fierté que ressent le mortel à violer, vivant, le domaine
réservé des morts. Tout amour violent conduit nécessairement aux
enfers, et le motif du songe n'est qu'un prétexte pour amener naturellement l'esprit à une autre réalité : la découverte du caractère infernal
de toute passion furieuse est ici mise en lumière, et le thème de la
descente aux enfers apparaît comme la traduction métaphorique de cette
intuition.

Une autre variation sur le thème de la descente aux Enfers : le
supplice n'est pas toujours réservé à celui qui descend « là-bas » ;
parfois, d'ingénieuses inventions naissent dans l'esprit de l'amant rêvant
à sa propre mort. Du sein moite des Enfers, son âme martyrée infligera
« post mortem » à la Belle cruelle le supplice savamment imaginé de
fantômes horribles qui lui donneront un avant-goût de l'enfer sur la
terre.

> « L'âme qui en secret voit enterrer son corps
> Fait tout ce qu'elle peut pour en montrer la place
> Afin de recevoir des vivants cette grâce
> Qu'il soit mis au sépulchre honorable des morts.
>
> Cependant animée elle se plaint des torts
> Naguère à elle faits en suivant à la trace
> Le meurtrier inconnu qu'elle toujours menace
> Des furies d'enfer où elle habite alors.
>
> Ainsi toujours viendra mon âme misérable
> Mettre devant tes yeux un phantasme effroyable
> Te bannissant du lieu où tu me fais mourir,
>
> Comme Quinnasiarque en la sanglante étuve
> Effraya ses meurtriers qu'il fit depuis périr
> Laissant pour tout jamais son sang dedans la cuve. » [70]

La descente aux Enfers paraît alors offrir une voie nouvelle pour
la satisfaction des ressentiments : l'épisode sanglant sur lequel s'attarde
avec une morbide complaisance le tercet final montre que l'image infernale est savourée comme une revanche apaisante pour l'imagination

69. La Roque, *op. cit.*, *Narcize*, V, p. 130. Ce sonnet est attribué par erreur
à I. du Ryer par A.-M. Schmidt dans son Anthologie *L'Amour Noir* (*op. cit.*,
p. 47).
70. Beaujeu, *Les Amours, op. cit.*, LXI, f. 47 v°. Cf. d'Aubigné, *Stances,
op. cit.*, p. 207, v. 79 et suiv.

insatisfaite par le réel. Une discrète pointe de sadisme relève la douceur plaintive des quatrains plus conventionnels, et les images cruelles, masquées par la première moitié du texte, et annoncées en sourdine par la fin du deuxième quatrain, éclatent dans les tercets. Sevré de la blancheur des amours partagées, l'amant se réfugie dans le monde noir de la passion mauvaise, et son invocation — au sens plein du terme, puisqu'il s'agit d'appeler, de faire apparaître, d'entraîner jusqu'en enfer la Belle, conduite par un phantasme — est l'appel de la mort.

Un autre texte de Beaujeu développe, à partir des motifs d'Artémise[71] et du Phœnix, un réseau comparable d'images cruelles :

> « Le corps pasle, bruslé au bucher domestique,
> Content de l'Achéron en sa chère moitié,
> Vesquit, mourut, brusla, ô cendres d'amitié,
> Puisse naistre de vous le cher oiseau unique !...
>
> O Déesse de marbre, ô glacéc statue
> Je n'ay regret de quoy ta main dure me tue
> Mais dequoy tes rigueurs s'augmentent tant plus fort.
>
> Scay tu que tu seras de mon sang altérée ?
> Cours à force, mon ame, aux enfers atterrée,
> Et tout devant Pluton fais lui souffrir la mort. »[72]

Revanche imaginaire dc l'amant insatisfait, la descente aux Enfers permet d'assouvir le désir furieux qui entraîne vers la mort tout autant que vers le plaisir : amcr plaisir, du reste, qui se satisfait d'images cruelles et de ressentiment !

Ailleurs, la descente aux Enfers se présente comme la victoire de la Beauté sur la Mort :

> « Desjà ma Belle estoit sur le mortel rivage,
> Toute preste à passer le fleuve Stygieux
> Affin de s'en aller estre un bel Astre aux Cieux
> Quand le Nocher l'advise et lui tient ce langagc :
>
> L'on ne peut, ce dit on, me fléchir le courage
> Ne moins faire sortir des larmes de mes yeux,
> Mais ta jeune beauté qui dompteroit les Dieux
> Me fait te refuser pour ce coup le passage.
>
> Retourne saine et sauve et reprends ton beau tcint... »[73]

La Roque rêve de descendre aux Enfers proclamer l'ardeur du feu qui le consume :

> « Et bien que de mes jours la fin soit à l'occase,
> Encor'de mon ardeur j'ay du ressentiment,
> Courant au règne obscur de l'éternel tourment,
> Si l'Amour et l'Amant peuvent y trouver place,
> Et si comme en la vie, ore que je trepasse,
> Je porte en mon esprit votre objet seulement,
> Arrivant aux Enfers je diray justement
> Qu'on n'y voit point de feu qui ma flame surpasse... »[74]

---

71. Pour le thème d'Artémise, cf. Desportes, *Cléonice, éd. cit.*, LIII, p. 75 ; G. Durant, *Imitations, op. cit.*, s. XVI, p. 30 ; A. d'Aubigné, *Le Printemps, op. cit.*, XII, pp. 68-69 ; La Roque, *Phyllis, op. cit.*, LVI, p. 29 ; Jamyn, *O.P., op. cit.*, *Pren la gloire que prit la Rayne de Carie...*, p. 38 ; Bertaut, *op. cit.*, *Sonet*, pp. 412-413. La source est B. Rota, *Poi che'io cenere son...* (1567, p. 16).

72. Beaujeu, *op. cit.*, XXVI, p. 102 v°.

73. I. du Ryer, *op. cit.*, XXV, p. 27.

74. La Roque, *Narcize, op. cit.*, VII, p. 131.

De même l'amante idéale que Beaujeu se donne, rêve également de descendre aux bords Stygiens, pour y achever une vie consacrée à l'amour-fou : « Ha cœur que j'aimois tant et qui m'as tant aimée,
> Tu mérites mon cœur, un si riche cercueil :
> Mais pour monstrer que moy, digne d'un si grand dueil
> Doit mourir, ça mourons d'une mort animée (...)
> Je ne puis plus heureuse arriver à ces bords
> Que d'y accompagner la Princesse des morts... » [75]

Car seuls les Enfers peuvent recevoir l'âme désolée de l'amant ou de l'amante en proie au noir vertige d'un amour condamné. Quel autre monde peut-il admettre la passion sinon ce monde sans couleur, envahi par les ombres, image parfaite d'une âme vide ?

> « Misérable désert, en glaces éternelles,
> Figure des enfers et séjour des démons,
> Pourquoy demeurez vous dans le flang de ces monts ?
> Recevez Apollon en vos antres mortelles.
>
> O solitaire Dieu, où mes amours nouvelles
> Me guident pour me plaindre au son de mes chansons
> Retenez de mon luth les plaintes et les sons
> Qui loüangent si doux mes peines immortelles.
>
> Vous vous couvrez toujours de ce mont baise-nue
> Toujours l'ombre sur vous demeure continue,
> Ne voulant que le Ciel vous fasse les yeux doux.
>
> O desert trop heureux absent de toute flame.. » [76]

On voit se tisser un réseau d'échos : le paysage désertique est glacé, « absent de toute flame », il manifeste, par le refus du soleil, son caractère nocturne. La nuit froide qui règne est déjà « figure des enfers », sinistre et attirante. Elle est aussi figure de la plus grande solitude, « séjour des démons » qui seuls peuplent l'immensité glacée. Le paysage ainsi posé se charge d'intentions : il choisit l'ombre, et refuse d'accueillir le dieu solaire. Par là, il manifeste un refus délibéré de toute chaleur humaine, de tout sentiment. Il devient alors l'image idéale de l'amant, « trop heureux absent de toute flame ».

Ainsi les Enfers — lieux de l'horreur glacée, de l'épouvante, du supplice interminable — deviennent, dans la poésie amoureuse baroque, le paysage idéal qui seul convient à l'âme veuve, au cœur orphelin, de l'amant déçu, de l'amant trompé, de l'amant délaissé... Ne sont-ils point en effet le refuge de la Nuit, la plus noire, la plus épaisse ? N'ont-ils point, comme l'amoureux lui-même, élu les ténèbres et les Ombres ? Certes les Enfers parlent de la mort, mais d'une mort « animée », d'une mort active — non point repos éternel dans la quiétude d'une âme enfin apaisée, mais souffrance toujours renouvelée, accompagnée de tourments atroces. L'âme baroque s'enchante d'images cruelles, se repaît d'horreur rouge : la seule jouissance véritablement satisfaisante pour elle sera le plaisir lentement savouré de connaître enfin le malheur absolu, dans son épouvantable beauté. La seule rencontre possible, pour les amants-ennemis qui se haïssent d'amour fervent et s'aiment mécham-

---

75. Beaujeu, *op. cit.*, *Sonnets*, p. 33.
76. *Ibid.*, VIII, p. 177.

ment dans l'aigreur et l'angoisse, a lieu dans ce monde infernal, image de la passion mauvaise, que ses glaces, ses déserts et ses flammes rendent « sympathique ».

Eros ici ne connaît ni la tendresse, ni la douceur sensuelle, ni la communication, mais seulement le dépit, la haine rageuse, la cruelle mésentente. Point d'assurance, sinon celle du malheur, point de serment, sinon de haine éternelle ! La mort même ne met point de terme à la vaine poursuite : aux bords du Styx, comme au-delà de l'Achéron, l'âme affolée d'amour ne connaît ni trêve ni répit. Que vienne la mort si elle ouvre enfin les portes interdites — celles d'un Enfer moins « mythique » que réel, l'enfer des amours impossibles et de la passion interdite...

C - Le Songe amoureux et le désir en rêve : modifications du thème à partir de 1585

On a vu [77] les poètes ronsardiens s'essayer, comme timidement, souvent sans conviction, à des variations, assez voluptueuses parfois, sur le thème du songe amoureux. Après 1585, le thème connaît une fortune prodigieuse : non seulement, en effet, presque tous les recueils de poésie amoureuse publiés après cette date présentent un, deux ou trois « Songes », mais encore certains poètes consacrent à l'exploitation du thème ronsardien une section de leur recueil. Cet engouement va de pair avec l'abandon des canons pétrarquistes et de la « philosophie platonicque » : la relative décence des épigones de Ronsard, leur goût, réputé « classique », pour la sobriété et la litote, font place à la lascive description des délices amoureuses. Sous le couvert de Songe, c'est une célébration sans pudeur et sans contrainte du plaisir amoureux.

1. LES INVOCATIONS AU SOMMEIL ET AU SONGE.

Les invocations au Sommeil et au Songe constituent en quelque sorte des « portiques » : il s'agit moins en effet de décrire avec précision les délices sensuelles goûtées en songe que de célébrer les pouvoirs de la Nuit porteuse de rêves. L'accent est mis sur l'écart qui sépare le rêve agréable de la dure réalité.

Ainsi Du Sable chante le songe imposteur :

« O Songe mensonger trompeur plein de fallace
Songe qui me déçoit et à mon aise nuit
Songe qui viens tromper mes sens chacune nuit
En leur représentant ce qu'en vain je pourchasse,

Songe trop plus leger qu'un petit vent qui passe
Tu me fais bien cueillir la fueille pour le fruit
Un bien m'offre' en dormant qui tôt de moy s'enfuit
Cuidant tenir le corps, le vent ombre j'embrasse...

Ah ! Songe si de toi je reçois quelque bien
Je ne l'ai qu'en dormant, encor si peu que rien
Qui contente mes sens en leur réminiscence... » [78]

---

77. Voir plus haut, livr. I, *Première Partie*, chap. II (le Songe amoureux chez les Ronsardisants).
78. G. du Sable, *La Muse Chasseresse* (1611), p. 112.

Les satisfactions sensuelles sont ici non seulement brèves, condamnées par l'arrivée du Jour ennemi, mais encore peu substantielles, voire
vaines. L'aise ressenti durant la trêve nocturne est faible (« si peu que
rien »), et la note dominante est celle de l'inévitable déception, plus
que celle d'un bonheur souverain. La même discrétion, la même retenue,
enveloppent les *Stances* de Durand, et leur grâce un peu molle fait que
l'on reste à la surface de la sensation :

> « J'ay passé maintes nuicts à me plaire en ces larmes,
> Ne trouvant rien plus doux ni plus délicieux,
> Pendant qu'Amour faisoit la garde avec ses armes,
> De peur que le Sommeil ne coulast en mes yeux.
>
> Mais si par fois ce Dieu pour t'aller voir, ma Belle,
> Cessoit de me garder, pendant qu'il me quittoit
> Il mettoit près de moy le Songe en sentinelle
> Qui m'offroit tes beautez, et puis me les ostoit.
>
> O Songe, lui disois je, O Songe que j'adore,
> Arreste pour un peu, pourquoy t'envolle tu ?
> Puis je fermois les yeux, pour resonger encore... » [79]

Les beautés entrevues un court instant échappent au rêveur, et la
rapide et discrète allusion aux plaisirs oniriques se charge vite d'amertume. L'idéalisme l'emporte sur la sensualité, comme dans ce texte de
Deimier :

> « O Sommeil gratieux, ô Songe favorable,
> Qui forcez du destin et d'Amour les rigueurs,
> Par vostre douce grace heureuse et secourable,
> Cette nuict m'est un jour des plus chères faveurs.
>
> Sur le vol amoureux de vos aisles divines,
> Je me suis vu porter au sein de mon soleil,
> Où j'ai vu le Printemps de ses fleurs aurorines
> Accorder son silence aux douceurs d'un sommeil.
>
> Heureux je contemplay ces belles tresses blondes... » [80]

Le Songe apporte l'image vivante de la Belle, mais le seul plaisir permis
est de contemplation :

> « C'est en vain que la nuit apporte le sommeil
> Pour donner aux humains un silence agréable
> Puisque toujours, Amour, d'un veiller amiable,
> Me fait voir au dormir mon amoureux Soleil.
>
> Bien qu'un somme charmeur tienne serré mon œil,
> Si est ce que toujours cest Astre incomparable
> Forçant le fier destin, en son jour admirable,
> Esveille mes esprits d'un éternel resveil. » [81]

Avec son cortège de belles images vaines dont l'amant ne peut se
défaire, le songe n'est pas à proprement parler érotique ; il offre la
possibilité de poursuivre, la paupière sillée par le sommeil, le même

---

79. E. Durand, *op. cit.*, *Stances*, pp. 112-114, str. 7 à 10. Voir aussi *ibid.*,
invoc. au Sommeil, s. XII, p. 22.
80. Deimier, *Les Prem. Œuvres...*, *op. cit.*, *Songe*, pp. 100-101. Cf. *ibid.*,
s. XXVII, p. 25 :
> « Hélas que ceste nuit n'a duré plus de temps
> O songe favorable hé viens une autre fois ! »
81. *Ibid.*, CXIV, p. 123.

objet idéal dont la permanente obsession ordonne toute une vie vouée à la contemplation, diurne ou nocturne. Nulle activité au cours du rêve, aucun désir violent ne vient rompre le cours de cette « dévote » extase, plus spirituelle que sensuelle. Aussi est-ce la *douceur* du Songe qui est d'abord célébrée :

> « Et toi nuit, doux support des songes où j'aspire,
> Puisses tu dans mes yeux faire toujours séjour,
> Jamais Phoebus pour moy ses tu rais ne fasse luire
> Puisque le jour m'est nuit et que la nuit m'est jour.
>
> Mais las ! Ce dieu jaloux du bonheur de mon songe
> Pour hâter le succès du mal qui me poursuit
> S'avance de tirer ses bais coursiers du plonge
> Qui chassent devant eux les Songes de la Nuit... » [82]

Célébration mesurée, et chastement retenue, des plaisirs nocturnes, idéalement floue.

Du reste, l'écart qui sépare la nuit du jour, le rêve de la réalité, est ici souligné, et aucune confusion ne vient troubler l'ordre des sentiments.

Les invocations au Sommeil rassemblent un certain nombre de motifs traditionnels [83] ; le Sommeil enchante les misères de l'amant :

> « Doux Sommeil, enchanteur des misères humaines,
> O frère de la Mort, Sommeil, je te supply
> Plonge un de tes rameaux dans le fleuve d'Oubly
> Pour endormir mes yeux qui semblent deux fontaines...
>
> Si jamais la pitié trouva place en ton cœur,
> Vien, Père du repos, charme ceste douleur,
> Et ce tan dont mon ame est sans cesse agitée.
>
> Ainsi soyent en Lemnos tes temples honorés,
> Ainsi te soyent offerts mille tableaux dorés,
> Ainsi vienne en mes bras ma belle Pasithée. » [84]

Mais la plus grande discrétion accompagne ces plaintes et cet espoir : seul le dernier tercet (avec l'allusion à Lemnos) s'attarde davantage sur l'image amoureuse. Une retenue encore plus grande, un plus grand degré d'abstraction, et une grâce un peu irréelle, caractérisent cette autre invocation :

> « Sommeil, doux charmeur de nos sens,
> Retourne à mes yeux languissants,
> Ramène tes douceurs muettes
> Hélas ! On dit que tu t'endors
> Le plus souvent dessus les bords
> Des murmurantes fonteinettes.
>
> Sommeil, arreste icy ton vol,
> Et plie ton plumage mol
> Dessus mes sources immortelles,
> Tu t'y joueras avec Amour... » [85]

---

82. P. Pyard de la Mirande in *Le Temple d'Apollon* (1611), t. 1, p. 424. Ce recueil est conservé à la bibl. de l'Arsenal (cote 8e B.L. 9965 1-2). Sur les recueils collectifs et *Le Temple,* voir plus haut. liv. I, Troisième Partie, chap. II (les Recueils collectifs).

83. Voir plus haut le Songe (1570-1585) liv. I, Première Partie, chap. II.

84. C. Expilly de la Poëpe, *op. cit.,* XV, p. 8.

85. R. Bouchet d'Ambillou (? - ?) est un poète léger et gracieux, peu abondant ; sensible à l'influence de Ronsard, il aime un pétrarquisme mesuré, tempéré par un réalisme de bon ton. *Sidère,* 1609, *Chanson,* p. 88.

Une variation plus malicieuse sur le thème du doux Sommeil :

> « Sommeil, fils de la Nuict, dous repos de nostre ame,
> Qui fait ma belle Nymphe en son lit reposer,
> Puis que ton charme peut son esprit amuser,
> Plonge dans l'eau d'Oubly le courroux qui l'enflame.
>
> Fais lui veoir en dormant le regret qui me ronge,
> La portant au réveil de la haine à l'Amour,
> Si bien qu'au matin (...)
> Elle aille racontant mon offense pour songe... » [86]

Quelquefois, le Songe, tout en restant idéalement chaste [87], se rapproche du Songe érotique, lorsque le poète célèbre le moment ambigu où le rêve, au moment où il allait permettre de douces voluptés, se trouve interrompu. L'invocation au Sommeil se fait alors plus pressante, et la suggestion plus sensuelle :

> « O Songe gratieux mais trop court pour mon aise,
> Aise qui plus long temps devoit continuer,
> J'allois, sans mon réveil, d'un bien m'insinuer
> Tel qu'un ami le prend qui sa maistresse baise...
>
> Reviens Songe reviens afin que tu apaises
> Ce feu qui de tout bien veut mon cœur dénuer
> Ton retour m'allégeant pourra diminuer
> La violente ardeur de ma cuisante braise... » [88]

Sans avoir la précision sensuelle des songes érotiques, ce type d'invocation s'écarte des « modèles » précédents dans la mesure où l'amant attend du rêve une véritable satisfaction des sens, et non seulement quelques images flatteuses. Surtout, commence à apparaître l'idée que le Songe, plus que la vie, est nourrissant, et qu'on est en droit d'attendre de lui un bonheur plein :

> « Ah ! Si j'avois ce bien (...)
> Durant que le dormir se glisse dans mon œil,
> Je ne voudrois jamais que le brillant Soleil
> Vint bannir le repos de la nuict embrunie,
> Que je serois heureux ! (...)
> Mon ame en gousteroit les plus vives douceurs,
> Car le dormir du corps est le veiller de l'ame.
> Et si le trop de bien me vouloit esveiller,
> . . . .
> Je feindrois doucement toujours de sommeiller. » [89]

C'est ce même espoir de voir le sommeil remplir toute une vie qu'exprime cette invocation nuancée d'amertume :

> « O Ange humain et divin, tout ensemble,
> Qui le vouloir nous revele des dieux,
> Quand un Sommeil plaisant et gratieux
> Entre mes bras tous mes desirs assemble (...)
>
> Arreste donc ô Songe ne t'enfuis,
> Et n'interromps ainsi l'heur où je suis,

86. La Roque, *op. cit.*, *Narcize, Stances*, p. 169.
87. Voir Certon, *op. cit.*, Premier Alphabet, B, p. 12.
88. Du Sable, *op. cit.*, p. 119.
89. Deimier, *op. cit.*, CLV, p. 142.

> En embrassant mon humaine guerrière,
> Si en effet ce n'est que vanité,
> J'ay pour le moins que ma félicité
> Puisse durer toute une nuit entière. » [90]

Ici comme là, bien que le jour ne se confonde point avec la nuit, ni le songe avec la réalité, le bonheur en rêve est ressenti avec une telle acuité que l'amant, sans aller encore jusqu'à préférer la vie onirique à la vie quotidienne, se reconnaît enchanté par les sortilèges de la nuit, dont la durée est promesse de plaisir.

> « Et ce que le Soleil ne sceut, par sa clarté,
> Faire veoir à mes yeux, pleins de pleurs et d'envie,
> Je l'ay veu, doux Sommeil, en ton obscurité. » [91]

De là à préférer ouvertement la nuit et ses prestiges au jour frustrant, il n'y a qu'un pas ; c'est cette préférence que dit Motin :

> « Je veux pour sommeiller contraindre la Nature
> Faisant de pavots noirs ma seule nourriture,
> Ou pour n'estre jamais de mon bien séparé,
> Ressembler le berger de la Lune adoré,
> Qui reçut endormy les baisers de sa Belle.
> Eussions nous en ces lieux une Nuit éternelle,
> Et que l'air ténébreux par la Nuit épaissi
> En dormant sans cesser me fist songer ainsi. » [92]

Ixion devient la figure idéale [93], lui qui « pour une Déesse embrassoit une nue » ; loin d'être risible, son aventure, désormais, devient exemplaire :

> « Vapeur, non pas vapeur, mais une vérité,
> Si vous n'êtes qu'un songe, ô délices soudaines,
> . . . .
> Je veux pour vous avoir le Sommeil invoquer.
> Sommeil dont le pouvoir comme Fortune esgale
> Le pauvre malheureux à la grandeur royale,
> Doux et paisible Roy de la moitié du temps,
> Je ne veux rien sinon que mes flames deceues
> Ressentent les faveurs que par toy j'ay recues.
> Vien de ta douce erreur me charmer tous les sens... » [94]

Au lieu de se désoler, comme Ronsard, de l'imposture, et de ressentir, au réveil, vergogne et peur, le poète baroque demande au Songe de l'aider à mentir, et à se satisfaire du mensonge. C'est que la vie illusoire lui paraît acceptable, et qu'il décide de se contenter de voluptés accessibles :

_____

90. Scalion de Virbluneau, *op. cit.*, Liv. I, LXXIII, p. 20 v°.
91. La Roque, *op. cit.*, Narcize, XXXI, p. 143.
92. Motin, *Elegie*, p. 79 in *Les Délices*... (Rec. Collectif 1620). Voir aussi *ibid.*, L'invocation au Sommeil de l'Espine, la pièce de Motin avait paru en 1609 dans le *Nouveau Recueil*..., *op. cit.*, où figurent aussi deux autres invocations au Sommeil (l'Espine et Revol), et une pièce « signée » Incertain sur le même thème.
93. Voir la figure d'Ixion dans le lyrisme néo-pétrarquiste, plus haut, liv. I, deuxième partie, chap. III. Il était alors l'image du malheur.
94. Motin, Elegie, in *Les Délices*... (1620), *op. cit.*, p. 769.

> « O Songe doux, Somme ami de Nature,
> Heur des mortels qui les maux addoucis
> Somme bénin qui charmes les soucis
> O commun bien de chaque créature
>
> Si tu me veux de pareille adventure
> Que cette nuict dessus mon lit assis
> Me faire voir le front et les sourcis
> De ma Maistresse en songeuse posture,
>
> Si tu la fais me baiser derechef,
> De froids pavots, j'entoureray ton chef... » [95]

Ainsi le Songe imposteur apparaît comme le plus bel éclat de la vie nocturne : on accepte volontiers ses dons, sans amertume, comme sans frayeur. La vie du jour n'est-elle pas elle-même illusion ? Lorsqu'il désire dormir toujours, lorsqu'il déclare préférer le sommeil aux activités stériles de la journée, le poëte, après tout, fait-il autre chose que reconnaître la toute-puissance de l'imagination, et lui accorder toute licence sauf contre l'amour ? C'est bien le sentiment de Scalion de Virbluneau, préférant le Songe et ses joies menteuses à la « desplaisance » d'un jour stérile :

> « O agreable Songe, où t'en vas tu si vite ?
> T'eslongnant ton départ renouvelle mon deuil.
> Mon esprit beaucoup plus prévoyant que mon œil,
> N'estimoit que mon heur tu deusses mettre en fuite.
>
> Ta nature trompeuse a mon ame reduitte
> D'avoir bany mon bien par un fascheux resveil.
> Morphée que n'as tu prolongé mon sommeil,
> Afin que ta faveur ne me fust interdite,
>
> Et que mon plaisir eust duré plus longuement ?... » [96]

L'amant ne redoute pas l'imposture du songe, ni ne blâme sa « nature trompeuse » : le « fascheux resveil » lui déplaît davantage, et il tient pour responsable de son tourment Morphée, plus que les rêves qu'il lui a permis.

Trellon, en revanche, plus sensible à la déconvenue du réveil, reproche aux Songes leur imposture :

> « Je songe chaque nuit que j'embrasse ma belle,
> Je lui dis mes ennuis, je lui dis mes malheurs,
> Mais lors que je m'esveille, et pense estre auprès d'elle,
> Je trouve que mes yeux se fondent tout en pleurs.
>
> Je me nourris de vent en mes aspres douleurs,
> Je me nourris de vent en ma peine cruelle,
> Je change en un moment de cent mille couleurs,
> Plus je pense guérir, plus ma playe est mortelle.
>
> Amour, non encore saoul de me voir peu à peu
> Sans espoir, sans confort, consommer dans un feu,
> Fait qu'en songeant toujours j'embrasse ma maistresse.
>
> O Songes mensongers, que vous me faistes tort... » [97]

Ces diverses invocations au Sommeil et au Songe, qui se dressent comme un portique au seuil de la célébration des délices sensuelles, ont

95. Godard, *Flore, op. cit.*, LVI, p. 28.
96. Scalion de Virbluneau, *op. cit., Lucresse*, LXVII, p. 51 v°.
97. Trellon, *op. cit.*, troisième liv., XXXVI, p. 131.

quasiment toutes la même forme : souhaits, prières ardentes, vœux au dieu Somme, pour qu'il consente à descendre mollement sur l'amant étendu sur sa couche solitaire, ou à prolonger indéfiniment sa course nocturne, pleine de promesses — doublés souvent d'une invocation à la Nuit sa mère, afin qu'elle protège et couvre de ses ténèbres complices l'apaisement trouvé au sein des rêves. En superposant ces oraisons brûlantes, dont le poète s'enchante et qui bercent ses insomnies, on met en lumière leur caractère commun : elles manifestent clairement un choix décisif, une préférence avouée sans ambages pour l'illusion agréable. Désormais le Sommeil n'est plus « le frère de la mort » [98], promesse de repos et d'oubli, mais une voie ouverte à l'homme insatisfait de la vie diurne. La Nuit apparaît comme une éclatante revanche prise sur le Jour stérile et froid : lorsque le poète l'appelle, il sait qu'il choisit « la mensonge », mais il accepte d'être dupe — à condition toutefois que l'illusion menteuse se prolonge assez longtemps pour qu'il goûte à loisir les plaisirs trompeurs. S'il lui arrive encore de récriminer, c'est qu'il déteste l'irruption brutale du jour ennemi, qui révèle sa « fraude », mais même le ton désabusé, amer, de certains tercets manifeste la prédilection pour l'illusion qui berce les sens : la vraie vie, pour lui, est la vie du songe, la nuit est le plus beau des jours :

> « Cette nuit m'est un jour des plus chères faveurs... » [99]

2. LA DAME VUE EN RÊVE : SES COMPLAISANCES, SA DOUCEUR.

Ayant ouvert, par ses oraisons répétées, la porte de la vie nocturne, l'amant baroque ébauche alors le portrait onirique de sa maîtresse, telle qu'il la désire, telle qu'elle devrait être si elle consentait à changer sa rigueur coutumière en douceur, telle enfin que le Songe la lui présente l'espace d'une nuit. L'imagination alors peut se donner carrière, et les principaux traits de la belle dessinent un portrait idéal.

Portrait physique de la dame.

La dame dont l'image visite la nuit les yeux attentifs de l'amant emprunte ses traits à la dame réelle, vue ou imaginée ; elle a même beauté et même grâce, mais le dessin de son visage et de son corps est plus flou, comme engourdi par le charme qui émane de sa personne :

> « Je songe en vous, Madame, alors que je sommeille,
> Je pense encore voir vos beaux et chastes yeux,
> Douces flammes d'amour, et goûter la merveille
> De vos sages discours qui ravissent les Dieux.
>
> Je pense encore voir cette mignarde tresse
> Ces filets blondissants dont l'arc est encordé
> Du blesse-cœur Amour, et ce front où s'adresse
> Un Temple pour séjour aux Grâces accordé.
>
> Il m'est avis en songeant que je baise
> La délicate main... » [100]

---

98. Cf. Anthol. Schmidt, *L'Amour Noir*, poèmes de Tristan, Cheveau, J. des Barreaux, pp. 133-136.

99. Deimier, *op. cit., Songe*, p. 100.

100. Pyard de la Mirande, in *Le Temple d'Apollon, op. cit.*, p. 424.

Les yeux, les cheveux, le front et la main suffisent au poète pour s'attarder sur une vision imprécise et gracieuse, qui souligne la délicatesse, la douceur féminines. La dame en rêves garde une beauté un peu abstraite, que le poète se garde de définir et de caractériser, car il s'attache à restituer, non certes l'objet lui-même, mais l'impression laissée par l'objet. A procéder ainsi par touches légères, peu appuyées, il rend mieux compte de l'émotion qui ne permet pas à l'amant de distinguer ni d'élire tel ou tel trait, mais qui, au contraire, dissout peu à peu l'objet dans une vision indifférenciée :

> « Après ce long travail, si la douce contrainte
> D'un sommeil gratieux donne trêve à mes plaintes
> Mille songes volans attendris de pitié
> M'offrent *le beau sujet* d'une ferme amitié,
> Si bien que la douleur m'ayant l'âme ravie,
> Le frère de la mort me rapporte la vie,
> Et les songes s'estant en elle transformez,
> Je ne vois *rien si beau* qu'ayant les yeux fermés.
> Je vois donc à ce coup *tout ce que je desire,*
> Je jouy de cet œil pour lequel je soupire,
> Je possède *un grand bien,* mais hélas il est faux !
> Aussi, quand le réveil descouvrant les mensonges
> Fait cognaistre que c'est une ruze des songes,
> Je leur donne soudain, en les voyant menteurs,
> Non point le nom d'amis, mais celui d'imposteurs,
> Toustefois me flatant, rêveur, je m'imagine
> Que je possède encor cette *beauté divine...* » [101]

Dans cette vision floue, très brouillée, aucun trait n'est distingué, qui permette une contemplation détaillée : seule demeure l'impression d'une beauté « divine », suffisante pour faire naître un plaisir éphémère, assez fortement ressenti cependant pour qu'il oriente une quête stérile de l'objet idéal. Sans que la vision gagne en précision, un détail parfois attire sur lui l'attention ; ainsi Certon, éveillé en sursaut par l'éclat d'un rire aimé :

> « J'étais lassé, sous un arbre étendu,
> Ne songeant rien, Florine, qu'en ta grâce,
> Le sommeil vient, met sa main sur ma face,
> Tout aussitôt j'ai ton ris entendu.
>
> Hé que de joie et de bien m'a rendu
> Ce doux éclat. Je m'éveille, j'embrasse
> Autour de moi, mais je deviens tout glace
> Ne trouvant rien de mon bien attendu.
>
> Je cherche en vain... » [102]

Le recours aux images permet une composition plus « dramatique », mais encore retenue, et atténuée par l'expression métaphorique, qui voile et déguise l'objet :

> « Dieux ! Que le Songe fait de travaux ressentir !
> J'ay cru voir en dormant un jardin plein de roses,
> Qui n'estoient point si tost apparemment escloses
> Que mon œil les voyait en soucis convertir.

---

101. Davity, *Elégie*, in *Les Délices...* (1618), *op. cit.*, p. 737.
102. Certon, *op. cit.*, p. 30.

J'ay creu voir deux Soleils leurs rayons départir
Sur ces mesmes soucys, y faisant mesmes choses,
Car tous deux les faisoient dessécher au sortir,
Et reverdir après quelques petites poses.

Une voix, ce me semble, au profond des deserts
Me disoit : « Ce jardin est l'object que tu sens,
Ces roses sont le teint de ta belle Uranie... » [103]

Il semble que l'imagination ait quelque peine à prendre son essor, et que la fiction du songe ne s'impose pas assez pour que soit bravé tout interdit. Le texte en tout cas hésite entre une expression métaphorique qui suggérerait les douceurs du corps féminin, et sa traduction matérielle (dans le tercet). On peut interpréter cette hésitation (qui produit ici comme une secrète dissonance) et y voir la persistance d'un interdit, qui conduit à représenter la dame vue en rêve comme le reflet à peine déformé de la dame réelle. Il arrive du reste que leurs images se confondent si parfaitement que l'amant comme Deimier ne distingue plus la nuit du jour, soumis qu'il est à la même obsession amoureuse :

« C'est en vain que la nuit apporte le sommeil
Pour donner aux humains un silence agreable,
Puisque toujours Amour d'un veiller amiable
Me fait voir au dormir mon amoureux Soleil.

Bien qu'un somme charmeur tienne serré mon œil,
Si est ce que toujours cest Astre incomparable,
Forçant le fier destin, en son jour admirable,
Esveille mes esprits d'un eternel resveil.

Soit veillant soit dormant je voy toujours ma belle. » [104]

Le portrait de la dame vue en songe n'est pas très différent de celui qui nous est présenté d'ordinaire : il reste tributaire d'une tradition bien établie, et l'imprécision même des principaux traits, le caractère vague des expressions choisies, peuvent étonner, si l'on pense à la liberté de certaines descriptions. Mais il convient d'observer, d'abord, que le flou s'adapte ici parfaitement à la fiction : la dame vue en rêves propose, non son image, mais le reflet indécis de son image. Le poète contemple un bel objet instable, dont la douceur, la délicatesse, l'éclat le charment.

Il est moins sensible au dessin d'un visage, aux lignes d'un corps, qui lui échappent et le fuient, qu'à la présence sensible d'une figure féminine assez indistincte pour qu'elle lui donne l'illusion de reconnaître n'importe quelle femme à travers les formes gracieuses qui s'évanouissent, si s'esquisse le geste de les retenir. Le rêve, semble-t-il, n'obtient le droit de durer qu'à la condition que soient acceptées un certain nombre de règles : le poète le comprend bien, qui, épris de la grâce légère et irréelle des figures féminines nocturnes, ne cherche jamais à percer leur anonymat, et se satisfait des reflets lumineux qui peuplent ses songes.

Ensuite, il serait faux de croire que la fiction du songe est utilisée en vue de satisfaire un besoin de réalité. Tout au contraire, le poète

103. E. Durand, op. cit., s. XXXIX, p. 63.
104. Deimier, op. cit., CXIV, p. 123.

baroque n'est pas « réaliste », il ne cherche pas à donner l'objet lui-même, ni l'image la plus fidèle de l'objet. Il essaie de restituer *l'impression* produite par l'objet. Aussi la technique du portrait onirique est-elle « impressionniste », en ce sens que, procédant par touches légères qui effleurent l'objet sans le fouiller, le poète tend à communiquer, non une perception, mais une sensation globale. Le Songe lui permet d'offrir aux yeux, non le beau corps dévêtu de sa maîtresse, mais un ensemble d'impressions : douceur, éclat, délicatesse, nées, non du contact, mais de l'imagination émue par les idoles nocturnes.

Portrait psychologique et moral.

Le comportement de la dame vue en rêve est beaucoup plus important que son aspect physique. En effet, si la grâce suffit à émouvoir l'amant, il convient toutefois, pour que le songe soit agréable, que la dame se montre plus complaisante qu'elle ne l'est le jour. Par une exacte compensation, la dame nocturne remplace sa dureté coutumière, ses rigueurs, sa froideur diurnes, par une bienveillante attention aux désirs de l'amant, une complaisance aimable et inattendue.

C'est donc une maîtresse docile et attendrie qui se présente aux yeux de Deimier, rêveur ébloui :

> « Or que je suis si loing de ma belle maistresse,
> A ceste heureuse nuit un sommeil gracieux
> M'a fait voir son beau sein, et son front, et ses yeux,
> Et les doux liens de sa divine tresse.
>
> J'ay veu de ses couraux la jumelle richesse,
> J'ay gousté de sa voix le nectar précieux,
> Et ses bénins regards d'amour tous radieux
> Ont charmé pour un temps ma cruelle détresse.
>
> Hélas ! Que ceste nuit n'a duré plus de temps ! » [105]

Plus encore que l'image fidèle de ses beautés, l'amant goûte la douceur peu farouche de sa maîtresse, qui s'exprime par « ses bénins regards » et le nectar de ses paroles. Le portrait de la dame, alors, est moins conventionnel : voilà la belle qui s'humanise et abandonne sa froideur ordinaire. La fiction du songe permet de rompre l'inspiration courtoise, sans pourtant quitter la discrétion et la pudeur requises. Nulle amertume au réveil, aucune révolte : le songe nourrit si bien l'imagination, et apaise de façon si substantielle les sens, qu'il se suffit presque à lui-même.

Perdant, le temps d'un rêve, sa rigueur, la dame se défait aussi du souci d'honneur qui empoisonne ses rapports avec l'amant : la voici toute prête à accepter les jeux d'amour, offrant, avec une libéralité qu'on ne lui connaît pas le jour, son corps aux caresses ; alors C. Expilly de la Poëpe déclare sa satisfaction :

> « O Songe médecin du mal qui me tourmente,
> Que je suis redevable à ta grand déité,
> Tu combats mon malheur, lorsqu'au somme arresté
> Ta faveur me fait voir mon Esmeraude absente.
>
> Ore son beau visage où la blancheur décente
> Se mesle au vermillon d'un teint non emprunté,

---

105. *Ibid.*, XXVII, p. 25.

Ore son voile noir, et ore la clarté
De son œil, qui m'a pris, à moy se représente.
Je lui parle en dormant, ce que ne m'ont permis
Tandis que je veillay, les destins ennemis,
Je baise ses beaux yeux, et son sein et sa bouche... » [106]

Si le portrait physique reste idéalement flou, un beau visage, des yeux luisants, un joli teint, le portrait psychologique se précise et se nuance ; d'abord plutôt passive, mais cependant complaisante, la dame se prête aux caresses sans mauvaise grâce, puis, se piquant au jeu, accepte un rôle actif, et ne refuse plus d'accéder aux désirs de l'amant. La dame en rêve est alors bien différente de la maîtresse hautaine et impitoyable. Parfois même, le songe présente, comme à Scalion de Virbluneau, une image embellie de l'union des amants, enfin possible :

« La nuit du dernier jour d'avril estant à Rome,
En dormant je songeay que vous parliez à moy,
Et que pour satisfaire au devoir de ma foy,
Désiriez amoindrir le feu qui me consomme.
J'entendy ce me semble au milieu de mon somme
Vostre voix me disant, amy console toy... » [107]

Le songe apparaît alors comme une revanche possible, et la douce image qu'il offre d'une union consentie constitue un refuge idéal. Plus rarement, le songe est l'occasion de faire surgir un tableau en mouvement ; ainsi la dame vue en rêve se métamorphose sous les yeux de Godard endormi :

« En dormant cette nuit, je songeay que Madame
Ainsi comme j'allay me promener aux champs,
Estoit en une prée où sa voix et ses chants
Donnoyent aux champs voisins une oreille et une ame.
Quand j'apperceu son œil (...)
Elle s'enfuit alors : et je la poursuivi.
Mais fuyant, en un arbre eschanger je la vi... » [108]

Théâtre de l'illusion agréable, le songe suscite un cortège d'images mouvantes dont l'instabilité est source d'émotion.

La dame a parfois un comportement ambigu, que l'incohérence du songe rend plus troublant encore ; ainsi Bernier de la Brousse retrouve-t-il, le temps d'un rêve, une maîtresse inconstante, douce et cruelle, capricieuse par jeu :

« Des-ja le Ciel prenoit sa cappe noire,
Le blond Soleil sommeilloit sous les eaux,
Quand mon esprit au fort de ses travaux
Songeant, bruslant, pressoit ton corps d'yvoire.
Mais le pauvret ruiné pour le croire,
Veid tout soudain au lever des chevaux
Qui du clair Pan renomment les ruisseaux,
Réduire en vent son plaisir et sa gloire.
Ce n'est pas toy, ma belle, que j'ay veu,
Ce n'est pas toy qui m'as jetté ce feu,
Qui va bruslant d'une flamesche ingrate... » [109]

106. C. Expilly, *op. cit.*, XI, p. 6.
107. Scalion de Virbluneau, *op. cit.*, *Le Second Livre...*, CXXX, p. 62.
108. Godard, *op. cit.*, *Lucresse*, CLXV, p. 224.
109. Bernier de la Brousse, *op. cit.*, LXXXVII, p. 27.

L'indécision et le doute conviennent à l'état du dormeur qui rêve sa vie : le comportement ambigu de la dame renvoie moins à la nature féminine qu'à l'angoisse du dormeur ; le spectacle qui s'offre à ses yeux est la vivante projection de son univers mental ; sentant encore avec précision la force des interdits moraux, il a cependant soif de réalités tangibles — que le rêve ne satisfait qu'imparfaitement. En ce sens, le songe est peut-être mensonge : il est aussi pourvoyeur de vérités puisqu'il permet d'opposer à une conception courtoise de l'amour, ressentie comme mutilante et mensongère, une vue plus libre et plus saine des rapports amoureux ; aussi Beaujeu rejette-t-il avec force le vieil adage :

> « Or sus, vous distes que les songes
> Ne sont rien que vaines mensonges,
> Qui ne brouillent que les cerveaux,
> J'en ay tant eu d'expérience
> Que je n'ay plus de deffiance,
> Je ne tiens pas les songes faux. » [110]

Le Songe n'est pas faux, même lorsqu'il dit mensonge, car, dans le monde baroque, la vérité sur la vie, c'est le mensonge. Seul le Songe dit — sans mentir — que tout n'est qu'illusion, et d'abord la réalité tenue naguère pour « vraie »...

Ainsi, le comportement de la dame vue en rêve témoigne avec éloquence de l'ambiguïté des rapports amoureux : d'un côté, en effet, subsiste, à titre de survivance, une conception de l'amour idéal, qui, pour n'être plus « pétrarquiste », reste *courtoise* : la dame « dispense » ses faveurs au gré de sa fantaisie, et, sans exclure l'union charnelle, n'y recourt qu'occasionnellement. La « consommation » de l'union, pour être souhaitée, n'est jamais considérée comme l'essentiel des rapports qui unissent la dame à son « serviteur ». L'amant ne quitte guère son attitude de soumission, et, au sein même des plaisirs partagés, il reste docile, soucieux de ne pas déplaire, de ne pas transgresser la loi non écrite, qui lui impose, comme un rite, le respect dû à la maîtresse qui domine sa vie sentimentale. D'un autre côté, se fait jour la violence de la passion, qui cherche à se débarrasser du carcan imposé par des mœurs déjà anciennes. Dans le désordre qui caractérise la vie sociale à partir de 1570, dans l'écroulement de l'édifice qui emporte alors la culture des générations précédentes, l'homme est attiré par la vie violente sous ses formes les plus contrastées : l'extrême douleur, le plus grand plaisir. Ce nouveau goût entraîne la désaffection du code amoureux traditionnel, et la fiction poétique du Songe, sans être « inventée », est alors utilisée pour exprimer une nouvelle manière de concevoir l'amour. L'obsession amoureuse prend la forme d'un défi, et s'exalte en images troublantes, mais dont on masque le caractère souvent agressif en imputant au Dieu Songe la responsabilité de tels messages. La figure féminine qui hante les rêves éveillés du poète est à la fois très proche de la figure traditionnelle de la Maîtresse, et très lointaine, puisqu'elle est devenue — au sein des ténèbres — l'image complaisante d'un désir qui se nourrit de lui-même, le reflet d'une insatisfaction qui n'est pas seulement une frustration des sens.

---

110. Beaujeu, *op. cit., Songe*, p. 137 v°.

3. LE SONGE ÉROTIQUE : LES DÉLICES AMOUREUSES.

Chez les poètes les plus sensuels, l'invocation au Sommeil et le portrait de la maîtresse en rêves ne suffisent pas à libérer tout ce que le thème porte en lui d'évocations plus libres et chaleureuses. Ceux-là, suivant l'exemple offert par Ronsard dès *Les Amours* de 1552, prennent prétexte du songe pour décrire avec complaisance les délicates délices qu'ils goûtent lorsqu'un rêve bien dirigé livre à leur merci la Belle qu'ils ne cessent de convoiter.

a) *Les rêves du « petit matin ».*

Un certain nombre de rêves commencent par l'indication (plus ou moins précise) de l'heure de leur venue. Les rêves tardifs, ceux qui naissent au moment où le jour est près de se lever, sont les plus « réalistes » : le désir s'y exprime dans sa verdeur, mais en même temps, le réveil est proche, et avec lui, le sentiment retrouvé d'une réalité cruelle.

Sous le couvert d'une imagerie traditionnelle, qui emprunte à la mythologie ses symboles faciles, Godard célèbre ainsi les plaisirs défendus :

> « Un peu devant le jour quand l'Aube bigarrée
> De brun, blanc, jaune et bleu, montre son front riant (...)
>
> Je songeois ce matin que j'estois à l'entrée
> Du beau verger d'Amour (...)
>
> Entre autres un rameau d'un fruit d'or se bravoit
> Tel que l'Hespérien ainsi qu'on dit avoit.
> Soudain pour le cueillir dessus l'arbre je monte
>
> Mais une branche alors se rompit dessous moy
> Tellement qu'accroché à l'arbre en grand esmoy
> Je beois à ce fruit avecque peine et honte. » [111]

Le texte est remarquable par la retenue qui accompagne l'évocation du fruit de jouissance, et plus encore par l'indécision qui caractérise le dernier tercet : la peine et la honte rappellent la « vergogne » de Ronsard, mais alors que celle-ci naissait au réveil, et accompagnait le retour brusque à la réalité du jour, les sentiments ressentis par Godard semblent l'être au cours du songe. Le « grand émoi » traduit une peur étrange devant les réalités de la vie charnelle — une sorte de recul timide, tandis que la sensualité se manifeste de façon voilée sous le masque du thème mythologique. Alors que tous les poèmes qui ont pour thème le songe s'achèvent uniformément sur un appel au rêve — soit qu'on désire le prolonger, soit qu'on lui reproche son mensonge — celui-ci seul préfère aux invocations traditionnelles une fin ambiguë, qui laisse l'imagination libre d'interpréter à sa guise le dernier tableau.

Chez C. Expilly de la Poëpe, le songe du matin donne d'abord des plaisirs si vifs qu'ils sont vrais pour l'amant qu'ils comblent ; la réalité est alors celle de la nuit, et elle compense largement les cruautés du jour ennemi :

> « Tu t'en allois desjà, Nuit à la brune tresse
> Et l'Aube se levoit parmi le Ciel serein
> Lorsque le bon Morphé' dessous un songe vain
> Vint mettre à mon côté ma cruelle Maistresse
>
> Mon Dieu que j'estois plein de joie et d'allégresse,

---

111. Godard, *op. cit.*, *Lucresse*, C, p. 192.

> Je lui baisois les yeux et la bouche et le sein
> Puis à mes chauds désirs ayant lasché le frein
> Hardi je me vengeais de sa longue rudesse.
>
> Quels propos se tenaient à l'heure entre nous deux
> Quels doux embrassements, quels baisers savoureux,
> C'étaient les vrais plaisirs qu'Amour en deux assemble
>
> Je ne connaissois plus ni crainte ni dédain... » [112]

La jouissance amoureuse se donne libre cours, et les délices sensuelles sont goûtées sans réticence. Tout se passe comme si la nuit ôtait les entraves du jour, débarrassait l'amant de tout tabou imposé par un code de décence. Ni peur, ni honte, l'amour se réduit à ses gestes, dont la description, sans avoir la précision qui caractérisait les évocations ronsardiennes, est donnée avec un certain réalisme. Mais ce songe du petit matin est brutalement interrompu au moment du « grand aise »,

> « Mais ô léger moment, je perdis tout soudain
> Mon songe mon plaisir et ma Maîtresse ensemble »,

et tout le mouvement est pour retenir cette illusion fugace...

De même, B. Baro, qu'un réveil précoce arrache à ses plaisirs, n'exprime de colère que contre le Ciel jaloux de son aise. L'imposture du songe, dénoncée naguère avec fougue, est ici pleinement acceptée. A la conscience déchirée de Ronsard, hésitant entre les promesses de la nuit-sorcière et les assurances cruelles du jour, répond désormais la conscience sereine de l'amant qui accepte sans honte les plaisirs volés, et les demi-mesures :

> « Je songeais un matin que Madame touchée
> Du regret de me voir miserable languir
> Donnoit à mes travaux un juste repentir
> Et ses yeux pour témoins qu'elle en estoit fachée,
>
> Et s'étant de mon lit doucement approchée
> Il me sembloit déjà que j'allois amortir
> Le feu qu'elle m'a fait si longtemps ressentir
> La tenant dans mes bras à ma merci couchée.
>
> Je baisois son beau sein et sa bouche souvent
> Mais las ! voulant porter mes desseins plus avant
> Le seul vent embrassé demeure ma conqueste... » [113]

L'accent de révolte qui clôt le poème semble moins déplorer la dureté de la belle que regretter la fuite de l'illusion. Un élément nouveau apparaît, qui sera fréquemment exploité : c'est au moment précis où va être « amorti » le feu qui consume l'amant qu'est interrompu le plaisir. De là des plaintes sans fard contre l'arrivée du jour, particulièrement inopportune...

Il devient courant, après avoir décrit les mille plaisirs qui sont l'amorce de la jouissance, de terminer sur une note plus triste, et de s'en prendre, avec violence, au réveil « envieux » porteur de sinistres présages. C'est alors l'occasion de déclarer ouvertement sa préférence pour la nuit et ses doux mensonges ; C. Expilly de la Poëpe fait l'amère expérience de la réalité ennemie, après la trêve nocturne :

---

112. C. Expilly de la Poëpe, *op. cit.*, XII, p. 73.
113. B. Baro (v. 1600-1650), *Les Délices* (1620), II, p. 372.

> « Je songeois ceste Nuit que ma fière Maistresse
> Pitoyable à mes cris son ire adoucissoit
> Et que voyant le mal qui sans fin me pressoit
> Elle se repentoit de sa longue rudesse.
>
> Puis elle me faisoit mainte douce caresse
> Puis de mille baisers sa bouche me paissoit,
> Plus mon cœur ravi d'aise à mon mal ne pensoit,
> Tant il estoit plongé dans le miel d'allégresse.
>
> Au fort de ces ébats un envieux réveil
> Vint rompre ce doux songe au lever du Soleil... » [114]

Le lever du soleil est accueilli dans l'amertume : toute la douceur vient du songe, toute la cruauté de la réalité ; aussi reverra-t-on souvent le thème du jour envieux, du jour ennemi des amants, tandis que, de plus en plus, le songe sera accueilli dans la joie sans remords, dans le « miel de l'allégresse », puisqu'il permet de transgresser le code imposé par une courtoisie devenue anachronique. Au culte désormais stérile de la Dame sans merci se substitue celui de la Belle peu farouche, complaisamment voluptueuse, ouverte au désir masculin ; et si le prétexte du songe voile d'une certaine retenue les descriptions des plaisirs oniriques, c'est peut-être moins par souci de la décence, qui ne semble plus s'imposer même aux plus chastes poètes, que par désir de « pimenter » le motif. Le désir en rêve n'est pas moins pressant ni moins précis, il est seulement plus piquant, s'adressant à une belle image vaine, et aussi plus impur. Les pollutions réelles ou imaginées apparaissent plus troublantes lorsqu'elles sont nées d'un rêve, et que l'objet du désir, au matin, s'évanouit en nuée. Ainsi, Bernier de la Brousse célèbre en même temps le Songe doux et le Songe amer.

> « O Songe doux, ô fantosme croyable
> Qui m'entretiens en l'amoureux plaisir,
> Entre mes bras Helène mon désir
> Je te tenois cette nuit favorable.
>
> Je suçotois ta bouche desirable
> Des Dieux du Ciel, je touchois à loisir
> Ton blanc tétin et savois bien choisir
> Sur ton beau corps un bien plus agréable.
>
> Mais les destriers de Phoebus donne-jour
> T'ont emportée ô Helène m'amour
> Seul me laissant errer parmy ma couche (...)
> O Songe amer ô fantôme imposteur ! » [115]

Certes, on trouvait déjà dans la poésie antérieure à 1585 le thème du songe imposteur [116], mais le fait nouveau réside en ce que, désormais, les plaintes visent davantage Phœbus, coupable d'avoir interrompu la joie des amants. Le poète insiste bien plus sur le caractère voluptueux du songe, les images érotiques prennent une place plus grande, et la solitude du réveil marque plus le regret du plaisir perdu que la honte de s'être laissé abuser. Une autre variation plus acide consiste à *feindre* l'émoi et le déplaisir, c'est ce jeu ironique que tente Le Roy :

---

114. C. Expilly de la Poëpe, *op. cit.*, XVIII, p. 11.
115. Bernier de la Brousse, *op. cit.*, XLIX, p. 15 v°.
116. Voir plus haut, Premier Liv., Première Partie, chap. II.

« Je cherche à mon réveil Alis que j'ai baisée
    Je pensois ce matin l'avoir entre mes bras
    Mais le Sort qui se rit de mon âme abusée
Ne me fait rien trouver que moi dedans les draps.

Son ombre me disoit : Tu me vois embrasée
    Du feu que ton amour tire de mes appas.
    Damis, je viens ici retarder ton trespas,
Et rendre ton amour par la mienne apaisée.

Je cherche dans mon lit en quel endroit elle est,
    Mais ayant bien cherché je suis contraint de dire
    Que je ne trouve rien que ce qui me déplait. » [117]

Le tercet final indique nettement le refus du code de bienséance, imposé moins par Ronsard lui-même que par ses épigones, plus retenus.

Les rêves du petit matin sont donc volontiers impudiques ; tendres et lascifs, ils célèbrent l'union charnelle et la fête des sens. En même temps, ils consacrent l'avènement d'une poésie à la sensualité légèrement faisandée : ces plaisirs oniriques laissent un goût doux-amer, et la fausse pudeur comme l'hypocrite confusion deviennent un jeu d'esprit très éloigné de la franche gaillardise d'un Ronsard. Exercice cérébral, le plaisir devient l'ombre du plaisir, de même que la verte sensualité de la Pléiade devient ici la caricature d'elle-même. A lire ces charmantes piécettes, on retire l'impression qu'au « classicisme » de 1550-1570 succède une poésie un peu décadente, dont le paganisme affirmé sonne assez faux. Dans le domaine de la poésie amoureuse, plus de grand Pan ni de prophète Amour, mais quelques aimables Parny qui font du commerce amoureux matière à grivoiserie. L'image de la femme s'est modifiée : il n'est plus question, depuis longtemps, de lui vouer un culte ; objet de plaisir, elle est si loin d'être reconnue comme une personne que son image suffit à satisfaire le désir. Sa présence semble superfétatoire, comme le montre crûment Ch. de Pyard de Touvant, dans un sonnet qui est significatif du rôle désormais dévolu à l'« idole » :

« Alors que le Soleil abandonne les Cieux
    De ma belle Philis je prends la chère image
    Et puis en l'adorant comme celle des Dieux
Je lui rends à genoux de mes pleurs un hommage.

Après je cherche au lit le sommeil gracieux
    Dont l'excès de mon mal m'a fait perdre l'usage
    Et mets devant mon sein ce portrait précieux
Afin de modérer mon amoureuse rage.

Je passe sans dormir la plupart de mes nuits
    Enfin le Songe doux pour finir mes ennuis
    Fait que dedans mes bras ma Philis vient encore... » [118]

Les divers moments du « culte » sont décrits avec suffisamment de précision : le portrait-fétiche joue un rôle très clair, et bien loin de refuser les douteux plaisirs du rêve, l'amant s'ingénie à les provoquer, satisfait de goûter l'ombre de la jouissance au prix d'un subterfuge très clairement avoué comme tel. L'accent triomphal sur lesquel s'achèvera cet aveu assez cru n'est pas ici pour étonner : toute une génération de

---

117. Le Roy, in *Les Délices...* (1620), t. II, p. 358.
118. Ch. Pyard de Touvant, in *Les Délices...* (1620), t. II, p. 358.

poètes a accepté très délibérément de tromper la nature, heureuse de transgresser les lois jusque là acceptées de l'échange amoureux.

Ainsi le rêve du petit matin révèle son ambiguïté : portique ouvert sur les cieux de la jouissance charnelle, il procure à l'amant, insatisfait par le code qui régit la vie au grand jour, de voluptueuses délices. Comme tel, il est loin d'être négligeable, et nombreux sont les poètes qui célèbrent les charmes aigres-doux du Songe sensuel. Mais aussi ce rêve tard venu est bien proche de l'éveil. Fils de la Nuit, il est aussi ce rejeton avorté qui n'ose s'épanouir, vite tué par le Jour ennemi. Que cesse le « grand aise » et le Soleil revenu éclaire crûment le lit solitaire, la chambre vide... Même si l'amant ne rougit plus de ce plaisir irrégulier, de cette jouissance onaniste, l'amertume colore ses plaintes.

Cependant, à moitié satisfaisant ou pleinement accepté, le plaisir onirique est célébré avec gratitude par le poète baroque, qui sait aimer l'illusion, si folle soit-elle, et accueillir les vaines images qui s'inscrivent sur l'écran blanchi de ses nuits insomnieuses.

b) *Les songes de la nuit profonde.*

Les songes de la nuit profonde sont ceux qui donnent à l'amant l'illusion la plus parfaite ; certes, ils sont démentis eux aussi au réveil, mais au lieu de dénoncer l'imposture et l'amertume du rêve, l'amant, par un mouvement inverse, se retourne contre le jour ennemi, et désire reprendre le somme interrompu. Au thème du songe amer, du songe décevant, du songe imposteur, se substitue le thème de la réalité amère, de la réalité décevante, de la réalité mensongère... On choisit le rêve contre la réalité, les pays de la nuit contre les terres du jour. Une autre modification : alors que le songe du petit matin se trouve brutalement rompu par l'irruption soudaine de la « journalière flamme », et que l'amant perd la belle image obsédante au moment même où il allait jouir de la beauté de sa maîtresse, le songe nocturne l'apaise totalement, et il goûte, au sein des ténèbres, « l'entier contentement ». Ces deux motifs sont évidemment liés : c'est parce que, pour le poète baroque comme pour Pyard de la Mirande, « le jour... est nuit » et que « la nuit... est jour » [119], que l'amant reconnaît aux plaisirs nocturnes leur pleine efficacité.

Scalion de Virbluneau célèbre sans fard et sans nulle trace d'amertume l'union intime des amants, source de rafraîchissement :

> « L'autre des nuits je songeais en dormant
> Que je tenois celle que je souspire
> Qui soulageant mon amoureux martyre
> Alloit son fiel en nectar transformant.
>
> Et moi ravi de ce bref changement
> Vu qu'on vouloit mon desir contredire,
> Je m'escoulois dans ses bras sans mot dire
> Pour rafraîchir l'ardeur de mon tourment.
>
> Parmi les lys les œillets et les roses
> Je moissonnois les plus secrètes choses
> De qui dépend l'entier contentement... » [120]

---

119. Pyard de la Mirande, in *Le Temple d'Apollon, op. cit.*, I, p. 424.
120. Scalion de Virbluneau, *op. cit.*, liv. I, LXXII, p. 20 v°.

C'est le jour désormais qui mutile et qui sèvre, tandis que la nuit se révèle pleinement nourrissante : on ne lui demande rien d'autre que l'illusion continue, l'illusion permanente. Lorsque se lève le jour, l'amant, orphelin du rêve, n'aspire qu'à retrouver, par le souvenir, les brûlantes séductions que lui apporte la nuit dans sa couche solitaire.

Le sommeil, en qui les Anciens se plaisaient à reconnaître le frère de la mort, est salué comme le dispensateur des seules joies permises : il s'agit alors de poursuivre éveillé le même rêve, et d'abolir la frontière imaginaire qui sépare le songe de la réalité. Cette entreprise est d'autant plus aisément couronnée de succès que la réalité, on l'a vu, a perdu progressivement sa force et son prestige. Pour un nostalgique du jour qui ne s'aventure qu'à regret dans le domaine enchanté de la nuit trompeuse, combien d'amoureux fervents, goûtant sans l'ombre d'une hésitation ou d'un repentir « l'erreur délicieux où le sommeil nous plonge » [121]. Beaucoup pourraient déjà partager le vœu que formulera plus tard Urbain Chevreau :

> « Que je voie en effet ce que je vis en songe
> Ou faites pour le moins que je dorme toujours ! » [122]

Ainsi, C. Bachet de Méziriac s'engage sur ce même chemin qui conduira Tristan au sein de la nuit amoureuse, lorsqu'il décide de réhabiliter le Sommeil pourvoyeur de songes amoureux :

> « Non, le sommeil n'est point de la mort allié
> Je ne sçaurois blasmer une si douce chose
> Par qui tout animal à chef baissé repose,
> Après avoir du jour le travail oublié.
>
> Cette nuit que j'étois de son charme lié,
> J'ai vu plus clairement qu'à paupière déclose,
> Celle qui son beau nom emprunte de la rose
> Couverte seulement d'un crêpe délié.
>
> Mon Dieu que de plaisirs qui chatouilloient mon âme
> Quand trop soudainement la journalière flamme
> Le songe et le sommeil m'a fait abandonner... » [123]

Il ne s'agit plus d'opposer le mensonge de la nuit à la vérité du jour, mais de se laisser emporter par la vie du songe, d'en accepter le caractère fugitif, de faire en quelque sorte son refuge dans ce monde nocturne, précaire, et toujours menacé par l'intrusion de la lumière hostile. Le poète baroque poursuit inlassablement un rêve insensé — et qu'il reconnaît pour tel : trouver au sein des ténèbres son jour et sa nuit coupée d'éclairs fulgurants. Le point ultime est atteint quand le souvenir même est repoussé — signe trop plein de la vie diurne refusée. Ainsi René Bouchet d'Ambillou :

> « Beaux yeux, pourquoy m'esveillez vous
> Du souvenir de votre flame,
> La nuict, quand d'un objet si doux,
> Le sommeil vient flatter mon Ame ?

---

121. J. Vallée des Barreaux (1569-1673), libertin et poète. Voir l'éd. de ses *Poésies* par F. Lachèvre (1904). L'expression citée se trouve dans le sonnet « Ah j'ai vu cette nuit ces sources de lumière... » (*Poésies Choisies*, Paris, Sercy, 1660, p. 11).

122. U. Chevreau (1613-1701), *Poésies Choisies* (1656), p. 94.

123. C. Bachet de Méziriac, in *Les Délices...* (1620), II, p. 562.

> Que vous me voulez de douleurs !
> Laissez moy consoler d'un songe !
> Assez tout le jour dans mes pleurs
> Le traict de vos desdains se plonge.
> La nuict, ne me tourmentez point (...)
> Ainsi je meurs diversement
> Sans jamais fermer les paupières... » [124]

Les yeux apparaissent ici comme les bourreaux nocturnes : leur éclat hostile nuit à la douceur du songe, qu'ils empêchent de suivre un cours heureux. Ils deviennent, au cœur de la nuit apaisante, l'image détestée du jour réel, nouveau soleil, nouvelle lune, dont la lumière glace et fige la sensibilité. Ce « gel » de la fantaisie, cet arrêt de l'imagination, sont caractéristiques d'un esprit nouveau, qui accorde à la nuit tous pouvoirs.

C'est cette même attitude qu'illustre Scalion de Virbluneau. Lui aussi préfère à la réalité l'agréable mensonge, et reçoit sans vergogne et sans angoisse les dons du songe :

> « O Ange humain et divin tout ensemble
> Qui le vouloir nous révèle des Dieux
> Quand un Sommeil plaisant et gracieux
> Entre mes bras tous mes désirs assemble,
>
> Lors que du faux la vérité me semble
> Nul plus que moy ne se peut dire heureux
> Croyant tenir ce que j'ayme le mieux
> Frustré du tout, en m'esveillant je tremble.
> Arreste donc ô Songe ne t'enfuis (...) » [125]

On ne saurait plus clairement affirmer sa préférence pour le faux, source de joie, et son dédain pour la vérité fille du jour, lorsqu'elle interrompt des plaisirs sans mélange. La jouissance se suffit à elle-même, elle est sa propre vérité, et Virbluneau ne demande autre chose que confirmation expresse des promesses involontaires de la nuit :

> « Songeant la nuict bien souvent je pense estre
> Auprès de toy couché certainement,
> Et les beautés qu'en toy le Ciel fit naistre
> Taster, baiser, embrasser nuëment.
>
> Comme un plaisir acquis en un moment
> Passe léger et se void disparaître,
> Mon songe ainsi s'enfuit soudainement,
> Me laissant seul et non toustefois maistre.
>
> Mais pour cet heur rendre perpétuel,
> Il te faudroit en amour mutuel
> Me faire part, loyalle, de tes grâces. » [126]

La réalité ne sera acceptée que si elle prolonge la fiction, que si, loin de contredire le rêve, elle donne à celui-ci un écho favorable. Du reste, Virbluneau refuse d'établir une frontière entre les zones d'ombre et le domaine de la vie réelle : tout son effort tend à faire en sorte que la jouissance frauduleuse devienne vraie. Pourquoi ne pas donner confirmation aux plaisirs oniriques ?

---

124. R. Bouchet d'Ambillou, *Sidère, op. cit., Chanson*, p. 93 v°.
125. Scalion de Virbluneau, *op. cit.*, liv. I, LXXIII, p. 20 v°.
126. *Ibid.*, XCI, p. 25.

« Songeant à ton baiser, bien souvent je m'esveille,
Et ressentant encore l'incroyable faveur,
Je juge ce baiser estre de la saveur
De ce qui est produit d'une songneuse abeille.
Chaque heure mille fois je te rebaiseray
Et en te rebaisant à l'instant je feray
D'un songe frauduleux un baiser véritable. » [127]

Du reste, un plaisir ressenti au cours d'un rêve n'est-il pas vrai ? Qu'importe alors que la partenaire soit fictive puisque le plaisir qu'elle dispense ne saurait tromper ! Il arrive ainsi qu'on ne puisse plus distinguer le plaisir en rêve du plaisir « réel » ; c'est le cas chez Guy de Tours : décrivant une sieste, l'après-midi, dans la petite ville baignée de chaleur, il évoque le rêve qu'« à volets clos », il goûte, dans sa chambre solitaire ; il contemple d'abord, à la faveur du songe qui le visite, sa maîtresse demi-nue, montrant son beau sein blanc, et désire « la voir toute nüe » [128]. La description des plaisirs d'amour est alors faite de telle sorte qu'il est impossible de dire si l'on reste dans le domaine de l'imaginaire, ou si on l'a quitté. L'absence de conclusion — le retour habituel à la réalité — rend le texte tout à fait ambigu. Maladresse ou habileté ? En tout cas, le plaisir onirique ne se distingue en rien du plaisir dit réel.

Le terme ultime du voyage au sein des ténèbres est atteint lorsque le Songe est reconnu pour Dieu, non point Dieu de mensonges, Dieu véridique, donneur de vie, dispensateur de plaisirs pleins.

Le songe sert donc de léger prétexte à la lascive description des délices amoureuses, à la célébration sans pudeur, et sans contrainte, du plaisir, libéré de toute entrave. En même temps, les poètes érotiques de la fin du siècle ne ressentent plus l'écart entre le rêve et la réalité comme une douloureuse déchirure ; au contraire, ils tentent d'abolir les frontières secrètes du réel, et construisent, en marge du monde naturel, un univers imaginaire auquel ils accordent volontiers tout pouvoir. On pourrait même considérer que bien souvent, dans leur œuvre, le monde imaginaire est plus concret, plus vivant, plus coloré, que le monde de la vie sociale ou naturelle. Enfin, et en cela surtout la poésie d'après Ronsard se distingue de celle de la Pléiade, les amants nocturnes se satisfont pleinement et sans vergogne des plaisirs oniriques. Ni déception, ni regret, ni honte : un certain nombre de tabous semblent avoir vécu. La libération de l'instinct n'est encore que partielle, puisqu'elle n'affecte que la vie « fausse » du rêve, mais cependant, par le biais du songe, les poètes ont découvert un nouveau réalisme. Un réalisme, certes, bien différent du réalisme antérieur : il s'agit désormais, non pas de faire entrer la vie réelle dans la poésie, même stylisée et idéalisée, mais d'accepter sans réticences le monde imaginaire et ses fantaisies sensuelles. Après tout, l'amour tel qu'on le rêve est aussi réel, aussi vrai, que l'amour codifié et « raisonné ». Les poètes de la fin du siècle, souffrant impatiemment les contraintes et les règles très précises issues de l'idéologie courtoise, désormais vides de sens, mais encore prisonniers dans

127. *Ibid.*, liv. III, XIII, p. 81.
128. Guy de Tours, *op. cit.*, *Songe*, p. 62.

l'enceinte du lyrisme amoureux, héritiers d'un siècle qui s'est cherché à travers l'influence italienne —, ont choisi, non d'abolir, mais de renverser la thématique léguée par leurs devanciers immédiats. Le Songe amoureux — plus encore le songe érotique — leur a permis de garder apparemment intacte l'idéologie amoureuse à laquelle ils sacrifient volontiers, et de la nier plus d'une fois, en la pliant à l'expression d'un sentiment qui ne doit plus rien, en somme, à la courtoisie, ni au platonisme, ni au pétrarquisme, fidèle ou infidèle. D'eux naîtra le lyrisme galant de la première moitié du XVIIᵉ s.

En même temps, s'efface le caractère mythique de l'amour. Réduit à ses gestes, insoucieux de son objet, l'amour sera, après 1585, beaucoup moins que l'amour. Frisson léger, exercice d'application, bref contact épidermique — et parfois moins encore : jeu sans conséquence d'une imagination débridée, l'amour « sans passion » (Trellon) ouvre la porte d'un univers mental dans lequel la recherche quasiment cérébrale du plaisir remplace la longue quête passionnée de l'Autre. Quand le poète baroque, en effet, se satisfait pleinement d'un songe érotique, ne dit-il pas implicitement qu'il se suffit à lui-même ? Hélène, Flore, Pasithée ou Anne, créatures évanescentes, ne sont rien d'autre, sans doute, que le double à figure féminine que le poète projette sur l'écran vierge de ses nuits sans sommeil...

CHAPITRE II

**THÈMES DU DÉGUISEMENT, DE LA PARURE,
ET DES MÉTAMORPHOSES**

Le poète baroque célèbre la grande fête des apparences. Lâchant la proie pour l'ombre, satisfait d'un songe qui lui ouvre les portes d'un musée noir imaginaire, il aime à contempler tout ce qui masque l'être, tout ce qui le dérobe, tout ce qui modifie un corps soumis à l'éternelle métamorphose. Adorant le mouvement qui déplace les lignes, il s'enchante d'apercevoir le corps toujours autre, et ne s'attache qu'à l'éphémère beauté. Lui-même se sent un peu à l'étroit dans les limites charnelles de son propre corps, et rêve d'en changer à sa guise, persuadé qu'en quittant le règne humain, il trouvera, dans le monde animal, ou végétal, voire minéral, de secrètes douceurs, inconnues de l'homme.

A - Masques et voiles

a) *La dame en noir.*

Le culte de la « dame en noir », pour rare qu'il soit avant 1600 [1], est caractéristique de la sensibilité baroque à plus d'un titre. Le voile noir qui enchante l'amant est d'abord aimé parce qu'il déguise et masque les traits de la belle. Il est comme une question piquante : que cache-t-il ? Quel beau visage en pleurs couvre-t-il ?

La couleur noire rappelle en outre celle de la nuit aimée. Quelle aubaine lorsque la dame, dont l'image hante les nuits d'insomnie ou les rêves gracieux, se confond pour un temps avec les ténèbres ! Ne devient-elle pas ainsi déesse de l'ombre ? Les jouissances que promet, par sa seule apparence, la dame en noir, semblent relevées et pimentées par cet aspect inhabituel. Dans quel monde nocturne entraînera-t-elle son amant ? Fille de la nuit, elle porte sur elle les marques d'une puissance singulière.

Enfin, le noir est évidemment une des couleurs privilégiées du deuil (avec le blanc, et surtout l'orangé, le tanné). Vêtue de noir, la dame est prêtresse de la Mort, et elle semble promettre à l'amant des jouissances si fortes que les limites de la vie se trouveront dépassées. Elle

---

1. Pour le thème de la Dame Noire de 1600 à 1650, voir A.-M. Schmidt, *L'Amour Noir, op. cit.*, pp. 65-83 (textes de Scudéry, Marbeuf, Tristan, Gombauld, etc.).

invite à un voyage dans les pays inconnus, pour lesquels elle est seule à posséder un passeport. Son seul accoutrement, le crêpe qui couvre son visage en larmes, l'habit noir qu'elle ne quitte plus, parlent à la fois de mort et de volupté. La parure de deuil sied à la belle ténébreuse, dont le visage baigné de larmes et la voix enrouée de sanglots semblent dire que l'Ombre vaut bien le Soleil...[2]

Noire comme la nuit, noire comme le masque, noire comme la mort, la dame en deuil est une troublante énigme...

Mais les cérémonies funèbres ne sont point seules à imposer le noir vêtement : quelques bals, quelques fêtes, laissent apercevoir une Belle au visage masqué, qu'un « loup » de satin noir ou de velours sombre rend attirante et irritante. L'amant est loin d'être insensible à cet attrait inhabituel : qu'il s'emporte contre la coquette qui use d'un tel strata- gème pour se dérober au regard, ou qu'il loue la mondaine amie des ballets et des jeux qui, soudain, ôte son voile, il est toujours attiré par le fin tissu qui s'oppose à son désir, et excite son imagination.

Enfin, hors du monde et de ses rites, de la société et de ses usages, il est des femmes qui prennent pour toujours le noir vêtement : sont-elles en deuil, ces filles enfermées malgré elles dans un couvent ? Ont-elles renoncé aux plaisirs délicieux ? Ne sont-elles pas, comme les mondaines, amies du « fard »[3], hypocrites, ou encore égarées par un vain sens de l'honneur ? Leur voile en tout cas fascine l'amant, avide de percer le secret d'une telle conduite...

La femme en deuil, la jeune fille masquée, la nonne à l'habit noir, posent à leur amoureux une question qu'elles aiment laisser sans réponse.

Le voile noir que chante Papillon est, avant tout, déguisement, couverture. Lorsqu'il cache au monde le visage interdit de la religieuse, il devient haïssable :

> « Ton voile noir te fait approuver sainte
> Il te *déguise* en *cachant* tes beaux yeux,
> Et si convient à ton vœu soucieux
> Qui est *couvert* de Religion sainte
> Certainement toute chose contrainte
> Est haïssable aux hommes et aux dieux... »[4]

Le voile est alors associé, sinon à la perversité, du moins au désir essentiellement mauvais de cacher, de soustraire au regard, un défaut, un vice :

> « Comme un corps féminin que la mère Nature
> N'a point favorisé de présens gratieux,
> S'efforce vainement d'un art industrieux
> A vouloir *desguiser* sa première figure,
> Ainsi l'illustre honneur (...)
> S'*ombre* inutilement pour complaire à mes yeux,
> Car la bonne amitié n'a point de *couverture*. »[5]

Le voile se fait masque ; comme tel, il dit à la fois l'hypocrisie, et la volonté de tromper :

> « ...Mais aussi je n'ignore
> Que d'un masque hypocrite on se couvre souvent. »[6]

2. Voir *ibid.*, p. 77, « *Noire divinité...* », texte de Chevreau.
3. Voir chez Papillon l'expression plusieurs fois utilisée : « fard religieux »...
4. Papillon, *op. cit.*, Théophile, CXXXIII, p. 112.
5. *Ibid.*, Noémie, XLIV, p. 196.
6. *Ibid.*, Elégie, p. 204.

S'opposant à la nature, et à ses exigences légitimes, le voile, produit d'un art détesté, recouvre et cache la beauté d'un corps fait pour l'amour, et devient le signe d'un refus du plaisir :

> « Mais quelle aveugle loy tellement te maistrise
> De prendre un *voile obscur,* esgarant tes beaux yeux
> Des plaisirs les plus délicieux ? » [7]

Aussi l'amant voit-il dans le voile noir de la nonne à la fois le symbole d'une loi rigide et illégitimement contraignante, et l'obstacle qui s'oppose à son regard : « Au moins si vous voulez que vostre je demeure

> Sans vous *ombrager* plus de vostre maigre loy
> Ne sçavez vous pas bien que mon cœur vous agrée ?
> Ne vous *desguisez* plus, chassez le triste esmoy,
> Une grande beauté ne doit point estre ombrée. » [8]

Bernier de la Brousse, amoureux comme Papillon d'une religieuse, voit également dans le voile noir que porte la jeune fille le signe évident d'une erreur, d'un égarement de la raison, et, pour tout dire, d'une curiosité malsaine :

> « Vous le dites m'amour ? Soyez religieuse,
> Portant le *voile noir,* franche d'ambitions,
> Que jeusner soye vos jeux, vos ris confessions,
> Et vos plus beaux habits une haire envieuse !
>
> O la belle nonnain ! ah ! qu'elle est curieuse
> De sçavoir si au cloistre on vit sans passions... » [9]

Ainsi le voile noir de la nonne est-il décrit comme un masque inopportun, déguisant la Belle en laide sans attrait, mais Papillon et Bernier de la Brousse sont fascinés par ce tissu mouvant, et le désir, irrité et frustré, n'est que plus vif, et aussi comme une « couverture », un voile-prétexte qui s'oppose à l'amour au nom d'une loi mauvaise. Il représente l'interdit que l'amant baroque brûle de transgresser.

La religieuse n'est point seule à dérober son visage au désir : que de belles à leur tour séduites par le tissu noir ! C'est qu'elles savent, dans leur innocence perverse, que le masque de velours attire et irrite la curiosité masculine...

Bernier de la Brousse imagine que les beautés de sa maîtresse sont voilées par un masque de velours noir, qui ne laisse voir que les yeux :

> « Pourquoy faut-il que ta face divine
> Soit en tous temps soubs ce triste velous
> Et que tes yeux de mon plaisir jaloux
> Soyent descouverts pour blesser ma poitrine ?
>
> Dix mille fois, ma Nymphe, ma poupine,
> J'ay convoité d'imprimer par dessous
> Ton masque faux mille baisers très doux,
> Sur le coral de ta lèvre pourprine
> Cache tes yeux qui tant d'ennuis me font... » [10]

---

7. *Ibid., Théophile,* LIV, p. 50.
8. *Ibid.,* LIX, p. 53.
9. Bernier de la Brousse, *op. cit., Thisbée,* LXVI, p.83.
10. *Ibid., Hélène,* LXXVIII, p. 22 v°.

Le masque de velours qui dérobe ce que l'amant veut voir, mais laisse apparaître ce qui le blesse, est nécessaire au désir : il l'attise, le déçoit, et lui promet silencieusement mille douceurs secrètes. Sa couleur même, le brillant tissu dont il est fait, ne sont point inefficaces : le noir brillant parle à la fois de volupté secrète et de plaisir interdit. Le visage noir, éclairé seulement par le feu du regard, attire et retient davantage l'attention passionnée d'un amant épris de noires délices...

Au reste, il n'est pire masque que celui que la Belle porte au cœur !

> « Ce masque qui celloit tanstost vostre beauté
> Semble à l'obscurité de la nuit effroyable :
> Elle cache au soleil sa clarté désirable,
> Luy cache de vos yeux la divine clarté.
>
>   O masque falloit-il que ton obscurité
> Recellat de ses yeux la puissance admirable !
> Je pensay voir reluire une aurore agréable
> Aussi tost que sa main de son front l'eust osté.
>
>   Son beau teint composé d'un monsseau de fleurettes
> Ses beaux yeux enchanteurs, hostes des amourettes,
> Me firent aussitost oublier la rigueur,
>
>   Et l'orgueilleus desdain d'une fille volage
> Qui ne porte jamais de masque à son visage,
> Mais, toujours inconstante, elle en porte à son cœur. » [11]

Si Motin voit ainsi dans le masque couleur de nuit l'objet hostile, ennemi du chaud regard masculin, Bernier de la Brousse le considère comme l'objet frivole, propice aux jeux et aux plaisirs mondains :

> « Pourquoy prise tu tant ces balets et ces coches
> Toute fille pudique a ces jeux à desdain,
> Car de jour et de nuit sous la faveur des torches,
> Ribler et se masquer part d'un esprit mondain. » [12]

L'amant semble frustré, par le masque et le voile, d'un plaisir qu'il estime légitime. Que la dame refuse de montrer son visage, et son ami la soupçonne de noirs desseins...

Pourtant, S. G. de la Roque s'émerveille devant le voile qui dérobe le beau visage de Narcize :

> « Bel albastre vivant qu'un fin crespe nous cache,
> Qui va toute blancheur ici bas surpassant :
> Admirable perron où l'amour tout puissant
> Les plus rebelles cœurs pour son trophée attache ;
> Il faut que je t'admire... » [13]

Ainsi le voile de crêpe, assez fin pour laisser deviner les contours d'un beau visage, ou d'un beau sein, assez opaque pour cacher les traits et les formes de l'amie, agit-il comme un stimulant. Il est une question, provisoirement sans réponse, un appel, momentanément sans écho...

Si le voile de la nonne est une vaine « couverture », si le masque de la coquette est à la fois détestable et attirant, le crêpe noir de la femme en deuil est véritablement un objet érotique.

---

11. P. Motin, Œuvres inédites, Cab. du Bibliophile (1883), XXXIV, p. 35.
12. Bernier de la Brousse, op. cit., Thisbée, XXXVI, p. 72.
13. S.G. de la Roque, op. cit., Narcize, CXLIX, p. 239.

Ch. de Beaujeu raconte ses amours avec la veuve Marguerite, placées sous le signe du deuil :

> « ...Amour seulement a tramé mon esmoy,
> Me faisant amoureux d'un enciergé veuvage
> D'une beauté paslie, à qui le deuil amer
> Fournit chaque matin de fiers vents et de mer.
> Ainsi mes pauvres yeux, ayant pleuré leur perte,
> Volontiers me font voir celles qui d'un tel deuil
> Repaissent quelquefois les regards de leur œil.
> [*Mon cœur*] aime à contempler ce qui est misérable,
> Il fuit le jeune ris et les vives couleurs,
> Se plaisant à la gesne ainsi que ses douleurs.
> Ainsi tant je cherchay sans me donner de trêve
> Que je revis encor de près ma belle vesve,
> Avec un bas tortis de ses brunets cheveux,
> Un linouple enroulé blanchissoit dessus eux,
> Et sa coiffe de crespe au dueil accoustumée
> Cachoit son front demy, puis sa gorge enfermée
> D'une escarrure blanche, et sur ses bras mignons
> S'estendoit blanchement maintes petits minons.
> Et voyez tout ainsi ma maistresse jolie
> Avoir deux monts negeux sur sa gorge polie
> Couverts d'un satin noir à l'antique taillé ;
> Plus bas un beau miroir de noir tout esmaillé,
> Pendu d'un cordon noir, et sa noire ceinture
> Faire, tendue en bas, d'un angle la figure,
> Sa robe d'une main relevoit un petit,
> Permettant à mes yeux de voir son pied petit,
> Couvert d'un soulier blanc, où le cizeau adextre
> Me faisoit admirer la main d'un si bon maistre.
> Je pris son chapelet, tourné de fine ebeine,
> Pour tascher, le baisant, à soulager ma peine... »[14]

Cette symphonie en noir et blanc : noirs les cheveux, noire la coiffe, noire la gorgerette, noirs le miroir, et le chapelet, et la ceinture, — blanc le collet, blanche la belle gorge neigeuse, blanc le soulier mignon..., cette étrange célébration d'une beauté pâlie, dévote et malicieuse, cette recherche du spectacle pitoyable et excitant à la fois, disent, peut-être, que la satisfaction de l'amant est assez perverse. On note, en tout cas, un goût nettement affirmé pour tout objet qui parle de misère et de souffrance : un goût esthétique, car il convient de préciser que le noir ici relève de façon piquante la blancheur du sein, l'éclat d'un petit pied... Le fétichisme qui se marque avec une étonnante franchise fait du noir chapelet l'objet d'un culte assez peu orthodoxe, et cette complaisance morbide à savourer la souffrance — la sienne, celle d'autrui, ce « dolorisme », indiquent assez que l'idée de la mort contribue fortement à la naissance d'un érotisme mélancolique. C'est au « logis du corbeau » que la Belle endeuillée conduit son soupirant :

> « ...Or alors ma Divine
> Osta le masque noir de sa face poupine.
> Je la cogneu alors et m'estonnay bien fort
> Comme un seul de ses yeux ne m'avoit rendu mort. »

14. C. de Beaujeu, *Les Amours, op. cit., Elegie*, p. 260.

Ainsi se trouve affirmée la liaison de la Mort et d'Eros : noire et blanche comme la nuit, la femme à la parure de deuil conduit son amant aux frontières indécises de la vie.

Le portrait de Chloride en deuil est encore l'évocation troublante d'une jeune beauté que le noir et l'odeur de la mort rendent singulièrement attachante :

> « Chloride en deuil consommée
> Evitant tous nouveaux appâts
> Voudroit bien n'estre plus aymée,
> Mais sa grace resiste et ne le permet pas.
> Quoy qu'elle pleure et qu'elle face,
> Pour convier à souspirer
> L'Amour est autour de sa face
> Qui nous garde de plaindre et nous fait desirer.
>
> . . . .
>
> Elle est moins dolente que belle
> Et sa beauté paroist à travers sa douleur. » [15]

La femme meurtrie, la femme blessée, par ses larmes et ses sanglots, dit qu'elle est sensible, et les pleurs qui sur son visage ruissellent donnent à l'amant le plaisir de contempler une beauté attendrissante, une beauté enfin humaine, prête pour le plaisir comme pour la souffrance.

Aussi l'Amour fait-il un marché de dupe lorsqu'il s'ingénie à vêtir de noir la femme insensible : bien au contraire, « vestue de dueil », la Catin de G. Durant n'en est que plus attirante :

> « Catin des traits de ses yeux,
> Sans faillir, tuoit tous ceux
> Qui s'approchoient de sa vüe.
> Amour qui eut l'ame esmeüe
> De veoir tant d'amants trompez
> Si doucement attrapez,
> Luy mit pour marque funèbre,
> Un crespe peint de tenèbre,
> Mais las ! Il n'y gagna rien,
> Car mille amants, combien
> Qu'ils vissent la mort empreinte
> Dedans ses beaux yeux, sans crainte
> Ne laissoient pas d'y courir... » [16]

Qu'elle soit nonne à l'habit consacré, jeune mondaine amie des mascarades, ou veuve, la femme vêtue de noir, plus belle d'être à demi voilée, excite l'imagination de son ami, l'attire plus fortement, et semble lui promettre, par ses larmes ou ses ris, des voluptés inédites, douces et amères...

b) *Le voile blanc.*

Le voile blanc, s'il cache aussi les beautés d'un visage féminin, ne fait pas naître les mêmes désirs que le crêpe noir. Le blanc renvoie

---

15. Anonyme in *Satyres et Autres Œuvres folastres du sieur Regnier*, 1616, p. 149.

16. G. Durant, *Imitations..., op. cit., Pour une dame vestue de dueil*, p. 119.

souvent [17] à la froideur, au refus des plaisirs partagés, au « sevrage » ;
aussi La Roque voit-il dans le voile blanc de la Belle la volonté de ne
point succomber à l'amour :

> « J'estois en liberté quand celle qui m'engage
> Dessoubs un voile blanc me cachoit ses beaux yeux.
> Mais las ! c'estoit en vain, car l'esprit d'un nuage
> Ne le sauroit cacher comme l'astre des cieux.
> Puis opposant ma veüe à ses rais gratieux,
> Je la suivois partout sans prévoir mon dommage... » [18]

De même Scalion de Virbluneau célébrant le beau sein d'Adriane,
regrette qu'un voile le dérobe aux regards : n'est-ce point le signe d'un
refus des caresses ?

> « Gentil tertre eslevé sur la blanche poitrine,
> . . . .
> Tetin chevet d'amour dont la rondeur poupine,
> Esveille l'appetit d'un doux je ne sçay quoy,
> Permets sans te cacher qu'en m'approchant de toy,
> Je gouste le plaisir de ta grace divine.
> . . . .
> Portant envie à l'œil (...)
> Tu ne dois te cacher dessous ton voile ainsi... » [19]

Même reproche chez Du Mas : le « voyle blanc » qui couvre
l'albâtre d'un sein magnifique est le signe d'une froideur mauvaise [20].
Cette vigilante attention portée aux voiles, ce désir de découvrir
ce qui se dérobe, sont caractéristiques d'un nouveau goût, d'une nouvelle
sensibilité : l'amant baroque est irrésistiblement attiré par tout déguisement, toute parure, qui font apparaître sous un jour différent l'objet
de sa passion. Le voile, parce qu'il sollicite l'intérêt tout en s'opposant
au regard, fonctionne comme une vivante énigme, comme une piquante
devinette...

B - Déguisements

Tous les déguisements, toutes les modifications apportées à l'apparence, fascinent l'amant, séduit par le prestige de la nouveauté, attiré
par les transformations inattendues. Que l'amoureux prenne l'habit
féminin pour approcher sa maîtresse, ou que l'amante, un jour, « en
homme se déguise », et de nouveaux rapports s'instaurent... Ce n'est
plus elle, ce n'est plus lui, et le plaisir est délicieux de retrouver la
même déjà différente, de se montrer autre tout en restant soi-même !

a) *La dame déguisée en homme, l'amant déguisé en femme.*

La dame déguisée en homme témoigne, par sa seule apparence,
du désordre de l'être, et des prestiges du paraître. Sa beauté équivoque
est un nouvel appât :

---

17. Voir notamment la signification ambivalente du blanc chez A. d'Aubigné,
cf. plus haut, Première Partie, chap. II.
18. S.G. de la Roque, *op. cit.*, *Narcize*, XII, p. 134.
19. Scalion de Virbluneau, *op. cit.*, liv. III, XVI, p. 82.
20. Du Mas, *op. cit.*, *Sonnets*, I, p. 105. Voir encore le voile blanc chez
I. du Ryer, *op. cit.*, p. 20.

> « A l'heure que Madame en homme se desguise
> Une toque portant sur ses cheveux dorés
> Elle semble un Adon aux yeux noirs admirés
> Ou un nouveau Pâris ou quelque jeune Anchise.
>
> Soit qu'elle ayt un habit en dame de Venise
> A demi descouvrant ses testons empourprés
> Ou soit qu'en habit plein elle se veste après
> Ou soit qu'elle se veste à la nouvelle guise
>
> Soit qu'elle ait un collet à la confusion,
> Ou bande seulement, soit qu'un escofion
> Resserre ses cheveux ou qu'il les emprisonne :
>
> Ou soit que sur son col ils flottent librement,
> Toujours très belle elle est... » [21]

Tous les déguisements successifs n'obéissent à d'autre loi que celle du paraître. Justifiés, certes, par la coquetterie féminine, ils répondent au besoin d'être toujours autre ; mais aussi, transformant la dame en éphèbe gracieux — Adonis ou Anchise —, ils donnent le plaisir de l'ambiguïté [22].

Au thème de la dame déguisée en homme pour le plus grand plaisir de son ami, répond, chez C. de Beaujeu, le thème de l'amant déguisé en femme. Sous le prétexte d'arriver plus aisément près de sa belle, l'amant songe à prendre un habit de femme :

> « Dames qui vous cachez pour faire sacrifice
> Aux femmes de Faunus, en ce divin service,
> Souvenez vous de moy, et en prenez pitié.
> Laissez moy déguiser sous un habit de femme... » [23]

Ces thèmes renvoient au goût baroque pour les états ambigus de l'être, pour l'indétermination (sexuelle ici) : dans un monde soumis au jeu des apparences flottantes, l'homme-femme, ou la femme-garçon, attirent, inquiètent, séduisent l'imagination ; ne sont-ils pas aussi une énigme vivante [24] ?

b) *Le fard ou le maquillage illusoire.*

La femme fardée fait partie du « cortège de masqués » [25]. Se farder, ce n'est pas seulement vouloir paraître, c'est aussi se dérober aux regards d'autrui, donner à contempler, non un visage, mais un masque.

> « Tout le fard qui vous rend luisante et colorée
> Ne vous peut embellir la face ni la peau,
> Car on ne peut oster les ans par le pinceau,
> Ni rendre la clarté de vos yeux retirée.
>
> Vostre face n'est pas une toille cirée
> Sur qui l'on peut souvent rafraîchir un tableau,
> Vous n'estes pas la fleur qu'on voit au renouveau
> Renouveller le teint qui la rend désirée. » [26]

---

21. Godard, *op. cit., Lucresse*, CII, p. 193.
22. Voir dans Papillon, *op. cit., Elegie*, pp. 178-180, la curieuse histoire de la belle Thébaine « eschangée en virile nature »...
23. Beaujeu, *op. cit.*, LXXI, p. 49 v°.
24. Voir Godard, *Elégie*, II,, p. 83, « le garson demoiselle, ce masle effeminé... »
25. Voir J. Rousset, *Anthologie de la poésie baroque, op. cit.*
26. S.G. de la Roque, *Caritée, op. cit.*, LXXXIII, p. 119.

Le fard apparaît en effet comme une peinture qui forme écran :

> D. « Quoy ? Tu n'adore pas une Dame si belle,
> Les traits de ses beaux yeux ne t'ont ils pas espoint ?
> R. « Sçavez vous point qu'estant de la secte nouvelle
> Il ne m'est pas permis d'adorer rien de peint. » [27]

Qu'elle soit belle ou laide, jeune ou vieille, la femme fardée est répugnante :

> « Quand je voy son front de malade,
> Sophistiqué par la pommade,
> Jaune de l'enflure du fiel,
> Cet œil qui toujours espionne,
> Qu'un cercle à l'entour environne
> De la couleur de l'arc en ciel... » [28]

Le fard est l'agent actif des métamorphoses :

> « Si de cest humeur vagabonde
> Qui fait qu'autre part je me fonde
> Vous voulez la cause sçavoir,
> Ostez vostre perruque blonde,
> Et ce fard qui trompe le monde,
> Puis vous voyés dans un miroir.
>
> . . . .
>
> Le fard dont le confus meslange
> Métamorphose un diable en ange,
> Vous a fait longtemps recercher.
> Il cache une laideur étrange... » [29]

Mettant en valeur et dérobant, déguisant et révélant, le fard, qui a pour objet la séduction, l'empêche :

> « Ostez ce fard trompeur qui cache vostre joüe,
> Cette tache espagnolle offence vostre teint,
> L'amour quoy qu'il soit brave et secret nous advoüe
> Qu'il est mal asseuré sous un visage peint.
>
> Ne vous attendez pas que personne vous loüe
> Ny que d'un vray desir pour vous l'on soit atteint,
> Vostre lascif regard en vain à nous se joüe,
> Un pipeur descouvert n'est plus aymé ni craint.
>
> Qu'espérez vous de prendre en ceste glu tenace,
> Dont vostre oysive main le naturel efface,
> Si ce n'est par hazard quelque mouche en esté... » [30]

Enfin, le fard est l'emblème de l'hypocrisie, du mensonge :

> « Je n'ayme point à voir cette idole admirée
> De ces veaulx qui font cas de son visage peint,
> Qui d'une bouche estroite et d'un parler contraint,
> Mignardant tous ses mot, contrefait la sucrée.
>
> . . . .

---

27. *Dialogue contre une Fardée*, in *Les Muses Gaillardes* (1609), *op. cit.*, p. 134.

28. *Ibid.*, *Pour une vieille courtisane*, p. 72 (anonyme dans les M.G. ; attribué à Sigogne).

29. *Contre une Dame*, in *Satyres et autres œuvres folastres du Sieur Regnier*, *op. cit.*, p. 140.

30. *Contre une Dame fardée*, *ibid.*, p. 144.

> Pour mouiller vos cheveux, hausser vostre tétin,
> Il ne faut désormais vous lever plus matin :
> Car en vostre beauté vous estes trop deceue.
> Vostre mirouër vous ment et vous mentent tous ceux
> Qui disent « je vous ayme... ».[31]

La femme fardée ment : corrigeant la nature défaillante par les soins d'un art industrieux, elle déguise son être véritable, et pas seulement son apparence physique. Tout en elle est contrefait ; aussi l'amant, comme Expilly de la Poëpe, ne peut-il s'empêcher de témoigner son mépris à la coquette.

> « Je dy, quand j'appercoy ceste œillade égarée,
> Ce sourcy pinceté, ce front fait au rasoir,
> Et ce bouillant désir d'estre veue et de voir,
> Mon Dieu ! qu'en ses façons Madame est altérée !
> Ce n'est plus celle là que j'ay tant admirée
> . . . .
> Que veut dire au-jourd'huy qu'elle n'est plus ainsi,
> Que son front est couvert d'un amoureux soucy,
> Qu'elle se farde, et joint l'art avec la nature ? »[32]

Illusoire maquillage, que la chaleur fait fondre ! Bernier de la Brousse n'est pas dupe :

> « Elle se cache, la fardée,
> Et ne veut contempler mon œil,
> Ne t'en estonne, ô Callidée,
> Ainsi l'hybou fuit le soleil,
> Puis tu sais que la blanche graisse
> Dont elle se plastre et portrait
> Fondue aux rayons de sa tresse
> Nous descouvriroit le secret. »[33]

Cependant, Papillon a un avis plus nuancé : le maquillage est un hommage rendu au désir masculin...

> « Je ne veux point m'amuser à décrire
> Le fard trompeur dont Cythérée attire
> Dont nous voyons la femme se parer
> Ce qui la fait finement contrefaire,
> C'est qu'amoureuse elle veut l'homme attraire... »[34]

Certes, il avoue sa préférence pour le « teint sans fard » de sa jeune amie[35], mais ne peut s'empêcher d'admirer l'artifice :

> « Y a-t-il rien si gracieux
> Y a-t-il chose plus aimable
> Que voir des beautés désirables
> S'embellir pour nous plaire mieux ?
>   J'aime la Cour, j'aime les Dames
>   Plus pour maistresses que pour femmes.
> Les habits richement luisans

---

31. *Œuvres inédites de P. Motin, op. cit.*, XIII, p. 14.
32. C. Expilly, *op. cit., Desdains*, XI, p. 59.
33. Bernier de la Brousse, *op. cit.*, II, p. 149 v°.
34. Papillon, *op. cit., Diverses stances...*, p. 414.
35. *Ibid.*, XLVII, p. 200.

> Le blanc, le rouge en leur visage
> Et leur délicieux langage
> N'est-ce point l'appas des Amants ?
> Le poil saupoudré, frisotté,
> Le teint riand, la bonne mine,
> La gorge, la bouche poupine,
> Attire nostre honnesteté.
> J'aime la Cour, j'aime les Dames. » [36]

Peu soucieux de se contredire, Papillon ailleurs critique de façon acerbe le fard décevant [37], qui déguise femme ou homme [38], parure mauvaise qui cache la nature :

> « S'habiller bravement, s'ombrer de fards menteurs,
>   D'un mauvais mot nouveau en faire une éloquence,
>   Apprendre à bégayer (...)
> Avoir plus d'appareil que de vraye apparence,
> ....
> Se mirer à toute heure, haussant la chevelure,
>   Ce sont les actions des Dames de la Cour. » [39]

Le fard fait alors l'objet d'une critique plus radicale : il est le signe d'une hypocrisie qui engage la femme dans le mauvais chemin d'une lutte contre la nature et ses exigences légitimes. Aux yeux de Papillon, la différence n'est pas grande entre le maquillage illusoire qui masque sans les corriger les traits d'une coquette, soucieuse seulement de sauver les apparences, et le fard « religieux » qui couvre du vain nom d'honneur ou de foi les besoins de la créature, abusée par le prestige d'une inutile vertu :

> « Laissez donques le fard, et m'embrassez, mon cœur,
> Ce Dieu Désir ne veut que l'on fasse la fine... » [40]

ou encore :

> « Lisez bien, je vous prie, avant que d'espouser
> Ce fard religieux qui vous fait abuser.
> ....
> La raison veut vraiment, malgré le fard menteur
> Du sexe féminin (ce bel ombre d'honneur)
> Qu'on lui rende toujours une humble obéissance. » [41]

Le fard remplit donc une double fonction : il apparaît souvent comme l'un des thèmes du « contr'amour » ; présent, bien entendu, dans les œuvres satyriques [42], il dénonce la tromperie, la sottise, ou la lubricité féminines. A l'intérieur même des œuvres amoureuses, il sert de contrepoint à l'idéalisation de la beauté. Il n'est pas rare de voir se succéder un poème de célébration, sur le monde pétrarquiste, et un poème de dérision, sur le mode satirique : le motif du fard, de la poudre blanche, du rouge, de la graisse, corrige les motifs conven-

---

36. *Ibid., Chanson* IV, p. 263.
37. *Ibid.,* XXX, p. 471.
38. *Ibid.,* XXXVIII, p. 473.
39. *Ibid., Div. Poésies,* p. 447.
40. *Ibid., Théophile,* CIV, p. 85.
41. *Ibid., Théophile, Elegie,* p. 89 et suiv.
42. Voir notamment dans *Les Satires du* XVIe *et du* XVIIe *siècles* (éd. Fleuret-Perceau) les thèmes de la beauté flétrie, ou de la vieille amoureuse... Cf. R. Lebègue, *La poésie lyrique au temps de Louis XIII,* in XVIIe s., 1965, nos 66, 67, pp. 7-21.

tionnels du bel œil, du cheveu frisotté, de la main d'albâtre... L'immuable beauté, chantée dans l'adoration, soudain devient femme de chair, et de chair corruptible, fragile et usée... Ensuite, le fard, surtout dans la poésie de Papillon, remplit un autre rôle : il rappelle les exigences de Nature, et la sottise de ceux qui prétendraient les oublier ou les nier. Le fard alors n'est pas seulement cette poudre, cette graisse, ce maquillage savant et inutile qui ne répare pas des ans l'irréparable outrage, il est aussi « l'ombre » d'honneur pour lequel la Belle stupide laisse échapper la proie, la fausse loi d'imposture, le crime majeur contre Nature et ses lois. C'est le sens que Godard accorde au fard et à la parure :

> « Je ne sçay à quoy vous pensez
> De porter si riche coiffure
> Dessus vos cheveux agencez
> Par art, par ordre et par figure (...)
> De quoy sert qu'un riche colet
> Si mignardement se replisse
> Autour de vostre col de lait ?
> . . . .
> De quoy sert qu'à toute heure ainsi
> Vous fardiez vostre beau visage
> Et pincetiés votre sourci ?
> Et serriez tant votre corsage ?
> . . . .
> Que vous sert coustumièrement
> Vous rompre l'esthomac d'un busque ?
> Et que vostre beau vestement
> Sente l'ambre gris et le musque ?
> Quittez toutes ces choses là
> *Dont pas une n'est naturelle.* » [43]

Illusoire ou vicieux, trompeur ou sophistiqué, le maquillage est l'anti-Nature. Comme tel il attire et repousse, séduit et irrite. En tous les cas, il provoque...

c) *La dame malade : un teint déguisé.*

Fasciné par tout ce qui masque et déguise, qu'il adore ou haïsse le maquillage, l'amant baroque est saisi, devant la dame malade, de crainte plus que de pitié. Comme la vieillesse, la maladie change la belle en un « déjà-cadavre », elle apporte au visage une singulière métamorphose, altérant le teint, fripant la peau soyeuse, cernant les yeux.

J. Bernier de la Brousse traite à plusieurs reprises le thème de la dame malade. Déjà dans les *Amours d'Hélène*, il s'attachait à décrire les modifications que la fièvre apporte à la beauté du visage, la douleur

> « Qui fait blesmir sa face belle et sainte »,

et il notait que

> « le phlegme blanc et la bile contrainte,
> la frenaisie et l'excessive ardeur » [44],

_____

43. Godard, *Lucresse, Stances*, XVII, p. 286.
44. J. Bernier de la Brousse, *Hélène*, LXVIII, p. 20 vº.

finissaient par « fanir » la verdeur de la Belle. Dans les *Amours de Thisbée,* plus nettement encore, il voit la maladie comme un déguisement :

> « Qui me peut réjouir puisque tu gis malade ?
> Mon départ n'auroit pas engendré ta langueur ?
> Ah ! nenny ! Mais tu *feins* pour décevoir mon cœur
> Ressentir les assauts de la Parque maussade ?
> Tu *desguises* ton teint de ceste couleur fade... » [45]

La maladie en somme agirait comme le maquillage, pour attirer l'amant, l'inquiéter et le séduire... La dame transformée par la maladie n'est plus tout à fait elle-même ; son teint et la flamme de son œil ont perdu leur éclat :

> « Par l'effort du destin ma gentille Cyprine
> Languissoit l'autre jour dans son lict amoureux.
> Son beau front bleuissoit et son œil doucereux
> Esteignoit peu à peu sa flammesche divine.
> Moy pauvre, contemplant sa bouche coraline,
> Me rongeois coup sur coup d'un regret douloureux
> Pour ne pouvoir chasser le poison rigoureux
> Qui ternissoit le jour de sa beauté poupine. » [46]

De même Beaujeu se désole d'assister impuissant à la métamorphose qui s'opère sous ses yeux :

> « Qui sçauroit comme Amour nous traitte rudement
> Et combien ma Rozette endure de tourment
> Voyant sa belle face *en jaunisse changée,*
> L'on jugeroit d'Amour la douleur enragée... » [47]

Ainsi, en ce monde muable, le déguisement, la métamorphose, sont signes d'une incapacité à durer, à se maintenir...

Les modifications qui affectent l'être et le transforment soudain, les déguisements qui permettent le temps d'un jeu « d'eschanger sa nature », les maquillages qui substituent le masque au visage, tous ces « changes » disent, outre le désir de bouger, de vivre dans l'instabilité, l'essentielle insatisfaction de l'homme baroque qui — à travers les illusoires prestiges des apparences — ne cesse de chercher le terrain solide, l'assiette stable, et se désole de n'y pouvoir arriver.

C - Les métamorphoses

Le thème des métamorphoses [48] semble spécifiquement baroque : il se fonde cependant sur une longue tradition [49]. Mais ce thème connaît

---

45. *Ibid., Thisbée,* LXII, p. 82.
46. *Ibid., Thisbée,* LXIII, p. 83.
47. C. de Beaujeu, *op. cit.,* Elegie, p. 121.
48. Voir notamment Giraud Y. F.A., *La fable de Daphné, essai sur un type de métamorphose végétale dans la Littérature et l'art jusqu'à la fin du XVIIᵉ siècle,* Droz, 1969.
49. Voir plus haut, Premier Livre, première partie, chap. II (les métamorphoses de 1570 à 1585) et notes.

des variations originales vers la fin du siècle, et, d'autre part, il devient intimement lié au lyrisme amoureux. La fréquence du thème chez les poètes de 1585 à 1600 est significative d'une nouvelle interprétation des motifs anciens, qui ne viennent plus que dans une assez faible proportion de la mythologie « classique ».

a) *Les métamorphoses animales.*

Tout un bestiaire nouveau apparaît : à la puce et au taureau, s'ajoutent l'ourse, l'oiseau, l'écureuil, le loup, la salamandre, l'abeille...

— *La métamorphose en puce :* depuis Ronsard et les Ronsardisants [50], la puce apparaît dans des textes folâtres de veine licencieuse.

S. G. de la Roque reprend la tradition ronsardienne, lorsqu'il énumère les métamorphoses possibles :

> « Je ne voudrois pourtant me changer en oyseau
> En pluye d'or, en fleurs, en serpent, en taureau.
> Mais je voudrois sans plus en puce me changer
> Pour me nourrir de sang et puis pour me loger
> Dans cet heureux jardin du beau sein de Madame. » [51]

Même accent et même tonalité chez un Ronsardisant attardé, Guy de Tours :

> « Petite puce, ainçois amère peste,
> Je ne pourrois ô cruelle en mes vers
> Mesdire assez de tes faits si pervers
> Et des tourments que tu fais aux pucelles.
> Tu poings leurs corps de morsures cruelles
> Et sans pitié ores sous le téton,
> Or' sur le sein, ore sur le menton
> Or' sur la cuisse, or sur le ventre et ore
> Sur le mignon que mon penser adore
> Or' sur la fesse et ore sur le flanc (...)
>   Souventes fois ton aiguillon leur pince
> Si vivement leur peau douillette et mince,
> Que tu les fais par tout le corps frémir.
> Pleust aux Dieux immortels que je peusse,
> Quand je vouldrois me transformer en puce... » [52]

E. Durand énumère diverses métamorphoses souhaitables, et donne encore la préférence à la transformation en puce :

> « Je voudrois bien estre vent quelquefois
> Pour me joüer aux cheveux d'Uranie,
> Puis estre poudre aussi tost je voudrois
> Quand elle tombe en sa gorge polie.
>
> Soudain encore je me souhaitterois
> Pouvoir changer en cette toile unie
> Qui va couvrant ce beau corps que je dois
> Nommer ma mort aussi tost que ma vie.
>
> Ces changements plairoient à mon désir
> Mais pour avoir encore plus de plaisir,
> Je voudrois bien puce estre devenue,
>
> Je baiserois ce corps que j'ayme tant,

---

50. Voir *ibid.*
51. S.G. de la Roque, *op. cit., Caritée,* LIV, p. 98.
52. Guy de Tours, *op. cit., La Puce,* p. 26 v°.

> Et la forest à mes yeux incognûe
> Me serviroit de retraitte à l'instant. » [53]

On ne quitte pas le registre de la poésie « libre » : la puce semble entraîner l'imagination dans les seuls sentiers de la veine égrillarde. C'est encore en puce que Grisel souhaiterait se métamorphoser :

> « Je voudrois davantage
> ....
> Reprendre une autre forme (...)
> On me pourroit tost voir
> Petite pucelette,
> Et sous ma peau noirette
> Cacher autant de sens...
> Moy puce sautelante
> Je m'en irois errante...
> En prenant ces esbats
> Sauteler sous les draps.
> Là je verrois le beau
> De ce double costeau... » [54]

Même registre, mêmes accents, dans un texte des *Muses Gaillardes* :

> « O combien j'aymerois mieux
> Jouyr de l'heur gratieux
> Quand je voudray, que je peusse
> Devenir petite puce :
> Et quand on se va coucher,
>   Que je m'allasse cacher
>   Au lict, où ma belle Rose
>   Toutes les nuicts se repose.
> Lors frétillant dans les draps
>   Je chatouïllerois ses bras
>   Ses tétins, sa gorge blanche
>   Son ventrelet et sa hanche. » [55]

Motin modifie le souhait conventionnel en imaginant une scénette à trois personnages : l'amie, l'ami et la puce...

> « Elle avoit ouvert son collet
> Et parmy ses deux flots d'ivoyre
> Recherchoit une puce noire
> Qui baisoit son sein nouvelet
>
> ....
> Moy qui fus alors tout auprès,
> Je vay dire à cette cruelle :
> « Que ton sein je baise comme elle,
> Et tu me fais mourir après ! »
> Cruelle veux tu que mon sort
> A ceste puce porte envie ? » [56]

Toutes ces variations [57], sans grande originalité par rapport à la tradition, représentent, en un sens, la survivance du lyrisme mineur de

---

53. E. Durand, *Les Méditations, op. cit.,* XLII, p. 66.
54. Grisel, *op. cit., Souhaits,* p. 89.
55. *Muses Gaillardes* (1609), *op. cit., d'une Puce,* pp. 45 v° - 46. Anonyme dans les M.G., ce texte paraît sous la signature du poète Sainte-Barbe dans *Le Temple d'Apollon,* t. I, p. 80.
56. Motin, *Œuvres inédites, op. cit., Ode,* pp. 55-56.
57. Auxquelles on peut ajouter celle de Trellon, *La Puce,* in *Les Muses Ralliées,* 1603, p. 218.

la Pléiade. Mais elles témoignent en même temps — par leur nombre — d'un nouveau goût qui va s'affirmant : à la dégradation du courant pétrarquiste, correspond la naissance d'une poésie « libre et satyrique », qui aime — la Puce l'atteste — les imaginations gaillardes et la verve débridée. Ajoutons que la métamorphose en Puce n'est que l'une des transformations souhaitées par l'amant lascif. Elle s'inscrit dans un ensemble de thèmes qui ont pour noyau le désir de changement, le vœu d'échapper — le temps d'un poème — à la condition humaine, et la volonté de trouver à tout prix la jouissance.

— *La métamorphose en taureau* : c'est dans une veine tout autre que s'insère le thème de la métamorphose en taureau, auquel Ronsard avait donné l'illustration que l'on sait [58]. Emblème de la puissance virile, le taureau inspire de tout autres rêves que la minuscule puce. Rêver de devenir taureau, c'est d'abord se donner comme modèle le grand Jupiter, amoureux de toutes les beautés. C'est aussi désirer avoir la force brutale à laquelle ne résiste aucune pudeur.

Godard consacre à ce thème un texte original, dans lequel l'amant devenu taureau rêve, non de posséder brutalement en usant de sa force, mais de se mesurer avec la dame, transformée en panthère aux ongles acérés :

> « Je voudrois estre ainsi comme un Penthée,
> Nouveau taureau, pour me voir deschiré
> De la dent croche et de l'ongle acéréc
> D'une Panthère à la peau tachetée. » [59]

Le rêve de métamorphose animale est ici lié au désir d'éprouver l'amour comme un combat. Pas de plus grandes délices que la déchirure.

Papillon voit, tout autrement, la métamorphose en taureau. Plus gaillard, l'image bucolique lui suggère une pointe licencieuse :

> « Que ne suis-je eschangé en taureau blanchissant
> Pour paistre bien heureux en ta belle prairie... » [60]

— *La métamorphose en écureuil* : elle s'inscrit également dans la veine licencieuse et librement folâtre. I. du Ryer, volontiers égrillard dans ses *Sonnets* (moins chastes que ses *Stances*), se plaît à imaginer un tableau gaillard :

> « Juppin épris de ma belle maîtresse
> En escureul s'est métamorphosé.
> Voyez un peu comme ce dieu rusé
> Follastrement devant moy la caresse
>
> Voyez un peu comme la queue il dresse
> Comme il en est follement abusé,
> Et comme il veut, sus ses tétons posé,
> Couler plus bas au lieu qui plus me blesse.
>
> Las ! Que ne suis je escureul comme toy ? » [61]

— *Les métamorphoses en mouche, en papillon, en abeille*.

A la différence de l'écureuil, dont le panache roux fait vagabonder l'imagination dans les sentiers sans mystère de la verte gaillardise, la

---

58. Ronsard, *éd. cit.*, t. IV, s. XX, p. 23.
59. Godard, *op. cit.*, La Flore, XXXVIII, p. 19.
60. Papillon, *op. cit.*, Théophile, LXIII, p. 55.
61. I. du Ryer, *Le Temps perdu, op. cit.*, XII, p. 20.

mouche, le papillon, légers et insaisissables, appartiennent à la veine légère et capricieuse, moins érotique que sentimentale, plus émue que licencieuse ; Grisel imagine plusieurs transformations :

> « Je voudrois estre *mouche,*
> Pour voler sur la bouche
> Où la belle Vénus
> Qui vint des flots chenus
> Fit naistre mille roses
> Nayvement escloses.
> Je voudrois encore estre
> Si j'estois à renoistre
> Un *papillon* léger,
> Et sans me rechanger
> Chercher la douce flame
> Des beaux yeux de Madame. » [62]

Chez La Roque, bien que la sentimentalité l'emporte, comme chez Grisel, sur l'érotisme, le registre est sensiblement différent : il s'agit moins en effet de rêver à une mutation possible et de s'enchanter de cette possibilité, que de décrire dans la stupeur les divers états par lesquels passe l'amant, en proie au « pernicieux » amour. Ainsi La Roque se découvre successivement métamorphosé en araignée :

> « Je suis nouvelle areigne en orgueilleux courage,
> Mon ame va sa toille en tous lieux ourdissant,
> Amour en mon esprit les créons va tressant » [63],

ou en papillon :

> « Las, achevant ce livre, Amour pernicieux
> Me change en papillon, et droit à vous m'envoye,
> Afin que je me brusle au feu de vos beaux yeux. » [64]
> « Amour m'a fait (...)
> Un Papillon qui meurt s'enamourant
> De la clarté qui lui est présentée... » [65]

Métamorphose moins agréable que douloureuse ! Deimier à son tour rêve d'être abeille...

> « Que ne me change Amour en une ouvrière Abeille
> Pour tirer des douceurs de ce fleuron amer !
> Le miel n'en seroit rien qu'une douce merveille
> Dont le doux merveilleux rendroit douce la mer... » [66],

tandis que Papillon n'imagine pas une métamorphose plus agréable que celle qui lui permettrait de devenir « ver à soye » [67]...

— *Les métamorphoses en animaux sauvages* (loup, lynx, ourse...).
Bien différentes des rêveries délicates que suggèrent les changements en papillon léger ou en abeille industrieuse, voici des rêveries plus angoissées. Beaujeu songe que sa dame, punie de sa féroce fierté, se trouve métamorphosée... en ourse :

62. Grisel, *op. cit., Souhaits,* p. 87.
63. La Roque, *op. cit., Narcize,* CLXXV, p. 277.
64. *Ibid., Narcize,* CLXXVI, p. 277.
65. *Ibid., Caritée,* LXII, p. 103.
66. Deimier, *op. cit., Stances,* pp. 179-181.
67. Papillon, *op. cit., Noémie, Elegie,* p. 203.

« Ses belles mains que j'aimois tant
Sont ores deux pattes velues ;
Au lieu de monts albastrins,
Elle a vint ou trente tétins.
Ce beau pied qui sçavoit danser
Toutes danses de forme gaye
Ne fait ores que traverser
Un rocher, une eau, une haye... » [68]

Sombre imagination, qui laisse l'amant se repaître d'images monstrueuses, et lui donne l'amer plaisir d'une singulière vengeance...

Godard, pour sa part, rêve d'être transformé en loup :

« Si la Grèce est en ce point véritable
Que l'on peut estre en loup pelu changé [69]
Je voudrois bien avoir esté logé,
Race d'Antée, en l'Arcadique stable.

Mais à tel si que mon mal indomptable
Changeant aussi de corps, me laissât soulagé,
Changeant aussy l'entendement que j'ay
En celuy-là d'un loup espouvantable... » [70],

tandis que Papillon se verrait plus volontiers « Lynx clairvoyant » :

« Je te voudray, ma Dame, incessamment en vie,
Me portant à bon droit l'ardante jalousie
Que je fusse mué au souhait de mon cœur,
Non en Dieu ne Déesse hautainement supresme,
Mais en un animal...
C'est un Lynx clairvoyant que je voudray m'eslire,
. . . .
Je verray, ô quel heur ! de voir ce que l'on veut,
Tantost je te verray palle, froide, éperdue,
Sur ta pucelle couche en extase estendue,
Les yeux brillans de pleurs pour m'avoir desdaigné
Tantost je te verray plaintive, souspirante,
T'enquérir bassement à ta bonne servante... » [71],

et Bernier... marmotte pour dormir six mois [72].

Parfois l'amant songe à se transformer en formes multiples : c'est ainsi que Beaujeu rêve de devenir successivement rossignol, taureau, Pasteur, serpent, pluie d'or... pour se retrouver enfin en « laine de mouton » comme Neptune, « follastre » et « gaillard » au service de sa Belle [73].

De même La Roque imagine sa dame muée en Basilic, puis en « fier aspic », enfin en Sirène mauvaise [74].

---

68. Beaujeu, *op. cit.*, *Chanson*, p. 229.
69. Allusion à Lycaon changé en loup selon certaines légendes, après avoir servi à Zeus un repas de chair humaine. Cf. Godard, *La Flore*, LI, p. 26.
70. Godard, *La Flore*, *op. cit.*, CLI, p. 76.
71. Papillon, *op. cit.*, *Noémie*, *Stances*, pp. 206-208.
72. Bernier de la Brousse, *op. cit.*, *Hélène*, LXIV, p. 19.
73. Beaujeu, *op. cit.*, *Elegie*, pp. 169-171.
74. La Roque, *Caritée*, LIV, p. 104.

— Les métamorphoses en oiseau.

La Roque se voit sous la forme d'un oiseau nocturne : son nouveau plumage le déroberait aux regards et il connaîtrait une langueur voluptueuse :

« Je suis le triste oiseau de la Nuit solitaire

. . . .

De nouveau transformé par la rigueur d'Amour
Pour annoncer l'augure au malheureux vulgaire... » [75]

S'il rêve parfois de devenir oiseau pour « voller dedans les Cieux / De (son) luisant Soleil... » [76], il lui arrive aussi de se voir sous la forme de l'oiseau qui chante la Mort :

« Je suis (...)
L'Oyseau qui chante approchant son trespas. » [77]

L'agent des transformations est la Belle cruelle, mais la cruauté lui est douce, car l'amant-oiseau peut gémir librement :

« Je viens sous la fraîcheur de l'ombre
Pour augmenter l'amoureux nombre
De ceux que j'y vois transformés
Blasmant le subjet de ma peine
Qui pour changer ma forme humaine
A les Dieux jaloux reclamez,
Courant à mon mal volontaire,
Je suis en passe solitaire
Changé par trop de cruauté... » [78]

— La métamorphose en Aigle, en revanche, permet à Expilly, non plus de languir solitaire, mais de lutter à armes égales :

« Je connois ton pouvoir, ô fils de Cythérée,
Je sçay que quand tu veux, les hommes et les dieux
Sont changez en taureau, en astres radieux,
En satyres, en Cigne, et en pluye dorée.
    Si j'ay d'un cœur entier ta puissance adorée
Fay moy changer en Aigle... » [79]

C'est un désir de revanche qui anime le souhait de Bernier de la Brousse :

« Mais j'ay desir d'estre l'Aigle audacieux
A l'aile prompte et au bec sanguinaire... » [80]

Ainsi la métamorphose en oiseau nourrit aussi bien le rêve triste du poète nocturne, assoiffé d'ombres, que le désir viril de l'amant solaire, épris de lumière cruelle...

— Une métamorphose singulière : la fille devenue homme.

Papillon conte les diverses métamorphoses d'une fille violée, puis changée en garçon, enfin muée en oiseau :

---

75. *Ibid.*, *Phyllis*, XLI, p. 21.
76. *Ibid.*, *Caritée*, XVII, p. 69.
77. *Ibid.*, *Caritée*, LXII, p. 103.
78. *Ibid.*, *Phyllis*, *Complainte*, pp. 52-54.
79. Expilly de la Poëpe, *op. cit.*, XVII, p. 10.
80. Bernier de la Brousse, *op. cit.*, *Les Adv. de Cloris...*, V, p. 44.

> « Ouystes vous jamais parler d'une Thebene,
> La fleur de son païs en beauté souveraine ?
> Dont beaucoup gallamment essayerent jouir,
> A qui il mesadvint d'avoir esté si dure ?
> Elle fust eschangée en virile nature (...)
> De fille elle fust femme en perdant son honneur,
> Puis elle devint homme en cruellant son cœur.
> Puis son ame en oiseau de son nom fust muée. » [81]

Ainsi, aussi diverses soient-elles, ces métamorphoses animales [82] présentent un caractère commun : qu'il s'agisse pour le poète de décrire son nouvel état, ou de rêver à une éventuelle transformation, le sentiment qui anime le désir de s'échapper, de muer, est celui de l'impossible stabilité. Quelle aubaine lorsque l'imagination permet de revêtir plusieurs formes, quel plaisir de s'enchanter du change incessant ! Au reste, loup ou oiseau, lynx ou taureau, l'amant métamorphosé ne quitte pas le monde animal : la sensation, la souffrance, la sensibilité sont encore son lot. Aussi les poètes baroques quittent-ils ce monde animal pour opérer un véritable transfert : devenu eau, roc, ou miroir, l'amant espère enfin vaincre la malédiction attachée à la forme animale.

b) *Les métamorphoses minérales.*

Les métamorphoses minérales ont pour centre l'idée de pétrification. La pierre, le roc, le marbre, ces blocs durs et compacts, suscitent des rêves étranges de passivité, d'inertie. La pierre est le symbole de la vie statique (par opposition aux arbres et aux végétaux qui symbolisent la vie dynamique, soumise au cycle saisonnier), de la vie immobile, de la permanence. Rêver de devenir pierre, c'est désirer se faire insensible, inamovible, choisir l'anesthésie, refuser la vie tumultueuse de la passion. La pierre témoigne aussi d'une incapacité à vivre et à aimer.

Godard, La Roque, rêvent d'échapper ainsi aux tourments amoureux : tantôt ils se voient déjà mués en rocs — insensibles, inattaquables, tantôt ils rêvent de devenir pierre pour quitter le monde de la souffrance. Godard décrit sa métamorphose en rocher inerte, et l'échec de l'entreprise :

> « Tu disois vray, ô divin Pythagore,
> De corps en corps les âmes vont errant (...)
> Dedans le corps de ma belle Pandore,
> Se mist l'esprit lequel pierre me rend.
> Son seul regard m'endurcit en rocher,
> Sans oz, sans nerfs, sans veines et sans chair... » [83]

La pierre représente le « blocage » de la sensibilité, et la stérilisation du cœur trop tendre. Au thème de la pierre est intimement lié celui de l'Œil terrible de la dame [84] : il « empierre », et le pouvoir maléfique du regard dur et froid de la femme prive de sa chair l'amant soumis aux mortelles œillades.

---

81. Papillon, *op. cit.*, *Elegie*, pp. 178-180.
82. Voir aussi la métamorphose en Salamandre : Godard, *Flore*, pp. 94-95, La Roque, *Div. Am.*, VI, p. 34.
83. Godard, *op. cit.*, *Flore*, XV, p. 8 v°.
84. Sur le thème du regard empierrant de Méduse, voir plus haut, Premier liv., Seconde partie, chap. III.

Le désir de devenir pierre est aussi chez La Roque désir d'échapper à la destruction :

> « Que n'ay je veu Meduse au lieu de son visage !
> Las ! Je serois exempt du tourment qui m'outrage
> M'ayant changé en roc où la mort ne peut rien. » [85]

Dans le même esprit, Godard voit dans la métamorphose en rocher le seul refuge :

> « Sans cet espoir...
> J'eusse imité Niobé en desplaisance,
> Pour eschanger en rocher mon essance. » [86]

Aussi le regard « empierrant » est-il à la fois redouté :

> « Quand vous jettez sur moy les rais de vostre vüe,
> Je voudrois à l'instant estre un ferme rocher » [87],

et espéré :

> « Rocher inaccessible, exempt de changement,
> A qui seul je me puis comparer de constance,
> As tu jamais rien veu si comblé de tourment ? » [88],

ou exigé :

> « Je dois par ma constance, ayant son bien aimé,
> Estre non pas en fleurs mais en roc transformé... » [89]

Le rêve est ici le signe d'un refus de la « tendre nature », de la sensibilité douloureuse : le changement de règne [90] témoigne d'une incapacité à vivre dans le monde clos de la passion malheureuse ; aussi Guy de Tours, comme La Roque [91], aimerait à se faire un cœur de marbre :

> « Je voudrois estre, au profond de la mer,
> Ou sur un mont, quelque roche insensible ;
> Je voudrois estre une souche impassible
> A celle fin de ne pouvoir aimer.
> Dieux immortels si la pitié demeure
> Dedans vos cœurs, permettez que je meure,
> Ou que je sois en marbre transformé. » [92]

Un autre désir habite l'amant insatisfait : voir sa maîtresse insensible devenir à son tour pierre dure. Devant cette surprenante métamorphose, il se sent vengé et commente longuement cette identification du cœur (déjà roc d'insensibilité) et du corps empierré :

> « Au contraire je vois par le courroux d'amour,
> Ma Fillis toute vive en rocher transformée.

---

85. La Roque, *op. cit.*, *Caritée*, XXV, p. 73.
86. Godard, *Flore*, CXIII, p. 57.
87. La Roque, *op. cit.*, *Narcize*, CLXVI, p. 248.
88. *Ibid.*, *Caritée*, LXXIII, p. 109.
89. *Ibid.*, *Caritée*, *Complainte*, pp. 86-87.
90. Cf. *Narcize*, *Stances*, pp. 214-215.
91. *Ibid.*, *Caritée*, VII, p. 64 et IX, p. 65.
92. Guy de Tours, *Les Souspirs*, *op. cit.*, XXII, p. 80 v°.

> Son cœur sembla tousjours un rocher en rigueur,
> Mais ceste dureté dans ses membres infuse,
> En gaignant tout son corps s'escoula de son cœur,
> Son cœur contre elle mesme estant une Meduse. » [93]

E. Durand imagine aussi avec délices que ses pleurs, agents actifs de métamorphoses, ont empierré le cœur de sa dame :

> « Mes pleurs qui sur mon teint distilez si souvent
> Pensant caver le cœur de ma belle inhumaine
> Il vous faut mettre au rang de ces eaux d'Eurimène
> Qui changent en rochers ceux qu'elles vont lavant.
> Vous empierrez son cœur que je vais poursuivant... » [94]

La Roque poursuit avec obstination un semblable projet : puisque les yeux de la femme le transforment en roc, pourquoi à son tour ne réduirait-il pas la cruelle en pierre ?

> « Si je pouvois Madame avoir sur ma raison
> Le semblable pouvoir que l'Amour vous y donne,
> J'esloignerois l'objet qui si fort m'esguillonne,
> Et les vestiges saints de ma dure prison.
> Et lors vous pensant veoir en pierre transformée
> J'adresse vers le Ciel ma plainte accoustumée... » [95]

Ainsi, l'amant, partagé entre deux désirs — celui de devenir roc, celui de changer sa Belle impitoyable en pierre, déclare à la fois l'impossibilité de durer, et le rêve de durer : la pierre, le roc, le marbre sont les emblèmes de la dureté, mais aussi de la permanence. Sentir trop vivement, c'est mourir ; ne plus sentir, perdre les sens et la raison, c'est s'assurer un refuge contre la Mort. La métamorphose minérale a ce privilège d'accorder au sensitif, au Saturnien à l'humeur noire et au cœur trop tendre, la possibilité d'échapper au monde du sentiment et de la passion insatisfaite. La pierre-tombeau, le marbre-cœur, sont l'ultime secours :

> « A deux pierres encor gist mon dernier espoir,
> Au marbre de son cœur qu'on ne peut esmouvoir
> Ou celle de la Tombe et de la sépulture... » [96]

c) Les métamorphoses végétales.

Les métamorphoses végétales visent à établir entre l'homme et le milieu naturel une espèce de symbiose. Que la femme se transforme, le temps d'un rêve, en fruit ou en fleur, voire en arbre, elle suscite alors chez l'amant le désir gourmand de mordre dans le fruit juteux, de cueillir la fleur « épanie ». Ni la fleur ni le fruit n'offrent de résistance comparable à celle du roc et du marbre : aussi est-ce un rêve agréable, souriant, parfois teinté d'un soupçon de perversité. Pour lui-même, l'amant souhaite une transformation qui lui permette une vie accordée au rythme des saisons. Les « Amants transformez en arbres et en

93. Lingendes, *Les Changements...*, éd. Griffiths, *Stances,* p. 174.
94. E. Durand, *op. cit., Les Méditations,* XXVIII, p. 42.
95. La Roque, *op. cit., Caritée,* XCII, p. 125.
96. *Ibid.,* VII, p. 64.

fleurs » [97] disent avec leur peine leur union désormais sereine avec la nature accueillante. La Roque décrit la métamorphose d'Amour en fleur de souci, emblème de son cœur tourmenté :

> « Amour trouva Diane au bord de la fontaine,
> Lorsqu'elle se baignoit dans les flots argentez.
> A l'instant dans ses flots sa main elle plongea,
> Et luy jettant l'eau claire en soucy le changea... » [98]

Trellon se voit métamorphosé en souci : mais moins mélancolique que La Roque, il poursuit alors un rêve agréable, peuplé d'images fraîches et délicates :

> « Je songeois que j'estois fleurette,
> Non pas un œillet rougissant,
> Mais un beau soucy renaissant.
> Quand l'Aube des fleurs désirée
> Faisoit au monde séjour
> Je monstray ma teste dorée,
> Esclose sur le point du Jour
> J'estoy belle et fraische à merveilles
> Toutes les fleurs me respectoient... » [99, 100]

Mais en général, le poète imagine plutôt la métamorphose de la femme en fleur, ou en arbuste. Ainsi Beaujeu souhaite la conversion de sa Belle en rosier :

> « Que ne vous changent les Dieux
> En la déesse d'Ormine
> Qui en arbre gracieux
> Porte la rose et l'épine,
> L'une pour sa cruauté
> Et l'autre pour sa beauté ! » [101]

Le thème de Daphné, convertie en laurier, sollicite encore davantage l'imagination. Scalion de Virbluneau y voit le châtiment exemplaire du refus d'aimer :

> « Daphné se veid en laurier convertie
> Quand Phoebus fut par elle contesté
> Pour un exemple à la posterité
> De ne se rendre à l'amour ennemie. » [102]
> « Gardez que ne soyez austèrement punie
> Daphné qui se rendit de Phoebus ennemie
> Se veid par son mespris transformée en laurier. » [103]

C. Expilly est sensible à la beauté douce-cruelle du mythe :

> « Phoebus pousuit Daphné ; Daphné des fleurs la belle
> Fuit le plus beau des Dieux, Phoebus aux blonds cheveux,
> ....

---

97. *Ibid.*, *Complainte*, pp. 86-87. Voir aussi : pour l'amant transformé en fleur, *Meslanges*, *ibid.*, Elegie, XXIII, p. 460.

98. *Ibid.*, *Carité*, LXXXVI, p. 122.

99. G. de Trellon (ou Trelon), frère de Claude, in *Le Temple d'Apollon*, I, *op. cit.*, p. 75.

100. Cf. Beaujeu, *Elegie*, p. 85 v°.

101. Beaujeu, *op. cit.*, Ode 2, p. 23 v°.

102. Scalion de Virbluneau, II, XCVIII, p. 27.

103. *Ibid.*, II, CXL, p. 73.

> Elle invoque Penée, et Penée à ses vœux
> Change sa beauté tendre en branches immortelles,
> Phœbus l'attaint, l'embrasse, il embrasse une plante
> Il en pleure et des pleurs baigne l'escorce lente... »[104]

Godard anime son rêve nocturne des images que lui suggère le récit mythique[105], et de même Beaujeu utilise le mythe de Daphné[106] pour faire craindre à son amie pareille métamorphose si elle refuse les baisers et caresses :

> « L'on dit que Daphene sur la rive
> Eschangeant sa nature vive,
> Quand son amy la vint baiser,
> Eust bien voulu ne point changer :
> Mais sous l'éternelle verdure
> Ce beau corps est qui toujours dure... »[107]

La Roque, Bernier de la Brousse[108], d'autres encore[109], reprennent également le récit de la célèbre métamorphose de la Nymphe aimée de Phœbus-Apollon, en faisant subir au mythe une modification. Alors que, dans la légende, c'est Daphné elle-même qui, au moment d'être saisie par le Dieu, supplie son père[110] de la transformer en laurier, nos poètes préfèrent imaginer que l'auteur de la métamorphose est le Dieu Phœbus : ainsi ils mettent en valeur, outre la puissance terrible de l'amant dédaigné, le danger d'un refus immotivé de l'Amour ! Mais si tous les poètes s'accordent à voir dans l'histoire de Daphné l'exemplaire punition de l'insensibilité féminine, Godard est le seul à exploiter un autre motif du mythe : le laurier, signe de la valeur poétique. Que la Belle se refuse, elle fera, de son refus qui engendre la tristesse de l'amant, naître une œuvre d'art — récompense promise au poète que la Gloire apaisera...

Enfin, quelques autres métamorphoses végétales sont à noter pour leur singularité : si Bernier de la Brousse désire devenir... « ormeau »[111], Beaujeu, pour sa part, imagine, avec plaisir, qu'il est devenu raisin, fondant dans la bouche de la belle gourmande :

> « Je deviendrois beau raisin,
> Elle sans estre apperceue,
> Me mangeroit grain à grain,
> Devant sa mere deceue.
> En raisin change moy donc (...)
> Change donc pour mes amours
> Mon corps en belle vendange.

---

104. C. Expilly, *op. cit.*, *Div. Am.*, I, p. 65.
105. Godard, *op. cit.*, *Lucresse*, CLXV, p. 224.
106. Beaujeu, *op. cit.*, *Sonet*, XIX, p. 180 v° :
   « Phoebus despit d'avoir failly son entreprinse
   De l'œil dont il vit Daphene en laurier changer...
   Regardoit courroucé... »
107. *Ibid.*, *Elegie*, p. 174.
108. La Roque, *Narcize*, LXXXII, p. 182 ; Bernier de la Brousse, *op. cit.*, *Hélène*, XXXVII et XXXVII, p. 11.
109. Guy de Tours, *op. cit.*, XXXIV, p. 47 v°.
110. Le père de Daphné était un fleuve, Ladon, selon certains, Penée selon d'autres. D'après une variante, elle aurait été fille d'Amyclas.
111. Bernier de la Brousse, *op. cit.*, XL, p. 12.

> Que ne suis je en beaux raisins,
> En une profonde cuve,
> Eschangé en ces bons vins
> Qui lui serviroient d'estuve... » [112]

Ainsi les métamorphoses végétales suscitent diverses rêveries : rêve de gloire ou rêve de vengeance, lorsque l'amant songe aux transformations qui affecteront la belle insensible, rêve voluptueux ou apaisé, lorsque le poète se voit lui-même mué en fleur soucieuse ou en fruit juteux...

d) *Les métamorphoses vestimentaires et matérielles.*

Le désir de métamorphoses, quand il prend la forme du vêtement féminin, ne va pas sans fétichisme. L'amant prête au linge ouvragé qui touche le corps de sa maîtresse un sentiment voluptueux qu'il lui envie : le désir investit la moindre pièce de lin ou de drap, sans omettre le « patin » — source de délicieuses rêveries à peine ambiguës qui enchantent Godard : « Amour (...)

> Change moy pour le moins, ô petit dieu d'Amour,
> En carquan pour baiser son col tout à l'entour :
> En manchon pour couvrir sa main blanche et marbrine :
>
> En un linge ouvragé pour toucher son tettin :
> En chemise pour estre auprès de sa poitrine :
> Ou tout au pis aller, que je soy son patin. » [113]

La multiplicité des transformations souhaitées cache, plus qu'elle ne l'exprime, un émoi un peu trouble et comme inconscient de lui-même, devant tout ce qui « habille » le corps nu de la Belle. Au plaisir de déshabiller mentalement la femme, que son vêtement cache et révèle à la fois, se substitue ici le plaisir de l'habiller de son désir, tout ensemble précis et incertain.

Virbluneau use du même thème pour détailler de façon gourmande et attentive les charmes de sa belle :

> « Et lors si je pouvois, j'auroy fort grande envie
> En plusieurs semblans me métamorphoser.
> En vostre masque, afin de souvent vous baiser
> En grains pour circuir ceste gorge embellie,
> En gan pour manier la main blanche et jolie
> Qui fait dedans mon cœur les désirs embrazer,
> En un collet de nuit estendu sur l'yvoire
> De ces monts arrondis qui plongent ma mémoire
> Au fond de tous ennuis quand je ne les voy plus,
> En jartières afin de tenir sur la grève
> La chausse bien tirée... » [114]

L'énumération finit par une contemplation voluptueuse de l'objet absent, recréé par la vigilante attention, qui récite les litanies du désir. Le texte ici est le substitut de la mémoire défaillante à laquelle il rend ses points de repère. Ne s'arrêtant à aucune métamorphose, les liant les unes aux autres dans l'espoir d'approcher toujours davantage du dernier

---

112. Beaujeu, *op. cit.*, p. 157 r°/v°.
113. Godard, *Lucresse, op. cit.*, LXXVI, p. 180.
114. Scalion de V., liv. III, *op. cit.*, liv. III, XXXII, p. 86.

lieu où repose tout désir, le poète parvient à une espèce de jouissance assez particulière, dans laquelle l'objet du désir compte moins, à coup sûr, que les approches ingénieuses, variées à loisir, qui sont le plaisir ou l'ombre du plaisir.

Une variation assez différente consiste à isoler une seule de ces métamorphoses ; Scalion de Virbluneau choisit le gant, qu'un fétichisme un peu sommaire lui donne pour l'intermédiaire le plus indiscret :

> « Ha main qui doucement me deschirez le cœur
>   Et qui tenez ma main en l'amoureux cordage,
> Las ! Au lieu de ce gand qui reçoit tant d'honneur,
>   Que d'embrasser ce qui m'enflame le courage,
>   Permettez qu'à présent j'aye cet avantage,
>   Que d'estre gardien d'une telle valleur...
> Faites donc je vous prie que mon desir avienne,
>   Ou si vous refusez, je supplieray les Dieux
>   (O délicate main) que le gant je devienne. » [115]

E. Durand caresse le même rêve : devenir une pièce de l'habit féminin, pour « couvrir » le beau corps qui se refuse :

> « Soudain encor je me souhaitterois
>   Pouvoir changer en cette toile unie
>   Qui va *couvrant* ce beau corps... » [116]

Souhait sans mystère, érotisme sans complication, désir sans masque ? Certes, le poète justifie chacune de ces métamorphoses imaginaires, et ne laisse dans l'ombre nulle secrète envie... Pourtant, il est remarquable que le désir de possession physique se manifeste à travers ces écrans, ces voiles (transparents), que sont le gant, la toile, ou le collet. Serait-ce pour masquer et corriger la violence d'un désir qui se déclare dans sa crudité ? Ne serait-ce pas plutôt — au contraire — pour rendre plus pimenté le désir érotique, pour substituer, en somme, à la conjonction charnelle « normale », une nouvelle forme de possession, plus perverse peut-être, plus malicieuse à coup sûr ?...

Guy de Tours, énumérant diverses métamorphoses possibles, s'attache plus particulièrement à la métamorphose en linge :

> « Le temps passé Niobé fut changée
>   En un rocher, Philomèle en oiseau
>   Daphne en laurier, Syringue en un rouseau [117]
>   Et toy Clytie en fleurette orangée [118]
>   Et le mignon (...)
>   En une fleur dont Echo fut vengée
>   Moy je voudroy que le Ciel m'eust changé
>   A ce beau linge à l'entour ouvragé
>   Que sur son col porte mon Angelette... » [119]

Ainsi, le vêtement féminin, la lingerie féminine, deviennent l'objet d'un culte fervent, quelque peu fétichiste ; le désir qu'ils suscitent, pour

---

115. *Ibid.*, liv. II, LXI, p. 50.
116. Durand, *op. cit., Médit.*, XLII, p. 66.
117. Syrinx était aimée de Pan.
118. Clytie, jeune fille aimée du Soleil, et abandonnée par lui pour Leucothoé, fut enfermée dans une fosse obscure après avoir dénoncé au père de Leucothoé sa liaison. Cf. La Roque, *Narcize, Stances*, p. 267.
119. Guy de Tours, *op. cit.*, liv. II, XXXIV, p. 47 v°.

clairement exprimé qu'il paraisse, n'est pourtant pas exempt de trouble et de confusion. L'amant devenu collet ou chemise rêve d'un contact épidermique avec la Belle, et souhaite découvrir, par la mutation, de nouvelles formes de possession.

D'autres objets sollicitent encore la fantaisie du poète : Beaujeu, dont l'imagination est singulièrement fertile en ce domaine, aimerait se transformer... en diadème ou en chapeau :

> « Il faut m'eschanger moy-mesme
> Au beau petit diadème
> Ou au doux flairant chappeau
> Que tu porté au temps nouveau. » [120]

Le miroir qui réfléchit les traits de la Belle attire la jalousie de Deimier : « Qu'heureux est ce miroir... » [121], comme celle de Godard :

> « Que j'aurois les esprits contents
> Si nous estions encore au temps
> Des choses métamorphosées :
> Pourveu qu'on me changeât aussi
> En un miroir bien esclairci
> Qu'engendrent les neiges glacées
> Miroir que je suis désireux
> D'estre comme toy bienheureux... » [122],

ou de Beaujeu :

> « Si faire je pouvois une métamorfose,
> Sçavez-vous en quel corps je me voudrois changer ?
> Au miroir de crystal où se mire ma Roze,
> Parce qu'en se mirant, je la pourrois baiser. » [123]

Qu'il s'agisse de la métamorphose en vêtement ou de la transformation en miroir, l'objet matériel sollicite vivement l'imagination poétique : la mutation est alors radicale, car l'amant quitte, en même temps que sa forme, son espèce ; il change de règne... En outre, il ajoute, aux jeux de la fantaisie la plus libre, le piquant qu'apportent, à son esprit « raillard », les formes nouvelles : le baiser du miroir, la caresse du linge, sont « inédits ». Sur un thème déjà ancien, les métamorphoses matérielles — variations légères d'une muse folâtre — donnent à Eros un nouveau visage, à la fois malicieux et ému, souriant et inquiétant...

e) *Les métamorphoses en démons...*

Ronsard, on le sait [124], rêvait parfois de devenir esprit invisible, caché dans le corps de son insensible maîtresse... Scalion de Virbluneau, repoussé par son amie, reprend le souhait ronsardien :

> « Cent et cent fois j'ay désiré pouvoir
> Me transmuer en esprit invisible,
> Si qu'il me fût de me cacher possible,
> Dedans ton cœur... » [125]

120. Beaujeu, *op. cit., Elegie*, pp. 117-118.
121. Deimier, *op. cit.*, LIX, p. 51 et LXXIII, p. 62.
122. Godard, *Flore, op. cit.*, XIII, p. 105.
123. Beaujeu, *op. cit., Sur un Miroir*, p. 203.
124. Ronsard, t. VII, éd. Laumonier, *Continuations*, s. XLV, p. 162.
125. Scalion de Virbluneau, *op. cit.*, liv. I, LVII, p. 16 v°.

Le démon malicieux aurait alors fonction d'intercesseur : sa mission une fois remplie, il laisserait place à l'amant, enfin assuré de trouver une flamme répondant à la sienne.

Le rêve de Beaujeu est différent : le Démon en lequel il se changera connaîtra maint privilège, et usera plus efficacement de son pouvoir :

> « Estant mort je seray comme un Démon sinistre,
> J'entreray chaque nuit au travers d'une vitre,
> Ou par-dessous la porte, et m'en iray coucher
> Entre les draps de lin ; je te pourray toucher,
> Et baiser ce bel œil qui sans cesse m'affolle.
> Là mon âme en dormant fera toujours la folle,
> Vollante par ton sein, ainsi qu'un moucheron
> Volle, sans cesse, au bruit de son double aeleron.
> . . . .
> Je verray tout content ceste poitrine nue,
> Doucement, doucement, je la recouvriray
> Et tout remply d'amour, un peu la baiseray (...)
> Aussi quand je voudray, de nuict je sortiray
> Et puis le jour suivant, je m'y retireray... » [126]

Rêve de vengeance subtile, ce songe heureux apporte à l'amant de substantielles compensations. Mettant la Belle farouche à sa merci, le démon manifeste la puissance de l'amant éconduit, et révèle la nature exacte de ses désirs : affolé, il affolera, vigilant il éveillera, piqué, il piquera...

f) *Métamorphoses « élémentaires »* (*en air, en eau...*).

Insatisfait de sa forme humaine, impatient de souffrir les limites que le corps en sa pesanteur inerte lui impose, l'amant rêve de devenir élément parmi les éléments... Le démon déjà lui promettait un accès plus facile au cœur et au corps de sa Belle : l'amant souhaite une forme plus subtile encore, plus immatérielle, et le Vent léger lui paraît désirable. Ainsi Trellon désirerait devenir vent pour gagner à la fois la liberté, et le plaisir de caresser à sa guise le visage aimé :

> « Vent, que tu es heureux de baiser quand tu veux
> Et la bouche et les yeux de ma belle guerrière
> Pourquoy ne suis je vent ? mon âme prisonnière
> Romproit bientost ses fers, ses liens et ses vœux.
>
> Vent, quand je pense hélas ! que tu es bien heureux,
> Ce baiser que tu prens, t'est une chose vaine,
> O Ciel faites-moy Vent... » [127]

De même, E. Durand avoue sa jalousie à l'égard du vent :

> « Je voudrois bien estre vent quelquefois
> Pour me joüer aux cheveux d'Uranie... » [128]

Mais le vent « Borée impitoyable » est « plein de froidure » [129], aussi ne sollicite-t-il pas autant l'imagination que l'eau, le fleuve, ou la mer — éléments plus « riches » et plus divers. Plus nombreuses en effet et

---

126. Beaujeu, *op. cit., Elégie*, p. 206.
127. Trellon, *op. cit.*, XL, p. 132.
128. Durand, *op. cit.*, XLII, p. 66.
129. *Ibid., Stances*, p. 104.

plus stimulantes, les rêveries « aquatiques » témoignent davantage de la complexité d'Eros.

La Roque, par exemple, exprime à mainte reprise le désir de se voir changé en eau. Tantôt, c'est le bruit plaintif d'une source qui lui paraît l'image même de son mal :

> « Esloigné de mon bien, je me vois transformer
> En voix d'Echo piteuse, en amère fontaine... » [130],

ou encore :

> « Je suis comme Egerie en amère fontaine
> De nouveau transformé pour pleurer mon tourment
> Et aux Bellides sœurs [131] j'accompare ma peine. » [132]

Tantôt il se voit « mer vagabonde », agitée de sanglots, amère liqueur [133]. Tantôt enfin, il souhaite devenir eau claire, eau courante, eau vive :

> « Quand je voi ces ruisseaux couler parmy ces plaines,
> Et remplir ces vallons d'un solitaire bruit,
> Je souhaite en pleurant et le jour et la nuit,
> De voir mes yeux changez en deux vives fontaines.
>
> Il est vray, je voudray estre cette claire eau,
> Qui lave mille fois la délicate peau
> De ce corps. » [134]

Devenu fleuve, en effet, il trouve une intime satisfaction à contempler les flots sinueux qui disent l'étendue de sa peine :

> « Et de pleurer le mal que sans cesse j'endure,
> Je voy mes yeux en fleuve au jourd'hui transformer,
> Qu'à l'esgal de Méandre on pourroit estimer. » [135]

On retrouve chez Bernier de la Brousse un vœu tout à fait semblable :

> « Je veux devenir fleuve et la suivre en tous lieux
> Afin de lui monstrer comme son œil m'abuse... » [136],

et le même désir de laver le corps de la Belle :

> « Je voudrois bien (...)
> Te ressembler, gué de Loume argentin,
> Je laverois la bouche et le tétin
> Et tout le corps de ma belle adversaire. » [137]

Et Godard, à son tour, imagine qu'il est devenu le fleuve Alphée, amoureux d'Artémis [138]... Le fleuve, image d'une virilité conquérante, d'une puissance torrentueuse, propose ainsi à l'amant une rêverie de compensation...

Parfois aussi, le poète aime à imaginer la métamorphose de sa dame en fontaine, ou en ruisseau... Beaujeu rêve voluptueusement d'un tel contact :

---

130. La Roque, *op. cit.*, *Narcize*, XCI, p. 193.
131. Les Bellides sœurs sont les Danaïdes, filles de Danaos — lui-même fils de *Bélos*, d'où elles tirent leur nom.
132. La Roque, *Narcize*, *op. cit.*, CXX, p. 225.
133. *Ibid.*, XXVIII, p. 142.
134. *Ibid.*, CLIV, p. 242.
135. *Ibid.* II, p. 129.
136. Bernier, *op. cit.*, *Thisbée*, CXII, p. 94 v°.
137. *Ibid.*, *Hélène*, XVIII, p. 8 v°.
138. Godard, *Flore*, CXV, p. 58.

« Biblis en uns fontaine
Fut mise dehors de peine
Je voudrois par mon soucy
Que tu le fusses ainsi.
Je baiserois mon amante
Sur la rive gazouillante
Que dy-je icy ? J'en boirois (...)
Et puis, Belle que j'adore,
Je m'y baignerois encore,
Je baiserois ton gravier,
Comme Phoebus son laurier,
Et dessus tes flots ma Belle,
J'irois comme une nacelle,
Toujours je serois, hélas !
Entre tes humides bras... » [139]

Humide, accueillante, murmurante, la dame-fontaine suscite le désir de
boire, de se baigner, de voguer...

Scalion de Virbluneau, pour sa part, rêve d'être fleur baignée par
la dame-ruisseau :

« Pour voir mon cœur de ses maux allégé,
Je voudrois estre en Narcisse changé,
Et que fussiez fonteine devenue,
Ou moy fonteine et vous Narcisse afin
De vous baiser la gorge et le tétin. » [140]

Ainsi, les diverses métamorphoses en eau témoignent toujours du
désir d'étancher le feu du désir, de trouver enfin la molle jouissance, de
fondre et faire fondre la dureté d'un cœur insensible, d'un corps inerte...
Depuis Ronsard [141], le vœu de devenir fontaine, ou de voir sa dame
devenue fontaine, le désir de nager, « toute une nuit », « ore planant,
ore nouant » [142], sont l'expression — à peine voilée — d'un désir
sensuel qui vise très précisément l'étreinte charnelle.

g) *Métamorphoses en astre et en tombeau.*

Plus singulière est la métamorphose en astre. C'est celle que
souhaite La Roque, assoiffé de lumière, rêvant de devenir « astre plus
clair que l'Estoile du Nord » [143]... Ultime métamorphose, celle du corps
en... tombeau :

« O merveilleux effect d'Amour et de Nature,
Je ressemble à ce froid et desolé tombeau
Et comme il sert d'un triste et funèbre tableau,
D'une umbre, et d'une mort, je porte la figure.

Chacun journellement sur ceste pierre dure,
Addresse une prière, et puis l'arrose d'eau,
Et sur mon triste corps, nouvelle sepulture,
Mon cœur jette une plainte, et mes yeux un ruisseau. » [144]

139. Beaujeu, *op. cit., Elegie*, pp. 117-118.
140. Virbluneau, *op. cit.*, liv. I, XCVIII, p. 27.
141. Ronsard, *éd. cit.*, t. IV, s. XX, p. 23.
142. *Ibid.*, XCII, p. 92.
143. La Roque, *op. cit., Narcize*, Stances, p. 215.
144. *Ibid.*, XLVI, p. 150.

*
**

Les métamorphoses sont plus importantes par leur nombre que par leur nature. Qu'il s'agisse des transformations en pierre ou en eau, des métamorphoses végétales, ou vestimentaires, la fréquence avec laquelle elles apparaissent témoigne de l'intérêt qu'elles suscitent chez les poètes les plus sensibles aux influences « baroques ». Ce qui compte, c'est beaucoup moins le résultat du change, fleur, raisin, ou linge..., que la métamorphose même, qui fait vivre, le temps d'un rêve, une autre vie, attirante parce qu'elle est différente. S'échappant à lui-même, le poète baroque ne se sent véritablement être que dans les transformations successives, dans les brusques mutations qui le transfèrent d'un lieu à un autre, d'un règne à un autre ; refusant d'être une essence, ou échouant lorsqu'il tente de trouver, au sein du change incessant, la permanence d'un être immuable, le poète découvre, dans ces rêveries mi-ironiques, mi-troublantes, le charme de l'instabilité des formes.

En outre, ce désir si souvent affirmé, sous des aspects si différents, de changer, de « s'eschanger », traduit une incapacité à vivre pleinement au sein d'un monde « impossible ». Le thème des métamorphoses est alors la forme enjouée, plaisante et malicieuse, que prend un conflit entre l'être et le monde. Sous ces variations, apparemment éloignées du Tragique, se cache le conflit tragique qui est le centre même de la pensée et de l'existence baroques. Les thèmes de l'inconstance « noire » ne sont pas, en fait, très éloignés ni très différents, dans leur nature profonde, des thèmes souriants des métamorphoses. Les deux groupes de thèmes apparaissent plutôt comme deux stylisations différentes d'un même sentiment de l'existence, et expriment — sous une forme enjouée ou sous une forme dramatique — un rapport au monde senti en termes de déchirure et d'impossibilité tragique.

Ainsi s'achève le voyage fait, en compagnie des poètes baroques, dans les domaines nouveaux et les territoires peu explorés de l'érotisme noir. Les masques et les voiles, les fards et les parures, les métamorphoses, tous ces thèmes qui marquent une rupture avec la psychologie pétrarquiste de l'amour, définissent une nouvelle sensibilité et un nouvel hédonisme.

Le déguisement, quelle que soit sa forme, est à la fois célébré et dénoncé, admiré et vilipendé. C'est qu'il attire, par sa nouveauté, et qu'il déçoit : les apparences mouvantes fascinent le poète, surpris de trouver le masque là où il espérait voir un visage, attiré par le fard luisant que pourtant il déteste, séduit par la somptueuse parure qui ne l'éblouit pourtant qu'un instant... Au reste, qu'y a-t-il *sous* le masque, *sous* le voile, *sous* le fard ? L'amant découvre qu'il n'y a rien, ou plutôt qu'il y a tromperie, artifice, illusion. Loin de se laisser emporter, alors, par le prestige des belles formes, le poète en dénonce la vanité, l'imposture ! L'idole pompeusement parée qu'idôlatrait l'amant pétrarquiste, la déesse de marbre et de pierres (précieuses), l'Ange immatériel, ces belles formes, révèlent soudain leur terrible secret : qu'elles se rapprochent de l'amant, qu'elles consentent à quitter le piédestal (où Pétrarque, plus que Ronsard, les avait placées), qu'elles montrent à nu leur visage décoré, et la supercherie éclate : elles sont femmes, elles ne sont que cela, chair fragile soumise aux érosions du temps, visage fripé par la

ride précoce, pauvre corps défait sans le secours du busc... Il semble
que le poète ne se lasse point de commenter sa découverte horrifiée :
la femme serait donc cette créature maquillée, sophistiquée, anti-
naturelle [145] ? L'amour serait donc ce commerce sans grandeur, ce bref
contact épidermique, cette duperie ? La violence de l'Eros baroque,
son forcènement, sa cruauté même, semblent naître de ce choc entre
Nature et Anti-Nature, d'où Nature sort, plus d'une fois, vaincue...

Apparemment, les thèmes des métamorphoses sont tout autres :
à une vision grinçante de la réalité, qui est bien souvent une réaction
anti-pétrarquiste, une rupture éclatante avec un passé récent et la
liquidation d'un héritage, ils opposent une vision à première vue plus
optimiste, et « conciliatrice » : ces thèmes en effet n'ont-ils pas pour
origine avouée une certaine tradition pétrarcho-ronsardienne ? Au-delà
même, ne plongent-ils pas leurs racines dans la poésie gréco-latine, et
dans l'*Anthologie grecque* ? En outre, ne se nourrissent-ils pas de
mythologie classique ? Daphné transformée en laurier, Niobé changée
en pierre, comme les sœurs de Phaëton en peupliers, Jupiter se muant
au gré de ses fantaisies érotiques en taureau, en pluie d'or ou en cygne,
Io devenue génisse et Narcisse devenu fleur..., toute l'histoire des Dieux,
des héros ou des comparses, peut être lue comme un long récit de
métamorphoses. Alors, ces thèmes « baroques » ne seraient-ils que
d'aimables variations sur un thème ancien ? Marqueraient-ils un lien
entre l'héritage culturel de la Renaissance et la poésie « moderne » ?
En d'autres termes ne conviendrait-il pas de voir des survivances où
nous pensions voir des ruptures ? La question n'est pas simple...

Il semble, en fait, que, si effectivement les métamorphoses constituent un groupe de thème relativement traditionnel, l'attitude mentale
qui soutient ces thèmes et les fonde est tout à fait étrangère à celle des
poètes antérieurs. En effet, pour Ronsard et ses épigones il s'agissait,
surtout, d'exprimer, sous le couvert du mythe, la réalité d'un désir
sensuel que les convenances ne permettaient guère de déclarer autrement,
de lui donner le poids d'une tradition et l'appui d'exemples illustres.
Il en va autrement après 1585. Désormais, si le thème des métamorphoses s'enrichit et se diversifie, c'est que tout ce qui parle de « change »,
de « muance », de transformations soudaines et imprévues (que l'on
songe à Montaigne et à l'attention qu'il porte aux monstres, aux
prodiges, aux mutations), attire une sensibilité particulièrement attentive
aux faits hors du commun, aux états bizarres, aux êtres ambigus...
En outre, les métamorphoses disent, outre l'évident désir de changer,
l'inquiétude, l'insatisfaction, et l'impossibilité de demeurer, de rester
immobile au sein du changement. Aucune métamorphose, notons-le,
n'est pleinement satisfaisante : n'est-ce pas dire que la fin obtenue
compte moins que le moyen choisi ? L'amant baroque rêve de
« s'eschanger », ou se plaît à décrire son nouvel état, sa dernière transformation. Que sa métamorphose le séduise ou l'inquiète, que sa muta-

---

145. Sur ce thème du masque, du déguisement, de l'artifice, qui sont des
insultes à la Nature, voir Montaigne, *éd. cit.*, III, 5, p. 845 (le vice déguisé), 846 (le
« sot haillon qui *couvre* nos meurs »), etc... et, par opposition, pour l'éloge du
« nud », du « crud », *ibid.*, p. 860.

tion le rassure ou le désole, c'est le changement même qui attire son attention, plus que le résultat obtenu ou espéré. Il faut changer d'être ; il faut, comme disent La Roque ou Virbluneau, « eschanger son essence » : cela seul compte. Si bien que, en dépit de leur aspect traditionnel, voire conventionnel, les principales métamorphoses que nous avons examinées marquent une rupture avec la psychologie amoureuse du passé : l'amour n'est plus ce rapport privilégié entre deux êtres à la recherche de l'originelle unité (comme le suggère le mythe de l'Androgyne), mais un état de tension, un divorce, un démantèlement... Rêver de voir sa maîtresse devenir laurier ou eau vive, rêver de se voir soi-même taureau, raisin ou chemise, n'est-ce pas avouer l'impossibilité (tragique) de rapports humains ?

Ainsi les thèmes des métamorphoses nous renvoient à la même constatation que les thèmes du déguisement ou de la parure : l'incapacité à voir la nature triompher les forces qui lui sont ennemies, la difficulté à croire possible l'harmonie. Avec l'Eros baroque et sa thématique du « change », c'est un beau rêve qui s'est brisé.

Chapitre III

L'INCONSTANCE NOIRE

L'inconstance amoureuse n'est que l'une des formes de la mobilité. A ce titre, elle témoigne, certes, de l'impossibilité pour l'amant de « durer », de continuer, de persévérer, mais elle n'est nullement la forme privilégiée, l'état premier, de la conscience baroque. Elle n'est que *l'une* des manifestations de la nouvelle psychologie amoureuse — la plus visible, peut-être, non pas forcément la plus importante, ni même la plus significative. Godard, Scalion de Virbluncau, La Roque, Bernier de la Brousse, Ch. de Beaujeu, Papillon, sont d'authentiques poètes baroques : dans leurs œuvres, les thèmes de l'inconstance n'occupent qu'une place tout à fait secondaire, et par leur nombre, et par leur importance. En revanche, Durand, Guy de Tours, Trellon, Lingendes, Vauquelin des Yveteaux, accordent à ces thèmes une place privilégiée, mais ne sont pas véritablement des baroques...

C'est qu'il y a inconstance et inconstance... Tantôt vécue dans l'insouciance, acceptée ou revendiquée comme le seul mode de vie possible (Lingendes, Vauquelin...), l'inconstance « blanche » est vécue par une conscience heureuse, pleinement satisfaite du change ; tantôt subie passivement par une conscience déchirée mais impuissante (Chassignet), l'inconstance « noire » illustre l'incapacité à persévérer, et la défaite de l'homme devant le Temps. Dans le domaine de l'amour, les deux attitudes se retrouvent ; l'inconstance « blanche » se colore alors de fatalisme : impossible d'échapper aux pièges du temps destructeur, qui change toute jeune amante en vieille édentée, et toute affection en passade. L'inconstance noire, en revanche, ne prend pas son parti du change : lors même que Sponde avoue qu'aucune passion, si vive soit-elle, ne survit à l'habitude, il déclare la guerre à l'inconstance et tente de faire de l'amour un « bouclier » contre le temps, de la volonté une arme contre l'usure.

Aussi convient-il d'être particulièrement attentif à l'attitude mentale qui fonde chaque thème, attitude de refus, de lutte, de combat de chaque instant chez le poète baroque, attitude de soumission chez le poète « libertin » comme Durand ou Vauquelin, chantres heureux de l'inconstance sentimentale.

Nous ne considérerons donc ici, pour définir l'Eros baroque, que la première attitude : le combat. Ne pas accepter l'inconstance, c'est mener contre le Temps une lutte désespérée. L'œuvre de Sponde est alors la plus significative, c'est elle qu'il nous faut interroger pour percer le secret de ce combat [1].

A - Constance et inconstance, le problème du temps chez Sponde

Sponde, comme d'autres poètes baroques, part de la conscience qu'il a de l'inconstance universelle, « amassée » tout autour de l'Elément. Comme Montaigne, comme Chassignet, il ne cesse de décrire un monde soumis au change, dont les eaux et les vents sont l'emblème. « Au milieu de ces legeretez » [2], l'être saisit d'abord de lui-même sa décevante mobilité :

« Je suis cet Actéon de ses chiens deschiré... » [3],

il est déchirure tragique, il est meurtrissure, et, saisi d'une frénétique soif de stabilité, il constate à tout moment l'impossibilité de durer entier. Le monde d'Epicure « en atomes réduit » [4] ne laisse d'autre place à l'homme que celle — infiniment précaire — qu'il trouve sur une « branloire ». Aussi « tous ces esprits flottans » [5] ne peuvent-ils servir que de patron d'inconstance.

Peut-on alors « parier » sur l'amour ? L'amour, tout constant qu'il veut être, ne saurait davantage durer, ni constituer « le point » auquel s'assurer pour soutenir le branle. Sans l'écriture, l'amour le plus ferme « cherroit en ruine » [6] : contre lui jouent et « le travail des jours » et « la langueur des nuits » [7]. Ce regard lucide et froid se pose à tout moment sur des évidences : le Temps est l'ennemi de tout sentiment, *a fortiori* de toute passion. Parce qu'il est dans le temps humain, qui est un temps éclaté, déchiré, l'amour se trouve soumis au cycle naturel : à peine est-il né, sa vie est menacée, et la mort survient, inexorable. C'est contre cet état naturel de l'amour soumis au temps que le poète d'abord engage la lutte, et lance un impossible défi, fort de sa seule volonté.

a) *L'amour au présent.*

Le présent pour Sponde n'est pas le lieu immobile de la jouissance obtenue ou attendue, mais le moment des conflits aigus et des contrariétés insolubles. Le passé l'alourdit de son cortège de souvenirs, l'avenir le détourne de sa fonction. A la limite, le présent pour Sponde n'existe pas, et nulle conduite ne lui est plus étrangère que celle de Don Juan qui s'efforce de goûter les délices de l'instant. Nul repos n'est possible au sein d'un présent toujours menacé : « l'amour est de la peine et non point du repos » [8].

---

1. Il nous a paru légitime de fonder l'étude de l'inconstance noire sur la poésie amoureuse de Sponde, qui offre une matière privilégiée par sa remarquable cohérence. La Roque, Bernier de la Brousse, Beaujeu ou Papillon, pourraient être appelés ici comme témoins, mais seul Sponde propose une vision *une* et consistante. L'édition à laquelle renvoient les citations est celle de Boase et Ruchon, *Sponde*, P. Cailler, Genève, 1949.
2. Sponde, *éd. cit.*, *Sonnets d'Amour*, I, p. 173.
3. *Ibid.*, V, p. 177.
4. *Ibid.*, III, p. 175.
5. *Ibid.*, IV, p. 176.
6. *Ibid.*, VI, p. 178.
7. *Ibid.*, XIV, p. 186.
8. *Ibid.*, XIX, p. 191.

Sponde insiste sur les contrariétés qui font du présent un état « impossible » en soulignant le caractère dramatique du conflit qui oppose la Chair et l'Esprit, la Chair qui aspire à durer et s'engloutit dans l'impasse du présent [9], l'Esprit qui « en souhaitte la mort » et vise un au-delà des sensations. La Chair attache l'être au présent et au monde, alors que l'Esprit va au-delà du futur immédiat.

> « Mon esprit au contraire hors du Monde m'emporte. » [10]

Le présent devient ainsi le siège douloureux d'une lutte intestine, car la Chair, tout entière engagée dans l'actuel, soumise à la volupté du sentir, ne saurait s'éloigner du Monde : elle « sent le doux fruit des voluptés présentes » [11], et

> « Sans ton aide, mon Dieu, cette Chair orgueilleuse
> Rendra de ce combat l'issue périlleuse. » [12]

Le pire est qu'elle laisse croire à l'Esprit que le temps, c'est le temps de la passion, le présent dans lequel elle brûle de se perdre ; cet effort de la « charnelle ruse » paraît rendre un moment le Monde vainqueur. Alors se manifeste la double figure du temps : au temps humain, qui est eau coulante, devenir sans avenir, Sponde oppose le Temps transcendant la durée, l'Eternité immuable.

Dans cette perspective, le présent apparaît comme une parenthèse :

> « Les jours qui sont passés
> Sont déjà morts pour vous, ceux qui viennent encore
> Mourront tous... » [13],

et l'amour de la chair une duperie, une peine inutile :

> « Mais qui meurt en la peine il ne mérite pas
> Que le repos jamais lui redonne la vie. » [14]

Le seul amour qui ne soit pas illusoire est celui qui se soustrait au présent et s'ouvre sur l'espérance, qui n'aime « que dans les cieux » [15].

b) *L'amour au futur.*

Du point de vue qui est communément celui des yeux de chair, l'avenir n'est jamais que de la-mort-à-venir :

> « Ore je voi combien c'est une humeur estrange
> De vivre, mais mourir, parmy le changement. » [16]

---

9. Voir chez Montaigne une réflexion de même nature : le corps est pesanteur, lourd de tout un passé qui l'accable, l'esprit est orienté dans sa légèreté vers un futur incertain. Point de place pour un présent « plein » — sinon dans une conscience particulièrement attentive à la « saisie » de l'instant. Cf. *Essais, éd. cit.*, III, XIII, p. 1114, « Que l'esprit esveille et vivifie *la pesanteur du corps...* »
10. Sponde, *éd. cit., Stances de la Mort*, p. 228.
11. *Ibid.*, p. 229.
12. *Ibid.*, p. 229.
13. *Ibid., Sonnets de la Mort*, V, p. 237.
14. *Ibid., Sonnets d'Amour*, XIX, p. 191.
15. *Ibid.*, XXIV, p. 196. Cf. aussi III, p. 175, « Ainsi de *ce grand ciel* où l'Amour m'a guidé... »
16. *Ibid.*, XXIII, p. 195.

La mort, non la vie, ou plutôt la mort sous les couleurs de la vie, se profile à l'horizon de l'amour charnel, sujet au change. Tout comme le passé, voué à l'inconstance, le futur de la chair dit le grand « naufrage »[17] du sentiment humain.

Mais, par un renversement de perspective qui affecte le sens même de l'amour, l'avenir, vu du haut du Roc — élément de stabilité qui transcende la durée —, est la porte ouverte sur la permanence. La vie naturelle, la vie selon la chair, c'est le présent saisi dans son écoulement, c'est un avenir d'inconstance ; mais, à travers sa propre mobilité, Sponde est en quête d'immobilité — cette immobilité au sein de la mouvance et de l'errance, dont le roc est l'emblème. Alors la marche du temps n'est plus écoulement vain : c'est en utilisant le temps contre lui-même que l'amour atteint sa permanence, et débouche sur la parfaite continuité, sur

> « ces plus beaux séjours
> Où séjourne des Temps l'entresuitte infinie »[18],

ce « sejour où (les) biens sont cachez »[19].

Vu par les yeux de chair, l'avenir est un enfer :

> « Mais je prends...
> Desdain de l'avenir pour l'horreur du passé »[20],

et l'amour charnel « un enfer furieux » ; mais vu par les yeux de l'esprit, l'avenir de l'amour est pure flamme de vie :

> « Mais mon amour constant qui jamais ne desmord
> Ne change point du tout (...)
> Enfin j'aurai dit vrai, ne fust-ce que ce poinct
> Que j'aime de l'Esprit et l'Esprit ne meurt point. »[21]

La mort de la chair devient la vie selon l'esprit, et à la succession des temps s'oppose le long vol immobile du Temps hors du temps.

c) *La lutte, ses moyens et sa fin.*

Il y a, dans la poésie amoureuse de Sponde, toute une stratégie, dont les divers moments sont décrits dans un apparent désordre.

Plusieurs armes sont utilisées dans cette guerre sournoise, et d'abord le vouloir.

Sponde fait confiance à la volonté bonne. Ne pas changer, c'est *vouloir* ne pas changer : « Ainsi je *veux* servir d'un patron de constance... »[22], c'est affirmer la possibilité d'une résistance individuelle :

> « Et si le temps domine encor sur nos désirs,
> *Faisons* que sur le temps la constance domine. »[23]

---

17. *Ibid.*, XXIII, p. 195 :
    « En l'orage, aux destours, s'il survient le naufrage,
    Ou l'erreur, on dira que tu l'as mérité... »
18. *Ibid.*, VI, p. 238 (Mort).
19. *Ibid.*, VII, p. 179 (Amour).
20. *Ibid.*, *Stances de la Mort*, p. 228.
21. *Ibid.*, *Elegie*, p. 214.
22. *Ibid.*, IV, p. 176.
23. *Ibid.*, VI, p. 178.

Mais la volonté peut-elle agir par elle-même ? Il lui faut un « point » [24] auquel s'assurer, et c'est là la difficulté de l'entreprise. Aucun objet du monde ne peut remplir ce rôle :

> « L'infini mouvement de mes roulans ennuis
> M'emporte... » [25],

et le corps, tout englué dans la terre, retient par sa pesanteur l'esprit dans l'inconstance. L'amour n'est jamais donné une fois pour toutes : il est à « retenir », à « conserver » [26], et ne peut constituer le « point » qu'à force de fermeté :

> « Dans l'amour que mon cœur s'esforce à retenir
> Tu trouverois ton *point* peut estre en quelque sorte. » [27]

Aussi s'agit-il surtout d'éduquer et de fortifier une volonté chancelante, menacée par les « ennuis » qui à toute heure la dévorent : c'est le rôle du « cœur » — lieu du sentiment, mais surtout lieu des adhésions, des décisions, puissance affective *et* intellectuelle [28].

> « Mon cœur, ne te rens pas à ces ennuis d'absence,
> Et quelque forts qu'ils soyent, sois encore plus fort ;
> Quand mesme tu serois sur le poinct de la mort,
> Mon cœur, ne te rends point et reprends ta puissance... » [29]

Il y a là tout un « volontarisme » qui se marque par l'emploi de formules à résonance « stoïque » [30].

L'utilisation du temps, « la temporisation », est le deuxième moyen utilisé par cet amant qui mène justement contre le temps son combat.

La volonté maintes fois proclamée de ne pas bouger, de ne pas changer, « Il me trouve affermi qui cherche à m'ébranler... » [31],

repose sur une confiance paradoxale dans le temps humain : être constant, d'une certaine manière, c'est dominer le temps, c'est affirmer qu'il peut ne pas détruire, c'est utiliser *le temps contre le temps*. Sponde oppose une qualité de durée spécifiquement humaine — la constance —, à l'inconstance mondaine :

> « Pourroit on jamais voir plus de solidité
> Qu'en ce qui branle moins plus il est agité
> Et prend son asseurance en l'inconstance mesme. » [32]

---

24. Sponde revient constamment sur cette nécessité de *se* fonder, de *s'assurer* un point fixe, au milieu de la mouvance. Cf. I, p. 173 (où trouver ce « contre poids »), VIII, p. 180 (« ta foy seule *m'asseure* »), X, p. 182, et surtout le sonnet d'Archimède, XIII, p. 185, centre vivant de tous les sonnets.

25. *Ibid.*, V, p. 177.

26. *Ibid.*, VIII, p. 180, « Je le *veux... conserver* ». La permanence du sentiment est liée (et *n'est* liée *qu'*) à la volonté.

27. *Ibid.*, XIII, p. 185.

28. Le cœur selon la tradition biblique (n'oublions pas la formation intellectuelle et spirituelle du Réformé) est en effet, non seulement l'organe de la vie sentimentale, mais le lieu des décisions, de la volonté, la *puissance* de *choix* (voir : XII, p. 184).

29. Sponde, *Sonnets*, XII, p. 184.

30. Notamment XVII, p. 189, « et que nostre *raison* y plante son Empire », et XVI, p. 188, « J'ayme mieux (...) mourir que de me rendre. »

31. *Ibid.*, IV, p. 176.

32. *Ibid.*, XIII, p. 185.

L'inconstance même est un gage ; si tout change, on peut au moins être
assuré que rien ne dure : ni la tentation, ni l'ennui, ni le désir. Les
« torrens desbordez » eux-mêmes perdent de leur violence du jour au
lendemain. La volonté pour devenir « bonne », c'est-à-dire efficace,
s'appuiera sur cette usure lente et inexorable du monde par le monde.
C'est pourquoi Fabius « cunctator » est exemplaire :

> « Ainsi dessus les monts ce sage chef Romain
> Differa ses combats du jour au lendemain
> Se mocqua d'Hannibal, rompant sa violence. » [33]

La tactique amoureuse devient en tout point semblable à la vieille
tactique de la temporisation : elle utilise l'inconstance et la mouvance,
joue de l'usure progressive de tout sentiment, préfère la résistance à
l'attaque agressive, et triomphe par la passivité « active », d'une force
supérieure...

Ces moyens supposent une « théorie » fondée essentiellement sur
la priorité accordée à la « raison », et sur l'infériorité reconnue des sens,
puissance perverse. « D'un parti ma raison, mes sens d'autre parti »,
sont les ennemis dont le « bruslant discord » alimente toute vie passionnelle ; ici encore, il s'agit d'utiliser la fragilité des sens, « armez d'un
verre si fragile », pour consacrer leur défaite. La conversion se fera au
profit du parti le plus fort, c'est-à-dire la raison [34].

Enfin, comme Montaigne, décidant de « mettre en rolle » ses
fantaisies pour les contempler à sa guise [35], Sponde a recours à l'écriture.

Mais l'écriture n'a pas ici un rôle privilégié : « escrire est peu » [36].
Dans l'ascèse mentale qui est décrite, la véritable force est celle du
vouloir. Ecrire est œuvre morte. Cependant l'écrivain a conscience
qu'écrire permet de faire durer, ou tout au moins de nourrir la constance
dont il s'arme comme d'un bouclier. L'œuvre n'est qu'un « tesmoin
muet » [37], elle n'est qu'un terrain d'attente, encore permet-elle d'alimenter une énergie qui sans elle serait abstraite, vidée de tout contenu.
L'amour tel qu'il est défini, amour du cœur, non des sens, amour animé
par la volonté, nourri de résolution, a besoin de ces « foibles estançons »,
de ces « fruits mi-rongez » : on est loin de l'angélisme et de l'idéalisme
amoureux ; les « beaux traits d'amour » n'ont valeur que d'attente :

> « Escrivons, attendant de plus fermes plaisirs »,

le salut n'est pas dans l'œuvre accomplie, qui participe de la légèreté
universelle ; cependant, écrire constitue un « point » auquel s'assurer,
une espèce de « tuteur » contre lequel poussera et s'épanouira la plante
de constance. Sans cette aide, « L'Amour mourroit de faim et cherroit
en ruine ».

---

33. *Ibid.*, XII, p. 184.
34. *Ibid.*, XVII, p. 189. Ce sonnet d'amour est très proche du sonnet de la
mort, XII, p. 244.
35. Montaigne, *Les Essais, éd. cit.*, I, VIII, p. 33 : l'esprit oisif « m'enfante
tant de chimères et de monstres fantasques les uns sur les autres, sans ordre et
sans propos, que pour en contempler à mon aise l'ineptie et l'estrangeté, j'ay
commencé de les *mettre en rolle* ».
36. Sponde, VI, p. 178.
37. *Ibid.*   « Quelque beau trait d'amour que nostre main escrive
            Ce sont tesmoins muets... »

En dépit d'une formulation abstraite, rien n'est, tout compte fait, plus réaliste que cette vision lucide de l'amour. Nulle complaisance, nulle illusion, « Et si le temps domine encor sur nos désirs... », mais une recherche qu'on oserait dire concrète des divers moyens de lutter contre la contingence, pour faire en sorte que triomphe le Nécessaire.

La fin : La constance, victoire de l'esprit sur la Chair et le Monde.

La fin poursuivie est clairement définie dans bon nombre de sonnets amoureux : il s'agit moins d'obtenir l'amour de la Belle, ou de le conserver[38], que de maintenir dans un état de parfaite égalité le sentiment passionné de l'amour. A vrai dire, l'Autre n'apparaît guère, et l'amant demande à l'aimée en vérité bien peu : sa seule foy, encore faut-il préciser que cette foy dépend moins d'elle que de lui :

> « Ta foy seule m'asseure et m'oste le soucy :
> Et ne changera point pourveu que je ne change. »[39]

D'autre part, l'amour n'est pas une fin en soi : il s'agit moins d'aimer que de continuer à aimer, et, bien plus, il s'agit de garder l'« essence » de l'amour.

> « Garde toy de tomber dans un tel desconfort
> Que ton amour jamais y *perde son essence*. »[40]

Aussi, la constance chèrement acquise au prix de la lutte quotidienne ne se réduit-elle pas à la seule fidélité amoureuse : elle est « le patron de constance », c'est-à-dire un modèle idéal qui informe l'existence entière, chair et esprit.

Si bien que l'amour tel que le célèbre Sponde n'a rien à voir avec l'amour-passion, désir plus ou moins égoïste de possession (physique ou non), ni avec l'amour « provençal », culte de la belle dame-maîtresse, amour de cœur qui n'engage pas forcément les sens. Tout son effort — et c'est bien d'effort qu'il s'agit —, tend à dégager — au sein même de l'inconstance qui affecte toute vie sentimentale —, l'« essence » de

---

38. A. Boase, *ibid.*, p. 109, écrit que pour Sponde il s'agit « d'entretenir et de maintenir un lien *reconnu* et une passion *commune* » (c'est nous qui soulignons). Notre opinion est différente : sensible en cela à l'érotique néo-pétrarquiste, Sponde n'accorde nulle place à l'objet (à la femme aimée). Sa passion est éminemment solitaire, comme son combat est celui de l'homme seul. Certes il écrit (*ibid.*, VIII, p. 180 : « Ta foy seule m'asseure »), mais cette affirmation est immédiatement démentie par le vers suivant :
« Et ne changera point pourveu que *je* ne change. »
C'est donc l'amant — et lui seul, volonté bandée, sens maîtrisés, corps soumis à l'esprit — qui garantit la foi de l'aimée : peu importe son inconstance, à elle, peu importe son absence, peu importe sa mort même :
« Comment voulez-vous donq, qu'encore que je m'absente,
Je n'en retienne point la *mémoire présente ?* »
(*ibid.* p. 213), seule compte la *mémoire présente*. Nulle poésie — à l'exception de celle de Desportes — n'est aussi dépourvue de présence féminine, aussi peu soucieuse d'amours partagées. Il s'agit certes de garder, de conserver, mais *son* propre amour, sa seule passion...
39. *Ibid.*, VIII, p. 180. Ce vers étonnant mérite un commentaire : ainsi, l'Autre n'a aucune importance, sa foi même n'est assurée que par la fidélité de l'amant. Peut-on plus explicitement indiquer l'*indifférence* à autrui ?
40. *Ibid.*, XII, p. 184.

l'amour, qui est moins sentiment ou sensation que mode de vie. Etre amoureux, c'est trouver « sa constance au milieu de ces legeretez » [41], c'est triompher par ce moyen — l'amour n'est qu'un moyen —, de toutes les passions qui disent l'incohérence de l'être humain, c'est, en somme, avoir conquis de haute lutte le « point » qui permet de « bransler tout le monde » [42]. L'amour est beaucoup plus que l'amour : il est « l'assistance » [43] qui donne un fondement stable à la personne tout entière :

> « Je ne bouge non plus qu'un escueil dedans l'onde
> . . . .
> Il me trouve affermi qui cherche à m'ébranler,
> Dussé-je voir branler contre moy tout le monde.
> Chacun qui voit combien tous les jours je me fonde
> Sur ce constant dessein... » [44]

Voilà la définition de l'amour : un « constant dessein ». Ainsi est résolue l'apparente contradiction : l'amour, disions-nous, ne saurait constituer le point. Cela est vrai de l'amour de chair, engagé dans le monde, soumis au temps humain qui est désagrégation. En revanche, l'amour-bouclier [45], dégagé de sa gangue passionnelle et réduit au pur désir de constance, l'amour compris comme une ascèse spirituelle, dessein reconnu comme tel, qui ne poursuit d'autre fin que lui-même :

> « Et me tiens pour content, s'il vous plaist de comprendre
> Que mon feu ne sçauroit mourir si je ne meurs » [46],

« prend son asseurance en l'inconstance mesme » [47], et constitue « le point de la constance » [48] autour duquel tournoie l'esprit.

Aussi n'est-il pas étonnant que les modèles pris comme « patrons de constance » ne soient pas Tristan ni Pétrarque, mais des soldats et des conquérants, habitués à « rompre » la violence qui leur est opposée, à établir l'empire de leur puissance sur la fureur des éléments déchaînés contre eux. Pour l'amant comme pour les grands capitaines, le problème est semblable, et la difficulté de même nature : il s'agit d'introduire, par les seules forces d'une volonté éduquée et dressée pour être bonne, dans un monde fondé sur la discontinuité, l'incohérence et l'inconstance — signes visibles d'un univers éclaté —, toute la continuité, toute la *consistance* que seul l'esprit avec sa force de décision est capable d'imposer à la violence. Si Paul-Emile est l'exemple à suivre, Carthage est le modèle du mauvais usage de la force : son superbe dessein [49], parce qu'il se fondait « dessus le vent », ne visant que la possession « mondaine » de la terre et de l'onde, est aveu d'impuissance. A l'inverse, Numance est un bon guide, qui, par sa « vertu », décourage et désespère l'insolent ennemi. Quel sens a la victoire ? Elle « deffend » du trespas [50]

---

41. *Ibid.*, I, p. 173.
42. *Ibid.*, XIII, p. 185.
43. *Ibid.*, XI, p. 183.
44. *Ibid.*, XI, p. 182.
45. *Ibid.*, XIV, p. 186 (le bouclier d'Ajax emblème de l'effort victorieux).
46. *Ibid.*, XI, p. 183.
47. *Ibid.*, XIII, p. 185.
48. *Ibid.*, XVIII, p. 190.
49. *Ibid.*, XV, p. 187.
50. *Ibid.*, XIX, p. 191.

ce qui, sans l'esprit, est voué à la mort — parfois au prix de la mort même (« J'ayme mieux... mourir que de me rendre »[51]). En définitive, l'Amour, affecté d'une majuscule, permet la permanence de l'esprit, tendu tout entier pour ne souffrir aucun changement, aucune altération. Si bien que la constance désigne moins la victoire d'amour que la victoire de l'esprit, sur la Chair et le Monde ligués contre lui. Le dernier sonnet de la série est d'un symbolisme lumineux : l'oiseau qui délaisse les rivages humains pour trouver la paix au sein même des flots courroucés auxquels il impose le calme bienheureux est l'emblème d'Amour qui donne à l'âme perturbée un calme immortel.

B - Constance et inconstance : les tentations de l'absence

La victoire de l'esprit sur la chair et le monde inaugure chez Sponde une nouvelle manière de vaincre l'inconstance, ou plutôt, on l'a vu, de se fonder sur l'inconstance pour atteindre la permanence de l'être. Cette attitude implique une certaine idée du temps, considéré à la fois comme l'ennemi et l'allié sous conditions de l'amour. Le thème de l'absence illustre cette angoisse du temps. L'absence de l'aimée, c'est le temps dilué et comme arrêté, en suspens. C'est le temps qui pèse et dont la durée soudain se fait lourde. Mais c'est aussi le temps de la tentation. Pour l'amant baroque, soumis à l'instant et à ses séductions, l'absence est « le plus grand des maux »,

> « Chatouilleuses beautez, vous domptez doucement
> Tout ces esprits flotans, qui souillent aisément
> Des absentes amours la chaste souvenance... »[52]

a) *Le martyre de l'absence.*

Si l'absence est si douloureusement ressentie, c'est parce qu'elle ravive le divorce de l'esprit et la chair :

> « Je meurs, et les soucis qui sortent du martyre
> Que me donne l'absence, et les jours et les nuits
> Font tant, qu'à tous moments je ne sçay que je suis... »[53]

Chez Sponde, l'absence « altère » l'éclat de l'âme, et « deschire » la précaire unité. « Ces absences cruelles » rendent le corps attaché à la terre, alors que l'âme garde son agilité[54]. Le cœur alors risque de succomber, menacé par le *desconfort*[55] qui signale la démission. Le monde se vide, et prend les couleurs de la nuit :

> « Ce monde plain d'inquiétudes
> Qui flotte tout autour de moy,
> Ce ne sont que des solitudes,
> Toutes plaines de mon esmoy
> Mais vuides de la douce vie
> Que son absence m'a ravie. »[56]

---

51. *Ibid.*, XVI, p. 188.
52. *Ibid.*, IV, p. 176.
53. *Ibid.*, V, p. 177.
54. *Ibid.*, VII, p. 179.
55. *Ibid.*, XII, p. 184.
56. *Ibid.*, Chanson, p. 202.

L'absence apparaît donc comme une menace qui pèse, non seulement sur l'amour, qui a du mal à rester dans les hautes sphères, où, à force de volonté consciente, on l'a porté —, mais aussi — et c'est beaucoup plus grave, sur l'équilibre même de l'amant : le délicat et fragile dosage des forces adverses — cœur tendre et exposé aux coups, chair dure à dompter, esprit avide de certitude —, se trouve compromis. « Ces deux contraires sont en moy seul arrestes » [57], l'absence rompt l'harmonie difficile.

Ainsi, l'absence est loin de ne poser que des problèmes d'ordre affectif : certes, Sponde décrit lui aussi le « martyre » de l'absence en des termes qui peuvent paraître assez proches de ceux qu'utilisent les néo-pétrarquistes :

> « Comment pensez vous que je vive
> Esloigné de vostre beauté ? » [58],

mais la nature et la qualité de la souffrance sont autres. Pour les uns, il s'agit de chanter les peines d'un cœur privé de joie, qui compte les jours et les nuits qui le séparent de l'aimée, pour l'autre, il faut préserver, coûte que coûte, un équilibre toujours menacé par les « ennuis » qui troublent le repos dans lequel l'âme est enfin installée, et un amour qui perd son sens s'il oublie sa constance.

Ainsi, alors que, pour La Roque, l'absence est la nuit du cœur [59], un état de vague inertie, d'éloignement « hors de soy » [60], de mort à soi-même [61], pour Sponde l'absence se caractérise par un état de vive tension, de lutte interne, de « bruslant discord » [62].

Elle est une épreuve : l'amour sortira-t-il vainqueur de la guerre, « assailli d'une armée d'ennuis » [63], saura-t-il trouver le bouclier, l'arme absolue, qui lui permettra de soutenir la fureur toujours renouvelée, et de dompter l'effort ? Saura-t-il résister aux tentations ?

b) *Les tentations de l'absence.*

L'absence inaugure, dans l'existence amoureuse, un vide, bientôt rempli par les tentations qui s'exercent sur une âme désemparée et changeante. Aux efforts des « chatouilleuses beautez » répond la volonté de constance [64]. Mais cette volonté — si ferme soit-elle — est en butte aux soucis. Le martyre de l'absence à tout moment risque de rompre le précaire équilibre [65].

---

57. *Ibid.*, XVIII, p. 190.
58. *Ibid.*, Chanson, pp. 202-204, plusieurs fois publiée dans les divers recueils où elle prend place parmi les poésies néo-pétrarquistes sur l'absence (*Recueil* de R. du P. Val, 1599, et rééd. succ., *Les Muses Ralliées* (1599), *Le Parnasse* (1607), *Temple d'Apollon*, II, (1611).
59. Voir *Caritée, op. cit.*, XLIII, p. 92.
60. *Ibid.*, XLVI, p. 93.
61. *Ibid.*, LXIII, p. 104.
62. Sponde, sonnet XVII, p. 189.
63. *Ibid.*, XIV, p. 186.
64. *Ibid.*, IV, p. 176.
65. *Ibid.*, V, p. 177.

A l'affirmation orgueilleuse :

> « Les rigueurs de ma vie et du temps qui m'absentent
> Du bienheureux sejour où loge mon repos
> Altèrent moins mon ame... » [66],

répond l'angoissante découverte :

> « Et l'esclat de mon ame est si bien altéré
> Qu'elle, qui me devroit faire vivre, me tue... » [67]

L'absence conduit à la mort du sentiment, ou risque, à tout moment, d'y conduire : « L'amour cherroit en ruine » [68],

et le cœur pourrait succomber aux efforts conjugués des propos enchanteurs [69] et du « desconfort » qui envahit l'âme [70].

Le travail des jours et la langueur des nuits risquent de détruire un amour patiemment édifié. Les tentations sont deux sortes : tentations sensuelles [71], séduction sur un cœur faible des « chatouilleuses beautez » ; tentations non moins dangereuses de l'esprit de paresse et d'inertie, qui condamne l'effort de constance et le ridiculise [72].

Si cette analyse dramatique des tentations, cet effort passionné pour nommer l'ennemi, et circonscrire le champ du combat, sont, d'une certaine manière, « réalistes », l'utilisation originale qui est faite de l'absence inaugure pourtant un nouveau mode d'aimer, par delà les réalités quotidiennes ; car l'absence n'est pas vaincue par le retour de la Belle — s'est-elle seulement éloignée, cette femme, si peu présente, si peu « réelle » ? — mais par le seul effort de l'âme, bandée et organisée pour subir tous les assauts et résister victorieusement...

c) *Victoire sur l'absence.*

Cette absence, si douloureusement ressentie comme le temps de l'incertitude et de l'errance, cette absence pleine de pièges à déjouer — les « tentations » — apparaît finalement comme le stimulant, l'indispensable pièce d'un système remarquablement organisé pour permettre la survie.

D'une part, en effet, « des absentes amours la chaste souvenance » [73] si elle n'est pas souillée par la concupiscence charnelle, suffit à assurer un feu « clos », se nourrissant orgueilleusement de lui-même.

D'autre part, l'amant qui a choisi la « veille » pour garder comme un trésor menacé, non la femme, mais le sentiment de l'amour [74], s'assure non sur la foi fragile de sa maîtresse, mais sur sa propre

---

66. *Ibid.*, IV, p. 176.
67. *Ibid.*, V, p. 177.
68. *Ibid.*, VI, p. 178.
69. *Ibid.*, X, p. 182.
70. *Ibid.*, XII, p. 184.
71. *Ibid.*, IV, p. 176 ; XVII, p. 189.
72. *Ibid.*, XII, p. 184.
73. *Ibid.*, IV, p. 176.
74. *Ibid.*, VIII, p. 180 : « Ce trésor » (v. 1) si menacé est-il la femme ? n'est-il pas plutôt *la constance*, objet du combat quotidien ? la fidélité, toujours menacée ?

volonté de fermeté : « pourveu que *je* ne change... ». Le constant dessein suffit à donner à « l'écueil » dedans l'onde son point de solidité.

C'est que l'absence, tout compte fait, n'existe pas, parce que la personne de la femme aimée n'a aucune importance, aucune réalité. Seul compte l'amour que l'amant a *choisi* de faire vivre en cœur :

<blockquote>
« ...s'il vous plaist de comprendre
Que mon feu ne sçauroit mourir si je ne meurs... » [75]
</blockquote>

Aussi bien, c'est une lutte que l'amant a engagée contre lui-même, non contre l'autre, et il s'agit finalement d'exalter, non la puissance d'une amour ferme, mais la puissance du cœur :

<blockquote>
« Mon cœur ne te rends point à ces ennuis d'absence
....
Mon cœur ne te rends point et reprens ta puissance. » [76]
</blockquote>

Singulier érotisme, qui exclut tout partenaire, qui ne se nourrit que d'absence — car l'absence est nourriture — et qui n'a d'autre fin que d'assurer — hors d'Amour et de ses lois — la victoire contre la Mort charnelle [77], le triomphe de la Raison.

Certes, Sponde n'est pas le seul poète de la constance volontaire, de la constance qui s'affirme comme désir conscient de lutter contre le temps et la dissolution : La Roque affirme de même effacer l'absence de sa dame par un effort de chaque instant, une lutte de chaque jour [78]. Scalion de Virbluneau se donne volontiers aussi comme un patron de constance, immuablement attaché à son affection fidèle [79]. Godard, Beaujeu, Bernier de la Brousse, multiplient de semblables protestations, et aiment à opposer, à l'inconstance universelle, leur propre fermeté. Tous décrivent l'inconstance comme le mal absolu, le vice attaché à une nature corrompue.

Mais l'accent de Sponde est singulier, comme est singulière sa lutte : il est sans doute le seul à présenter une vision du monde cohérente et organisée. Des poésies amoureuses aux *Stances de la Mort*, nulle rupture, mais une même recherche de l'impossible stabilité, de la difficile assurance. Le seul aussi à mettre obstinément en cause la condition humaine et ses contrariétés.

D'autres poètes décriront l'inconstance noire, et chercheront à lutter contre elle ; ne nous étonnons point si les noms attachés à cette quête sont ceux de poètes religieux (catholiques comme Chassignet et La Ceppède, protestants comme Sponde ou d'Aubigné) : c'est que cette lutte débouche nécessairement sur la découverte d'une transcendance, à la fois intérieure à l'homme, et supérieure à lui. La poésie amoureuse est à l'écart de ce grand débat (du moins de 1585 à 1600). Peut-être

---

75. *Ibid.*, XI, p. 183.
76. *Ibid.*, XII, p. 184.
77. *Ibid.*, XIX, p. 191, ...« si son esprit constant la deffend du trepas ».
78. La Roque, *passim* et notamment *Phyllis, op. cit.*, I, p. 2 ; XXXIX, p 20, etc.
79. Virbluneau, *op. cit.*, liv. I, XLIV, p. 12 ; liv. II, XXXIII, p. 42 v°, etc.

faut-il moins s'étonner de la pauvreté du thème chez nos poètes, que de sa présence chez Sponde ? En tout cas, qu'il nous suffise qu'un très grand poète ait su, dans son œuvre religieuse *et* dans sa poésie d'amour, décrire le conflit, et poser le problème de la permanence.

Au reste, la pauvreté du thème est elle-même significative : si la poésie française a d'une certaine manière « manqué » le temps du grand baroque [80], n'est-ce point parce que la poésie de la multiple splendeur du monde, des formes capricieuses et mouvantes, bref la poésie de l'inconstance blanche, l'a emporté sur la poésie de l'exaltation, de la démesure, du combat incessant contre le temps, c'est-à-dire la poésie *tragique,* qui ne s'épanouit pleinement que dans le lyrisme religieux ?

---

80. M. Raymond, *Baroque et Renaissance, op. cit.,* p. 9.

CONCLUSION

LES THEMES DE L'EROS BAROQUE

Nous nous interrogions sur le choix de critères spécifiquement littéraires. Il faut d'abord noter que, à la différence du maniérisme, par exemple, qui se caractérise essentiellement par un style, le baroquisme se caractérise d'abord par l'élection de thèmes[1]. Dans la mesure en effet où le baroquisme naît du néo-pétrarquisme, dont il constitue la pointe subtile, dans la mesure où il reprend les principaux schémas et les thèmes néo-pétrarquistes — en les modifiant, en les « radicalisant » —, il se donne comme une vision de l'amour cohérente, qui plonge ses racines dans la nouvelle poésie de 1570, et qui, à partir de là, déroule ses propres motifs librement. Il y a une thématique spécifiquement baroque, que l'on peut définir comme l'expression d'une conscience tragique du monde, percevant l'instable, et cherchant la stabilité impossible, assoiffée de permanence, et sensible à l'incohérence d'une vie sans racine.

Le baroque ainsi compris est un art paradoxal : il fait du paradoxe, du « discours-paradoxe » cher à Montaigne, son principe. Que l'amant baroque se plaise à imaginer mille métamorphoses, ou qu'il se donne à mille rêveries délicieuses, qu'il songe, ou qu'il se laisse emporter dans les noirs domaines où règne une nuit complice, il oppose toujours à ces plaisirs fugaces le désir essentiel de permanence. A travers ces formes douteuses et fugitives, à travers ces illusoires plaisirs que donne une existence vaine, c'est sa *forme*[2] qu'il poursuit, c'est-à-dire une essence soustraite au devenir. Double paradoxe donc : ne connaître de l'homme que ses déguisements, ses parures, ses masques[3] — et ne pas cesser de

---

1. Sur ce point, voir M. Raymond, *La Poésie Française et le Maniérisme, op. cit.*, p. 22. « Le maniérisme se (caractérise) moins par l'emploi d'une thématique définie que par un style... » et, du même, *Aux frontières du Baroque...* in *Etre et dire, op. cit.*, p. 116 : « Tout autre est la situation du baroque, qui se caractérise en premier lieu par des thèmes. »

2. Sur ce point, voir Montaigne, décrivant *les* formes diverses que lui apportent les « resveries les plus folles » (Essais, III, V, *éd. cit.*, p. 876), mais cherchant toujours *sa forme*, son essence (*ibid.*, p. 874 « ...de peur qu'ils n'interrompent ma *forme*) et III, 2, p. 807 « devons avoir estably un *patron* au dedans, auquel toucher nos actions... » et p. 811 (la « *forme* maistresse qui luicte contre l'institution »).

3. Ici encore la référence à Montaigne s'impose. Cf. dès I, XX, p. 96, *éd. cit.* « Il faut oster le masque aussi bien des choses, que des personnes. »

croirc que le déguisement est mauvais, que le fard est détestable (que d'imprécations, que de cris hostiles au visage féminin fardé ! que de critiques acerbes du maquillage dans unc poésie qui jamais ne décrit le visage nu !). Ne saisir l'être, d'autre part, qu'en fuite, ne le définir qu'en termes de mouvement, et pourtant ne pas cesser de rechercher une assiette, hors du devenir[4].

Ce paradoxe baroque, Sponde ou d'Aubigné l'expriment clairement, qui, à partir de la perception du chaos, de la mobilité, de l'inconstance, font effort pour se réfugier dans le sein de l'Unité.

Ensuite, si l'on peut admettre que le baroquisme se définit par des thèmes, il faut aussi observer que ce choix entraîne une esthétique et une stylistique particulières. Une esthétique : à sensibilité nouvelle, nouvelle esthétique. L'esthétique baroque se définit comme la recherche de l'extraordinaire, de la surprise, de l'inouï. Le poète s'enchante de découvrir de nouvelles formes, de décrire les beautés inédites : qu'il s'agisse de l'esthétique du paysage, ou de l'esthétique féminine, que de modifications par rapport aux règles communément admises en 1550 ! Désormais, l'étrange exerce sa séduction, l'anormal suscite une curiosité passionnéc, le fantastique fascine... La femme-homme, ou l'homme-femme, la femme déguisée, la femme masquée, l'homme aux métamorphoses multiples, Circé ou Protée, excitent l'imagination et lui révèlent leur beauté secrète. De même, le paysage noir, horrible, inquiétant, le domaine de la mort, des ombres, des démons, les terres inconnues d'un continent inexploré, attirent la sensibilité de l'artiste fiévreux.

Une stylistique : la recherche de l'cxpressivité à tout prix impose ses règles. L'image fleurit, la métaphore charnelle brille. L'antithèse, l'antilogie, d'origine pétrarquiste, les jeux subtils d'un langage en liberté, les rupturcs que provoquent l'anacoluthe, l'exclamation, tout dit qu'il s'agit de frapper, d'étonner, de susciter la stupeur... Malheur à l'indiligent lecteur, avide de clarté et de rigueur logique, qui verra de la confusion dans l'indétermination, de l'obscurité dans la clarté *relative*, de l'absurdité dans l'illogisme[5] !

Le Baroquc apporte à la poésie française la folie, la démesure. Particulièrement, lorsqu'il s'agit de poésie amoureuse, le poète baroque va jusqu'au bout de la fureur qui l'emporte. Car l'amour est frappé aussi de malédiction : inconstant par nature, l'amour, comme toute affection, fait saisir à l'homme son instabilité, et le renvoie à ses défaillances. Mais aussi, il donne à l'amant l'illusion de l'éternité[6]. L'amour est pour

---

4. Montaigne, III, II, p. 805 : « La constance mesme n'est autre chose qu'un branle plus languissant (...) Tant y a que (...) la vérité (...) je ne la contredy point. Si mon ame pouvoit prendre pied... » Tout le paradoxe baroque est ici dévoilé : incapacité de « prendre pied », désir de « prendre pied » ; incapacité de peindre l'« estre », désir de son conformer à « la » vérité.

5. Voir *ibid.*, III, IX, pp. 995-996 : « Joinct qu'à l'adventure ay-je quelque obligation particulière à ne dire qu'*à demy*, à dire *confusément*, à dire *discordamment* ».

6. Ne serait-ce pas, *mutatis mutandis*, le paradoxe de l'amour proustien ? Cf. ses réflexions, si proches de celles de Montaigne, sur la mort fragmentaire (Pl. I, 671) et sur l'éternité illusoire, *ibid.*, 933 « j'aurais souri de pitié si un philosophe eût émis l'idée qu'un jour (...) j'aurais à mourir, que les forces éternelles de la nature me survivraient... »

un poète baroque le lieu délicieux et angoissant de l'errance, du vagabondage, et, en même temps, il appelle la certitude, et est assoiffé de
stabilité. Comme Sponde, partant d'une description du change pour
tenter de fonder sur le roc de la fidélité l'assurance d'une passion qui
défie le temps, l'amant baroque essaie de tenir les « deux bouts » de la
chaîne amoureuse : l'inconstance et la constance, la fragilité d'une
affection mobile, et la permanence d'un désir fou. La dialectique de
l'absence et de la présence reprend alors un sens nouveau : présent,
l'objet aimé échappe déjà au possesseur, toujours malhabile, toujours
déçu ; mais absent, il redevient bientôt présent, car le souvenir de
l'amour survit à l'amour, et le désir d'aimer survit à la mort du désir.

Tous les thèmes de l'Eros baroque : les nocturnes, les déguisements,
l'inconstance noire, renvoient à cette relation paradoxale entre l'être et
le monde ; d'une part, la réalité des choses s'efface, au profit de la seule
apparence, et l'artiste baroque ne cesse — depuis Desportes — de
prendre ses distances à l'égard du monde extérieur, si peu important,
si peu captivant (lui préférant, comme Montaigne, qui « représente »
le coq, et ne veut pas du coq « réel » [7], le monde issu des plus folles
« resveries », de la « fantaisie », ou du songe [8]) ; d'autre part, l'artiste
continue à creuser le réel, pour le contraindre à révéler ses secrets :
en quête, comme Montaigne, encore, d'une « forme », tout en affirmant
l'incertitude de toute affirmation, et la nécessité d'une contestation
radicale du monde, il tient à retrouver l'ordre sous le désordre, l'unité
sous la multiplicité [9], la nécessité sous la contingence [10].

Singulière entreprise en vérité, qui porte en elle l'échec, ou, en
tout cas, l'imperfection [11]. Fiévreux, frénétique, furieux, l'amant noir
sait à la fois se satisfaire d'ombres fugitives, et refuser le secours illusoire des apparences ! Toujours avide de plaisir, toujours déçu, il
témoigne, par son long vagabondage dans le royaume sombre, de la
dualité de l'homme et de sa double postulation.

---

7. Montaigne, III, V, éd. cit., p. 874 : « Je fais volontiers le tour de ce peintre,
lequel, ayant miserablement *représenté* des coqs, deffendoit à ses garçons qu'ils ne
laissassent venir en sa boutique aucun coq *naturel* ».

8. *Ibid.*, p. 876 : « ...ses plus profondes resveries, plus *folles,* et qui me
plaisent le mieux... »

9. *Ibid.*, III, 13, p. 1073, à propos de Nature : « tant de *divers* pourtraicts
d'un subject si *uniforme* ».

10. *Ibid.*, III, XIII, p. 1114 : « la nécessité avec laquelle, dict un ancien, les
Dieux complottent tousjours... »

11. *Ibid.*, I, XX, p. 89 : « Je veux (...) que la mort me treuve plantant mes
choux, mais nonchant d'elle, et *encore plus de mon jardin imparfaict...* » L'imperfection est au cœur même de l'action (non pas de l'œuvre, si l'œuvre, c'est la vie).

CONCLUSION

DU SOIR MUTINE A L'AUBE QUI NAIT...

Au terme d'une enquête menée à travers trente années de poésie amoureuse, une conclusion s'impose : non seulement la poésie continue, après la mort de Ronsard, mais elle se renouvelle. Si l'étude des héritages montre la survivance, jusqu'à l'aube du XVIIᵉ s., de certaines formes poétiques, de thèmes et de motifs enracinés dans une tradition, l'examen des poésies de la rupture, poésie pré-baroque, baroque, ou « réaliste », atteste la richesse foisonnante du lyrisme nouveau, et sa multiple splendeur.

La légitimité de ce travail nous paraît donc fondée sur l'intérêt que présente cette poésie si riche et si mal connue. Mais la méthode choisie suscitera peut-être des réserves : pourquoi une étude de thèmes ?

On s'accordera sans doute à reconnaître que la poésie du XVIᵉ s. est, par nature, différente de la poésie du XIXᵉ et du XXᵉ s. : d'une part, en effet, les poètes du XVIᵉ s. ont, de la création littéraire, de ses motivations, de ses formes, de sa fin, une idée particulière. Si aucune création ne se fait *ex nihilo,* la part du *modèle,* de l'imitation, est pour eux capitale : non seulement reprendre un thème, un motif, des images bien connus, n'est pas honteux, mais c'est là le principe même qui anime leur œuvre. Redire après Ronsard et Desportes, c'est à la fois témoigner d'une admiration intelligente, déclarer sa fidélité à la poésie, et révéler son talent. D'autre part, le poète du XVIᵉ s. n'a pas — il s'en faut ! — de la propriété littéraire l'idée assez stricte qui est la nôtre : imiter Ronsard, aller jusqu'au plagiat, traduire en français Bonnefons ou Pétrarque, Catulle ou Marulle, sont le signe du « goût », non de l'indigence ; à l'inverse, combien de poèmes non signés dans les Recueils collectifs, ou attribués par erreur ! Le texte est chose publique : s'en sert qui veut, qui peut. Ces deux faits, bien connus, montrent que le sentiment de l'individualité, de la singularité de l'art, est loin d'être partagé par tous les poètes du XVIᵉ s.

Aussi n'est-il point illégitime de tenter un répertoire méthodique de thèmes communs à une époque, puisque, dans la plupart des cas étudiés, les poètes partent de schémas traditionnels, même lorsqu'il s'agit de les modifier, voire de les annuler par un traitement original. Le thème constitue en quelque sorte le point de départ, l'élan donné, la stimulation. La poésie de cette époque apparaît comme *une poésie seconde,* un langage constitué à partir d'un langage premier : le poète fait son sens avec l'œuvre d'autrui, et la réalité qui informe le poème est une réalité formelle. Dans cette mesure, il nous a paru légitime de grouper les textes retenus à partir du noyau central qu'est le thème (idée, sentiment, mais aussi forme lyrique, ou motif, voire mouvement rhétorique).

Mais, dira-t-on, n'y a-t-il pas là quelques dangers ? Ne va-t-on pas scléroser, figer, ce qui est, d'abord, mouvement ? L'étude thématique ne risque-t-elle pas de privilégier l'ordinaire, le commun, au détriment du singulier, de l'unique ? Plus grave encore : les « minores » ne seront-ils pas considérés de la même manière que les « grands » ? « Si l'on veut suivre, note J. Starobinski, dans le détail, l'expansion d'un thème, ou d'une idée, rien n'oblige à octroyer aux grands auteurs et aux œuvres réussies une situation privilégiée ; les *minores* et les minuscules auront également droit à toute notre considération —, l'idée, le thème, l'image, leur diffusion et leurs transformations devant compter plus que les auteurs qui les représentent... L'ennui guette » [1]. C'est là, à nos yeux, le danger majeur, et il ne serait pas honnête d'éviter cette question. Avouons donc que, au cours de ce travail, nous avons parfois mis en doute l'intérêt d'un dépouillement systématique d'un thème : que de reprises sans renouvellement, que de répétitions malhabiles ! Sans doute... Mais si le dépouillement systématique est nécessaire, point n'est besoin d'imposer au lecteur les mille variations sur un thème connu : par exemple, nous n'avons pas cru bon de redonner sur le thème néo-pétrarquiste de l'absence, ou du martyre amoureux, *toutes* les variations exécutées par P. de Brach, Scévole de Sainte-Marthe, Jamyn ou Birague... Nous avons choisi, chaque fois, la variation caractéristique, le motif original, l'accent singulier, sans nous dissimuler le caractère subjectif du choix, ni le parti-pris inhérent à toute observation. Ensuite, les diverses variations d'un thème, même si, considérées isolément, elles semblent parfois dénuées d'intérêt, ont cependant la fonction de « révélateur », comme dit justement J. Starobinski : elles témoignent, par leur fréquence même et leurs caractères communs, d'un mouvement global, d'une modification collective de la mentalité : par exemple, le thème sanglant est infiniment plus riche chez A. d'Aubigné que chez ses contemporains. Pourtant, les images sanglantes de Birague, de Béroalde, de Nuysement, moins cohérentes, plus fugitives, sont également significatives : d'une part, elles servent d'instrument de mesure pour apprécier avec plus de finesse la singularité d'Aubigné, partant d'un « matériel » semblable, pour aller ailleurs ; d'autre part, elles ont valeur intrinsèque, dans la mesure où elles témoignent d'un changement du goût et de la sensibilité, d'un changement d'esthétique. Même les thèmes des *minores* (et on nous accordera que Béroalde ou Nuysement ne sont pas des « minuscules »...) sont l'indice expressif d'une transformation de l'esprit et des mœurs. A ce titre, ils intéressent, non seulement, croyons-nous, l'historien — ce qui est évident —, mais le « littéraire », si celui-ci désire comprendre en profondeur une époque et sa mentalité, les structures de l'imagination, celles de la sensibilité collective.

---

1. J. Starobinski, *Les directions nouvelles de la recherche critique*, CAIEF n° 16 (mars 1964), pp. 121-141 (texte cité p. 138).

C'est dire que, des deux voies de la critique thématique : l'histoire diachronique des idées, thèmes ou symboles, ou l'élection d'un thème unique lié organiquement à *une* œuvre, et la constituant, la première seule a été ici suivie. Non seulement cette première voie n'exclut point la deuxième, mais à nos yeux, elle la prépare : l'étude du réseau sanglant d'Aubigné, par exemple, sera plus féconde, plus précise, si elle se fonde sur l'examen du thème à l'époque considérée. En effet, si l'un des écueils de l'analyse thématique d'une œuvre unique — la deuxième voie — est bien, comme l'écrit G. Genette, « la difficulté qu'elle rencontre souvent à distinguer la part qui revient en propre à la singularité irréductible d'une individualité créatrice, de celle qui appartient plus généralement au goût, à la sensibilité, à l'idéologie d'une époque, ou plus largement encore aux conventions et aux traditions permanentes d'un genre ou d'une forme littéraire » [2], l'analyse thématique diachronique a le mérite de constituer un répertoire des sujets et des motifs, bref un ensemble de *topoi*, par rapport auxquels il convient de situer la thématique originale et profonde de chaque poète.

Ainsi, sans oublier, certes, que « l'ennui guette », nous pensons qu'une telle approche est parfaitement légitime, dans son principe, et féconde, par les perspectives qu'elle ouvre, et le fondement qu'elle propose à l'étude d'une thématique personnelle et singulière.

Ces points de méthode étant précisés, il nous reste à présenter un bilan, et à proposer quelques vues.

Trois faits nous ont frappée tout au long de notre enquête :

1) L'influence de Ronsard repose, nous semble-t-il, sur un malentendu. M. Raymond avait montré, dans sa thèse, que, des diverses voies ouvertes par Ronsard, la tradition « catullienne » était en 1585 la plus féconde : sur ce point, nos recherches n'ont fait que confirmer cette idée. Mais nous ne nous attendions guère à ce que, de 1585 à 1600, époque de renouvellement, il en aille de même. Or les Ronsardisants attardés, s'ils parlent d'amour, ont oublié Cassandre, Sinope, et Marie : la mignardise seule plaît, et, aussi, l'agréable synthèse réalisée dans les *Sonnets* de 1578. Le lyrisme si mouvementé, si allègre de 1552, l'ardeur sensuelle, la fraîcheur du *Second Livre,* ont laissé peu de traces. Il faut convenir qu'un lecteur moderne se trouve surpris de voir *quel* Ronsard ont choisi les disciples ! A coup sûr, leur Ronsard n'est pas le nôtre.

Nous avons en tout cas mieux compris ainsi pourquoi Ronsard était si mal connu jusqu'au XIXᵉ s. : petit à petit, il s'est trouvé enfermé dans le cadre étroit que traçait autour de son œuvre l'opinion commune : charmant poète, ami des roses et amateur de vin, délicat, mais léger... Il faut relire les *Amours* en se débarrassant de bon nombre de préjugés et d'idées reçues : il ne faut certes pas apprécier son œuvre d'après celle de ses disciples fidèles, qui l'ont mutilée. Ronsard, en somme, est trop connu : sa fortune est considérable, son œuvre n'a pas été comprise. Trop lu, et trop mal.

2) Notre enquête nous réservait une autre surprise, plus agréable. Il est de bon ton de reléguer Desportes au dernier rang : poète

---

2. G. Genette, *Structuralisme et critique littéraire*, in *Figures*, Le Seuil, 1966, p. 162.

« précieux », poète « compliqué », ce « Néo-pétrarquiste » n'a jamais
joui d'une excellente réputation, et les manuels scolaires l'évitent ou
l'écrasent sous le poids d'une comparaison avec Ronsard. Nous avons
découvert la beauté de la poésie néo-pétrarquiste, si subtile, si secrète,
qui se nourrit de langage, et quel langage ! Et la beauté de la poésie
amoureuse de Desportes, si étonnamment moderne. Ce lyrisme de
l'impuissance, de la stérilité, de la blancheur, victime du préjugé romantique qui accorde à une œuvre de l'importance en fonction de son
caractère « personnel » — et la poésie de Desportes n'est pas une
confession ! —, devrait aujourd'hui séduire.

3) Enfin, sur la question des origines littéraires du baroque français,
de ses limites chronologiques, de sa définition, notre travail apportera
peut-être quelques éléments de réponse. Le Baroque littéraire est né,
en France, du néo-pétrarquisme triomphant de 1570, il lui emprunte
ses thèmes, ses symboles, ses images, ses formes. Il va jusqu'au bout
des schémas néo-pétrarquistes, auxquels il insuffle une énergie nouvelle,
et un sens nouveau.

Quant aux limites couramment admises — 1550-1650 — elles
nous paraissent trop larges. Si l'on admet l'origine néo-pétrarquiste du
Baroque, il va de soi qu'il ne saurait commencer avant 1570 — date
de l'invasion néo-pétrarquiste en France. D'autre part, le lyrisme de
1620 nous paraît très éloigné du Baroque, et par ses thèmes et par
l'expression. Il nous semble raisonnable d'admettre la période 1570-1600
pour la seule période baroque en France. Ou alors, le baroquisme serait
autre chose qu'un phénomène historique : un « esprit » éternel, un stade
d'évolution des formes, un « style », etc. Ce n'est pas notre avis.

C'est poser, par conséquent, la question de la nature du Baroque.
Pour nous, le Baroque est, dans l'art, lié à la conscience tragique du
monde, il est la manifestation d'une situation difficile, voire impossible :
d'un côté la vision d'un monde qui ne peut retrouver son assiette, et a
perdu le sens de l'unité, de l'autre la recherche passionnée et problé-
matique de la permanence et de l'unité ; la transcendance (Dieu, Nature
ou Homme) est présente dans le conflit, absente pourtant : c'est cette
présence-absente, ou cette absence-présente, comme on voudra, qui
désigne le Baroque. Sponde est baroque, qui, du sein de l'incohérence
et du trouble, réclame avec insistance un point fixe, une assiette ;
Montaigne est baroque (sa transcendance ne s'appelle plus Dieu, comme
pour Sponde ou d'Aubigné ou Chassignet, mais Nature), lui qui est en
quête d'une « forme », c'est-à-dire d'une essence soustraite au devenir.
Ni E. Durand, ni Vauquelin des Yveteaux, ni Théophile ou Saint-Amant
ne sont baroques, qui célèbrent dans l'ivresse l'inconstance et le change.
Y aurait-il deux Baroques, comme le laisse entendre J. Rousset, un
baroque noir, un baroque blanc ? Pour nous, le Baroque noir est le
seul véritable ; il n'y a pas de Baroque heureux...

BIBLIOGRAPHIE

I. Auteurs du XVIe siècle, recueils collectifs, anthologies

A. *Auteurs du* XVIe *siècle*

Aubigné (Théodore Agrippa d') :
— *Le Printemps, l'Hécatombe à Diane*, éd. B. Gagnebin, Lille-Genève,
Droz, 1948 (TLF).
— *Le Printemps, Stances et Odes*, introduction F. Desonay, Lille-
Genève, Droz, 1952 (TLF).
— *Le Printemps, l'Hécatombe à Diane et les Stances*, éd. comm. par
H. Weber, PUF, 1960.
Etudes :
Guillaume (A.), *Le Printemps du sieur d'Aubigné*, N.R. crit. XVII
(1933), pp. 1-16.
Raymond (M.), *Réflexions sur les poésies d'amour d'A. d'A.*, Mél.
Lefranc, 1936, pp. 436-449.
Griffin (R.), *A. d'A's le Printemps and early French baroque poetry*,
Symposium, 1965, Fall.
Dominisk (L.), A. d'A. : *a critical analysis of l'Hécatombe*, Diss.
Abstracts, 26, 1966 (4655-6).
Muchembled (R.), *Images obsédantes et idées-forces dans le Printemps
d'A. d'A. (1552-1630). Essai d'interprétation d'une psychologie au*
XVIe *s.*, Rev. Nord, L, 1968, n° 197, pp. 213-242.
Weber (H.), *Structure de quelques poèmes d'A. d'A.*, in *Actes de la
3e session des Journées internationales du Baroque*, Montauban, 1969.

Beaujeu (Christofle de) :
— *Les Amours de C. de B.*, Paris, 1589, in-12 (B.N. Rés. Ye 531).
Etudes :
Goujet, XIII, 297-303.

Bernier de la Brousse (Joachim) :
— *Les Euvres Poëtiques du sieur B. de la B.*, Poitiers, 1618, in-12 (B.N.
Rés. Ye 2108).
Etudes :
La Vallière, I, 447-487.

Béroalde de Verville (François Brouard dit) :
— *Les Souspirs amoureux*, Paris, 1583, in-12 (B.N. Rés. R 2716-18).
Etudes :
V. L. Saulnier, *Etude sur B. de V.*, B.H.R., V. 1944 ; *Anthologie poétique
de B. de V.*, Paris, Haumont, 1945.

Pallister (J. L.), *Béroalde de Verville, Stances de la Mort and Souspirs amoureux,* Nottingham, French Studies, 1970.

BERTAUT (Jean) :
— *Les Œuvres Poétiques de J. B.,* publ. d'après l'éd. de 1620 par Chenevière, Paris, 1891 (Bibl. elzévirienne).
— *Recueil de quelques vers amoureux,* éd. crit. par L. Terreaux, S.T.F.M., Didier, 1970.
Etudes :
Goujet, XIV, 149-165.
Sainte-Beuve, *Tableau de la littérature française au* XVI⁰ *s.,* Paris, 1843, pp. 557-576.
Grente (G.), *J. Bertaut abbé d'Aunay,* Lecoffre, 1903 (thèse) ; *Un précurseur de Lamartine au début du* XVII⁰ *s.,* Bull. de la Société de l'Orne, XXIX (1910), 231-57.

BINET (Claude) :
— *Diverses Poésies,* in *Les Œuvres de J. de la Péruse,* Paris, 1573 (B.N. Rés. p. Ye 295).
— *Les plaisirs de la vie rustique et solitaire,* Paris, 1583 (B.N. Rés. Ye 1836-39).

BIRAGUE (Flaminio de) :
— *Les Premières Œuvres Poëtiques,* Paris, 1585 (B.N. Rés. Ye 1883 in-12).

BLANCHON (Joachim) :
— *Les Premières Œuvres Poétiques de J. B.,* Paris, 1583, in-12 (B.N. Rés. p. Ye 177).
Etudes :
Goujet, XIII, 164-173.
Yan Kilpennec, *Voyages d'un bibliophile,* R. Bretagne, XXVII (1903), 249-260.
Ducourtieux, *Le poète J. B. de Limoges,* Limoges, 1923.

BOTON (Pierre) :
— *La Camille de P. B. Masconnois. Ensemble les resveries et discours d'un amant désespéré,* Paris, Ruelle, 1573, in-8° (B.N. Ye 12.416).
Etudes :
Goujet, XII, 402-406.

BOUCHET D'AMBILLOU (René) :
— *Sidère. Plus les Amours de Sidère, de Pasithée, et autres poésies du mesme autheur,* Paris, 1609 (B.N. Ye 7505).

BOYSSIÈRES (Jean de) :
— *Les Premieres Œuvres Poetiques,* Paris, 1578, in-12 (B.N. Rés. Ye 3618).
Etudes :
Lachèvre, *J. de B. de Montferrand,* in *Glanes bibliogr. et litt.,* 1929, 8-23.

BRACH (Pierre de) :
— *Œuvres Poétiques,* éd. R. Dezeimeris, Paris, Aubry, 1861 (2 vol. in-4° contenant des inédits).
Etudes :
Dezeimeris (R.), *Notice sur P. de Brach,* P., 1858, XXIV-134 p.
Dawkins (J.), *P. de Brach,* French Studies, VII, 1968, fasc. 1, 216 ; *La formation et l'œuvre d'un poète bordelais de la seconde moitié du* XVI⁰ *siècle, P. de Brach,* Nottingham, 1968 (thèse) ; Edition critique avec introd. et notes des *Amours d'Aymée,* TLF, Droz-Minard, 1971.

BRETIN (Filbert) :
— *Poesies amoureuses reduittes en forme d'un discours de la nature d'amour. Plus les Meslanges*, Lyon, 1576 (B.N. Rés. Ye 1670).
Etudes :
Goujet, XII, 364-70.

CERTON (Salomon) :
— *Vers léipogrammes*, Sedan, 1620, in-12 (B.N. Ye 7580).
Etudes :
Droz (E.), *S. C. et ses amis*, H.R. VI (1937), 179-197.

CALIGNON (SOFFREY de) :
— *Vie et poésies de S. de C.*, p.p. le Comte Douglas, Grenoble, 1874 (B.N. LK² 3286, in-4°).

CORNU (Pierre de) :
— *Les Œuvres Poétiques*, Lyon, 1583, rééd. Blanchemain, 1870 (B.N. Rés. Ye 3772, in-12).
Etudes :
Goujet, XIV, 318-320.
Vallier, *Bull. soc. archéol. Drôme*, XV (1881).
Reure (abbé), *P. de C., Bull. diana*, XIV (1904-1905).

COTEL (Antoine de) :
— *Le Premier Livre des Mignardes et Gayes Poésies*, Paris, 1578 (B.N. Rés. Ye 596-597).

COURTIN DE CISSÉ (Jacques) :
— *Les Euvres Poetiques de J. de C.*, Paris, 1581, in-12 (B.N. Rés. Ye 1919-1920).
Etudes :
Goujet, XII, 301-307.

DEBASTE (Nicolas) :
— *Les Passions d'amour*, Rouen, 1586 (B.N. Rés. Ye 3795, in-12).
Etudes :
Merlet (L.), *Bibl. Chartraine*, Orléans, 1882, 112-113 ; *Poètes beaucerons antérieurs au XIXᵉ s.*, Chartres, 1894, I, 87-96.
Gillard, *N. D., Mém. Eur-et-Loir*, XVI, 119-142.

DEIMIER (Pierre de) :
— *Les Premières Œuvres du sieur Deimier consacrées à la Gloire*, Lyon, 1600 (B.N. Rés. Ye 294, in-12).
Etudes :
Barjavel, *Deimier, Dict. hist. de Vaucluse*, I, Carpentras, 1841, 420.
Colotte, *P. de D., Prov. hist.*, 1952, 133-152, 1953, 33-57 ; *Malherbe et D.*, IVᵉ centenaire de la naissance de Malherbe, 1955, 77-88.

DESPORTES (Philippe) :
— *Œuvres*, éd. Michiels, *Bibl. gauloise*, 1968.
— *Les Amours de Diane*, éd. Graham, Droz-Minard, 1959, 2 vol.
— *Les Amours d'Hippolyte*, éd. Graham, 1960.
— *Elégies*, éd. Graham, 1961.
— *Cléonice*, éd. Graham, 1962.
— *Les Diverses Amours*, éd. Graham, 1963.
Etudes :
Lavaud (J.), *Un poète de cour au temps des derniers Valois, Ph. Desportes*, Droz, 1946 (thèse).
Faisant (C.), *Les relations de Ronsard et de Desportes*, B.H.R., XXVIII, 1966, 323-353.
Morrisson (N.), *Ronsard and Desportes, ibid.*, 294-322.

DESROCHES (Madeleine et Catherine) :
— *Les Œuvres de Mes-dames Des Roches*, Paris, 1578.
Etudes :
Goujet, *Les dames des Roches mère et fille*, XIII, 256-65.
Diller (G. E.), *Les dames des Roches, étude sur la vie littéraire à Poitiers*, Paris, 1906 (206 p.).

DU MAS :
— *Lydie fable champestre... Les Œuvres Meslées du sieur du Mas*, Paris, 1609 (B.N. Rés. Ye 3933-3934, in-12).

DU PERRON (Jacques Davy) :
— *Les Diverses Œuvres de l'illustrissime Cardinal du Perron*, Paris, 1622, in-4° (B.N. Z 1756 in fol.).
Etudes :
Tallement des Réaux, *Historiettes*, Pléiade I, 65-68.
Goujet, XIV, 289-294.
Cart (A.), *La poésie française au* XVIIᵉ *s.* (1594-1630), Paris, S.d. (1937), 37-39.
Lebègue (R.), *La poésie française* (1560-1630), I, 179-187.
Kibédi-Varga (A.), *Enfin du Perron vint...*, RHLF, LXVII (1967), I-17.

DURAND (Estienne) :
— *Méditations d'Estienne Durand*, Paris, 1611.
— *Le Livre d'Amour d'E. Durand*, éd. Lachèvre, Paris, 1906 (Bibl. Univ. de Paris, LF, in-4° P 48}.
Etudes :
Lachèvre, *E. D.*, Paris, 1905 (et l'introd. à l'éd. cit.).
Tardieu (J.), *E. D. poète supplicié*, in *Le Préclassicisme*, Cahiers du Sud, 1952, 189-195.
Kibédi-Varga (A.), *Un poète oublié du* XVIIᵉ *s., E. D.*, *Néophilol.*, XXXIX (1955), 249-57.
Pizzorusso (A.), *Sulla poesia di E. D.*, « Letteratura », 19-20, janv.-avr. 1956.

DURANT (Gilles, sieur de la Bergerie) :
— *Imitations tirées du latin... Avec autres Gayetez amoureuses*, Paris, 1587 (B.N. Rés. p. Yc 1034-I).
— *Amours et Meslanges poetiques de l'invention de l'autheur*, Paris, 1588 (B.N. Yc 8076-77).
— *Les Œuvres poetiques du sieur de la Bergerie*, Paris, 1594 (Arsenal 8°B. 8954 Rés.).
Etudes :
Goujet, XIV, 229-235.
Allais, *Malherbe et la Poésie française*, 1891, 80-88.

DU RYER (Isaac) :
— *Le Temps Perdu*, 3ᵉ éd. 1610 (B.N. Ye 7504).

DU SABLE (Guillaume) :
— *La Muse Chasseresse*, Paris, 1611, p.p. Lacroix, 1883 (Slatkine Reprints).

DU SOUHAIT (Guillaume) :
— *Les Œuvres de Du Souhait gentilhomme champenois*, Paris, 1599.
— *Beauté et Amour, pastorelle*, Lyon, 1599.
— *Les Divers Souhaits d'Amour*, Paris, 1599 (B.N. Rés. p. Ye 340).

ENOC (Pierre, sieur de la Meschinière) :
— *La Ceocyre*, Lyon, 1578, in-4° (Arsenal 4°B. L 2902).

EXPILLY DE LA POËPE (Claude) :
— *Les Poèmes*, Paris, 1596 (B.N. Rés. p. Ye 174, in-4°). Autre édition à Grenoble en 1624.
Etudes :
Goujet, XV, 380-401.

GAMON (Christofle de) :
— *Les Pescheries*, Lyon, 1599 (B.N. Ye 7582).
— *Le Jardinet de poésie*, Lyon, 1600 (B.N. Ye 7583).

GODARD (Jean) :
— *Les Primices de la Flore de J. G.*, Paris, 1587 (Arsenal 8°B. L 8928 Rés.).
— *Les Œuvres de J. G.*, Lyon, 1594 (B.N. Rés. Ye 2109, 2 vol. in-8°).
Etudes :
Goujet, XV, 245-256.
Claus (F.), *J. G. Leben und Werke*, Greisfswald, 1913.

GRISEL (Jehan) :
— *Les Premières Œuvres Poétiques de Jehan Grisel Rovennois*, Rouen, 1599 (B.N. Rés. Ye 2016, in-8°).

GUY DE TOURS (Michel Guy dit) :
— *Les Premières Œuvres et Souspirs amoureux*, Paris, 1598, in-12 (B.N. Rés. Ye 2015). Rééd. partielle par Blanchemain, L. Willem, 1878.
Etudes :
Goujet, XIII, 421-428.
Allais, *Malherbe et la poésie fr.*, pp. 315-sq.
Hutton (J.), *M. G. de T., Some sources and literary methods*, Mod. Lang. Notes, LVIII (1943), 431-441.

HABERT (Isaac) :
— *Les Œuvres Poétiques*, Paris, 1582 (B.N. Rés. Ye 1021, in-4°).
— *Les Trois Livres des Meteores* (Seconde Partie : *Les Amours*), Paris, 1585 (B.N. Rés. Ye 1924).

HOPIL (Claude) :
— *Meslange de poésie*, Paris, 1603 (B.N. Rés. Ye 2700-2701).
Etudes :
Goujet, XV, 210-212.

JAMYN (Amadis) :
— *Les Œuvres Poetiques revuës corrigees et augmentees en ceste derniere impression*, Paris, 1579 (B.N. Rés. Ye 1876).
Etudes :
Goujet, XIII, 225-232.
Graur (Th.), *Un disciple de Ronsard, A. Jamyn*, Champion, 1929 (thèse).
Camo (P.), *La poésie amoureuse d'A. Jamyn*, Ronsard, 15 déc. 1947.

LA JESSÉE (ou LA GESSÉE) (Jean de) :
— *Les Premières Œuvres Françoises*, Anvers, 1583 (B.N. Rés. Ye 486-487, 2 vol. in-4°).
Etudes :
Goujet, XIII, 174-195.

LA ROQUE (Siméon-Guillaume de) :
— *Les Œuvres*, Paris, 1609 (B.N. Ye 25-588, in-16).
Etudes :
Goujet, XIII, 428-435.
Allais, *Malherbe et la poésie française...*, 189-194.
Fromilhague (R.), *Vie de Malherbe*, 1954, 74-82.

Perkins (J. G., *Siméon la Roque* (*sic*) *poète de l'absence*, Paris, Nizet, 1967.

LA TAILLE (Jacques et Jean de) :
— *Les Œuvres Poétiques de Jacques et Jean de la Taille*, Paris, 1598.
Etudes :
Baguenault de Puchesse, *Etude biogr. et litt.*, Orléans, 1899.
Daley (T. A.), *Jean de la Taille* (thèse), 1934.

LE LOYER (Pierre) :
— *Les Œuvres et Meslanges Poétiques...*, Paris, 1579 (B.N. Rés. p. Ye 146, in-12).
Etudes :
Arbault de la Haute-Chambre, *P. le L., Prov. Anjou*, IV, 1929, 260-5.
Willey (W. L.), *P. le Loyer's version of the Ars Amatoria, Rom. R.*, XXV (1934), 118-126 ; *P. le Loyer* (thèse), Univ. N.-Carolina, 1941.

LINGENDES (Jean de) :
— *Les Changemens de la Bergere Iris*, Paris, 1605.
— *Œuvres Poétiques*, éd. Griffiths, Manchester, 1916, in-12.
Etudes :
Goujet, XIV, 286-289.
Larbaud (V.), *Notes inédites sur le poète moulinois J. de L., Bull. soc. Bourbonnais*, 1927, 199-207 ; *Notes sur Heröet et L.*, 1927 ; *J. de L.*, in *Ce vice impuni la lecture*, t. VII, Gallimard, 1953, 141-165.

MALHERBE (François) :
— *Œuvres Poétiques*, éd. Fromilhague-Lebègue, *Les Belles-Lettres*, 1968, 2 vol.
Etudes :
Fromilhague (R.), *La vie de Malherbe* (1555-1610), P., A. Colin, 1954 ; *Malherbe technique et création poétique*, P., A. Colin, 1954 (thèse).
Parmi toutes les études consacrées à Malherbe, citons seulement celles qui concernent sa poésie amoureuse ; outre Allais, *Malherbe et la poésie fr., op. cit.*, et Lebègue, *La poésie française* (1560-1630), *op. cit.*, voir P. Ciuraneu, *L'Italianismo di Malherbe*, Genova, 1962 (notamment chap. II, 57-92, *M.e il petrarchismo*) et, *ibid.*, la bibliogr.

MOTIN (Pierre) :
— *Œuvres inédites*, p.p. P. d'Estrées, *C. du Bibliophile*, 1882.
Etudes :
Goujet, XIV, 218-221.
Lachèvre, I, 265-68 ; III, 458-9.
Rudmose-Brown (T. B.), *A french precieux lyrist of the early XVII century, P.M., Sev. cent. Studies*, Oxford, 1938 (33-46).

NUYSEMENT (Clovis HESTEAU de) :
— *Les Œuvres Poetiques*, Paris, 1578 (B.N. Rés. Ye 612, in-4°).
Etudes :
Goujet, XIII, 201-206.
Kirsop (Wallace), *C. Hesteau de Nuysement* (thèse dactyl.).

PAPILLON (Marc de, sieur de Lasphrise) :
— *Les Premieres oeuvres Poétiques du Capitaine Lasphrise*, éd. rev. et augm., 1599 (B.N. Rés. Ye 2018, in-12).
Etudes :
Goujet, XV, 14-21.
Blanchemain, *Poètes et amoureuses au XVIᵉ s.*, 1887.
Coulon (M.), *Un grand poète inconnu, M. de P.*, Merc., 1932, 297-323.

PASQUIER (Estienne) :
— *La Jeunesse d'Estienne Pasquier et sa suite*, Paris, 1610 (B N. Z 19.831).
(Nombreuses études, mais aucune ne concerne la poésie amoureuse.)

PONTOUX (Claude de) :
— *Les Œuvres de Claude Pontoux chalonnois*, Lyon, 1578 (B.N. Rés. Ye 1845, in-12).
Etudes :
Niceron, *C. de P., Mém.*, XXXIV, 1736, 254-63.
Cioranesco (A.), *C. de P. imitateur de l'Arioste, R.L.C.*, XVI (1936), 521-530.

RAPIN (Nicolas) :
— *Les Œuvres latines et françaises*, Paris, 1610.
Etudes :
Goujet, XIV, 119-133.

ROMIEU (Jacques de) :
— *Les Meslanges*, Paris, 1584 (Rés. Ye 1878, in-12).

ROMIEU (Marie de) :
— *Les Premieres Œuvres Poetiques*, Paris, 1581 (B.N. Rés. Ye 1877).
Rééd. p. P. Blanchemain au Cab. du Bibliophile, 1878 (B.N. Rés. 8° Z 606 (23), in-16).
Etudes :
Le Sourd, *Recherches sur J. et M. de Romieu, poètes vivarais*, Villefranche, 1934.

SAINTE-MARTHE (Scévole de) :
— *Les Premières Œuvres Poétiques*, Paris, 1569.
— *Les Œuvres de S. de S.-M.*, Paris, 1579 (B.N. Ye 1098).
Etudes :
Feugère (L.), *Etude sur S.-M.*, Paris, 1853.
Farmer (A.-J.), *Les Œuvres fr. de S.-M.*, Toulouse, 1920.
Plattard (J.), *La vie et l'œuvre de S. de S.-M.*, Bull. soc. Ouest, VI, 1922-24, 531-34.

SPONDE (Jean de) :
— *Poésies*, éd. Boasc-Ruchon, Cailler, Genève, 1949.
Etudes :
Poésies de Sponde, essais de Ruchon (F.) et Boase (A.), Cailler, Genève, 1949.
Natoli (Glauco), *La poésie amoureuse et religieuse de S.*, in *Figure e problemi della cultura francese*, G. d'Anna, Messina-Firenze, 1956, 83-115.
Brunelli (Giuseppe A.), *J. de S.*, Catania, *Univ. Catania, Fac. di Lett. e Filosofia*, 23 p.
Koerber (C.), *Le rôle de la constance dans les sonnets d'amour de J. de S., Mod. lang. Notes*, LXXX, 575-83.
Terence C. Cave, *The love sonnets of J. de S., a reconsideration, Forum for Mod. Language, Studies III*, 1967, fasc. I, 49-60.
Durand (L. G.), *Sponde and Donne... Comparative Literature*, XXI (1969), pp. 319-33.

TRELLON ou TRELON (Claude de) :
— *Les Œuvres du sieur de Trellon*, Lyon, 1595 (*Le Cavalier Parfaict, les Am. de Silvie, les Am. de Felice, Meslanges*) (B.N. Rés. Ye 2011, in-12).
Etudes :
Gourcuff (O. de), *C. de T., R. Ren.*, II, 1902 (237-280), III (17-24).

VAUQUELIN DES YVETEAUX (Nicolas) :
— *Œuvres Complètes*, éd. Mongredien, Paris, 1921 (Slatkine Reprints).
Etudes :
Mongrédien (G.), *Etude sur la vie et l'œuvre de N. Vauquelin des Yveteaux*, Paris, 1921.

VIRBLUNEAU (SCALION de) :
— *Les Loyalles et Pudiques Amours*, Paris, 1599 (B.N. Rés. Ye 2020, in-12).
Etudes :
Gautier (Th.), *Scalion de Virbluneau, France litt.*, XI (1834), 379-399.

B. *Recueils collectifs*

Nous ne citons ici que les Recueils collectifs auxquels renvoient nos notes. Pour un dépouillement systématique, voir Lachèvre (*bibl. cit.*, II.A).
— *Les Muses Ralliées...* (1599), B.N. Rés. Ye 2738-39.
— *Les Muses Ralliées...* (1606), B.N. Rés. Ye 2742.
— *L'Academie des Poëtes François* (1599), Ars. 8° B.L. 9918.
— *Les Fleurs des plus excellens poëtes...* (1599), Ars. 8° B. 9916 Rés.
— *Les Muses Gaillardes* (1609), B.N. Rés. Ye 2744.
— *Le Temple d'Apollon* (1611), Ars. 8° B.L. 9965 [1-2].
— *Les Delices de la poésie françoise* (1615), Ars. 8° B.L. 9961 Rés.
— *Les Delices de la poésie françoise* (1618), B.N. Ye 11443, in-8°.
— *Les Delices de la poésie françoise* (1620), B.N. Ye 11446-7 (2 vol. in-8°).

C. *Anthologies récentes*

— *Baroques et classiques*, choix d'A. Blanchard, I.A.C., 1947.
— *Poètes du XVIe siècle*, texte établi et présenté par A.-M. Schmidt, Bibl. de la Pléiade, Gallimard, 1953.
— *L'Amour Noir*, poèmes baroques recueillis par A.-M. Schmidt, éd. du Rocher, Monaco, 1959.
— *Anthologie de la poésie baroque française*, textes choisis et présentés par J. Rousset, A. Colin, 1961 (rééd. 1968).
— *La poesia lirica in Francia nel secolo XVI*, textes choisis par M. Richter, Istitute editoriale cisalpino, Milano, 1971.

II. RÉFÉRENCES BIBLIOGRAPHIQUES ET CRITIQUES

A. *Bibliographies*

CIORANESCO (A.), SAULNIER (V. L.), *Bibliographie de la littérature française au XVIe siècle*, P., Klincksieck, 1959.

CIORANESCO (A.), *Bibliographie de la littérature française du XVIIe siècle*, éd. du C.N.R.S., 1965-1967, 3 vol.

LACHÈVRE (F.), *Bibliographie des recueils collectifs de poésie, XVIe siècle*, P., Champion, 1922, in-4°. — *Bibliographie des recueils collectifs publiés de 1597 à 1600*, P., Leclerc, 1901-1922, 5 vol. in-4°, t. I, 1597-1635.

RAYMOND (M.), *Bibliographie critique de Ronsard en France*, P., Champion, 1927, in-8°.

TCHEMERZINE (A.), *Bibliographie d'éditions originales et rares d'Auteurs fran-çais des* XVe, XVIe, XVIIe *et* XVIIIe *s.*, P., Marcel Plee, 1927, in 8°.

B. *Travaux d'ensemble*

Pétrarquisme :

VIANEY (J.), *Le Pétrarquisme en France au* XVIe *siècle*, Montpellier, Coulet, 1909.

HAUVETTE (H.), *Les Poésies lyriques des pétrarquistes*, in *R.L.C.*, 1933.

MEOZZI (A.), *Il petrarchismo europeo. Secolo XVI*, Parte I, Pisa, Vallerini, 1934.

FRANCON (M.), *Sur l'influence de Pétrarque en France aux* XVe *et* XVIe *s.*, in « Italica », XIX, 1942.

CALCATERRA (E.), *Petrarca e il petrarchismo*, in *Questioni o correnti di storia letteraria*, Marzorati, Milano, 1949.

RIZZA (C.), *L'influenza italiana sulla lirica francese del primo Seicento, Studi Francesi*, 2, 1957, 264-70 ; 3, 432-36. — *Tradizione francese e influenza italiana nella lirica francese del primo Seicento, Lettere italiane*, X, 4, 431-54. — *Persistance et transformation de l'influence italienne dans la poésie lyrique française de la première moitié du* XVIIe *s.*, in *XVIIe siècle*, 1965, n° 66-67, 22-42.

REYNOLDS (B.), THORPE (L.), *Ancora sulla fortuna del Petrarca nella Francia del secolo XVI, Studi Francesi*, 14, 1961, 63-71.

Platonisme :

FESTUGIERE (J.), *La philosophie de l'amour de Marsile Ficin et son influence sur la littérature française au* XVIe *s.*, Rev. da Univ. Coimbra, 1923, t. VII.

MONCH (W.), *Die Italienische Platonrenaissance und ihre Bedeutung für Frankreichs Literatur und Geistergeschichte, Rom. Studien*, 1936.

MERRILL (R. V.) with CLEMENTS (R. J.), *Platonism in French Renaissance poetry*, N.Y. Univ. Press, 1957.

WEBER (H.), *Platonisme et sensualité dans la poésie amoureuse de la Pléiade*, in *Lumières de la Pléiade*, Vrin, 1966.

Mythologie :

SEZNEC (J.), *La survivance des dieux antiques. Essai sur le rôle de la tradition mythologique dans l'humanisme et l'art de la Renaissance*, London, 1940.

Baroque littéraire :

Parmi toutes les études consacrées au Baroque et à ses rapports avec la littérature, nous ne pouvons citer ici qu'un petit nombre de références : celles qui nous ont paru éclairer directement notre propos.

WÖLFFLIN (H.), *Principes fondamentaux de l'histoire de l'art*, 1915, trad. franç. par C. et M. Raymond, Plon, 1952. Bien que l'ouvrage soit consacré au Baroque dans les beaux-arts, nous le citons parce qu'il est à l'origine de la définition d'un baroque littéraire, notamment chez M. Raymond.

KOLHER (P.), *Lettres de France, Périodes et problèmes*, chap. II : « Le Classicisme français et le problème du Baroque », Lausanne, 1943.

CHASTEL (A.), *Sur le Baroque français*, in *Trois Etudes sur le* XVI⁰ *s.*, éd. Nelle France, 1944.

RAYMOND (M.), *Baroquisme et Littérature*, in *La Profondeur et le Rythme, Cahiers du Coll. philos.*, P., Arthaud, 1948.

DESONAY (F.), *Baroques et Baroquisme*, *B.H.R.*, 1949 (XI), 248-59.

REVUE DES SCIENCES HUMAINES (juillet-déc. 1949), numéro spécial sur le Baroque (A. Adam, A. Boase, A. Chastel, R. Lebègue, M. Raymond, V.-L. Tapié).

DEDEYAN (C.), *Position littéraire du Baroque*, in *L'Information littéraire*, n° 4, 1950.

C.A.I.E.F., n° 1, juillet 1951 (P. Kolher, *Le Baroque et les lettres françaises* ; R. Lebègue, *La poésie baroque en France*).

LE PRÉCLASSICISME, numéro spécial des *Cahiers du Sud*, Marseille, 1952.

ROUSSET (J.), *La littérature de l'âge baroque en France*, Corti, 1953.

XVII⁰ SIÈCLE, revue n° 20, 1953.

RAYMOND (M.), *Préalable à l'examen du baroque littéraire français*, in *Baroque et Renaissance poétique*, Corti, 1955.

BUFFUM (I.), *Studies in the Baroque from Montaigne to Rotrou*, Yale U.P., 1957.

KIBÉDI-VARGA (A.), *A la recherche d'un style baroque dans la poésie française*, in *Style et littérature*, Van Goor Zonen, La Haye, 1962.

SIMONE (F.), TAPIÉ (V.-L.), ROUSSET (J.), de MOURGUES (O.), *Trois conférences sur le Baroque français*, Studi Francesi, sett. dic., 1963.

MOREL (J.), *L'intérêt méthodologique de la notion de Baroque littéraire*, in *Australian Journal of French Studies*, n° 1, 1964.

ROUSSET (J.), *L'Intérieur et l'Extérieur*, Corti, 1968.

MAUREL (M.), *Esquisse d'un Antéros baroque*, XVII⁰ siècle, 1969, nᵒˢ 84-85 (pp. 3-20).

ACTES DE LA 3ᵉ SESSION DES JOURNÉES INTERNATIONALES DU BAROQUE, Montauban, 1969.

Poésie amoureuse après Ronsard :

GOUJET (Abbé), *Bibliothèque françoise*, tomes XII-XV, 1748-1752.

ALLAIS (G.), *Malherbe et la poésie française à la fin du* XVI⁰ *siècle* (1585-1600), P., Thorin, 1891 (Slatkine Reprints).

RAYMOND (M.), *L'influence de Ronsard sur la poésie française* (1550-1585), Champion, 1927, 2 vol. in-8° (rééd. Droz 1965 en 1 vol.) (thèse).

LEBÈGUE (R.), *La poésie française de 1560 à 1630*, S.E.D.E.S., 1951, 2 vol. in-16.

ADAM (A.), *Histoire de la littérature française au* XVII⁰ *s.*, P. Domat, t. I, 1948.

WINEGARTEN (R.), *Franch lyric poetry in the age of Malherbe*, Manchester U.P., 1954.

WEBER (H.), *La Création poétique au* XVI⁰ *s. en France de M. Scève à A. d'Aubigné*, Nizet, 1956 (thèse).

WILSON (D. B.), *Descriptive poetry in France from blason to Baroque*, Manchester U.P., 1967.

INDEX DES NOMS

TABLE DES MATIÈRES